DER MÄRCHENPALAST

Für jeden Tag das schönste Märchen
aus 52 Sprachen

Herausgegeben von
Ulf Diederichs

Der Märchen Palast

Für jeden Tag das schönste Märchen aus 52 Sprachen

Mai – August

Mit Illustrationen von Lucia Probst

Weltbild

Besuchen Sie uns im Internet:
www.weltbild.de

Genehmigte Lizenzausgabe für Verlagsgruppe Weltbild GmbH,
Steinerne Furt, 86167 Augsburg

Illustrationen: Lucia Probst
Umschlaggestaltung: Studio Höpfner-Thoma, München
Gesamtherstellung: Media-Print Informationstechnologie GmbH,
Eggertsstraße 28, 33100 Paderborn
Printed in Germany
ISBN 3-8289-7159-8

2005 2004 2003 2002
Die letzte Jahreszahl gibt
die aktuelle Lizenzausgabe an.

Inhalt des Zweiten Buches

Mai

Die Märchen der Katalanen,
Spanier, Basken, Galicier,
Portugiesen und sephardischen Juden

Juni
Die Märchen der Malteser, Sarden, Sizilianer und Italiener

Juli

Die Märchen der Slowenen,
Kroaten, Serben, Bosnier-Herzegowiner,
Mazedonier, Bulgaren und Albaner

August

Die Märchen der Griechen
(samt Kretern, Rhodiern, Zyprioten),
Stambuler Türken, Rumänen,
Roma und Sinti

Anhang

Der Monat Mai,

der die Märchen der Katalanen und Spanier,

der Basken,

der Galicier, der Portugiesen

und der sephardischen Juden

enthält

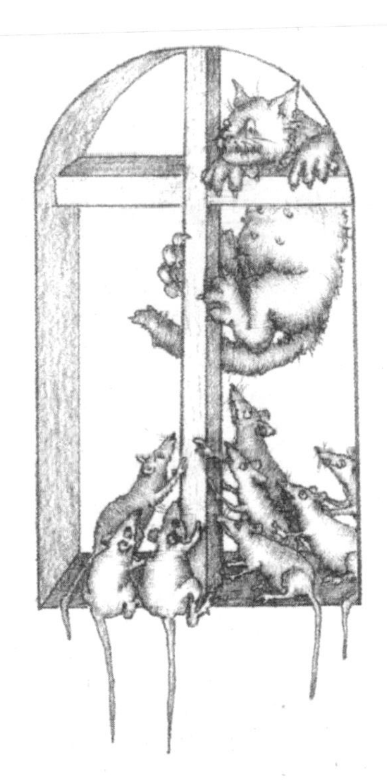

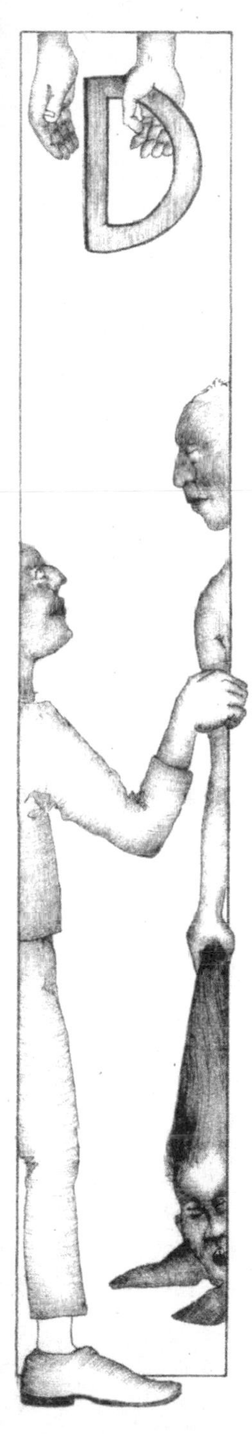

1. Mai – Der einhunderteinundzwanzigste Tag

Die Ratschläge des Königs Salomo

Da war ein Mann, den nannten sie Toniello. Er kannte keinen anderen Besitz als seine Frau, einen Sohn, den er ernähren mußte, seine eigenen neun Spannen für das Grab und seine Arme, die Arbeit verrichteten, so man ihnen welche gab. Und obschon er alles mögliche anfing und sich sputete, bekam er nur so viel, daß er gerade noch, aber gerade noch zu essen hatte. Schließlich wurde er es müde, immer Fasttag zu haben und die Haut seines Bauches auf den Rücken zu binden, wenn er ausging, und er kam mit seiner Frau zu dem Entschluß, zum König zu gehen und zu schauen, ob er ihn nicht als Diener nähme; denn auf diese Weise konnte man sich etwas zusammensparen, und sie würden im Alter einen Notgroschen haben. Die Frau sollte indessen sehen, wie sie ohne ihn zurechtkäme, oder von der Luft leben.

Er ging zum König, das war damals der Salomo, und der nahm ihn als Diener. Er leistete ihm recht gute Dienste, denn er war sehr anstellig und fröhlich, und jedermann fand Gefallen an ihm. Nachdem fünf Jahre vergangen waren, bekam er Sehnsucht nach seiner Frau und seinem Sohn und seinem Zuhause. Und so trat er eines Tages vor den König Salomo und sagte zu ihm: »Herr König, wenn Eure Königliche Majestät es mir nicht übelnehmen, so würde ich nun gern wieder nach Hause gehen, sind es doch nun fünf Jahre, daß ich nicht mehr dort gewesen bin und meine Frau nicht mehr gesehen habe und das Söhnchen, das ich zurückließ.« – »Ich finde, du hast ganz recht«, sagte der König, »wenn es mir auch gar nicht paßt, einen anderen Diener anstellen zu müssen, denn neue Gesichter behagen mir nicht sehr. Macht nichts! Geh zum Haushofmeister, rechne mit ihm ab, und er wird dich bezahlen.«

Sie rechneten ab, und der Sold für fünf Jahre belief sich auf dreitausend Pfund, die der Diener sich in Münzen auszahlen ließ. Nachdem sie der Mann in die Tasche gesteckt hatte, dachte er ein Weilchen nach und sagte zu sich: ›Nun soll ich von dem König

Salomo fortgehen, ohne ihn um einen Rat gefragt zu haben, wo sie doch aus aller Welt hierherkommen, um ihn darum zu bitten, da er so weise ist. Ich werde auch hingehen.‹

Gesagt getan; er ging zu ihm und sprach: »Herr König, ich wollte nur sehen, ob Eure Majestät mir auch einen Rat gibt, so wie all den anderen.« – »Kommt auf die Bezahlung an.« – »Und was soll er kosten?« – »Tausend Pfund.« – »Tausend Pfund? Wird bezahlt, aber nun raus damit!« – »Also, gib acht«, sprach Salomo, »verlasse niemals deinen Weg, auch wenn du einen neuen siehst.« Toniello blechte seine tausend Pfund und stieß sogleich nach: »Herr König, los, noch einen Rat!« – »Kommt auf die Bezahlung an.« – »Was soll es kosten?« – »Noch einmal tausend Pfund.« – »Also los!« – »Gib acht«, sprach Salomo, »misch dich nicht in die Angelegenheiten anderer, wenn du nicht darum gebeten wirst.« Toniello, fort mit Schaden, blechte noch einmal tausend Pfund und schluckte auch diesen: »Herr König, da die Haut ja schon dem Wolf gehört, bitte ich um noch einen Rat, und sollte ich auch gänzlich geschoren werden.« – »Da müßtest du die tausend Pfund lockermachen, die dir noch geblieben sind.« – »Hinweg mit ihnen«, sagte er, »und nun heraus mit einem anderen Rat!« Er gab ihm die tausend Pfund, die ihm noch geblieben waren, und Salomo sprach: »Nun gib acht, tue niemals eine Sache, bevor du sie dir nicht dreimal überlegt hast.«

Da rief Toniello: »Vor allem kann ich mich jetzt mit einem ganz leichten Geldbeutel auf den Weg machen und brauche keine Angst vor Dieben zu haben. Nichts für ungut, Herr König! Und wenn wir uns hier unten nicht mehr wiedersehen, so wohl sicher in der ewigen Herrlichkeit.« – »Amen«, sprach Salomo, »aber warte ein bißchen, denn ich möchte nicht, daß du ohne jede Entschädigung von hier fortgehst. Ich schenke dir eine Pastete, aber du darfst sie nicht anschneiden, ehe du nicht glaubst, daß dein glücklichster Tag gekommen sei.« Der König übergab ihm die Pastete, und der Mann nahm sie und brach sogleich auf, um nach Hause zu gehen.

Er ging und ging, und unterwegs gesellte sich ein Mann zu ihm, der ihm erzählte, daß er Panello heiße, daß er die Mitgift seiner Frau geholt habe, fünfhundert Pfund im ganzen, die ihm nun ganz schön Beine machten. Sie kamen zu einer Abkürzung, und Panello sagte zu ihm: »Warum sollen wir sie nicht einschlagen, nachdem wir sie schon gefunden haben? So kommen wir doch ein schönes Stück weiter.« Da blieb Toniello stehen und dachte: ›Salomo hat mir den Rat gegeben, niemals meinen Weg zu verlassen, auch wenn ich einen neuen sehe; und dafür habe ich tausend Pfund bezahlt wie einer, der sich's leisten kann. Und nun soll ich mich nicht daran halten? Niemals!‹ – »Nun sieh«, sagte er zu Panello, »ich gehe nicht diese Abkürzung, sondern bleibe auf meinem Weg.« – »Du bist mir

vielleicht ein Einfaltspinsel!« erwiderte der andere. »Macht nichts, wenn du nicht mitgehen willst, dann warte ich eben am anderen Ende der Abkürzung auf dich.« – »Also bis nachher, und Gott behüte dich!«
Panello sagte nicht einmal »Amen« darauf, so vernarrt war er in seine Abkürzung, und lief eiligst los. Und Toniello ging auf der Straße, trip-trap, trip-trap, und schaute und schaute nach vorne, ob der Panello nicht bald in der Ferne auftauchte, der am Straßenrand auf ihn warten wollte.
Nach einer Stunde kam er zu einem Kiesweg, der ihm das andere Ende der Abkürzung zu sein schien, aber sein Gefährte stand nicht dort. Er wartete ein Weilchen, um zu sehen, ob dieser nicht bald auftauchen würde; aber nichts, weder schwarz noch weiß. ›Ob ihm am Ende etwas zugestoßen ist?‹ dachte er. Um der Sache auf den Grund zu gehen, schlug er den Weg ein. Nach einer Weile hörte er plötzlich schreckliches Wehgeschrei und Gejammer und Gefluche, und da tauchte auch schon Panello auf, der von einer Seite zur anderen torkelte. »Ja, was ist denn geschehen?« fragte er ihn schon von weitem, »was bringst denn du für Neuigkeiten?«
»Ach, ach, ach!« jammerte der andere. »Ich bin tot und erledigt. Mich muß wohl der... geritten haben, zu der Stunde, da ich die Straße wegen dieser Abkürzung verlassen habe!... das ganze Leben verpfuscht und verdorben!« – »Aber, was ist denn geschehen?« fragte Toniello.
»Was wird schon geschehen sein?« entgegnete der andere. »Ein Mann ist mir in die Quere gekommen, mit einem sauberen Stock, ganz ohne Äste; und bevor ich ihn noch nach Neuigkeiten fragen und irgend etwas sagen konnte, hat er sich auch schon darangemacht, mir mit jenem Stock das Fell zu gerben; und er hat mir mehr Schläge verpaßt, als man dem Esel eines Holzfällers verabreichen würde. Und wegen meiner Beine, die nicht so flink waren wie die seinen, konnte ich mich nicht in Sicherheit bringen. Ich kann dir versichern, daß ich mit den Fersen meine Hinterbacken schlug, bis er mich schließlich doch einholte und festhielt; und er brüllte immerfort: »Ah, du Riesenlaus! Um wieviel näher muß doch dieser Weg sein, daß man sogar Wetten deswegen abschließt und hier durchgeht? Und ihr müßt daherkommen und mir mein Land zertreten und neue Wege machen, nur um ein paar Schritte zu sparen. Der Teufel soll mich holen, wenn ich es nicht dazu bringe, daß euch die Lust vergeht, hier durchzumarschieren!«
»Wird wohl der Besitzer dieser Gegend gewesen sein«, sagte Toniello. »Und ob er es war! Mein Rückgrat weiß es bereits, und auch die Rippen und der Nacken und die Hinterbacken können es bestätigen!« – »Und hat er dich verletzt?« – »Verletzt? Zermalmt hat er mich! Ich weiß überhaupt nicht, wie ich ihm entkom-

men bin. Es muß wohl sein, daß Gott es so gewollt hat und nichts anders. Und das ist noch nicht einmal das Allerschlimmste!« – »Was sagst du da«, rief Toniello, »sind dir etwa noch andere, noch ärgere Dinge zugestoßen?«
»Jawohl«, erwiderte Panello. »Stell dir vor, kaum war ich diesem Teufel entkommen und an die sechs Dutzend Schritte gelaufen, da – zack! sprangen hinter einem Sandhaufen zwei Banditen hervor, zeigten mit einem Schießeisen auf meine Brust und riefen: ›Geld oder Leben!‹ Ich mußte also die Mitgift meiner Frau hervorholen, fünfhundert Pfund, und hatte keine andere Wahl, als sie ihnen in den Rachen zu werfen, sonst hätte ich wohl das Leben ausgehaucht…«
Und hierauf begann Panello abermals zu fluchen und zu wünschen, daß der Blitzschlag, die Pest oder die Fallsucht jene Stunde heimsuchen möge, in der er jene Abkürzung eingeschlagen hatte. Aber davon vergingen weder die Schläge und deren Spuren auf den Rippen, dem Rückgrat, dem Nacken und den Hinterbacken, noch brachte es die fünfhundert Pfund zurück. Und Toniello sagte sich immerfort: ›Hundert- und aber hunderttausend Schwadronen von besoffenen Teufeln! Was wäre aus meinem Rücken und den dreitausend Pfund geworden, wenn mir Salomo nicht jenen Rat gegeben und ich ihn nicht befolgt hätte? Es ist schon wahr: Die hat der König Salomo. Ich aber habe seine Ratschläge und einen gesunden Rücken, und die Rippen und den Nacken in Ordnung, und ein Rückgrat, das ›marschiert‹!‹ Wer nicht mehr marschierte, das waren die Beine des Panello, die einknickten. Und er mußte sich auf den Bauch legen, denn weder auf dem Rücken liegend noch sitzend oder hockend konnte er es aushalten.
Toniello blieb noch eine Weile bei ihm, und da er sah, daß dieser keine ernsthaften Verletzungen hatte und sein Zustand vorübergehen würde, machte er sich wieder auf die Beine, denn es war noch ein paar Tage hin, bis er in sein Dorf gelangen würde.
Er geht und geht, die Nacht bricht herein, und er sieht in der Ferne ein Lichtlein schimmern. Er geht darauf zu, und als er vor einem Haus steht, geht er hin und – poch, poch – klopft an die Tür. »Wer ist's?« rufen die im Haus. »Ein armer Wandersmann, der für diese eine Nacht um Unterkunft bittet«, antwortet Toniello.
Die Tür wurde geöffnet, und Toniello stand vier oder fünf Männern gegenüber, die gerade dabei waren, einen anderen zu vierteilen; und sie hatten ihm bereits den Kopf und die Beine abgehackt und sie bluttriefend an einen Haken gehängt. An den Wänden dort waren überall Köpfe, Beine und Brustkörbe von Menschen aufgespießt, die einen schrecklichen Anblick boten.
Dem Toniello tat es schon leid, daß er angeklopft hatte. Seine Beine wollten von selbst kehrtmachen; aber dann ging er geradewegs hinein, denn es schien ihm,

daß er seine Lage nur noch schlimmer machen würde, wenn er flüchtete. »Ave Maria, allzeit Reine!« grüßte er. Die anderen gaben ihm darauf keine Antwort. »Ihr könnt Euch setzen oder in die Küche gehen, um Euch zu wärmen«, sagte der eine zu ihm, der der Hausherr zu sein schien. Toniello trat in die Küche, in der die Wände gleichfalls zur Gänze mit Beinen, Köpfen, Armen und Brustkörben von Menschen behängt waren.

Er setzte sich in eine Ecke. Die Haare standen ihm zu Berge, das Herz schlug ihm bis zum Hals, bumm, bumm, und er zitterte wie der Kamm von einem Hahn. Es wurde ihm schwarz vor Augen.

Nach einer Weile kamen die anderen in die Küche und setzten sich vor das Feuer, und man unterhielt sich lange Zeit über alle möglichen Dinge. Einige Male verspürte Toniello das heftige Verlangen, von den anderen Aufklärung über jene getrockneten Früchte an den Wänden zu fordern. Aber als er daran dachte, wie schlimm es zuvor dem Panello ergangen war, erinnerte er sich wieder an den Rat des Königs Salomo: Misch dich nicht in die Angelegenheiten anderer, wenn du nicht darum gebeten wirst. Und der Mann hielt den Mund und sagte zu sich selbst: ›Vorsicht, Fliegen!‹

Die anderen begannen nun, ihn nach Neuigkeiten zu fragen, und wollten von ihm dies und das wissen. Er gab allen Antwort, war aber immer vorsichtig darauf bedacht, nicht nach dem Grund für all die Schreckensdinge dort drinnen zu fragen. Sie luden ihn zum Abendessen ein, und zu guter Letzt gaben sie ihm eine Decke, und so konnte er gehen und sich schlafen legen.

Am nächsten Morgen steht er auf, gibt die Decke zurück, sie laden ihn zum Frühstück ein, und es wird geschwatzt und geschwatzt. Er aber ist vorsichtig und hütet sich, zu fragen, was es mit dieser Schar von aufgespießten Köpfen, Beinen, Armen und Brustkörben für eine Bewandtnis habe. Nicht, daß er keine Lust dazu gehabt hätte, aber der Rat des Königs Salomo bewahrte ihn davor, den Mund aufzumachen und zu fragen.

Nachdem man gefrühstückt hatte, verabschiedete er sich von dem Hausherrn und dankte ihm dafür, daß er ihm für die Nacht Unterkunft gewährt hatte. Der Hausherr steckte die Hand in die Tasche und holte daraus vier Goldmünzen hervor, dann sagte er zu ihm ganz trocken: »Nimm das und schlag es mir nicht ab! Vierzig Jahre bin ich nun schon hier, und viele Männer sind seither hier vorbeigekommen, aber keiner war wie du. Als ich der Besitzer dieses Hauses wurde, kamen die Leute hier vorüber, und jedem mußte ich über alle meine Angelegenheiten Auskunft geben, bis ich mir schwor, den Nächstbesten, der sich ungebeten in meine Angelegenheiten einmischen würde, zu vierteilen. Es kam einer, mischte sich ein und war auch schon gevierteilt und in Stücke gehackt, und die Stücke hingen an der Wand. Ein anderer kam daher, und sogleich begann er zu fragen: ›Und was ist das? Was soll das? Warum ist das so bei dir?‹ – ›Gleich werden wir es dir sagen‹, gaben wir zur Antwort, und keine halbe Stunde später war er schon zerstückelt und an den Wänden hier aufgehängt. Von da an wollten alle, die hier haltmachten, wissen, was es mit diesen Köpfen, Armen, Beinen und Brustkörben auf sich habe, und sie alle wurden von uns gevierteilt und an diese Wände gespießt. Wärest du auch solch ein zudringlicher Kerl gewesen wie sie, würdest du dich zu dieser Stunde dort befinden, wo die anderen sind. Weil du aber geschwiegen und dich nur umgesehen hast, und weil du dich nicht um Dinge kümmertest, die dich nichts angingen, kannst du nun ganz frei und unbehelligt fortgehen. Ich aber gebe dir diese vier Goldstücke mit auf den Weg, den du noch vor dir hast; und sollten sie dir zuwenig sein, so sag es nur, ich werde dir noch mehr geben.«

Dem Toniello standen die Haare kerzengerade zu Berge, als er dies hörte und sah. Und weil er es dort nicht länger aushielt, bedankte er sich recht herzlich, stieß ins Horn und sah, daß er fortkam.

»Hundert- und aber hunderttausend Körbe voll grüner Nester!« fluchte er, sobald er das Haus ein Stück hinter sich gelassen hatte. »Da bin ich ja gerade noch einmal davongekommen! Sieh nur, wenn ich den Mund aufgemacht hätte, um danach zu fragen, wo ich doch so neugierig war... Ach, was wäre wohl ohne den Rat des Salomo geschehen? Da wäre ich nun also gevierteilt, zerstückelt, und meine Bröcklein würden an den Wänden dort hängen. Tausendundeinmal gesegnet sei die Stunde, in der ich mir jene Ratschläge erbeten habe! Tausend Pfund hat mich jeder gekostet. Aber das Leben ist viel mehr wert als alles Geld der Welt, und diese Ratschläge haben mich schon zweimal gerettet. Also aufgepaßt, daß ich sie ja niemals mißachte und sie mir nicht abhanden kommen, sind sie doch die Frucht der Arbeitstage und der Sonntage.«

Und der Mann ergriff den Faden an diesem Ende, und ich kann euch versichern, daß er ihn flugs aufwickelte, indem er sogleich die Beine unter die Arme nahm, um schnell nach Hause zu gelangen.

Und die einzige Sorge, die er hatte, war die, ob seine Frau und sein Sohn noch am Leben sein würden.

Als er durch das Dorf geht, sieht er einen Mann, der Flinten verkauft, und er kauft ihm eine ab, für den Fall der Fälle, daß er angegriffen würde oder angreifen müsse, und mehr noch wegen der vier Goldstücke, die er dafür gab.

Mit seinem Schießeisen beladen, kommt er bei stockfinsterer Nacht in sein Dorf und steuert geradewegs auf sein Haus zu. Er findet es verschlossen, guckt durch das Schlüsselloch und sieht seine Frau, die mit einem Kaplan beim Essen sitzt.

Sogleich schwant ihm Übles, und er drückt sein Kinn an die Flinte und will auf die beiden schießen.
Wie er schon beim Zielen ist, spürt er einen Stich in seinem Herzen, so als wollte es ihm sagen: »Was machst du denn nun wieder? Was soll der Unsinn? Hat dir Salomo nicht den Rat gegeben, daß du, bevor du eine Sache tust, sie dreimal bedenken sollst?« – »Es gehört sich, daß ich hineingehe und zuerst schaue, was es damit auf sich hat; und dann ist für mich immer noch Zeit zu schießen, falls hier ein schmutziges Spiel gespielt wird.«
Er nahm sein Kinn von der Flinte, hängte sie sich über die Schulter und klopfte – poch, poch – an die Tür. Die Frau öffnet, und wie er nun vor ihr steht, sieht sie ihn von oben bis unten an; sie erkennt ihn, fängt an zu schreien und umklammert ihn weinend, dann sagt sie zu jenem Kaplan: »Mein Sohn, das ist dein Vater! Gib ihm die Hand!«
Toniello erstarrte zu Stein, er wußte nicht, wie ihm geschah. »Das ist dein Sohn, den du bei mir zurückgelassen hast«, erklärte ihm die Frau. »Gott hat mir beigestanden, ich konnte für ihn aufkommen und auch für seine Schulen. Nun hat er seine letzten Weihen empfangen, und morgen liest er seine erste Messe.«
Da umarmten sich alle drei weinend vor Glück. Aber wer am meisten weinte, das war Toniello, der die Stunde segnete, in der er König Salomo um die drei Ratschläge gebeten hatte, und der nun überzeugt war, die dreitausend Pfund, die sie ihn gekostet hatten, gut angelegt zu haben. Und er erzählte seiner Frau und seinem Sohn alles, was ihm widerfahren war.
Am nächsten Morgen las sein Sohn die erste Messe. Als sie mit dem Essen fertig waren, holte Toniello jene Pastete hervor, die Salomo ihm gegeben hatte und die er erst an dem Tag anschneiden sollte, an dem er am glücklichsten sein würde. »Heute ist es soweit«, sprach er, »heute soll sie angeschnitten werden. So glücklich wie heute werde ich wohl nie mehr sein, kein bißchen mehr!« Er schneidet die Pastete an, und was sagt ihr dazu? In ihrem Inneren lagen die dreitausend Pfund, die er für die drei Ratschläge des Königs Salomo bezahlt hatte. Nicht nur Toniello, sondern auch die Frau und der Sohn glaubten, den Verstand zu verlieren vor lauter Glück, und sie hörten nicht auf, Gott von ganzem Herzen zu danken. Und so lebten sie, bis... sie gestorben sind. Und wer's nicht glaubt, soll gehen und nachsehen.

2. Mai – Der einhundertzweiundzwanzigste Tag

Gevatter Wolf und die Geißlein

Es war einmal eine Herde von Geißlein, die lebten zusammen mit ihrer Mutter auf einem großen Hof. Die Geißlein waren noch so klein und unerfahren, daß sie sich noch nicht selbst ihr Gras zum Fressen suchen konnten. Das machte ihre Mutter für sie. Immer wenn die Geißenmutter fortging, um für ihre Kinder Gras zu holen, schärfte sie den Kleinen ein, auf keinen Fall und für niemand die Tür zu öffnen, weil der Wolf kommen und sie verschlingen könne. Sie sagte zu ihnen auch: »Schaut nur immer unten durch den Türspalt, dann werdet ihr gleich erkennen können, ob ihr meine weißen Pfoten seht oder eine fremde!«
Wenn die Mutter aber vom Feld nach Hause zurückkehrte, dann sang sie, damit ihre Kinder sie erkennen könnten und ihr dann öffneten:

»Obrin, obrin cabretes,
Que us porto herbetes
Obrin, obrin, obrin!«

Macht auf, macht auf, ihr Geißlein,
Ich bring euch zarte Reislein.
Macht auf, macht auf, macht auf!

Dann schauten die kleinen Geißlein unter dem Türspalt hindurch, erkannten die Pfoten ihrer Mutter und öffneten ihr schnell. »Weiße Pfoten – unsere Mama!«
Der böse Wolf beobachtete eines Tages, wie die Geißenmutter zu ihrem Hof zurückkehrte, und hörte, was sie sang, damit ihr die Tür geöffnet wurde. Da dachte er: ›Das kann ich auch!‹, denn er hatte großen Appetit auf die Geißlein. Er wartete also, bis die Geißenmutter wieder einmal weggegangen war, um für

ihre Kinder Gras zu schneiden. Dann ging er hin und sang mit seiner heiseren Stimme:

> »Obrau, obrau, cabrotes,
> Que us porto herbotes.
> Obrau, obrau, obrau!«
>
> Sperrt auf, sperrt auf, ihr Ziegen,
> Das Gras sollt ihr gleich kriegen.
> Sperrt auf, sperrt auf, sperrt auf!

Da merkten die Kinder gleich am Gesang, daß das nicht ihre Mutter war, und sagten: »Das ist der Wolf! Wir öffnen nicht.« Da schlich der Wolf fort und dachte über seinen Fehler nach. Er beobachtete genau, was die Alte sang, damit ihr geöffnet wurde. Am nächsten Tag aber ging er wieder zu dem Hof und sang diesmal im Falsett genau die Worte, die er von der alten Geiß gehört hatte:

> »Macht auf, macht auf, ihr Geißlein,
> Ich bring euch zarte Reislein,
> Macht auf, macht auf, macht auf!«

Da sagten die Geißlein zu ihm: »Stell dich vor die Tür, damit wir deine Pfoten sehen können!« Der Wolf tat, wie ihm geheißen; die Geißen aber schrien: »Schwarze Pfoten! Es ist der böse Wolf! Wir offnen nicht, es ist der Wolf!«
Eines schönen Tages, was macht da der Wolf? Es lebte in der Nähe eine Frau, die hatte Wäsche zum Bleichen ausgebreitet. Der Wolf geht hin und nimmt ein Stück Leinen mit. Das riß er in Streifen, wickelte es um seine Pfoten und nähte es mit einem Faden fest, so daß es aussah, als hätte er weiße Pfoten. Dann machte er sich erneut auf den Weg zum Hof der Geißlein. Dort sang er wieder mit hoher Stimme die ganze Strophe:

»Macht auf, macht auf, ihr Geißlein,
Ich bring euch zarte Reislein.
Macht auf, macht auf, macht auf!«

Die Geißlein, die an der Stimme nicht merkten, daß es der Wolf war, sagten: »Stell dich vor die Tür, damit wir deine Pfoten sehen können!« Der Wolf stellte sich ganz nahe vor die Tür, und die Geißlein sahen die weißen Pfoten und riefen: »Weiße Pfoten – unsere Mama!« Und ohne an etwas Böses zu denken, öffneten sie die Pforte. Da stürzte sich der Wolf in das Haus, und, hast du nicht gesehen, in einem Augenblick verschlang er alle Geißlein. Nur das kleinste hatte sich blitzschnell unter einem Schrank versteckt, und da konnte es der Wolf nicht finden. Als der Wolf alle gefressen hatte, wollte er entfliehen, aber sein Bauch war so schwer und voll, daß er nicht weit kam. Er mußte sich hinsetzen, um erst einmal richtig zu verschnaufen.
Indessen kam die alte Geiß zurück. Sie fand die Tür offen und erschrak gewaltig. Sie trat ein und fand keine Seele in ihrem Haus, da konnte sie sich schon denken, was sich zugetragen hatte. Sie konnte vor Weinen kaum mehr rufen: »Meine Kinder! Ach, meine Kinder!« Da kam das Kleinste unter dem Kasten hervorgekrochen, wo es sich versteckt hatte, und erzählte der Mutter alles. Als die alte Geiß hörte, daß der Wolf alle ihre Kinder verschlungen hatte, nahm sie ein großes Taschenmesser und machte sich auf den Weg, den Unhold zu suchen. Sie brauchte nicht weit zu gehen, da lag er in der Sonne und wußte sich kaum noch zu rühren, so voll war sein Wanst von den Geißlein, die er gefressen hatte. Die Alte aber stellte sich, als wüßte sie von nichts, und sagte zu ihm: »Komm, willst du nicht mit mir etwas spielen?« – »Gut! Spielen wir!« – »Willst du Kopfstoßen spielen?« – »Ja.«
Da versuchte der Wolf, tapsend wie ein kleines Kind, mit der Geiß Kopfstoßen zu spielen. Sein voller Bauch behinderte ihn sehr, und er wich schwerfällig den Stößen der Alten aus. Diese aber stieß ihm, als sie wieder zusammenprallten, das Taschenmesser, das sie heimlich gezogen hatte, in die Bauchdecke und schlitzte ihm den ganzen Wanst auf. Da krochen sogleich die Geißlein heraus, und als sie ihre Mutter sahen, sprangen sie und tanzten vor Freude. Der Wolf aber blieb mit einem aufgeschlitzten Bauch und heraushängenden Eingeweiden liegen.

3. Mai – Der einhundertdreiundzwanzigste Tag

Die drei Wunderäpfel

Es war einmal ein Vater, der hatte drei Söhne: Der älteste hieß Joanet, der mittlere Peret, und den jüngsten nannten sie den Setrot [Schöpfeimer], denn sie hielten ihn als Arbeitsknecht und ließen ihn die unangenehmsten Arbeiten ausführen, so auch den Abtritt mit einem Schöpfeimer leeren. Da sie ihn für ein Nichts ansahen, ging er immer ganz zerlumpt, schmutzig und unordentlich herum.

Jener Vater und seine drei Söhne lebten alle von einem Kornfeld, das sie besaßen, aber in jeder Johannisnacht wurde ihnen die längste und höchste Kornähre geraubt und die Hälfte der Ernte verbrannt. Da sie die größte Ähre verloren hatten, wuchs im nächsten Jahr immer nur die Hälfte von den Ähren hervor, die da hätten kommen sollen, und das Korn war kleiner, deshalb erwies sich der Ertrag als geringer, und die Ernte blieb um die Hälfte hinter dem Soll zurück. Der Vater war verzweifelt, da er sah, daß jedes Jahr ihre einzigen Unterhaltsmittel sich um die Hälfte verringerten.

In einem Jahr schickte er Herrn Joanet hin, um zu sehen, wer ihnen die Ähre raube und die Hälfte der Ernte verbrenne. Nachdem Joanet eine kurze Zeit auf dem Feld gewesen war, schlief er wie ein Sack ein und wachte nicht eher auf, als bis er die Hitze der Flammen des brennenden Feldes spürte. Er kehrte heim, ohne etwas aufgeklärt zu haben. Als sein verzweifelter Vater sah, daß er nichts hatte aufklären können und daß wieder die Hälfte seiner Ernte verloren war, wollte er ihn töten.

Im folgenden Jahr schickte er Herrn Peret hin, und dem passierte genau dasselbe wie seinem älteren Bruder. Im dritten Jahr schickte er seinen jüngsten Sohn hin. Besorgt, daß der Getreideduft ihn vielleicht einschläfere, nahm Herr Setrot einen tüchtigen Krug voll frischen Wassers mit, und um nicht einzuschlafen, stand er immer aufrecht und erfrischte fortwährend sein Gesicht mit Wasser. Kurz vor Mitternacht hörte er ein Pferd herantraben. Er wandte sich um und erblickte ein großes, milchweißes Pferd, das ein von Feuer flammendes Pferdegeschirr trug: Dieses Geschirr hätte das Getreide verbrannt, sobald das Pferd auf das Feld vorgedrungen wäre. Das Pferd lief mit weit aufgesperrtem Maul, um die größte Kornähre zu fassen und aufzufressen. Flink wie ein Wiesel zog der Setrot aus seiner Tasche ein Messer hervor und schnitt das Pferdegeschirr herunter; als das Pferd sich entblößt sah, rannte es wie besessen davon, ohne das Feld zu betreten oder die größte Ähre auch nur zu berühren. Als der Setrot nach Hause kam, war der Vater sehr damit zufrieden, daß er ihn vor dem Ruin gerettet hatte, wie es seinen zwei älteren Söhnen nicht gelungen war – die sich doch für geschickter und klüger hielten als den armen Setrot.

Nach einigen Tagen ließ der König verkünden, daß er demjenigen die Hand seiner Tochter geben werde, der ihm die drei Wunderäpfel bringe: Von diesen verlieh der eine Reichtum, der andere Klugheit und der dritte Gesundheit. Diese Äpfel wuchsen an einem Apfelbaum auf dem Gipfel eines sehr hohen Berges, der ganz aus glattem Glas bestand, das alle ausgleiten ließ, die es zu überschreiten wagten; und das Glas war so brüchig, daß man sich beim Hinstürzen unsäglich zerschnitt und zerfleischte.

Als die Ankündigung dem Setrot zu Ohren kam, legte er seinem Esel das feurige Geschirr an, das er von dem ährenfressenden Pferd aufbewahrt hatte, bestieg ihn und ritt zu dem Glasberg. Das Feuer erweichte das Glas, ohne es zu zerbrechen, und weil dieses nun weich war wie eine Matratze, glitt man darauf nicht aus. Der Esel fürchtete zu verbrennen, rannte wie besessen und erreichte im Nu den Gipfel, der Setrot pflückte die drei Äpfel ab und kehrte nach Hause zurück. Ohne daß jemand davon wußte, nahm er das Pferdegeschirr dem Esel ab und führte ihn wieder in den Stall.

Der Setrot war sehr schüchtern und wagte es nicht, zum König zu gehen und ihm die drei Äpfel zu bringen. Jedoch wurde es überall bekannt, daß jemand die Äpfel schon gepflückt hatte, und der König, der des Wartens müde war und sie möglichst bald haben wollte, ließ eine große Schar Diener ausgehen, die von Haus zu Haus gingen und jeden fragten, ob er die drei Äpfel gepflückt habe. Als sie in das Haus des Setrot kamen, wurden sie von dem Vater und dessen älteren Söhnen empfangen; nachdem sie sie gefragt hatten, ob jemand von ihnen die drei Wunderäpfel gepflückt habe, und dies von jenen verneint worden war, fragten sie weiter: »Lebt niemand sonst in diesem Haus?« – »Allerdings; es ist Herr Setrot, der gerade jetzt damit beschäftigt ist, den Abtritt mit einem Schöpfeimer zu leeren.« – »Dann im Namen des Königs: Laßt ihn kommen.« – »Man kann ihn doch gar nicht anschauen – so schmutzig, abgelumpt und ekelerregend geht er umher.« – »Das tut nichts. Er soll augenblicklich kommen.« Man rief den Setrot, und zu allgemeiner Überraschung holte er die drei Wunderäpfel herbei, nach denen der König sich so gesehnt hatte.

Der König war sehr zufrieden. Der Setrot heiratete die Prinzessin, man feierte ein großes Hochzeitsfest, und zum Schluß wurde er König.

4. Mai – Der einhundertvierundzwanzigste Tag

Sieben-Mensch und Sieben-Buckel

Es war einmal ein Riese, der war so hoch wie ein Gebirge, und da er täglich zum Frühstück sieben Menschen verschlang, nannte man ihn Sieben-Mensch. Er besaß unermeßliche Wälder, die waren so tief, daß man hundert Tage brauchte, um sie zu durchqueren, wenn man ohne Unterbrechung lief. Der Riese aber hatte so lange Beine, daß er den Wald in einer Minute durchlaufen konnte.

Es lebte da auch noch ein Buckliger, der war so klein wie ein Kreisel, und der hatte einen Buckel zwanzigmal so groß wie der Rest der ganzen Person. Deshalb hieß er der Sieben-Buckel. Eines Tages brauchte der Bucklige Holz, und er ging in den Wald von Sieben-Mensch, um dort Reisig zu sammeln. Niemand wagte sich sonst in den Wald des Riesen, aber da es sehr kalt war, ging Sieben-Buckel trotz der Furcht hin, von dem Riesen gefressen zu werden. Richtig, kaum hatte er begonnen, Holz zu sammeln, da hörte ihn der Riese, obwohl er hundert Stunden weit weg war, denn er hatte außerordentlich feine Ohren. Mit vier Schritten kam er angerannt, und als er Sieben-Buckel sah, fing er an zu lachen, daß er schier platzte, denn er hatte noch nie jemand mit so einem gewaltigen Buckel gesehen.

Sieben-Buckel aber schrie den Riesen an: »Meister, Ihr müßt wissen, daß über mich noch nie jemand gelacht hat! Wenn Ihr fortfahrt, mich zu verhöhnen, werde ich Euch ein paar Maulschellen geben, daß Euch sämtliche Zähne im Maul wackeln!« Sieben-Mensch, der gewohnt war, daß jedermann vor ihm zitterte, war über diese kühne Rede so verdutzt, daß er Sieben-Buckel fragte: »Ja, wer bist du denn überhaupt?« – »Ich bin ich, und mir gegenüber brauchst du dir gar nichts herauszunehmen. Wenn du auch groß wie ein Gebirge bist, für mich bist du nur eine Laus!« Der Bucklige sprach mit einer solchen Überheblichkeit und zeigte keine Spur von Angst, so daß der Riese überrascht war und auf die Herausforderung einging. »Nun, dann wollen wir doch erst einmal sehen, wer von uns mehr kann: Ich oder du, der du den Mund so voll nimmst. Wollen wir um die Wette springen?« – »Gemacht!« – »Gut! Wer höher springt, hat gewonnen.«

Damit nahm der Riese einen großen Anlauf und sprang hoch über die höchste Eiche, die dort in weitem Umkreis stand. Als Sieben-Buckel das sah, fing er schallend an zu lachen und rief: »Soll das vielleicht etwas sein? So hoch bin ich schon gesprungen, als ich erst ein Jahr war! Nun paß einmal auf, dann wirst du sehen, daß ich so hoch wie hundert Eichen springe!« Sieben-Mensch wußte nicht,

was er von dieser Rede halten sollte, und er bog die stärkste Eiche, die er fand, mit einer Hand bis zur Erde. »Ich glaube, daß du bis ans andere Ende der Welt gehen kannst, und du wirst doch niemand finden, der so hoch springen kann wie ich«, sagte er zu Sieben-Buckel. Dieser hatte inzwischen die obersten Äste jener Eiche ergriffen, und als der Riese den Baum losließ, richtete sich die Eiche so plötzlich auf, daß sie den Buckligen hoch in den Himmel schleuderte. Sieben-Mensch schien es, als würde der Bucklige bis zur Sonne fliegen. Da kam dieser wieder herunter und landete wohlbehalten im Geäst der Eiche.
»Nun, was sagst du jetzt?« fragte Sieben-Buckel den Riesen. »Ich habe dir ja gleich erklärt, daß ich schon als Säugling so hoch gesprungen bin wie du. Wenn du aber willst, können wir unsere Kräfte auf eine andere Weise miteinander messen. Was kannst du denn überhaupt?« – »Ich kann außerordentlich laut pfeifen.« – »Das kann ich auch. Ich bin überzeugt, daß du wie ein kleiner Rotzlöffel pfeifst. Los! Fang an!«
Da fing der Riese zu pfeifen an, und ihr könnt mir glauben, daß er laut pfiff! Er pfiff so stark, daß sich die Bäume des Waldes bogen und es mehr wie Donnergebrüll denn Pfeifen klang. Sieben-Buckel aber lachte aus vollem Hals und sagte: »Das soll Pfeifen sein? Kerl, das ist ja gar nichts. Wenn ich zu pfeifen beginne, mußt du dir Augen und Ohren verstopfen, sonst treten die Augen dir aus der Höhle, und es platzt dir das Trommelfell in den Ohren!« Da dachte der Riese an den unglaublichen Sprung Sieben-Buckels, und vorsichtshalber stopfte er sich mit einem Taschentuch Augen und Ohren zu, das war größer als sieben Bettücher. Der Bucklige aber ergriff einen Stein und schleuderte ihn dem Riesen an den Kopf, der aber glaubte, das sei die Wirkung von Sieben-Buckels Pfeifen, und schrie: »Hör auf, pfeif nicht mehr, sonst platzt mir noch der Kopf!«
Sieben-Buckel half ihm, das Taschentuch von Augen und Ohren wegzuziehen, und fragte: »Nun, was denkst du jetzt? Ich habe dir ja gleich gesagt, mir gegenüber bist du ein Nichts. Wenn du es wünschst, können wir ja noch etwas anderes machen.« – »Gut, so werden wir Steine schleudern, um zu sehen, wer größere Steine werfen und weiter schleudern kann.« Und er nahm einen riesigen Stein und schleuderte ihn weit hinweg. »Ach, das ist doch gar nichts«, sagte Sieben-Buckel, »siehst du jenen großen Felsen?« – »Ja, das ist mein Stuhl, auf dem ich zu sitzen pflege.« – »Den werde ich bis zu meinem Garten schleudern, denn da ist eine Frau, die mir gerade Feigen stiehlt.« – »Was! Du kannst so weit sehen?« – »Ja, noch viel weiter.« – »So bitte ich dich nur, nimm einen anderen Felsen, denn auf jenem sitzt es sich so bequem, und ich würde schwer einen ähnlichen finden.« – »Das ist mir gleich. Der Felsen ist genau der richtige, den will ich werfen und mit dem werde ich die Diebin töten. Die andern sind mir viel zu klein.« –

»Trotzdem bitte ich dich, mir diesen Felsen als Stuhl hierzulassen. Du kannst doch auch einen andern Stein nehmen.« – »Fällt mir ja gar nicht ein! Ich sehe nur, daß du Angst hast, das Spiel zu verlieren. Wenn du wirklich den Stuhl hier weiter behalten willst, so gib wenigstens zu, daß du unterlegen bist!«
Was blieb da Sieben-Mensch anderes übrig? Er mußte nachgeben, wollte er seinen Stuhl behalten, und so verständigte er sich mit Sieben-Buckel, und sie wurden Freunde. Sooft in Zukunft der Bucklige Holz benötigte, ging er in den Wald des Riesen und schlug sich, was ihm gefiel. Und wenn sie sich dabei trafen, sprachen sie ein Weilchen zusammen, dann kehrte jeder nach Hause zurück.

Dieses Märchen ist zu End,
Wie ein Schnitt den Schinken trennt;
Legt man einen Teil zurück,
Bleibt für morgen noch ein Stück.

5. Mai – Der einhundertfünfundzwanzigste Tag

Die Schönheit der Welt

Es waren einmal ein christlicher König und ein maurischer Herr, die waren Busenfreunde. Eines Tages gingen sie auf die Jagd. Als sie am Abend auf dem Heimweg waren, sahen sie eine alte Frau an einem Spinnrad sitzen, von deren Nase ein Licht herunterhing. »Ob ich es ihr herunterschieße?« fragte der König. »Schießt es nicht«, meinte der Maure. Aber das Temperament des Königs ließ ihn nicht länger zögern; denn es war so, daß er das, was er dachte, auch sofort tun mußte. Er zielte auf die Alte und schoß einen Pfeil auf sie ab. Beinahe ihre halbe Nase verlor sie dabei, das Licht fiel herunter und beschmutzte ihren Rock über und über. Diese Alte aber war eine Zauberin, und – wütender als Feuer – rief sie jetzt: »Bei Zauber und Hexerei! Daß meine Mutter mich geboren hat, und mehr, und daß das, was ich jetzt sagen werde, wahr und wahrhaftig sei! Derjenige, der diesen Pfeil auf mich geschossen hat, wird nicht eher Ruhe haben, ehe er nicht die Schönheit der Welt gefunden hat!«
Der König war sogleich sehr traurig; er war zu Tode betrübt und schlechter Laune. Es gab nichts, was ihm gefallen mochte. »Wenn wir uns aufmachten, die Schönheit der Welt zu suchen, wäre ich bereit«, sagte er anderntags zu dem

maurischen Herrn. »Jetzt sofort!« rief dieser. Und sie machten sich sogleich auf den Weg.

Sie wanderten und wanderten, bis sie die Nacht am Rande eines Fichtenwaldes überraschte. Da sahen sie eine sehr große Fichte und beschlossen, sich unter ihr zur Ruhe niederzulegen. Damit ihnen kein Leid geschähe, kamen sie überein, daß jeder von ihnen eine halbe Nacht durchwachen und der andere dann schlafen sollte. Der Maure hielt als erster die Nachtwache, und als der König bereits wie ein Baumstamm schlief, hörte er über sich in dem Baum eine Adlermutter, die lachte ein Lachen so frisch wie klares Quellwasser, und er hörte die Adlerkinder sagen: »Meine Mutter, was habt Ihr?« – »Ihr müßt es nicht wissen!« war die Antwort. »Ach, sagt es uns doch!« – »Wer davon erzählt und davon spricht, der wird zu einem Marmorstein sicherlich.« – »Wir werden nicht davon erzählen und nicht davon sprechen.« – »Nun, ich lachte, weil hier unter uns ein christlicher König und sein Freund, ein maurischer Herr, sind, welche die Schönheit der Welt suchen.« – »Ob sie diese wohl finden?« – »Ich weiß es nicht.« – »Und wer weiß das?« – »Eine Schwester von mir, die in einem anderen Fichtenwald wohnt.«

Der maurische Herr merkte sich diese Worte sehr gut. Um Mitternacht weckte er den König, damit auch er seinen Anteil an Schlaf bekäme, und am nächsten Morgen zogen sie dann wieder weiter. Sie wanderten und wanderten, und die Nacht überraschte sie zu Füßen eines rauhen Gebirges am Rande eines Fichtenwaldes. Da sahen sie eine hohe Fichte. »Wollen wir uns hier zur Ruhe niederlegen?« fragte der maurische Herr. »Hier wollen wir ausruhen!« meinte der König.

Und so geschah es. Der Maure bot sich an, bis zur Mitternacht zu wachen, darüber freute sich der König sehr, denn er war todmüde und hatte einen Schlaf, der ihn beinahe verschlang. Er legte sich nieder und schlief noch im selben Augenblick fester als ein Murmeltier.

Einige Zeit darauf hörte der maurische Herr über sich in der Fichte ein Lachen, so frisch wie klares Quellwasser. Es kam von einer Adlermutter; und die kleinen Adlerkinder hörten nicht auf, sie zu fragen: »Meine Mutter, was ist es, worüber Ihr so lacht?« – »Es ist nicht nötig, daß ihr es wißt.« – »Sagt es uns doch!« – »Wer davon erzählt und davon spricht, der wird zu einem Marmorstein sicherlich.« – »Wir werden nicht davon erzählen und auch nicht davon sprechen.« – »Nun, ich lache, weil hier unter uns ein christlicher König und sein Freund, ein maurischer

Herr, liegen, die wollen die Schönheit der Welt suchen. Um sie zu finden, müssen sie über diese Berge. Und sie führen jeder ein Pferd mit sich; aber es nützt ihnen kein Pferd, dieses Gebirge zu überwinden, sondern nur ein Paar gute Beine.« – »Und wenn sie das Gebirge überwunden haben, werden sie dann die Schönheit der Welt finden?« – »Das weiß ich nicht.« – »Aber wer weiß es? – »Eine Schwester von mir, die in einem anderen Wald wohnt.«

Auch diese Worte merkte sich der maurische Herr wohl. Um zwölf Uhr weckte er den König und schlief dann, bis die Sonne aufging. Als er erwachte, sagte er: »Ich vermute, daß sich die Schönheit der Welt hinter diesen Bergen befindet.« – »Dann müßten wir aber unsere Pferde zurücklassen!« – »Wir werden sie an einen Baum binden.«

Das taten sie auch und begannen dann sogleich, den Bergabhang hinanzusteigen. Ein Schritt für dich, ein Schritt für mich, über starre Felsen, an Schluchten vorbei, durch unwegsames Gebüsch und Riedgras erreichten sie den Gipfel und stiegen auf der anderen Seite hinunter.

Es dunkelte bereits, als sie unten anlangten; und da war nun ein großer Wald. Der Maure zeigte auf eine hohe Fichte und sagte zum König: »Werden wir darunter die Nacht verbringen?« – »So wird es gemacht.« – »Ich werde als erster wachen, nicht wahr?« – »Du sagst es!« rief der König aus und – hopplahopp! warf er sich hin.

Sofort begann er so laut zu schnarchen, daß man es eine Viertelmeile weit hören konnte. Der Maure war nicht so schläfrig. Er erwartete sich etwas von jener Fichte. Nach einiger Zeit hörte er etwas ganz hell und frisch lachen und lachen. Das kam von einer Adlermutter; die kleinen Adlerjungen zögerten nicht, sie zu fragen: »Aber, meine Mutter, was gibt es so zu lachen?« – »Das geht euch nichts an!« – »Sagt es uns doch!« – »Wer davon erzählt und davon spricht, der wird zu einem Marmorstein sicherlich.« – »Wir werden nicht davon erzählen und nicht davon sprechen.« – »Nun, ich lachte, weil hier unten ein christlicher König und ein maurischer Herr, dessen Freund, sind. Sie suchen die Schönheit der Welt, die in jenem Schloß dort wohnt, das hier durchschimmert.« – »Und wer ist die Schönheit der Welt?«

»Oh, meine Kinder! Das ist ein Mädchen von sechzehn Jahren: Es ist das hübscheste, entzückendste und anmutigste Ding, das je gesehen wurde. Der Herr dieses Schlosses ist ihr Vater, und weil er so sehr eifersüchtig ist, daß man sie ihm wegholen könnte, hält er sie im höchsten und stärksten Turm eingeschlossen. In diesen Turm gelangt man durch ein kleines Türchen, das aber durch ein eisernes Tor mit sieben Riegeln versperrt ist. Darüber befinden sich nur zwei Fensterchen und außerdem ein Altan, überwölbt von einer sehr hohen Brüstung.«

– »Kann man nicht von dieser Brüstung aus die Schönheit der Welt erspähen?« – »Wer könnte sie schon erblicken, außer dem Himmel!« – »Nun, wie sollen sie sie dann finden, dieser christliche König und jener maurische Herr?«
»Um zu ihr zu gelangen, gibt es nur einen einzigen Weg: einen Kessel aus Gold zu machen, in den sich der König setzt. Der maurische Herr muß damit am Schloß vorbeigehen und ausrufen: ›Wer kauft mir diesen goldenen Kessel ab?‹ Wenn sie ihn hört, wird sie den Kessel haben wollen und ihren Vater bitten, ihn ihr zu kaufen. Der Vater aber wird ihn ihr kaufen, weil er sie zufrieden sehen will, und wird ihn zu ihr tragen lassen. Wenn sie dann ganz allein ist, wird sie den Deckel abheben und den König entdecken. Wollen sie gemeinsam fliehen, dann können sie sich hinunterlassen, indem sie die Bettlaken zusammenknoten und ein Ende an einer Zinne des Turmes festbinden.« – »Und was wird der König machen, wenn die Schönheit der Welt mit ihm entfliehen will?« – »Sie werden fliehen und heiraten.« – »Werden sie Kinder haben?« – »Ja, eine Menge, aber das erste...« – »Was macht das erste?« – »Es wird eine Schlange in seinem Kopf haben, und der Kopf wird anschwellen, und wenn man ihn nicht abschneidet, wird die Schlange herauskriechen und den König, die Königin und alle verschlingen, die ihr in den Weg kommen.«
Ihr könnt euch vorstellen, wie der maurische Herr die Augen aufsperrte, als er das hörte. Was ihm dann am meisten Furcht einflößte, war, daß er in einen Marmorstein verwandelt werden sollte, wenn er jemandem von all diesen Dingen erzählte.
Um Mitternacht weckte er den König, dann schlief er ein. Er wurde wach, als die Sonne gerade aufging, und sagte: »Möchtet Ihr, daß wir die Schönheit der Welt finden?« – »So schnell wie möglich.« – »Nun, so schwört mir, daß Ihr mich nicht nach dem Warum all dessen fragt, was ich Euch sage, und wir werden sie finden.« – »Ich schwöre es dir.« – »Seht, wir gehen zu einem Goldschmied und bestellen einen Kessel aus Gold.«
Das taten sie. Der maurische Herr gab seine Maße an und befahl, wie der Kessel sein sollte. Der Goldschmied machte ihn so. Als sie ihn hatten, gingen sie direkt zu dem Schloß. Kaum standen sie davor, sagte der maurische Herr zum König: »Die Schönheit der Welt ist in einem Turm dieser Burg. Um hineinzugelangen und um Euch hineinzubringen, müßt Ihr in diesen Kessel schlüpfen; dann laßt mich nur machen. Eure Aufgabe ist es, den Mund nicht aufzutun und Euch um nichts in der Welt zu rühren, bis Ihr Euch im Zimmer des Turmes ganz allein mit der Schönheit der Welt findet.«
Der König setzt sich in den Kessel; der maurische Herr verschließt ihn gut, lädt ihn sich auf, nähert sich dem Schloß und ist auch schon dabei, darum herumzu-

gehen, wobei er ruft, was seine Stimme hergibt: »Wer kauft mir diesen goldenen Kessel ab! Holla? Wer kauft ihn ab?« Die Schönheit der Welt hört diese Stimme ein ums andere Mal rufen. »Ein Kessel aus Gold! Oh, muß der wertvoll sein! Oh, wie er mir gefallen würde!« Sie rief eine Dienstmagd und sagte: »Du gehst zu meinem Vater und sagst ihm, daß er mir um der Liebe Gottes willen diesen Kessel kaufen soll, der vorbeigetragen wird.« Die Dienstmagd geht davon. Der Vater, der seine heißgeliebte Tochter nicht erzürnen will, kauft den Kessel und läßt ihn ihr bringen. »Oh, ist der schwer!« riefen die Diener, als sie ihn ihr brachten. »Was für eine gewichtige Kostbarkeit!«
Der Kessel war zugedeckt; niemand bemerkte etwas Verdächtiges. Sie trugen ihn in die Kammer der Schönheit der Welt und ließen ihn dort. Sie machte sich daran, ihn ganz genau zu betrachten. Und wie kostbar und schön erschien er ihr! Sie wußte nicht, wie ihr geschah. Und sie schaute ihn an und schaute ihn sich wieder an und konnte ihre Augen nicht davon lassen.
Dann bemerkte sie seinen Deckel, der ausgezeichnet schloß, und hob ihn ab. Sie schaut hinein und findet darin... den christlichen König! Ihr könnt euch denken, welch schreckliche Angst sie befiel. Der Armen blieb das Herz stehen, und sie mußte sich hinsetzen.
Der König war mit einem Satz aus dem Kessel. »Hab keine Angst«, sagte er zu ihr. »Fürchte dich nicht. Ich will dir nichts Böses tun. Ich sagte dir schon, daß du dich vor nichts zu ängstigen brauchst.« Als es ihn so freundlich, bescheiden und aufmerksam sah, beruhigte sich das Mädchen wieder, und die Angst verschwand. Der König, wie er sie so jung und so anmutig, in solcher Schönheit und Lieblichkeit sah, wißt, daß er wie ein Taubstummer dastand und sie von Kopf bis Fuß betrachtete. Er wagte kaum mit der Wimper zu zucken! Darauf begannen beide zu sprechen, und es ergab sich, daß, wie sehr zufrieden auch immer der König war, sie in dem Turm gefunden zu haben, sie noch glücklicher war, ihn in dem Kessel entdeckt zu haben. Sie dachten darüber nach, wie sie fliehen könnten, und meinten: »Das beste wird sein, die Bettlaken zusammenzuknüpfen, bis sie uns genügen, daß wir den Fuß des Turmes erreichen können. Und nachts, wenn das ganze Schloß schläft, wollen wir uns hinablassen.«
Der König und die Schönheit der Welt hatten schon die Bettücher aneinandergeknotet; sie sahen nach, ob sie bis zum Boden reichten, aber sie mußten noch zwei dazugeben. Dann befestigten sie ein Ende an einer der stärksten Zinnen in der höchsten Höhe des Turmes – und hinunter ging es. In der Zeit von drei Vaterunsern waren sie auch schon unten. Der maurische Herr erwartete sie dort, und alle drei sputeten sich, sosehr sie konnten.
Am anderen Morgen, als die Sonne bereits hoch am Himmel stand, waren sie

jenseits der Berge. Dort fanden sie die Pferde angebunden, stiegen in den Sattel, und von da ging es ins Land des Königs. Der König war wieder froh; er hatte ja die Schönheit der Welt gefunden. Sie kamen an, sie heirateten und feierten eine prächtige Hochzeit und gaben ein noch nie dagewesenes Fest.

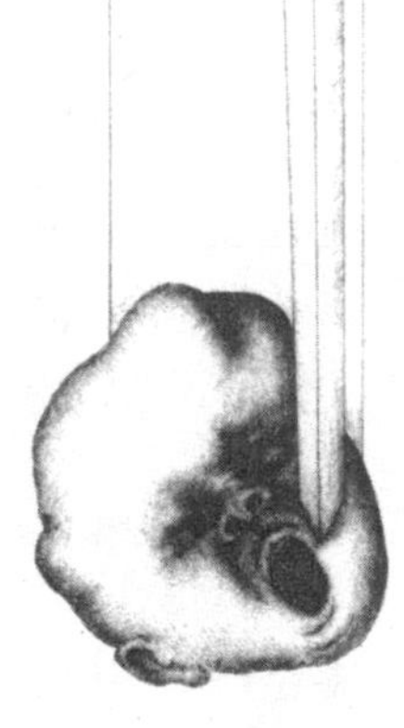

Nach Jahr und Tag gebar die Königin ein Kind. Am nächsten Sonntag sagte der maurische Herr, der sich seit der Hochzeit noch nicht vom Hof entfernt hatte, zum König und zu allen anderen: »Geht zur Messe, ich will inzwischen über das Kind und seine Mutter wachen.« Und alle gingen. Das Kind lag in der Wiege, und der maurische Herr bemerkte, daß sein Kopf anschwoll und bereits aufzubrechen begann. Eingedenk der Worte der Adlermutter zog er sein Schwert und schlug ihm den Kopf ab, der gleich zur Erde rollte.

Die Königin sah das alles von ihrem Bett aus, und ihr könnt euch denken, welch ein Geschrei sie anhob, welcher Schrecken sie befiel und wieviel Tränen sie weinte! Zu diesem Zeitpunkt kehrte der König von der Messe zurück und fand das Kind ohne Kopf und Kragen und die Königin, die ihn Ohnmacht gefallen war.

Der Maure gestand, daß er es war, der diesen Kopf abgeschlagen hatte, und der König sagte: »Wer tötet, muß sterben!« und verurteilte den Mauren zum Tode. Sie zerrten ihn zum Galgen. Von dort oben erbat er sich eine Gnade, die Gnade, erzählen zu dürfen, warum er den Kopf des Kindes abgeschlagen hatte. Der König gewährte sie ihm, und jener begann mit der Geschichte: »Wir gingen, die Schönheit der Welt zu suchen, der König und ich. Die erste Nacht verbrachten wir unter einer Fichte. Während der König schlief und ich wachte, hörte ich eine Adlermutter oben im Baum lachen, und ich hörte sie ihren Kindern erzählen, wonach wir beide auf der Suche waren.«

Als er so weit gekommen war, verwandelten sich seine Füße und Beine in Marmorstein. Der König bekam Angst und sagte: »Erzähl nicht weiter!« Aber er konnte nicht mehr aufhören und fuhr fort: »Die zweite Nacht verbrachten wir unter einer anderen Fichte. Während der König schlief und ich wachte, hörte ich eine andere Adlermutter lachen und ihren Kindern erzählen, daß wir einige Berge, die vor uns lagen, überwinden müßten, wenn wir die Schönheit der Welt finden wollten.«

Als er dies erzählt hatte, wurden seine Oberschenkel und sein Schoß zu Marmor. »Erzähl nicht weiter!« rief der König, als er das sah. »Er soll nicht weitererzählen!« riefen alle anderen. Aber er konnte nicht einhalten und fuhr fort: »Die dritte Nacht verbrachten wir unter einer anderen Fichte, und ich wachte. Ich hörte eine andere Adlermutter lachen und ihren Jungen erzählen, daß die Schönheit der Welt in einem Schloß eingesperrt sei. Um sie zu finden, müßten wir einen Kessel aus Gold machen lassen, in den sollte sich der König setzen. Und wenn der Herr dieses Schlosses den Kessel für die Schönheit gekauft habe, werde diese den König darin entdecken, der König könne sie entführen und sich mit ihr verheiraten. Nach Jahr und Tag würden sie ein Kind haben, und der Kopf des Kindes würde anschwellen; wenn man ihn nicht abschlüge, käme daraus eine Schlange hervor, die den König und die Königin und alle Menschen in der Stadt fräße. Durch die Erzählung der Adlermutter fanden wir die Schönheit der Welt; der König nahm sie zur Frau, und sie bekamen ein Kind. Jedermann war in der Messe, während ich es behütete, da sah ich, wie sein Köpfchen dicker wurde und nahe daran war aufzubrechen. Um euch allen das Leben zu retten, schlug ich ihm den Kopf ab, und so verurteilte man mich zum Tode.«

Als er so weit gekommen war, konnte er nichts mehr sagen; denn aus Marmor waren da schon der Bauch und die Brust, der Hals und der Kopf. Kein Leben war mehr in seiner Zunge, denn sie wurde zu Marmor, als er das letzte Wort gesprochen hatte.

Er hatte davon gesprochen und davon erzählt, was die drei Adlermütter in der Fichte ihren Jungen gesagt hatten, und so wurde er zu einem Stück Marmorstein. Der König, die Königin und alles Volk brach in Weinen aus über diesen traurigen Fall, und niemand vermochte sie zu trösten.

Plötzlich hörte man eine Stimme rufen: »So ist's recht! Die werden noch einmal eine gute Frau um die halbe Nase bringen! Noch mehr würden sie verdienen!« Es war eine schnurrbärtige runzelige Alte, von deren Gurkennase die Spitze fehlte; es war jene alte Zauberin, welcher der König den bösen Streich gespielt hatte, auf ihre Nase zu schießen.

Die Leute umringten sie, um sie auszufragen, und entlockten ihr einen Schwall von Worten, die sie besser nicht gesagt hätte. Sie hinterbrachten alles dem König, der die Alte herbeibringen ließ und zu ihr sagte: »Du da, die du so große Zufriedenheit zeigst, weil du uns weinen siehst, mach, daß dieser Unglückliche kein Marmorstein mehr sei! Willst du es nicht tun, werden wir dich an die Füße von vier Pferden binden, von denen jedes in seine Richtung läuft und das Stück deines Leibes mit sich schleift, das es dir ausgerissen hat.« Als die Alte das hörte, verging ihr das Lachen. Sie wurde sehr nachdenklich, und am Ende sagte sie: »Sie sollen einen Holzstoß aufschichten, bis der Marmorstein zugedeckt ist, und dann Feuer daranlegen. Ich bin gleich wieder hier!« – »Nichts da!« sagte der König. »Du rührst dich nicht von der Stelle, bis mein Freund wieder zu Fleisch und Blut geworden ist. Sag, was du willst und wo du es hast, und man wird es dir bringen.« – »Nun«, antwortete die Alte, »dann sollen sie zu mir nach Hause gehen und die Kiste aufmachen. Darin liegt ein bauchiges Fläschchen, das soll man mir bringen.«

Während man es zu holen lief, war der Holzberg schon hoch geworden, und man zündete ihn an. Gleich bildete er eine Flamme, die war so hoch wie ein Kirchturm. Man brachte der Alten das Fläschchen. Darin war das Stück Nase, das sie durch den König verloren hatte, und es war so frisch erhalten, als wäre es ihr erst jetzt abhanden gekommen. Jetzt fragte die Alte: »Brennen die Scheite gut?« Man sah nach und sah, daß es so war. Was macht sie da? Sie wirft das Fläschchen in jenen Scheiterhaufen. Da gab es einen Knall, daß alle auf den Rücken fielen und sämtliche Fensterscheiben in der Stadt barsten.

Von dem großen Holzberg blieb nur ein kleines Häufchen Asche zurück. Der maurische Herr stieg daraus hervor, gesund und munter, als wäre er immer so gewesen, und ging auf den König zu, um ihn zu umarmen. Es läßt sich nicht beschreiben, wie groß die Freude aller war! Ei potztausend, welche Freudentänze wurden da aufgeführt zur Feier dieses Tages!

Der König und die Schönheit der Welt wollten den maurischen Herrn reich belohnen für all das, was er für sie und ihre Vasallen getan hatte. Es gelang ihnen, ihn zu bekehren, und sie machten ihn zum zweiten Herrn über das ganze Königreich. Dann verheirateten sie ihn mit dem angenehmsten, dem hübschesten, vornehmsten und reichsten Edelfräulein, das sie finden konnten, und alle lebten zusammen glücklich und zufrieden bis zu ihrem Tod. Und im Himmel sehen wir sie vereint. Amen!

6. Mai – Der einhundertsechsundzwanzigste Tag

Das Mausemädchen

Es war einmal ein altes Ehepaar, das keine Kinder hatte, obwohl es sich so sehr welche gewünscht hätte.
Eines Tages aber fanden sie eine Maus, und als die Alte diese sah, rief sie aus: »Nun schau mal, wenn diese Maus ein kleines Mädchen wäre, wir würden es wie eine Prinzessin kleiden und es auch so behandeln, und wir würden es Mausemädchen nennen.«
Sie hatte diese Worte noch nicht zu Ende gesprochen, als sich die Maus in ein wunderschönes Kind verwandelte, so schön wie die Sonne. Die Alten waren verrückt vor Freude und wußten nicht, was ihnen geschehen war, so verrückt waren sie vor Freude. Und wie sie es versprochen hatten, kleideten sie es wie eine Prinzessin.
Als es nun größer wurde, bestand ihr ganzes Trachten darin, wie sie dem Mädchen einen Bräutigam besorgen könnten, und sie ließen nicht nach mit der Suche nach einem, der würdig wäre, ihre Hand zu bekommen. Nachdem sie viel hin und her überlegt hatten, glaubte der Alte, daß er keinen besseren finden könnte als die Sonne, die bei allen bekannt war und von allen geliebt und verehrt wurde.
Er ging also zur Sonne und sprach zu ihr: »Hör mal, möchtest du dich mit meinem Mausemädchen verheiraten?« – »Ich glaube schon, daß es mir gefallen würde.« – »Nun denn, dann kannst du kommen und ihr den Hof machen.«
Und die Sonne kam drei Tage lang herbei, um der Braut den Hof zu machen, aber am vierten Tag erschien sie nicht mehr. Am darauffolgenden Tag sagte sie zu dem Alten: »Glaub nur nicht, daß ich nicht auch gestern wie an jedem Tag gekommen wäre, aber die vermaledeiten Wolken verhüllten mich, und wir konnten uns nicht sehen.«
Als der Vater der Braut diese Worte hörte, rief er aus: »Aha, also können die Wolken mehr als du? Du bist viel zu gering für mein Mausemädchen!« Der Alte ging nun zur Wolke und sagte zur ihr: »Hör mal, Wolke, würdest du gern mein Mausemädchen heiraten?« – »Ich glaube schon, daß sie mir gefallen würde.« – »Dann kannst du ihr den Hof machen.«
Die Wolke kam an drei Tagen herbei, um dem Mausemädchen den Hof zu machen, aber am vierten Tag erschien sie nicht. Am folgenden Tag, als sie wiederkam, sagte sie zu dem Alten: »Glaubt nur nicht, daß ich nicht wie an den

anderen Tagen gekommen wäre, aber der verflixte Wind verscheuchte mich, und wir konnten uns nicht sehen.«

Als der Vater der Braut diese Worte vernahm, rief er aus: »Aha, also vermag der Wind mehr als du? Dann bist du viel zu gering für mein Mausemädchen.« Und der Alte suchte nun den Wind auf und sagte zu ihm: »Höre, Wind, würde es dir gefallen, dich mit meinem Mausemädchen zu verheiraten?« – »Ich glaube schon, daß es mir gefallen würde.« – »Dann kannst du ihr den Hof machen.«

Der Wind kam an drei Tagen und machte dem Mausemädchen den Hof; aber am vierten Tag erschien er nicht, und am darauffolgenden Tag sagte er zu dem Alten: »Glaube nicht, daß ich nicht auch gestern wie an den anderen Tagen gekommen wäre, doch der verflixte Berg schnitt mir den Weg ab, und wir konnten uns nicht sehen.«

Als der Vater der Braut diese Worte vernahm, rief er aus: »Nun denn, der Berg kann also mehr als du? Dann bist du zu gering für mein Mausemädchen.« Und er lief und suchte den Berg auf und sprach zu ihm: »Höre, Berg, hättest du Lust, mein Mausemädchen zu heiraten?« – »Ich glaube schon, daß es mir gefallen würde.« – »Dann kannst du ihr den Hof machen.«

Und der Berg kam drei Tage lang und machte dem Mausemädchen den Hof. Aber, siehe da, am vierten Tag war er mißgelaunt und unruhig und bewegte sich ständig, bis das Mausemädchen, beunruhigt durch so viel Bewegung, ihn fragte: »Was ist mit dir los, daß du so mißgelaunt bist?« – »Nichts, nur eine verflixte Maus nagt an mir, und ich ekele mich ständig vor ihr.«

Als der Vater des Mausemädchens diese Worte hörte, rief er aus: »Aha, eine kleine Maus ist mehr als du? Um eine Maus heiraten zu müssen, wäre es nicht nötig gewesen, eine Frau zu sein und dasjenige nicht zu sein, was du warst, bevor wir uns kannten.«

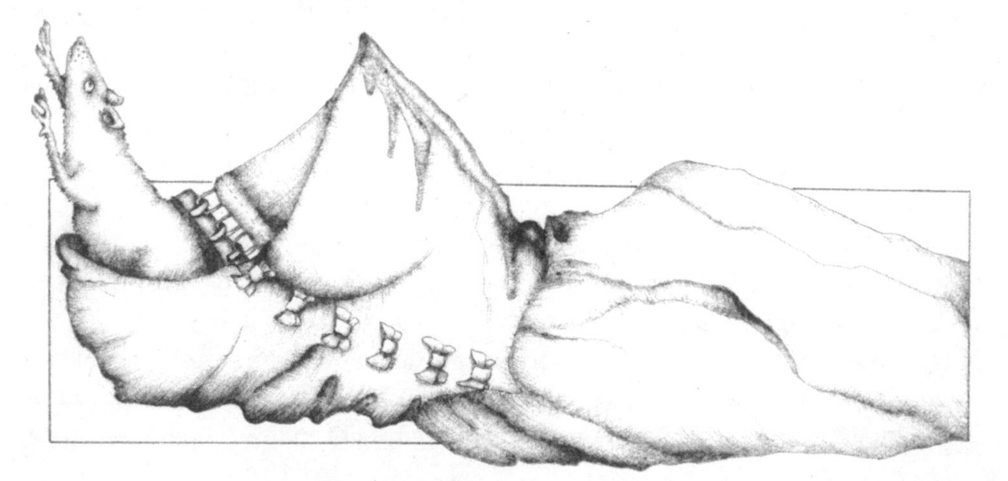

Er hatte noch nicht ausgesprochen, da verwandelte sich das Mausemädchen wieder in eine Maus, was es auch gewesen war, und schlich sich durch dasselbe Loch der Wand davon, aus dem es hereingekommen war, und niemals hat man es wieder gesehen. Und es ließ die reichen Prinzessinnenkleider, achtlos auf den Boden geworfen, zurück.
Wer es nicht glauben will, der komme, um es zu sehen.

7. Mai – Der einhundertsiebenundzwanzigste Tag

Die drei Brüder

s waren drei Brüder, die weder Vater noch Mutter hatten. Und ihr Vater war ohne Testament gestorben.
Sie beschlossen, zum König zu gehen, damit er unter sie die Güter verteile. Sie gingen hin, und auf dem Weg ging der Erstgeborene voran, der zweite ging hinter dem Ältesten und der Jüngste hinter beiden.
Sie fanden einen Mann, der eine Mauleselin suchte. Er sagte zu dem Erstgeborenen: »Bruder, hast du eine Mauleselin gesehen?« Der Erstgeborene sagte: »War sie einäugig?« – »Ja.« – »Dann habe ich sie nicht gesehen.«
Als er auf den zweiten traf, fragte er: »Bruder, hast du eine Mauleselin gesehen?« Dieser sagte: »War sie grau?« – »Ja.« – »Dann habe ich sie nicht gesehen.«
Er traf den dritten. Und sagte ihm: »Bruder, hast du eine Mauleselin gesehen?« – »War sie hinkend?« – »Ja.« – »Dann habe ich sie nicht gesehen.«
Dann fragte er sie, wohin sie gingen, und sie sagten es ihm. Und der Mann eilte voran und ging zum Haus des Königs und erzählte dort, was ihm mit den drei Brüdern widerfahren war.
Als die Brüder beim Haus des Königs ankamen, baten sie ihn, daß er ihnen die Güter verteile. Der König befahl einem Diener, ihnen ein gutes Frühstück zu geben, und er solle ihm alles aufschreiben, was sie zusammen sprechen würden, während sie frühstückten. Zum Frühstück wurde ihnen ein gebratenes Ferkel und dazu Wein gebracht. Der Jüngste sagte: »Gut wäre dies Ferkel, wenn es nicht mit Lausmilch aufgezogen worden wäre.« Der zweite sagte: »Gut wäre dieser Wein, wenn er nicht aus Setzlingstrauben gemacht wäre.« Der Erstgeborene sagte: »Schön wäre der König, wenn er nicht Bastard und Sohn eines Mauren wäre.«

Der Diener brachte das Aufgeschriebene dem König, und als dieser es gelesen hatte, ließ er den rufen, der ihm das Ferkel geschenkt hatte. Der König sagte zu ihm: »Wie zogst du jenes Ferkel auf?« Der Mann sagte: »Das Mutterschwein starb, und wir hatten eine kleine Hündin, die nährte es.« Darauf ließ der König den Mann rufen, der ihm den Wein geschenkt hatte, und fragte ihn: »Woraus ist dieser Wein?« – »Er ist aus Setzlingstrauben.« Da ließ der König seine Mutter rufen und fragte sie: »Wessen Sohn bin ich?« Sie sagt: »Nun – deines Vaters Sohn.« Der König sagt: »Und wer war mein Vater?« Seine Mutter sagt: »Es war in einem Jahr, in dem Krieg war, wir hielten uns im Maurenland auf, und du bist der Sohn eines Mauren.«

Nun wandte sich der König an die drei Brüder, er fragte den einen: »Wie wußtest du, daß das Maultier hinkend war?« Der sagte: »Weil ich auf dem ganzen Weg nur drei Fußstapfen fand.« – »Und wie wußtest du, daß es grau sei?« Der andere sagte: »Weil ich einige Wälzplätze fand, und es lagen dort weiße und schwarze Haare.« – »Und wie wußtest du, daß es einäugig war?« Der dritte sagte: »Weil beide Seiten mit Getreide bewachsen waren, und ich fand es nur auf einer Seite abgefressen.« Da sagte zu ihnen der König: »Und jetzt frage ich euch, könnt ihr das Bild eures Vaters auf ein Papier malen?« Sie bejahten es und malten ihren Vater.

Als sie ihn gemalt hatten, gab er ihnen eine Pistole und sagte, daß jeder von ihnen einen Schuß abfeuern solle und derjenige, der am besten träfe, solle alle Güter erhalten. Der Älteste und der zweite schossen daraufhin, der letzte wollte nicht schießen. Der König sagte: »Und du, warum schießt du nicht darauf, du siehst, daß das nicht dein Vater ist, sondern nur sein Bild.« Der Jüngste erwiderte: »Das macht keinen Unterschied, ich will nicht darauf schießen.« Soviel der König auch bat, er wollte nicht auf seinen Vater schießen, und der König sagte zu ihm: »Also die Güter gehören dir.«

Sie kehrten alle drei nach Hause zurück, und der Jüngste besaß die Güter, und die Erzählung ist schon zu Ende.

8. Mai – Der einhundertachtundzwanzigste Tag

Der Mann, der Bäume stutzte

Es war ein Mann, der Bäume stutzte in Ses Sorts Llargues, und bei der Arbeit gähnte er. »Ich habe gegähnt«, sagte er, »und wenn man dreimal gähnt, stirbt man. Ich muß schon sehr achtgeben.«
Er fuhr fort zu stutzen, und nach kurzer Zeit gähnte er wieder. »Ui, ui«, sagte er, »ich habe schon zweimal gegähnt, wenn ich es wieder tue, gibt es keine Hilfe mehr für mich.«
Er stutzte und stutzte weiter und sang und sang, um zu sehen, ob er sich damit zerstreuen würde, aber er gähnte zum drittenmal, und er sagte: »Nun bin ich verloren, ich habe dreimal gegähnt, ich sterbe.« Er stieg vom Mandelbaum herab, legte sich auf den Boden, schloß die Augen und bewegte sich nicht mehr.
Allmählich wurde es Abend, und seine Frau, die ihn zum Abendessen erwartete, begann zu denken, daß er sich verspätet habe. Es wurde Nacht, und sie wartete und wartete noch immer, und der Mann kam nicht, und sie bekam Angst und ging, es ihren Nachbarn mitzuteilen.
Weil es so spät war und der Mann noch nicht heimgekommen war, entschlossen sie sich, ihn zu suchen. »Und wo war dein Mann?« fragten die Nachbarn der Frau. »Fonna!« antwortete die Frau fast weinend. »Am Morgen hat er mir gesagt, daß er zu Ses Sorts Llargues de can Massanet gehen wolle, um die Bäume zu stutzen.« – »Also gehen wir hin und sehen, ob ihm etwas zugestoßen ist«, sagten einige der Nachbarn. Sie zündeten Öllampen an und gingen ihn suchen.
Als sie zu Ses Sorts Llargues kamen, suchten sie und suchten, und schließlich fanden sie ihn auf der Erde liegen, unter dem Mandelbaum, und sie hielten ihn für tot. Sie legten ihn auf eine Leiter, und zwei Männer trugen ihn zum Dorf.
Als sie mit ihm in Can Guixó angekommen waren, wo zwei Wege sich kreuzen, wollten die einen diesen Weg, die anderen jenen Weg nehmen, und als sie noch

im Zweifel waren, öffnete der, den sie für tot gehalten hatten, den Mund und sagte ihnen, indem er auf einen der zwei Wege zeigte: »Als ich lebend war, ging ich immer auf dieser Seite.«

9. Mai – Der einhundertneunundzwanzigste Tag

Der Zauberer Palermo

Nun, lieber Herr, also: Es war einmal eine Königin, die hatte einen Sohn, der war sehr leichtsinnig und verspielte alles, was er hatte. Eines Tages spielte er sogar um seine Juwelen und Besitzungen und verlor alles.

Da zog er ganz verzweifelt in die Welt hinaus. Er hatte sagen hören, daß der Zauberer Palermo unglaublich reich sei und alles könne, was er wolle, weil er ja ein Zauberer war. Der Prinz, der nicht wußte, was er sonst anfangen sollte, beschloß, ihn auf gut Glück zu suchen, denn er konnte nicht herausbekommen, wo er wohnte.

Und eines Tages, als er es am wenigsten erwartete, stand der Zauberer plötzlich vor ihm: »Ich weiß, daß du mich suchst«, sagte der Zauberer, »was willst du von mir?« – »Ich suche Euch, denn ich habe alles verspielt, was ich besaß, und ich möchte, daß Ihr mir helft, es wiederzuerlangen.« – »Gut. Ich will dir einen Beutel geben, damit wirst du stets beim Spiel gewinnen. Doch gebe ich ihn dir nur, wenn du mir an einem Tag in diesem Jahr alles in meinem Hause bezahlst, das jenseits des Meeres liegt, und eine meiner Töchter heiratest.« – »Abgemacht«, sagte der Prinz, »das will ich tun.« Er nahm den Beutel, begann zu spielen und bekam nicht nur das Verlorene zurück, sondern gewann stets so viel, daß keiner mehr mit ihm spielen mochte.

Das Jahr verstrich, und da er sein Versprechen einlösen wollte, machte er sich auf die Suche nach dem Zauberer Palermo. Er brach auf und zog weiter und immer weiter, bis er an ein Schloß kam. Eine Alte trat heraus, und er fragte sie, ob sie wisse, wo das Schloß des Zauberers Palermo sei. »In meinem ganzen Leben habe ich diesen Namen noch nicht gehört«, sagte die Alte, »doch wartet ein Weilchen, denn dies ist das Schloß der kleinen Vögel, und vielleicht weiß einer von ihnen, wo es liegt.«

Er blieb die Nacht über dort, und immer, wenn einige Vögel zurückkamen, fragte die Alte sie, ob sie wüßten, wo der Zauberer Palermo wohne; doch keiner konnte es ihr richtig sagen. »Nun, Ihr hört ja«, sagte die Alte, »keiner weiß es. Geht ins

Schloß der großen Vögel, die haben den Zauberer vielleicht gesehen, da sie doch weiter fliegen als die kleinen.«
Der Prinz brach auf und schritt rüstig voran, immer weiter und immer weiter, bis er schließlich wieder ein Schloß erreichte, das den großen Vögeln gehörte. Als er ankam, erschien eine Alte und fragte ihn, womit sie ihm zu Diensten sein könne. »Liebe Frau, ich suche das Schloß des Zauberers Palermo und möchte Euch bitten, mir zu sagen, wo es sich befindet, wenn Ihr es wißt.« – »Das kenne ich nicht«, sagte die Alte, »doch tretet ein. Hier schlafen alle großen Vögel, und es kann angehen, daß einer von ihnen das Schloß gesehen hat.«
Die Vögel kamen zurück, um sich auszuruhen, und jeden fragte die Alte nach dem Schloß, doch alle sagten, daß es ihnen nicht bekannt sei. Schließlich erschien der Adler, und die Alte sagte zu ihm: »Hör einmal! Hier ist ein Jüngling angekommen, der sucht das Schloß des Zauberers Palermo, und er möchte wissen, ob du, der du stets so große Strecken zurücklegst, es vielleicht ausfindig gemacht hast.« – »Ja«, sagte der Adler, »ich weiß, wo es ist, doch wird es für ihn nicht leicht sein, dahin zu kommen, denn es liegt jenseits des Wassers, und diese Reise kann er nicht machen.« – »Und könntest du ihn nicht dorthin bringen?« – »Wenn du es gern willst, werde ich ihn dorthin bringen. Doch dazu ist nötig, daß er sein Pferd und einen Hammel tötet, und jedesmal, wenn ich ihn um etwas zu fressen bitte, muß er mir das eine Viertel vom Tier geben; denn wenn ich unterwegs schwach werde, fallen wir beide ins Meer, und da der Weg sehr weit ist, so weiß ich nicht, ob ich mit meinen Kräften ausreiche. Wenn er damit einverstanden ist, soll er morgen früh reisefertig sein.«
Die Alte erzählte dem Prinzen, was der Adler ihr gesagt hatte, und da er unbedingt ins Schloß des Zauberers wollte, tötete er sein Pferd und einen Hammel und machte sich reisefertig.
Sobald es zu dämmern begann, belud er den Adler mit dem Pferd und dem Hammel und bestieg ihn dann selbst. Der Adler schwang sich empor und begann loszufliegen, doch ging es zuerst recht langsam wegen des schweren Gewichtes, das er trug. Als sie eine Zeitlang geflogen waren, krächzte er und drehte den Schnabel zur Seite, und der Prinz gab ihm das eine Viertel des Pferdes. Nach einiger Zeit mußte er ihm noch eins geben, und so warf er ihm nacheinander die anderen beiden Viertel des Pferdes und die vier Viertel des Hammels zu, doch immer noch sah man nichts als Wasser. Schon war das Fleisch ausgegangen, als der Adler wieder krächzte. Da sagte er zu ihm: »Pick von meinem Oberschenkel, denn ich habe kein Fleisch mehr.«
Da sah man in der Ferne Land, und obwohl der Adler sich sehr schwach fühlte, raffte er noch einmal alle seine Kräfte zusammen, überflog das Meer, setzte ihn

ans Land und sagte zu ihm: »Hätten wir noch etwas länger gebraucht, wären wir ins Wasser gefallen, denn ich war schon am Ende meiner Kräfte. Siehst du dort das Gebäude in der Ferne? Das ist das Schloß, das du suchst. Solltest du dich in irgendeiner Verlegenheit befinden, so sage nur: ›Beschütze mich der Adler!‹ Dann komme ich dir zu Hilfe.« Damit stieg der Adler in die Lüfte und entschwand.
Der Prinz ging ins Schloß. Kaum war er eingetreten, da kam ihm schon der Zauberer entgegen. »Ich bin gekommen, um Euch den Beutel zu bezahlen, den Ihr mir gegeben habt, und Ihr seht, daß ich mein Wort halte«, sagte der Prinz. »Gut«, antwortete der Zauberer, »auch mir gefällt es, mein Versprechen zu halten. Ich habe dir eine meiner Töchter zur Heirat angeboten, doch vorher mußt du einige Proben bestehen, die ich dir stelle. Tritt an dies Fenster. Was siehst du dort?« – »Himmel, Wasser und ödes Land.« – »Nun gut. Du mußt jetzt in vierundzwanzig Stunden das Land dort roden, die Erde pflügen, Saat streuen und mir von dem Weizen, den du erntest, ein warmes Brötchen zu meiner Tasse Schokolade bringen.« – »Ja, aber wie soll ich das alles in vierundzwanzig Stunden machen?« – »Ich gebe dir keine Minute mehr. Wenn du es bis morgen nicht vollbracht hast, gehört dein Leben mir.« – ›Jetzt sind wir ja wirklich schön dran!‹ sprach der Prinz bei sich; und er ging auf das Feld hinaus und sagte: »Beschütze mich der Adler!«
Kaum hatte er die Worte ausgesprochen, da stand ein wunderschönes Mädchen vor ihm, das sagte: »Ich bin die jüngste Tochter des Zauberers Palermo und bin gekommen, das Wort zu halten, das der Adler, der in meinem Dienst steht, dir gab. Mein Vater nimmt an, daß du mich von seinen drei Töchtern zur Frau wählen wirst. Und da er nicht will, daß ich fortgehe, versucht er, dir Schwierigkeiten in den Weg zu legen, damit du ihn von seinem Versprechen entbindest, wenn du sie nicht überwinden kannst. Doch hab keine Angst, ich werde dir stets zu Hilfe kommen. Was hat er denn heute von dir gefordert?« – »Er will, daß ich innerhalb von vierundzwanzig Stunden das Ödland pflüge, Saat streue und ihm daraus ein warmes Brötchen zu seiner Tasse Schokolade beschaffe.« – »Gut. Mach dir darüber keine Gedanken. Leg du dich schlafen, ich werde dafür sorgen, daß alles so geschieht.«
Und so geschah es auch; er legte sich zu Bett, und als er am nächsten Morgen aufstand, war das ganze Land in ein Stoppelfeld verwandelt, und er sah die Tochter des Zauberers kommen, die ihm in einem kleinen Tuch ein warmes Brötchen gab und sagte: »Nimm, bring das Brötchen meinem Vater, doch hab acht und sage nichts davon, daß ich dir geholfen habe.«
Der Prinz nahm das Brötchen und brachte es dem Zauberer. Der ging sogleich ans Fenster, um hinauszuschauen; als er das Stoppelfeld erblickte, fragte er ihn,

wie er das nur zuwege gebracht habe. »Das ist für mich ein leichtes«, sagte der Prinz. »Nun gut. Jetzt mußt du eine weitere Probe bestehen.« Und er führte ihn in den Stall und zeigte ihm ein sehr schönes Pferd, das da stand. Dann sagte er: »Du mußt dieses Pferd zähmen. Doch ich mache dich darauf aufmerksam, daß es sehr wild ist und die geringste Unachtsamkeit dich das Leben kosten kann.« Der Prinz sagte, gut, er wolle das machen. Dann ging er hinaus aufs Feld und rief den Adler, und wieder erschien die Tochter des Zauberers. »Was willst du von mir?« – »Dein Vater hat mir befohlen, ein Pferd zu zähmen, das er in seinem Stall hat, und er hat mich darauf aufmerksam gemacht, daß es sehr wild ist.« – »Gut, und hör genau zu: Hole morgen das Pferd, das dann schön gezäumt sein wird, aus dem Stall, doch steige nicht darauf. Führ es aufs Feld und nimm einen starken Stock mit, der nicht entzweibricht. Denk daran, daß das Pferd mein Vater ist, der Sattel meine Mutter, die Steigbügel meine Schwestern und ich die Zügel bin. Sobald du dann draußen auf dem Felde bist, beginn auf das Pferd, den Sattel und die Bügel loszuhauen, doch schlag nicht auf die Zügel, denn dann schlägst du mich.«

Und wirklich, so wie sie ihm gesagt hatte, tat er. Am nächsten Morgen führte er das Pferd aufs Feld, und mit einer Peitsche, die er vorsichtshalber gleich mitgenommen hatte, verabreichte er dem Pferd derartige Hiebe, daß ihm die Knochen krachten. Das Pferd bäumte sich auf, doch er schlug und schlug auf das Tier los, auf den Sattel und die Bügel, bis das Pferd schließlich zu Kreuze kroch. Dann ging er ins Schloß zurück, und das erste, was er tat, war, den Zauberer, seine Frau und seine beiden ältesten Töchter aufzusuchen, die alle vier zu Bett lagen und dicke Verbände trugen. Er fragte sie, was ihnen geschehen sei, und sie antworteten ihm, eine Wand sei eingestürzt und habe sie verwundet.

Es vergingen einige Tage, und es ging ihnen wieder besser. Doch der Zauberer war jetzt mißtrauisch, denn er hatte bemerkt, daß seine jüngste Tochter nichts von den Schlägen abbekommen hatte, und er fürchtete, daß sie es war, die dem Prinzen half. »Höre«, sagte er zu dem Jüngling, »ich will dich jetzt zum letztenmal auf die Probe stellen. Vor vielen Jahren fiel meiner Großmutter ein Ring ins Meer, der für mich sehr wertvoll ist, du sollst ihn jetzt herausholen.« – »Gut«, sagte der Prinz, »ich will versuchen, ihn herauszuholen.«

Er ging hinaus aufs Feld und sagte: »Beschütze mich der Adler!«, und sogleich erschien Luise, denn so hieß die jüngste Tochter des Zauberers, und fragte ihn: »Was willst du? Was verlangt mein Vater von dir?« – »Er will, daß ich ihm einen Ring aus dem Meer hole, den seine Großmutter hineinfallen ließ.« – »Das ist schon ein gefährlicheres Unternehmen, doch wir werden das auch noch schaffen. Aber dazu mußt du mich töten.« – »Dann kann lieber der Ring im Meer bleiben, denn töten will ich dich auf keinen Fall.« – »Doch, du wirst mich töten. Aber hab keine Angst, ich komme ins Leben zurück. Du nimmst ein Messer, tötest mich und schneidest meinen Körper in Stücke, legst sie zusammen in ein Tuch und wirfst sie ins Meer. Doch paß auf, daß nichts auf die Erde fällt, denn das fehlt meinem Körper nachher.«

Der Prinz konnte es nicht über sich bringen, das zu tun, doch Luise beteuerte ihm so sehr, ihr werde nichts geschehen, daß er schließlich tat, wie sie ihm gesagt hatte.

Nachdem er sie getötet hatte, schnitt er den Körper in Stücke und warf sie ins Meer, doch blieb am Tuch ein Stückchen Fleisch kleben, das auf den Boden fiel. Nach einiger Zeit begann das Wasser zu schäumen, und gleich darauf kam Luise mit dem Ring heraus, den sie dem Prinzen gab; an der linken Hand aber fehlte ihr der kleine Finger. »Siehst du«, sagte sie zu ihm, »du hast nicht genügend achtgegeben, und dafür fehlt mir nun dieser Finger. Wenn mein Vater das sieht, weiß er gleich, daß ich dir geholfen habe.«

Der Prinz ging zum Zauberer und gab ihm den Ring, und als der ihn sah, sprach er bei sich: ›Ganz bestimmt steckt Luise dahinter!‹ Und als die drei Töchter kamen, beobachtete der Vater sie genau, und als er sah, daß die Jüngste ein Taschentuch um die eine Hand gebunden hatte, fragte er sie, was ihr fehle. »Es ist nichts«, antwortete sie, »ich habe mich geschnitten. Aber das ist bald wieder besser.« Doch der Vater ließ sich nicht täuschen und sprach bei sich: ›Ich wußte ja, daß meine Tochter dahintersteckt, doch das soll sie mir büßen.‹ Und da er nicht mehr umhin konnte, sein Versprechen zu erfüllen, sagte er zum Prinzen: »Du hast alles vollbracht, was ich von dir verlangte, jetzt ist es an mir, mein Wort zu halten: Du kannst dir nun eine meiner Töchter auswählen. Doch mußt du sie dir mit verbundenen Augen wählen.«

Der Jüngling wurde durch diese Laune des Zauberers in große Verlegenheit versetzt, doch als er Luise ansah, die auf die eine Hand wies, an der der Finger fehlte, nahm er den Vorschlag an. Man verband ihm die Augen, und der Zauberer rief seine drei Töchter zu sich. Der Prinz ergriff nacheinander ihre Hände, und als er die von Luise faßte, sagte er, die wolle er heiraten. Dem Vater gefiel das gar nicht, aber er konnte jetzt nicht mehr zurück und mußte sie verheiraten, doch schwor er, daß die beiden es ihm büßen sollten.

Am Abend, als sie zu Bett gingen, hörten sie die Stimme des Vaters: »Luise, Luise!« – »Ihr wünscht, Vater?« Und indem sie ihren Mann ansah, sagte sie: »Mein Vater ist wütend auf mich, weil wir ihn besiegt haben, und er hat beschlossen, uns zu töten. Deswegen müssen wir an unsere Rettung denken. Geh in den Pferdestall, dort wirst du zwei Pferde finden. Das dickere läuft dreißig Meilen in

einer Stunde und das dünnere vierzig. Nimm dieses und gib mir Bescheid, wenn es gesattelt ist.«
Der Prinz ging fort. Indessen holte Luise ein Gefäß und spie hinein. Als er zurückkam, hörten sie den Vater wieder rufen, und sie antwortete wieder wie das vorige Mal. »Siehst du«, sagte sie zu ihrem Mann, »er wartet darauf, daß ich nicht mehr antworte, um dann hereinzukommen und uns zu töten. Doch mein Speichel, der hier in dem Gefäß ist, wird statt meiner antworten. Bis er ausgetrocknet ist, sind wir schon weit weg.«
Sie stiegen in den Hof hinunter, und als sie das Pferd erblickte, sagte sie: »Mein Gott, Mann! Du hast das falsche Pferd genommen!« – »Wenn du willst, hole ich schnell das andere.« – »Nein, es ist keine Zeit mehr. Laß uns so schnell wie möglich eilen.«
Sie stiegen auf das Pferd, und wie im Fluge rasten sie dahin. Indessen rief der Vater von Zeit zu Zeit Luise wieder: »Luise, Luise!« Und der Speichel antwortete: »Ihr wünscht, Vater?« Doch da der Speichel allmählich trocknete, wurde das Echo von Mal zu Mal schwächer, bis es schließlich ganz aufhörte. Da sagte der Vater: »Jetzt sind sie eingeschlafen. Nun sollen sie büßen.«
Er ergriff ein Schwert und schritt geradewegs auf das Bett zu, und als er merkte, daß sie dort nicht lagen, begriff er, daß sie entwischt waren, und ging in den Stall hinunter. Als er das Pferd sah, sagte er: »Noch kann ich sie zu fassen bekommen, denn sie haben das Vierzigmeilenpferd hiergelassen.«
Er stieg auf das Pferd und raste hinter ihnen her, und obwohl sie ihm ein gutes Stück voraus waren, dauerte es doch nicht lange, bis sie ihn kommen sahen, denn sein Pferd legte ja zehn Meilen mehr in der Stunde zurück. »Wir sind verloren«, sagte Luise, »denn mein Vater folgt uns auf dem Fuße. Aber ich weiß schon, wie wir ihm entkommen können. Sobald mein Vater hier ist, verwandle ich das Pferd in einen Garten, dich in den Gärtner und mich in einen Kopfsalat. Wenn er dich etwas fragt, stell dich taub!«
Und wirklich, so wie sie sagte, geschah es auch. Der Vater kam an, und als er den Gärtner sah, fragte er ihn: »Lieber Mann, habt Ihr hier einen Mann und eine Frau auf einem Pferd vorbeikommen sehen?« – »Ich habe nur diesen Salat, aber der ist gut.« – »Davon rede ich doch nicht. Ich möchte wissen, ob hier zwei junge Leute zu Pferd vorbeigekommen sind.« – »Dieses Jahr gibt es wenig, aber nächstes Jahr wird es mehr geben.« – »Der Teufel soll dich holen!« sagte der Zauberer und kehrte in sein Schloß zurück, wo er seiner Frau erzählte, was er erlebt hatte. »Du bist ein Dummkopf«, sagte seine Frau zu ihm, »sie haben dich getäuscht, denn der Garten, der Gärtner und der Kopfsalat sind sie selber gewesen.«
Der Vater eilte davon, doch fand er jetzt den Garten nicht mehr, denn als er

umgekehrt war, hatten die beiden sofort ihren Weg fortgesetzt. Aber bald war er ihnen wieder ganz dicht auf den Fersen, und Luise sagte: »Da kommt mein Vater schon wieder. Das Pferd soll sich in eine Einsiedelei, du dich in einen Einsiedler und ich mich in das Heiligenbild verwandeln!«
Sofort verwandelte sich alles, wie sie gesagt hatte, und als der Vater ankam, sagte er: »Einsiedler, habt Ihr hier zwei junge Leute zu Pferd vorbeikommen sehen?« – »Öl für die Lampe! Öl für die Lampe!« – »Davon red ich doch gar nicht, sondern ob Ihr hier zwei junge Leute habt vorbeikommen sehen?« – »Bald ist es ausgebrannt! Bald ist es ausgebrannt!« Der Zauberer schickte alle Tauben zum Teufel und kehrte fluchend heim. Als die Mutter die Geschichte hörte, sagte sie: »Der Einsiedler war er und sie das Bild. Lauf noch einmal hinter ihnen her und bring diesmal mit, was du auch findest. Denn immer werden sie es sein.«
Der Zauberer eilte also wieder wütend auf und davon und schwor, sie nicht noch einmal entwischen zu lassen. Schon war er ihnen ganz nahe, als Luise schnell ein Ei herausholte und es auf die Erde warf. Es verwandelte sich sofort in ein Meer, das die beiden von ihrem Vater trennte. Als der Zauberer sah, daß er sie nicht einholen konnte, sagte er zu dem Jüngling: »Wenn dich ein Hund berührt oder dich eine Alte umarmt, so mögest du Luise vergessen, das gebe Gott!« Und er kehrte in sein Schloß zurück.
Sie setzten indessen ihren Weg wieder fort und kamen in sein Land, doch bevor sie seine Heimatstadt erreichten, sagte der Prinz zu ihr: »Warte hier auf mich, ich hole die Droschken und alles, was sonst noch nötig ist, damit du in die Stadt einziehen kannst, wie es sich für uns gehört.« – »Ich möchte mich nicht von dir trennen, denn du wirst mich vergessen. Denk doch an den Fluch meines Vaters!« – »Hab keine Angst! Ich werde schon aufpassen, daß keiner mich umarmt.«
Er ging in das Schloß, und kaum sahen sie ihn, da kamen ihm alle entgegen, um ihn zu beglückwünschen und zu umarmen, vor allem seine Mutter; doch alle, die ihn umarmen wollten, wehrte er ab. Er befahl, die Droschken auffahren zu lassen und ein Gefolge zusammenzustellen, um die zu holen, die seine Frau werden sollte. Dann sagte er zu seiner Mutter: »Ich bin sehr müde und möchte mich ein wenig ausruhen. Wenn alles fertig ist, soll man mir Bescheid geben.« Er legte sich hin und schlief ein. Da kam seine Großmutter und, schlafend wie er dalag, umarmte sie ihn.
Als alles vorbereitet war, rief die Königin ihn und sprach: »Das Gefolge und die Droschken sind fertig.« – »Welches Gefolge?« fragte der Prinz. »Welches? Das Gefolge, das du haben wolltest, um deine Frau zu holen.« – »Ihr träumt. Ich wollte nichts haben und habe auch keine Frau. Ich will nur hierbleiben.« Die Königin glaubte, ihr Sohn sei verrückt geworden oder wolle sie zum Narren halten. Aber

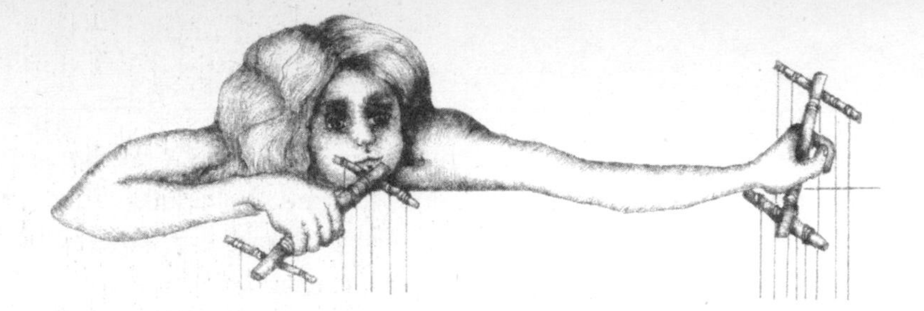

da ihn seine Großmutter umarmt hatte, hatte er alles vergessen, gerade so, wie der Zauberer es ihm gewünscht hatte.
Indessen wartete die arme Luise vergeblich auf ihn, und als sie merkte, daß er nicht zurückkam, ging sie in die Stadt und verdingte sich als Hausfräulein bei einem sehr reichen Ehepaar. Dieses Ehepaar hatte eine wunderschöne Tochter, in die der Prinz sich verliebte und um deren Hand er anhielt.
Der Tag der Hochzeit wurde festgesetzt; da schlug nun Luise ihrer Herrin vor, zur Unterhaltung ein Puppenspiel zu geben mit Puppen, die sie selbst besaß. Die Herrin sagte, es sei gut, und Luise machte sich nun daran und kleidete zwei Puppen an, eine als Frau mit einem Kleid wie ihr eigenes und die andere als Mann mit einem Gewand, wie das war, das der Prinz trug, als er fortging, um alles Nötige zu holen.
Es kam der Hochzeitstag, und als die ganze Gesellschaft zugegen war, ging man in einen Saal, wo ein Puppentheater aufgestellt war, hinter dem sich Luise verborgen hielt. An Drähten zog sie die Puppen auf die Bühne; die eine Puppe trug einen Stock und sagte zu der anderen: »Christoph, weißt du noch, daß du das Schloß des Zauberers Palermo suchtest und dich ein Adler auf seinen Flügeln dorthin brachte?« – »Nein«, antwortete die Puppe, die wie der Prinz gekleidet war, und da bekam sie von der anderen einen Schlag mit dem Stock.
Der Prinz zuckte zusammen, denn er fühlte den Hieb, als ob er ihn selber bekommen hätte. Die Puppen fuhren fort: »Christoph, weißt du noch, daß der Zauberer dir befahl, das Ödland zu bebauen und aus dem Weizen ein Brötchen zu seiner Tasse Schokolade zu backen?« – »Nein.« Wieder ein Schlag. »Weißt du noch, daß du das Pferd zähmen mußtest?« – »Nein.« – »Weißt du noch, daß er dir befahl, einen Ring aus dem Meer zu holen?« – »Nein.«
Obwohl der Prinz die Schläge fühlte, sagte er kein Wort, und Luise war schon ganz verzwei-

felt darüber, daß er sich an nichts mehr erinnerte. Dann sagte sie wieder: »Weißt du nicht, daß mein Vater, als er uns verfolgte, uns zuletzt verfluchte und wünschte, du solltest mich vergessen, wenn eine alte Frau dich umarmt?«
Und als die Puppe wieder »nein« antwortete, bekam sie einen Schlag, daß sie in tausend Stücke zerbrach. Da fühlte der Prinz einen so heftigen Schmerz, daß er aufsprang, mit der Hand über seine Stirn fuhr, wobei ihm allmählich alles wieder zum Bewußtsein kam. Er fragte seine Braut, wer das Puppenspiel gemacht habe, und als sie antwortete, es sei ihr Kammermädchen gewesen, ließ er sie zu sich kommen. Und als Luise vor ihm stand, erinnerte er sich an alles. Er faßte sie bei der Hand, ging mit ihr zu seiner Mutter und sprach: »Mutter, hat mich irgend jemand umarmt, als ich mich nach der Rückkehr von meiner Reise schlafen legte?« – »Ja«, sagte die Königin, »deine Großmutter hat dich umarmt.« – »Dann hat mich diese Umarmung den Auftrag vergessen lassen, den ich Euch gab, bevor ich mich hinlegte. Hier ist die Frau, die auf mich gewartet hat, und nur sie will ich heiraten.« Dann gingen sie ins Schloß, und er heiratete Luise, und sie wurden sehr glücklich. Die andere aber war unverhofft ihren Bräutigam los.
Das Märchen ist aus, wir gehen nach Haus.

10. Mai – Der einhundertdreißigste Tag

Der Dudelsack, der alle zum Tanzen brachte

Ein Mann hatte drei Söhne. Die beiden älteren waren schlauer als der jüngste, und das ließen sie ihn ständig spüren. Schließlich sagte der Vater: »Da dieser Sohn zu nichts nütze ist, habe ich gedacht, soll er Hirt werden.« Und er wurde Hirt.
Er hütete schon ein Jahr lang Schafe, als er auf eine Alte traf, die zu ihm sagte: »Nanu, was machst du denn hier als Schafhirt?« Und der Junge sagte: » Das ist so, meine Brüder mögen mich nicht, und mein Vater wollte, daß ich Hirt werde.« – »Und wie geht es dir dabei? Hast du einen guten Herrn und genug zu essen?« fragte ihn die Alte. »Doch, doch«, antwortete der Junge, »ich habe einen sehr guten Herrn und bekomme viel zu essen.« Da sagte die Frau zu ihm: »Nun, was fehlt dir denn?« – »Ein Dudelsack.« Da gab ihm die Alte einen Dudelsack. Und schon ging die Alte davon und ließ ihn allein.
Kaum war die Alte weg, begann der Hirt, auf dem Dudelsack zu spielen, und da begannen die Schäfchen zu tanzen. Und er spielte mehr und mehr und immer

mehr, und mit immer größerer Freude tanzten Schafe und Ziegen. Und so ging es Tag für Tag. Der Hirt spielte auf, und die Schafe und Ziegen tanzten, bis sie vor Erschöpfung umfielen und alle viere von sich streckten, um ein wenig auszuruhen. Und seine Schafe und Ziegen waren dabei immer schön fett.
Und die Schafhirten in der Gegend sahen, daß die Schafe des Jungen immer fett waren, und sagten: »Was macht dieser Junge bloß, daß seine Schafe und Ziegen so fett sind?« Und andere Hirten, die wußten, daß sie immer alle tanzten, sagten dem Gutsherrn, sein Hirt habe einen Dudelsack, und wenn er darauf spiele, tanzten die Schafe und Ziegen mit ihm. Doch der Herr wollte das nicht glauben und ging zum Hirten hin und sagte: »Guten Tag! Warum strecken die Schafe alle viere von sich?« – »Sie ruhen sich aus«, sagte der Hirt. »Und ist es wahr, daß die Schafe tanzen?« – »Ja, mein Herr, sie tanzen, wenn ich den Dudelsack spiele.« – »Das muß ich sehen«, sagte der Herr. Und der Junge begann, den Dudelsack zu spielen, und die Schäfchen und Ziegen standen auf und fingen an, nach Herzenslust zu tanzen. Und der Hirt begann auch zu tanzen. Und der Hirt spielte immer kräftiger auf, und die Schafe und Ziegen tanzten immer ausgelassener. Und der Herr begann vor Freude auch zu tanzen, bis nun alle tanzten, Herr, Hirt, Schafe und Ziegen. Und der Hirt spielte drauflos, und der Herr tanzte drauflos. Als der Junge des Spielens müde war, legte er sich lang hin, um auszuruhen, und so machten es die Schafe, die Ziegen und der Herr.
Da ging der Herr hin und erzählte es seiner Frau. Und die Frau sagte: »Komm schon, erzähl mir keine Märchen. Wo hat man denn je Schafe und Ziegen tanzen sehen?« – »Wenn du's nicht glaubst, dann geh doch selber, und du wirst sehen, es ist wahr. Ich selbst habe auch tanzen müssen. Wenn dieser Junge den Dudelsack spielt, dann müssen alle tanzen.« Da sagte die Frau: »Das glaub ich nicht, doch werde ich hingehen und sehen, ob es wahr ist.« Und schon kam sie dahin, wo der Hirt mit den Schafen und Ziegen war, und sagte zu ihm, er solle den Dudelsack spielen. Und er begann, den Dudelsack zu spielen, und sofort springen die Schafe und Ziegen auf und fangen an zu tanzen. Und der Hirt spielt und spielt, und die Ziegen und Schafe tanzen und tanzen. Da fängt die Herrin auch zu tanzen an. Und der Hirt spielt und spielt den Dudelsack, und die Herrin tanzt und tanzt. Und so tanzten alle, bis es dem Hirten zuviel wurde und alle niederfielen, um auszuruhen, die Herrin, der Hirt, die Schafe und die Ziegen. Und als die Frau sich ausgeruht hatte, ging sie nach Hause.
Als sie daheim ankam, fragte ihr Mann: »Nun, wie steht's? Haben die Schafe getanzt?« – »Die Schafe und Ziegen haben getanzt und ich mit ihnen«, sagte die Frau. »Wenn dieser Hirt den Dudelsack spielt, müssen alle tanzen.« – »Ich hab es dir doch gesagt«, erwiderte der Herr. Und schon beschlossen sie, den Hirten zu

entlassen, weil er die Schafe und Ziegen und jedermann immerzu zum Tanzen brachte. Und die Schäfchen und die Ziegen starben alle vor Kummer, daß ihnen niemand mehr zum Tanz aufspielte. Der Junge ging nach Hause zu seinem Vater. Und als er ihm erzählte, was er erlebt hatte, trieben die beiden älteren Brüder wieder ihren Spott mit ihm. Der Vater sagte: »Dieser Junge ist zu nichts zu gebrauchen. Er soll lieber zu Hause bleiben, und ihr arbeitet draußen, den Lebensunterhalt zu verdienen.« Am folgenden Tag schickte der Vater den Ältesten ins Dorf, um Äpfel zu verkaufen. Unterwegs begegnete er einer Alten, die ihn fragte: »Was verkaufst du?« Und er antwortete: »Ich verkaufe Ratten.« Und die Alte sagte: »Dann sollen es auch Ratten sein.« Der Junge kam ins Dorf, und als er Äpfel herausholen und verkaufen wollte, kamen nur Ratten heraus. Immer mehr, immer mehr sprangen heraus, bis das ganze Dorf voller Ratten war. Der Junge erhielt eine Tracht Prügel und ging nach Hause.

Am nächsten Tag schickte der Vater den zweiten Sohn ins Dorf, um Orangen zu verkaufen. Unterwegs traf er auf dieselbe Alte, die zu ihm sagte: »Guten Tag. Was verkaufst du?« Und er sagte zu ihr: »Vögel.« Und die Alte sagte zu ihm: »Dann sollen es auch Vögel sein.« Und als der Junge ins Dorf kam und den Orangenkorb öffnete, flogen lauter Vögel heraus, und nichts blieb übrig. Da ging der Arme ganz traurig nach Hause zurück.

Nun sagte der jüngste Sohn zu seinem Vater: »Vater, jetzt möchte ich ins Dorf gehen. Schickt mich hin, und Ihr werdet sehen, wie es mir ergeht.« Die beiden Älteren lachten ihn aus und sagten: »Was hast du denn da verloren, Dummkopf! Wenn es uns schon schlecht ergangen ist, wird es dir noch viel schlechter ergehen.« Aber der Vater ließ ihn ziehen und gab ihm einen Korb Weintrauben, die er im Dorf verkaufen sollte. Unterwegs traf er auf dieselbe Alte, die ihn fragte: »Was verkaufst du?« Und er antwortete: »Ich verkaufe Weintrauben. Wollt Ihr welche haben?« Und die Alte antwortete: »Nein, ich danke dir. Viele Weintrauben wirst du verkaufen.« Und der Junge kam ins Dorf, um seine Weintrauben zu verkaufen, und je mehr er verkaufte, desto mehr waren im Korb. Und er verkaufte so viele, daß er ganze Säcke mit Geld füllte, und damit kehrte er zum Haus seines Vaters zurück. Auf dem Weg dahin spielte er den

Dudelsack, den er immer noch hatte, und er traf auf die Alte, die ihm sagte: »Spiel nicht den Dudelsack, mein Sohn, bis du nicht zu Hause angekommen bist.«
Der Junge kam zu Hause an, und die beiden Brüder und der Vater gingen ihm entgegen. Der Vater sagte: »Sicher hat er wieder etwas angestellt, dieser Dummkopf.« Der Junge trat auf sie zu und sagte: »Hier bringe ich viele Golddukaten, Vater, so viele, daß sie am Korb festkleben und sich nicht herausnehmen lassen; noch mehr bringe ich hier in den Säcken, und die kann man auch nicht herausnehmen.« Der Vater sagte: »Ja, wie sollen wir bloß das Geld aus dem Korb und den Säcken bekommen?« – »Macht Euch keine Sorgen, Vater«, sagte der Junge zu ihm, »Ihr werdet schon sehen.« Und er begann, den Dudelsack zu spielen, und die Dukaten und Heller kamen tanzend aus dem Korb und aus den Säcken heraus. So spielte er weiter den Dudelsack, bis das ganze Geld herausgehüpft war und sie reich waren.
Da mochten ihn auf einmal seine Brüder sehr gut leiden. Und der Vater sagte: »Jetzt werden wir mit diesem Geld ein Haus bauen.« Und sie bauten ein wunderschönes Haus mit dem Geld. Das Haus wurde so schön, daß ihnen kein Geld mehr übrigblieb, und der Vater sagte: »Jetzt müssen wir in die Welt hinausziehen, um unseren Lebensunterhalt zu verdienen.« Die älteren Brüder, immer noch mißgünstig auf den anderen, zogen zusammen los, und der Jüngste ging mit seinem Vater in eine andere Himmelsrichtung.
Der Jüngste und der Vater zogen durch die Dörfer und verkauften Öl. Und sie verkauften das ganze Öl und kauften sich dafür immer Eier. Der Junge war sehr zufrieden und sagte zu seinem Vater: »Vater, da wir nun das ganze Öl verkauft und so viele Eier dafür bekommen haben, werde ich mal wieder den Dudelsack spielen.« Und der Vater sagte: »Um Himmels willen, Sohn, spiel nicht den Dudelsack. Siehst du nicht, daß die Eier tanzen und alle kaputtgehen werden?« – »Macht Euch keine Sorgen, Vater«, sagte der Sohn. Und er spielte den Dudelsack, und die Eier tanzten in den Körben. »Nein, Sohn, hör auf, sie werden kaputtgehen.« – »Keine Sorge, Vater, sie werden nicht kaputtgehen.« Und immer weiter spielte er auf dem Dudelsack, und immer

weiter tanzten die Eier, bis auch der Vater und der Sohn zu tanzen begannen. Und so tanzten Vater, Sohn und die Eier in den Körben, bis der Junge es leid war. Dann gingen sie nach Hause. In den Körben waren so viele Eier, daß sie sie gar nicht herausbekamen. Und der Vater sagte: »Wie sollen wir denn bloß die ganzen Eier aus den Körben herausbekommen?« Und der Junge begann den Dudelsack zu spielen, und die Eier begannen, aus den Körben herauszukommen, bis alle draußen waren. Und der Junge sagte: »Damit können wir uns schon unseren Lebensunterhalt verdienen.« Sie zogen los und verkauften die Eier. Und je mehr sie verkauften, desto mehr kamen aus den Körben heraus. So wurden sie reich.
Da kamen auch die beiden älteren Brüder zurück und brachten keinen einzigen Peso. Sie waren ärmer als je zuvor. Und weil sie auf den Jüngsten neidisch waren, nahmen sie ihm den Dudelsack weg. Aber der Jüngste brauchte ihn nicht mehr, denn er und sein Vater waren ja reich. Die Brüder nahmen den Dudelsack und spielten und glaubten fest, auch sie würden damit reich werden. Aber nichts davon. Nur dem Jungen brachte der Dudelsack Glück.

11. Mai – Der einhunderteinunddreißigste Tag

Der spanische Prinz

Es war einmal ein Prinz, der sagte eines Tages zu seinem Vater, dem König, er werde nun fortgehen, sein Glück zu versuchen. Und der Vater ist einverstanden und sagt ihm, daß er sich das schönste Pferd, das ihm am besten gefalle, aus dem Stall aussuchen solle.
So geht der Prinz in den Stall, um ein Pferd auszusuchen, und sieht dort ein ganz mageres und sagt: »Warum bloß hat mein Vater dieses elend magere und alte Pferd?« Da hört er eine Stimme, die zu ihm spricht: »Spanischer Prinz, wenn du dich morgen aufmachst, nimm kein anderes Pferd als mich.« Und am nächsten Tag sucht er sich das magere Pferd aus und macht sich mit ihm auf den Weg.
Und er reitet und reitet und kommt schließlich an eine Wiese, und da sagte das Pferd zu ihm: »Spanischer Prinz, steig ab, nimm meinen Sattel herunter und laß mich los.« Und so machte es der Prinz, und im gleichen Augenblick verwandelte sich die Mähre in ein schönes, kräftiges Pferd, das nicht seinesgleichen hatte. Und der Prinz sattelte es und machte sich mit ihm auf den Weg.
Kurze Zeit darauf fand er einen goldenen Apfel, und das Pferd sagte zu ihm: »Heb

ihn nicht auf, es wird dir sonst schlecht bekommen.« Aber er kümmerte sich nicht darum und hob ihn auf. Und wenig später fand er ein goldenes Hufeisen, und wieder sagte das Pferd: »Heb es nicht auf, es wird dir sonst schlecht bekommen.« Aber er kümmerte sich nicht darum und hob es auf. Den goldenen Apfel und das goldene Hufeisen steckte er in die Satteltaschen und setzte seinen Weg fort. Danach fand er ein Bild, darauf abgebildet war die Schönheit der Welt. Und das Pferd sagte: »Heb es nicht auf, es wird dir sonst schlecht bekommen.« Aber er kümmerte sich nicht darum und hob es auf.

Er setzte seinen Weg fort und traf auf eine Ameise, die in einer Pfütze zu ertrinken drohte. Und das Pferd sagte, die solle er herausholen, und er holte sie heraus und gab ihr einen Krümel Brot. Auf seinem weiteren Weg stieß er auf einen Adler, der sich im Gestrüpp verfangen hatte, und das Pferd sagte, er solle ihn befreien, und er befreite ihn. Er reitet weiter und trifft auf einen Wal, der am Meeresufer gestrandet ist. Das Pferd sagt, er solle ihm einen Schubs versetzen und ihn ins Meer zurückbefördern. Und so geschah es.

Und dann reitet er weiter und weiter, bis er schließlich zu einem Schloß kommt, wo ihn Edelleute begrüßen und sagen: »Wir erwarten dich schon seit langem, spanischer Prinz.« Und dort in diesem Schloß war er drei Tage. Sie sagten ihm, daß er lernen solle, und gaben ihm ein Buch zu lesen, das den Baum mit den goldenen Äpfeln und das Pferd mit den goldenen Hufeisen enthielt – es hatte aber nur deren drei, ein Eisen fehlte ihm –, und das Bild mit der Schönheit der Welt war auch darin. Und er nahm die drei Bilder aus dem Buch und legte sie auf den Tisch. Da erscheint der Herr des Schlosses und sagt: »Du mußt mir den Baum mit den goldenen Äpfeln verschaffen, dazu das Pferd, dem ein Hufeisen fehlt, und die Schönheit der Welt, sonst bringe ich dich um. Doch zuerst wirst du mir den Baum mit den goldenen Äpfeln bringen.«

Nun gut, der Prinz geht also in den Stall, wo sein Pferd steht, und sagt ihm, was man von ihm will. Und das Pferd spricht: »Morgen verlangst du einen zwanzig Ellen langen Strick, ein paar Vögel und eine Frist von acht Tagen.« Sie geben ihm alles, und er macht sich auf die Suche nach dem Baum mit den goldenen Äpfeln. Nach zwei Tagen kommt er zu einem wunderschönen Garten, und das Pferd spricht: »Spanischer Prinz, dort steht der Baum mit den goldenen Äpfeln. Wenn die Glocke zwölf schlägt, öffnen sich die Tore sperrangelweit. Du nimmst deinen Strick und gehst hinein. Zehn Löwen werden auftauchen, und wenn du sie auf dich zukommen siehst, wirfst du ihnen die Vögel hin, und während sie die Vögel verschlingen, wickelst du den Strick um den Baum und ziehst ihn heraus. Und wenn du beim zwölften Glockenschlag noch nicht draußen bist, bleibst du dort und kommst nie mehr zurück.« Der Prinz tat, wie ihm geheißen, und war vor dem letzten Glockenschlag wieder draußen. Der Baum ging vor dem Pferd her, und so kamen sie im Schloß an. Nach acht Tagen trug der Baum schon goldene Äpfel. Und der Herr des Schlosses sagte: »Na gut, jetzt bringst du mir das Pferd mit den goldenen Hufeisen.«

Darauf ging er wieder in den Stall, um seinem Pferd zu berichten, was man von ihm wollte. Und das Pferd sprach: »Morgen verlangst du wieder einen zwanzig Ellen langen Strick.« Und sie gaben ihm den Strick, und er machte sich mit seinem Pferd auf die Suche nach dem Pferd mit den drei goldenen Hufeisen. Und sie kamen zu einer sehr großen Pferdekoppel, wo ein Pferd Luftsprünge machte und mit den Hufen ausschlug. Da sagte das Pferd zum Prinzen: »Geh mit dem Strick hinein, binde es fest und komm vor dem zwölften Glockenschlag heraus.« Und er ging hinein und kam vor dem zwölften Glockenschlag wieder heraus. Und sie brachten das Pferd zum Herrn des Schlosses und sahen, daß es nur drei goldene Hufeisen hatte. Da nahm der Prinz das andere Eisen, und sie legten es ihm an. Darauf sagte der Herr: »Jetzt mußt du mir die Schönheit der Welt bringen.«

Wieder ging der Prinz zu seinem Pferd und erzählte ihm, was er noch zu tun hatte. Und das Pferd sprach: »Diesmal verlangst du wie zuvor einen Strick und dazu einige Süßigkeiten.« So machte er sich auf die Suche nach der Schönheit der Welt. Mittendrin hielt das Pferd an und sprach: »Spanischer Prinz, siehst du dort den Marmorstein? Ach, wenn ich dorthin komme, werde auch ich zu Marmor. Du aber gehst weiter und wirst vor ein Schloß kommen. Und beim ersten Glockenschlag werden sich die Tore des Schlosses öffnen und mehrere Edelfräulein dir entgegenkommen, die dich umarmen wollen. Aber du läßt es nicht zu, denn wenn du dich umarmen läßt, ist es dein Verderben. Du wirfst ihnen die Süßigkeiten hin und suchst nach der Schönheit der Welt und gehst mit ihr hinaus, bevor der letzte Glockenschlag ertönt.« Und der Prinz erreichte den Eingang des Schlosses, und es ertönte der erste Glockenschlag. Das Tor öffnete sich, die Edelfräulein erschienen, und er warf ihnen die Süßigkeiten hin und ging weiter auf der Suche nach der Schönheit der Welt. Aber es schlug zwölf, bevor er draußen war, und die Schönheit der Welt sagte zu ihm: »Nun versteck dich! Und wenn ich die drei Male, die ich dich rufe, errate, wo du bist, dann ist dein Leben mein, und wenn ich es nicht errate, bin ich dein und ziehe mit dir.« Der Prinz sagte: »Mein Gott! Wohin soll ich mich verstecken?« Da erinnerte er sich an den Wal und sagte: »Wenn mich doch der Wal retten könnte!« Er hatte dies noch nicht zu Ende gesprochen, als er sich schon auf dem Grund des Meeres befand. Und die Schönheit nahm das Buch und begann zu lesen: »Auf der Erde ist er nicht, in der Luft ist er nicht, aber im Meer! Wal, bring ihn mir her!« Und der Wal brachte ihn zur Schönheit der Welt. Da sagte die Schönheit der Welt:

»Einmal hast du schon verloren. Jetzt verstecke dich noch einmal.« Und der Prinz sagte: »Wenn doch der Adler mir helfen würde!« Und im gleichen Augenblick packte ihn der Adler und schwang sich mit ihm in die Lüfte. Sie nahm das Buch und begann zu lesen: »Auf der Erde ist er nicht, im Meer ist er nicht, aber in den Lüften! Adler, bring ihn mir her!« Und der Adler brachte ihn zur Schönheit der Welt. Da sagte die Schönheit: »Nun hast du schon zweimal verloren. Wenn du es diesmal nicht schaffst, bring ich dich um.«

Da wußte der Prinz nicht mehr, was er tun sollte, aber da fiel ihm die Ameise ein, und er sagte: »Wenn doch die Ameise mir helfen würde!« Und im gleichen Augenblick erschien die Ameise und sagte zu ihm: »Jetzt verwandelst du dich in eine Ameise und setzt dich ihr an den Busen.« Und dies tat er. Und sie nahm alle ihre Bücher und begann zu lesen, aber sie konnte nicht erraten, wo er war. Sie warf alle ihre Bücher auf den Boden und stampfte darauf herum. Aber der Prinz kam nicht heraus. Schließlich sagte sie: »Komm heraus, ich habe verloren und bin dein.« Und er kam heraus und sagte ihr, daß er sich an ihrem Busen versteckt hatte. Und sie ging mit ihm, und beide begaben sich zu der Stelle, wo das Pferd auf sie wartete. Zusammen ritten sie zum Schloß. Der Herr des Schlosses sagte daraufhin: »Na gut, du hast alles herbeigebracht. Wenn du mich nun besiegst, bist du Herr über alles und kannst die Schönheit der Welt heiraten. Dreimal mußt du in einen Kessel mit siedendem Öl springen, und kommst du unversehrt heraus, bist du Sieger und heiratest, und dieses Schloß ist dein.«

Da ging der Prinz in den Stall zu seinem Pferd und berichtete ihm, was der Herr von ihm verlangte, damit er frei wäre und die Schönheit der Welt heiraten könne. Und das Pferd sprach: »Nun gut, verlang einen Trog und ein Messer und eine Hacke. Dann geh hin und grab ein Loch und töte mich und verscharr mich in dem Loch, ohne einen Tropfen Blut zu vergießen. Bade dich in meinem Blut und dann spring in das siedende Öl!« Der Prinz wollte das Pferd partout nicht töten, aber das Pferd bat ihn inständig, es zu tun. So tat der Prinz, wie ihm geheißen, er ging hin und sprang in den Kessel mit siedendem Öl, und wenn er vorher schon hübsch war, so kam er aus dem Ölkessel noch hübscher hervor.

Der Herr des Schlosses ging zum Prinzen und sagte: »Wie hast du es bloß angestellt, aus dem siedendem Öl unversehrt herauszukommen?« Und der Prinz sagte ihm, wie er es gemacht hatte. Da befiehlt der Herr, ihm sein kräftigstes Pferd zu bringen, und er tötet es und badet in seinem Blut. Dann sprang er in den Kessel, und nur noch ein Stück Kohle blieb von ihm übrig. Der Prinz nahm das Schloß und alles andere in seinen Besitz und heiratete die Schönheit der Welt. Und es stellte sich heraus, daß der Wal eine Tante des Prinzen war, der Adler eine Schwester, die Ameise eine andere Schwester und das Pferd sein Onkel.

12. Mai – Der einhundertzweiunddreißigste Tag

Graf Abel und die Prinzessin

Es waren einmal ein Grafensohn, Graf Abel geheißen, und eine Prinzessin, die waren miteinander verlobt. Eines Tages saßen sie bei Tisch, da fiel dem Grafen eine Sauerkirsche hinunter. Er überlegte: ›Hebe ich die Kirsche, die mir hinuntergefallen ist, nun auf oder nicht? Wenn ich sie aufhebe, wird die Prinzessin sagen, ich sei unfein und geizig. Wenn ich sie aber nicht aufhebe, wird sie sagen, ich sei ein Verschwender.‹ So dachte er hin und her und sagte sich schließlich: ›Ich hebe sie auf.‹ Er hob sie vom Boden auf und aß sie. Da wollte die Braut nichts mehr von ihm wissen. Sie sagte, einen Grafen, der die Speise aufhebt, die ihm zu Boden gefallen ist, wolle sie nicht heiraten.
Der arme Graf fiel in tiefe Schwermut, und er wußte nicht, was zu tun sei, um die Gunst der Prinzessin zurückzugewinnen. Schließlich nahm er sich vor, als Bettler zur Prinzessin zu gehen. Er kleidete sich wie ein Bettler und nahm verstohlen einen goldenen Kelch mit, einen Ring und ein Medaillon. So trat er vor das Schloß und bettelte um Almosen. Die Prinzessin kam heraus und reichte ihm ein Almosen. Da sagte er zu ihr: »Señora, habt Ihr nicht irgend etwas für mich, was ich tun könnte, irgendeine Arbeit?« Sie sagte nein; für alles, was im Palast zu tun sei, gäbe es schon Bedienstete. Er sagte, er werde auch gern im Garten arbeiten, an welchem Platz auch immer, nur um etwas zu tun und ein wenig Geld zu verdienen. Da sagte sie ihm, er könne den Garten umgraben.
So ging er zum Umgraben in den Garten und hatte ein wenig gearbeitet, da warf er den goldenen Kelch in das Erdreich und rief: »Schaut nur, was ich gefunden habe, einen kostbaren Kelch aus Gold. Wie schön!« Da kam auch schon die Prinzessin heraus, sah ihn und sagte: »Wie schön! Gebt ihn mir!« Und er sagte: »Diesen da geb ich niemandem. Ich habe ihn gefunden, und er gehört mir.« Darauf sagte die Prinzessin: »Dann verkauft ihn mir. Sagt mir, was Ihr dafür haben wollt.« Und er sagte: »Nein, nein, um nichts in der Welt gebe ich ihn her.« Sie aber bat ihn so inständig darum und fragte so lange, was er denn dafür wolle, bis er zu ihr sagte: »Also gut, ich gebe ihn Euch, wenn Ihr die Röcke hochhebt und mir Eure Strumpfbänder zeigt.« Da rief sie: »Ihr seid reichlich unverschämt. Warum soll ich Euch meine Strumpfbänder zeigen?« Und er antwortete: »Wenn Ihr nicht wollt, auch gut. Der Kelch aus Gold bleibt bei mir.« Da dachte sie nach und sagte sich: ›Na ja, dieser Bettler, was macht es mir aus, wenn er meine Strumpfbänder sieht.‹ Und sie sagte zu ihm, sie sei einverstanden, hob die

Unterröcke auf und ließ ihn ihre Strumpfbänder sehen, und er gab ihr den goldenen Kelch.

Die Prinzessin ging sehr zufrieden mit ihrem goldenen Kelch fort, und er grub im Garten weiter um. Und während er umgrub, ließ er den Ring fallen, hob ihn auf und rief: »Jetzt habe ich etwas wirklich Schönes gefunden! Seht nur, was für ein kostbarer Ring!« Da kam auch schon die Prinzessin heraus, sah den Ring und sagte: »Ay, wie schön der ist! Wieviel wollt Ihr dafür haben?« Doch er beteuerte: »Um nichts in der Welt geb ich ihn her. Diesen da gebe ich bestimmt nicht her. Den behalte ich.« Aber die Prinzessin bat ihn so inständig darum, daß er am Ende sagte: »Na schön, wenn Ihr den Ring haben wollt, müßt Ihr mir die Beine zeigen.« Da rief die Prinzessin: »Hört mal, Ihr seid frech und unverschämt. Ich habe Euch meine Strumpfbänder gezeigt, und jetzt wollt Ihr auch die Beine sehen. Nein, Señor, es bleibt dabei, das tue ich nicht.« Er sagte: »Sehr gut, dann behalte ich meinen Ring.« Da sagte sie sich: ›Diesen Bettler kennt keiner. Was macht es mir aus, wenn er die Beine sieht?‹ Und schon gab sie ihm zu verstehen, sie willige ein, ihm die Beine zu zeigen. Der Bettler ging mit nach oben, und sie zeigte ihm die Beine. Und wie er die Beine so betrachtete, sagte er: »Ay, was habt Ihr für weiße, schöne Beine!« Und er gab ihr den Ring.

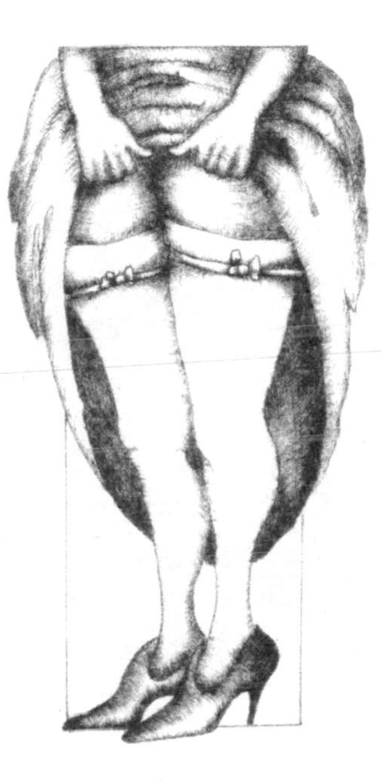

Die Prinzessin ging mit dem Ring fort, doch sie schämte sich etwas. Jedoch sagte sie sich: ›Was macht es mir schon! Dieser dumme Bettler weiß von nichts, und er wird es niemandem erzählen.‹ Er aber grub stetig im Garten um, und nach einiger Zeit warf er das goldene Medaillon ins Erdreich und rief: »Ay, was für ein selten schönes Medaillon habe ich gefunden!« Als das die Prinzessin hörte, kam sie gleich herunter und sagte zu ihm: »Laß mal das Medaillon sehen, das du gefunden hast.« Er zeigte es ihr und sagte: »Schaut Euch das an. Doch fragt mich nicht, wieviel ich dafür haben will, denn dies gebe ich bestimmt nicht her, weder Euch noch irgendeinem anderen. Dies ist ganz allein für mich.«

Die Prinzessin redete auf ihn ein: »Komm schon, verkauf es mir! Sag, was du dafür haben willst.« Aber er beteuerte: »Señora, dringt nicht in mich, daß ich es Euch geben soll, das ist unmöglich. Versteht mich

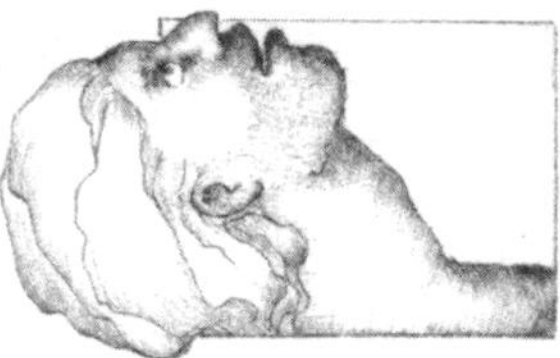

doch. Dies gebe ich niemandem auf der Welt, weder für Geld noch für sonst etwas.« Doch die Prinzessin bat ihn so inständig darum, daß er am Ende sagte: »Na schön! Doch ich gebe es nur unter einer Bedingung her, daß Ihr mich eine Nacht bei Euch schlafen laßt.« – »Ihr seid ein abscheulicher Kerl und ein Schelm«, sagte die Prinzessin. »Nur, weil ich Euch meine Strumpfbänder und die Beine gezeigt habe, meint Ihr, Ihr könntet auch bei mir schlafen.« Er gab ihr zurück: »Señora, verzeiht, doch nur dafür geb ich das Medaillon her. Ihr könnt mich ja in ein Bettlaken einnähen und ans Fußende legen. So schlafe ich bei Euch in Eurem Bett.« Die Prinzessin sagte nein, das sei ihr ganz und gar nicht möglich. Doch als er ihr sagte, dann bliebe das Medaillon eben in seinem Besitz, willigte sie schließlich ein und sagte ihm, also gut, in der Nacht würde man ihn in ein Bettlaken einnähen, und er könne zu ihren Füßen in ihrem Bett schlafen.
Als die Nacht anbrach, kam der Bettler, um sich in das Bettlaken einnähen zu lassen. Die Prinzessin fragte ihn: »Wie heißt Ihr?« Er antwortete: »Ich heiße Pedrón.« Man wickelte ihn in ein Bettlaken, nähte ihn ein, trug ihn zum Bett der Prinzessin und legte ihn ans Fußende. Um Mitternacht begann sich der Bettler zu regen, er sagte: »Ay, die Naht geht mir auf, ay, die Naht geht mir auf!« Er zerriß das Laken, kam hervor und legte sich ins Bett zur Prinzessin. Und er machte sie verliebt und tat mit ihr, was er wollte. Sie sagte zu ihm: »Was soll ich jetzt bloß tun? Wer auch immer Ihr seid, ich muß Euch jetzt heiraten.« Und er antwortete: »Unmöglich, ich kann Euch nicht heiraten.« Und als der Tag anbrach, ging er aus dem Palast und machte sich ans Umgraben im Garten.
So vergingen einige Monate, und Nacht für Nacht schlief Pedrón bei der Prinzessin. Eines Tages, als sie vor ihren Eltern nicht länger verbergen konnte, was da vorging, sagte sie zum Bettler: »Ach Pedrón, bring mich fort von hier, wohin du willst. Wenn meine Eltern es erfahren, töten sie mich!« Er antwortete: »Nein, nein, ich bringe dich nirgendwohin.« Da weinte sie und sagte: »Ach Pedrón, Pedrón, was wird, wenn meine Eltern es merken?« Er sagte: »Aber wohin soll ich dich bringen? Etwa in eine verrottete Mühle, die meinem Vater gehört?« Da weinte sie und sagte: »Ach Pedrón, Pedrón, bring mich wohin du willst!«
Der Graf sagte sich: ›Sie liebt mich und wird mich heiraten.‹ Und er nahm sie auf einem Esel mit zu seinem Palast. Sie kamen an einer Stelle vorbei, wo eine große Herde Ziegen sich tummelte, und sie sagte: »Schau, was für schöne Ziegen. Wem mögen die wohl sein?« Da sagte er: »Diese Ziegen gehören Graf Abel.« Und sie sagte: »O weh! Früher liebte er mich sehr und wollte mich heiraten, doch ich konnte ihn nicht leiden, denn einmal war ihm eine Sauerkirsche hinuntergefallen, und er hat sie aufgehoben und gegessen.« Dann kamen sie an einer Stelle vorbei, wo viele Schafe weideten, und sie sagte: »Schau, was für schöne Schafe. Wem

mögen die wohl sein?« Und er sagte zu ihr: »Diese Schafe gehören gleichfalls Graf Abel.« Da seufzte sie und sagte: »O je, wie sehr liebte mich der Graf Abel, und wie dumm war ich, daß ich ihn nicht wollte. O je!«

Sie gingen nun weiter auf das Schloß des Grafen zu. Als sie schon fast bei dem Palast angekommen waren, sagte der Graf Abel: »Du meinst, Prinzessin, daß Graf Abel dich sehr geliebt hat?« Sie antwortete: »O ja, sehr, sehr! Und ich habe ihn gleichfalls geliebt, doch wegen der Sauerkirsche mochte ich ihn nicht mehr. Ach, wie dumm ich war! Ach, wie sehr liebte er mich!«

Da versetzte er der Eselin einen Schlag mit der Peitsche und sagte: »Vorwärts, schwarzes Eselchen, der dich liebte, führt dich.« Die Prinzessin fragte: »Was sagst du, Pedrón?« Und er wiederholte: »Los, Eselchen, vorwärts mit dir, hier hast du einen Fußtritt!«

Sie waren nicht mehr weit vom Palast entfernt, als sie an einer Mühle vorbeikamen. Und in diese Mühle brachte Graf Abel die Prinzessin, und sie blieben dort, bis sie ihr Kind gebar. Der Graf versorgte sie mit Kleidung und Essen, mit Bediensteten und allem, dessen sie bedurfte. Da sagte sie eines Tages zu ihm: »Woher bringst du das alles, Pedrón?« Er antwortete ihr: »Vom Landgut des Grafen Abel.« Und sie fragte: »Und wo ist der Graf Abel?« Da umarmte er sie und sagte: »Ich bin Graf Abel, der dich geliebt hat und der dich immer noch liebt.« Und mit den Worten zog er das Bettlerkleid aus, und da erkannte sie ihn. Sie hielten Hochzeit und lebten fortan im Palast des Grafen.

13. Mai – Der einhundertdreiunddreißigste Tag

Frau Fortuna und Herr Geld

Nun, meine Herren, so wißt denn, daß Frau Fortuna und Herr Geld ineinander so verliebt waren und so unzertrennlich lebten, daß man nie den einen ohne den anderen sah. Natürlich fingen die Leute mit der Zeit an, dieses Verhältnis zu tadeln, und beide beschlossen deshalb endlich, sich ehrlich zu heiraten.

Herr Geld war ein kleiner, dicker Mann mit einem runden Kopf von peruanischem Gold, einem runden Bauch von mexikanischem Silber und runden Beinen von segovianischem Kupfer, mit Papierschuhen aus der großen Fabrik von Madrid. Frau Fortuna dagegen war eine kapriziöse, hirnlose, unbeständige und unverschämte, eigensinnige Frau, dabei blind wie ein Maulwurf.

Kaum hatte das neue Ehepaar die Flitterwochen verlebt, als es auch mit dem Haussegen vorbei war. Die Frau wollte befehlen, und der stolze und aufgeblasene Herr Geld wollte sich nicht befehlen lassen. – Meine Herren, mein Vater, Gott habe ihn selig, sagte, wenn sich der Ozean verheiraten würde, würde er schon fein demütig werden. Aber Herr Geld war hoffärtiger als der Ozean und verlor seinen Hochmut nicht.

Weil nun beide die Oberhand haben wollten und keiner dem andern nachgeben mochte, so kamen sie endlich überein, daß eine Probe über die strittige Herrschaft entscheiden sollte. »Sieh doch«, sagte die Frau zu ihrem Mann, »siehst du dort am Fuß des Olivenbaumes den armen Mann, der so elend und betrübt dasitzt? Wir wollen sehen, wer ihm eine bessere Lage verschafft, du oder ich.«

Herr Geld ging darauf ein, und sie machten sich auf den Weg, er rollend, sie mit einem Sprung.

Der Mann, der immer unglücklich gewesen war und nie den einen oder den andern vor seinen Augen gehabt hatte, machte Augen so groß wie Oliven, als er die vornehme Herrschaft vor sich sah. »Gott grüß Euch«, sagte Herr Geld. »Euch auch«, entgegnete der arme Mann. »Kennt Ihr mich nicht?« – »Ich kenne Euer Gnaden nur, um ihr zu dienen.« – »Nie hast du mein Gesicht gesehen?« – »In meinem ganzen Leben nicht.« – »Wieso? Besitzt du denn gar nichts?« – »O ja, Herr, sechs Kinder, so nackt wie Riegel, mit Kehlen so weit wie alte Strümpfe, aber was Einnahmen betrifft, so habe ich nur ein ›Nimm und iß‹, wenn ich arbeite.« – »Und warum arbeitest du nicht?« – »Weil ich keine Arbeit finde. Das Glück ist so sehr gegen mich, daß sich alles zu meinem Schaden wendet. Seit ich mich verheiratet habe, scheint mein Weg gefroren zu sein, alles tot und trocken.« –

»Ich will dir zu Hilfe kommen«, sagte Herr Geld, indem er pompös einen Duro [spanischer Silbertaler] aus seiner Tasche zog und ihm den gab.
Dem armen Mann schien das ein Traum, und er lief schneller als der Wind geradewegs zu einem Bäckerladen, um Brot zu kaufen. Als er aber das Geldstück aus der Tasche ziehen wollte, fand er – nichts! Nichts als ein Loch, durch welches sich der Duro, ohne Abschied zu nehmen, davongemacht hatte.
Der arme Mann war ganz außer sich und fing an zu suchen, fand aber nichts. Das Lamm, das bestimmt ist, im Rachen des Wolfes zu sterben, kann kein Hirt davor behüten [andalusisches Sprichwort]. Nach dem Duro verlor er die Zeit, nach der Zeit die Geduld, und er begann, sein Schicksal zu verwünschen.
Frau Fortuna wollte sich indes darüber fast totlachen, und dem Herrn Geld, dessen Gesicht vor Ärger noch gelber wurde, als es schon war, blieb nichts übrig, als die Hand noch einmal in die Tasche zu stecken und dem armen Mann eine ganze Unze [größte spanische Goldmünze] zu geben, worauf sich dieser so freute, daß ihm die Freude vom Herzen zu den Augen herausstrahlte.
Er ging nun in einen Kaufladen, um Zeug für seine Frau und Kinder zu kaufen. Als er aber mit seiner Unze bezahlen wollte, sagte der Kaufmann, die Unze sei falsch, er sei wohl selbst gar ein Falschmünzer und man werde ihn bei Gericht anzeigen. Der arme Mann wurde darüber so feuerrot vor Scham und Verlegenheit, daß man auf seinem Gesicht hätte Bohnen rösten können. Er rannte fort und erzählte Herrn Geld, was ihm begegnet war, und dabei liefen ihm immer die hellen Tränen herunter.
Frau Fortuna lachte immer mehr und lauter, und Herr Geld wurde immer ärgerlicher. »Ihr habt wahrlich viel Unglück«, sagte er zu dem armen Mann, indem er ihm zweitausend Realen [entspricht 250 Pesos] gab, »aber ich werde Euch vorwärtsbringen oder meine Macht für immer verloren geben.«
Der arme Mann entfernte sich und war so voller Freuden, daß er ein paar Räuber, die ihm nachstellten, erst bemerkte, als er sie vor der Nase hatte. Diese zogen ihn aus, nahmen ihm alles weg, was er hatte, und ließen ihn, wie ihn einst seine Mutter zur Welt gebracht.
Jetzt machte Frau Fortuna ihrem Mann eine lange Nase, und er konnte vor Zorn und Ohnmacht keinen Laut herausbringen. »Nun ist die Reihe an mir«, sagte sie, »und wir werden sehen, wer mehr kann, der Weiberrock oder die Hose.« Mit diesen Worten näherte sie sich dem armen Mann, der sich auf die Erde geworfen hatte und sich die Haare ausraufte. Sie pustete ihn bloß an, und im selben Augenblick sah er neben seiner Hand den verlorenen Duro. ›Etwas ist immer etwas‹, sagte er zu sich selbst, ›kann ich doch jetzt meinen Kindern Brot kaufen.‹
Als er an dem besagten Kaufladen vorbeikam, rief ihn der Kaufmann und sagte,

er möchte ihm doch verzeihen. Er habe gemeint, die Unze sei falsch, als er sie aber in der Münze habe prüfen lassen, habe man ihm gesagt, daß das Gold ganz echt und das Gewicht ganz vollkommen sei; er gebe sie ihm hiermit wieder und schenke ihm das gekaufte Zeug noch obendrein. Der arme Mann war es zufrieden und zog mit der Unze und dem Zeug weiter.
Als er über den Markt ging, begegnete er einer Abteilung Gendarmen, welche die Räuber eingefangen hatten. Der Richter, der ein Richter war, wie es wenige gibt, befahl, daß man dem armen Mann sein Geld zurückgebe, ohne Kosten noch andern Abzug. Der arme Mann wollte darauf dies Geld in einer Mine anlegen, und kaum hatte er drei Ellen tief gegraben, als er eine starke Goldader und eine Silberader und eine Eisenader fand. Er wurde nun bald Don genannt, darauf Euer Gnaden und zuletzt Exzellenz.
Seitdem hat Frau Fortuna ihren Mann unter dem Pantoffel und ist ausgelassener, unbeugsamer und kapriziöser denn je und fährt fort, ihre Gunst wie der Blinde seine Prügel auszuteilen.

14. Mai – Der einhundertvierunddreißigste Tag

Juan Holgado und der Tod

s war einmal ein Mann, der Juan Holgado [»der ein reichliches Auskommen hat«] geheißen, aber in der Tat paßte der Name für niemanden weniger als für den Armen, der nichts sein nennen konnte als vierundzwanzig Stunden täglich, darunter zwölf voll Mühen und zwölf voll Hunger, und dazu ein Schock Kinder mit Mägen wie Siebe.
Eines Tages sagte Juan Holgado zu seiner Frau: »Die kleinen Biester hier sind ein Pack Vielfraße, sie verschlingen, was sie finden, und schnappen einem den Bissen vom Mund weg. Ich will mir aber auch einmal einen guten Tag machen, bereite mir einen Hasen zu, den will ich allein und unbehelligt verzehren.« Seine Frau, die um des Hausfriedens willen alles tat, was er wollte, kaufte für ein Dutzend Eier, die ihre Hühner eben gelegt hatten, einen Hasen, bereitete ihn zu nebst einer Brotbrühe und sagte des anderen Tages zu ihrem Mann: »In dieser Trommel hier hast du den zubereiteten Hasen und einen halben Laib Brot. Geh und verzehr dies in Ruhe auf dem Feld, und möge es dir wohl bekommen.«
Juan Holgado ließ sich das nicht zweimal sagen, hing die Trommel um die Schulter und lief, was er laufen konnte, bis zu einem Feld, ganz abseits von jedem

Weg. Da setzte er sich unter einen Olivenbaum, vergnügter als ein König, empfahl sich dem Schutz unserer lieben Señora de la Soledad, nahm Hasen, Brot und Brühe aus der Trommel und fing an zu essen. Wie er aufschaute, sah er plötzlich, wie vom Himmel herabgefallen, sich gegenüber ein schwarz gekleidetes altes Weib sitzen, häßlicher als der Gottseibeiuns, vergilbt und dürr wie eine Pergamenturkunde, mit eingefallenen, abgestorbenen Augen wie ein Docht ohne Öl, mit einem Mund wie ein Korb. So unlieb ihm dieser Gast auch war, lud er die Alte doch ein, mitzuessen. Die ließ sich nicht lange dazu bitten. Aber von Mitessen konnte man nicht reden, denn sie verschlang Hasen, Brot und Brühe mit solcher Hast, daß Juan Holgado nur das Zusehen hatte und sich gestehen mußte, daß es ihm seine Kinder auch nicht ärger hätten machen können, und da wäre es doch in der Familie geblieben.

Als die Alte alles rein aufgegessen hatte, sprach sie: »Juan Holgado, der Hase hat mir vorzüglich geschmeckt.« – »Das habe ich bemerkt«, meinte Juan Holgado. »Ich will dich für deine Gastfreundschaft belohnen.« – »Belohnen«, brummte Juan Holgado halb vor sich hin, mit einem Seitenblick auf das wenig versprechende Aussehen der Alten, »lieber mich in Zukunft verschonen!« – »Und auch damit wärst du gewiß zufrieden, denn ich bin – der Tod.«

Als Juan Holgado erschreckt aufsprang, beruhigte ihn der Tod, indem er fortfuhr: »Nicht nur will ich dich noch lange verschonen, sondern dich auch zu einem reichen, angesehenen Mann machen. Merk auf das, was ich dir nun sage, und du wirst bald der gesuchteste, berühmteste Arzt sein.« Juan Holgado warf ein, er sei ja ganz ungelehrt, könne nicht einmal lesen und schreiben, aber der Tod erwiderte: »Du weißt gerade soviel wie die gelehrtesten Ärzte, wenn es sich darum handelt, gegen mich, der ich all ihre Weisheit zuschanden mache, sich zu schützen. Sie sehen mich nicht, selbst wenn ich ihnen vor der Nase stehe. Du aber sollst mich jederzeit am Bett des Kranken sehen. Siehst du mich zu seinen Häupten sitzen, so zucke die Achseln und sage, da ist nicht mehr zu helfen. Siehst du mich dagegen nicht dort sitzen, so versichere, er werde nicht sterben, und gib ihm nur gewöhnliches Wasser, wie man es in den Krügen hat, und er wird genesen.«

Als der Tod ihn hierauf verlassen wollte, hielt Juan Holgado ihn zurück und sagte: »Gnädigster Herr, lassen Sie uns nicht mit dem üblichen ›Auf baldiges Wiedersehen‹ scheiden. Ich wenigstens trage gar kein Verlangen danach, und auch Euer Gnaden werden es nicht wünschen, denn ich kann nicht alle Tage mit einem Hasen aufwarten.« – »Sei ohne Sorge, Juan Holgado«, erwiderte der Tod, »du sollst mich als der, der dich holen kommt, nicht eher sehen, bevor du nicht deine Behausung sich abdecken siehst.«

Juan Holgado kehrte nun zu seiner Frau zurück und erzählte, was ihm mit dem Tod begegnet war. Die Frau, findiger als er, meinte, er solle nur tun, wie der Tod ihm gesagt; auf den könne er sich verlassen, denn nichts sei gewisser als der Tod. Darauf verbreitete sie überall, ihr Mann sei ein Arzt wie wenige, er brauche den Kranken nur zu sehen und wisse gleich, ob er sterben oder genesen werde.
So geschah es eines Sonntags, daß Juan Holgado an einem Haus vorbeikam, unter dessen Tor ein Rudel junger Mädchen miteinander schäkerte und lustvoll wie die Schellen lärmte. »Da geht Juan Holgado«, rief eines der mutwilligen Mädchen, »der bildet sich ein, er brauche nur den Doktorhut aufzusetzen, um ein Arzt zu sein und die Leute dies glauben zu machen, er paßt ihm aber wie dem Esel die Perücke. Mit dem Quacksalber wollen wir uns einen Spaß machen: Ich will mich krank stellen, vielleicht glaubt er es.«
Gesagt, getan. Sie holten einen Korb herbei, der mit Feigen gefüllt gewesen, die sie verspeist hatten. Schnell legte sich die Rädelsführerin hinein und fing an zu ächzen wie eine schwer Leidende. Die anderen liefen Juan Holgado nach und baten ihn, während sie das Lachen kaum verhalten konnten, um schleunige Hilfe. Er folgte ihnen, und als er unter das Tor trat, bemerkte er einen großen Haufen Feigenschalen. Kaum war er zu dem Korb gekommen, worin das Mädchen lag, so ist das erste, was er sieht, der Tod, der zu ihren Häupten sitzt. »Dieser Kranken ist nicht mehr zu helfen«, sagte Juan Holgado und wollte sich entfernen. »Was fehlt ihr denn?« riefen kichernd die anderen Mädchen. »Sie leidet an einer Feigenverstopfung, und die Feigen sind wie die Weiber in der Messe, sie gehen eine nach der anderen hinein und wollen alle zugleich hinaus«, antwortete Juan Holgado. Zwei Stunden später war das Mädchen eine Leiche.
Damit war Juan Holgados Ruf begründet. Weit und breit wurde er nun zu allen Kranken geholt und dadurch ein angesehener und reicher Mann. Nun war er, was sein Name besagte, er hatte ein reichliches Auskommen und ließ sich auch nichts abgehen. Das schlug ihm so trefflich an, daß er aussah wie von Gesundheit strotzend. Dabei trug er aber größte Sorge um sein Haus. Sobald nur das mindeste an der Bedachung fehlte, ließ er es gleich wieder herrichten und hielt sich einen eigenen Dachdecker, der darauf achthaben mußte – denn er blieb der Abschiedsworte des Todes eingedenk, daß er ihn nicht eher abholen werde, bevor er nicht seine Behausung sich abdecken sehe.
So gingen Juan Holgado die Jahre immer schneller dahin, und er sah ihrem Scheiden mit immer verdrießlicherer Miene nach, denn sie ließen ihm auch immer üblere Andenken zurück. Das eine ließ ihn kahl, das andere zahnlos, das dritte mit einem Rücken sichelgleich und das vierte mit Füßen, die den Dienst versagten.

Da wurde er eines Tages ernstlich krank, und eine Fledermaus zeigte sich in seinem Haus, um ihn an den Tod zu gemahnen. Aber Juan Holgado dankte es ihr schlecht und mißachtete die Mahnung. Später überfiel ihn ein Schleimfieber, und ein Käuzlein krächzte ihm eine neue Todesbotschaft zu. Aber Juan Holgado ließ das Käuzlein verjagen und achtete nicht seiner Botschaft. Später erkrankte er noch viel gefährlicher, und ein Hund heulte vor seinem Tor ihm die Kunde zu, daß der Tod schon unterwegs zu ihm sei. Juan Holgado warf dem Hund zum Dank seine Krücke an den Kopf und schlug die Warnung in den Wind. Aber ihm wurde immer elender, und endlich pochte der Tod selbst an seine Tür. Juan Holgado ließ sie verriegeln und verbot, ihn hereinzulassen. Aber gegen den Tod schützt nicht Tür, nicht Riegel, er stand plötzlich an seiner Seite. »Nanu, Herr Tod«, fuhr Juan Holgado ihn an, »Ihr sagtet mir doch, daß Ihr nicht eher mich holen kämt, bevor ich nicht meine Behausung sich abdecken sähe. Daher habe ich trotz aller neuen Botschaften und Mahnungen Euch noch nicht erwartet.« – »Und doch«, entgegnete der Tod, »haben deine Kräfte dich nicht verlassen? Sind dir nicht Haare und Zähne ausgefallen? Dein Körper ist ja deine Behausung.« – »Da sehe ich leider zu spät, daß ich Euch mißverstanden habe«, rief Juan Holgado, »drückt Euch ein andermal nicht so rätselhaft aus, wenn Ihr einem etwas versprecht. Dann wird er sich nicht so überraschen lassen wie ich jetzt.«

15. Mai – Der einhundertfünfunddreißigste Tag

Francisquita

Es war einmal eine Frau, die hieß Francisquita, und eines Tages klagte sie in dieser Weise: »Lieber Gott! Wenn ich eine Milchkuh besäße, dann wäre ich die glücklichste Frau auf der Welt. Wie wollte ich meine Kuh gut versorgen! Heilige Jungfrau!«

Da ging Jesus Christus gerade vorbei, und er sagte: »Geh in dein Haus, Francisquita, dort findest du, was du begehrst.« Francisquita lief in ihr Haus und traf dort eine scheckige Kuh an und ein Kälbchen an ihrer Seite.

Anderntags ging Jesus Christus wieder vorbei, und er fragte: »Bist du zufrieden, Francisquita?« – »Ja, Señor, aber... aber...« – »Aber, wieso aber?« – »Ach nichts, Señor! Wenn ich ein eigenes Häuschen besäße, wie wäre ich glücklich!« – »Gut, Frau, du besitzt schon, was du begehrst.«

Und Jesus Christus schenkte ihr das Haus. Und am folgenden Tag fragte er, ob sie zufrieden sei. Und sie sagte: »Ja, Señor, aber... aber...« – »Aber, wieso aber?« – »Ach nichts! Doch alle meine Nachbarinnen tragen so hübsche Kleider; wenn ich ein Kleidchen besäße, mit dem ich zur Romeria [Kirmes] gehen kann, ich wäre über die Maßen zufrieden! Wie würde ich darin glänzen und zu den Klängen des Dudelsackes tanzen!« – »So geh in dein Haus, dort findest du, was du begehrst.«

Francisquita hatte großes Gefallen an dem Kleid, und am folgenden Tag fragte Jesus Christus sie: »Bist du zufrieden, Francisquita?« – »Ja, Señor, aber... aber...« – »Aber, wieso aber? Hörst du einmal auf damit?« – »Wenn ich einige Hühner besäße, die würden eine Menge Eier legen, und...« – »Geh in dein Haus, dort findest du, was du begehrst.«

Und Francisquita fand eine Schar Hühner vor, und sie anzuschauen war die reinste Freude. Doch war sie damit immer noch nicht zufrieden. Und am folgenden Tag fragte Jesus Christus sie: »Bist du zufrieden, Francisquita?« – »Ja, ich bin es, aber... aber...« – »Aber, wieso aber? Bist du noch nicht zufrieden?« – »Ja, Señor, aber seht doch: Ich besitze eine Kuh, ein neues Haus, ein wunderschönes Kleid und eine Schar Hühner. Aber ich bin so allein! So allein! Alle verheiraten sich...« – »Gut, ich sorge dafür, daß du einen braven Mann findest, der dich heiratet.«

Und nach kurzer Zeit verheiratete sie sich mit dem Alkalden [Bürgermeister] des Dorfes. Und Jesus Christus fragte sie: »Bist du jetzt zufrieden, Francisquita?« –

»Ich bin nicht Francisquita,
Francisquita bin ich nicht,
Ich bin die Frau Alkaldin!«

16. Mai – Der einhundertsechsunddreißigste Tag

Der Tartaro

Es waren einmal, wie viele von uns, die auf der Welt sind oder jemals waren oder je sein werden, ein König und seine Frau und drei Söhne. Eines Tages ging der König jagen und fing einen Tartaro [wilder Mann]. Er bringt ihn heim, sperrt ihn in einen Stall und läßt mit Trompetentrara verkünden, sein ganzer Hof solle sich am nächsten Tag bei ihm einfinden, er wolle sie zu einem Festschmaus laden und ihnen danach ein Tier zeigen, wie sie noch keines gesehen hätten.

Am nächsten Tag spielten zwei der Königssöhne mit dem Ball an der Wand des Stalles, in dem der Tartaro eingesperrt war, und der Ball flog in den Stall. Einer der Jungen geht hin und bittet den Tartaro: »Wirf mir meinen Ball zurück, ich bitte dich.« Er sagt zu ihm: »Ja, wenn du mich freiläßt.« Er antwortet: »Ja doch«, und der andere wirft ihm den Ball zu. Kurz darauf fliegt der Ball wieder zum Tartaro. Der Junge bittet wieder darum, und der Tartaro sagt: »Wenn du mich freiläßt, gebe ich ihn dir.« Der Junge sagt: »Ja doch«, nimmt seinen Ball und geht. Der Ball fliegt zum dritten Mal hinein, doch der Tartaro will ihn nicht hergeben, bevor man ihn nicht herausläßt. Der Junge sagt, er habe den Schlüssel nicht. Der Tartaro sagt zu ihm: »Geh zu deiner Mutter und sag ihr, sie solle doch mal in dein rechtes Ohr schauen, weil dich da etwas schmerzt. Deine Mutter hat den Schlüssel in ihrer linken Tasche, und so nimm ihn heraus.«

Der Junge geht und tut, wie ihm der Tartaro geraten. Er entwendet der Mutter den Schlüssel und läßt den Tartaro frei. Als er ihn ziehen läßt, sagt er zu ihm: »Wohin jetzt bloß mit dem Schlüssel? Ich bin verloren.« Der Tartaro sagt zu ihm: »Geh nochmals zu deiner Mutter und sage ihr, daß dir dein linkes Ohr weh tut; sie solle bitte nachschauen. Und dann steckst du ihr den Schlüssel wieder zu.« Der Tartaro sagt ihm auch, er werde seiner bald bedürfen und er brauche ihn bloß zu rufen. Er werde auf ewig sein Diener sein.

Er gibt den Schlüssel zurück. Und alle kamen sie zum Festmahl. Nachdem sie gut gegessen, sagt der König zu ihnen, sie sollten sich jetzt erheben und dieses wunderliche Ding betrachten. Er nimmt sie

alle mit. Als sie zu dem Stall kommen, findet er ihn leer. Stellt euch nur den Ärger des Königs vor und die Blamage! Er sagte: »Das Herz möchte ich essen, halb gar und ungesalzen, von dem, der mein Tier herausgelassen hat.«
Einige Zeit später zankten sich die beiden Brüder in Gegenwart ihrer Mutter. Der eine sagte zum andern: »Ich erzähle unserem Vater von der Sache mit dem Tartaro.« Als die Mutter das hörte, bekam sie Angst um diesen Sohn und sagte zu ihm: »Nimm dir so viel Geld, wie du willst.« Und sie gab ihm die Lilie [brannte ihm die Lilie auf der Brust ein]. »Daran erkennt jedermann, daß du der Sohn eines Königs bist.«
Klein-Yorge geht nun fort, weit, weit weg. Sein ganzes Geld gibt er aus und vergeudet es, und dann weiß er nicht mehr weiter. Da fällt ihm der Tartaro ein, und augenblicklich ruft er ihn. Er kommt, und Klein-Yorge erzählt ihm sein ganzes Mißgeschick, daß er keinen Pfennig mehr hat und nicht weiß, was aus ihm werden soll. Der Tartaro sagt zu ihm: »Wenn du eine kleine Wegstrecke weitergehst, wirst du in eine Stadt kommen. Dort lebt ein König. Du gehst in sein Haus, und sie nehmen dich als Gärtner. Alles, was dieser Garten trägt, ziehst du heraus, und anderntags wird alles schöner sprießen als zuvor. Es werden auch drei Blumen in die Höhe schießen, die bringst du den drei Töchtern des Königs, und die schönste gibst du der jüngsten.«
Er geht also los, wie ihm geheißen, und fragt, ob sie einen Gärtner brauchen. Sie sagen: »Ja, sehr nötig sogar.« Er geht in den Garten und zieht den feinen Kohl und den schönen Lauch heraus. Die jüngste Königstochter sieht ihn, sie erzählt es ihrem Vater, und ihr Vater sagt zu ihr: »Laß ihn nur machen. Wir werden sehen, was er dann tut.«
Und wirklich, am nächsten Tag sieht er Kohl und Lauch, wie er sie sein Lebtag noch nicht gesehen hat. Klein-Yorge pflückt jeder der jungen Damen eine Blume. Die älteste sagt: »Die Blume, die mir der Gärtner gebracht hat, findet in der Welt nicht ihresgleichen.« Die zweite sagt, nie habe jemand eine so schöne Blume gesehen wie die ihre. Und die jüngste sagt, ihre sei noch schöner als die der anderen, und auch die gestehen dies ein. Eben dieser jüngsten der drei jungen Damen gefiel der Gärtner außerordentlich gut. Jeden Tag brachte sie ihm nun sein Essen. Nach einiger Zeit sprach sie zu ihm: »Du mußt mich heiraten.« Der Bursche sagt zu ihr: »Das ist unmöglich. Der König würde eine solche Heirat nicht dulden.« Das junge Mädchen sagt darauf: »Nun, es lohnt sich ja auch gar nicht. In acht Tagen verschlingt mich die Schlange.« Acht Tage lang brachte sie ihm erneut das Essen. Am Abend sagt sie ihm, dies sei nun das letzte Mal gewesen. Der junge Mann sagt, nein, sie werde es wieder bringen – jemand werde ihr beistehen.

Am nächsten Morgen macht sich Klein-Yorge um acht Uhr auf und ruft den Tartaro herbei. Er sagt ihm, wie die Dinge stehen. Der Tartaro gibt ihm ein kräftiges Pferd, einen schmucken Anzug und ein Schwert und sagt ihm, er solle da und da hingehen und die Wagentür mit seinem Schwert öffnen, und es werde ihm gelingen, der Schlange zwei Köpfe abzuschlagen. Klein-Yorge macht sich zu besagtem Ort auf. Er findet das Fräulein in der Kutsche. Er bittet sie, den Schlag zu öffnen. Sie sagt, sie könne ihn nicht öffnen – es gäbe gleich sieben Türen, und er täte besser daran, zu verschwinden; daß einer gefressen werde, genüge doch wohl.

Klein-Yorge öffnet die Türen mit seinem Schwert und setzt sich neben die junge Dame. Er sagt ihr, er habe sich am Ohr verletzt und bittet sie nachzuschauen; und dabei trennt er sieben kleine Stücke aus den sieben Kleidern heraus, die sie trägt, ohne daß das Mädchen dies bemerkt. Im selben Augenblick kommt die Schlange heran und sagt zu ihm: »Statt einen bekomme ich nun drei zu fressen.« Klein-Yorge schwingt sich auf sein Pferd und sagt zu ihr: »Du wirst keinen von uns anrühren, geschweige denn zu fassen bekommen.«

Sie beginnen zu kämpfen. Mit seinem Schwert haut er ihr einen Kopf ab, und das Pferd mit seinem Huf einen weiteren; da bittet die Schlange um Schonung bis zum nächsten Tag. Klein-Yorge verläßt die junge Dame nun. Die ist voller Freude, möchte den jungen Mann mit sich heimnehmen. Er werde unter keinen Umständen mitkommen (so sagt er), es sei ihm versagt, er habe gelobt, nach Rom zu gehen. Aber er beschwichtigt sie: »Morgen wird mein Bruder kommen und auch einiges zuwege bringen.« Das Mädchen geht heim, und Klein-Yorge macht sich auf zu seinem Garten. Mittags kommt sie mit dem Essen zu ihm, und Klein-Yorge sagt zu ihr: »Du siehst, daß es wirklich so gekommen ist, wie ich dir gesagt habe. Sie hat dich nicht gefressen.« – »Nein, aber morgen wird sie es tun. Wie sollte es anders sein?« – »Nein, nein! Morgen wirst du wieder mein Essen bringen. Es wird dir schon jemand beistehen.«

Am nächsten Morgen geht Klein-Yorge um acht Uhr zum Tartaro, und der gibt ihm ein neues Pferd, einen anderen Anzug und ein scharfes Schwert. Um zehn Uhr kommt er an den Ort, wo sich die junge Dame befindet. Er bittet sie, die Tür zu öffnen. Sie jedoch sagt ihm, es sei ihr unmöglich, vierzehn Türen zu öffnen; sie da drinnen könne sie nicht öffnen, und er möge fortgehen; daß einer gefressen werde, genüge doch wohl, und sie sei betrübt, ihn hier zu sehen. Sowie er die Türen mit seinem Schwert berührt, springen sie auf. Er setzt sich neben die junge Dame und sagt ihr, sie solle hinter sein Ohr schauen, denn es schmerze ihn dort. Während sie dabei ist, trennt er vierzehn kleine Stücke aus den vierzehn Kleidern heraus, die sie trägt. Kaum getan, kommt die Schlange heran und sagt entzückt:

»Nicht bloß einen, drei werd ich fressen.« Klein-Yorge sagt zu ihr: »Nicht einmal einen wirst du kriegen.«
Er schwingt sich auf sein Pferd und beginnt mit der Schlange zu kämpfen. Die Schlange schnellt einige Male gefährlich hoch. Sie kämpfen lange, aber schließlich geht Klein-Yorge als Sieger hervor. Er haut ihr einen Kopf ab und das Pferd mit seinem Huf einen weiteren. Die Schlange bittet um Schonung bis zum nächsten Tag. Klein-Yorge willigt ein, und die Schlange verschwindet.
Das junge Mädchen möchte den jungen Mann nur zu gern mit nach Hause nehmen, um ihn ihrem Vater vorzustellen, aber er will das unter keinen Umständen. Er sagt ihr, er müsse nach Rom gehen und noch selbigen Tags aufbrechen, da er ein Gelübde getan habe; aber für morgen werde er seinen Vetter schicken, der sei ausgesprochen tapfer und fürchte sich vor nichts. Das Mädchen geht heim zu ihrem Vater, Klein-Yorge zu seinem Garten. Ihr Vater ist überglücklich und kann es kaum fassen. Das Mädchen kommt nun wieder mit dem Essen. Der Gärtner sagt zu ihr: »Du siehst, heute bist du wiedergekommen, wie ich dir gesagt habe. Morgen wird das wieder so sein, ganz genau so.« – »Oh, wäre ich darüber froh!«
Am Morgen ging Klein-Yorge um acht Uhr zum Tartaro. Er sagte zu ihm, daß die Schlange immer noch drei Köpfe habe, die abzuschlagen seien, und daß er immer noch seinen vollen Beistand brauche. Der Tartaro sagte zu ihm: »Bleib ruhig, ganz ruhig. Du besiegst sie schon.« Er gibt ihm einen neuen Anzug, noch schöner als die bisherigen, ein feuerwildes Pferd, einen Hund zum Fürchten, ein Schwert und eine Flasche wohlriechenden Wassers. Er schärft ihm ein: »Die Schlange wird zu dir sagen: ›Ah! Wenn ich einen Funken zwischen Kopf und Schwanz hätte, wie würde ich euch brennen – dich und deine Dame und dein Pferd und deinen Hund.‹ Und du, du wirst dann zu ihr sagen: ›Ich dagegen, wenn ich das wohlriechende Wasser zum Riechen hätte, würde dir einen Kopf abhauen, das Pferd einen weiteren und der Hund noch einen.‹ Vorher gibst du der jungen Dame diese Flasche hier, sie birgt sie an ihrem Busen, und genau in dem Augenblick, in dem du diese Worte sagst, muß sie ein wenig dein Gesicht besprengen und ebenso das Pferd und den Hund.«
Furchtlos geht er nun, denn der Tartaro hat ihm Zuversicht gegeben. Er kommt dann zum Wagen. Das Mädchen sagt zu ihm: »Was machst du hier? Die Schlange wird gleich kommen. Es reicht doch wohl, daß sie mich frißt.« Er sagt zu ihr: »Öffne die Tür!« Sie sagt ihm, das sei ganz unmöglich, denn es gäbe einundzwanzig Türen. Der junge Mann berührt sie alle mit seinem Schwert, und sie öffnen sich von selbst. Der junge Mann gibt ihr die Flasche und schärft ihr ein: »Sobald die Schlange sagt: ›Wenn ich einen Funken zwischen Kopf und Schwanz hätte,

ich würde euch brennen‹, sage ich zu ihr: ›Wenn ich einen Tropfen des wohlriechenden Wassers unter der Nase hätte…‹, dann holst du die Flasche hervor und besprengst mich augenblicklich damit.« Dann läßt er sie wieder in sein Ohr schauen, und während sie nachsieht, trennt er einundzwanzig Stückchen von ihren einundzwanzig Kleidern ab, die sie trägt. Just in diesem Augenblick kommt die Schlange heran und sagt hocherfreut: »Statt einen bekomme ich jetzt vier zu fressen.« Der junge Mann gibt zurück: »Nicht einen von uns wirst du auch nur anrühren.«

Er schwingt sich auf sein feuriges Pferd, und sie kämpfen hitziger als je zuvor. Das Pferd springt wie ein Haus so hoch, und die Schlange zischt voller Wut: »Wenn ich einen Funken Feuers zwischen Schwanz und Kopf hätte, ich würde dich und deine junge Dame brennen, dazu dieses Pferd und diesen fürchterlichen Hund.« Der junge Mann sagt: »Ich dagegen, wenn ich das wohlriechende Wasser unter meiner Nase hätte, würde einen deiner Köpfe abhauen und das Pferd einen weiteren und der Hund noch einen.« Sowie er das sagt, springt das Mädchen auf, öffnet die Flasche und sprüht das Wasser sehr umsichtig genau dorthin, wo es vonnöten war. Der junge Mann haut der Schlange mit seinem Schwert einen Kopf ab, sein Pferd einen weiteren und der Hund noch einen; und so machen sie der Schlange ein Ende. Die sieben Zungen nimmt der junge Mann an sich, die Köpfe wirft er weg. Stellt euch nun die Freude der jungen Dame vor! Schnurstracks wollte sie mit ihrem Retter (so nannte sie ihn) zu ihrem Vater gehen, damit auch er ihm danken könne, daß er ihm die Tochter erhalten habe. Aber der junge Mann sagt ihr, dies sei ganz und gar unmöglich, und er müsse seinen Vetter in Rom treffen, beide hätten sie ein Gelübde getan; aber nach ihrer Rückkehr würden sie alle drei zum Haus ihres Vaters kommen.

Die junge Dame ist ungehalten, aber sie geht und sucht, ohne Zeit zu verlieren, ihren Vater auf, um ihm zu berichten, was geschehen ist. Der Vater ist über die Maßen froh, daß die Schlange ganz und gar vernichtet ist, und er läßt im ganzen Land verkünden, daß der, der die Schlange getötet habe, sich melden und dies beweisen solle. Wieder kommt das Mädchen mit dem Essen zum Gärtner. Er sagt zu ihr: »Habe ich dir nicht richtig vorausgesagt, daß du nicht gefressen wirst? Hat also irgendwer oder -was die Schlange umgebracht?« Sie erzählt ihm, was geschehen ist.

Doch siehe da! Wenige Tage darauf erschien ein schwarzer Kohlenbrenner und sagte, er habe die Schlange getötet und sei gekommen, den Lohn abzuholen. Als das Mädchen den Köhler in Augenschein nahm, sagte sie auf der Stelle, er sei es ganz sicherlich nicht gewesen; vielmehr sei dies ein nobler Herr gewesen und nicht so ein lästiger Bursche wie er. Der Köhler zeigt die Köpfe der Schlange vor, und der König sagt, in der Tat, dies müsse der Mann sein. Der König hat nur ein Wort dafür: Sie *muß* ihn heiraten. Die Tochter sagt, das wolle sie auf keinen Fall, und der Vater beginnt sie zu nötigen, mit dem Hinweis, daß kein anderer sich gemeldet habe. Aber weil die Tochter nicht einwilligen will, läßt der König, um einen Aufschub zu bewirken, im ganzen Land ausrufen: derjenige, der die Schlange getötet habe, sei wohl auch zu anderen Taten imstande, und an einem vorbestimmten Tag sollten alle jungen Männer zusammenkommen; er wolle von einer Glocke einen Diamantring herabhängen lassen, und wer immer darunter durchreite und den Ring mit seinem Schwert aufspieße, der solle ganz gewiß seine Tochter bekommen. Von allen Seiten strömen die jungen Männer herbei. Unser Klein-Yorge geht zum Tartaro und erzählt ihm die Vorkommnisse und daß er ihn wieder brauche. Der Tartaro gibt ihm ein überaus prächtiges Pferd, einen edlen Anzug und ein gleißendes Schwert. So ausgerüstet geht Klein-Yorge mit den anderen. Das Mädchen erkennt ihn auf der Stelle und macht ihren Vater aufmerksam. Er hat nun das Glück, den Ring mit seinem Schwert aufzuspießen; doch hält er nicht inne, sondern galoppiert von dannen, so schnell sein Pferd laufen kann. Der König und seine Tochter befanden sich auf einem Balkon, von wo aus sie alles mit ansahen. Sie sahen, daß er immer weiterritt. Das Mädchen sagt zu ihrem Vater: »Papa, ruf ihn zurück!« Der Vater sagt zu ihr in verärgertem Ton: »Er sucht das Weite, weil er offensichtlich nicht den Wunsch hat, dich zu bekommen.« Und er schleudert seine Lanze nach ihm. Sie trifft ihn am Bein. Er reitet unbeirrt weiter. Ihr könnt euch vorstellen, wie maßlos enttäuscht die junge Dame war!

Am nächsten Tag geht sie mit dem Essen des Gärtners nach draußen. Sie sieht, daß er um das Bein einen Verband trägt. Sie fragt ihn, was ihm fehle. Das Mädchen beginnt etwas zu vermuten, geht zu ihrem Vater und sagt ihm, der Gärtner habe sein Bein verbunden; er möchte doch gehen und ihn fragen, was damit sei; ihr habe er bloß gesagt, das sei nicht der Rede wert.

Der König wollte zunächst nicht gehen und sagte, sie müsse es selbst aus ihm herausbekommen; aber um seiner Tochter den Gefallen zu tun, sagt er, er werde hingehen. Er geht also und fragt ihn: »Was fehlt dir?« Er erzählt ihm nun, daß ein Schlehdorn ihn gestochen habe. Der König wird wütend und sagt, in seinem Garten gäbe es nirgends einen Schlehdorn und er tische ihm Lügen auf.

Die Tochter sagt zu ihm: »Sag ihm, er soll es uns zeigen.« Er zeigt es ihnen, und zu ihrer Verwunderung sehen sie, daß die Lanzenspitze noch drinsteckt. Der König konnte sich keinen Reim darauf machen. Dieser Gärtner hat ihn getäuscht, und er muß ihm seine Tochter geben! Doch da entblößt Klein-Yorge seine Brust und zeigt die Lilie vor. Der König wußte nicht, was er sagen sollte, aber die

Tochter sagte geradeheraus: »Dies ist mein Retter, und ich heirate keinen anderen als ihn.«
Klein-Yorge ersucht den König, fünf Schneider, und zwar die besten in der Stadt, holen zu lassen, und ebenso fünf Metzger. Der König schickt nach ihnen. Klein-Yorge fragt nun die Schneider, ob sie jemals neue Kleider angefertigt hätten, denen ein Stückchen fehle; und als die Schneider verneinten, kramt er die Stoffetzen hervor, gibt sie den Schneidern und fragt sie, ob sie der Prinzessin die Kleider so überbracht hätten. Sie sagen: »Ganz bestimmt nicht.« Er geht dann zu den Metzgern und fragt sie, ob sie jemals Tiere ohne Zungen geschlachtet hätten. Sie verneinen das. Er sagt ihnen, sie möchten doch einmal in die Köpfe der Schlange schauen. Sie sehen, es sind keine Zungen darin, und dann holt er die Zungen hervor, die er bei sich hat.
Der König hat das alles mit angesehen, und ihm bleibt nichts mehr zu sagen. Er gibt ihm seine Tochter. Klein-Yorge sagt zu ihm, er müsse seinen Vater zur Hochzeit einladen, aber im Namen des Königs; und zum Essen sollten sie ihm das Herz eines Schafes auftischen, halb gar und ungesalzen.
Ein großes Festmahl wird veranstaltet, und sie legen seinem Vater das Herz vor. Sie lassen es ihn selbst zerschneiden, und er ist darüber recht ungehalten. Der Sohn sagt zu ihm: »Ich habe das erwartet«, und er fügt hinzu: »Ach, mein armer Vater, hast du deine Worte vergessen, daß du das Herz dessen, der den Tartaro freigelassen hast, essen wolltest – halb gar und ungesalzen? Doch ist das nicht mein Herz, sondern das eines Schafes. Ich habe dies getan, um dir deine Worte ins Gedächtnis zurückzurufen, und damit du mich erkennst.«
Sie umarmen einander und erzählen sich gegenseitig alle Neuigkeiten, und er sagt, welch große Dienste ihm der Tartaro geleistet hätte. Der Vater kehrte hochzufrieden in sein Haus zurück, und Klein-Yorge lebte sehr glücklich mit seiner jungen Frau im Königshaus. Es mangelte ihnen an nichts, denn der Tartaro war ihnen stets zu Diensten.

17. Mai – Der einhundertsiebenunddreißigste Tag

Die Tabakiera

Es war einmal, wie so viele andere in der Welt, ein junger Mann, der Lust hatte zu reisen, und fort ging er. Er findet eine Tabakiera [Schnupftabakdose] und öffnet sie. Und die Tabakiera sagt zu ihm: »Que quieres?« (»Was wünschst du?«) Er ist ganz erschrocken und steckt sie gleich in seine Tasche. Ein Glück, daß er sie nicht weggeworfen hatte. Er geht weiter und weiter und weiter, und schließlich sagt er sich: ›Ob sie wohl wieder zu mir sagen würde: Was wünschst du? Ich wüßte jetzt darauf eine Antwort.‹ Er nimmt sie wieder heraus, öffnet sie, und wieder sagt sie zu ihm: »Was wünschst du?« Der junge Mann antwortet ihr: »Meinen Hut voller Gold.« Und er ist voller Gold!

Er ist verwundert und sagt sich, daß ihm nun niemals mehr etwas zu wünschen bliebe. Er geht weiter und weiter und weiter. Und nachdem er einige Wälder durchquert hatte, steht er vor einem schönen Schloß. Dort lebte der König. Er geht rundherum und herum und herum um das Schloß und betrachtet es unverhohlen. Der König fragt ihn: »Wonach schaust du?« – »Ich will dein Schloß sehen.« – »Du möchtest wohl auch so eines haben?« Der junge Mann gibt keine Antwort. Als der Abend kommt, nimmt unser Freund seine Tabakiera heraus, und sie sagt zu ihm: »Was wünschst du?« – »Bau hier, genau an dieser Stelle, ein Schloß, und zwar mit goldenen und silbernen Balken, mit diamantenen Ziegeln, und innen soll alles ganz aus Gold und Silber sein.«

Kaum hatte er das gesagt, sieht er schon vor dem Schloß des Königs ein Schloß genau so, wie er es sich gewünscht hatte. Als der König am Morgen aufstand, war er höchst verwundert über dieses glänzende Schloß. Die Sonnenstrahlen, die darauffielen, blendeten seine Augen. Der König ging hinüber und sagte zu ihm: »Du mußt ein Mann von großer Kraft sein, und du mußt in unser Haus kommen, wo wir zusammen wohnen werden. Ich habe nämlich eine Tochter, und du sollst sie heiraten.«

Sie taten, wie der König gesagt, und wohnten alle zusammen in dem glänzenden Schloß. Er wurde mit der Königstochter verheiratet und lebte glücklich.

Nun war die Frau des Königs sehr mißgünstig, was den jungen Mann und seine Frau betraf. Von ihrer Tochter wußte sie, daß sie eine Tabakiera besaßen, die alles tat, was sie sich wünschten. Sie schmiedete ein Komplott mit einer der Dienerinnen, in der Absicht, sie ihnen zu entwenden. Die aber achten sehr genau darauf, zu verbergen, wo sie die Tabakiera jeden Abend hinlegen. Nichtsdestro-

trotz sieht sie schließlich doch, wo sie hingelegt ist, und um Mitternacht, während sie schlafen, nimmt sie sie ihnen weg und bringt sie ihrer alten Herrin. Was hat die sich gefreut!
Sie öffnet sie, und die Tabakiera sagt zu ihr: »Was wünschst du?« – »Schaff mich und meinen Mann und meine Dienerschaft und dieses schöne Haus auf die andere Seite des Roten Meeres und laß meine Tochter und ihren Mann da.«
Als das junge Paar am Morgen erwachte, fanden sie sich im alten Schloß, und ihre Tabakiera war verschwunden. Sie suchen sie überall, aber vergebens. Den jungen Mann hält es keinen Augenblick länger zu Hause. Er muß unverzüglich aufbrechen, um sein Schloß und seine Tabakiera zu finden. Er besteigt sein Pferd und nimmt soviel Gold mit, wie das Pferd tragen kann, und er reitet fort, weiter und weiter und immer weiter. Er erkundigt sich in allen Städten der Nachbarschaft, bis er sein ganzes Geld aufgebraucht hat. Er suchte und suchte, doch er konnte sie nirgends finden. Aber immer noch hielt er Ausschau, fütterte sein Pferd so gut er konnte, und für sich selbst ging er betteln. Einer riet ihm, er solle zum Mond gehen, der mache eine sehr lange Reise und könne ihn vielleicht hinführen. Er geht weit, weit weg, weiter und weiter und weiter, und endlich kommt er an.
Er findet eine alte Frau vor, die zu ihm sagt: »Wozu bist du hergekommen? Mein Sohn verschlingt alles, was da kreucht und fleucht; wenn du mir vertraust, mach dich rasch aus dem Staub, bevor er da ist.« Er erzählt ihr sein ganzes Unglück – daß er eine Tabakiera von magischer Kraft besessen, die ihm gestohlen worden sei, und daß ihm rein gar nichts geblieben, daß er weit weg von seiner Frau sei und all seines Besitzes beraubt – »vielleicht hat dein Sohn auf seinen Reisen meinen Palast gesehen, mit seinen goldenen Balken, seinen diamantenen Ziegeln und all dem übrigen aus Gold und Silber.«
In dem Augenblick tauchte der Mond auf und sagte seiner Mutter, er rieche einen Menschen. Seine Mutter erzählte ihm, daß da ein armer Kerl sei, der alles verloren habe; daß er zu ihm gekommen sei als einer, der Hilfe brauche, und daß er ihn führen möge.
Der Mond forderte ihn auf, sich zu zeigen. Er kommt hervor, fragt, ob er nicht ein Haus mit goldenen Balken und diamantenen Ziegeln und allem übrigen aus Gold und Silber gesehen habe, und erzählt ihm, wie es ihm weggenommen worden sei. Nein, er habe es nicht gesehen, antwortet er, aber der Sonnenmann mache weit längere Reisen als er selbst, über weitere Strecken, und er täte besser daran, ihn aufzusuchen.
Wieder macht er sich auf den Weg, weiter und weiter und füttert sein Pferd, wie er nur kann, und bettelt für sich selbst. Endlich erreicht er das Haus des

Sonnenmannes. Er stößt auf eine alte Frau, die zu ihm sagt: »Woher kommst du? Scher dich hier weg. Weißt du nicht, daß mein Sohn alle Christen frißt?« – »Nein!« sagt er zu ihr. »Ich gehe nicht weg. Ich bin so elend dran, daß es mir gleich ist, wenn er mich frißt.« Und er erzählt ihr, wie ihm alles abhanden gekommen, daß er ein Haus gehabt, das seinesgleichen nicht hätte, mit Balken aus Gold und Ziegeln aus Diamanten und mit allem anderen aus lauter Gold und Edelsteinen; und daß er eine halbe Ewigkeit danach Ausschau gehalten habe und daß es keinen Menschen gäbe, der so tief im Elend stecke wie er. Die Frau versteckt ihn. Der Sonnenmann kommt zum Vorschein und sagt zu seiner Mutter: »Ich rieche den Geruch eines Christen, und ich muß ihn fressen.«

Die Mutter sagt ihm, dies sei ein ganz unglücklicher Mensch, der sein Hab und Gut verloren habe, und er sei gekommen, um mit ihm zu reden; und sie bittet ihn, Mitleid mit ihm zu haben. Er sagt ihr, sie solle ihn herbringen. Da kommt der junge Mann hervor und fragt den Sonnenmann, ob er einen Palast gesehen, der nicht seinesgleichen hätte, mit seinen Balken aus Gold und seinen Ziegeln aus Diamanten und all dem übrigen aus Gold und Silber. Der Sonnenmann sagt zu ihm: »Nein, aber der Südwind findet alles, was ich nicht sehen kann. Er dringt in jede Ecke ein, ja, das tut er, und wenn irgendeiner etwas darüber weiß, dann ist er es.«

Unser armer Mann macht sich also wieder auf den Weg, füttert sein Pferd, so gut er kann, und bettelt für sich selbst, und endlich kommt er zum Haus des Südwinds*.

Er stößt auf eine alte Frau, die Wasser trägt und damit viele Fässer füllt. Sie sagt zu ihm: »Was geht eigentlich in deinem Kopf vor, daß du hierherkommst? Mein Sohn frißt alles auf, wenn er hungrig und wütend ankommt. Du mußt dich vor ihm sehr in acht nehmen.« Er sagt zu ihr: »Mir ist alles gleich. Soll er mich fressen. Ich bin so arm dran, daß ich nichts und niemanden fürchte.« Und er erzählt ihr, daß er ein schönes Haus gehabt, das seinesgleichen in der Welt nicht hätte in seiner reichen, vielfältigen Pracht, und er fährt fort: »Meine Frau habe ich verlassen, um das Haus wiederzufinden, und bin gekommen, deinen Sohn um Rat zu fragen. Der Sonnenmann hat mir den Weg hierher gewiesen.«

Sie versteckt ihn unter dem Treppenaufgang. Der Südwind rast daher, als wolle er das Haus zerfetzen, und er ist sehr durstig. Noch bevor er zu trinken anfängt, riecht er den Christengeruch und sagt zu seiner Mutter: »Heraus mit dem, was du versteckt hältst«, und daß er es gleich verschlingen müsse. Seine Mutter sagt: »Iß und trink, was vor dir steht.« Und sie erzählt ihm von dem Unglück des Mannes,

* Der Südwind ist der gefürchtetste Wind im Baskenland: ein heißer Wind, gelegentlich sehr heftig, der nach zwei, drei Tagen starke Gewitter und Regenfälle mit sich bringt.

und wie auch der Sonnenmann sein Leben geschont, damit er zu ihm kommen und ihn um Rat fragen könne.
Da heißt er den Mann hervorkommen, und der Mann erzählt ihm, wie er alles abgesucht habe, um sein Haus zu finden, und wenn irgendeiner etwas darüber wisse, dann sei er es; und daß sie ihm sein Haus weggestohlen, das goldene Balken, diamantene Ziegel und alles übrige aus Gold und Silber habe, und ob er es nicht irgendwo gesehen hätte. Er sagt: »Ja, ja, den ganzen Tag heute bin ich darüber hinweggesaust und habe es nicht geschafft, auch nur einen seiner Ziegel zu lockern.« – »Oh! Kannst du mir nicht sagen, wo es steht?« Er sagt, es stehe auf der anderen Seite des Roten Meeres, sehr, sehr weit weg.
Als unser Mann das hört, jagt ihm die Länge des Weges keinen Schrecken ein – er hatte ja schon so viel hinter sich gebracht. Er macht sich auf und kommt schließlich in besagter Stadt an. Er fragt, ob irgendwo ein Gärtner gebraucht werde. Man sagt ihm, der Schloßgärtner sei gegangen, und vielleicht würde man ihn dort nehmen. Er geht hin und erkennt sein Haus – welch eine Freude und welch ein Entzücken! Er fragt, ob sie einen Gärtner bräuchten. Sie bejahen, und unser Mann freut sich darüber. Eine Zeitlang ist er recht glücklich, na so ziemlich. Er redet mit einer Dienerin über den Reichtum der Herrschaft und deren Macht. Er umschmeichelte das junge Mädchen und tat ihm schön, um von ihr die Sache mit der Tabakiera herauszukriegen, und eines Tages sagte er ihr, die möchte er sehen, das sei sein größter Wunsch. Des Abends brachte sie sie ihm, damit er einen Blick darauf werfe, und unser Mann, hocherfreut, sieht sehr genau hin, wo im Zimmer der Herrin sie wieder versteckt wurde. Nachts, als alle schlafen, geht er hin und nimmt sich die Tabakiera. Ihr versteht, mit welcher Freude er sie öffnete.
Sie fragt ihn: »Was wünschst du?« Und der Mann sagt zu ihr: »Que quieres, que quieres (er redet sie so an, als sei dies ihr Name) – schaff mich mit meinem Schloß wieder an die alte Stelle, und den König und die Königin und die ganze Dienerschaft ertränke im Roten Meer.« Kaum hatte er das ausgesprochen, wurde er zu seiner Frau getragen, und sie lebten glücklich, die anderen aber gingen alle im Roten Meer unter.

18. Mai – Der einhundertachtunddreißigste Tag

Kapitän Mahistruba

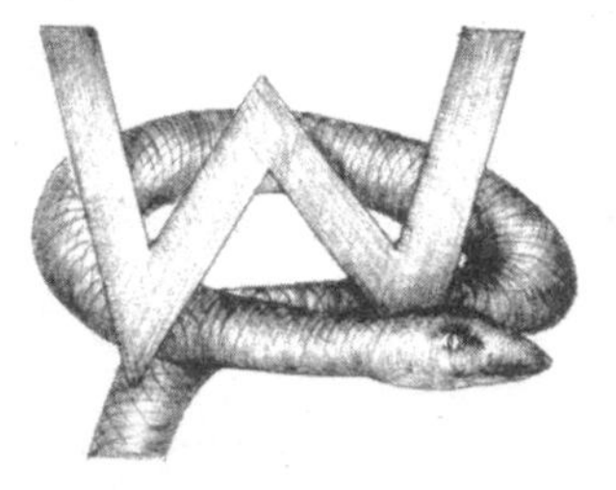

ie viele andere in der Welt lebte einmal ein Kapitän namens Mahistruba. Er hatte in seinem Leben mancherlei Verlust und Unglück gehabt und fuhr daher nicht mehr zur See. Aber jeden Tag spazierte er zu seinem Zeitvertreib hinunter an den Strand, und jeden Tag traf er dort eine große Schlange, und jeden Tag sagte er zu ihr: »Gott hat dir dein Leben geschenkt, also lebe!«
Dieser Kapitän lebte von dem, was Frau und Tochter durch Nähen verdienten.

Eines Tages sagte die Schlange zu ihm: »Geh zu dem und dem Schiffsbauer und gib ein Schiff mit soundso viel Tonnage in Auftrag. Frag nach dem Preis und biete das Doppelte von dem, was sie dir nennen.«
Er tut, wie ihm die Schlange geheißen, und geht am nächsten Tag hinunter an den Strand und berichtet der Schlange, er habe getan, wie sie ihm geheißen. Die Schlange sagt ihm nun, er solle zwölf Matrosen anheuern, und zwar sehr starke Männer, und was immer sie verlangten, er solle das Doppelte bieten. Er geht und tut nach ihrem Geheiß.

Er kehrt zur Schlange zurück und berichtet ihr, er habe zwölf Männer gefunden. Die Schlange gibt ihm all das Geld, das er braucht, um das Schiff zu bezahlen. Der Schiffsbauer ist ganz erstaunt, daß er von diesem armseligen Mann eine so hohe Geldsumme im voraus bekommt, aber er sputet sich, die Arbeit so schnell wie möglich zu vollenden. Wieder hat die Schlange einen Auftrag für ihn: er solle im Schiffsbauch einen großen Raum leer lassen und eine gewaltige Kiste zimmern lassen, und die solle er selbst an den Strand hinunterbringen. Er bringt sie hinunter, und die Schlange kriecht hinein. Das Schiff ist bald fertig, er lädt die Kiste in das Schiff, und sie stechen in See.

Jeden Tag suchte nun der Kapitän die Schlange auf, doch wußten die Matrosen weder, was er im Laderaum tat, noch was in der Kiste war. Das Schiff hatte schon eine gehörige Strecke zurückgelegt, und keiner kannte das Ziel. Eines Tages sagte die Schlange dem Kapitän, daß ein furchtbarer Sturm bevorstünde, daß Erde und Himmel in eins übergingen und daß um Mitternacht ein großer schwarzer Vogel das Schiff überqueren werde; der müsse getötet werden, und er solle schauen, ob unter seinen Matrosen ein Jäger sei. Er geht und fragt die Matrosen, ob es

unter ihnen einen Jäger gäbe. Einer antwortet: »Ja, ich kann eine Schwalbe im Flug treffen.« – »Um so besser, um so besser. Das wird dir von Nutzen sein.«
Er geht hinunter und sagt der Schlange, da sei ein Jäger, der könne eine Schwalbe im Flug töten. Im gleichen Augenblick wird es ringsherum schwarz wie die Nacht, Erde und Himmel verschwimmen, und alle zittern vor Furcht. Die Schlange reicht dem Kapitän einen guten Trank für den Jäger, und man bindet ihn an den Mast. Um Mitternacht hörten sie einen durchdringenden Schrei. Das war der Vogel, der sie überflog, und unserem Jäger gelingt es, ihn abzuschießen. Im selben Augenblick wird die See ruhig. Der Kapitän geht zur Schlange und sagt ihr, daß der Vogel tot sei. Die Schlange antwortet ihm: »Ich weiß es.«
Nachdem sie, ohne weitere Vorkommnisse, eine Strecke weitergekommen waren, sagte die Schlange eines Tages: »Sind wir nicht in der Nähe von dem und dem Hafen?« Der Kapitän antwortet ihr: »Er ist in Sicht.« – »Gut. Dann laßt uns dort anlegen.« Sie sagt ihm, er solle wieder zu seinen Matrosen gehen und fragen, ob ein Schnelläufer unter ihnen sei. Der Kapitän tut dies. Einer der Matrosen sagt zu ihm: »Also was mich angeht, so kann ich einen Hasen im Laufen fangen.« – »Um so besser, um so besser. Das wird dir von Nutzen sein.«
Der Kapitän geht hinunter und sagt der Schlange, da sei einer, der könne einen Hasen im Laufen fangen. Die Schlange sagt zu ihm: »Du wirst den Läufer in diesem Hafen absetzen und wirst ihm sagen, daß er bis zum Gipfel eines kleinen Berges laufen muß, daß sich dort ein kleines Haus befindet und darinnen eine sehr, sehr alte Frau, obendrein ein Schwert, ein Feuerstein und eine Zunderbüchse. Diese drei Dinge muß er, eines nach dem anderen, an Bord bringen, und für jedes muß er extra von neuem laufen.«
Unser Läufer rennt los und kommt an das Haus. Er sieht die alte Frau mit geröteten Augen vor der Türschwelle am Spinnrad sitzen. Er bittet sie um einen Schluck Wasser, denn er sei schon weit gelaufen, ohne Wasser zu finden, und ob sie ihm ein winziges Schlückchen geben könne. Die alte Frau sagt: »Nein.« Er bittet sie erneut, sagt ihr, die Straßen in diesem Land seien ihm unbekannt, und er wisse auch nicht, wohin er gehen solle. Die alte Frau hat beständig den Kaminsims im Blick, und sie sagt zu ihm: »Gut, ich bring dir was.« Während sie zum Wasserkrug geht, nimmt unser Läufer das Schwert vom Kaminsims und läuft wie der Blitz davon. Aber die alte Frau ist hinter ihm her. Gerade in dem Augenblick, als er sich anschickt, aufs Schiff zu springen, bekommt ihn die Alte zu fassen und reißt ihm einen Zipfel seines Rockes ab und dazu ein Stück Rückenhaut.
Der Kapitän geht zur Schlange und sagt zu ihr: »Das Schwert hätten wir, aber unserem Mann hat man die Haut vom Rücken abgezogen.« Sie gibt ihm ein

Heilmittel und einen guten Trank mit und sagt ihm, morgen werde der Mann wieder gesund sein, aber anderntags müsse er wieder losgehen.
Der sagt: »Nein, nein, soll doch der Teufel die alte Frau holen, wenn er Lust hat – ich werde nicht mehr dorthin gehen.« Doch als er am nächsten Tag durch den guten Trank vollständig geheilt ist, bricht er auf. Er zieht sich ein Hemd ohne Ärmel an und alte, zerfranste Hosen, geht zu der alten Frau und erzählt ihr, sein Schiff sei an einem Felsen zerschellt, er sei achtundvierzig Stunden umhergeirrt und bitte sie inständig, ihn ans Feuer zu lassen, damit er seine Pfeife anzünde. Sie sagt: »Nein.« – »Hab doch Mitleid, ich bin ganz elend. Ich bitte dich doch nur um eine kleine Gefälligkeit.« – »Nein, nein, gestern hat mich einer betrogen.« Aber der Mann erwiderte: »Es laufen nicht nur Betrüger herum. Sei unbesorgt.« Die alte Frau steht auf und geht ans Feuer, und als sie sich bückt, um ein glimmendes Stück herauszunehmen, ergreift der Mann den Feuerstein und entflieht, und dabei rennt er, als würde er sich die Füße brechen. Doch die alte Frau rennt so schnell wie unser Läufer, bekommt ihn aber erst zu fassen, als er aufs Schiff springt; da reißt sie ihm das Hemd herunter und mit ihm die Haut von Nacken und Rücken, und er plumpst in das Schiff. Der Kapitän geht schnurstracks zur Schlange: »Den Feuerstein hätten wir.« Sie sagt zu ihm: »Ich weiß es.«
Sie gibt ihm die Medizin und den guten Trank mit, damit der Mann bis zum Morgen gesundet und wieder losgehen kann. Aber der Mann sagt nein, er wolle diese rotäugige Hexe nie mehr sehen. Sie sagen ihm, daß sie noch die Zunderbüchse benötigten. Am nächsten Tag geben sie ihm den guten Trank. Der flößt ihm Mut ein und das Verlangen, noch einmal dorthin zu gehen. Er zieht sich an wie ein Schiffbrüchiger, halb nackt geht er los. Er kommt zu der alten Frau und bittet um ein kleines Stück Brot, er habe schon so lange nichts mehr gegessen, und sie möge doch Mitleid mit ihm haben – er wisse nicht, wohin er gehen solle. Die alte Frau sagt zu ihm: »Scher dich weg, egal wohin. In meinem Haus bekommst du nichts, und niemand kommt mir hier herein. Jeden Tag habe ich Feinde.« – »Aber was hast du von einem armen Mann zu befürchten, der bloß ein wenig Brot wünscht und danach gleich wieder verschwindet?«
Am Ende steht die alte Frau auf, geht an ihren Speiseschrank, und unser Mann greift sich ihre kleine Zunderbüchse. Die Alte rennt ihm nach, will ihn unbedingt fassen, aber unser Mann ist ihr voraus. Sie holt ihn ein, als er gerade aufs Schiff springt. Die Alte bekommt ihn am Nacken zu fassen und zieht ihm die Haut bis zu den Fußsohlen herunter. Unser Läufer stürzt zu Boden, und sie wissen nicht, ist er lebendig oder tot. Und die alte Frau sagt: »Ich will von ihm und von allen, die auf diesem Schiff sind, nichts wissen.«
Der Kapitän geht zur Schlange und sagt zu ihr: »Die Zunderbüchse hätten wir,

aber unser Läufer schwebt in großer Gefahr. Ich weiß nicht, ob er am Leben bleibt; vom Nacken bis zu den Fußsohlen hinunter hat er keine Haut mehr.« – »Seid getrost, seid getrost, morgen wird er geheilt sein. Hier ist die Medizin und der heilkräftige Trank. Ihr seid jetzt gerettet. Geh an Deck und feure sieben Kanonensalven ab.«

Er steigt an Deck und feuert die sieben Kanonensalven ab, dann kehrt er zur Schlange zurück und sagt zu ihr: »Wir haben die sieben Salven abgefeuert.« Sie sagt zu ihm: »Feuert noch einmal zwölf Salven ab. Habt keine Angst. Die Polizei wird kommen und euch Handschellen anlegen. Man wird euch ins Gefängnis werfen, und du wirst dir die Gunst ausbitten, daß man euch nicht hinrichte, bevor nicht das Schiff durchsucht ist – zum Beweis dessen, daß sich nichts im Schiff befindet, was eine solche Strafe rechtfertigen würde.«

Der Kapitän geht an Deck und feuert die zwölf Kanonensalven ab. Sobald er sie abgebrannt hat, kommen Beamte und die Polizei. Sie legen der Mannschaft, den Matrosen und dem Kapitän Handschellen an und stecken sie ins Gefängnis. Die Matrosen waren nicht eben erfreut, aber der Kapitän gab ihnen zu verstehen: »Bald werdet ihr frei sein.« Am nächsten Tag bittet der Kapitän darum, vor den König gelassen zu werden und mit ihm zu reden. Man bringt ihn vor den König, und der König sagt: »Ihr seid zum Tod durch Hängen verurteilt.« Der Kapitän sagt zu ihm: »Was! Weil wir ein paar Kanonenschüsse abgegeben haben, willst du uns hängen?« – »Ja, ja, weil wir sieben Jahre lang in unserer Stadt keine Böllerschüsse gehört haben. Ich bin in Trauer, und mein Volk ist es mit mir. Ich hatte einen einzigen Sohn und habe ihn verloren. Ich kann ihn nicht vergessen.« Der Kapitän sagt zu ihm: »Ich wußte nichts davon, weder von der Nachricht noch von dem Befehl, und ich bitte dich, uns nicht zu töten, bevor nicht untersucht wurde, ob sich in dem Schiff etwas findet, wodurch wir zu Recht verurteilt werden können.«

Der König begibt sich mit seinen Höflingen, seinen Soldaten und seinen Richtern, kurz: mit seinem ganzen Gefolge zum Schiff. Als er an Deck steigt – welche Überraschung! Der König findet seinen inniggeliebten Sohn, der ihm erzählt, wie er von einer alten Frau verzaubert worden war und daß er sieben Jahre lang als Schlange leben mußte; wie der Kapitän jeden Tag an den Strand gekommen sei und ihm jeden Tag das Leben gelassen habe, mit den Worten: »Der liebe Gott hat auch dich erschaffen«; und wie er das gute Herz des Kapitäns gespürt habe, da »sah ich, er würde mich verschonen, und er ist es, dem ich mein Leben verdanke«.

Man geht zu Hofe. Die Männer werden aus dem Gefängnis freigelassen, und der Kapitän erhält eine große Summe Geldes als Mitgift für seine beiden Töchter,

und das Schiff verbleibt ihm. Den Matrosen gibt man für die Zeit, die sie bleiben möchten, soviel zu essen und zu trinken, wie sie nur wollen, und auch für die Zeit danach bekommen sie genug, um bis ans Ende ihrer Tage davon zu leben.
Der König und sein Sohn führten ein glückliches Leben. Und weil sie gut gelebt haben, starben sie auch glücklich und zufrieden.

19. Mai – Der einhundertneununddreißigste Tag

Die Dienerin der Laminak

Es war einmal vor langer Zeit eine Frau, die hatte drei Töchter. Eines Tages sagte die Jüngste zu ihr, sie müsse hinaus und dienen gehen. Und wie sie nun ging, von Stadt zu Stadt, da traf sie schließlich eine Fee, die fragte sie: »Wohin des Wegs, mein Kind?« Und sie gab zur Antwort: »Weißt du eine Dienstbotenstelle?« – »Ja. Wenn du in mein Haus kommen willst, nehme ich dich gleich mit.« Sie sagte: »Ja.«
Sie trug ihr für den kommenden Tag nun allerlei auf und sprach zu ihr: »Wir sind Laminak [Feen]. Ich muß außer Haus gehen, du aber hast deinen Platz in der Küche. Zerbrich den Krug, schlag die Teller entzwei, verdrisch die Kinder, laß sie selbst das Frühstück machen, verschmier ihnen die Gesichter und zerwühl ihnen das Haar.«
Während sie mit den Kindern beim Frühstück saß, kam ein kleiner Hund zu ihr und sagte: »Hau, hau, hauuh. Ich will auch davon haben.« – »Scher dich weg, blöder kleiner Hund. Ich werde dir sonst einen Tritt verpassen.« Doch der Hund wich nicht von der Stelle. Schließlich gab sie ihm zu essen, ein bißchen nur, nicht viel.
»Und nun«, sagte er, »will ich dir sagen, was die Herrin dir aufgetragen hat. Sie sagte, du sollst die Küche kehren, den Krug füllen, alle Teller säubern, und wenn das alles gut ausgeführt ist, läßt sie dir die Wahl zwischen einem Sack Holzkohle und einem Beutel Gold, zwischen einem wunderschönen Stern auf deiner Stirn und einem von der Stirn herabhängenden Eselsschwanz. Du mußt antworten: ›Ein Sack Holzkohle und ein Eselsschwanz.‹«
Die Herrin kommt. Die neue Dienerin hat ihr Tagwerk getan, und sie war sehr zufrieden mit ihr. So sagt sie zu ihr: »Wähl dir, was du willst, einen Sack Holzkohle oder einen Beutel Gold?« – »Ein Sack Holzkohle ist mir gerade recht.« – »Und ein Stern auf deine Stirn oder einen Eselsschwanz?« – »Ein Eselsschwanz würde mir

recht sein.« Da gibt sie ihr einen Beutel Gold und einen wunderschönen Stern auf ihre Stirn. Darauf geht die Dienerin nach Hause. Sie war so hübsch anzusehen mit ihrem Stern und dem Beutel Gold über der Schulter, daß die ganze Familie nur so staunte.

Die älteste Tochter sagt zu ihrer Mutter: »Mutter, ich will auch gehen und Dienerin werden.« Und sie sagt zu ihr: »Nein, mein Kind, das wirst du nicht tun.« Aber als sie ihr keine Ruhe ließ, stimmte sie zu, und sie geht fort wie ihre Schwester.

Sie kommt in die Stadt der Laminak und begegnet derselben Fee wie ihre Schwester. Sie sagt zu ihr: »Wohin des Wegs, mein Mädchen?« – »Um zu dienen.« – »Komm zu uns.« Und sie nimmt sie als Dienerin mit. Wie der ersten trägt sie ihr auf: »Verwüste die Küche, schlag die Teller entzwei, zerbrich den Krug, laß die Kinder ihr Frühstück selbst machen und verschmier ihnen die Gesichter.«

Da war noch etwas vom Frühstück übrig, und der kleine Hund kommt herein und sagt: »Hau, hau, hauuh. Ich will auch davon haben.« Und er folgt ihr überall hin, und sie gibt ihm nichts. Und zuletzt befördert sie ihn mit Tritten hinaus.

Die Herrin kommt nach Hause und findet ihre Küche verwüstet, den Krug und alle Teller zerbrochen. Und sie fragt die Dienerin: »Was möchtest du als Lohn? Einen Beutel Gold oder einen Sack Holzkohle? Und einen Stern auf deine Stirn oder einen Eselsschwanz dort?« Sie wählte den Beutel Gold und einen Stern auf ihrer Stirn. Doch die Fee gab ihr einen Sack Holzkohle und einen Eselsschwanz vor die Stirn. Weinend geht sie weg und erzählt ihrer Mutter, sie komme sehr armselig zurück. Da fragt die zweite Tochter um Erlaubnis, fortzugehen.

»Nein, nein!« sagt die Mutter, und sie bleibt zu Hause.

20. Mai – Der einhundertvierzigste Tag

Das Büßerhemd

Es waren einmal, wie viele andere in der Welt, ein vornehmer Mann und seine Frau. Sie hatten keine Kinder, sosehr sie sich auch, vor allem anderen, eines wünschten. Sie taten ein Gelübde, nach Rom zu pilgern. Und sobald sie das Gelübde getan hatten, wurde die Frau schwanger. Der Ehemann sprach zu ihr: »Wir tun gut daran, jetzt gleich dorthin zu pilgern.« Die Frau sagte: »Jetzt haben wir nicht genug Zeit, wir können ebensogut nachher gehen.«
Die Frau gebar einen Jungen. Der Junge wächst heran, und er bemerkt, daß der Vater immerzu traurig ist, und oft findet er ihn weinend in einer Ecke. Der kleine Junge war schon sieben Jahre alt, und die Mutter hatte sich immer noch nicht entschlossen, nach Rom zu gehen. Eines Tages geht der Junge in das Schlafzimmer seines Vaters und findet ihn wieder weinend. Da sagt er zu ihm: »Was ist mit dir, Vater?« Aber er will ihm nicht antworten, und das Kind greift zu einer Pistole und spricht zu seinem Vater: »Wenn du mir nicht sagen willst, was mit dir ist, werde ich zuerst dich und dann mich erschießen.«

Da sagt der Vater, er wolle es ihm sagen, und er erzählt ihm, wie seine Mutter und er ein Gelübde getan, nach Rom zu pilgern, wenn sie ein Kind bekämen, und daß sie niemals dort gewesen seien. Das Kind sagt zu ihm: »Um meinetwillen ist dieses Gelübde getan worden, und ich bin es, der gehen und es erfüllen wird.« Er sagt Lebewohl und macht sich auf den Weg.
Sieben Jahre war er unterwegs, und sein Brot mußte er sich erbetteln. Schließlich kommt er zum Heiligen Vater und erzählt ihm, was ihn hierhergeführt. Unser Heiliger Vater steckt ihn für eine Stunde allein in ein Zimmer. Als er herauskommt, sagt er zu ihm: »Oh, du hast dich geirrt, du hast mich mindestens zwei Stunden da drinnen gelassen.« Unser Heiliger Vater sagt zu ihm: »Nein« – er sei nur eine Stunde dort gewesen. Und er steckt ihn für zwei Stunden in ein anderes Zimmer. Als er da herauskam, sagte er: »Du hast mich länger als zwei Stunden dringelassen.« Er sagt zu ihm: »Nein« und steckt ihn für drei Stunden in wieder ein anderes Zimmer. Als er da herauskam, sagte er: »Du hast mich dort nur drei

Minuten gelassen.« Doch der sprach zu ihm: »Ja, ja, ja. Du bist drei Stunden dort gewesen.«
Und unser Heiliger Vater sagte ihm, das erste Zimmer sei die Hölle gewesen, das zweite das Fegefeuer und das letzte der Himmel. Das Kind sagt zu ihm: »Wo bin ich? Bin ich im Paradies – und mein Vater?« – »Auch im Paradies.« – »Und meine Mutter?« – »In der Hölle.« Der Junge war bekümmert und sagte zu ihm: »Kann ich meine Mutter nicht retten? Sieben Jahre lang würde ich mein Blut für sie fließen lassen.« Und der Heilige Vater sagt ihm, das könne er, und er zieht ihm ein härenes Hemd* an, das ein Schloß hat, und den Schlüssel dazu wirft er ins Wasser. Und unser Heiliger Vater sagt zu ihm: »Wenn du diesen Schlüssel findest, wird deine Mutter gerettet sein.«
Er macht sich auf die Suche, bettelt sich durch wie zuvor und braucht weitere sieben Jahre, bis er in sein eigenes Land kommt. Er geht von Haus zu Haus und bittet um Almosen. Sein Vater begegnet ihm und fragt, woher er komme. Er sagt: »Aus Rom.« Er fragt ihn, ob er nicht auf dem Weg einen Jungen in seinem Alter gesehen habe. Er sagt zu ihm »Ja, ja« und erzählt ihm, daß er sieben Jahre lang gegangen sei und dabei sein Blut vergossen habe, um seine Mutter zu retten. Und der Vater fährt fort, über seinen Sohn zu reden. Seine Mutter kommt heraus auf die Treppe und sagt ihrem Mann, er solle diesen armen Menschen fortschicken, er müsse weg von hier. Aber er schenkt ihr keine Beachtung. Er bringt ihn herein und sagt ihr, daß er mit ihnen zu Abend essen werde. Seine Frau ist nicht erfreut. Er schickt die Magd auf den Markt und trägt ihr auf, den besten Fisch zu kaufen, den sie finden könne. Als die Magd zurückkommt, geht sie in den Hühnerhof, um den Fisch zu putzen. Der junge Mann folgt ihr, und wie sie den Fisch ausnimmt, findet sie in seinem Innern einen Schlüssel. Der junge Mann sagt zu ihr: »Dieser Schlüssel gehört mir.« Und sie gibt ihn ihm.

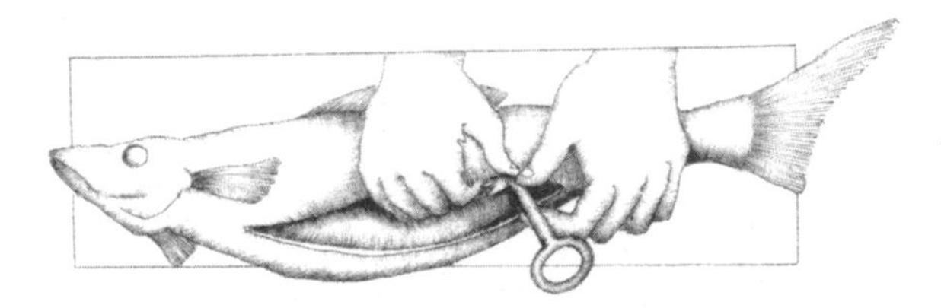

Die Frau des Hauses konnte den jungen Mann nicht ertragen, und sie gibt ihm einen Stoß, und er fällt in den Brunnen. Da fließt plötzlich das Wasser im Brunnen über, und der Sohn kommt völlig durchnäßt heraus. Der Mann hatte nicht

* *La Cilice* oder lat. *Cilicium*, ein aus kilikischem Ziegenhaar gefertigtes sackartiges Trauer- und Bußgewand. Als »härenes Hemd« in der mittelalterlichen christlichen Kirche gebräuchlich.

bemerkt, daß seine Frau ihn in den Brunnen gestoßen hatte, und der junge Mann sagte ihm, er sei hineingefallen. Der arme Mann will ihm mit Kleidern aushelfen, aber er will sie nicht annehmen; er sagt, er wolle sich selber am Feuer trocknen. Bei Tisch läßt die Frau ihm gegenüber jede Höflichkeit fehlen. Der junge Mann fragt sie, ob sie ihren Sohn erkennen würde. »Ja, ja«, sagt sie, »er hat ein Mal mitten auf der Brust.« Da öffnet der Sohn sein Gewand und zeigt das Mal. Dann gibt er seiner Mutter den Schlüssel, damit sie sein härenes Hemd aufschließe, und die Mutter sieht nichts als Blut, frisches und geronnenes Blut. Und die Magd sieht drei weiße Tauben davonfliegen.
Ich wollte, ich könnte es machen wie sie.

21. Mai – Der einhunderteinundvierzigste Tag

Der Baum der drei Orangen

Es war einmal ein Königssohn, der kehrte von einer Jagd zurück und hörte plötzlich Ausrufe einer Frau, die er nicht verstand. Er wollte wissen, was es war, und erblickte eine Mohrin, die damit beschäftigt war, mit einem Handbeil ein Kreuz zu zerhacken. Dem Sohn des Herrn Königs schien dies nicht in Ordnung zu sein, und er ging zur Mohrin, um ihr das Kreuz aus den Händen zu reißen. Sie kämpften eine Weile, aber der Mann blieb Sieger, und da begann die Mohrin voller Wut in ihrer fremden Sprache zu schreien, um dann sogleich, den Jüngling anblickend, ihm einen Fluch entgegenzuschleudern: »Mögest du doch zum Baum der drei Orangen gelangen!«
Von da ab sehnte sich der Sohn des Herrn Königs danach, zu erfahren, was der Baum der drei Orangen sei, und was er tun solle, um zu ihm zu gelangen. Und seine Sehnsucht wurde so groß, daß er eines Tages beschloß, sich auf die Suche zu machen. Er bestieg sein Roß Pensamento und ritt in die Welt hinaus, um den Baum aufzusuchen.
Lange, lange ritt er so und ließ keine Tür vorbei, ohne dort nachzufragen; und nach vielem Reiten kam er endlich zu dem Haus der Sterne. Er rief an der Tür, und es erschien vor ihm eine kleine, verrunzelte Frau, die noch älter war als die Zeit. Und sie fragte ihn: »Nun, Jüngling, was wünschest du?« – »Siñora«, sagte der Sohn des Herrn Königs, »ich habe mein Haus verlassen, um den Baum der drei Orangen zu suchen. Aber ich finde ihn nicht und treffe auch niemand, der mir Auskunft über ihn geben könnte.« – »Oh, der steht weit, sehr weit, aber ich

weiß nicht, wo er sich befindet. Wenn du ein wenig warten willst, so kommt bald meine älteste Tochter, und die weiß, wo er steht.«
Der Jüngling wartete, und als die Tochter kam, da sagte sie beim Betreten des Hauses, daß sie großen Hunger habe und daß es dort nach dem zarten Fleisch eines jungen Menschen rieche.
Die Mutter sagte ihr, das sei so: ein Jüngling sei angekommen, der nach dem Baum der drei Orangen suche, und wenn sie es könne, möge sie ihm freundlich helfen. Die älteste Tochter wollte essen und sagte schließlich zu ihrer Mutter: »Schick ihn in das Haus der Sonne: Mein Bruder dort muß es wissen.«
Und die alte Frau schickte den Sohn des Herrn Königs hin, um im Haus der Sonne nachzufragen; und er ritt davon.
Der Königssohn begann die neue Reise, und als er im Haus der Sonne angekommen war, da schickte man ihn zum Haus der Luna, die als Frau mehr Dinge wisse als die anderen. Und im Haus der Luna mußte er wieder warten, denn er war in der Nacht angekommen, und Luna war nicht zu Hause. Luna wußte ebensowenig, wo der Baum der drei Orangen sich befand, aber sie sagte zum Königssohn: »Begib dich mit einem Gruß von mir zum Haus des Windes, denn der läuft über die ganze Erde und kennt nicht nur den Baum, den du suchst, sondern wird dich auch selbst zu ihm geleiten, wenn du ebenso schnell gehen kannst wie er.«
Endlich gelangte der Sohn des Herrn Königs zum Haus des Windes, und als er ihm sagte, daß Luna ihn herschicke, da empfing ihn der Wind sehr gut und versprach, ihm zu helfen, fügte aber hinzu: »Mitnehmen werde ich dich schon; aber weißt du auch, daß du ebenso rasch gehen mußt wie ich? Also, wenn du nicht schnell läufst, so lasse ich dich unterwegs zurück.«
Der Jüngling schwang sich auf sein Roß und sagte zum Wind: »Machen wir uns auf den Weg; lauft rasch, mein Herr, denn ich werde Euch folgen.«
Und die beiden eilten davon; und als der Wind das Roß Pensamento laufen sah,

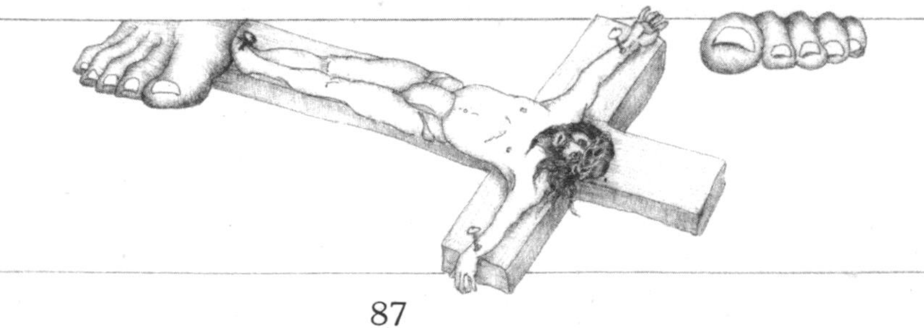

da sagte er: »Ich hatte nicht gedacht, daß du so leicht bist; du läufst ja noch rascher als ich!« – »Wie sollte es denn anders sein, mein Herr, wenn ich mein Pferd ›Gedanke‹ getauft habe, denn es läuft so schnell wie die Gedanken!«
Endlich gelangte der Sohn des Herrn Königs zu einem schönen Garten, in dem sich der Baum der drei Orangen befand. Der Wind zeigte ihm den und sagte: »Sieh, hier hast du den Baum der drei Orangen.«
Kaum hatte der Sohn des Herrn Königs die Orangen erblickt, da ergriff er sie, ohne Zeit zu verlieren, schwang sich wieder auf sein Roß und galoppierte davon. Von dem Staub des Weges und dem langen Ritt bekam er einen großen Durst. Er wollte ihn stillen, fand aber keine Quelle und keinen einzigen Tropfen Wasser. Da erinnerte er sich an die drei Orangen, die er im Beutel hatte, und dachte, er könne recht gut eine davon öffnen, um seine Kehle zu erfrischen. Er öffnete sie, aber kaum hatte er es getan, da erschien vor ihm ein schönes Fräulein, das ihn sofort fragte: »Und nun, hast du für mich Wasser zum Waschen, Kämme zum Kämmen und einen Spiegel zum Hineinschauen?« – »Nein«, sagte der Sohn des Herrn Königs, denn er hatte keins von diesen Dingen. Und da sagte zu ihm das Mädchen: »Du weißt nicht, wieviel du verloren hast« – und kehrte in die Orange zurück.
Der Mann wurde sehr traurig und setzte seinen Weg fort. Nach einer weiteren Strecke aber drohte er geradezu vor Durst zu sterben und öffnete die zweite Orange. Wieder erschien vor ihm ein schönes Fräulein, noch schöner und süßer als das vorige, und sagte zu ihm ebenso wie das erste: »Und nun, hast du für mich Wasser zum Waschen, Kämme zum Kämmen und einen Spiegel zum Hineinschauen?« – »Nein«, sagte der Sohn des Herrn Königs auch diesmal zu ihr, denn er hatte wieder keins von diesen drei Dingen. Und da sagte das Mädchen gleichfalls: »Du weißt nicht, wieviel du verloren hast« – und kehrte in die Orange zurück.
Der Mann wurde ebenso traurig wie das erste Mal und gab sich das Wort, die dritte Orange trotz des größten Durstes nicht eher zu öffnen, als bis er sich mit den drei von den Mädchen gewünschten Dingen versehen habe. Er verschaffte sich Kämme sowie einen Spiegel, und als er zu einer kleinen Quelle kam, da öffnete er die dritte Orange: Und das Fräulein war noch viel schöner als ihre beiden Vorgängerinnen. Als sie ihn nun um Wasser zum Waschen, um Kämme zum Kämmen und um einen Spiegel zum Hineinschauen bat, da gab der Sohn des Herrn Königs ihr alles. Nun verschwand sie nicht, sondern blieb bei ihm, und sie heirateten. Und der Sohn des Herrn Königs ließ es seinem Vater mitteilen und wartete darauf, daß dieser ihn rufe.
Zur gebührenden Zeit gebar die junge Frau einen Sohn, und der Herr König ließ

sie alle drei zu sich einladen. So groß war die Eile, die der Jüngling hatte, seinen Eltern, dem hohen Königspaar, seine schöne Frau und auch den kleinen Sohn zu bringen, daß sie sich sofort auf den Weg machten. Als sie zu einer Quelle kamen, die von einer Eiche überschattet war und sich schon im Reich des Vaters befand, da beschloß der Jüngling, sich zu entfernen, um eine Karosse und festliche Kleider zu holen, damit er in den Königspalast einen schönen Einzug halten könne. Und er ließ seine Frau zurück, wobei er ihr auf die Seele band, sich von keinem Mann und auch sonst keinem menschlichen Wesen sehen zu lassen. Als die Mutter am Rande der Quelle das Kind in ihren Armen hielt, da erschien vor ihr, bevor sie es bemerkt hatte, die Mohrin; sie begann das kleine Kind zu streicheln und lobte es sehr, um das Wohlwollen der Mutter zu gewinnen. Nachdem sie eine Weile gesprochen hatten, schlug die Mohrin ihr vor, sie schön zu kämmen, bevor ihr Mann zurückkehre. Die junge Frau traute ihr, doch dann, als sie ihr gern erlaubt hatte, sie zu kämmen, benutzte die böse Mohrin die Gelegenheit, ihr eine Zaubernadel in den Kopf zu stecken. Sofort verwandelte sich die Prinzessin in eine Taube und flog auf die Eiche, während die Mohrin das Kind ergriff und sich an die Stelle der Mutter setzte.
Bald darauf kehrte der Sohn des Herrn Königs zurück, und als er eine so häßliche und sonnenverbrannte Frau erblickte, da war er so betroffen, daß er nicht schweigen konnte, und er sagte: »Eh, Frau, was ist dir zugestoßen, daß du so häßlich geworden bist?« – »Eh, wie könnte es anders sein? So lange, so lange bist du ausgeblieben, daß die Sonne mich schließlich verbrannt hat.«
Der Sohn des Herrn Königs betrat beschämt das Haus seines Vaters und sorgte dafür, daß er nicht gesehen wurde. Dem Herrn König gefiel die Schwiegertochter keineswegs, und er nahm es seinem Sohn sehr übel, daß er ihn betrogen hatte, indem er diese Frau in den Königspalast brachte; dennoch blieb die Schwiegertochter des Herrn Königs im Hause und fühlte sich sehr zufrieden.
Zur selben Zeit, als der Troß des Sohnes des Herrn Königs die Tore des Palastes passierte, sah der Gärtner des Herrn Königs eine Taube heranfliegen. Sie begann sofort auf den Bäumen des Gartens herumzuflattern, und indem sie zutraulich wurde, näherte sie sich wiederholt dem Gärtner und sprach zu ihm: »Gärtner, Gärtner, wie geht es dem Sohn des Herrn Königs mit seiner Mohrin?« Und der Gärtner antwortete ihr: »Sehr gut, Siñora.«
Darauf fragte ihn die Taube immer wieder auf dieselbe Weise: »Und der kleine Sohn, was tut er?« – »Manchmal lacht er, und manchmal weint er.« Und nachdem der Gärtner gesprochen hatte, sprach die Taube mit schluchzender Stimme: »Und seine arme Mutter ist hier ganz allein!«
Als der Sohn des Herrn Königs von der Taube hörte, gab er den Befehl, sie zu

fangen, ohne ihr Schaden zu tun. Und man fing sie, denn die Taube war sehr zahm, und man brachte sie in das Haus des Sohnes des Herrn Königs. Als die Mohrin sie sah, wollte sie, daß man sie töte, aber der kleine Knabe gewann die Taube sehr lieb. Und eines Tages, als der Sohn des Herrn Königs sie streichelte, da traf er auf die Nadel in ihrem Kopf; er ergriff sie und zog sie heraus. Damit war der Zauber gebrochen, und die Taube verwandelte sich wieder in die Frau des Sohnes des Herrn Königs. Da nun die Bosheit der Mohrin offenkundig war, befahl der Herr König, sie in einen Kessel mit siedendem Öl zu werfen.

22. Mai – Der einhundertzweiundvierzigste Tag

Der Schützling des heiligen Antonius

Ein Schützling des heiligen Antonius lag todkrank danieder, und als er aus dem Bett schon nicht mehr aufstehen konnte, kam ein Armer und bat an der Tür um ein Almosen. Da ging die Magd an die Tür und fragte, was er wollte. Der Arme sagte, er wolle sehen, ob man ihm einen Scheffel Weizen geben könne. Das Mädchen antwortete, ob das nicht reichlich sei, um so viel auf einmal zu bitten, aber der Arme sagte, sie solle ihren Herrn fragen.

Das Mädchen ging zu seinem Herrn und erzählte ihm, was der Arme wollte. Da sagte er: »Gib ihm, was er will, denn wenn er um so viel bittet, ist er sicher in großer Not.«

Da ging das Mädchen zu dem Armen zurück und sagte: »Ihr habt Glück gehabt und meinen Herrn in einem guten Augenblick angetroffen. Er hat mir gesagt, ich soll Euch geben, worum Ihr gebeten habt. Also her mit Eurem Sack!« – »Ihr müßt mir auch schon den Sack geben, denn ich habe keinen mitgebracht.«

Ganz verärgert antwortete ihm das Mädchen: »Zum Teufel mit dem Bettler! Er verlangt einen Scheffel Weizen und hat nicht einmal etwas bei sich, um ihn mitzunehmen.« – »Fragt doch Euren Herrn«, sagte der Arme.

Das Mädchen ging nochmals zu seinem Herrn und sagte, der Arme wolle auch noch einen Sack für den Weizen, nicht einmal den habe er mitgebracht. »Gut«, sagte der Herr, »und gib ihm einen neuen, damit ihm der Weizen auf dem Weg nicht herausfällt.«

Als der Arme schließlich den Weizen im Sack verstaut hatte, fragte er das Mädchen, ob sie nicht den Sack ein Stück tragen könne, denn seine Kräfte wären schwach bemessen. »Was sagt Ihr da? Ihr seid gut, bettelt um nicht mehr und nicht weniger als einen Scheffel Weizen, wollt den Sack noch dazu, und jetzt soll ich Euch das Ganze noch nach Hause tragen!« – »Fragt Euren Herrn, ob er das erlaubt!«

Das Mädchen ging wieder zu seinem Herrn und erzählte ihm, was der Arme jetzt wünschte, dabei dachte sie insgeheim, auch ihr Herr würde nun die Aufdringlichkeit des Bettlers satt haben und ihn zum..., aber der Herr sagte: »Wenn er dich gebeten hat, trag ihm den Sack hin. Er ist sicher krank und würde es nicht schaffen.«

Das Mädchen lud sich den Sack auf den Kopf, und als sie ein Stück gegangen waren, ließ der Arme sie anhalten und sagte ihr, sie müsse jetzt nach Hause gehen und sich nicht aufhalten, wenn sie ihren Herrn noch lebend antreffen wolle. Er aber blieb auf dem Sack sitzen, und nach einer Weile kam ein Hase aus dem Haus gelaufen, dem war ein Windhund auf den Fersen. Als sie bei dem armen Mann vorbeikamen, stand der auf und schrie dem Windhund zu: »Laß ihn los, der gehört mir.« Der Windhund blieb stehen und antwortete ihm: »Das werden wir sehen.«

Der Hase war aber die Seele des Herrn des Hauses, und der Windhund war der Teufel, und der Arme war der heilige Antonius. Sie wogen nun die guten und die bösen Werke des Toten gegeneinander ab, und weil die bösen schwerer wogen, sagte der Teufel: »Hab ich es nicht gesagt? Sie gehört mir.«

Da antwortete ihm der heilige Antonius: »Und der Sack Weizen?«

Sie zählten nun die Weizenkörner ab, aber auch die genügten noch nicht. Da meldete sich wieder der heilige Antonius: »Und die Fäden des Sackleinens?«

Sie zählten die Fäden des Sackleinens aus, aber es war immer noch nicht genug. Da sagte der heilige Antonius: »Und die Schritte der Magd?«

Da rechneten sie die Schritte der Magd auf, und es blieben noch welche übrig. Und der heilige Antonius konnte die Seele seines Schützlings mit sich nehmen.

23. Mai – Der einhundertdreiundvierzigste Tag

Die Geschichte vom Eisernen Stecken

Eines Tages rief ein Bauer, der reich war, seinen Sohn zu sich und sagte zu ihm: »Mein Sohn, du wirst jetzt sechzehn Jahre alt, und ich will dir etwas schenken. Du kannst es dir aussuchen, was möchtest du haben?«
Der Junge dachte lange nach und antwortete dann: »Ich will die Welt kennenlernen, ferne Länder besuchen.« Der Vater hörte sich das an, gab ihm die Erlaubnis, in die Welt hinauszuziehen, und fragte ihn, ob er weiter nichts brauche. Der Sohn antwortete, er wolle nur einen Stecken, einen Stecken aus Eisen. Der Vater versprach, ihm seinen Wunsch zu erfüllen, obwohl er das reichlich wenig fand.
Am nächsten Tag schickte er ihn zum Schmied, dem sollte er sagen, was er wünschte. Der Junge tat das, ging zum Schmied, aber er gab so große Maße für den Stecken an, daß der lachte und ihm versprach, er wolle gar nichts für die Arbeit verlangen, wenn er nur den Stecken, sobald er fertig wäre, auch hochheben könne. Der Junge ging nach Hause, und der Schmied machte sich an die Arbeit.
Der Schmied mußte doch tatsächlich ein Paar Ochsen kommen lassen, als er den Stecken wenden wollte, um ihn von der anderen Seite zu bearbeiten. Ab und zu sprach der Schmied mit dem Vater und sagte ihm lachend, er sei ja gespannt, wie sein Sohn wohl den Stecken hochheben würde.
Die Tage vergingen, und schließlich war der Stecken fertig. Vor der Tür der Schmiede liefen viele Leute zusammen, um zu sehen, wie der Junge den Stecken abholte. Niemand glaubte, der Junge wäre imstande, den Stecken aufzuheben. Der Schmied rieb sich sogar die Hände vor Vergnügen über den guten Handel, den er gemacht hatte.
Der Junge kam also, achtete auf niemanden, ging auf den Stecken zu, hob ihn auf und begann damit zu spielen. Das Volk ringsumher war begeistert darüber, aber der Schmied fuhr sich mit der Hand an die Stirn, denn sein Verlust ruinierte ihn vollständig, hatte er doch ausgemacht, er würde nichts für die Arbeit verlangen, wenn der Junge imstande wäre, den Stecken aufzuheben.
Danach ging der Junge nach Hause, um sich von seinen Eltern zu verabschieden. Aber als er ankam, lehnte er den Stecken gegen die Tür, und die Tür fiel in sich zusammen. Er lehnte ihn gegen die Wand, und das Haus begann zu wanken. Da sagte die Mutter zu ihm: »Schon gut, schon gut, nimm hier diesen Beutel mit

Käse und noch einiges andere für unterwegs, aber nimm den Stecken weg, du legst mir noch das ganze Haus um.« So schwer war der Stecken!
Der Sohn verabschiedete sich von den Eltern und machte sich auf den Weg. Er ging und ging, und auf einmal hörte er einen Mann von fern singen, der hatte eine große Hacke in der Hand. Der Junge ging weiter, aber als er näher kam, was sah er da? Jedesmal, wenn der Mann die Hacke niedersausen ließ, legte er mit einem Schlag eine ganze Kiefer um, mit einem einzigen Schlag.
Natürlich gefiel das dem Jungen, und er ging gleich auf ihn zu. Aber der Mann achtete gar nicht auf ihn, vielmehr sang und fällte er in einem fort. Schließlich blickte er doch auf und betrachtete den Stecken. Ein wenig verwundert und mißtrauisch fragte er den Jungen, wer er sei und wohin er gehe. Der Junge antwortete, er ziehe in die Welt hinaus. Der Mann hörte mit seiner Arbeit auf und sagte, wenn er so stark sei, daß er diesen Stecken halten könne, dann wolle er ihm Gesellschaft leisten und mit ihm auf die Wanderschaft gehen.
Und so beschlossen sie, gemeinsam loszuziehen. Der Mann mit der Hacke war niemand anderes als der Kiefernfäller. Sie wanderten lange weiter und erzählten einander aus ihrem Leben. Aber auf einmal teilte sich der Weg, den sie gingen, und sie wußten nicht, welche Richtung sie einschlagen sollten. Da sahen sie in der Nähe auf einem Feld einen Mann, der mit seinen Ochsen pflügte, und einen Jungen, der ihm dabei half.
Sie gingen auf ihn zu und erzählten ihm, sie wanderten in die Welt hinaus, aber jetzt wüßten sie nicht, welchen Weg sie am besten einschlagen sollten. Der Mann sah sie scharf an und zeigte ihnen die Richtung, indem er mit einer Hand den Pflug, die Ochsen und den Jungen emporhob. Dann sagte er: »In diese Richtung.«
Der Junge und der Kiefernfäller waren hoch erfreut, auch diesen Recken kennengelernt zu haben, und luden ihn ein mitzugehen. Der Mann war einverstanden und ließ durch den Jungen zu Hause ausrichten, er werde heute nicht zum Abendessen dasein und ein wenig später heimkommen, denn er wolle in die Welt hinauswandern.
Und so zogen sie zu dritt los. Der Mann, der so ohne weiteres einen Pflug mitsamt den Ochsen, dem Jungen und allem anderen hochheben konnte, war der Bergeversetzer.
Unterwegs sahen sie gewaltige Dinge. Alles interessierte sie. Aber als sie um einen Berg herumkamen, sahen sie bei einem Bauernhaus einen Mann an einem Brunnen stehen, der war sehr bekümmert. Sie gingen auf ihn zu und fragten ihn, was er habe. Da antwortete der Mann, er arbeite an dem Brunnen, aber der sei so tief, wie er nie einen gesehen habe, und wenn er hinabsteige, dann komme ihm an einer Stelle ein Schwarm von Mücken entgegen und noch viel schlimmere

Dinge, die ließen ihn nicht in Ruhe arbeiten und auch nicht weiter hinabsteigen. Der Mann weinte fast, als er das sagte. Die drei Freunde hörten sich das an, und der Kiefernfäller war der erste, der hinabsteigen wollte. Alle waren einverstanden, und der Kiefernfäller stieg hinab. Natürlich vereinbarten sie, bevor er hinabstieg, wenn ihm etwas Ernstes zustoße, dann solle er ein Zeichen geben, indem er an dem Seil zöge. Alles schien nach Wunsch zu verlaufen, als plötzlich das Seil sich straffte. Sofort zogen sie an dem Seil, so schnell sie nur konnten, und da erscheint der Kiefernfäller zitternd und sagt, er könnte nicht mehr, das sei einfach nicht zum Aushalten, so viele Mücken seien da, und Bienen, und all die Stiche – einfach die Hölle!

Die anderen hörten sich das an. Dann sagte der Bergeversetzer: »Also, ich steig jetzt hinunter. Ihr zieht mich nur hoch, wenn ich dreimal an dem Seil zupfe.«

Alle waren einverstanden, und der Bergeversetzer stieg hinab. Er kam tiefer und tiefer hinab, und er blieb wirklich lange aus. Aber auf einmal straffte sich das Seil, und zwar unzählige Male hintereinander, und wie schnell hintereinander!

Als der Bergeversetzer aus dem Brunnen stieg, erkannte man ihn kaum wieder. Sein Gesicht war voller Stiche und sein Haar völlig zerzaust von dem Kampf, den er da unten geführt hatte, und dabei war er der Bergeversetzer!

Nun war natürlich der Junge an der Reihe – der Eiserne Stecken, wie man ihn kurz nannte.

Alle richteten ihre Blicke auf ihn, um zu erfahren, wie er es anstellen wollte. Nun, der Eiserne Stecken sagte einfach: »Ihr laßt jetzt das Seil hinunter, und wenn ihr merkt, daß es sich strafft, dann laßt es immer weiter hinunter, bis es nicht mehr geht.«

Die anderen glaubten ihren Ohren nicht zu trauen und wollten ihn auf diese Weise nicht hinunterlassen, denn sie waren ja Freunde des Eisernen Steckens. Der Mann, der an dem Brunnen gearbeitet hatte, war ganz erstaunt über solche Kerle. So etwas hatte er noch nie gesehen! Endlich tat man dem Eisernen Stecken seinen Willen, und sofort begann er hinabzusteigen. Dabei nahm er natürlich seinen Stecken mit.

Anfangs stellte er nichts Besonderes fest. Aber plötzlich kamen von allen Seiten Mücken. Mit seinem Stecken verteidigte er sich eine Weile, so gut er konnte,

aber die Mücken ließen ihn nicht in Ruhe, und da beschloß er, an dem Seil zu ziehen. Sofort ließen die oben es weiter hinunter. Und das war auch sein Glück, denn bald darauf verschwanden die Mücken wie durch Zauberkraft. ›Sollte das alles sein?‹ dachte der Eiserne Stecken bei sich, der ebenfalls ganz von den Mücken zerstochen war.
Er stieg weiter hinab, bis er allmählich ein Summen näher kommen hörte. Ihm schwante nichts Gutes dabei, aber er stieg weiter hinab, denn was blieb ihm anderes übrig! Aber plötzlich, von einem Moment auf den anderen, erschienen so viele Wespen, daß er nicht wußte, wohin er sich wenden sollte. Mit seinem Stecken erlegte er viele davon, doch es kamen immer mehr, und er konnte sich kaum noch wehren. Da zog er an dem Seil, so kräftig er konnte, aber die oben ließen natürlich das Seil immer weiter herunter. Es war entsetzlich, und der Eiserne Stecken hielt seine letzte Stunde für gekommen.
Aber als die oben das Seil immer weiter hinunterließen, wurden die Wespen allmählich weniger, und der Eiserne Stecken überstand die schlimmen Minuten. Da plötzlich sah er selbst bei dem spärlichen Licht, das bis hier unten in den Brunnen drang, in der Wand ein Loch, das nach einem ausgedienten Bergwerksstollen aussah. Er gab seinem Körper einen Stoß, und es gelang ihm, sich der Brunnenwand an der Stelle zu nähern, wo sich das Loch befand. Neugierig sprang er sofort hinein, um zu sehen, wie es darin aussah. Anfangs war der Stollen wie jeder andere auch. Aber er drang immer weiter vor, und plötzlich fand er sich in einem großen, hell erleuchteten Saal wieder. Ohne recht zu wissen, wo er war, lief er hin und her, um sich alles genau anzusehen. Da bemerkte er, daß auf einem Tisch zwei Schwerter lagen. Eines war sehr schön und glänzte, so daß es mehr wie Kristall aussah, das andere war aus Eisen, sehr häßlich und verrostet. Der Eiserne Stecken ging auf den Tisch zu und ergriff das häßliche Schwert, das aus Eisen war. Im gleichen Augenblick erschien vor ihm ein pechschwarzer Kater. Voller Verwunderung blickte der Eiserne Stecken den Kater an, und wie groß war seine Verblüffung, als der zu reden anfängt und zu ihm sagt: »Warum hast du das rostige Schwert genommen? Hättest du nicht lieber das andere, das so schön und glänzend ist?«
Da schwante dem Eisernen Stecken sofort nichts Gutes. Hm... soviel Sorge darum, daß er das schönere Schwert nehmen sollte, mußte seinen Verdacht wecken. Da antwortete der Eiserne Stecken: »Ich zieh einfach dieses hier vor, auch wenn es häßlich und rostig ist!«
Sofort ergreift der Kater das andere Schwert und springt zur Seite. Sobald der Eiserne Stecken das sah, weicht er zurück, um abzuwarten, was der Kater tun würde. Da kommt der Kater auf den Eisernen Stecken zu, der sich mit dem

rostigen Schwert verteidigt. Als er mit seinem Schwert auf das des Katers einschlägt, zersplittert das – es war also wirklich nur aus Glas.
Da bereitet sich der Kater darauf vor, einen weiteren Sprung zu tun, aber der Eiserne Stecken hüpft zur Seite und schlägt ihm ein Ohr ab. Der Kater stürzte los und wollte das Ohr aufheben, aber der Eiserne Stecken mit seinem Schwert

läßt ihn nicht und sagt: »Nein, jetzt ist das Ohr mein«, und indem er das sagte, hob er das Ohr auf und steckte es in die Tasche. Mit verärgerter Stimme fordert der Kater das Ohr zurück. »Gib mir mein Ohr!« – »Nein!« antwortet ihm der Eiserne Stecken. »Gib mir mein Ohr!« – »Nein, und nochmals nein!« wiederholte der Eiserne Stecken.
»Fordere, was du willst, aber gib mir mein Ohr.« – »Gut«, antwortete der Eiserne Stecken, »ich will es dir geben, aber erst mußt du mich hier herausbringen…«
Der Eiserne Stecken hatte noch nicht zu Ende gesprochen, und schon befand er sich in einer wunderschönen Gegend, die kam ihm sonderbar vor: Er sah ein Pferd, vor dem lagen Knochen, und daneben einen Hund, der hatte ein Bündel Gras vor sich liegen. Es war kein Zweifel möglich: Er befand sich in einem Land, wo alle Dinge verkehrt waren. Da der Eiserne Stecken ein ordentlicher Mensch war, ging er hin und tauschte dem Pferd und dem Hund das Futter aus. Im gleichen Augenblick verwandelten sich Pferd und Hund in eine wunderschöne Prinzessin und einen schönen Prinzen. Sie erzählten dem Eisernen Stecken, daß sie seit vielen Jahren verzaubert gewesen waren, und nur ein mutiger Junge wie er hätte bis auf den Boden des Brunnens hinabsteigen können. Als der Eiserne Stecken dies hörte, stand er mit offenem Mund da, denn es war ihm noch gar nicht der Gedanke gekommen, daß er auf dem Boden des Brunnens war. Er hatte gemeint, der Kater habe ihn nach oben befördert.
Aber das Prinzenpaar sagte traurig, es nütze ihnen nichts, daß ihr Zauber gebrochen sei, denn sie könnten hier, wo alles verkehrt sei, nicht leben. Der Eiserne Stecken hörte sich das an und sagte: »Wenn mich der Kater hierherverpflanzt hat, wird er wohl auch fähig sein, mich wieder herauszuholen, mich und das Prinzenpaar.«

Und er holt das Ohr heraus, das er in der Tasche aufbewahrte, und beißt hinein. Im selben Augenblick erscheint, niemand weiß woher, der Kater und fordert sein Ohr zurück. »Gib mir mein Ohr…« – »Vielleicht tu ich das«, antwortete der Eiserne Stecken zögernd. »Außerdem«, fährt er fort, »sind wir in einer sehr seltsamen Gegend, ohne Sonne… ohne Berge…, wo alles verkehrt ist. Du mußt uns sofort hier herausbringen, hörst du?«

Gesagt, getan: Im Nu befinden sich alle oben am Brunnenrand. Aber der Bergeversetzer, der Kiefernfäller und der Brunnenmann flohen entsetzt, als sie so plötzlich den Eisernen Stecken und das Prinzenpaar auftauchen sahen, und niemand hat sie je wieder gesehen!

Der Kater war in Wirklichkeit niemand anderes als der Leibhaftige, und noch jetzt ist er hinter dem Eisernen Stecken her, damit er ihm das Ohr zurückgibt.

24. Mai – Der einhundertvierundvierzigste Tag

Ein Märchen von Bruder und Schwester

Es gab einmal eine Zeit, da waren die Leute noch nicht so wie heute; sie waren – ja, wie soll ich sagen? – sie konnten, was sie wollten, und wenn jemand ans Ende der Welt gehen wollte, er kam hin. Und wenn jemand zum Himmel hinaufsteigen wollte, ob ihr es glaubt oder nicht, es gelang ihm, dort anzukommen.

Seitdem haben wir verlernt, was unsere Ahnen vermochten, und wir können nur noch davon erzählen.

Es waren da einmal ein Mann und eine Frau, die hatten zwei Kinder, einen Sohn und eine Tochter. Und sie lebten so lange glücklich und zufrieden, bis eines Tages die Frau krank wurde und starb.

Der Mann war nun allein geblieben und dachte nicht mehr daran, sich zu verheiraten. Er war reich, hatte ein Haus mit einem großen und schönen Garten, Pferde und Wagen und was zu einem guten Leben gehört.

In der Nachbarschaft aber wohnte ein junges Mädchen, das war ebenso hübsch wie verdorben. Sie sah den Besitz und wollte ihn haben. Und was sie wollte, das erreichte sie auch.

Wenn seine Tochter, die Maria hieß, oder der Sohn, der den Namen José hatte, an ihrem Haus vorbeikamen, so rief sie die Kinder ins Haus, bewirtete und beschenkte sie reichlich, so daß die Kinder meinten, sie sei eine gute junge Frau.

Und Maria und José erzählten daheim alles ihrem Vater und wie liebevoll jene Nachbarin mit ihnen sei.
Und eines Tages lud die Nachbarin die Kinder ein und sagte zu ihnen: »Nächste Woche feiere ich meinen Geburtstag. Wenn ihr es fertigbringt, daß auch euer Vater zum Fest kommt, darf sich jedes von euch im Hause etwas von den Sachen wünschen, was ihr da seht, sei es eine Kette oder ein Tuch, ein Dolch oder ein Zaumzeug.« Die Kinder waren begeistert von dieser Einladung und dem Angebot der Frau, und sie erzählten es daheim ihrem Vater. Der wollte lange nicht mitgehen, denn seit dem Tod seiner Frau lebte er sehr zurückgezogen; aber er wollte den Kindern ihren Gefallen tun, und so ging auch er dorthin.
Man feierte da ein großes Mahl, aß und trank reichlich verschiedene Leckereien. Auch dem Witwer gefiel es dort sehr gut, und er blieb länger, als er eigentlich hatte bleiben wollen. Am Ende des Festes aber stand der Mann auf und sagte: »Es war sehr schön, aber wir müssen nun nach Hause.« Da sagte die Nachbarin: »Noch einen Augenblick! Ich habe den beiden Kindern etwas versprochen, und das will ich halten.« Und sie stand auf, nahm José und Maria bei der Hand, führte sie durch ihr ganzes Haus, damit sie sich ein Geschenk auswählen könnten. Und sie schenkte Maria einen Ring und José einen silbernen Dolch. Und als sie in den Saal zurückkamen, wo die Gäste saßen, da öffnete sie eine Lade und schenkte auch dem Vater der Kinder etwas; ein schönes, seidenes Halstuch schenkte sie ihm.
Es verging einige Zeit, und der Vater der Kinder dachte schon nicht mehr an die hübsche Nachbarin, da kam es ihm eines Tages in den Sinn, das Halstuch anzuziehen, und als er es trug, erwachte eine unwiderstehliche Liebe zu jener Frau in ihm. Und er fragte seine Kinder: »Nun, ich sehe, ihr geht öfters zu unserer Nachbarin. Wie gefällt sie euch?« – »Vater, sie gefällt uns sehr gut.« – »Wollt ihr sie als Mutter haben?« – »Ja, das wollen wir.« Nun, der Mann ging hin, und obwohl ihm die Leute abrieten, heiratete er jene junge Frau.
Am Tag nach der Hochzeit sollte sie in das Haus ihres Mannes übersiedeln. Sie aber ließ die Kinder zu sich kommen und sagte zu ihnen: »Ist es hier nicht schöner als in eurem alten Haus? Wenn ihr es fertigbringt, daß euer Vater hierherzieht, soll jedes von euch ein eigenes Zimmer haben, und alles, was in dem Zimmer steht, soll euch gehören.«
Diesmal war es für José und Maria nicht so einfach, ihren Vater umzustimmen, denn er meinte, es gehöre sich nicht, daß der Mann in das Haus seiner Frau zöge. Aber als ihn die Kinder gar so sehr baten, gab er endlich nach, verkaufte sein eigenes Heim und zog in das Haus seiner zweiten Frau.
Zunächst ging alles ganz gut. Aber die junge Frau war eine Hexe, und sie hatte

nicht aus Liebe geheiratet, sondern weil sie den Besitz des Mannes wollte. Sie haßte den Mann ebenso wie seinen Sohn. Das Mädchen aber mochte sie, und sie wollte aus ihr auch eine Hexe machen.

Eines Tages, was tut sie? Als ihr Mann schlief, berührte sie ihn mit einem Zauberzweig, und im gleichen Augenblick wurde er zu einer Statue aus Holz. Die nahm sie, trug sie hinaus in den Schuppen, wo sie den hölzernen Mann hinter verschiedenen Geräten versteckte. Dann ging sie in das Zimmer, wo José schlief, und sie berührte auch ihn mit der Zaubergerte, und da verwandelte er sich augenblicklich in einen Hund, und diesen Hund trieb sie unter Schlägen aus dem Haus.

Als am nächsten Morgen Maria erwachte, lief sie ins Zimmer ihres Bruders, aber sie fand da niemanden. Ihre Stiefmutter aber war schon aufgestanden und fragte sie: »Maria, wen suchst du?« – »Ich suche meinen Bruder José.« – »Ach, dein Bruder und dein Vater sind fortgegangen. Sie wollen eine Wallfahrt machen.«

Maria weinte, denn sie war traurig, daß der Vater und der Bruder sie nicht mitgenommen hatten. Aber schließlich beruhigte sie sich wieder und wartete auf ihre Heimkehr. Maria wartete einen Tag, sie wartete eine Woche, sie wartete einen Monat. Ja, es verging ein Jahr, und weder der Vater noch der Bruder kehrten heim.

Eines Sonntags ging Maria in die Kirche – sie ging immer zusammen mit einer Magd, denn ihre Stiefmutter ging nicht in die Kirche –, und als die Messe aus war, ging die Magd, um noch eine Kerze aufzustecken. Und als Maria allein in der Ecke stand, war ihr, als höre sie eine Stimme: »Maria, komm heute abend zum Brunnen!« Es war ihr, als habe sie die Stimme ihrer Mutter gehört. Aber als sie sich umsah, erblickte sie niemanden.

Als sie am nächsten Sonntag wieder in der Kirche war und als die Magd nach vorn ging, um eine Kerze anzuzünden, hörte sie wieder die gleiche Stimme: »Maria, komm heute abend zum Brunnen! Du mußt es unbedingt tun, sonst geschieht dir ein Unheil.« Maria sah sich um, aber sie konnte niemanden sehen. Nun war sie aber doch sehr erschrocken.

Am Abend schlich sie leise aus dem Haus und ging zum Brunnen. Dort fand sie keine menschliche Seele, nur ein Hund lag dort. Als Maria kam, stand er auf, wedelte mit dem Schwanz und sagte: »Maria, ich bin José, dein Bruder. Die Stiefmutter ist eine böse Hexe, und sie hat unsern Vater getötet, aus mir hat sie einen Hund gemacht, und aus dir soll auch eine Hexe werden.« – »Was soll ich tun?« – »Du mußt dir alles gut merken, was ich dir sage. Tust du alles genau so, dann können wir gerettet werden. Sonst sind wir alle drei verloren. Also paß gut auf!« – »Sprich nur!«

Der Hund legte sich hin, auch Maria setzte sich am Brunnen nieder. Und José sprach weiter: »Wenn wieder Vollmond ist, dann wird die Hexe nachts das Haus verlassen. Du darfst nicht einschlafen, sondern mußt wach bleiben. Sofort, wenn die Hexe weg ist, gehst du in den Schuppen im Garten. Dort findest du in einem Winkel eine hölzerne Figur, das ist unser guter Vater. Du wirst ihn auf die Schulter nehmen und mit dir davontragen. Nimm auch den silbernen Dolch, der in meinem Zimmer liegt, und den Ring, den die Hexe dir geschenkt hat. Wenn du alles beisammen hast, dann komm hierher zum Brunnen. Ich werde hier auf dich warten. Was weiter geschehen muß, weiß ich, und es wird geschehen. Sei aber auf der Hut, weil die Hexe versuchen wird, dich einzuschläfern, ehe sie aus dem Hause geht.« – »Sei unbesorgt, ich will schon aufpassen.«
So kam die Zeit, als der Mond voll wurde und die Hexe zum Tanzen gehen wollte. Am Abend brachte sie noch einen Becher voll Milch an das Bett von Maria und sagte: »Mein liebes Mädchen, trink hier diese Milch! Sie ist gesund und wird dir guttun. Trinke und stärke dich, denn wir wollen bald eine Reise machen.« – »Ja, Mutter, ich will nur noch beten, dann werde ich die Milch trinken und schlafen.« – »So ist's recht, mein Schätzchen.«
Als die Mutter das Zimmer verlassen hatte, stand Maria auf, goß die Milch in den Nachttopf und legte sich dann wieder ins Bett, machte die Augen zu und stellte sich so, als ob sie schliefe. Nach einigen Minuten öffnete sich die Tür, die Hexe kam herein, sah nach dem Mädchen und meinte, es schliefe. Da ging sie weg und verließ das Haus.
Kaum hatte Maria vernommen, daß das Tor geschlossen war, da erhob sie sich leise, zog sich an und schlich in den Schuppen. Dort zündete sie eine Kerze an, suchte, und da fand sie wirklich eine hölzerne Figur, die wie ihr Vater aussah. Die staubte sie mit einem Tüchlein ab, nahm sie über die Schulter, trug sie bis zum Haustor, kehrte noch einmal zurück, um aus dem Zimmer von José den silbernen Dolch zu holen, den sie in ihren Gürtel steckte.
Als sie alles beisammen hatte – den Ring trug sie bereits am Finger –, öffnete sie leise das Tor, schaute links, schaute rechts – und als sie niemanden sah, lud sie sich die Holzfigur auf und eilte, so schnell sie konnte, zum Brunnen.
Am Brunnen wartete schon der Hund, der – wie ihr wißt – ihr Bruder José war. »Nun lauf, so schnell du kannst, hinter mir her! Bis morgen früh müssen wir jenseits des Flusses sein, denn die Hexe wird uns verfolgen, aber sie hat nur diesseits des Flusses Gewalt. Drüben sind wir so stark wie sie.«
Und nun begann ein Lauf, der die arme Maria ganz außer Atem brachte. Aber es wurde gerade langsam hell, da sahen sie den Fluß. »Was sollen wir machen? Wie kommen wir da hinüber? Es gibt ja weit und breit keine Brücke«, sagte Maria.

»Du mußt unsern hölzernen Vater ins Wasser legen und dich an ihm festhalten! Ich werde schwimmen und euch über den Fluß ziehen.«
Und so hat Maria es gemacht. Sie hat die Holzfigur wie ein Brett in den Fluß gelegt und sich daran angeklammert. Der Hund aber ist ins Wasser gesprungen, hat die Figur mit seinen Zähnen an den Füßen gefaßt und seinen Vater und seine

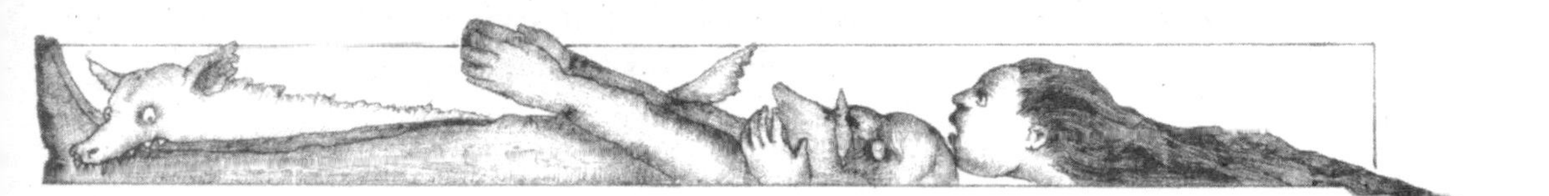

Schwester über den Fluß gezogen. Am anderen Ufer sind alle naß aus dem Wasser gestiegen, Maria hat sich wieder die Figur aufgeladen, und der Hund ist ihr vorausgesprungen, bis sie zu einem Wald gekommen sind. Dort haben sie Rast gemacht.
In der Zwischenzeit war die Hexe heimgekommen, und bevor sie sich zu Bett legte, wollte sie noch nach Maria schauen. Sie öffnete leise die Türe zu dem Zimmer des Mädchens: Nichts! Ganz erschreckt läuft die Hexe durchs Haus, durchsucht alle Räume. Nichts! Maria ist nicht zu finden. »Oh, diese Verräterin! Sie muß die Milch weggeschüttet haben!«
Dann rennt die Hexe in den Schuppen. »Nun werde ich den Alten endlich verbrennen! Warum habe ich es nicht schon längst getan?« Aber die Holzfigur ist verschwunden! »Oh, diese Verräterin! Und ich habe sie gehalten wie eine eigene Tochter! Sie soll mir aber nicht entkommen.«
Die Hexe hat sich die Nase mit einer Zaubersalbe eingerieben, um die Spur von Maria aufnehmen zu können, und sie ist wie ein Pferd gelaufen. Erst zum Brunnen, dann zum Dorf hinaus, und weiter bis zum Fluß. Aber da war es mit ihrer Kunst aus. Sie hat die Spur verloren, und den Fluß konnte sie nicht überqueren.
Lassen wir die Hexe am Fluß, und sehen wir, was Maria gemacht hat! Als Maria und der Hund, ihr Bruder José, sich genügend ausgeruht hatten, nahm das Mädchen die hölzerne Figur ihres Vaters wieder auf die Schulter, und sie wanderten in die Berge hinein. Am Abend, als es finster wurde, kamen sie gerade zu der Klause eines Einsiedlers, der an einer Quelle am Rande eines Wäldchens wohnte. Dort stand ein Kirchlein, und daran war ein winziges Hüttchen gebaut, das nur aus einem Raum bestand. Maria klopfte dort an: »Guten Abend.« – »Ave Maria«, antwortete der Klausner, »was willst du noch hier so spät am Abend?« –

»Ich bin ein armes Mädchen, das auf der Flucht vor einer Hexe ist.« – »So komm herein!«.
Das Mädchen ging hinein und erzählte dem Einsiedler ihre Geschichte. Der fromme Mann dachte lange nach, und dann sagte er: »Für das erste kannst du hierbleiben. Hier bist du sicher. Freilich mußt du dich damit abfinden, auf der Empore in der Kirche zu schlafen, wie es die Pilger tun, denn hier ist kein Platz, und es schickt sich nicht.« So schlief das Mädchen in dem Kirchlein, vor dessen Türe sich der Hund niederlegte, und in den Vorraum hatte es die hölzerne Figur des Vaters abgestellt.
Nach einigen Tagen sagte der Alte: »Ich habe in meinen Büchern nachgelesen, und nun weiß ich, was ich machen muß. Ich weiß auch, wie dein Vater und dein Bruder wieder erlöst werden können. Ich werde die hölzerne Figur deines Vaters verbrennen; die Asche aber muß ich zu einem bestimmten, heiligen Teich tragen und mit dem Lehm dort vermischen. Dein Bruder José kann mich begleiten. Du aber mußt hierbleiben. Und nun paß auf: Du weißt nicht, daß der Ring von der Hexe ein Zauberring ist. Mit ihm kann man jede beliebige Gestalt annehmen. Stecke ihn gleich an deinen Mittelfinger und sag: ›Mach mich zum Einsiedler!‹«
Maria holte den Ring heraus, steckte ihn an den Mittelfinger und sagte: »Mach mich zum Einsiedler!« Und sogleich verwandelte sie sich in eine Gestalt, die dem Eremiten gleichsah wie ein Ei dem anderen, oder besser: wie ein Zwillingsbruder seinem Zwillingsbruder.
Dann sagte der Alte: »Während ich auf dem Wege bin, wird die Hexe hierherkommen. Sie wird dich fragen, ob du ein Mädchen mit einem Hund und einer hölzernen Figur gesehen hast. Dann wirst du antworten und sagen: ›Ja, ich habe sie gesehen.‹ Dann wird die Hexe fragen: ›Wohin sind sie gegangen?‹ Und du wirst erwidern:

›Das Mädchen und der Hund
Waren hier wohl manche Stund.
Sie gingen zum heiligen Teich.
Mir ist das Ganze gleich.‹

Dann wird die Hexe dorthin gehen, wo wir sein werden, aber sie wird uns nicht begegnen, weil wir einen anderen Heimweg nehmen.« Und damit schulterte der Alte die hölzerne Figur von Marias Vater, rief den Hund José und wanderte davon.
Maria aber ging in der Gestalt eines Klausners und läutete die Glocke, denn es war gerade Zeit. Und kaum hatte sie die Glocke geläutet und ihr Gebet zu Ende

gesprochen, da kam die Hexe an. Die Hexe erkannte Maria nicht, wohl aber erkannte Maria sogleich ihre Stiefmutter wieder. »He, Alter«, sagte die Hexe, »hast du nicht ein Mädchen mit einer hölzernen Figur und mit einem Hund gesehen?« – »O doch, ich habe sie gesehen, und ich habe sie einige Tage hier beherbergt.« – »Und wohin ist sie gegangen?« – »Du mußt mir Zeit lassen, denn ich muß erst beten, und wenn ich fertig bin, werde ich nachdenken und es dir vielleicht sagen können.«
Der Klausner betete und betete, die Hexe aber strich draußen vor der Kirche unruhig auf und ab. Und nach einer Weile rief sie zur Tür hinein: »Bist du noch nicht fertig?« – »Nein, ich bin noch nicht fertig. Aber gleich.« Und nachdem die Hexe längere Zeit so gewartet hatte und es inzwischen Abend geworden war, kam Maria in der Gestalt des Eremiten aus der Kirche heraus und sagte: »Also, jetzt bin ich fertig. Und so wie ich mich erinnern kann, wollte das Mädchen zu einem heiligen See oder Teich oder Tümpel gehen. Ganz genau weiß ich es aber nicht mehr.« – »Nun, das werde ich schon herausfinden. Aber für heute ist es schon zu spät. Kann ich hier bei dir übernachten?« – »Du kannst, wenn du willst, in meiner Hütte schlafen. Ich selbst werde dann in der Kirche bleiben.«
Am nächsten Morgen machte sich die Hexe auf den Weg, ohne sich bei dem Einsiedler zu bedanken, und sie rannte und rannte, aber Maria und den Hund fand sie nicht. Am Abend kam die Hexe wieder zu der Hütte des Einsiedlers und fragte: »Ist das Mädchen mit dem Hund noch nicht zurück?« Und der Einsiedler antwortete:

»Das Mädchen und der Hund
Waren hier wohl manche Stund.
Sie gingen zum heiligen Teich.
Mir ist das Ganze gleich.«

»Das glaube ich schon, daß dir das Ganze gleich ist«, rief die Hexe wütend, »mir aber nicht!«
Am nächsten Morgen nahm sie wieder die Spur auf, rannte bis zum heiligen Teich und kam am Abend wieder: »He, Mann! Ist das Mädchen mit dem Hund noch nicht zurück?« Und der Einsiedler antwortete wieder:

»Das Mädchen und der Hund
Waren hier wohl manche Stund.
Sie gingen zum heiligen Teich.
Mir ist das Ganze gleich.«

»Und wenn es dir tausendmal gleich ist«, schrie die Hexe, »mir nicht! Und ich werde das Mädchen und den Hund schon noch erwischen.«
Am nächsten Tag gegen die Mittagszeit kam der richtige Einsiedler mit dem Vater von José und Maria, der nun wieder lebendig war, zurück. Und der Eremit sagte zu Maria, nachdem sie ihren Vater begrüßt hatte: »Nun gib einmal den Zauberring deinem Vater, denn wir wollen aus ihm auch einen Eremiten machen.« Maria zog also den Ring von ihrem Finger, gab ihn dem Vater, und der steckte ihn an und sagte: »Mach mich zum Einsiedler!« Und so geschah es.
Dann aber sagte der richtige Klausner: »Den Hund müssen wir in der Kirche verstecken. Nun wohl, ich weiß, Hunde dürfen ja eigentlich nicht in die Kirche. Aber dieser Hund ist ja eigentlich ein guter Christ. Lauf also und versteck dich dort!« Und José machte es so.
Als die Hexe gegen Abend kam, läutete gerade die Glocke, und aus der Kirche hörte man einen schönen und frommen Gesang: Drei Mönche sangen dort die Vesper. Die Hexe konnte nichts machen als warten. Endlich waren die Mönche drinnen fertig. Als sie herauskamen, staunte die Hexe über ihre so große Ähnlichkeit. »Wie gibt es das?« fragte sie. »Ihr seht euch so ähnlich, daß ich nicht mehr sagen kann, mit wem von euch ich bisher gesprochen habe.« – »Das kommt davon, daß wir Brüder sind.« – »Und wie steht es nun mit dem Mädchen und ihrem Hund?« – »Ach, laß uns endlich mit deinem Mädchen und deinem Hund zufrieden! Uns interessieren weder Mädchen noch Hunde, denn wir haben etwas anderes zu tun.«
Die Hexe aber wollte nicht gehen. Da sagte zu ihr der richtige Einsiedler: »Du kannst hier nicht jede Nacht zubringen. Nun sind meine Brüder da, und wir brauchen die Hütte selbst. Such dir anderswo ein Nachtquartier!« Er wußte aber, daß die Hexe in der Nacht wiederkommen würde, und er nahm den silbernen Dolch, den die Hexe dem José geschenkt hatte, und befestigte ihn so am Fensterbrett des Hüttchens, daß die Spitze nach oben zeigte.
In der Nacht, als es ganz finster war und alle schliefen, öffnete die Hexe leise den Fensterladen und wollte durchs Fenster in das Hüttchen hineinsteigen. Aber als sie sich dort anlehnte, drang ihr der Dolch in die Brust und zerschnitt ihr das Herz.
Am nächsten Morgen trugen die drei sie in den Wald und verscharrten sie dort. Dann verwandelten sich Maria und ihr Vater mit Hilfe des Zauberringes in ihre alte Gestalt zurück. Und auf den Rat des Einsiedlers gaben sie dem Hund den Ring in das Maul. Kaum hatte er den Ring verschluckt, da erhielt auch er seine menschliche Gestalt zurück.
So endete alles gut, und Maria und José besuchten viele Jahre hindurch den alten

Einsiedler, der sogar noch ihre Kinder taufte. Und jetzt ist die Geschichte zu Ende. Es bleibt aber die alte Weisheit bestehen:

»Madrasta nem de pasta!«
(Stiefmutter – gar kein Futter!)

25. Mai – Der einhundertfünfundvierzigste Tag

Das Zauberpferdchen

Es lebten einmal ein alter König und eine Königin, die hatten einen Sohn, der Periquito hieß. Der Bursche war schon groß, und in seinem Alter wären andere längst einem Beruf nachgegangen, aber Periquito schien so dumm wie ein Zehnjähriger. Der König holte die besten Lehrer des Landes, aber sie konnten Periquito nur mit Mühe das kleine Einmaleins beibringen, er träumte sonst vor sich hin und merkte sich nicht, was sie ihm beibringen wollten.
Als der Vater sah, daß nichts etwas nutzte, weder Strafe noch Belohnung, da rief er die Weisen seines Landes zusammen und sagte: »Ich bin nun schon ein alter Mann; mein Sohn aber ist erwachsen und doch noch dumm und unerfahren. Ich habe Sorge, wem ich einmal mein Land übergeben soll, wenn der Tod mich holt.« – »Wir vermuten, daß wir die Ursache wissen«, sagten die Weisen, »warum der Bursche nichts lernt!« – »Nun, und was ist die Ursache?« fragte der König. »Es muß daher kommen, daß Euer Sohn verliebt ist. Laßt einmal nachforschen! Und wenn es so ist, dann gibt es nur zweierlei: entweder ihn von seiner Geliebten zu trennen oder ihn zu verheiraten.«
Der König dankte den Weisen, und er befahl, alle Wege seines Sohnes zu überwachen. Und es dauerte nicht lange, da merkten die Diener, daß der Prinz in der Nacht immer sein Zimmer verließ und zu einem Mädchen ging, das am Rande der Stadt wohnte. Das Mädchen aber hieß Periquita, und es war das Waisenkind armer Leute und nährte sich von Nähen und Spitzenklöppeln.
Da ließ am nächsten Tag der König seinen Sohn rufen und sagte: »Periquito! Es gehört sich nicht, daß du – der Erbe des Landes – hinter einem armen Mädchen herläufst. Du weißt doch, daß du das Mädchen nie heiraten kannst.« – »Aber ich liebe sie.« – »Gut. Da ich sehe, daß du von der Krankheit der Liebe befallen bist, so werde ich dir eine Medizin verschreiben lassen.«
Und der König erkundigte sich abermals bei den Weisen seines Landes, und sie

rieten dem König, den Prinzen doch in ein anderes Land zu schicken, wo er die Tochter eines Königs heiraten könne. »Mit der Ehe kommt auch der Verstand!« sagten sie.

Da ließ der König seinen Sohn rufen und sagte: »Periquito, ich befehle dir, zu meinem Bruder, dem König von Indien, zu reiten. Ich werde an ihn einen Brief schreiben, und du wirst diesen Brief dort übergeben. Das Weitere aber findet sich.«

In der Nacht schlich sich Periquito traurig zu seiner Liebsten und sagte: »Liebe Periquita, ich muß dich verlassen. Mein Vater schickt mich zu meinem Onkel, wohin ich einen Brief bringen soll.« – »Sei nicht traurig«, sagte Periquita, »sondern nimm hier dieses Zaumzeug, und wenn dich morgen der König fragt, was du für ein Pferd für die Reise haben willst, so geh in den Stall. Hinten im Winkel steht eine kleine Stute. Die nimm und lege ihr das Zaumzeug an. Reite getrost davon! So der Himmel es will, werden wir uns wiedersehen.«

Am nächsten Morgen ließ der König Periquito rufen und fragte ihn: »Hast du dir schon ein Pferd für die Reise ausgesucht?« – »Nein, aber ich will gleich in den Stall gehen, um mir eines auszuwählen.« Damit nahm er sein Zaumzeug und machte sich hinunter in den Stall. Da stand wirklich hinten im letzten Winkel ein kleines, schmächtiges Pferdchen, eine Stute. Die sattelte Periquito und führte sie zum Stall hinaus, und sie folgte ihm willig. Als der Vater ihn mit dem Pferdchen sah, lachte er und sagte: »Periquito, du bist und bleibst ein Dummkopf. Ein Prinz reitet doch auf einem stattlichen Hengst und nicht auf einer solchen Ziege von einer Stute. Die Leute würden den Kopf schütteln!« Aber Periquito entgegnete: »Entweder dieses oder keines! Wenn ich mir das Pferd nicht selber auswählen darf, dann bleibe ich daheim.« Da fügte sich der König, ließ seinem Sohn Proviant und Geld geben, überreichte ihm den Brief an seinen Bruder, umarmte ihn zum Abschied und ließ ihn davonreiten.

Periquito aber ritt über viele Gebirge, durch wüste Ebenen und tiefe Wälder. Und nachdem er fast ein Jahr geritten war, kam er nach Indien. Sein Onkel, der dort König war, nahm ihn mit offenen Armen auf. Aber als er den Brief seines Bruders gelesen hatte, sagte er zu Periquito: »Junger Mann, dein Vater schreibt mir, ich solle dich mit meiner Tochter verheiraten. Aber dein Vater hat gut reden, denn meine Tochter wurde von einem silbernen Drachen geraubt, und wer weiß, ob sie noch am Leben ist.« – »Gut, Onkel. Ich will gern ausziehen, um dir deine Tochter wiederzubringen. Aber heiraten werde ich sie nicht, denn ich habe daheim schon ein Mädchen, das ich liebe.« – »Nun, Periquito, das findet sich. Bring mir meine Tochter, dann wollen wir darüber weiterreden.«

Am anderen Tag sattelte Periquito wieder seine Stute und ritt davon. Zwar wußte

er nicht, wo der Drache hauste, aber er verließ sich auf die Stute, die auch den Weg nach Indien ganz allein gefunden hatte.
Als sie sieben Tage geritten waren, begann die Stute mit einem Mal zu sprechen: »He, Periquito!« – »Ja, Stutchen?« – »Du willst wohl zum silbernen Drachen reiten, der die Tochter des Königs von Indien geraubt hat?« – »Du hast es erraten, Pferdchen.« – »Nun, so paß auf! Es ist nicht leicht, diese Aufgabe zu lösen. Du mußt nämlich wissen, daß der Drache ein verzauberter Prinz ist. Wenn du den Drachen tötest, so stirbt auch der Prinz. Gelingt es dir aber, den Zauberer umzubringen, der den Prinzen verhext hat, so wird der Prinz frei und auch die Tochter des Königs von Indien.« – »Und wie muß ich das anstellen?« – »Laß mich nur machen, und alles wird gut werden. Aber ich helfe dir nur unter einer Bedingung.« – »Und die ist?« – »Du mußt mir einen Wunsch erfüllen, gleichgültig was immer das ist.« – »Gut! Das verspreche ich dir.«
Nun trabte die Stute durch ein steiniges Gebirge, in dem weder ein Grashalm noch das kümmerlichste Bäumchen wuchs. Und nach einer gewissen Zeit kamen sie zu einer großen Mauer, über deren Zinnen man schöne, frische grüne Palmen sah. Die Stute lief die Mauer entlang, bis sie zu einem großen Tor kamen. »Klopf hier an«, sagte die Stute, »und sag, daß du Arbeit suchst! Dann wird dich der Zauberer aufnehmen.« Da klopfte Periquito an das Tor. »Was will man da draußen?« erscholl eine Stimme. »Ich bin einer, der Arbeit sucht.« Da öffnete der Zauberer das Tor einen Spalt und blickte hinaus. »Arbeiter braucht man, aber keine Schwätzer. Kannst du ordentlich arbeiten, wirst du gut bezahlt. Verstehst du es nicht zu arbeiten, wirst du aufgefressen.« – »Darauf will ich es ankommen lassen«, erwiderte Periquito
Da ließ ihn der Zauberer hinein, gab ihm zu essen und zu trinken und sagte: »Heute magst du noch ausruhen. Ich schätze, du kommst von weit her. Gäste gibt es hier kaum. Morgen aber sollst du arbeiten.« Der Bursche ließ es sich gutgehen, schüttete auch seinem Pferdchen Hafer in die Krippe und legte sich schlafen.
Am anderen Morgen sagte der Zauberer: »Bursche, heute sollst du meine Herde hüten. Es sind aber sehr schnelle Tiere. Paß auf: Wenn dir ein Tier entwischt, so brauchst du dir um den morgigen Tag keine Sorgen mehr zu machen.« – »Ich will schon gut aufpassen. Als Hirte habe ich Erfahrung«, sagte Periquito.
Die Herde des Zauberers aber bestand aus Gazellen. Und kaum hatte Periquito sie aus dem Gatter gelassen, da stoben sie wie der Wind in die verschiedenen Richtungen davon. Der Zauberer sah dies mit Gefallen und rieb sich die Hände: »Morgen gibt es Christenbraten!«
Periquito aber ging in den Stall, sattelte sein Pferdchen, und die Stute sauste wie

der Blitz hinter der Herde her. Hatte sie eine Gazelle erreicht, so biß sie diese in das Hinterteil oder gab ihr mit dem Huf einen Tritt. Und die Gazellen merkten, daß mit diesem Pferdchen nicht zu spaßen sei. Und sie blieben brav zusammen, weideten auf einer blumigen Wiese, und am Abend ließen sie sich gehorsam heimtreiben und wieder im Gatter einschließen.
Der Zauberer aber hatte bereits den Backofen angeheizt. Er kam und zählte seine Herde, zählte sie noch einmal, ja, er zählte sie auch noch ein drittes Mal. Alle Tiere waren da! Das hatte er noch nicht erlebt. »Ein Hirt bist du!« sagte er. »Aber morgen sollst du als Bauer arbeiten.«
Am nächsten Tag führte er Periquito hinaus auf ein weites Feld, das war so lang, daß man gar nicht sein Ende sehen konnte. »Hier«, sagte der Zauberer, »das ist mein Feld. Das mußt du bis heute abend ganz umgeackert haben, sonst taugst du nichts als Arbeiter. Und wer nicht arbeiten kann, der wird hierzulande aufgefressen.«
Periquito war nicht ganz wohl in seiner Haut. Aber er holte seine Stute und spannte sie vor den Pflug. Und kaum hatte er das Pferdchen eingespannt, da rannte es im Galopp los. Es lief, ohne auch nur ein einziges Mal Atem zu holen, den ganzen Tag. Und als die Sonne unterging, da brach das arme Pferdchen müde zusammen. Aber das Feld war umgeackert. Der Zauberer kam gleich mit dem glühenden Bratspieß heraus. »Heute werde ich Christenfleisch essen!« Aber sosehr er sich auch die Augen rieb: Das Feld war bestellt. »Also gut: Ein Bauer bist du auch! Morgen wird es sich zeigen, ob du auch als Soldat deinen Mann stellst.«
Damit ging er ins Haus. Periquito aber schlich sich zu seinem Pferdchen, das ganz erschöpft am Boden lag und sich nicht mehr rühren konnte. »Zweimal habe ich dir geholfen«, sagte die Stute, »nun bin ich mit meiner Kraft am Ende; und wenn du mir nicht auf die Füße hilfst, werden wir morgen abend beide am Spieß brutzeln.« – »Aber was soll ich machen?« – »Geh durch die dritte Tür des Hofes, sie führt in einen Zwinger, in dem der silberne Drache haust. Hab keine Angst, sondern tritt ruhig ein und sprich zum Drachen:

›Unter der Haut der Stute,
Unter der Haut des Drachen
Man anderes vermute.
Wer es weiß, darf lachen!‹

Dann wird dir der Drache den Weg in ein Zimmer freigeben, in dem eine Prinzessin, die Tochter des Königs von Indien, wohnt. Erzähle ihr alles und bitte

sie um das lebenspendende Wasser. Sie wird dir ein Fläschchen geben. Das bring her, und dann wasche mich mit dem Wasser!«
Da ging Periquito zur dritten Tür des Hofes, öffnete sie einen Spalt und erblickte drinnen einen silbernen Drachen, der zu fauchen begann. Periquito aber sagte:

»Unter der Haut der Stute,
Unter der Haut des Drachen
Man anderes vermute.
Wer es weiß, darf lachen!«

Da wurde der Drache ganz zahm und sagte: »Gut, Periquito. Geh hier hinein und hol dir das, was du brauchst.«
Periquito kam in die Kammer zu der Tochter des Königs von Indien und erzählte ihr die ganze Geschichte. Und die Prinzessin gab ihm ein Fläschchen mit lebenspendendem Wasser. Damit kehrte Periquito zu seiner Stute zurück, und nachdem er sie von den Füßen bis zum Kopf gewaschen hatte, sprang sie auf und sagte: »Nun leg dich schlafen. Morgen werden wir kämpfen.«
Am anderen Tag aber kam der Zauberer auf dem Drachen angeritten, und er hatte ein großes Schwert, das er mit beiden Händen hielt. »So, Bursche, heute wirst du zeigen, ob du als Soldat so gut bist wie als Hirt und als Bauer! Besiegst du mich, so gehört dir dieses Schloß. Besiege ich dich, so werde ich dich heute abend verspeisen!« Und damit begann ein erbitterter Kampf. Das Pferdchen wich geschickt allen Schlägen des Zauberers aus, so daß er immer ins Leere schlug. Und nachdem sie fast den ganzen Tag gekämpft hatten, wurden der Drache und der Zauberer etwas langsamer. Das Pferdchen aber war so behend wie eh und je. Und als der Zauberer nicht gut aufpaßte, sprang das Pferdchen vor, drehte sich blitzschnell um und schlug mit den Hinterhufen dem Zauberer das große Schwert aus der Hand. Der Zauberer bückte sich und wollte das Schwert wieder vom Boden aufheben, aber da war das Pferdchen wieder da, und Periquito schlug dem Zauberer den Kopf ab.
Im gleichen Augenblick verwandelte sich der silberne Drache in einen Prinzen, der ein schönes silbernes Gewand trug. Und der Prinz umarmte Periquito und dankte ihm, daß er ihn erlöst hatte. Dann kehrten sie zum Schloß des Zauberers zurück, um auch die Tochter des Königs von Indien zu holen.
Nun war es schon Abend, und man beschloß, am nächsten Morgen wegzureiten. Als aber am Morgen Periquito in den Stall kam, sagte die Stute zu ihm: »Nun mußt du mir, wie du es versprochen hast, einen Wunsch erfüllen.« – »Gut, und was wünschst du, daß ich tun soll?« – »Du mußt dein Schwert nehmen und mir

den Kopf abschlagen.« – »Nein!« sagte Periquito. »Alles kann ich tun, nur das nicht!« – »Du mußt!« entgegnete die Stute. »Denn du hast mir dein Wort gegeben, und was ein Königssohn verspricht, das muß er halten.«
Da umarmte Periquito unter Tränen sein Pferdchen und schlug ihm den Kopf ab. Doch im gleichen Augenblick, da der Kopf zu Boden fiel, stand ein wunderschönes Mädchen an Stelle der Stute dort: Periquita.
»Nun soll uns nichts mehr voneinander trennen«, sagte Periquito. Und der silberne Prinz und die Tochter des Königs von Indien versprachen, Periquito und Periquita zu helfen.
Als alle zusammen wieder am Hofe des Königs von Indien waren, schrieb dieser an seinen Bruder: »Periquita hat mit Hilfe deines Sohnes meine Tochter und meinen Schwiegersohn befreit und den bösen Zauberer getötet. Ich bitte dich, daß du sie mit Periquito verheiratest.« Und was blieb dem Vater Periquitos da anderes übrig? Er war froh, daß sein Sohn gut alle Gefahren überstanden hatte, und nahm Periquita gern als Schwiegertochter an.
Das ist die Geschichte von Periquito und Periquita – und wer zaubern kann, der soll zuerst weiterreden!

26. Mai – Der einhundertsechsundvierzigste Tag

Der Königssohn mit den Eselsohren

Es war einmal ein König, der war sehr traurig, weil er keine Kinder hatte. Da ließ er drei Feen kommen, die sollten bewirken, daß die Königin ihm einen Sohn schenke. Die Feen versprachen ihm, seinen Wunsch zu erfüllen, und sie kämen auch zur Geburt des Königssohnes.
Nach neun Monaten wurde dem König ein Sohn geboren, und die drei Feen sprachen dem Kind ihre Wünsche aus. Die erste Fee sprach: »Ich weissage dir, daß du der schönste Prinz sein wirst.« Die zweite Fee sprach: »Ich weissage dir, daß du sehr tugendhaft und verständig sein wirst.« Die dritte Fee sprach: »Ich weissage dir, daß dir Eselsohren wachsen werden.«
Die drei Feen verschwanden, und sogleich wuchsen dem Königssohn Eselsohren. Der König ließ unverzüglich eine Mütze machen, die der Königssohn immer tragen mußte, um seine Ohren zu bedecken.
Der Königssohn wuchs heran und wurde immer schöner, und niemand am Hofe wußte, daß er Eselsohren hatte. Er kam in das Alter, in dem er sich den Bart

schneiden lassen mußte. Da ließ der König seinen Barbier rufen und sagte zu ihm: »Schneide dem Königssohn den Bart. Wenn du aber jemandem sagst, daß er Eselsohren hat, mußt du sterben.«
Der Barbier hatte große Lust zu erzählen, was er gesehen hatte. Da er aber fürchtete, der König würde ihn töten lassen, bewahrte er Stillschweigen. Eines Tages ging er zur Beichte und sagte zu seinem Beichtvater: »Ich habe ein Geheimnis, das ich für mich behalten soll; wenn ich es jedoch nicht weitersage, so sterbe ich; verrate ich es aber, so läßt mich der König töten. Sagt mir, Vater, was ich tun soll.« Der Priester antwortete ihm, er solle in ein Tal gehen, dort ein Loch in die Erde graben und das Geheimnis so oft aussprechen, bis er von der Last befreit wäre. Dann solle er das Loch mit Erde zuschütten. Der Barbier tat es, und nachdem er das Loch zugeschüttet hatte, kehrte er ganz beruhigt nach Hause zurück.

Nach einiger Zeit begann dort, wo der Barbier das Loch gegraben hatte, Röhricht zu wachsen. Wenn die Hirten mit ihren Herden dort vorbeikamen, schnitten sie Schilfrohr ab, um daraus Flöten zu machen; wenn sie aber darauf spielten, ertönten Stimmen, die sagten: »Königssohn mit den Eselsohr'n.«
Die Kunde davon begann sich in der ganzen Stadt zu verbreiten, und der König ließ einen der Hirten zu sich kommen, damit er auf der Flöte spiele. Dabei ertönten dieselben Stimmen, die sagten: »Königssohn mit den Eselsohr'n.« Auch der König selbst spielte und hörte dabei immerzu die Stimmen. Da ließ der König die Feen rufen und bat sie, dem Königssohn die Eselsohren zu nehmen. Sie kamen und ordneten an, daß sich der ganze Hof versammeln solle, und sie befahlen dem Königssohn, die Mütze abzunehmen. Groß war da die Freude des Königs, der Königin und des Königssohns, als sie sahen, daß er keine Eselsohren mehr hatte!
Von diesem Tag an sangen die Flöten, die die Hirten aus dem Schilfrohr machten, nicht mehr: »Königssohn mit den Eselsohr'n.«

27. Mai – Der einhundertsiebenundvierzigste Tag

Das Beilchen

Es war einmal eine Frau, die hatte eine Tochter. Die Hochzeit der Tochter stand bevor, und am Abend vor der Hochzeit gaben die Eltern für den Bräutigam ein Essen. Als sie schon zu Tisch saßen, merkten sie, daß sie keinen Wein hatten. Die Mutter schickte die Tochter, damit sie Wein hole, in eine Kellerei, die sie der Tochter vermacht hatten und zu der auch ein Wohnhaus gehörte. Die Tochter ging, um den Wein zu holen.
Sie betrat die Kellerei, drehte den Hahn des Weinfasses auf und stellte den Krug unter. Dann ging sie, die Zimmer anzuschauen, die sie vom nächsten Tag an bewohnen sollte. Sie begann die Schlafzimmer auszusuchen, und in dem Zimmer, das sie für sich auswählte, sah sie an der Decke ein Beilchen hängen. Das Mädchen dachte bei sich: ›Ich werde heiraten und ein Kind bekommen; aber da hängt dieses Beilchen, das wird dem Kind auf den Kopf fallen und es töten.‹
Und während sie so nachdachte, verweilte sie lange Zeit. Die Eltern und der Bräutigam wurden des Wartens überdrüssig und sagten: »Unsere Tochter bleibt sehr lange. Man muß nachschauen, was sie hat.«
Die Mutter ging geradewegs zur Kellerei und sah, der Krug war voll, und der Wein lief schon über. Anstatt aber den Hahn zuzudrehen, ließ sie den Wein weiterlaufen und ging ihre Tochter suchen. Sie ging durch alle Räume und fand sie im Schlafzimmer, wie sie auf das Beilchen starrte. »Was machst du hier, Tochter? Bei Tisch sind alle des langen Wartens überdrüssig. Warum kommst du nicht?« – »Sieh doch, Mutter, morgen heirate ich, dann werde ich ein Kind bekommen. Hier werde ich mein Schlafgemach haben; das Beilchen aber, das da hängt, wird ihm auf den Kopf fallen und es töten.« – »Ja, mein Kind, da hast du recht!«
So verharrten sie lange Zeit, bis der Vater das Warten satt hatte und zum Bräutigam sagte: »Nun gehe ich nachsehen.«

Er ging geradewegs zu der Kellerei und sah, der Wein lief über, und der Hahn war geöffnet. Aber auch er drehte ihn nicht zu, sondern ging, seine Frau und seine Tochter zu suchen. Nachdem er in allen Räumen gesucht hatte, fand er sie im Schlafzimmer, wie sie auf das Beilchen starrten.
»Was ist denn das, Frau? Alle warten, und der Wein rinnt

auf den Boden!« – »Hör doch, Mann, unsere Tochter heiratet morgen; dann wird sie ein Kind bekommen; das Beilchen aber, das da hängt, wird herunterfallen und das Kind töten.«
Da starrte auch der Mann an die Decke, und so verweilten sie lange Zeit, bis der Bräutigam, des Wartens überdrüssig, sich ebenfalls in die Kellerei aufmachte. Dort angekommen, sah er, der übergelaufene Wein hatte bereits alles überschwemmt.
Er ging zu dem Weinfaß, drehte den Hahn zu und machte sich auf die Suche nach den anderen. Er fand sie im Schlafzimmer, und kaum daß er eingetreten war, sagte der Vater der Braut zu ihm: »Sieh, mein Schwiegersohn, wir haben darüber nachgedacht, daß du morgen unsere Tochter heiratest; bald wird sie ein Kind bekommen; dann wird das Beilchen, das da hängt, herunterfallen und das Kind töten. Es war meine Tochter, der dies aufgefallen ist. Sie ist ja immer so vernünftig!« – »Ja, ja«, antwortete der Schwiegersohn, »aber behaltet sie lieber, ich werde eine andere suchen, und wenn die nicht mehr Verstand hat, dann heirate ich eure Tochter.«
Die Eltern und die Braut waren sehr traurig, und der Bräutigam machte sich auf die Reise. In einer Straße sah er eine alte Frau, die eine Öllampe auf der Nase trug. »Sag mal, Alte, warum läufst du mit dieser Öllampe herum?«
»Nun, ich bin den ganzen Tag unterwegs, und jeden Abend, wenn ich nach Hause komme, suche ich die Lampe, finde sie aber nicht. Deshalb trage ich sie auf der Nase. Dann finde ich sie gleich abends, wenn ich nach Hause komme.« – »Laß gut sein, Frau, laß mich nur machen. Wenn du nach Hause kommst, häng die Öllampe an einen Nagel hinter der Tür, dann wirst du sie schon finden.« Die Alte war sehr froh, denn auf diesen Gedanken war sie noch nicht gekommen.
Der junge Mann setzte seinen Weg fort. Da sah er, wie ein paar Männer Eier gegen eine Wand warfen. Er wunderte sich sehr und fragte sie, warum sie das täten. Sie antworteten ihm, sie wollten, daß die Wand einstürze; obwohl sie sie aber schon seit acht Tagen mit Eiern bewürfen, sei sie noch nicht eingestürzt. »Seid doch nicht närrisch. Nehmt eine Hacke, und die Mauer wird sofort einstürzen.« Das taten sie. Sie holten die Hacke, und im Nu war die Mauer eingestürzt.
Die Männer waren sehr froh, und der junge Mann zog weiter. Als er ein Stück gegangen war, sah er eine alte Frau mit einem Korb; immer wieder trat sie in die Sonne, öffnete den Korb und entleerte ihn dann in eine Truhe. Da er nicht wußte, was die Alte da machte, fragte er sie. Sie antwortete, sie sammle Sonne für den Winter, denn ihre Zimmer seien im Winter sehr kalt. »Komm, Frau, laß mich nur machen, denn so erreichst du gar nichts. Ich sorge dafür, daß du das

ganze Jahr über Sonne hast.« Er kletterte auf das Dach und deckte es ab, und die alte Frau war froh, daß sie nun viel Sonne im Haus hatte.
Der junge Mann entfernte sich. Ein Stück weiter sah er einen Mann und mehrere Frauen, die gruben eine Menge Sardinen ein. Er ging zu ihnen hin und fragte sie, wozu das gut sei. »Hier gibt es im Winter keinen Fisch«, sagten sie, »und wir tun das, um im Winter welchen zu haben.« Der junge Mann sagte zu ihnen, es sei besser, sie holten einen Korb Salz, damit der Fisch sich halte und nicht verdürbe. Das taten sie, voller Dankbarkeit für den guten Rat.
Der junge Mann entfernte sich. Ein Stück weiter sah er eine Menge Leute, die um eine Kirche herumstanden. Er fragte, was die vielen Menschen dort wollten, und hörte, ein Mädchen wolle heiraten, da es aber größer sei als die Tür, müsse man entweder der Braut den Kopf oder der Stute die Füße abschneiden. »Das ist nicht nötig«, sagte er, »die Braut braucht sich nur zu ducken, dann kommt sie schon durch die Tür.«
Das Mädchen tat, wie ihm geheißen, und indem er der Stute auf das Hinterteil klopfte, kam die Braut ohne weiteres in die Kirche. Alle waren hoch erfreut. Sie dankten ihm vielmals für seinen guten Einfall, und er sah zu, wie die Braut getraut wurde.
Danach ging er nach Hause, und da er meinte, die Braut, die er verlassen hatte, wäre doch nicht gar so dumm wie die Leute, die er unterwegs gesehen, ging er zu ihrem Vater, bat ihn um Verzeihung und heiratete das Mädchen. Was das Beilchen betrifft, so sagte er, brauche man sich nicht zu fürchten, denn er würde es von der Decke herunternehmen, damit es dem Kind nicht auf den Kopf fallen könne.

28. Mai – Der einhundertachtundvierzigste Tag

Die Steinsuppe

Ein Mönch machte die Kollekte. Er ging zu einem Bauern, aber dort wollte man ihm nichts geben. Der Mönch war sehr hungrig und sagte: »Ich werde mir eine Steinsuppe kochen.« Er nahm einen Stein aus dem Boden, putzte ihn und sah ihn genau an, um festzustellen, ob er für eine Suppe geeignet war. Die Bauersleute lachten den Mönch aus, denn es schien ihnen eine verrückte Idee. Der Mönch aber sagte: »Habt ihr nie eine Steinsuppe gegessen? Ich muß euch sagen, es ist etwas Gutes.« Sie antworteten: »Das wollen wir sehen!«
Das wollte der Mönch hören. Er wusch den Stein sehr gut und bat: »Könnt ihr mir einen Topf leihen?« Man gab ihm einen Tontopf. Der Mönch füllte den Topf mit Wasser, legte den Stein hinein und sagte: »Darf ich den Topf an das Feuer stellen?«
Das erlaubten die Bauersleute auch. Als es zu kochen anfing, sagte der Mönch: »Wenn ich ein wenig Schmalz hätte, dann würde die Suppe wunderbar schmecken.« Man holte ein wenig Schmalz und gab es ihm. Die Suppe kochte weiter, und die Leute waren erstaunt. Der Mönch kostete die Suppe und sagte: »Es schmeckt ein bißchen fad. Es braucht ein wenig Salz.«
Man gab ihm auch das Salz. Er würzte und kostete. Dann sagte er: »Wenn ich ein wenig Kohl hätte, dann würden sich sogar die Engel auf diese Suppe freuen.« Die Bäuerin ging in den Gemüsegarten und holte zwei zarte Kohlköpfe. Der Mönch putzte sie und riß sie auseinander und steckte die Stücke in den Topf.
Als die Kohlstücke schon kochten, sagte er: »Mit einem Stück Wurst würde es phantastisch schmecken!« Man brachte ihm die Wurst, die er in den Topf steckte. Indes die Suppe kochte, nahm er ein Stück Brot aus einem Sack heraus und bereitete sich zum Essen vor. Die Suppe duftete wunderbar. Der Mönch aß und leckte sich die Lippen. Der Topf war leer, und nur der Stein lag noch drinnen. Die Bauern, die ihn beobachteten, fragten: »Du, Bruder, was ist mit dem Stein?« Der Mönch antwortete: »Den Stein werde ich mitnehmen und noch einmal benutzen.«
So hat er bei den Bauern gegessen, obwohl sie ihm nichts geben wollten.

29. Mai – Der einhundertneunundvierzigste Tag

Das Drachenmädchen

Es war einmal ein Reicher, der hatte einen hübschen Sohn. Der stritt sich einmal mit dem Vater. Der Vater sagte zum Sohn: »Ich werde mich deinetwegen noch von dir trennen.« Da sagte der Sohn zu ihm: »Ich gehe schon«, und der Sohn ging und verließ den Vater.

Der Sohn war sehr tapfer. Er ging in die Berge. Da sah er von weitem zwölf Räuber, die an den Ort kamen, wo er war. Der Jüngling floh nicht. Statt daß die Räuber auf ihn zukamen, ging er auf die Räuber los und rief ihnen zu: »Ergebt euch!« Die Räuber, die sahen, daß es bei allem Mut nur eine Person war, liefen auf ihn zu, um ihn festzunehmen. Als sie in seine Nähe kamen, sagte der Jüngling zu den Räubern: »Ich bin einer, ihr seid zwölf. Soll doch derjenige, der der Tapferste unter euch ist, mir gegenübertreten!«

Da trat der erste, der Größte, hervor und kämpfte, und der Jüngling tötete den Räuber. Da trat der zweite, der dritte und der vierte hervor, und er tötete alle vier. Die acht, die übrigblieben, fürchteten sich vor ihm. Sie sagten zum Jüngling: »Töte uns nicht! Wir werden deine Sklaven sein.« Der Jüngling sagte zu ihnen: »Ich will nichts von euch, bis auf eine Auskunft. In diesen Bergen muß es ein wunderschönes Mädchen geben.« Da sagten sie: »Komm, wir werden dir das Haus zeigen, es liegt da drüben. Wir fürchten uns, dorthin zu gehen, denn sie ist ein verzaubertes Drachenmädchen.« Der Jüngling sagte zu ihnen: »Zeigt es mir und dann geht!«

Gegenüber sah der Jüngling ein Haus mit einem Garten, und das Mädchen war in dem Haus drinnen. Das Haus hatte keine Fenster, außer einem ganz oben. Der Jüngling ging nahe an das Haus heran und versteckte sich hinter der Mauer. Abends kam der Vater des Drachenmädchens. Er rief: »Schöne Tochter, weiß wie Papier, laß mir deine Haare herab, ich will hinaufsteigen.« Das Mädchen trat ans Fenster, ließ die Haare hinab, der Vater hielt sich an den Haaren fest, und sie zog ihn hinauf. Nach einer Stunde kam die Mutter des Drachenmädchens von den

Bergen herab. Sie sagte zu ihr: »Schöne Tochter, weiß wie Papier, laß mir deine Haare herab«, und sie zog sie hinauf. Der Jüngling sah das. Am Morgen ließ sie den Vater und die Mutter an ihren Zöpfen herab, und sie gingen in die Berge. Der Jüngling, der sah, daß niemand mehr da war, rief: »Schöne Tochter, weiß wie Papier, laß mir deine Haare herab, ich will hinaufsteigen.« Das Mädchen trat ans Fenster, ließ die Haare hinab und zog ihn hinauf.

Als der Jüngling hinaufgestiegen war, sagte das Mädchen zu ihm: »Was suchst du hier?« Der Jüngling sagte: »Ich kam, um dich mitzunehmen.« Das Mädchen gefiel dem Jüngling. Er sagte zu ihr: »Du bist für mich geschaffen, und ich für dich.« Während die beiden dort plauderten, wurde es Abend. Da kam der Vater des Drachenmädchens und rief: »Schöne Tochter, weiß wie Papier, laß dein Haar herab, ich will hinaufsteigen.« Als das Mädchen die Stimme des Vaters hörte, sagte sie zu dem Jüngling: »Komm, ich werde dich verstecken.« Sie erhob die Hand und gab ihm einen Schlag. Sie verwandelte ihn in einen Käfig mit einem Kanarienvogel. Das Mädchen streckte den Kopf zum Fenster hinaus, ließ die Haare hinab und zog den Vater hinauf. Es verging eine Stunde, da kam die Mutter und rief: »Schöne Tochter, weiß wie Papier, laß mir deine Haare herab, ich will hinaufsteigen.« Sie ließ die Haare hinab und zog sie hinauf. Der Vater sagte zur Tochter: »Deck den Tisch, wir wollen speisen.« Sie aßen zusammen. Nachdem sie aufgehört hatten zu essen, sagte der Vater zu ihr: »Hier riecht es nach Menschenfleisch.« Das Mädchen sagte zu ihm: »Hier ist niemand, es schien dir nur so. Ich briet Fleisch, um es dir zu geben.« Darauf legten sie sich zum Schlafen nieder.

Am Morgen gingen der Vater und die Mutter fort. Da gab sie dem Käfig einen Schlag und verwandelte ihn in den Jüngling. Die beiden plauderten. Am Abend kamen der Vater und die Mutter. Da gab sie ihm wieder einen Schlag und verwandelte ihn in eine Nelke. Am dritten Tag sagte das Mädchen zu ihm: »Damit du mich bekommst, ist es nötig, daß wir von hier fliehen.«

Sie stiegen beide hinab und fingen an zu laufen. Am Abend kam der Vater nach Hause und die Mutter. Er sah, daß die Tochter nicht zu Hause war. Da begannen sie in die Berge zu laufen, um die Tochter zu finden. Als sie sie schon von weitem sahen, kam das Mädchen und gab dem Jüngling einen Schlag. Sie verwandelte ihn in ein Schaf und sich selbst in einen Hirten. Der Vater sah, daß niemand da war, und kehrte zurück. Die Mutter sagte: »Ich will gehen, um sie zu finden.« Als der Jüngling mit dem Mädchen lief, erblickte das Mädchen die Mutter, die da kam. Da gab sie dem Jüngling einen Schlag und verwandelte ihn in eine Kirche mit einem Priester, der liest. Die Mutter fand niemand und kehrte zurück.

Als sie allein waren, sagte das Mädchen zum Jüngling: »Du wirst nach Hause gehen, im Wandschrank hängen zwei Kleider. Wenn du es schaffst, sie herzubringen, verbrennen wir die Kleider und sind von ihnen (Vater und Mutter) befreit.« Der Jüngling ging, holte die Kleider, und sie verbrannten sie. Dann gingen sie nach Hause, heirateten sich, und der Vater und die Mutter hatten keine Macht, ihnen etwas anzuhaben, und sie blieben verheiratet und hatten viele Kinder. Ihnen möge es gutgehen und auch uns!

30. Mai – Der einhundertfünfzigste Tag

Die Königin und der Neugeborene

Es war einmal ein König, der aß jede Woche Fisch. In einer Woche gab es keine Fische im Meer. Da schickte der König einen Ausrufer aus: »Wer mir Fische bringt, dem werde ich zehn Pfund geben!« Alle Fischer zogen vom Morgen bis zum Abend aus, sie fingen keinen Fisch.
Da war auch ein alter Jude, der Fischer war. Abends sah er, daß alle Fischer keinen Fisch fingen. Er nahm seinen Kahn und fuhr hinaus, um zu fischen. Als er den Köder auswarf, fing er drei große Meeräschen. Er nahm sie, legte sie lebendig in einen großen Fischkorb mit Wasser und trug sie zum König. Als der König die Fische sah, freute er sich sehr. Der König sagte: »Es ist schade, so schöne Fische zu essen. Man bringe sie der Königin als Geschenk!« Sie nahmen sie und trugen sie zur Königin, aber die Königin wohnte in einem anderen Palast und ging nur einmal jeden Monat zum König. Als sie die lebendigen, so schönen Fische sah, stellte sie sie auf den Schreibtisch. Und alle Tage setzte sie sich neben die Fische.
Eines Tages erhob sich die Königin, um zum König zu gehen. Sie kleidete sich an und legte ihre Juwelen an. Als sie eben dabei war, zum Tor hinauszugehen,

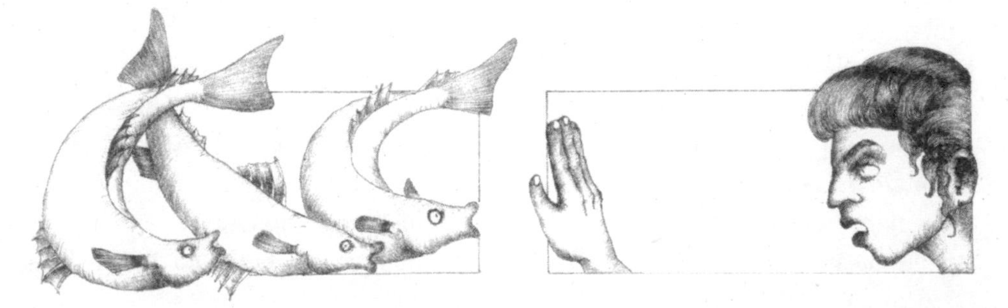

und die Stiege hinunterging, sprangen die drei Fische heraus, kamen zur Stiege und spien die Königin dreimal an. Die Königin achtete nicht darauf und ging diese Nacht zum König. Am nächsten Tag kam sie nach Hause.
Es ging wieder ein Monat vorüber, sie kleidete sich an, um zum König zu gehen. Als sie die Stiege hinabging, sprangen die Fische heraus und spien sie dreimal an. Als sie gewahr wurde, daß sie sie einmal und zum zweiten Mal anspien, wurde sie sehr zornig. Sie ging zum König und erzählte es ihm. »Bring ihn hierher, diesen Juden, der die Fische brachte!«
Sie gingen und brachten den Juden zum König. Die Königin sagte zu ihm: »Gib mir die Antwort, warum speien diese Fische, die du gebracht hast, mir ins Gesicht? Wenn du mir die Antwort nicht innerhalb eines Jahres bringst – diese Frist geb ich dir –, so werde ich dir und deiner ganzen Familie den Kopf abschlagen lassen.«
Der Jude stand auf, ging umher und sann über Mittel und Wege nach. Als er so ging und ging, fand er auf dem Boden etwas, das wie ein Ball aussah, wie ein Kopf, und neben dem Kopf fand er ein beschriebenes Papier. Er nahm das Papier und den Kopf, trug sie nach Hause, öffnete das Papier und las es. Darauf stand geschrieben: »Wer diesen Kopf verbrennt, dem wird er die Antwort für die Königin geben.« Er ließ den Kopf zu Hause und hob ihn auf. Am nächsten Tag schickte sich seine Frau an zu waschen. Als sie waschen wollte, hatte sie kein Holz mehr. Da fand sie jenen Kopf, warf ihn in den Herd und verbrannte ihn. Während sie ihn verbrannte, erinnerte sie sich daran, daß dieser Kopf ihren Mann vom Tode erretten sollte. Sie konnte nichts weiter tun, als die Asche zu sammeln. Sie legte sie in einen Topf und hob sie im Schrank auf.
Sie hatte eine sehr schöne Tochter. Diese nahm jeden Morgen, wenn sie aufstand, einen Löffel Zucker mit Wasser. An jenem Tag ging sie zum Schrank, nahm den Löffel und aß von der Asche, da sie glaubte, es wäre Zucker. Von dem Tag an, als das Mädchen die Asche aß, war es schwanger. Nach neun Monaten gebar sie einen Sohn, der sprach und sagte: »Ich will der Königin die Antwort geben.« Der Vater führte die Tochter mit dem neugeborenen Sohn zum König. Er sagte zu ihm: »Dieses neugeborene Kind, das schon spricht, wird der Königin die Antwort geben.« – »Bringt die Königin hierher!« Die Königin kam, sah ein Mädchen mit einem neugeborenen Kind und sagte zu ihr: »Wer wird die Antwort geben, das Mädchen oder der Neugeborene?« Der Neugeborene sagte zu ihr: »Ich werde Euch die Antwort geben. Ich will, daß der König hierherkommt.« Der König kam. Die Königin war ganz wütend. Sie sagte: »Gib mir sofort die Antwort!«
Da stand der Neugeborene aufrecht da und sagte zu der Königin: »Ich will ein

Märchen erzählen: Es war einmal ein Reicher, der hatte einen Papagei, der im Garten umherging. Er band ihm eine Schnur um den Hals, und deren Ende befestigte er an seinem Arm. Im Garten war ein Brunnen. Er ging, Wasser zu trinken, nahm die Schale und füllte sie. Als er sich anschickte, sie zu trinken, stieß ihn der Papagei an der Hand und leerte ihm so die Schale aus. Der Reiche wurde sehr zornig. Er nahm ein Messer und tötete den Papagei. Als er ihn getötet hatte, stieg eine Schlange aus dem Brunnen und tötete den Reichen.«

Die Königin sagte zu ihm: »Ich will nicht, daß du mir Geschichten erzählst, ich will die Antwort.« Der Neugeborene sagte zu ihr: »Ich bitte Euch, Frau Königin, noch eine Geschichte will ich Euch erzählen.« Die Königin sagte zu ihm: »Erzähl schnell!«

»In einem Haus war einmal ein kleiner Knabe mit einem Hündchen, sie schliefen zusammen. Eines Tages ging die Mutter auf die Straße hinaus und ließ dort das Söhnchen mit dem Hündchen in der Wiege schlafend zurück. Während sie schliefen, kam eine Schlange hervor und kam zur Wiege, um das Söhnchen zu töten. Da erhob sich der Hund und tötete die Schlange, und das ganze Bett wurde voll Blut. Als die Mutter zurückkam, sah sie, daß die Wiege von Blut befleckt war, und schickte sich an, das Hündchen zu töten. Sie hob die Bettdecke auf und sah, daß das Söhnchen lebte, und eine tote Schlange. Da sagte sie: ›Es war gut, daß ich das Hündchen nicht tötete, denn das Hündchen hat ihn vom Tode errettet.‹«

Da rief die Königin dazwischen: »Ich will keine Geschichten mehr, ich will die Antwort.«

Da sagte der Neugeborene zu ihr: »Befehlt jetzt sofort, daß das ganze Heer vorbeiziehe, vom Wesir angefangen bis zum geringsten Mann.« Sofort befahl der König, daß das ganze Heer vorbeiziehe. Zuerst zog der Wesir mit dem ganzen Ministerrat vorbei, dann alle Paschas, dann die Geringeren und Geringsten, schließlich kam das ganze Heer aus den Kasernen. Nachdem alle vorübergezogen waren, ging hinter allen übrigen ein krätziger Soldat mit einem blinden Auge. Da stieß der Neugeborene einen Schrei aus. Er sagte zum König: »Dieser Krätzige, der da vorübergeht, ist in die Königin verliebt. Jeden Tag tritt er durch den Garten in ihr Haus ein, und deshalb haben sie die Fische angespien.« Da spuckten alle die Königin an, und der Kleine wurde zu einem Engel und flog davon. Während er fortflog, sagte

er: »Dieses Mädchen ist meine Mutter, ohne daß sie sich mit irgend jemandem verheiratet hätte.« Da nahm sie sogleich der König zur Frau, und die andere Königin schickte er in die Verbannung. Sie blieben verheiratet und glücklich. Ihnen möge es gutgehen und auch uns!

31. Mai – Der einhunderteinundfünfzigste Tag

Das Niesen

Es war einmal ein Rabbiner namens Abraham, der hatte eine Frau und drei Kinder. Wie arm war er doch, daß er noch nicht einmal Bulemá [Gebäck aus dünnem Teig] gegessen hatte! Der Mann stritt mit der Frau. Da sagte die Frau zum Mann: »Warum kauft Ihr nicht einmal eine halbe Oka [etwa 600 Gramm] Mehl? Wir werden dann Bulemá bereiten.« Der Mann sagte zu ihr: »Ich habe kein Geld. Wenn Gott eines Tages will, daß ich mehr verdiene, werde ich Euch Mehl kaufen.« Nach vierzehn Tagen verdiente Rabbi Abraham fünf Piaster, drei gab er aus, und zwei blieben ihm. Da ging er und kaufte eine halbe Oka Mehl und gab sie seiner Frau. Als die Frau sah, daß er ihr Mehl brachte, hob sie es auf, um es nachts zu bereiten, damit sie niemand sähe.

Um Mitternacht, als schon alle zu Bett gegangen waren, blieb sie allein im Zimmer und begann, Fadenteig zu machen. Während sie Fadenteig machte, mußte sie niesen und nieste in den Teig. Als sie sah, daß der Teig dadurch verunreinigt war, verfluchte sie sich selbst: Wenn eine Frau auf etwas Gebackenes niest, so taugt sie nichts mehr zur Arbeit.

In diesem Augenblick bewegte sich das Haus, und es erschien ein Neger, dessen eine Lippe zum Himmel reichte und die andere zur Erde. Er sagte zu der Frau: »Schließ die Augen!« Er nahm sie bei der Hand und brachte sie hinunter. Er brachte sie in das Zimmer des Gerichts. Da kam der Richter und sagte zu ihr: »Meine Tochter, meine Tochter, hast du dieses Niesen mit Gewalt hervorgebracht, oder ist es von selbst gekommen?« Die Frau antwortete: »Nein, mein Herr, nicht mit Gewalt, es kam von selbst.« Da sagte der Richter: »Gleich wird man die Wahrheit wissen. Geht, ruft das Niesen!«

Es gingen zwei Türhüter und brachten das Niesen in das Zimmer herein. Das Niesen war sehr gut gekleidet, es trug einen Samtpelz und einen Seidenrock, neue Schuhe, einen neuen Fez und hatte rote Wangen. Der Richter sagte zu dem Niesen: »Mein Sohn, mein Sohn, hier lügt man nicht. Bist du gewaltsam gekommen, oder nahte deine Stunde, und du kamst?« Es antwortete: »Nein, Herr,

es nahte meine Stunde, und ich kam.« Da sagte der Richter zu den Türhütern: »Diese Frau sprach die Wahrheit, bringt sie hinaus und beschenkt sie!«
Sie brachten sie hinaus, nahmen einen leeren Sack, öffneten eine Schatzkammer und begannen, ihr viele Pfundstücke, goldene Halsketten, Armbänder und Ohrringe in den Sack zu werfen, und füllten ihn bis oben an. Da kam der Neger, nahm sie bei der Hand und sagte: »Schließ die Augen!« Er brachte sie hinauf in ihr Haus und verließ sie dort. Als sie sah, daß sie plötzlich reich geworden war, begann sie Häuser zu kaufen.
Diese Arme hatte eine sehr reiche Nachbarin. Die Reiche rief die Arme und sagte zu ihr: »Du mußt mir sagen, woher dieser Reichtum dir gekommen ist?« Da antwortete sie: »So und so geschah es. Als ich mit Backen beschäftigt war, mußte ich niesen. Da verfluchte ich mich selbst: Eine Frau, die auf etwas Gebackenes niest, taugt nichts mehr zur Arbeit. Da erschien ein Neger, nahm mich bei der Hand und brachte mich hinunter. Man urteilte über mich, und dann gaben sie mir all das.«
Die Reiche, die das hörte, war sehr neidisch. »Jetzt lehre ich es dich«, sagte die Arme. Sofort ging die Reiche und kaufte Mehl und wartete, bis es Nacht wurde. Um Mitternacht nahm sie Mehl, um Fadenteig zu machen. Als sie den Fadenteig machte, begann sie gewaltsam zu niesen. Es kam ihr nicht von allein, da nahm sie eine Brotkrume, steckte sie in die Nase und nieste gewaltsam. Da verfluchte sie sich selbst: »Eine Frau, die auf etwas Gebackenes niest, taugt nichts mehr zur Arbeit.« Da kam der Neger und sagte zu ihr: »Schließ die Augen!« Er brachte sie zum Gericht hinunter, man führte sie in das Zimmer. Der Richter sagte zu ihr: »Meine Tochter, meine Tochter, du wirst die Wahrheit sagen. War dieses Niesen ein gewaltsames oder ein zufälliges?« Sie antwortete: »Bei meinen Augen, zufällig ist es gekommen.« – »Gut«, sagte der Richter, rief die Türhüter und sagte zu ihnen: »Geht, bringt das Niesen!«
Sie gingen und brachten es, einen kranken Mann, der hinkte und auf einem Auge blind war, mit zerrissenem Fez, zerfetzter Hose und zerrissenen Schuhen, und er trat ins Zimmer. Der Richter sagte zu ihm: »Niesen, Niesen, du wirst die Wahrheit sagen. Hat man dich mit Gewalt hervorgebracht, oder kam deine Stunde, und du erschienst?« Da antwortete das Niesen: »Seht Ihr nicht meinen Zustand, daß ich hinke und blind und krank bin? Mit Gewalt hat man mich hervorgebracht.« Da sagte der Richter: »Da Ihr es mit Gewalt hervorgebracht habt, führt sie hinaus und beschenkt sie!« Sie führten sie hinaus und gaben ihr einen zugebundenen Sack. Da erschien der Neger, nahm sie bei der Hand und sagte: »Schließ die Augen!«

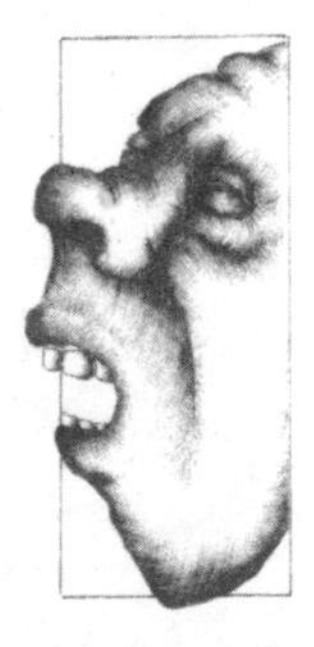

Er brachte sie in ihr Haus hinauf. Als sie nach Hause gekommen war, öffnete sie sogleich den Sack. Als sie den Sack öffnete, begannen viele große Schlangen und Würmer herauszukriechen und sie zu beißen. Sie floh schreiend auf die Straße. Die Leute nahmen sie, brachten sie in ein anderes Haus, und sie blieb mit Wunden und Löchern bedeckt.
Möge es ihnen gutgehen und auch uns!

Der Monat Juni,
der die Märchen der Malteser,
der Sarden, der Sizilianer
und allgemein die der Italiener
enthält

1. Juni – Der einhundertzweiundfünfzigste Tag

Dschahan

Es war einmal eine Frau, die hatte einen Jungen namens Dschahan. Er war faul und wollte nicht arbeiten. Sein Vater zankte sich deshalb stets mit seiner Frau: »Ich muß immer arbeiten, und der Junge sitzt da! Sieh doch zu, daß du ihn irgendwohin auf Arbeit schickst.«
Dschahan kam nun zu einem Mann, für den er Kleiderstoffe verkaufen sollte. Der gab ihm ein Stück Tuch, und Dschahan ging los, das Stück Tuch zu verkaufen. Da erblickte er eine steinerne Statue. Zu ihr sprach er: »Signora, darf ich dir dieses Stück Tuch verkaufen?« Der Wind bewegte nun jener Statue den Kopf hin und her. »Signora«, begann Dschahan wieder, »willst du das Tuch haben? Es ist gutes Malteser Tuch.« Der Kopf der Statue machte eine Bewegung nach unten, Dschahan dachte daher, sie sage ja zu ihm. Darum ließ er ihr das Stück Tuch auf einem Stein zurück und sagte ihr noch: »Morgen hole ich mir das Geld.« Darauf ging er zu seinem Lehrherrn und erklärte ihm: »Ich habe das Stück Tuch verkauft, und morgen werde ich das Geld holen.«
Am folgenden Tag begab er sich wieder zu jener Statue und sprach zu ihr: »Signora, ich komme wegen des Geldes.« Der Wind wehte jetzt aber in entgegengesetzter Richtung und bewirkte, daß der Kopf der Statue Bewegungen nach oben machte. Da sprach Dschahan: »Du wirst mich also nicht bezahlen, du sagst ja immer nein zu mir.« Und er nahm einen Stein in die Hand und warf ihr ihn an den Kopf. Als er ihr so den Kopf zerschmettert hatte, kam eine Menge Geldstücke herabgekollert. Dschahan sammelte sie auf, nahm sie mit zu seinem Meister und sprach zu ihm: »Meister, ich bringe dir das Geld für das Tuch.« – »Wieviel Geld bringst du da? Das hast du natürlich gestohlen.« – »Nein. Die Dame wollte mich nicht bezahlen. Da habe ich ihr den Kopf zerschmettert.« – »Also getötet hast du sie! Nun komm mit und zeige mir, wo das war.« Dschahan nahm den Meister dorthin mit. Der sprach zu ihm: »Das ist keine Dame, das ist eine Statue aus Stein. Aber das Geld hat dir Glück gebracht. Komm mit, wir wollen wieder fortgehen.« Dann gab er dem Dschahan etwas von dem Geld, und Dschahan begab

sich zu seiner Mutter, in froher Stimmung über das Geld. Seine Mutter sprach zu ihm: »Du hast das Geld doch nicht etwa deinem Meister gestohlen?« Dschahan antwortete: »Nein, er hat es mir gegeben! Ich will nun aber nicht länger bei ihm bleiben, ich will irgendein Geschäft anfangen!«

So zog denn Dschahan mit fünfzig Talern hinaus ins Freie und fand draußen einen Menschen in verzweifelter Stimmung vor, dem andere auch den letzten Centime im Spiel abgenommen hatten. Und neben dem Mann hatte man ein Pony hingeworfen; das hatte zwei gebrochene Beine und war blind und ganz voll Wunden. Man hatte es dort hingeworfen, damit es auf dem Feld krepieren solle. Dschahan redete den Mann an: »Guck her!« Jener fragte: »Was willst du?« Dschahan sagte: »Verkauf mir das Pony hier. Es ist gar zu hübsch.« Der Mann horchte auf und sprach: »Ich werde es dir verkaufen. Also: fünfzig Taler.« – »Die habe ich.« – »Gut, bring sie und nimm es.« Nun band Dschahan das Pony an seiner Schärpe fest und schleppte es hinter sich her; der Mann aber lief, sobald er das Geld in den Händen hatte, wie verrückt vor Freude davon, während Dschahan zum Haus seiner Mutter ging. Als er nur noch ein ganz kleines Stück bis nach Hause hatte, begann er nach seiner Mutter zu rufen: »Komm heraus, Mutter! Sieh, was ich mitbringe.« Sie kam heraus und sprach zu ihm: »Was ist los? Was bringst du da eigentlich? Heute abend wird dich dein Vater totschlagen. Für das Tier da hast du die fünfzig Taler verausgabt? Ach, Junge, was wird mir deinetwegen dein Vater antun! Wo sollen wir das Tier jetzt verstecken, damit dein Vater es nicht sieht?« Dschahan erwiderte: »Unter das Bett vom Vater. Also los! Hilf mir es unter das Bett kollern und sieh zu, daß ich ihm Kichererbsen vorsetzen kann, damit es frißt und dann einschläft.«

Als Dschahans Vater nach Hause kam, aß er und legte sich aufs Bett. Gegen Mitternacht stemmte das Pony seine Beine gegen die Bretter des Bettes und warf Dschahans Vater aus dem Bett. Der wußte nun gar nichts von dem Pony; er erhob sich vom Boden und rannte fort und schrie: »Was ist das?« Dann zündete er Licht an und fand das Pony tot unter den Bettbrettern. Er sprach zu seiner Frau: »Was ist das für eine Geschichte? Wer hat das Tier hierhergebracht?« – »Der Junge hat es gekauft.« – »Wieviel hat er für das Tier ausgegeben?« – »Fünfzig Taler.« Da lag nun eine Stange in der Nähe; die nahm der Vater her und begann, mit ihr die beiden nach Leibeskräften durchzuprügeln. Die Mutter schrie: »Siehst du, Dschahan, wie mir dein Vater zusetzt! Reiß aus und geh zu irgend jemandem!« Dschahan verließ hierauf das Haus und trat bei einem Mann ein, der einen Laden hatte und Essen für die Leute kochte. Der Mann fragte Dschahan: »Junge, was verstehst du zu arbeiten?« Dschahan erwiderte: »Alles.« Der Mann begann hierauf: »Nimm das Geld hier und zieh los und kauf mir ein Gekröse; das will ich zu Mittag kochen.« Dschahan nahm nun den Korb und ging fort, das Gekröse zu holen, da kam ihm der Gedanke: ›Ich will es ihm gewaschen bringen.‹ Er ging deshalb mit dem Korb an das Ufer des Meeres und begann das Gekröse zu waschen. Schließlich hatte er bloß noch ein einziges Stück von dem ganzen Gekröse; das Meer hatte ihm alles sonst weggeschwemmt. Nun sprach er: »Wie lange soll ich da eigentlich waschen? Na, wenn ein Schiff vorbeikommt, werde ich es anrufen und werde ihm das ganze Stück Gekröse zeigen, ob es rein genug ist.« Das tat er.

Die Leute auf dem Schiff hörten ihn, und er sah, daß ihm der Kapitän ein Zeichen gab, er möge näher kommen. Als Dschahan hinkam, sagte er zum Kapitän: »Sieh mal, ist das Gekröse hier rein?« Der Kapitän erwiderte: »Deshalb hast du mich hierherfahren lassen? Jetzt werde ich auf dich schießen!« Damit ließ er das Schiff wieder umdrehen und fuhr fort. Dschahan aber nahm das Gekrösestückchen und ging zu seinem Meister. Als er zu ihm kam, fragte dieser ihn: »Wohin warst du gelaufen?« Dschahan antwortete: »Ich wollte dir das Gekröse waschen.« Der Meister sagte hierauf: »Du wäschst das Gekröse von acht Uhr früh bis vier Uhr nachmittags? Ich brauchte das Gekröse zu Mittag. Und von vier Pfund Gekröse ist dies Fäserchen alles, was du mir bringst?«

Vor dem Meister lag gerade eine eiserne Stange, die warf er dem Dschahan von hinten zwischen die Beine, und Dschahan machte, daß er zu seiner Mutter kam. Die sprach zu ihm: »Du hältst doch an keinem Ort aus. Man jagt dich überall fort, wo du bist.«

In dem Augenblick, wo seine Mutter noch mit ihm redete, klopfte es an die Tür. Die Mutter ging an die Tür und fand dort eine Frau. Zu der sprach sie: »Tritt ein!« Die Frau aber sagte: »Nein, ich kann nicht, ich habe zuviel zu tun.« Da trat Dschahans Mutter in die Türöffnung hinaus und fragte sie: »Was willst du?« Sie erwiderte: »Ich bin gekommen, um dich zur Hochzeit eines Mädchens einzuladen.« Dschahan horchte jetzt auf und sagte: »Mutter, wir wollen hingehen! Da können wir bei der Braut einmal etwas Besseres essen.« Jetzt begann die Mutter Dschahans: »Worin willst du hingehen? Du hast keinen Anzug.« – »Mutter, dann borg dir einen für mich.« – »Gut, mein Sohn.« Die Mutter Dschahans begab sich nun zu den feinen Leuten, die neben ihnen wohnten, und bat sie: »Meine Herrschaften, tut mir den Gefallen und leiht mir einen Tag einen Anzug für Dschahan.« – »Gern«, antworteten die Gefragten und gaben ihr einen weißen, vollständigen, geplätteten und noch neuen Anzug.

Als der Morgen anbrach, zog sich Dschahan an und die Mutter ebenfalls. Er begann alsdann: »Mutter, wir wollen doch unsere Sau mitnehmen; die wird auch ihr Vergnügen haben.« Die Mutter erwiderte: »Gut! Ich werde ihr meinen

Goldschmuck anlegen.« Hiermit schmückte sie das Schwein mit einem aus zehn Pfundstücken bestehenden Schmuck, und nun brachen sie alle drei zum Hochzeitsfest auf: die Mutter, Dschahan und die Sau. Als sie den halben Weg zurückgelegt hatten, trafen sie mit einem Mann zusammen, der sich in verzweifelter Lage befand und auch nicht einen Soldo besaß, auf den er hätte schwören können. Er hörte das Grunzen der Sau, die »Us! Us! Us! Us!« grunzte, wandte sich um und sprach bei sich: ›Jetzt kommt mein Glück.‹ Zur Mutter Dschahans sprach er: »Maria, wohin gehst du?« – »Zu einer Hochzeit.« – »Ich auch. Und bitte, kann ich dir die Sau ein wenig tragen?« Da begann Dschahan: »Ja, trag sie und geh mit ihr immer voran.« Der Mann aber sprach bei sich: ›Die gehört mir.‹

Als er ein Stückchen entfernt war, sprach die Mutter Dschahans zu ihrem Sohn: »Ich habe mir eigentlich das Gesicht jenes Mannes gar nicht ordentlich angeguckt; ich will ihm lieber zurufen, daß ich sein Gesicht sehen möchte!« Das tat sie, und der Mann öffnete, als er es hörte, seine Hosen und reckte ihr seinen Hintern entgegen mit den Worten: »Weißt du nun, wie ich aussehe?« – »Ja!« antwortete sie. »Wie ist denn mein Gesicht?« fragte er. Sie erwiderte: »Dein Gesicht ist breit wie ein Kuchen, und deine Nase ist ziemlich lang.« Jetzt machte jener, daß er fortkam mit der Sau und ihrem Goldschmuck. Hernach verkaufte er die Sau.

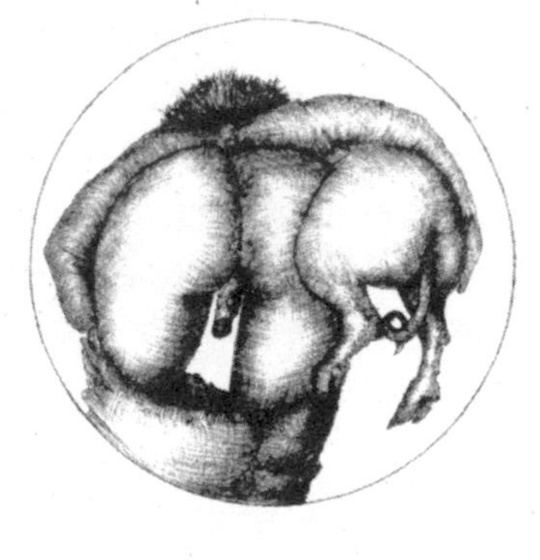

Als die Frau zum Hochzeitsfest kam, konnte sie den Mann nirgends finden; darum sprach sie zu Dschahan: »Heute abend wird uns dein Vater zweifellos totschlagen.« Dann fuhr sie fort: »Junge, jetzt sag ich dir bloß noch: Wenn du am Tisch sitzt, so nimm die Serviette hübsch vor, damit du nicht den Anzug beschmutzt.« – »Jawohl, Mutter!« antwortete Dschahan und begab sich dann hinunter in die Küche. Dort befand sich ein rußiger Kessel; den kehrte Dschahan um und setzte sich auf ihn und machte sich ganz voll Ruß – ganz schwarz sah er aus! Als er wieder hinauf zu seiner Mutter kam, sprach sie zu ihm: »Ach! Wie hast du den Anzug zugerichtet, was ist das denn für eine Geschichte?« Dschahan erwiderte: »Hab keine Angst, Mutter! Du kannst ihn ihnen ja waschen.« Schließlich war die Hochzeit zu Ende, und Dschahan und seine Mutter kehrten nach Hause zurück.

Als am Abend der Vater kam und die Sau füttern wollte, fand er sie nicht. »Wo ist die Sau?« fragte er seine Frau. »Ich weiß es nicht«, sagte sie. Da sprach er:

»Gut!« und langte sich die Stange hinter der Tür hervor und begann, die beiden nach Leibeskräften durchzuprügeln. Dschahan mußte sich zu Bett legen und starb im Verlauf einer Woche. Und sein Vater und seine Mutter zankten sich seinetwegen flott weiter.

Der Vater erklärte schließlich: »Ihr habt mich ganz verrückt und dumm gemacht durch die Streiche, die ihr mir gespielt habt. Nun werde ich irgendwo fern von hier Arbeit suchen. Mach mir Brot für zwei Tage fertig, damit ich nicht allemal wieder hierherzukommen brauche von so weit her.« Am Abend, als er nun doch nicht kommen wollte, sprach sie bei sich: ›Ich werde gar nicht kochen; ich werde ein Stück Brot mit Öl essen und aufs Feld gehen und mir eine Zwiebel dazu ausreißen.‹ Kaum war sie zum Feld gegangen, da drang ein Dieb ins Haus ein. Er hatte eine Leiter mit, mit der er auf den Oberboden stieg, wo er sich mitten in der Baumwolle verbarg.

Als der Vater Dschahans sich anschickte, das Brot herzunehmen und es zu essen, sprach er bei sich: ›Ich werde hier doch nicht essen. Ich will lieber meinen Reisesack nehmen und wieder nach Hause wandern, denn meiner Frau ist gewiß etwas geschehen.‹ Seine Frau saß und aß, da klopfte es an die Tür. »Wer ist da?« – »Ich bin's, Maria.« – »Wer bist du?« – »Dein Giuseppe.« – »Du bist also wieder da?« – »Ich bin wiedergekommen, weil ich dachte, dir sei etwas geschehen.« – »Geh fort! Komischer Mann, du! Übrigens habe ich jetzt nichts gekocht.« – »Mach dir keine Sorge. Wir essen ein Stückchen Fleisch und zwei kleine Käse.« – »Gut, dann steig auf der Leiter nach dem Oberboden und hol das Fleisch aus dem Krug und die Käse!«

Als er hinaufgestiegen war und die Baumwolle betrachtete, sah er, daß diese sich bewegte. Da sprach er bei sich: ›Famos! Wir haben Besuch.‹ Nun schloß er die Tür des Oberbodens ab und begab sich zur Polizeistation. Zwei Polizisten gingen mit und betraten das Haus. Einer von ihnen begann: »Freundchen! Steig von dort oben herunter!« Der Dieb antwortete keine Silbe. Jetzt riet der andere Polizist: »Schieß auf ihn!« Da kroch der Dieb aus der Baumwolle heraus und kam herunter. Die Polizisten nahmen ihn fest, banden ihn und schafften ihn ins Gewahrsam. Man fand bei ihm eine Pfeife, ein Messer, einen Strick und einen Revolver. Man führte ihn der Behörde vor, die stellte ihn vor Gericht, und er kam für zwölf Jahre ins Gefängnis. Und das Pferd ist aus Wachs! Und Dreck ins Gesicht des Erzählers und des Hörers!

2. Juni – Der einhundertdreiundfünfzigste Tag

Leila und Keila

Im Türkenland lag eine Stadt. In dieser Stadt lebte ein Statthalter, dessen Herz sehr schlecht war und der, weil er keine Bezahlung von seiten des Sultans erhielt, die Armen preßte.
Einmal hatte er einen Handel mit einem armen Tischler, und um sich zu rächen, legte er ihm auf, eine Summe von dreihundert Unzen Gold zu bezahlen. Der arme Tischler besaß weiter nichts als diese Summe, und als er sie nun weggegeben, befand er sich in kummervollster Lage: Er war am Verhungern. Er hatte nun eine Tochter namens Leila. Sie war bucklig, häßlich, ihr Gesicht pockennarbig, ein Auge blind und ihre Hautfarbe ganz dunkel. In kurzen Worten, sie konnte das Meer wild machen. Sie hatte eine Freundin namens Keila. In dem Maße, wie Leila häßlich war, war Keila eine Schönheit. Die beiden jungen Mädchen hatten sich sehr lieb – man konnte sie für Schwestern halten.
Einstmals, es war an dem Tag darauf, als der Vater Leilas das Geld an den Statthalter gezahlt hatte, traf unsere Leila bekümmerten Herzens mit Keila zusammen. Die merkte sofort, daß Leila etwas zugestoßen war, und sie fragte sie danach. Mit Tränen in den Augen erzählte ihr Leila, was der Statthalter ihrem Vater angetan habe. Keila erwiderte: »Du hast ein Recht, zu weinen, aber quäle trotzdem dein Herz nicht zu Tode! Bitte Gott, daß er uns ein Mittel ausfindig macht, damit dein Vater sein Geld, und zwar mit Zinsen, wiederbekommt.«
Als nach etwa vier Tagen Keila zur Kirche ging und dort eintrat, traf sie mit Leila zusammen und sprach zu ihr: »Höre, Leila, ich habe dir etwas zu sagen.« Und auf der Stelle erzählte sie ihr, welchen Plan sie gefaßt hatte. Dieser gefiel der Leila sehr, und sie nahm Keila mit zu ihrem Vater und hieß die Freundin, ihm alles zu erzählen, was sie selber eben gehört hatte. Der arme Tischler versicherte Keila, daß ihr Plan sehr gut sei, und sie kamen überein, schon anderntags mit der Ausführung zu beginnen.
Ihr müßt nun wissen, daß die türkischen Frauen einen Schleier tragen, der ihnen das ganze Gesicht bedeckt und nur die Augen herausschauen läßt. Also, am nächsten Morgen um zehn Uhr begab sich Keila zum Statthalter und bat ihn, sie zu empfangen, denn sie wollte ihn um eine Gnade bitten. Der Statthalter ließ ihr sagen, daß er sie erwarte. Sofort stieg Keila zu ihm hinauf in den Palast, betrat den Saal, in dem er sich aufhielt, und sprach, sich vor ihm auf die Knie werfend, zu ihm: »Herr, ich lebe in ständiger Mißhandlung durch meinen Vater. Er will

mich auch nie heiraten lassen, und jedem, der mich zur Frau wünscht, sagt er irgend etwas Schlechtes von mir. Ich komme, dich zu bitten, mich aus seinen Händen zu befreien.« – »Höre, meine Tochter«, antwortete der Statthalter, »ich glaube dir ja; aber es ist nötig, daß ich weiß, was dein Vater sagt.« – »Herr, ich schäme mich, es dir zu sagen.« – »Wenn du es mir nicht sagst, kann ich dir aber nicht helfen.« – »Nun, wenn du es wissen willst, so wisse, daß er sagt, ich sei häßlich, von dunkelster Hautfarbe, bucklig, auf dem einen Auge blind, habe das ganze Gesicht von Pockennarben zerfressen und sei alt.« – »Wie kann ich denn aber wissen, ob du häßlich bist, wenn ich nicht dein Gesicht zu sehen bekomme. Zeig dein Gesicht, meine Tochter! Laß mich sehen, ob das wahr ist.«
Nun dürfen die türkischen Frauen nach ihrem Gesetz ihr Gesicht vor keinem Mann, außer vor ihrem Ehemann, unverschleiert zeigen. Trotzdem nahm unsere Keila den Schleier von ihrem Gesicht ab, und jener geriet in Verwunderung über ihre Schönheit. »Zermartere dein Herz nicht«, sprach der Statthalter zu ihr, »denn jetzt werde ich dich aus den Händen deines Vaters befreien, da ich dich zur Frau begehre.« Unsere Keila sprach in ihrem Herzen: ›Dahin wollte ich dich haben!‹ Die beiden kamen überein, daß noch am gleichen Tag der Statthalter zum Tischler gehen und ihn bitten sollte, ihm die Tochter zur Frau zu geben.
Keila verließ eilends den Palast und traf Leila, der sie berichtete, daß der Statthalter sie wirklich für die Tochter des Tischlers halte, und erzählte ihr alles. Am Nachmittag begab sich nun der Statthalter zum Tischler und sprach zu ihm: »Du hast eine junge Tochter, die Leila heißt?« – »Jawohl.« – »Warum läßt du sie nicht heiraten, wie es doch der Koran gebietet?« – »Herr! Wer möchte eine haben wie sie?« – »Warum das?« – »Sie ist alt, blind, ganz dunkelfarbig, häßlich, bucklig und pockennarbig im Gesicht.« Der Statthalter sprach jetzt bei sich: ›Lüg du nur! Ich habe deine Tochter heute morgen gesehen und habe auch gesehen, wie schön sie ist!‹ Und laut fuhr er fort: »Du willst sie mir nicht geben? Dann nehme ich sie dir weg!« Und weiter sprach er: »Höre, warum willst du mir deine Tochter nicht zur Frau geben?« – »Willst du sie so haben, wie sie ist?« – »Gewiß! Ich will sie alt, blind, dunkelfarbig, häßlich, bucklig und pockennarbig.« – »Hast du Appetit, mich zu verspotten?« – »Ich scherze nicht. Willst du, oder willst du nicht?« – »Nun, mein Herr, wenn du sie zu deiner Frau haben willst, so nimm sie. Aber wer sagt mir, daß du, wenn du sie siehst, sie nicht wieder fortjagst?« – »Nein, ich jage sie nicht wieder fort. Und jetzt lasse ich dir einen Notar holen, und wir setzen die Schriftstücke auf.« – »Gut, mein Herr! Aber wir wollen es so machen: du gibst mir jetzt gleich einhundertzwanzig Unzen Gold; und wenn du meine Tochter verstoßen solltest, gibst du mir weitere zweihundert Unzen.« – »Alles recht!« erwiderte der Statthalter und holte seinen Notar herbei, zu dem er sprach: »Herr

Notar, schreibe nieder, daß ich die Tochter des Tischlers heiraten werde: alt, blind auf einem ihrer Augen, dunkelhäutig, bucklig und pockennarbig! Dem Vater gebe ich jetzt einhundertzwanzig Unzen Gold, und sollte ich die Tochter jemals verstoßen, so werde ich ihm weitere zweihundert Unzen geben.« Der Notar brachte das zu Papier, beide Teile setzten ihren Namen darunter und gingen wieder ihrer Beschäftigung nach.

So war denn alles nach den Wünschen Leilas und Keilas verlaufen. Aber Leila war doch etwas unruhig und hatte große Angst, daß der Statthalter, wenn er merkte, daß man ihm zum besten gehabt, sie in ein Zimmer einschließen und zu Tode peitschen würde. Keila sprach ihr Mut zu, und die andere beruhigte sich schließlich.

Die Hochzeitsfeier nahte nun; man begab sich in die Kirche und dann zum Tischler. Die Musik begann. Man trank verschiedenes, und dann begann das Tanzen. Dem Statthalter aber kam es wie hundert Jahre vor, bis er endlich sich allein befand mit seiner Frau. Als die beiden in den Harem gelangt waren, sprach er zu ihr: »Mein Herz, lege jetzt den Schleier ab und laß mich das schöne Gesicht da genießen!« Leila tat den Schleier ab. Als der Statthalter das Gesicht sah – da wurde er nicht schlecht wütend und jagte sie sofort hinaus. Leila verlor kein Wort, sondern eilte, so schnell sie konnte, zu ihrem Vater. Der Statthalter wagte nicht zu atmen; denn, wenn er erzählt hätte, was ihm geschehen war, hätte ihn ja jeder ausgelacht und er hätte sein Amt verlieren können, denn er hatte ein junges Mädchen dahin gebracht, daß sie ihr Gesicht ihm ohne Schleier zeigte! So mußte er denn, wohl oder übel, zum Tischler gehen und ihm zweihundert Unzen Gold auszahlen, wie der Kontrakt es verlangte.

Als der Statthalter vom Tischler wieder fortging, hielt er noch einmal inne und fuhr jenen an: »Du hast mich ja richtig hereinfallen lassen!« – »Höre, mein Herr, vor kurzem hast du mir dreihundert Unzen abgenommen, und heute habe ich dir dasselbe abgenommen.« – »Elender Kerl, der du bist – du hast mir dreihundertzwanzig, nicht bloß dreihundert abgenommen!« – »Mein Herr, die restlichen zwanzig Unzen kommen als Zinsen dazu.« Bei diesen Worten mußte der Tischler lachen, der Statthalter aber begann zu fluchen. Und dann ging jeder an sein Geschäft.

3. Juni – Der einhundertvierundfünfzigste Tag

Die Menschenfresserin

Es war einmal eine sehr alte Frau, die drei Töchter besaß. Da sie aber sehr arm war, konnte sie ihnen nicht immer genug zu essen geben, und die drei Mädchen waren oft sehr hungrig. Einmal besprachen sie sich über ihre Armut, und dann suchten sie die Mutter auf und sagten: »Mutter, jetzt pflücken die Nachbarn ihre Saubohnen. Warum pflücken wir nicht auch die unsrigen?« Sie hatten aber keine Saubohnen ausgesät, und darum hatten sie keine zu pflücken. Wie nun wieder die Zeit der Aussaat kam, überredeten sie die Mutter, doch auch ein Feld mit Saubohnen zu bestellen. Die Mutter füllte denn auch einen Sack halb voll mit dürren Saubohnen und ging hinaus auf den Acker, um zu säen. Da sie sich aber schwach fühlte und hungrig war, beschloß sie, erst ein wenig zu essen; deshalb schälte sie einige Saubohnen und aß sie auf. Doch sie war noch immer hungrig und aß immer mehr; aber je mehr sie aß, desto seltsamer fühlte sie sich, und ein großer Heißhunger stieg in ihr auf, der sie nicht satt werden ließ. Da aß sie alle Saubohnen und säte dann die leeren Hülsen auf das Brachfeld. Die Kinder aber freuten sich auf die Saubohnen, und als dann die Zeit der Ernte kam, sagten sie zur Mutter: »Mutter, warum pflücken wir unsere Bohnen nicht? Sie müssen doch reif sein, da unsre Nachbarn schon fast alle eingeheimst haben.«
Wie sie nun nicht aufhörten, die Mutter mit Bitten zu bestürmen, führte diese sie hinaus auf das Feld, in das sie die zerbissenen Hülsen gesät hatte. Das Feld lag brach da, und keine Saubohnenpflanze zeigte sich. Da sich aber in der Nähe ein bepflanztes Feld befand, so ließ sie die Mädchen von dort Saubohnen abpflücken; sie füllten ihre Tragkörbe damit voll und gingen dann eiligst heim. Das Feld aber gehörte einer Zauberin, die sehr gern Menschenfleisch aß. Sie ging nun bald einmal hinauf auf ihr Bohnenfeld und fand, daß viele Pflanzen keine Früchte mehr trugen. ›Das müssen Diebe sein!‹ sagte sie bei sich und beschloß zu wachen. Wie sie nun Wache stand, kamen die drei Mädchen und begannen Saubohnen zu pflücken, weil sie die Alte noch nicht gesehen hatten. Sie waren bei der besten Arbeit, da trat die Alte plötzlich aus dem Versteck hervor. Die Mädchen erschraken und flohen davon. Da die Kleinste aber hinkte, konnte sie nicht mit den Schwestern Schritt halten; sie blieb eine Strecke zurück und versteckte sich hinter einem großen Stein. Die Alte aber suchte – suche und bring jemanden, der sucht! – und rief dabei: »Hier, da, da!«, und dabei wendete sie einen Stein nach dem andern um, fand aber nichts. Das Mädchen antwortete: »Haha, haha,

hai!« Da suchte die Zauberin wieder nach, wendete wieder die Steine um und rief: »Hier, da, da!« Wieder war ihr Suchen vergeblich. Das Mädchen aber schrie: »Haha, haha, hai!« Da ärgerte sich die Alte und lief auf den großen Stein zu und rief: »Hier, da, da!« Das Mädchen antwortete: »Haha, haha, hai!« Jetzt fand die Alte das Mädchen und sprach: »Was tust du hier, du Verwüsterin meines Saubohnenfeldes?« – »Ich konnte meinen Schwestern nicht gut folgen, weil mein Fuß halb lahm ist.« – »Gut! Komm mit in mein Haus. Ich will dich füttern.« Das Mädchen war es zufrieden und ließ sich mitnehmen. Die Alte war aber eine Bäckerin und buk den Leuten Brot.

Zu Hause sperrte die Alte das Mädchen nun in einen hölzernen Käfig und deckte über diesen die Backschüssel. Mit dem Mädchen waren aber zugleich ein Hund und eine Katze in den Käfig gekrochen, ohne daß die Zauberin es gemerkt hätte. Nun fütterte sie das Mädchen so gut, daß es nie mehr Hunger hatte, sondern das Essen meistens gar nicht aufzehren konnte; daß es da ziemlich fett und dick wurde, ist natürlich. Täglich trat die Zauberin an den Käfig und befahl. »Reich mir deine Hand, damit ich deinen Finger befühle und sehe, ob du schon Fett angesetzt hast.« Die Kleine reichte ihr dann aber immer entweder einen Fuß des Hundes oder der Katze. Und manchmal streckte es ihr auch nur eine Zehe hinaus,

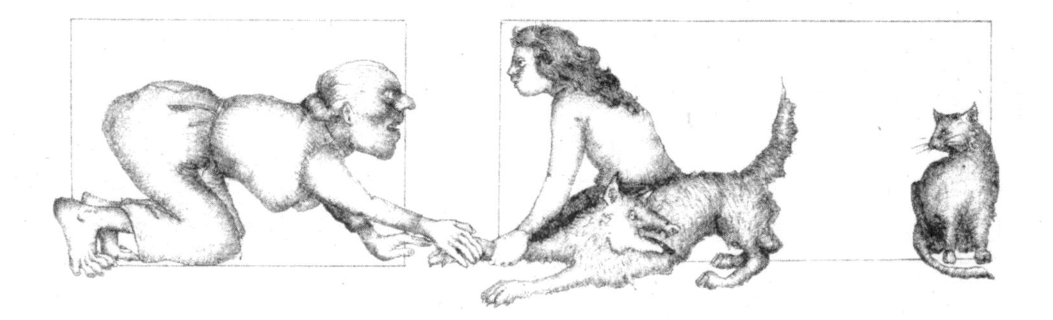

oder was ihr sonst in die Hand kam. So ging es lange Zeit. Doch eines Tages entkamen die Tiere aus dem Käfig. Nun mußte das Mädchen ihre Finger zeigen, da sie nichts anderes da hatte. Nun wurde die Alte sehr froh und rief: »Bisher waren deine Finger immer dürr wie die Stengel der Saubohnen. Aber jetzt sind sie schön fett, und dein Körper wird wohl auch schön rundlich sein. Geschwind, steig aus dem Käfig!« Da stieg das Mädchen heraus. Die Alte befühlte der Kleinen den ganzen Körper und freute sich sehr und rief dann: »Geschwind, geh hin zur Nachbarin und bitte sie um die Schüppe, da ich dich das Backen lehren will.«

Das Mädchen lief schnell hinüber und sagte der Nachbarin, die die Zauberin gut

kannte, ihren Auftrag, und da jene ein gutes Herz hatte, sprach sie zur Kleinen: »Die, die dich füttert, macht es so mit allen Mädchen; aber anstatt sie anzulernen, läßt sie die armen Dinger auf die Schüppe treten und schleudert sie dann in den Backofen, um sich einen guten Braten zu bereiten.« Das Mädchen wurde sehr traurig; aber die gute Nachbarin tröstete sie, so gut sie konnte, und sprach: »Du kannst dich retten, wenn du nämlich meinen Rat befolgst. Sobald sie dich auf die Schüppe treten läßt, sprich: ›Ach, mit der Schüppe lerne ich doch nichts! Von hier aus kann ich ja nicht einmal in den Ofen hineinsehen! Bitte, mach du es mir einmal vor!‹ Und wenn sie dann auf der Schüppe steht – ich gebe dir die größte, die ich habe –, wirfst du sie in den Glutofen und bäckst sie braun, die Hexe.« Das Mädchen ging wieder zur Alten, übergab ihr die Schaufel und weigerte sich hernach, auf sie zu treten. Aber die Alte ließ nicht nach und forderte sie immer wieder dazu auf. Zuletzt bat das Mädchen die Alte, sie möge ihr doch einmal zeigen, wie die Sache anzustellen sei. Aber die Alte wollte nicht und weigerte sich beständig. Aber zuletzt stieg sie doch auf die Schüppe, und als sie es der Kleinen vormachte, was sie tun solle, und sich gerade vornüber bog, versetzte die Kleine ihr einen Stoß, daß jene in den Ofen flog. Dann warf sie sich mit aller Kraft auf die Ofentür und schloß die Alte ein in die Gluten des Ofens. Dann vermauerte sie die Tür auch noch und verließ das Haus.
Draußen suchte sie schnell die Stricke zusammen, die zum Herausholen des Brunneneimers gebraucht wurden, und auch die Eimer und die Öllampen. Darauf versteckte sie diese Dinge und machte sich daran, ihr Haar weiß zu färben, ihrem Gesicht braune Falten und Runzeln zu geben und ihrem Rücken einen großen Höcker aufzusetzen. Dann kauerte sie sich in eine Ecke und erwartete den Mann der alten Hexe. Als es schon dunkelte, kam er heim. In der Stube war es finster, und das Mädchen rief mit der rauhen Stimme der immer brummigen Alten: »Da, sieh nur, was dieses dumme Mädchen mir heute zu schaffen gemacht hat. Es kam ihr in den Sinn, alle unsre Sachen bis auf die Tische und Stühle in den tiefen Brunnen zu werfen. Nun sind wir hier im Dunkeln und können kein Licht anzünden! Aber ich habe mich gerächt und habe sie verbrannt. Heute sollst du gutes, feines Essen haben!« Da freute sich der nach Menschenfleisch lüsterne Alte und rief: »Gut! Bring aber nur schnellstens das zarteste Stückchen von deiner Gemästeten.« Da lief das Mädchen hinaus, öffnete die Ofentür, schnitt einen Teil von der gebratenen Hexe herunter und setzte es dem Alten vor. Der Alte fragte: »Frau, warum ißt du nicht mit?« Die schlaue Kleine antwortete: »Ach, ich habe wirklich keinen Hunger, da ich schon Kapern mit Öl und Brot gegessen habe. Iß du nur ruhig: so einen Braten gibt es nicht oft.«
Bald war der Magen des Alten übervoll geladen, und da sich jetzt der Durst in

ihm regte, wollte er trinken; aber der Wassereimer war nicht zu finden. Da aber der Durst des Alten immer mächtiger wurde, fing der Unhold an zu fluchen und zu schreien. Da kamen sie denn überein, daß das Mädchen – er dachte, es wäre seine Frau – ihn an seiner Schärpe in den Brunnen hinunterlassen sollte. Nachdem er unten angekommen war, rief das Mädchen: »Hast du getrunken?« Er sagte laut: »Ja.« Sie, die Boshafte, lachte hierauf und sprach: »Sag: ›Appa!‹« – »Dummheit!« rief der Mann. »Ich werde eben nicht ›Appa‹ sagen. Zieh mich sofort hinauf!« Aber da wurde das Mädchen immer lustiger und lachte und schrie in einem fort: »So sag doch nur: ›Appa!‹ Sonst bleibst du unten. Sag: ›Appa!‹« Zornig schrie er nun: »Appa!« Aber da erwiderte die Schlaue: »Appa! Der Strick rutscht ab da!« Und mit diesen Worten warf sie ihm seine Schärpe hinunter und eilte fort.

Zu Hause befanden sich alle in größter Not; und sie freuten sich sehr, als die Schwester wiederkam. Dann gingen sie mit ihr in das Haus der bösen Zauberin, wo sie wie große Herrschaften lebten und immer vollauf zu essen hatten.

4. Juni – Der einhundertfünfundfünfzigste Tag

Der König, der sein Wort brach

Vor langer Zeit lebte einmal ein König, der eine sehr schöne Tochter sein eigen nannte. Einst ließ er durch Ausrufer im ganzen Land verkünden: »Wer eine ganze Nacht im Winter ohne jegliche Kleidung auf der Dachterrasse meines Palastes auf und ab zu wandern vermag, der soll meine Tochter heiraten!«

Viele junge Männer unterzogen sich dieser Bedingung, aber alle erfroren. Zuletzt

hörten auch drei Brüder von dieser sonderbaren Aufforderung und beschlossen hinzugehen. Zunächst begab sich der Älteste zum König, und dieser sprach zu ihm: »Mein Sohn, bis jetzt hat noch niemand bis zum nächsten Morgen ausgehalten. Willst du die Sache trotzdem wagen?« – »Ja, ich will!« antwortete der Jüngling und unternahm das Wagnis. Die Kälte war grimmig. Er schlug immer kräftig mit den Händen um sich, er schlug sich mit den Fäusten an den Körper, die Beine, die Füße, den Kopf, und er wurde schließlich so blau wie eine Maulbeere und stürzte hin und starb.

Man warf seinen Körper hinunter zu den Leichen der vor ihm Erfrorenen. Hierauf versuchte der zweite Bruder sein Glück. Aber soviel er sich auch an den Körper schlug und auf dem Boden hin und her kugelte, alles war vergeblich, und er erfror gleichfalls.

Schließlich unternahm der Jüngste das Wagnis. Er fing an, mit kräftigen Schritten auf und ab zu gehen. Es war grimmig kalt und dabei stockfinster. In der Ferne erblickte er einen schwachen Lichtschein, der von einem kleinen roten Laternchen herrührte. Das Licht tat seinen Augen wohl in seiner Verlassenheit, und er trennte seine Augen nicht von ihm, sondern blickte es ununterbrochen an. Das hielt ihn wach und bei Kräften, und er erlebte den nächsten Morgen, obwohl er schließlich kaum mehr stehen konnte vor Kälte.

Als er dann vor den König trat, fragte ihn dieser verwundert: »Mein Sohn, auf welche Weise erhieltest du dich am Leben?« Der Jüngling antwortete: »Majestät, ganz in der Ferne erblickte ich das Licht einer Laterne, dies schaute ich immer an und hielt mich auf diese Weise aufrecht und wach.« Da rief der König: »Du Betrüger, du Schurke! Darum also bist du am Leben geblieben! Am Feuer jener Laterne hast du dich gewärmt und mich hintergangen! Jetzt gebe ich dir meine Tochter nicht.« Und damit jagte er den armen Burschen aus dem Palast.

Einige Zeit später sollte ein großes Fest bei diesem König gefeiert werden. Der

Oberkoch hatte sehr viel Arbeit und große Angst, daß er die schwierig zu bereitenden Gerichte, mit denen der König ihn beauftragt hatte, nicht ordentlich herstellen möchte. Da trat auf einmal ein hübscher junger Mann zu ihm in die Küche und erklärte, er werde die Zubereitung des Mahles ganz allein übernehmen. Dem Koch war nichts lieber als dies, und er überließ dem jungen Menschen alles und verließ die Küche. Da stellte der Jüngling auf alle Herde der großen Hofküche Töpfe und Pfannen mit den zu kochenden Speisen; Feuer zündete er aber in keinem Herd an, sondern bloß in einem kleinen Steinherd in der Mitte der Küche, den er dort hingestellt hatte.
Kurz vor der Mahlzeit stieg der König in die Küche hinunter; denn er wollte sich überzeugen, ob die Speisen auch richtig zubereitet würden. Als er nun in die einzelnen Töpfe und Pfannen sah, fand er, daß sich in ihnen bloß rohe, ungekochte Speisen befanden. Nur in der Mitte, auf einem kleinen Steinherd, kochte ein Topf; sonst waren alle Herde ohne Feuer. Der König fuhr auf den jungen Mann los und fragte ihn, was das bedeuten solle, daß er die Speisen nicht koche. Jener erwiderte, sie kochten ja: das Feuer des kleinen Herdes in der Mitte koche alle. »Wie kann auf eine solche Entfernung hin Feuer wärmen?« schrie jetzt der König. Der Jüngling aber gab zurück: »Du hast ja neulich selbst gesagt, daß ich mich am Licht einer ganz entfernten kleinen Laterne gewärmt habe.«
»Du hast jetzt ein wahres Wort gesprochen!« rief der König aus und gab ihm seine Tochter zur Frau.

5. Juni – Der einhundertsechsundfünfzigste Tag

Der Prinz, das Mädchen, das Basilikum und die Sterne

Also, es war einmal in den alten, alten Zeiten ein König, der einen Sohn besaß. Dieser Sohn stieg täglich auf das flache Dach des Palastes, um sich die Gegend anzuschauen. Eines Tages bemerkte er auf einem Nachbardach ein sehr hübsches Mädchen, das ihre Blumen begoß. Da kam ihm der Einfall, dieses schöne Mädchen zum Zeitvertreib anzurufen. Obwohl er dachte, das Mädchen müsse sehr dumm und einfältig sein, fand er nicht sogleich den Mut, ein Gespräch anzuknüpfen, sondern ging leise wieder vom Dach hinunter.
Als er sich am nächsten Tag wieder auf das Dach begab, stand die Schöne schon auf dem ihren und begoß die Blumen. Da nahm der Prinz seinen Mut zusammen und rief: »Immer bespritzt und begießt du deine Blumen und weißt doch nicht,

wie viele Blättlein das Basilikum hat!« Und er freute sich sehr, einen so schweren Rätselspruch gefunden zu haben. Unsere Schöne aber antwortete schlagfertig: »Immer liest du und schreibst du und weißt doch nicht, wieviel Sterne das hohe Himmelszelt hat.« Da konnte er nicht antworten, und sie lachte ihn aus, gab ihm aber eine Nacht Bedenkzeit. Sein Herz ergrimmte über das böse, kluge Mädchen, dann ging er vom Dach hinab, konnte aber die ganze Nacht nicht schlafen.
Als er am andern Morgen wieder auf das Dach kam, lachte das Mädchen schon von vornherein. Der Prinz aber sprach: »Jetzt will ich ein neues Rätsel!« Da lachte die Schöne noch mehr und gab ihm das erste Rätsel nochmals auf, indem sie sprach: »Was willst du ein neues Rätsel, ohne das erste gelöst zu haben?« Wieder ärgerte ihn ihre Überlegenheit, und das Blut stieg ihm in den Kopf. Aber es half alles nichts, er vermochte das Rätsel nicht zu lösen.
Als das Mädchen ihm am dritten Tag wieder dasselbe Rätsel aufgab und sich dabei vor Ausgelassenheit gar nicht fassen konnte, beschloß er, es zu heiraten – doch nicht, weil er eine Frau haben wollte, nein –, er wollte das Mädchen töten. Und er rief dem Mädchen laut zu: »Du mußt meine Frau werden, denn du gefällst mir!« Das Mädchen lachte und antwortete: »Ach geh! Du bist ein Prinz und ich bloß ein armes Wesen. Frag nur meine Mutter!« Da ging der Prinz hin und bat ihre Mutter um die Hand der schönen Tochter.
Aber die Mutter schien die Ursache seiner Bitte zu ahnen, denn sie versetzte trocken: »Nein! Du würdest meine Tochter doch nur töten. Du bist ihr gram, weil sie dir in Weisheit und Schlagfertigkeit über ist. Das ist schlimm, denn der Mann soll die Frau an Verstand übertreffen. Du würdest sie töten.« – »Nein, töten würde ich sie nicht.« – »Aber du würdest ihr das Leben sauer machen – du hast ein Rad zuwenig im Kopf. Quälen würdest du sie, die Arme!« – »Nein, ich würde sie nicht quälen.« – »Ja, aber deine Eltern müßten auch noch befragt werden. Ich will nicht, daß meine Tochter schief angesehen wird.« – »Du kannst dich ja bei meinen Eltern erkundigen, der Palast ist ja nicht weit von hier.« – »Gut.« – »Willst du sie mir dann also als Braut geben?« – »Nein! Denn sie würde an deiner Seite kein Glück haben.« Da ergrimmte der ungestüme Prinz sehr und rief: »Dein Kopf wird mir für deine unvernünftige Widerspenstigkeit büßen. Abschlagen lasse ich ihn dir, dann ist deine Tochter in meinen Händen!« Da erschrak die arme Mutter sehr und entgegnete schließlich: »Gut, wenn deine Eltern einverstanden sind, so sollst du meine Tochter haben.«
Dann ging die Mutter des Mädchens in den Palast, um mit den Eltern des Prinzen zu sprechen. Als sie eintrat, erblickte sie den König und die Königin, die sich gerade mit einem ihrer Diener über eine ernsthafte Sache besprachen, und sofort fühlte sie Angst im Herzen. Aber da blickte der Diener sie freundlich an und führte

sie vor den Thron, und nun konnte sie sprechen, soviel sie wollte. Der König und die Königin hörten ihr aufmerksam zu und antworteten dann: »Unser Sohn kann deine Tochter heiraten; er darf sie auch ruhig hierher in den Palast bringen.« Die Mutter fühlte etwas wie Furcht, als sie die unerwartete Antwort vernahm. Sie hatte immer noch Angst um das Leben ihrer Tochter, aber sie wagte nichts zu sagen. So ging sie denn nach Hause und überbrachte die Botschaft des Königs ihrer Tochter.

Der Prinz bestimmte den Tag der Hochzeit, und bald darauf wurde mit großem Gepränge die Vermählung gefeiert. Nachdem das junge Paar das Hochzeitsmahl eingenommen hatte, sprach der Prinz zu seiner jungen Braut: »Geh du nur schon allein voraus ins Schlafzimmer! Warte nicht auf mich, sondern schlafe ruhig, weil ich wohl erst spät in der Nacht kommen werde.« Die junge Frau ging also allein ins Schlafzimmer, legte sich aber nicht ins Bett, sondern unter das Bett. In das Bett aber legte sie eine sehr schöne Puppe, die gerade wie ein Mensch aussah und Brautwäsche trug.

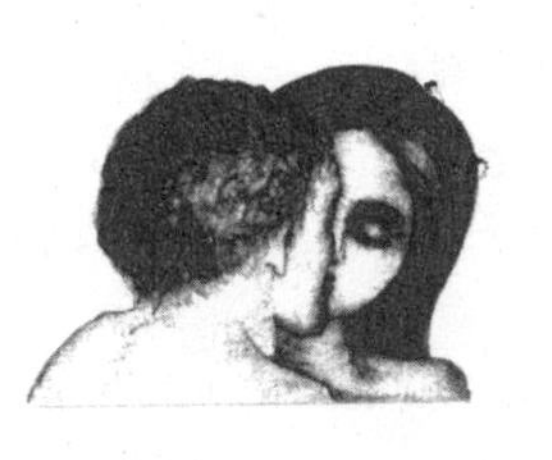

Nach einigen Stunden kam der Bräutigam, und als er die schöne Braut schlafen sah, lachte er und sprach: »So! Jetzt kommt die Rache für das schwierige Rätsel!« Und mit diesen Worten zog er das Schwert und schlug der vermeintlichen Braut den Kopf ab. Aber gleich darauf überkam ihn die Verzweiflung, denn er hatte das schöne Mädchen eigentlich doch recht liebgehabt. Voller Verzweiflung wollte er nun sich selbst ins Schwert stürzen. Im gleichen Augenblick aber langte die Braut unter dem Bett nach dem Schwert und hielt es fest. Dabei rief sie: »Töte dich nicht, ich bin ja noch lebendig! Sieh her und beruhige dich!« Und sie kroch ganz unter dem Bett hervor. Da umarmte sie der Prinz und sagte: »Nun hast du mit deiner Klugheit uns beiden das Leben gerettet. Jetzt muß ich dir aber zuerst sagen, daß ich dich von Herzen liebe.« Da war auch das Mädchen recht vergnügt. Beide warfen gemeinsam die Puppe auf die Straße hinunter und legten sich ins Bett.

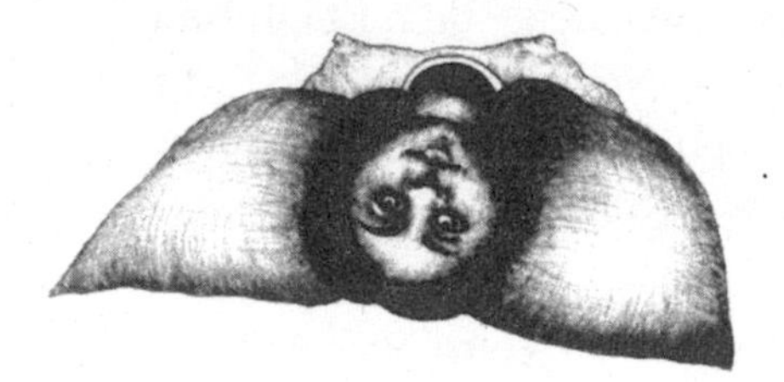

Damit ist die Geschichte aus, und wer zuerst spricht, wird kahlköpfig.

6. Juni – Der einhundertsiebenundfünfzigste Tag

Der blaue Drache

Also ich will da eine Sache erzählen, die ist schon sehr lange passiert. In Sardinien ist es gewesen, damals, was ich euch jetzt erzählen will. Da lebte einmal ein Graf. Wie er geheißen hat, das weiß ich nicht mehr. Tut auch nichts zur Sache. Und der Graf hatte ein Schloß – im Nuorese, bei Burgos könnte es gewesen sein, wenn's euch recht ist –, da hatte er also ein Schloß, das steht schon lange nicht mehr, und bei dem Schloß war ein großer Garten. In dem Garten aber, da waren sieben Pinien, die hatte der Graf angepflanzt, sooft ihm ein Mädchen geboren wurde. Hätte er Jungen bekommen, dann hätte er Eichen gepflanzt, aber er hatte keine. Nun, einmal kommt ein Bote zum Grafen und sagt: »Mich schickt«, sagt er, »der Herzog von Sizilien. Es ist ein Krieg ausgebrochen« – mit den Mauren oder den Deutschen oder wer weiß wem –, »ein Krieg, und der Herzog wartet auf Euch und Eure Soldaten.« Nun muß man aber wissen, daß der Graf schon so alt war, er konnte nur noch mit einem Stock gehen – gehen ist zuviel gesagt! So kroch und hinkte er durchs Haus. (Der Erzähler hinkt im Kreise herum.) Nun, der Graf schaut sich den Boten an und meint: »Du Trottel, siehst du nicht, daß ich dein Großvater sein könnte?« – »Also«, sagte da der Bote, »dann sendet Eure Söhne.« Da sagt der Graf nichts darauf, geht vielmehr hinaus, zu seiner Frau geht er und sagt: »Alte, mit diesem Stock hätte ich Lust, dich zu prügeln. Blamierst mich im ganzen Lande! Sieben Töchter und keinen Sohn. Und nun soll ich auf meine alten Tage noch ins Feld ziehen.«

Die Frau weint, weiß sich nicht zu helfen. Aber die Jüngste, Nina, heißt sie, sagt zum Vater: »Papa, laß zu, daß ich mich wie ein Mann anziehe! Dann nehme ich dein Pferd und will gegen die Heiden ins Feld ziehen.« – »Aber Töchterchen«, sagt der Alte, »daß ich nicht lache! Wie willst du wissen, was ein Mann im Feld zu tun hat?« Sagt sie: »Laß mich nur machen. Du wirst sehen, daß du dich meiner nicht schämen mußt. Gib mir doch den Schlüssel zu der Waffenkammer.«

Nun, ein Wort gibt das andere, aber Nina läßt nicht locker, und der Alte ist zu mürbe, sich mit den Weibern herumzustreiten. Er gibt ihr also den Schlüssel und denkt sich: ›Mein Kettenhemd ist dir viel zu groß. Du wirst hinhageln, wenn du drauftrittst.‹ Aber Nina ist – husch-husch – schon wieder in der Waffenkammer, putzt die Rüstung, wie sie nur Frauen putzen können, zieht sie an, und siehe da: Sie paßt wie angemessen!

Als sie die Treppe herunterkommt, klirrt und scheppert es. Das hat man im

Schloß lange nicht mehr gehört, und der alte Graf sperrt Mund und Augen auf. »Bei Gott und Sankt Michael!« sagt er. »Wenn ich dich so vor mir sehe, möchte ich meinen, ich hätte zu Unrecht eine Pinie gepflanzt. Du bist ein stattlicher Bursche!«

Nina aber nimmt Abschied, geht in den Stall und will sich ein schönes Pferd auswählen. Aber da steht hinten im Eck ein alter Klepper, mager wie der Teufel und klapprig wie ein alter Karren. Und auf einmal fängt das alte Pferd zu reden an: »Nina«, sagt es, »nimm mich mit! Denn zu den Sachen, die du anstellen willst, brauchst du weniger ein Pferd mit Beinen als eines mit Kopf.« Nina überlegt nicht lange. »Pferdchen«, sagt sie, »du hast recht. Schnelligkeit ist gut, Klugheit ist besser.« Aufgesessen – und fort ist sie!

Als sie beim Herzog von Sizilien ankommt, schauen die Leute: so ein hübscher Bursche, aber so ein häßliches Pferd! Ein seltsames Gespann. Aber zum Schauen ist da nicht lange Zeit, denn der Herzog hat nur noch auf Nina – oder Nino, wie wir jetzt sagen wollen – gewartet und will aufbrechen.

Das Heer marschiert übers Gebirge und kommt an den Rand einer großen Wüste. Da traut man sich nicht weiter. Der Herzog fragt: »Weiß jemand, wie man durch die Wüste kommt?« Aber niemand meldet sich. Da nimmt das Pferd den Nino auf die Seite und sagt zu ihm: »Geh zum Herzog und sag, du weißt den Weg. Dann aber laß mich nur machen!« Nino geht also hin: »Herr Herzog, ich weiß den Weg durch die Wüste.« – »Gut, Bursche, wenn du uns richtig führst, sollst du hundert Goldstücke erhalten. Machst du deine Sache aber schlecht und sehen wir, daß du ein Großmaul bist, dann laß ich dir den Kopf abschlagen.«

Nino setzt sich aufs Pferdchen und reitet an die Spitze des Heeres. Und so ziehen sie durch die Wüste, und schau: Da sind sie schon drüben. Der Herzog läßt richtig dem Nino hundert Goldstücke geben, und er liebt ihn wie seinen eigenen Sohn. Das macht viele Herren aus seinem Gefolge, Grafen, Ritter und Barone, neidisch und eifersüchtig. Und eines Tages gehen sie zum Herzog und sagen: »Nino hat behauptet, er könne allein den blauen Drachen besiegen.« Der Herzog mag nicht, daß jemand große Sprüche macht. Maulhelden kann er nicht leiden. Er läßt also Nino rufen und sagt: »Du willst allein hinziehen und den großen blauen Drachen besiegen? So verschwinde augenblicklich, Kerl, und sieh zu, daß du auch bald tust, was du behauptet hast!«

Nino ist sehr traurig. Nie hat er so etwas gesagt. Und wenn er – oder sie – an den blauen Drachen denkt, wird's ihr ganz mulmig. Aber das Pferdchen sagt: »Herrin«, sagt es, »sei nicht traurig! Du mußt dich nur immer ganz genau an das halten, was ich dir rate, dann wird es schon schiefgehen.« Und damit reiten sie davon.

Wie lange sie geritten sind, weiß ich nicht. Sehr lang jedenfalls. Da, an einem Abend, kommen sie durch eine Stadt, und plötzlich hört Nina ein Mädchen weinen. Steigt also vom Pferd und schaut durch ein Fenster in ein Haus hinein. Drinnen steht ein altes Weib und schlägt ein junges Mädchen. Mit einem ledernen Riemen schlägt sie es. »Ja, holla«, ruft Nino, »was ist denn hier los?« – »Dieses faule kleine Luder«, sagt die Alte, »hat mir einen Topf zerbrochen. Sie ist meine Magd, aber ich muß sie täglich verprügeln, so dumm stellt sie sich im Haushalt an.« – »Hör auf, Großmutter«, sagt sie (Nina), »denn ich will dir den Topf bezahlen.« Nun, da wird die Alte freundlicher, lädt den Burschen gar zum Abendessen ein.

Am nächsten Morgen sagt die Alte: »Ich sehe, dir gefällt das Mädchen. Wenn du mir hundert Goldstücke gibst, so viel hat sie mich nämlich gekostet, kannst du sie meinetwegen mitnehmen.« Nino überlegt nicht lang. Er hat zwar nur die hundert Goldstücke, aber er wirft sie der Alten hin, setzt das Mädchen hinter sich aufs Pferd und reitet davon.

»Wo willst du denn hin, Nino?« fragt ihn das Mädchen. »Ich suche den blauen Drachen, um ihn zu besiegen«, antwortet Nino. »Ach«, sagt das Mädchen, »das ist schrecklich!« – »Warum?« – »Weil der blaue Drache mein Bruder ist.« – »Ja«, sagt er, »wie gibt es denn so was!« – »Warte, ich will dir die ganze Geschichte erzählen«, antwortet darauf das Mädchen. »Du mußt wissen, daß ich eine Prinzessin bin. Mein Vater, der hohe Kaiser, hat zwei Kinder, meinen Bruder und mich. Wir lebten alle zusammen glücklich, aber mein Vater hatte eine böse Schwiegermutter, die hatte den bösen Blick. Solange Mama noch lebte, da ging es, denn Mama wußte, was man gegen den bösen Blick tun muß. Aber als Mama plötzlich starb, verzauberte die alte Hexe meinen Bruder in einen Drachen und legte ihn an eine Kette vor ihrem Palast. Mich aber verkaufte sie an jene alte Frau, von der du mich befreit hast. Wenn du meinen Bruder tötest, dann werde auch ich sterben, und wenn dich der Drache tötet, dann werde ich erst recht sterben. So ist es wohl mit meinem Leben aus.«

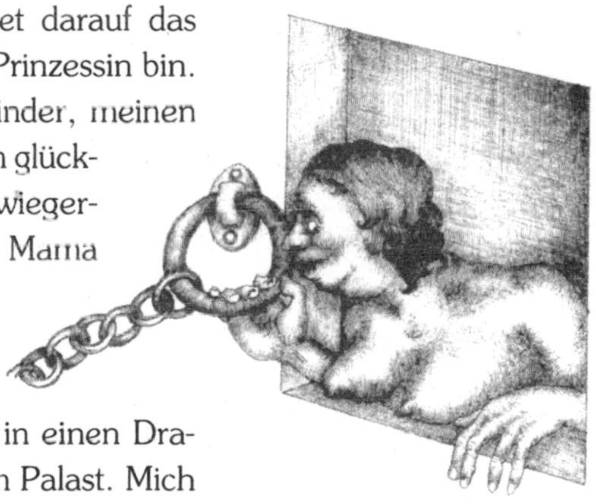

Gerade in dem Augenblick machte das Pferdchen sein Maul auf und sagte: »Ihr beiden Ratschbasen, haltet euern Mund und steigt einmal von mir herunter, denn mir tut schon mein Rücken weh.« Die beiden stiegen schnell ab, und da sagte das Pferdchen: »Nina, erzähle erst einmal dem Mädchen deine Geschichte. Ich will indessen Gras fressen, denn ich habe großen Hunger. Und hernach sehen wir weiter.«

Nun erzählte Nina der Prinzessin, daß sie ein Mädchen sei und so weiter, ich habe euch ja alles schon haarklein erzählt. Und als beide sich gegenseitig ihr Herz ausgeschüttet hatten und als sie endlich fertig waren – lieber Gott, hat das lange gedauert –, kam das Pferdchen wieder zurück und sagte: »Jetzt haltet einmal an mit eurer Litanei, denn ich muß euch Wichtiges sagen. Und ihr Lieben, paßt mir recht gut auf, denn sonst geht alles schief und wir landen alle drei im Eimer. Wenn ihr euch aber an meinen Rat haltet, so werden wir gewinnen. – Zunächst einmal: Wir werden jetzt zu jener Hexe reiten. Wenn wir in die Nähe ihres Palastes kommen, dann muß die Prinzessin sich verstecken, ganz nah. Du aber, Nina, reite bis auf siebzig Schritte an den Palast heran. Der Drache wird sehr fauchen, aber die Kette ist sechzig Schritte lang, und so kann er dir nichts tun. Wenn die Hexe hört, wie der Drache Lärm macht, dann wird sie aus dem Fenster hinausschauen. Dann ruf ihr zu, daß du mit ihr raten und wetten willst! Das ist nämlich eine Leidenschaft bei ihr. Sie wird dich fragen, was du willst, wenn du gewinnst – dann verlange den blauen Drachen. Wenn du aber verlierst, so wird sie deinen Kopf wollen. Aber tu es nur richtig, und du brauchst keine Angst zu haben. Dann werden auch ihr Alter und ihr Sohn kommen, man wird den Drachen kurzschließen und dich hineinführen. Bist du erst im Schloß, dann – paß auf! – wird man dich fragen, das und das und das: und du sage so und so und so. – Ich werde es euch dann gleich erzählen, aber ich mag es nicht zweimal sagen. – Und dann, wenn du gewonnen hast, nimm den Drachen an der Kette und reite in den Wald hinüber. Dort zieh schnell deine Rüstung aus und lege sie auf die Wiese, dann wollen wir uns alle verstecken.«

Sie ritten also in das Reich der Hexe, und als sie in einen Wald in der Nähe des Schlosses gekommen waren, versteckten sie die Prinzessin. Das war ganz leicht, denn der Wald ist dort sehr dicht.

Nino aber ritt allein weiter auf das Schloß zu. Bis auf siebzig Schritte traute er sich nicht hin, er war ja ein Mädchen, aber so neunzig oder hundert mögen es gewesen sein. Und siehe da! Der Drache kommt schon hergesaust, und die Kette klirrt, und Nina denkt: ›Wenn jetzt die Kette reißt, bringt er uns um.‹ Aber die Kette reißt nicht. Und die Hexe macht ein Fenster auf, will nachsehen, wer da draußen kommt, weil ihr blauer Drache so wild ist. Da sieht sie den jungen Burschen, und weil sie auch eine Hure und eine Menschenfresserin ist, sagt sie sich: ›Erst ins Bett, dann auf den Tisch.‹ Aber laut schreit sie: »Bursche, was willst du hier?« – »Herrin«, sagt Nino, »ich möchte mit euch raten und wetten.« – »Und was willst du haben, wenn du gewinnst?« – »Den blauen Drachen!« sagt er. »Der

ist aber teuer, und du mußt dreimal raten und drei Aufgaben lösen.« »Das soll mir recht sein«, sagt Nino.
Da zieht die Hexe den Drachen an der Kette zurück, bindet ihn ganz kurz an, und Nino geht ins Haus hinein. Da sitzen auch schon der Alte und sein Sohn, die sind ganz neugierig, wie die Geschichte gehen wird: gewinnt die Alte, ist es gut, denn es gibt frisches Christenfleisch, gewinnt der Bursche, dann krepiert die Alte – noch besser!
»Also«, sagt die Hexe, »fangen wir an! Die erste Frage heißt: Wie heißt das Schloß, das 365 Fenster hat? Wenn du die Antwort weißt, so sage sie!« – »Das Schloß, das 365 Fenster hat, heißt ›das Jahr‹.« – »Bursche«, sagt die Hexe, »du weißt allerhand; laß sehen, wie schlau du bist, denn jetzt kommt die zweite Frage: Wer war es, der ein Viertel aller Menschen erschlug, die auf der Erde lebten?« – »Das war Kain, als er seinen Bruder Abel tötete, denn da es damals außer Adam und Eva und den beiden Brüdern niemand auf der Erde gab, tötete Kain ein Viertel aller Menschen.« – »Nun«, sagte die Hexe, »ich sehe, du bist nicht auf den Kopf gefallen. Aber laß sehen, ob du noch mehr weißt!« sagt sie. »Und jetzt kommt die dritte Frage. Antworte, wenn du kannst: Was ist die Drei, die Sieben und die Zwölf?« – »Drei Personen ist Gott, sieben Töchter hat mein Vater, und zwölf sind die zwölf Apostel.«
Die Hexe war ungeduldig, weil sich der Bursche schlau verhielt, aber sie dachte: ›Warte nur, du wirst schon noch mein.‹ Und laut sagte sie: »Die drei Fragen hast du gelöst. Nun laß uns sehen, ob du bei den Aufgaben auch so geschickt bist. Wenn nicht, nun, so wollen wir uns keine Sorgen um das Mittagessen machen.« Aber Nino ließ sich nicht erschrecken: »Alte«, sagte er, »rede schneller, denn ich bin nicht hergekommen, um hier zu übernachten.« Die Hexe wurde ganz wütend, denn so einen frechen Kerl hatte sie noch nie gesehen. »Gut«, schrie sie, »wollen wir für alle Fälle gleich einmal reinen Tisch machen. Hier hast du fünf Eier, die sollst du unter mich, meinen Gatten und meinen Sohn aufteilen, daß jeder gleich viel erhält. Kannst du das nicht, so will ich das Feuer sofort anzünden.« Nino besann sich auf das, was ihm das Pferdchen geraten hatte, nahm die Eier und gab der Alten drei, dem Alten und seinem Sohn dagegen nur je eines. »Was soll das?« sagte die Hexe. »Habe ich dir nicht gesagt, jeder soll gleich viele Eier haben?« – »Das habt Ihr auch«, antwortete Nino keck, »hier sind Eure drei Eier, Frau, und Euer Mann und Euer Sohn haben jeweils zwei Eier noch in der Hose.« Da ärgerte sich die Alte gewaltig, aber sie konnte Nino nichts tun, weil er schlauer gewesen war als sie.
»Nun zur zweiten Aufgabe!« sagte die Hexe. »Geh in den Keller hinunter, der ist bis unter die Decke voll von Brot. Wenn du das nicht bis morgen zum Sonnen-

aufgang aufgegessen hast, werde ich dich auffressen.« Und damit geht sie voran, hebt die Falltür auf, läßt den Burschen hinuntersteigen und riegelt hinter ihm wieder zu. Da saß er nun im Finstern, und obwohl er das gute Brot roch, ist ihm gar nicht wohl dabei. Aber er erinnert sich: ›Wie war das? Was muß ich jetzt machen?‹ Und er tastet sich im Finstern die Wand entlang, und in der Ecke, ganz oben, da wackelt ein Stein, den kann man herausnehmen. Es gibt nur ein kleines Loch, etwa so groß. (Der Erzähler zeigt es mit den Händen.) Dann pfiff Nino, und schon steht das Pferdchen draußen vor dem Loch. »Gut gemacht, Junge. Und her mit dem Brot!«

Nino nimmt einen Laib Brot nach dem andern, und kaum hat er ihn durchs Loch geschoben, schwupp, da hat das Pferd ihn schon gefressen. Freilich: Es war ein ganz schönes Stück Arbeit, und bis Nino den Keller ausgeräumt hat, ist er sehr, sehr müde; die Augen fallen ihm beinahe zu. Da nimmt er den Stein und schließt damit wieder das Loch, denn draußen wird es bereits hell.

Es dauert auch nicht mehr lang, da kommt die Hexe mit dem Alten und dem Sohn. Hungrig sind sie alle drei. Aber da sitzt Nino allein im leeren Keller. »Bursche, hast du vielleicht wirklich das ganze Brot aufgegessen?« – »Aber natürlich. Endlich bin ich wieder einmal satt geworden!« Die Alte ist zornig wie ein alter Bootsmann, und die beiden Männer sind so hungrig, daß sie wie zwei Vögel die Brotbröckchen wegpicken, die vorn an seinem Hemd und an der Hose hängengeblieben sind. »Nun«, sagt die Alte, »so schlafe dich aus. Wir haben jetzt keine Zeit für dich und müssen uns erst ein anderes Frühstück suchen.«

Es wird Abend, da kommt die Hexe und weckt Nino auf; den ganzen Tag hat er verschlafen. »Du, he«, sagt sie, »los, weiter! Jetzt kommt die dritte Aufgabe. Und wenn nicht ... na, du weißt schon.« Und sie führt ihn in den Hof des Schlosses. Da steht ein Ziehbrunnen. »Jetzt wollen wir doch sehen«, sagt die Alte, »ob du den Brunnen, bis die Sonne aufgeht, leertrinken kannst! Wenn ich auch nur noch einen Eimer Wasser morgen heraufhole, dann soll es das Wasser für die Suppe sein, die ich aus dir koche.«

Nino macht sich gleich an die Arbeit, windet brav den ersten Eimer Wasser herauf und schüttet ihn in einen Zuber, der da steht. Bis es dunkel ist, hat er den Zuber gefüllt, und da kommt auch schon sein Pferdchen gerannt. Daß es dicker geworden wäre – dicker von dem vielen Brot –, davon sieht man nichts. Nur furzen tut's wie ein Motorrad mit Fehlzündung. Es säuft gleich den Zuber aus, und dann Eimer um Eimer, den Nino heraufwindet. Gegen den Morgen zu, da kann das arme Mädchen nicht mehr. Ist es ja auch nicht gewöhnt, nachts zu arbeiten wie eine Hure. Aber das Pferdchen sagt: »Gib mir nur das Seil zwischen die Zähne! Ich hole die Eimer schon selber herauf.«

Kaum wird es hell, kommt die Hexe mit den beiden Hexerichen. »Laß sehen, wie es steht!« sagt sie und läßt den Eimer hinunter. Der scheppert unten auf dem leeren Boden und kommt trocken herauf. »Verdammter Halunke«, sagt die Alte, »dir muß der Teufel selber geholfen haben. Deshalb stinkt es hier auch schon so nach Schwefel!« (Es stinkt aber, weil das Pferd so hat furzen müssen.)
Sie bindet den Drachen los und sagt: »Nimm dieses Vieh hier und pack dich! Möge es Schwefel auf dich herabregnen, daß dich weder Vater noch Mutter erkennt! Mögen dir die roten Ostern den Garaus machen und deine Eier die Adler fressen. Mögst du samt deinem Pferd und dem Drachen verhungern, verdursten, verrecken und krepieren!«
Was kümmert Nino, daß die Alte flucht? Gar nichts. Er hat einen Zauber gegen den bösen Blick, einen ganz hervorragenden Zauber hat er: sieben Amulette! Und wollt ihr wissen, was das alles ist? Es ist wichtig, das zu wissen, denn jeder von uns kann es brauchen. Und wer nicht daran glaubt, nun, noch keinem hat es geschadet. Also: Erstens die Spitze eines Horns von einem schwarzen Stier, zweitens die Zähne von einem Wiesel, drittens Krallen einer Wildkatze, viertens eine Blume – »su flori romani« heißt sie bei uns daheim, wächst drinnen im Gebirge, ich weiß nicht, ob ihr sie kennt. (Man sagt, wenn sie eine Jungfrau pflückt, hat sie besondere Kraft.) Also weiter: Habe ich jetzt viertens oder fünftens gesagt? (Antwort aus dem Publikum: Vier waren es. Der Erzähler zählt nun weiter an den Fingern ab.) Also fünftens einen kleinen Zauberspiegel, den bekommt man an Wallfahrtsorten zu kaufen, etwa bei Santa Maria di Buon'Aria oder auch Montenero. Sechstens ein kleines Kreuzchen, wie ich hier eines habe. – Hilft prima! – Und siebtens einen Zettel mit einem lateinischen Spruch darauf. Ich weiß ihn nicht auswendig. Wen's interessiert, dem kann ich ihn nachher zeigen. Hab ihn in meinem Seesack. – Nun, ihr seht: Nino oder Nina hat alles dabei, und wenn's ein Kardinal wäre, niemand kann ihr was anwünschen.
So macht sich das Mädchen auf, nimmt in eine Hand den Zügel, in die andere die Kette und geht auf den Wald zu. Eine halbe Stunde ist sie gegangen, da kommen sie dorthin, wo sich die Prinzessin versteckt hat. Und gleich zieht sie ihr Kettenhemd aus, legt Helm und Schwert daneben, und dann verstecken sich alle vier: die beiden Mädchen, das Pferd und der Drache.
Derweil hat die Alte daheim einen großen Zorn, und zu ihrem Sohn sagt sie: »He, Faulpelz«, sagt sie, »soll ich immer daran denken, euch aufzukochen, und ihr wollt nichts tun? Lauf schnell jenem Grafen nach und brich ihm das Genick! Dann bring ihn mir, damit ich ihn kochen oder braten kann.« Der Bursche läuft wie ein Hase, aber als er mitten auf der Wiese die Rüstung liegen sieht, vergißt er alles, denn er hätte längst gern auch so eine Kleidung gehabt, ist er doch der Schwager

eines Kaisers! Er wartet nicht lang, sondern zieht das Kettenhemd an, paßt ihm wie angeschneidert, setzt den Helm auf und gürtet sich das Schwert um. So läuft er stolz heim.
Als ihn der Vater sieht, der alte Menschenfresser, bekommt er eine große Wut, denn er denkt: ›Der Ritter hat mir meinen Sohn erschlagen. Er muß ein noch größerer Zauberer sein.‹ Und als der Sohn, den er nicht erkennt, nahe genug herangekommen ist, schleudert er einen Felsbrocken, der den Burschen ganz zerquetscht. Die beiden Alten freuen sich auf den Braten, laufen hinunter und zerreißen ihn, um ihn roh zu fressen. Da sehen sie, daß es ihr Sohn ist. »Verfluchte Alte«, schreit der Hexerich, »möchtest du doch krepieren wie eine vergiftete Katze!« – »Und du, Alter«, schreit sie noch lauter, »du sollst zu Stein werden, an den die Hunde hinpinkeln!«
Was soll ich noch sagen? Die Flüche gingen in Erfüllung, denn zaubern konnten sie alle beide. Lassen wir sie also krepieren und schauen wir uns die beiden Mädchen an. Die sitzen im Wald, und die Prinzessin weiß nicht, soll sie sich freuen oder soll sie beklagen, daß ihr schöner Galan nur ein Mädchen ist. Da sagt das Pferd: »He, ihr da«, sagt es, »ihr müßt nun ein Beil nehmen und uns beiden den Kopf abschlagen.« Die beiden Mädchen trauen sich nicht, aber das Pferd und der Drache werden ganz wild, und endlich, da schlägt die Prinzessin dem Pferd und Nina dem Drachen den Kopf ab. Und wer steht auf einmal da? – Ja, da schaut ihr und wackelt mit den Ohren! – Da stehen also zwei Prinzen, und der eine ist der Sohn des Kaisers, das war der Drache, und der andere ist der Sohn des Königs, der war das Pferd gewesen; und beide waren sie von der alten Hexe mit dem bösen Blick verzaubert worden. Natürlich haben sie alle geheiratet, also Nina den Drachen, denn er konnte seine Schwester nicht gut heiraten ... also der blaue Drache hat Nina geheiratet, das Pferd die Prinzessin. Jetzt aber erzählt mir einmal, wer von euch mit einem Drachen verheiratet ist!

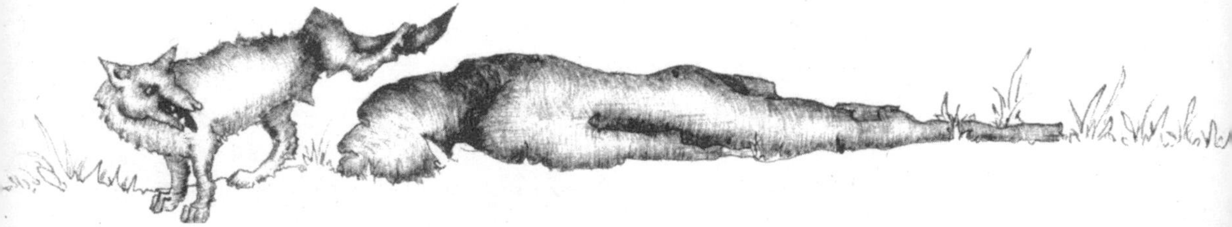

7. Juni – Der einhundertachtundfünfzigste Tag

Granadina

s waren einmal ein Mann und eine Frau, die hatten keine Kinder. Die Frau aber besaß einen Spiegel, und den fragte sie jeden Morgen: »Mein runder Spiegel, gibt es noch eine solche Schönheit auf der Welt?« – »Nein«, sagte ihr der Spiegel.

Eines schönen Tages merkte sie, daß sie schwanger sei; und als ihre Zeit gekommen war, brachte sie ein Mädchen zur Welt, schön wie nie gesehn.

Eines Tages nun fragte sie wie gewöhnlich ihren Spiegel: »Mein runder Spiegel, gibt es noch eine solche Schönheit auf der Welt?« – »Ja, Granadina« – das war nämlich der Name, den das Mädchen erhalten hatte. Sie nun konnte es nicht aushalten, daß ihre Tochter schöner war als sie. Aber immer, wenn sie den Spiegel fragte, sagte er: »Ja, Granadina.«

Eines Tages rief sie einen Knecht und sagte zu ihm: »Du mußt jetzt genau das tun, was ich dir sage, oder du bist tot.« – »Was denn?« – »Du mußt mir Granadina umbringen unter der Ausrede, mit ihr im Wagen spazierenzufahren. Wenn du aber mitten auf dem Land bist, dann töte sie, und als Zeichen bring mir einen Finger und eine Flasche voll Blut.« – »Aber wie soll ich das machen? Sie ist schon acht Jahre alt.« – »Genug«, wiederholte die Frau, »entweder du bringst sie um, oder mit deinem Leben ist's aus.«

Der Knecht spannte den Wagen ein, und sie machten sich auf den Weg. Und als sie schon weit fort waren, sagte Granadina zu dem Knecht: »Sag mir die Wahrheit: Meine Mutter will, daß du mich umbringst? Ist es nicht wahr? Sag mir, daß du diesen Auftrag hast!« – »Nein, es nicht wahr«, hat der Knecht gesagt, »es ist nur, um einen Ausflug zu machen.« Sie kamen an, und Granadina sagte mutig: »Los, bring mich um! Warum willst du nicht tun, was dir meine Mutter befohlen hat?« – »Nein, ich habe nicht den Mut dazu. Aber lege deinen Finger auf diesen Stein hier, damit ich ihn abschneiden kann; und mit dem Blut werde ich diese Flasche füllen.« Sie legte ihren Finger dorthin, und er schnitt ihn ihr ab, und das Blut füllte er in die Flasche. Dann verband er sie fest und sagte: »Bleib du hier, denn ich werde dir jeden Tag zu essen bringen.« Sie sagte ja, und er ging heim.

Daheim hat ihn seine Herrin gefragt, ob er sie umgebracht habe, und er hat geantwortet: »Jawohl, gnädige Frau. Und als Zeichen habe ich die Flasche voll

Blut und den Finger mitgebracht.« – »Bravo«, sagte seine Herrin. Und dann ging sie schnell zum Spiegel: »Mein runder Spiegel, gibt es noch eine solche Schönheit auf der Welt?« – »Ja, Granadina.« Da sprach sie bei sich: ›Granadina ist tot, und er sagt noch immer, daß sie die Schönste sei, und er will damit wohl sagen, daß jener sie nicht umgebracht hat.‹

Der Knecht aber ging jeden Tag hin und brachte Granadina zu essen. Und so waren weitere acht Jahre vergangen.

Eines Tages war es Granadina zu langweilig geworden, und sie fing an, über Land zu wandern, und schließlich verirrte sie sich. Da sah sie von weitem ein Haus und ging darauf los, kam hin, und da sah sie, daß der Tisch für dreizehn Personen gedeckt war, das heißt: dreizehn Flaschen, dreizehn Brote, dreizehn Teller und in der Küche ein großer Braten am Spieß. Sie ging durchs ganze Haus, und da war nicht einer. Da nutzte sie alles, bereitete das Fleisch zu, und sie aß ein Bröckchen von jedem Brot und trank einen Fingerhut voll Wein aus jeder Flasche. Als sie das alles getan hatte, legte sie sich unter ein Bett.

Auf einmal kamen dreizehn Männer, die waren Räuber. Als sie merkten, daß das Haus geputzt, das Essen fertig war und daß von allem ein wenig fehlte, haben sie gesagt: »Da muß irgendein Vogel sein, und den müssen wir erwischen.« – »Ich werde morgen daheim bleiben«, sagte einer.

Und er bleibt, aber draußen vor der Tür, weil er glaubt, daß jemand von der Straße her käme. Indessen schlüpft jene heraus und macht alles wie am ersten Tag; und dann kehrt sie wieder unters Bett zurück.

Es kommen wieder die Räuber, finden alles schon gemacht und sagen: »O du Dummkopf! Du bist nicht geeignet, den Wächter zu machen.« – »Morgen bleibe ich«, sagt ein anderer.

Am andern Morgen bleibt also jener, und sie macht es wieder wie an den andern Tagen. Es kommen die Räuber: »Was hast du gemacht?« – »Ich habe niemand hereinkommen sehen. Ich bin geblieben, ohne mich draußen vor der Tür zu rühren, aber ich habe nichts entdecken können. Es muß jemand drinnen sein, denn durch die Tür sind keine Leute gekommen.« – »Geh! Morgen bleibe ich«, sagt der Älteste von den Räubern, der Räuberhauptmann. »Geh nur, mich legt man nicht herein.«

Am anderen Morgen bleibt jener zurück, aber drinnen im Haus. Als er Granadina unter dem Bett hervorkriechen sah, da war sie sehr schön. Als sie den Räuber sah, sagte sie: »Eine Bitte habe ich: mich nicht zu töten.« Und sie hat ihm ihre ganze Geschichte erzählt. »Geh«, hat ihr jener gesagt, »hab keine Angst, denn du wirst wie eine Schwester behandelt werden. Nun mach alles so wie an den anderen Tagen, und dann lege dich wieder unters Bett. Die andern tun alles, was ich will, denn ich bin der Älteste, und sie haben so viel Respekt vor mir, als ob ich ihr Vater wäre.«

Sie macht alles, und dann legt sie sich unters Bett. Siehe, da kommen schon die Räuber: »Nun, was hat's gegeben?« – »Den Vogel hab ich erwischt; er war drinnen.« Und er nimmt ein Kreuz, das sie dort hatten, wo ihre Betten waren, legt es auf den Tisch und sagt zu ihnen: »Schwört auf diesen Gekreuzigten, daß ihr das Mädchen, das hierhergekommen ist, wie eine Schwester behandeln werdet!« Und sie schworen alle. Dann hängte er das Kreuz wieder dorthin, wo es gewesen war, und er ließ sie herauskommen.

Als sie das Mädchen sahen, blieben sie wie verzaubert von der Schönheit Granadinas, und sie waren sehr lieb mit ihr. Sie sorgten gut für ihre Kleidung und ließen es ihr an nichts fehlen.

Der Knecht, als er hingegangen ist, um Granadina das Essen zu bringen, hat sie nicht gefunden, und er hat geglaubt, daß sie die wilden Tiere gefressen hätten; und er war ganz verzweifelt.

Eines Tages sagten die Räuber zu Granadina: »Zieh dich schön an, denn wir wollen dich in ein benachbartes Dorf bringen, wo es ein Fest gibt, und wir wollen dich mit uns nehmen.« Sie zieht sich an und zeigt sich am Fenster. Gerade in dem Augenblick geht eine Frau vorbei, die goldgestickte Pantoffeln verkaufte. Sie sah sie und rief sie, um ihr ein Paar abzukaufen. Als sie in einen hineinschlüpfte, wurde ihr das Atmen schwer; als sie in den andern schlüpfte, fiel sie um. Jene Frau ist dann fortgegangen.

Plötzlich kommen die Räuber heim, um sie zum Fest abzuholen, und finden sie tot. Sie fangen an zu weinen und machen gleich für sie eine Bahre und darüber einen Glassturz, und so stellen sie sie vor die Tür hinaus.

Eines Tages kommt der Königssohn vorbei, nimmt sie auf, setzt sie in den Wagen und bringt sie zu seinem Palast. Er ruft einen Diener und läßt sie in sein Zimmer bringen.

Jeden Tag, wenn er fortging, ließ er den Schlüssel stecken. Eines Tages hat seine Mutter zu sich gesagt: ›Ich will das Zimmer meines Sohnes öffnen, um zu sehen, was er darinnen hat.‹ Sie geht also hinein und sieht das Mädchen auf dem Sofa liegen. Da sagt sie bei sich: ›Das ist es also, was ihn nicht herausgehen ließ, er hatte schon seinen Grund.‹ Und sie zog ihr einen Pantoffel vom Fuß, um ihn anzuschauen, und das Mädchen begann wieder zu atmen. Gerade da kommt der Sohn und fragt die Mutter, warum sie geöffnet hätte. Die Mutter antwortet ihm: »Ich habe aufgemacht, um zu sehen, was du darin hast, weil ich dich so lange nicht habe herauskommen sehen. Jetzt gebe ich dir recht, und ich will, daß du sie heiratest.«

Alle waren zufrieden, und sie bereiteten die Hochzeit vor. Die Braut hatte die Räuber eingeladen, weil die sie so gut behandelt hatten in der Zeit, da sie bei ihnen hauste, und sie konnte sie nicht vergessen. Sie heirateten und blieben im Palast.

8. Juni – Der einhundertneunundfünfzigste Tag

Bianca und Orrosa

Es war einmal ein verwitwetes Frauchen, das zusammen mit seinen Töchtern Bianca und Orrosa in einem Häuschen im Wald wohnte. Die beiden Mädchen waren ebenso gut wie schön, und alle lebten zufrieden und anspruchslos. Während die Mädchen tagsüber die kleine Schafherde auf die Weide führten, spann und stickte die Mutter daheim, um das nötige Brot zu verdienen.
Eines Winterabends, während es draußen schneite, saßen die drei Frauen nahe am Herd beisammen; da wurde auf einmal an die Tür geklopft. Orrosa ging hin und öffnete, und sogleich trat ein großer, schwarzer Bär ein. Erschreckt flüchteten die Mädchen zu ihrer Mutter, aber das wilde Tier begann zu sprechen: »Fürchtet euch nicht! Ich will mich nur ein wenig wärmen, denn ich bin ganz durchgefroren.« Da faßten Bianca und Orrosa wieder Mut, und sie gingen hin, um dem armen Bären, der vor Kälte zitterte, behutsam Eis und Schnee aus dem Pelz zu streifen. Dem Tier tat das sehr wohl, und es legte sich ans offene Feuer, brummte vor Behagen und blieb so die ganze Nacht liegen. Am nächsten Morgen bedankte er sich bei den drei Frauen, die ihn zum Abschied noch einmal streichelten, dann kehrte er in den Wald zurück.
Endlich wurde es wieder Sommer, die Schafe warfen kleine Lämmchen, und bald nach Ostern war es soweit, daß die Mädchen ihre Herde wieder austreiben konnten. Sie ließen zunächst ihre Tiere in der Nähe des Hüttchens weiden. Als aber der Sommer ins Land gezogen war, gingen sie mit ihren Schafen und Ziegen immer mehr ins Gebirge hinein.
Nun muß man wissen, daß es in den Bergen ein winzig kleines Männchen gab, das konnte zaubern und den Menschen schaden. Alle fürchteten es, und die Hirten trugen geweihte Medaillons und banden ihrem Herdenvieh Amulette um, damit ihnen das Männchen nichts tun konnte. Eines Tages aber sah das Männchen die beiden Mädchen Bianca und Orrosa, und da sie ihm gefielen, wollte er sie in seine Gewalt bringen. Was tat da das Männchen? Er setzte sich

auf ein Schaf und lenkte es immer tiefer in den Wald und ins Dickicht hinein. Dann warf er seine Zaubersteine, so daß das Tier nicht mehr zurückkonnte. Da stand es nun weit weg von seiner Herde und schrie kläglich, aber niemand kam, es zu holen. Als es aber gegen Abend ging und Bianca und Orrosa die Herde wieder heimtreiben wollten, merkten sie, daß ihnen ein Tier fehlte. Sie riefen es beim Namen und suchten überall danach, aber sie konnten es nirgends finden. Schon setzte die Dämmerung ein, und die Mädchen begannen sich zu fürchten, aber sie wollten nicht ohne ihr Schäflein heimkehren. Da teilte sich plötzlich das Dickicht, und der Bär, der im Winter sich an ihrem Herd gewärmt hatte, trieb das Schaf zurück. Ehe sie sich aber bei ihm bedanken konnten, war er wieder verschwunden, ohne auch nur ein Wort zu sagen.

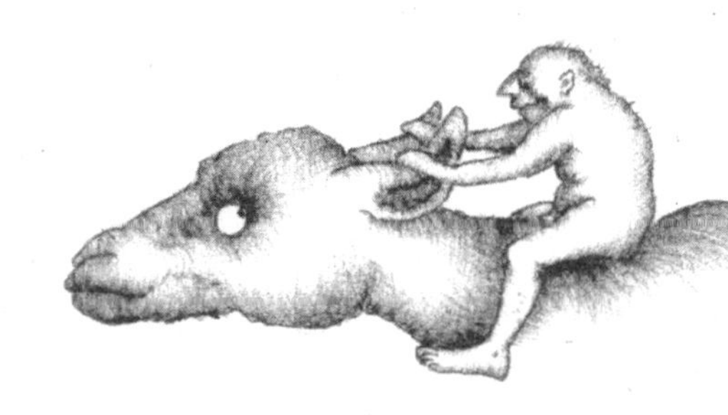

Die Mädchen beeilten sich nun und erreichten beim letzten Tageslicht das Hüttchen. Sie erzählten alles ihrer Mutter, und die warnte sie, nur immer recht gut auf die Herde achtzugeben und ja nicht nach Dunkelheit im Wald zu bleiben. Das winzig kleine Männchen aber ärgerte sich sehr, und es konnte nicht verstehen, wie das Schaf zur Herde zurückgekehrt war, denn es hatte den Bären nicht gesehen. Er sammelte seine Zaubersteine wieder ein und vertauschte sie gegen noch stärkere und wirksamere. Und als am nächsten Morgen Bianca und Orrosa wieder mit ihrer Herde durch den Wald zogen, näherte er sich vorsichtig und ging hinter ihnen drein. Lange wollte es ihm nicht gelingen, ein Lamm abseits zu führen. Aber als während der Mittagshitze Bianca und Orrosa sich unter einen Baum gesetzt hatten, um ihr karges Mahl zu essen, gelang es dem Männchen, ein kleines, fürwitziges Lämmchen zu packen und in den Wald zu lenken. Er führte es immer weiter, bis man von der Herde keinen Ton mehr hörte, dann warf er seine Steine, und das arme Lämmchen konnte noch so jämmerlich mäh schreien, niemand hörte es. Das Männchen aber ging der Herde etwas entgegen, um den Mädchen oder wenigstens einer von ihnen aufzulauern. ›Diesmal‹, dachte er, ›werde ich bestimmt eine fangen können, die soll mir dann gut schmecken!‹

Die Mädchen merkten schon früher als beim ersten Mal, daß ihnen ein Lämmchen fehlte, und sie machten sich auf die Suche, zunächst beide zusammen, indem sie die Umgebung abschritten, denn sie dachten, das kleine Tier könne nicht weit gekommen sein. Als sie aber nichts fanden, blieb Bianca bei der Herde zurück, und Orrosa, die mehr Mut hatte, machte sich auf den Weg, um das verlorene Schlaf zu suchen. Sie suchte und suchte, und es wurde schon fast Abend, aber obwohl sie das Tier schreien hörte, konnte sie es doch nicht finden, denn die Zaubersteine führten sie in die Irre. Sie war schon sehr bekümmert, da sah sie den Bären kommen, der trug behutsam das kleine Lämmchen, legte es vor Orrosa auf die Erde und verschwand ebenso rasch, wie er gekommen war. Orrosa aber nahm das Tier auf den Arm und lief so schnell, wie sie konnte, zu Bianca und zur Herde zurück. So kamen sie auch an diesem Abend unangefochten heim.

Das Männchen aber war sehr wütend, und es holte alle Zaubersteine, die es besaß, aus seiner Höhle. »Morgen werde ich sie fangen!«

Am nächsten Tag aber sagte die Mutter zu Bianca und Orrosa: »Meine Kinder, heute kann das Vieh im Pferch bleiben. Geht ihr ins Dorf und tragt mir die Sachen hin, die ich gestickt und gestrickt habe. Verkauft alles und kauft dafür Brot und Zucker!« Da nahmen die Mädchen die Stickereien, legten sie in einen großen Korb und trugen alles ins Dorf. Es war aber ein weiter Weg, und sie kamen erst mittags dort an. Gleich gingen sie zum Kaufmann, verkauften ihre Ware und nahmen dafür die Sachen mit, die sie brauchten. »Bleibt doch noch zum Mittagessen!« sagte eine Cousine zu ihnen. Aber Orrosa antwortete: »Vielen Dank! Aber wir müssen gleich wieder gehen, sonst kommen wir vor dem Abend nicht mehr heim.« – »Ave Maria«, sagte die Cousine. »Grazia piena!« antworteten die Mädchen, und damit machten sie sich auf den Weg.

Das kleinwinzige Männchen indessen hatte alle Zaubersteine in einen Sack gesteckt, den nahm es auf die Schulter und ging dorthin, wo die Mädchen im Tal vorbeikommen mußten. ›Sicher essen sie noch im Dorf zu Mittag und kommen erst nach der Dämmerung hier vorbei‹, dachte er bei sich, und er breitete vorsichtig und genau seine Steine aus. Wenn es erst dunkel wäre, dann würden die Steine zu leuchten anfangen, und die Mädchen würden behext werden und nicht mehr vor noch zurückkönnen. Dann hätte er sie endlich in seiner Gewalt, und zwar diesmal alle beide. So dachte das Männchen, und es war so darin vertieft, sich auszumalen, was für erschreckte Augen die Mädchen machen würden und was er dann tun könnte, daß er gar nicht bemerkte, wie sich die Mädchen dem Platz näherten, an dem er vor seinen Steinen saß.

Auch die Mädchen dachten nicht an Böses, als sie auf ihrer Rückkehr vom Dorf plötzlich auf jenen winzig kleinen Mann stießen, der seine Zaubersteine vor sich auf einem Felsbrocken ausgebreitet hatte und sie verzückt anstarrte. Kaum bemerkte jedoch der Kleine, daß die Mädchen ihn und seine Zaubersteine

betrachteten, und das zu einer Zeit, da noch die Sonne am Himmel stand, da begann er fürchterlich zu fluchen und die Mädchen, Bianca und Orrosa, zu verwünschen. Mit einem Mal hörte man da ein drohendes Brummen und Knurren, und der große, schwarze Bär sprang aus dem Wald, warf sich mit einem Satz auf das winzige Männchen und tötete es mit einem Schlag seiner schweren Pranke. Die Mädchen standen wie versteinert da, aber da sahen sie, daß plötzlich das Fell des Bären zu Boden fiel und ein schöner junger Prinz vor ihnen stand. Als sich die erste Überraschung gelegt hatte, erzählte der Bär den Mädchen, daß ihn jenes kleine Männchen in einen Bären verwandelt habe, um ihm seine Steine zu rauben. »Ihr habt mir das Leben gerettet und habt mich in eurer Hütte schlafen lassen«, sagte der Prinz, »zum Dank habe ich euch zweimal ein Schaf zurückgebracht, das ihr verloren hattet. Und zum Dank will ich euch zu Prinzessinnen machen.« Und er vermählte sich mit Orrosa und gab Bianca einem seiner Brüder zur Frau.
So lebten sie glücklich und wir noch glücklicher.

9. Juni – Der einhundertsechzigste Tag

Das Körbchen mit den Feigen

Man erzählt sich, daß da einmal ein Vater und eine Mutter waren, die hatten drei Söhne. Sie waren ganz arme Leute und besaßen nichts als einen kleinen Garten, in dem stand ein Feigenbaum, der dreimal im Jahr Früchte trug. Eines Tages trat der Vater auf den kleinen Balkon, und da er sah, daß die Feigen reif waren, rief er seinen ältesten Sohn und sagte: »Mein Sohn, steig auf den Feigenbaum und pflück die Früchte, damit ich sie in die Stadt tragen und verkaufen kann.« Da antwortete der Älteste: »Die Feigen will ich ja gern pflücken, aber ich möchte sie gern auch selbst in die Stadt bringen.« Und er stieg hinauf und pflückte ein Körbchen voll der schönsten Feigen. Dann sagte er zu seinem Vater: »Ich will sie nicht verkaufen, sondern ich werde die Feigen dem König bringen und ihn um ein Geschenk bitten.«
Er machte sich auf den Weg und ging in die Stadt. Als er an einem Palast vorbeikam, in welchem drei Feen wohnten, fragte ihn eine: »Söhnchen, was trägst du da in deinem Korb?« – »Einen Korb voll Wespen«, erwiderte der Älteste. Da sagte die Fee: »Gut, Söhnchen, so geh mit deinen Wespen!« Da ging er weiter zum königlichen Schloß. Die Schildwache hielt ihn an und fragte: »Wo willst du

hin?« – »Ich will dem König ein Körbchen Feigen bringen.« Da ließ ihn die Schildwache passieren. Er stieg zu dem Saal hinauf, wo der König war, und der König fragte ihn: »Was bringst du mir da?« – »Ein Geschenk: ein Körbchen frische Feigen.« Der König freute sich recht, denn ihn gelüstete eben nach Feigen, und er sagte: »Wenn du mir wirklich Feigen bringst, will ich dir ein schönes Geschenk geben.« Als aber der König den Korb nahm und das Deckchen wegzog, flogen viele Wespen heraus und stachen ihn heftig. Da wurde der König sehr zornig, und er ließ dem Jungen von jedem der anwesenden Diener zwanzig Hiebe versetzen, und da sechs Diener anwesend waren, reichte das, daß der Älteste mehr tot als lebendig aus dem Schloß kam. Er mußte in ein Hospital getragen werden, und es dauerte drei Monate, bis er zu seinem Vater, der ihn schon mit Sorge erwartete, zurückkehren konnte.
Als er daheim ankam, fragte ihn sein Vater: »O je, mein Sohn, du hast uns beinahe vor Hunger sterben lassen! Sage mir: Was hat dir der König für die Feigen gegeben?« – »Ach, Vater«, sagte der Älteste, »du hast mich betrogen und hast mir einen Korb voll Wespen mitgegeben.«
Nach einer Weile kehrte der Vater auf den Balkon zurück, und er sah, daß der Feigenbaum wieder Früchte trug. Da ließ er den Mittleren kommen und sagte: »Steig hinauf, Sohn, und pflücke die Feigen, damit ich sie in der Stadt verkaufen kann.« Da entgegnete der Mittlere: »Vater, ich will sie selbst zur Stadt bringen und sehen, daß ich dafür Geld bekomme.« Und nachdem er die Feigen gepflückt hatte, füllte er sie in ein Körbchen und machte sich auf den Weg in die Stadt. Als er an dem Palast der drei Feen vorbeikam, fragten die ihn: »Söhnchen, was hast du in deinem Korb?« – »Ich habe Muscheln.« – »Gut, mein Söhnchen, so geh mit deinen Muscheln.« Da ging der Mittlere weiter und kam zum Schloß des Königs. Er stieg in den Saal hinauf, wo der König war, und dieser fragte ihn: »Was willst du?« – »Herr, ich bringe einen Korb mit frisch gepflückten Feigen.« – »Gut, mein Söhnchen«, antwortete der König, »aber sieh zu, daß du mich nicht betrügst wie der andere, sonst laß ich dich ins Gefängnis werfen.« Da nahm der König das Deckchen und sah die Muscheln. Der König ergrimmte und verurteilte ihn zu drei Monaten Kerker. Als der Mittlere endlich wieder heimkam, war sein Vater mehr tot vor Hunger als lebendig. Kaum hatte ihn der Vater erblickt, da sprach er: »Ach, mein Sohn, endlich kommst du! Wir sind alle fast Hungers gestorben.« Und der Sohn entgegnete: »O Vater, du hast mich angeschmiert und mir einen Korb voll Muscheln statt der Feigen gegeben.«
Als der Vater auf den Balkon kam, sah er, daß die letzte und dritte Ernte der Feigen da war. Da rief er den jüngsten Sohn und sagte: »Kind, hol die Feigen herunter, damit ich sie in der Stadt verkaufen kann.« – »Vater«, sagte der Jüngste,

»diesmal will ich in die Stadt gehen und sehen, daß ich etwas verdiene.« Und so nahm der Jüngste das Körbchen voll frischer Feigen und machte sich auf den gleichen Weg wie seine beiden Brüder. Als er am Palast der Feen vorbeikam, fragte ihn eine von ihnen: »Söhnchen, was hast du da in deinem Körbchen?« – »Ich habe ein Körbchen voll frischer Feigen, die bringe ich dem König Herodes.« Da sagten die Feen: »Und uns gibst du nichts?« – »Doch«, entgegnete jener, »nehmt euch soviel ihr wollt; ihr könnt auch alle haben.« Und er gab ihnen den Korb. Da gaben sie ihm den Korb zurück und sagten: »Nun bring ihn denn dem König!« Da ging er weiter, und als er zum königlichen Schloß kam, fragte ihn die Schildwache: »Halt! Wohin willst du?« – »Ich will dem König ein Geschenk bringen.« – »Du darfst nicht hinein, wenn du mir nicht die Hälfte von dem versprichst, was dir der König geben wird.« – »Gut, ich verspreche es.« Da ließ er ihn passieren. Als er die Treppe hinaufstieg, kam er an einer anderen Wache vorbei, die sagte: »Hier darfst du nicht durch, außer du versprichst mir ein Drittel von dem, was dir der König schenken wird.« – »Ich verspreche es.« So kam er endlich zum König.
Als der König den Jüngsten sah, sagte er: »Willst du mich etwa auch belügen wie die beiden anderen? Was hast du in dem Korb?« – »Frisch gepflückte Feigen.« Da nahm der König das Deckchen weg und sah die Feigen. »Brav«, lobte ihn der König, »ich werde dir das Körbchen voll Geld füllen lassen.« – »Nein, Herr«, antwortete jener, »ich hätte gern zwölf Stockhiebe.« – »Ja warum denn das?« wollte der König wissen. Und er: »Weil ich der ersten Wache die Hälfte dessen versprochen habe, was Ihr mir schenken werdet, und der zweiten Wache ein Drittel.« Da ließ der König die Wachen rufen und fragte, ob das stimme. »Ja«, sagten sie. Da verabreichte der König dem ersten Diener sechs und dem zweiten Diener vier Stockhiebe. Dann ließ er dem Jüngsten das Körbchen mit Geld füllen und verabschiedete ihn.
Der Jüngste machte sich auf den Heimweg und kam wieder am Palast der drei Feen vorbei. Da fragten sie ihn: »Wie ist es dir gegangen, Söhnchen?« – »Es ist mir gutgegangen, und der König hat mir das Körbchen mit Geld gefüllt.« – »Und gibst du uns auch eine Handvoll?« – »Aber gern«, sagte er, »jede von euch kann sich eine Handvoll Geld nehmen.« Da nahmen sie sich eine jede eine Handvoll Münzen, und es blieb fast nichts mehr im Körbchen.
Dann sagten die Feen: »Warte, wir wollen dir auch ein Geschenk machen!« Und die Älteste brachte einen Käse und sagte: »Hier schenke ich dir ein Stück Käse, das hat die Eigenschaft, das es nie weniger wird.« Und die Mittlere gab ihm ein Instrument und sagte: »Hier schenke ich dir eine Musik, die zwingt alle zum Tanzen, wenn du es willst.« Und die Jüngste gab ihm eine Flasche und sagte: »Ich

schenke dir eine Flasche mit Wein, die nicht leer wird. Möge dir der Wein immer schmecken!«
Er ging dorthin, wo sein Vater war, und er fand ihn ganz schwach vor Hunger. Er gab ihm die Flasche und den Käse und ließ ihn alle guten Dinge zubereiten. Dann nahm er die Flasche und den Käse wieder an sich und ging fort, um durch die Welt zu wandern.

10. Juni – Der einhunderteinundsechzigste Tag

Von der schönen Cardia

Es war einmal ein König, der hatte drei schöne Töchter und einen Sohn. Als er nun fühlte, daß er sterben mußte, rief er seinen Sohn und sprach: »Mein Sohn, ich muß nun sterben, und du wirst König sein. Ich empfehle dir deine drei Schwestern, sorge für sie und höre, was ich dir zu sagen habe. Auf der Terrasse steht ein Nelkenstrauch, der wird drei Knospen treiben. Wenn die erste Knospe sich öffnet, so gib wohl acht: Den ersten Mann, der vorbeigeht, mußt du deiner ältesten Schwester zum Mann geben. Ebenso mußt du es bei der zweiten und dritten Knospe tun, um deine jüngeren Schwestern zu verheiraten.« Der Vater starb, und sein Sohn wurde König.
Jeden Morgen ging er auf die Terrasse und betrachtete den Nelkenstrauch. Nicht lange, so trieb der Strauch drei Knospen, die wurden immer größer, und eines schönen Morgens war die erste Knospe zu einer schönen Nelke erblüht. Da pflückte der junge König die Nelke ab und beugte sich über die Terrasse. In demselben Augenblick ging ein schöner, vornehmer Mann vorbei, dem rief er zu: »Mein Herr, nehmt diese Nelke von mir an und erweist mir die Ehre, in mein Schloß heraufzusteigen.« Als nun der junge Mann ins Schloß kam, fragte er ihn, wer er sei. »Ich bin der König der Raben«, antwortete der Fremde. Da trug ihm der junge König seine älteste Schwester zur Gemahlin an, und der König der Raben war es zufrieden, und es wurde eine schöne Hochzeit gefeiert. Dann nahm der König der Raben seine junge Gemahlin, wanderte mit ihr fort, und der König hörte nichts mehr von seiner Schwester.
Nach einigen Tagen öffnete sich auch die zweite Nelke, und der König pflückte sie und beugte sich über die Terrasse. Eben ging ein junger, schöner Mann vorbei, dem reichte er die Nelke und bat auch ihn, in das Schloß zu kommen. Als er ihn nun fragte, wer er sei, antwortete der junge Mann: »Ich bin der König der wilden

Tiere.« Da gab der König ihm die zweite Schwester zur Frau, und nach der Hochzeit gingen der König der wilden Tiere und seine Gemahlin fort.
Nun war der König allein mit seiner jüngsten Schwester und wurde sehr traurig, wenn er die Knospe ansah, die nun bald aufblühen sollte, denn er hatte seine Schwester sehr lieb und trennte sich ungern von ihr. Aber er konnte doch nicht gegen den Letzten Willen seines Vaters handeln, und als er eines Morgens eine schöne, blühende Nelke am Strauch fand, so pflückte er sie, bot sie einem schönen, vornehmen Mann, der eben vorbeiging, und bat ihn, in sein Schloß zu kommen. Als er ihn fragte, wer er sei, antwortete der Fremde: »Ich bin der König der Vögel.« Da gab ihm der König seine jüngste Schwester zur Frau, und nach der Hochzeit mußte auch sie mit ihrem Mann fortziehen.
Als nun der König ganz allein geblieben war, wurde er ganz traurig und dachte nur immer an seine Schwestern. Eines Tages begab es sich aber, daß er betrübt auf dem Feld herumirrte. Da begegnete ihm ein altes Mütterchen, das fragte ihn, warum er denn so traurig sei. »Ach, laß mich in Ruhe, Alte«, antwortete er, »ist es nicht genug, daß ich so tief betrübt bin, muß ich dir noch den Grund erzählen?« Die Alte aber verfolgte ihn mit ihren Bitten und Fragen, bis er endlich ganz erzürnt sie unsanft von sich stieß, daß sie zu Boden fiel. Da geriet das alte Mütterchen in einen großen Zorn und rief: »So mögest du denn wandern, ohne Ruh und ohne Rast, bis du Cardia, meine Seele, gefunden hast.« Da wurde der König noch trauriger, als er bis dahin gewesen war, und eine große Sehnsucht erwachte in ihm, diese Cardia zu finden, und endlich konnte er es nicht mehr aushalten, und er begab sich auf die Wanderschaft, um Cardia zu suchen.
Da wanderte er viele, viele Tage lang, immer geradeaus, aber niemand konnte ihm sagen, wo Cardia zu finden sei. Endlich kam er in einen finsteren Wald, und als er ein wenig darin herumgeirrt war, sah er von ferne ein hübsches Haus stehen. Am Fenster stand eine Frau, und als er näher kam, sah er, daß es seine älteste Schwester war. Sie erkannte ihn auch und lief eilends zu ihm hinunter und umarmte ihn voll Freuden. »Mein lieber Bruder«, sprach sie, »wie kommst du in diese Wildnis? Ach, wenn nur mein Mann dich nicht sieht!« – »Würde denn dein Mann mir etwas zuleide tun?« fragte der König. »Ach«, antwortete sie, »wenn er nach Hause kommt, will er jeden Unbekannten, der ihm in den Weg kommt, zerreißen, wenn er sich aber beruhigt hat, so ist er gut und freundlich gegen alle.« Da versteckte die Schwester ihren Bruder im Keller, und als ihr Mann nach Hause kam, sprach er: »Es ist mir, als ob dein Bruder hier wäre. Wenn er sich hier sehen läßt, so werde ich ihn zerreißen.« Da redete sie es ihm aus, und als er sich beruhigt hatte, sprach sie: »Was würdest du nun meinem Bruder tun, wenn du ihn sähest?« – »Ich würde ihn umarmen und herzlich willkommen heißen.« Da rief sie ganz

erfreut ihren Bruder, und der König der Raben umarmte ihn und fragte, warum er so allein umherirre. Da erzählte ihm der König, wie er ausgezogen sei, die Cardia zu suchen, und der König der Raben schenkte ihm eine Mandel und sprach: »Verwahr sie wohl, sie wird dir nützen.«

Da wanderte er weiter, und nach einigen Tagen kam er wieder an ein hübsches Haus, darin wohnte seine zweite Schwester, die freute sich sehr, ihn zu sehen. Sie bat ihn aber, sich zu verstecken. »Denn wenn mein Mann dich hier fände, würde er dich zerreißen. Wenn er sich aber beruhigt hat, so will ich dich rufen.« Da versteckte sie ihn im Keller, und als ihr Mann kam und fragte, ob ihr Bruder nicht dagewesen sei, redete sie es ihm aus. Als er sich aber besänftigt hatte, rief sie ihren Bruder herauf, und der König der wilden Tiere umarmte ihn und hieß ihn herzlich willkommen. Als er nun hörte, daß der junge König ausgezogen sei, die schöne Cardia zu suchen, schenkte er ihm eine Kastanie und sprach: »Verwahr sie wohl, sie wird dir nützen.«

Da wanderte der König wieder mehrere Tage, und endlich kam er an ein Haus, darin wohnte seine jüngste Schwester, die umarmte ihn mit großer Freude. Es ging ihm aber nicht besser als bei den andern Schwestern; er mußte sich verstecken, um den Zorn des Königs der Vögel nicht zu reizen. Als sich aber ihr Mann beruhigt hatte, rief die Schwester ihren Bruder, und der König der Vögel empfing ihn mit großer Freude. Als er nun hörte, warum der König sein Reich verlassen habe, schenkte er ihm eine Nuß und sprach: »Verwahr sie wohl, sie wird dir nützen. Du bist nun nicht mehr weit von Cardia entfernt. Wenn du immer weiter in den Wald hineingehst, so wirst du endlich an das Haus der Hexe kommen, bei der Cardia wohnt. Es sind aber noch viele andere junge Mädchen da, und wer die schöne Cardia will, muß sie unter allen herausfinden. Sie sind zwar alle verschleiert, aber sei nur getrost, Cardia hat sieben Schleier, die andern haben jede nur zwei. Da du das weißt, kannst du nicht irren.«

Da wanderte der König wieder fort, immer tiefer hinein in den Wald, bis er endlich in das Haus der Hexe kam, wo Cardia wohnte. Da trat er keck vor die alte Hexe und sprach: »Ich bin gekommen, die schöne Cardia zu erlangen und als meine Frau mitzunehmen.« – »Schön«, sprach die alte Hexe, »wer aber die schöne Cardia erlangen will, muß sie sich verdienen und drei Aufgaben erfüllen.« Da antwortete der König: »Sagt mir, was ich zu tun habe, so will ich es ausführen.« Da führte ihn die alte Hexe am Abend in einen großen Keller, der war bis oben angefüllt mit Bohnen. »Diese Bohnen müssen bis morgen früh verschwunden sein«, sprach sie, »ob du sie ißt oder was du sonst damit anfängst, ist mir ganz gleichgültig; wenn ich aber eine einzige Bohne erblicke, so fresse ich dich.« Damit sperrte sie den jungen König ein, und er blieb ratlos vor dem großen Bohnenvorrat stehen.

Wie er noch so stand und dachte: ›Es bleibt dir nun nichts übrig, als dich auf den Tod vorzubereiten‹, fiel ihm auf einmal die Mandel ein, die der König der Raben ihm gegeben hatte. Da zerbiß er sie, und in demselben Augenblick stand der König der Raben vor ihm und fragte ihn, was er wünsche. Da klagte er ihm seine Not, der König der Raben aber tat einen Pfiff, und sogleich flog ein großer Schwarm Raben im Keller herum, die fragten: »Was befiehlt unser Gebieter?« – »Freßt mir geschwind alle die Bohnen auf und laßt auch nicht eine einzige liegen.« Da fielen die Raben über die Bohnen her, und im Nu war der Keller leer und auch nicht eine Bohne übriggeblieben. Die Raben aber und ihr König verschwanden ebenso schnell, wie sie gekommen waren.

Als nun am Morgen die Hexe die Tür öffnete und sich schon auf den guten Braten freute, stand der König da in dem ganz leeren Keller, und die Aufgabe war gelöst. »Wer hat dir denn geholfen?« fragte die Hexe. »Wer sollte mir geholfen haben?« antwortete er. »Ihr habt ja selbst die Tür geschlossen. Ich habe die Bohnen eben gegessen.«

Am Abend führte ihn die Hexe in einen andern Keller, der war voller Leichen. »Dies ist die zweite Aufgabe«, sprach sie. »Siehst du, alle diese Leichen sind von Prinzen und Königssöhnen, die versucht haben, die schöne Cardia zu gewinnen. Bis morgen früh müssen sie alle weggeräumt sein, und wenn ich nur ein Knöchelchen oder ein Härchen finde, so werde ich dich fressen.« Damit schloß sie die Tür fest zu, und der junge König stand wieder ratlos da. Doch dann zerbiß er auch die Kastanie, und sogleich erschien der König der wilden Tiere und fragte ihn, was er wünsche. Als er ihm nun seine Not geklagt hatte, tat der König der wilden Tiere einen Pfiff, und sogleich wimmelte es von wilden Tieren des Waldes, die riefen: »Was befiehlt unser Gebieter?« – »Räumt mir alle diese Leichen aus dem Weg, ohne irgend etwas davon übrigzulassen.« Da stürzten sich die wilden Tiere auf die Leichen und verzehrten sie, und im Nu war nichts mehr davon zu sehen. Die wilden Tiere aber und ihr König verschwanden, wie sie gekommen waren.

Am Morgen öffnete die Hexe die Tür und war nicht wenig erstaunt, auch die zweite Aufgabe richtig gelöst zu finden. »Nun kommt aber noch das Schwerste«, sprach sie, »und wenn du die dritte Aufgabe nicht lösen kannst, so hilft dir alles andere nicht.«

Da führte sie ihn in ein großes Gemach, in dem lag nun eine Menge leerer Matratzen am Boden. »Bis morgen früh mußt du alle diese Matratzen mit den feinsten, weichsten Federn füllen, sonst fresse ich dich.« Als sie nun die Tür geschlossen hatte, griff der König schnell zu seiner Nuß und knackte sie auf. Sogleich erschien der König der Vögel, und als er gehört hatte, was sein

Schwager wünschte, tat er einen Pfiff, und es flogen große Schwärme von Vögeln ins Zimmer hinein, die fragten: »Was befiehlt unser Gebieter?« – »Schüttelt euren Flaum ab und laßt ihn in diese leeren Matratzen fallen.« Da schüttelten sie sich, daß der Flaum nur so herumflog und alle die Matratzen gefüllt wurden. Dann verschwanden sie und ihr König mit ihnen.

Als nun am Morgen die Hexe die Tür öffnete, lagen alle die Federbetten schön gefüllt, eins neben dem andern, und so war auch die dritte Aufgabe richtig gelöst.

»Nun mußt du aber noch die schöne Cardia unter all ihren Gefährtinnen herausfinden, sonst hilft dir alles andere nicht«, sprach die Hexe und führte den König in einen großen Saal, darin standen eine Unmenge Betten, und auf jedem Bett lag ein tiefverschleiertes Mädchen. Da berührte der König leise mehrere Mädchen, um die Schleier zu zählen, und jedesmal machte die alte Hexe ein ganz vergnügtes Gesicht, weil sie hoffte, sie könne ihn doch noch fressen. Er aber sagte kein Wort, bis er endlich an ein Mädchen kam, das war mit sieben Schleiern bedeckt. Da riß er ihm die sieben Schleier ab und rief: »Diese ist meine Cardia, und sie soll meine Gemahlin sein!«

Die alte Hexe aber konnte nicht anders als es zugeben, denn er hatte die Richtige getroffen. Sie dachte aber doch noch, wie sie beide verderben könnte, und sprach: »Wohl, meine Kinder, ihr sollt euch heute noch heiraten. Wenn ihr mir aber morgen nicht ein kleines Enkelchen vorzeigt, das ›Großmama‹ zu mir sagt, so werde ich euch doch noch beide fressen.«

Da wurde die Hochzeit gefeiert, und die andern jungen Mädchen dienten der schönen Cardia. Als aber die Hexe das junge Paar in das Brautgemach geführt hatte, bereiteten die jungen Mädchen eine kleine Puppe, die nahm Cardia mit ins Bett.

Am Morgen kam die Hexe schon bei Tagesanbruch und rief: »Nun, ist mein kleines Enkelchen da?« Da antwortete Cardia mit verstellter Stimme: »Großmama, Großmama« und hielt der Hexe die Puppe hin. Als aber die Hexe sich über das Bett beugte, um das Kind zu sehen, sprang der König hinzu und schnitt ihr mit seinem Schwert den Kopf ab!

Nun war die Freude erst vollkommen. Die jungen Mädchen dankten alle dem König, der sie vor der schlimmen Hexe befreit hatte, und kehrten vergnügt in ihre Heimat zurück. Der junge König und Cardia zogen auch durch den Wald in ihr Reich zurück, und unterwegs fanden sie den König der Vögel, den König der wilden Tiere und den König der Raben, die dankten dem König, daß er auch sie erlöst hatte. Denn nun brauchten sie nicht mehr in dem finstern Wald zu hausen, sondern zogen mit ihren Frauen an den Hof des Königs und der schönen Cardia, und so lebten sie alle glücklich und zufrieden.

11. Juni – Der einhundertzweiundsechzigste Tag

Die Tochter der Sonne

Es waren einmal ein König und eine Königin, die hatten keine Kinder und hätten doch so gerne ein Söhnchen oder ein Töchterchen gehabt. Da ließ der König einen Wahrsager kommen, der mußte ihm wahrsagen, ob sie Kinder bekommen würden. Der Wahrsager antwortete: »Die Königin wird eine Tochter gebären, die wird in ihrem vierzehnten Jahr durch die Sonne guter Hoffnung werden.« Als der König das hörte, erschrak er und sprach zum Wahrsager: »Wenn du mir richtig prophezeit hast, so will ich dich reich beschenken.«
Nicht lange, so merkte die Königin, daß sie Aussicht habe, ein Kind zu bekommen. Da dachte der König: ›Der Wahrsager hat richtig prophezeit, denn hat das eine sich erfüllt, so wird das andere auch in Erfüllung gehen.‹ Er beschenkte also den Wahrsager reichlich nach seinem Versprechen. Dann ließ er in einer einsamen Gegend einen Turm bauen, ohne Fenster, daß auch kein Sonnenstrahl hineindringen konnte.
Als nun die Königin ein schönes Töchterchen gebar, ließ er es mit der Amme in den Turm sperren, und da wuchs das Kind auf, gedieh und wurde mit jedem Tag schöner. Als es nun beinahe vierzehn Jahre alt geworden war, schickten ihm eines Tages die Eltern einen Zickleinbraten, und als die Königstochter den aß, fand sie darin einen spitzen Knochen. Den nahm sie und fing zum Zeitvertreib an, die Mauer abzukratzen, und da ein kleines Löchlein entstand, grub sie immer weiter. Auf einmal fiel ein Sonnenstrahl in das Gemach und auf sie, und da sie

gerade in ihrem vierzehnten Jahr war, so erfüllte sich auch alsbald die Prophezeiung des Wahrsagers. Die Amme konnte sich nicht genug darüber verwundern, und als eines Tages der König zu Besuch kam, so erzählte sie ihm mit Furcht und Zittern, was mit der Königstochter vorgefallen sei. Der König aber sprach: »Es war ihr Schicksal, und sie konnte ihm nicht entgehen.«

Als nun ihre Stunde kam, gebar die Königstochter ein Töchterchen, das war so schön, so schön, daß man nichts Schöneres sehen konnte; wie konnte es auch anders sein, da es die Tochter der Sonne war. Da wickelten sie das Kind in Windeln und setzten es in dem Garten aus, der neben dem Turm war; seine Tochter aber nahm der König auf sein Schloß. Da lag nun das arme Kindlein im Garten und wäre gewiß bald verschmachtet.

Es begab sich aber glücklicherweise, daß der Königssohn eines benachbarten Landes eben an dem Tag auf die Jagd gegangen war und dabei in diese einsame Gegend geriet. Als er nun an dem Garten vorbeikam, schaute er hinein und sah, daß wunderschöner Lattich darin wuchs, und bekam Lust, ein wenig davon zu nehmen. Also ging er in den Garten hinein, aber als er an den Lattich kam, sah er ein wunderschönes Kind mittendrin liegen. Da nahm er es mitleidig auf und rief sein Gefolge herbei und sprach zu ihnen: »Seht doch dieses wunderschöne Kind. Oh, die niederträchtige Mutter, die es dahin hat werfen können!« Da nahm er es in seine Arme und brachte es zu seiner Mutter in das königliche Schloß und bat sie, es aufziehen zu lassen, und weil es im Lattich gelegen hatte, so nannte er es Lattughina.

Lattughina wurde mit jedem Tag schöner und war bald so schön, daß ihr niemand gram sein konnte. Als sie aber älter wurde, entbrannte der Königssohn in heftiger Liebe zu ihr und wollte sie gerne zu seiner Gemahlin haben. Da fragte er sie: »Lattughina, wessen Kind bist du eigentlich?« Lattughina antwortete:

»Ich bin die Tochter von Hund und Katze,
Wenn du mich nicht willst, so stirb und zerplatze.«

»Willst du mich denn heiraten?« fragte er weiter. »Nein«, antwortete Lattughina. »Aber warum denn nicht?« – »Weil ich nicht will.« Da ging der Königssohn betrübt zu seiner Mutter und klagte: »Ach, liebe Mutter, ich habe die Lattughina gefragt, ob sie meine Gemahlin werden will, und sie hat mir mit Nein geantwortet. Wenn ich sie aber frage, wessen Kind sie denn sei, so antwortet sie mir immer: ›Ich bin die Tochter von Hund und Katze, und wenn du mich nicht willst, so stirb und zerplatze.‹« – »Was kann ich denn dafür, mein Sohn?« antwortete die Mutter. »Warte noch ein wenig und frage sie zum zweitenmal.« Das tat der Königssohn, aber Lattughina antwortete immer kurzweg: »Nein.« – »So sage mir doch wenigstens, wessen Kind du bist«, bat der Königssohn.

> »Ich bin die Tochter von Hund und Katze,
> Wenn du mich nicht willst, so stirb und zerplatze.«

Da nun die Königin sah, daß ihr Sohn ganz krank wurde aus Liebe zu der schönen Lattughina, so sprach sie: »Das Mädchen muß mir aus dem Haus, sonst hat mein Sohn keine Ruhe mehr.« Also ließ sie dem königlichen Palast gegenüber ein schönes Haus bauen, darin mußte Lattughina wohnen. Der Königssohn kam aber dennoch immer zu ihr und fragte sie: »Lattughina, willst du mich zu deinem Gemahl?« Sie aber antwortete immer: »Nein«, und der Königssohn ging traurig zu seiner Mutter und klagte ihr sein Leid. Endlich verlor die Königin die Geduld und rief: »Wenn sie dich nicht will, so laß sie doch laufen; es gibt noch andere hübsche Mädchen in der Welt.« Da gab sie Nachricht an alle Höfe und Fürstenhäuser und ließ Bilder kommen von den schönsten Königstöchtern, aber so viele sie auch dem Königssohn zeigen mochte, es wollte ihm keine gefallen.
Endlich, weil er sah, daß seine Mutter ganz traurig war, und weil ihn Lattughina doch nicht haben wollte, wählte er eine schöne Königstochter und sprach: »Laßt die kommen, so will ich sie heiraten.« Also wurde eine glänzende Hochzeit veranstaltet, und die Königstochter kam an den Hof und wurde mit dem Königssohn getraut. Als sie nun aus der Kirche kamen, sah die junge Braut, daß der Königssohn verstimmt war und gar nicht vergnügt aussah. »Was fehlt Euch?« fragte sie ihn. »Ach«, antwortete er, »ich habe eine Schwester, die ist schöner als die Sonne. Ich habe mich aber mit ihr überworfen, und deshalb hat sie nicht bei meiner Hochzeit erscheinen wollen, und das betrübt mich.« – »Oh, wenn es weiter nichts ist«, sprach die Braut, »so gebt Euch zufrieden. Morgen schicken wir ihr einen großen Teller voll Süßigkeiten. Diese Artigkeit wird diese wieder versöhnen.« Das taten sie denn auch und schickten am nächsten Morgen einen Bedienten zur schönen Lattughina mit einem großen Präsentierteller voll Süßigkeiten.* »Wartet einen Augenblick«, antwortete Lattughina, »und kommt mit in die Küche.« In der Küche aber fing sie an zu rufen: »Feuer, zünde dich an«, und alsbald brannte ein helles Feuer auf dem Herd. »Pfanne, komm herbei«, und eine goldene Pfanne kam und stellte sich von selbst auf das Feuer: »Öl, komm herbei«, und auch das Öl kam dann und goß sich von selbst in die Pfanne. Als es nun

* Bei der sizilianischen Hochzeit schickt man allen Verwandten einen Präsentierteller voll Süßigkeiten; das Unterlassen dieser Höflichkeit wird sehr übelgenommen. Den Hauptbestandteil bilden kandierte Zimtstengelchen, *cannellini*.

recht heiß aufbrodelte, legte Lattughina ihre schönen, weißen Hände in die Pfanne und hielt sie ein wenig darinnen, und als sie sie wieder herausnahm, lagen da zwei schöne goldene Fische, ihre Hände aber waren ganz unversehrt. Da legte sie die Fische auf den Präsentierteller, gab sie dem Diener und sprach: »Bringt diese Fische dem Königssohn und sagt ihm, er möge sie annehmen, seiner Schwester Lattughina zuliebe.« Der Diener kam in das Schloß zurück, sprachlos vor Erstaunen und mit offenem Mund. »Nun, was ist denn geschehen?« fragte der Königssohn. »Ach, Majestät, was habe ich gesehen!« und erzählte, wie Lattughina die goldenen Fische bereitet hatte. »Ach, das ist alles?« rief die junge Königin. »Das kann ich auch.« – »Nun, wenn du es kannst, so führe es auch aus«, antwortete ihr Mann. Da ging sie in die Küche und rief: »Feuer, zünde dich an!« Aber es entzündete sich kein Feuer auf dem Herd. »Es will mir heute nicht folgen«, sprach sie und rief dem Koch zu: »Nun, zünde du mir das Feuer an.« Als nun das Feuer brannte, rief sie die Pfanne, aber die Pfanne kam nicht. »Sie sind heute alle eigensinnig«, meinte die junge Königin, »reich mir einmal die Pfanne her.« Ebenso erging es mit dem Öl, obgleich sie es rief, wollte es doch nicht kommen, und der Koch mußte es in die Pfanne gießen. Als es nun recht brodelte, wollte sie auch ihre Hände hineinhalten, aber sie verbrannte sich so jämmerlich, daß sie daran starb.

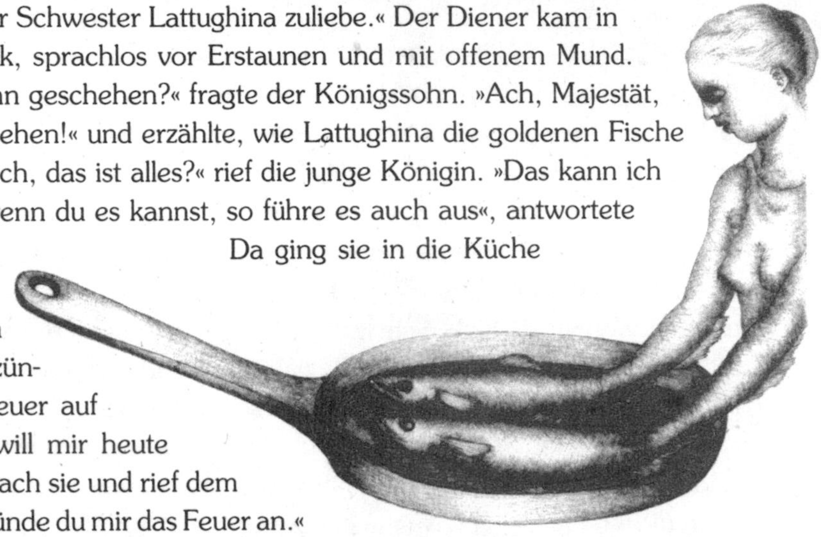

Da ging der Königssohn zu Lattughina und sprach zu ihr: »Lattughina, warum hast du meine Frau ermordet?« – »Was habe ich ihr denn getan?« fragte Lattughina. »Sie hat gehört, wie du die schönen goldenen Fische bereitet hast«, antwortete der Königssohn, »und wollte es auch so machen; sie hat sich aber so verbrannt, daß sie gestorben ist.« – »Wer heißt sie denn etwas versuchen, was sie nicht kann?« sprach Lattughina. »Ich habe ihr nichts gesagt.« – »Ach, Lattughina«, bat er, »willst du mich nun zu deinem Gemahl haben?« – »Nein«, antwortete sie. »So sage mir wenigstens, wessen Kind du bist.«

»Ich bin die Tochter von Hund und Katze,
Wenn du mich nicht willst, so stirb und zerplatze.«

Eine andere Antwort wollte sie ihm nicht geben, und er kehrte wieder betrübt zu seiner Mutter und klagte ihr sein Leid. »Wenn sie dich nicht will, so laß sie laufen«, sprach die Königin und redete ihm so lange zu, bis er sich wieder eine Braut auswählte und Hochzeit mit ihr hielt.

Als sie nun aus der Kirche kamen, war der Königssohn wieder so verstimmt, und die Braut fragte ihn, was ihm fehle. »Ich habe eine Schwester, Lattughina«, sprach er, »die ist schöner als die Sonne, und ich habe mich mit ihr gestritten, darum hat sie nicht zu meiner Hochzeit kommen wollen, und das betrübt mich.« – »Oh«, antwortete die Braut, »morgen wollen wir ihr einen Teller voll Süßigkeiten und Cannellini schicken, das wird sie schon versöhnen.« Den nächsten Morgen also schickten sie wieder einen Diener zu Lattughina mit einem Teller voll Süßigkeiten. Lattughina aber hieß den Diener in die Küche kommen und dort warten, und sie sprach: »Feuer, zünde dich an und heize den Ofen.« Alsbald brannte ein helles Feuer im Ofen, und als er ganz heiß war, kroch sie hinein und blieb ein wenig drinnen. Als sie aber wieder herauskam, war sie noch viel schöner geworden, und als sie ihre schönen Flechten aufmachte, fielen Perlen und Edelsteine auf den Boden. Damit füllte sie den Präsentierteller und hieß den Diener, ihn zum Königssohn zu tragen: »Er möge diese Perlen annehmen, seiner Schwester Lattughina zuliebe.« Der Diener kam wieder mit offenem Mund in das Schloß. »Nun, wie ist es dir heute ergangen?« sprach der Königssohn.

Als aber der Diener erzählte, was Lattughina getan hatte, rief die junge Braut: »Oh, das ist gar nichts, das kann ich auch.« – »Wenn du es kannst, so zeige uns deine Kunst«, sprach der Königssohn. Da ging sie in die Küche und rief: »Feuer, zünde dich an und heize mir den Ofen.« Aber es entzündete sich kein Feuer. »Wie eigensinnig das Feuer heute ist«, sprach sie. »Koch, heize du mir den Ofen.« Als nun der Ofen ordentlich durchgeheizt war, kroch sie hinein, aber sie verbrannte sich jämmerlich, und als sie sie herauszogen, war sie tot. Da ging der Königssohn zu Lattughina und klagte sie an, daß sie ihm seine Frauen töte, indem sie diese Künste ausübe, die die andern nachmachen wollten. Lattughina aber antwortete: »Ich habe es ihnen nicht gesagt; sie sind selbst schuld daran, wenn sie etwas nachmachen wollen, was sie nicht können.« – »Ach, Lattughina«, bat der Königssohn, »willst du mich denn noch immer nicht zu deinem Gemahl?« – »Nein«, antwortete sie. »So sage mir doch wenigstens, wessen Kind du bist.«

»Ich bin die Tochter von Hund und Katze,
Wenn du mich nicht willst, so stirb und zerplatze.«

So gab sie ihm immer dieselbe Antwort, und der Königssohn ging traurig zu seiner Mutter und klagte ihr sein Leid. Da beredete ihn die alte Königin, daß er sich wieder eine Braut auswähle, und ließ eine schöne Königstochter kommen, mit der wurde er getraut.

Als sie nun aus der Kirche kamen, sah die Braut, daß er ein trauriges Gesicht machte, und fragte ihn, was ihm fehle. Da antwortete er wieder, er habe sich mit seiner Schwester gezankt, so daß sie nicht habe zur Hochzeit kommen wollen. »Laß es gut sein«, sagte die Braut, »morgen schicken wir ihr einen großen Teller voll Süßigkeiten, das wird sie versöhnen.«

Das taten sie denn auch, und als der Diener zu Lattughina kam, saß sie auf dem Balkon und wärmte sich an den Sonnenstrahlen. »Wartet nur einen Augenblick«, sprach sie und blieb ruhig sitzen. Als die Sonne nun nicht mehr in das Zimmer schien, sondern nur auf das eiserne Geländer des Balkons, setzte sie ihren Stuhl dort hinauf und setzte sich drauf, und siehe da, der Stuhl blieb ruhig stehen. Und als die Sonne hinter dem Dach verschwand, setzte sie sich mit ihrem Stuhl gar auf das Ziegeldach hinauf. Der Diener lief ganz entsetzt in das Schloß zurück und erzählte, was er gesehen habe. »Ach, das kann ich auch«, rief die Braut. »So laß uns einmal sehen«, sprach ihr Mann. Als sie aber den Stuhl auf das Balkongeländer stellte und sich daraufsetzen wollte, fiel sie hinunter und brach sich den Hals.

Nun ging der Königssohn wieder zu Lattughina, aber soviel er sie auch bitten mochte, ihn zum Gemahl zu nehmen oder ihm wenigstens zu sagen, wessen Kind sie sei, so hatte sie doch nur immer dieselbe Antwort für ihn. Da ging er traurig zu seiner Mutter und sprach: »Lattughina will mich nicht heiraten, und eine andere kann ich doch nicht mehr verlangen, sonst heißen sie mich den Frauenmörder. Was soll ich tun?« – »Ja, mein Sohn«, antwortete die Königin, »nun kann ich dir nicht mehr helfen. Nun mußt du herauskriegen, wessen Kind Lattughina ist, dann wird sie dich vielleicht heiraten.« Also dachte der Königssohn immer darüber nach, wessen Kind Lattughina wohl sein möchte, und konnte es nicht herausbringen.

Als er nun eines Tages so übers Feld ging und ganz betrübt seinen Gedanken nachhing, begegnete ihm ein altes Mütterchen, das fragte ihn: »Sage mir doch, schöner Jüngling, warum bist du so traurig?« Anfangs wollte er es ihr nicht sagen, endlich aber ließ er sich bewegen und klagte der Alten sein Leid. Die antwortete: »Ich kann dir nur einen Rat geben. Geh hin zu Lattughina und sage ihr, du wärst krank, sie möge dir einen kühlenden Trank bereiten. Wenn sie nun ihre Gerätschaften herbeiruft, so nimm ihren goldenen Mörser und halte ihn ganz fest, ohne daß sie es merkt, so wird sie sich vielleicht in ihrem Unmut verraten.«

Dieser Rat gefiel dem Königssohn sehr, und er machte sich auf den Weg zu Lattughina.
»Ach, Lattughina«, sagte er, »ich fühle mich so unwohl, bereite mir doch einen kühlenden Trank.« – »Das will ich gern tun«, sprach sie und fing an zu rufen: »Glas, komm herbei; Zucker, komm herbei; Zitronen, kommt herbei«; und alles, was sie rief, kam von selbst herbei. Der Königssohn aber hatte auf dem Tisch den goldenen Mörser stehen sehen, den nahm er geschwind, ohne daß Lattughina es merkte, und steckte ihn fest zwischen seine Knie. Der Zucker war aber in gar so großen Stücken, deshalb rief Lattughina: »Mörser, komm herbei!« Der Mörser aber konnte nicht kommen, denn der Königssohn hielt ihn fest. Als sie nun mehrere Male den Mörser vergeblich gerufen hatte, verlor sie endlich die Geduld und rief: »Bin ich doch Tochter der Sonne, und so ein elender Mörser will mir nicht gehorchen!« Der Königssohn aber sprang auf und rief: »Und bist du denn Tochter der Sonne, so sollst du auch meine Gemahlin sein.« Als sie aber merkte, daß er herausgebracht hatte, wessen Kind sie war, sprach sie mit Freuden: »Ja, ich will deine Gemahlin sein.« Also wurde ein schönes Hochzeitsfest gefeiert, und Lattughina lud auch ihre Mutter und ihre Großeltern dazu ein, und es war große Freude im ganzen Land.
Da blieben sie reich und getröstet, wir aber sind hier sitzen geblieben.

12. Juni – Der einhundertdreiundsechzigste Tag

Zaubergerte, Goldesel und Knüppelchen, schlagt zu

Es war einmal ein armer Maurer, der hatte eine Frau und eine Menge Kinder und konnte doch nicht genug verdienen, um sie zu ernähren. Als sie nun eines Tages vor Hunger weinten und der arme Mann keine Arbeit hatte, sprach er zu seiner Frau: »Ich will über Land gehen. Vielleicht finde ich woanders Arbeit und kann euch Geld und Speise mitbringen.«
Also machte er sich auf den Weg und wanderte fort, und als er ein gutes Stück gegangen war, kam er auf einen Berg. Da sah er eine wunderschöne Frau liegen, die sprach zu ihm: »Du brauchst nun nicht weiterzuwandern, denn ich bin dein Glück, und ich will dir helfen.« Da schenkte sie ihm eine Zaubergerte und sprach: »Wenn du essen willst, dann befiehl nur dieser Gerte. So wird vor dir stehen, was dein Herz begehrt.« Der Maurer dankte der unbekannten schönen Frau und ging fröhlich heim.

Weil es aber schon dunkel war, konnte er nicht mehr bis nach Hause kommen, sondern mußte in einem Wirtshaus einkehren. Da ließ er einen Tisch decken und schlug dann mit der Gerte auf den Tisch. »Befiehl«, antwortete die Gerte. »Ich wünsche mir einen Teller Makkaroni, Braten und Salat und eine gute Flasche Wein«, sprach er, und alsbald stand alles vor ihm auf dem Tisch, und er aß sich satt und dachte: ›Jetzt habe ich für alle Zeiten genug.‹ Der Wirt und die Wirtin hatten aber alles mit angesehen, und als der Maurer fest eingeschlafen war, kam der Wirt leise herbeigeschlichen, nahm die Zaubergerte fort und legte ihm eine gewöhnliche Gerte hin.

Am nächsten Morgen machte sich der Maurer ganz früh schon auf den Weg und kam bald nach Haus. »Hast du uns gar nichts mitgebracht?« fragte ihn seine Frau. »Ich habe etwas mitgebracht, das ist besser als alle Einkäufe«, antwortete er, »deck nur schnell den Tisch.« Als der Tisch nun gedeckt war, schlug er mit der Gerte darauf und rief: »Ich wünsche Makkaroni, Braten, Salat und Wein für mich und meine Familie«, aber es erschien nichts, er mochte fragen und rufen, soviel er wollte. Da fing seine Frau an zu weinen, denn sie dachte, ihr Mann wäre verrückt geworden. Er aber sprach: »Nun, laß es gut sein; ich muß eben noch einmal über Land gehen.«

Also machte er sich auf und wanderte bis zu demselben Berg und fand auch die schöne Frau noch dort.

Die sprach zu ihm: »Du hast die Gerte verloren, ich weiß es wohl, ich will dir aber doch wieder helfen. Nimm diesen Esel. Wenn du ihn auf ein Tuch stellst, so speit er dir Geld, soviel du willst.« Da nahm der Maurer den Esel, dankte der schönen Frau und ging heim.

Weil es aber anfing dunkel zu werden, mußte er in demselben Wirtshaus einkehren. Da ließ er auftragen, was sein Herz begehrte, und als er gegessen und getrunken hatte, ließ er sich ein Bettuch geben, nahm den Esel in sein Zimmer und stellte ihn darauf. Da spie der Esel ihm Geld, bis er ihn wegtat. Die Wirtin aber hatte durchs Schlüsselloch alles mit angesehen, und als der Maurer schlief, schlich sich der Wirt hinein, nahm den Goldesel fort und stellte ihm einen gewöhnlichen Esel hin.

Am frühen Morgen machte sich der Maurer vergnügt auf den Weg, kam nach Haus und rief schon von weitem seiner Frau zu: »Heute aber bringe ich etwas mit, das ist besser als alle Zaubergerten. Breite ein Bettuch aus, so sollst du etwas sehen, was du noch nie gesehen hast.« Die Frau tat, wie ihr Mann sie geheißen, als aber der Maurer den Esel aufs Bettuch stellte, da war es kein Geld, was der Esel spie, und der Maurer kratzte sich im Haar und dachte: ›Wie geht das nur zu? Gewiß haben mir der Wirt und seine Frau einen schlimmen Streich gespielt!‹ Da

seine Frau nun anfing zu weinen, sprach er: »Sei nur still, ich muß eben noch einmal mein Glück versuchen.«
So ging er denn wieder fort, und als er auf den Berg kam, war die schöne Frau noch da und sprach: »Du hast auch den Goldesel verloren, ich weiß es. Dieses eine Mal will ich dir noch helfen, es ist aber das letzte Mal. Nimm diese Knüppelchen, und wenn du sprichst: ›Knüppelchen, schlagt zu‹, so schlagen sie so lange drauflos, bis du ihnen zurufst: ›Knüppelchen, nun ist's genug.‹« Der Maurer nahm die Knüppelchen, dankte der schönen Frau und dachte: ›Damit kann ich meine Zaubergerte und den Goldesel wiedererlangen. Vorher aber will ich einmal selbst ihre Kraft versuchen.‹ »Knüppelchen, schlagt zu!« Alsdann schlugen die Knüppelchen auf seinem Rücken herum, daß er gleich rief: »Knüppelchen, nun ist's genug!«, und die Knüppelchen wurden wieder ruhig.
Abends kam der Maurer in dasselbe Wirtshaus, und der Wirt und die Wirtin sprachen untereinander: »Da kommt derselbe Maurer noch einmal und bringt gewiß wieder ein Zauberstück mit.« Der Maurer aber rief: »Knüppelchen, schlagt zu!«, und die Knüppelchen fuhren auf den Wirt und seine Frau los und prügelten sie wacker durch. Da fingen die beiden an zu schreien: »Nimm doch die Knüppelchen wieder von uns.« Der Maurer aber antwortete: »Nicht eher, als bis ihr mir meine Zaubergerte und meinen Goldesel wieder herausgebt.« Da liefen sie hin und holten die Gerte und den Esel, und der Maurer rief: »Knüppelchen, nun ist's genug!«, und alsbald hörten die Knüppelchen auf zu schlagen.
Am frühen Morgen machte sich der Maurer wieder auf den Weg nach Haus. Als ihn seine Frau kommen sah, rief sie ihm entgegen: »Bringst du uns schon wieder einen schmutzigen Esel, der mir die ganze Stube übel zurichtet? Ich wollte doch, du kämst gar nicht wieder.« – »Knüppelchen, schlagt zu, aber nicht zu stark«, sprach der Maurer, und die Knüppelchen prügelten die Frau, bis sie wieder zur Besinnung kam und der Mann ihnen Einhalt gebot. Die Frau aber deckte still den Tisch, wie ihr Mann sie es tun hieß, und dann schlug er mit der Gerte auf den Tisch. »Befiehl«, antwortete die Gerte. Da wünschte sich der Mann ein schönes Mittagessen für sich und seine Familie, und alsbald stand alles da, und sie aßen vergnügt miteinander. Nach dem Essen sprach der Maurer: »Nun breite ein Bettuch aus, liebe Frau.« Das tat sie, und als er den Esel daraufstellte, spie das Tier soviel Geld, als sie nur wollten. Da lebte der Maurer mit seiner Familie herrlich und in Freuden, und es mangelte ihnen an nichts.
Die Nachbarn aber, als sie das Glück des Maurers sahen, wurden neidisch und kamen zum König und sprachen: »Königliche Majestät, da ist ein Maurer, der ist bisher immer fast Hungers gestorben, und jetzt ist er auf einmal ein reicher Mann geworden, das geht nicht mit rechten Dingen zu.« Da schickte der König seine

Diener hin, die sollten den Maurer zu ihm bringen, der aber sprach: »Knüppelchen, schlagt zu!« und ließ sie alle durchprügeln. Die Diener liefen zum König zurück und klagten ihm, der Maurer habe sie alle durchprügeln lassen, und der König wurde zornig, versammelte seine Soldaten und zog mit ihnen vor das Haus des Maurers. Der war unterdessen ein wenig spazierengegangen und hatte einen Mann angetroffen, der trug ein dreieckiges Hütlein, das war gar sonderbar anzuschauen. »Was du für ein sonderbares Hütlein hast«, rief der Maurer. »Ja«, sagte der Mann, »mein Hütlein hat aber eine eigene Tugend. Wenn ich dran drehe, so schießt es aus allen drei Ecken, und niemand kann mir dann wiederstehen.« Da sprach der Maurer: »Und ich habe ein Paar Knüppelchen. Wenn ich zu denen sage: ›Knüppelchen, schlagt zu‹, so prügeln sie die Leute durch, bis ich sie zurückrufe und spreche: ›Knüppelchen, nun ist's genug.‹ Weißt du was? Wir wollen um meine Knüppelchen und um dein Hütchen spielen, und wer gewinnt, soll beides haben.« Da spielten sie drum, und der Maurer gewann, nahm das Hütlein und ging vergnügt heim.

Kaum war er nach Haus gegangen, so langte der König mit seinen Soldaten an, die wollten ihn gefangennehmen. Er aber drehte sein Hütlein herum, daß es aus allen drei Ecken schoß und die Soldaten alle totmachte. Da der König sah, wie unbezwingbar der Maurer war, versprach er, ihn in Ruhe zu lassen, und der Maurer setzte sein Hütlein fest und sprach: »Wenn Ihr mich ungestört laßt, so verspreche ich Euch auch, daß ich Euch jedesmal mit meinem Hütlein und meinen Knüppelchen zu Hilfe kommen will, wenn Ihr in den Krieg müßt.« Von da an lebte der Maurer ungestört ein herrliches Leben, und wenn ein Krieg ausbrach, kam er dem König zu Hilfe, so daß der König immer siegte.

So blieben sie reich und getröstet, wir aber sind hier sitzen geblieben.

13. Juni – Der einhundertvierundsechzigste Tag

Die Geschichte von dem mutigen Mädchen

Es waren einmal drei Schwestern, die hatten weder Vater noch Mutter und ernährten sich kümmerlich durch Spinnen. Jeden Tag spannen sie zusammen ein Rottolo [knapp ein Kilo] Flachs, den brachten sie ihrer Herrschaft und bekamen zwei Tari [etwa acht Silbergroschen] dafür, davon mußten sie leben.

Nun begab es sich eines Tages, daß sie eine große Sehnsucht nach einem Stückchen Leber bekamen. »Wißt ihr was?« sprach die älteste Schwester zu den beiden anderen. »Heute bin ich an der Reihe, das Gespinst zur Padrona zu tragen. Wenn sie mir nun das Geld gibt, so will ich etwas Leber, etwas Brot und Wein kaufen, daß wir uns auch einmal einen vergnügten Tag machen.« – »Gut«, antworteten die Schwestern. Am Abend ging die älteste Schwester mit dem Gespinst zur Stadt, und als ihr die Padrona das Geld gegeben hatte, kaufte sie ein Stück Leber, etwas Brot und Wein, legte alles fein säuberlich in ihr Körbchen und machte sich auf den Weg nach Haus.

Als sie nun durch eine einsame Gasse kam, fiel ihr das Körbchen aus der Hand. Sogleich sprang ein Hund hervor, ergriff das ganze Körbchen und lief damit davon. Sie lief ihm nach, konnte ihn aber nicht erreichen und mußte endlich ohne Körbchen und ohne Lebensmittel nach Hause gehn. »Bringst du gar nichts mit?« fragten sie die Schwestern. »Ach, liebe Schwestern«, antwortete sie, »was kann ich dafür? So und so ist es mir ergangen.« Den nächsten Abend mußte die zweite Schwester zur Padrona gehn und sagte: »Heute will ich die Leber mitbringen.« Als sie nun das Geld empfangen hatte, kaufte sie etwas Leber, Brot und Wein, packte es in ihr Körbchen und ging nach Hause. In einer einsamen Gasse fiel aber auch ihr das Körbchen aus der Hand, der Hund sprang hervor und lief mit ihrem Körbchen davon, so schnell, daß sie ihn nicht einholen konnte. Als sie nun nach Hause kam und ihren Schwestern alles erzählte, sprach die Jüngste: »Morgen will ich einmal gehn, und mir soll' der Hund gewiß nicht entwischen.« Also ging sie am nächsten Abend mit dem Gespinst zur Padrona, nahm das Geld in Empfang und kaufte dafür die Leber, das Brot und den Wein. Als sie nun in die Gasse kam, entfiel das Körbchen ihrer Hand. Sogleich stürzte der Hund hervor, ergriff es und sprang fort. Sie aber war leichtfüßiger als ihre Schwestern, und so schnell er auch laufen mochte, sie lief ihm nach und verlor ihn nicht aus dem Gesicht. Der Hund lief durch viele Straßen und schlüpfte endlich in ein Haus, das Mädchen aber schlüpfte ihm nach. Sie ging die Treppe hinauf und rief, aber niemand antwortete ihr. Nun ging sie durch alle Zimmer und sah die herrlichsten Sachen; in dem einen Saal einen schön gedeckten Tisch, in einem andern gute Betten, in einem dritten Schätze und Kostbarkeiten, einen Menschen aber sah sie nicht. Da kam sie auch in ein kleines Zimmer, da saß der Hund am Boden und hatte die drei Körbe vor sich; sie dachte aber nicht mehr an die Körbe, als sie all die Kostbarkeiten sah.

Als sie weiterging, kam sie endlich in einen Saal, wo Schätze ohne Zahl aufgespeichert waren, Schubladen und Kistchen voller Edelsteine und am Boden ganze Säcke mit Goldstücken. Da nahm sie einen kleinen Sack voll Goldstücke, verließ das Schloß und ging damit nach Haus. »Liebe Schwestern«, rief sie voll Freude, »jetzt kehrt der Überfluß bei uns ein. Seht, was ich euch mitbringe.« Als die beiden Schwestern den Sack voll Goldmünzen sahen, freuten sie sich sehr. Die Jüngste aber sprach: »Liebe Schwestern, unsere ganze Habe wollen wir den Armen geben und unser Häuschen leer stehenlassen. Das Gold aber wollen wir hier vergraben und dann zusammen in das Schloß gehn und sehn, was es damit für eine Bewandtnis hat. Wenn es uns dort schlechtgehen sollte, so bleibt uns ja das Gold, das wir hier zurücklassen.«

So taten sie denn auch, schenkten all ihr Hab und Gut den Armen, vergruben ihr Gold in dem leeren Haus und gingen dann alle drei in das geheimnisvolle Schloß. In dem ersten Saal fanden sie noch den schön gedeckten Tisch, setzten sich und aßen und tranken nach Herzenslust und beschauten dann alle die Schätze und Herrlichkeiten, die in dem Haus aufgespeichert waren. Als es Abend wurde, sprach die jüngste Schwester zur ältesten: »Wir können uns nicht alle schlafen legen, denn es könnte uns ein Unglück begegnen. Deshalb ist es am besten, wenn du diese erste Nacht wachst, während wir beide schlafen.« Also legten sich die Jüngeren schlafen, die Älteste aber wachte.

Um Mitternacht hörte sie auf einmal einen lauten Schrei, der durch das ganze Haus schallte. »Wart, ich komme hinauf!« rief es mit drohender Stimme. Da erschrak sie so, daß sie schnell ins Bett schlüpfte und die Decke über die Ohren zog. Darauf wurde alles still. Den nächsten Morgen fragten die beiden andern: »Hast du heute nacht nichts gehört oder gesehn?« Sie aber antwortete: »Gar nichts, es blieb alles ruhig.«

Am nächsten Abend mußte die zweite Schwester wachen, und die beiden andern legten sich schlafen. Um Mitternacht aber rief es wieder mit drohender Stimme: »Wart, ich komme hinauf!« Da erschrak sie, kroch schnell ins Bett und zog die Decke über den Kopf. Nun wurde alles wieder still. Am Morgen fragten sie die beiden andern, ob sie nichts gesehn oder gehört hatte. Da antwortete sie: »Nein, gar nichts, es blieb alles ruhig.« Zur ältesten Schwester aber sprach sie im Vertrauen: »Hast du auch diesen entsetzlichen Schrei gehört?« – »Ja freilich, sei nur still. Haben wir den Schrecken gehabt, so kann es unsere jüngste Schwester auch durchmachen.« Am Abend legten sich die beiden älteren Schwestern schlafen, die jüngste aber wachte. Um Mitternacht ertönte auf einmal derselbe Schrei: »Wart, ich komme hinauf!« – »Wie es Euch beliebt!« antwortete sie. Da ging die Tür auf, und eine große, schöne Gestalt trat herein, mit einem langen schwarzen Gewand und einer langen Schleppe. Die ging auf sie zu und sprach: »Ich sehe, daß du ein mutiges Mädchen bist; wenn du auch ferner denselben Mut zeigst und alles genau tust, was ich dir sage, so soll dieser Palast mit allem, was darinnen ist, dir gehören, und du sollst eine Fürstin sein, wie ich eine gewesen bin.« – »Edle Frau«, erwiderte das Mädchen, »sagt mir, was ich tun soll, so will ich alles vollbringen.« – »Sieh«, antwortete die Gestalt, »ich bin eine Fürstin und kann in meinem Grab keine Ruhe finden, denn derjenige, der mich ermordet hat, geht noch ungestraft umher. Du sollst mir nun zu meiner Ruhe verhelfen. In jenem Schrank sind viele schöne Kleider; eines davon mußt du morgen anziehn und dich damit auf den Balkon stellen. Gegen Mittag wird ein Edelmann vorbeikommen und dich anreden, denn weil du mein Kleid trägst, wird er dich für mich halten. Antworte ihm freundlich und lade ihn ein, heraufzukommen. Wenn er nun bei dir ist, so halte ihn mit höflichen Gesprächen fest, bis es Abend wird, und dann lade ihn ein, mit dir zu essen. Nimm diese beiden Flaschen, in der einen ist Wein, in der andern ein Schlaftrunk. Beim Essen mußt du ihm aus der zweiten Flasche einschenken, und wenn er eingeschlafen ist, so schneide ihm mit diesem Messerchen die Halsadern auf, daß er in seinen Sünden sterbe. Denn so wie ich keine Ruhe finde, soll auch er im andern Leben keine Seligkeit genießen.« Mit diesen Worten verschwand die schwarze Gestalt, und das Mädchen blieb allein. Am nächsten Morgen legte sie ein prächtiges, reiches Gewand an und stellte sich auf den Balkon. Gegen Mittag ging ein vornehmer Herr vorbei, und als er sie am Fenster sah, redete er sie an: »Ei, edle Frau, seid Ihr nun genesen? Ihr wart ja lange krank.« – »Jawohl, edler Herr, aber ich bin nun wieder wohlauf. Wolltet Ihr mir nicht die Ehre erweisen, heraufzukommen?« Da kam der Edelmann herauf, und als er die beiden Schwestern sah, fragte er, wer sie seien. »Meine Mägde«, antwortete sie, und mit vielen Höflichkeiten hielt sie den Edelmann hin, bis es

Abend war. »Kann ich nun auch die Ehre haben, Euch bei mir zum Nachtessen zu sehn?« sagte sie, und der Edelmann blieb bei ihr. Während des Essens aber reichte sie ihm die Flasche mit dem Schlaftrunk, und kaum hatte er ein wenig davon getrunken, so versank er in einen tiefen Schlaf. Da nahm sie das Messerchen und schnitt ihm die Halsadern auf, daß er in seinen Sünden starb, ohne Beichte und ohne Absolution. Dann rief sie ihre Schwestern, und alle drei schleppten ihn an einen tiefen Brunnen und warfen ihn hinein. Um Mitternacht aber ging auf einmal wieder die Tür auf, die schwarze Gestalt trat herein und sprach zu der Jüngsten: »Du hast mich durch deinen Mut erlöst, und nun sollen auch diese Schätze dir gehören. Lebe wohl, heute bin zum letzten Mal gekommen, denn nun habe ich Ruhe gefunden.« Damit verschwand sie und kam nie wieder. Die drei Schwestern aber blieben in dem wunderschönen Palast und heirateten jede einen vornehmen Herrn, und so blieben sie glücklich und zufrieden, wir aber haben das Nachsehen.

14. Juni – Der einhundertfünfundsechzigste Tag

Der gewitzte Bauer

Es war einmal ein König, der war auf die Jagd gegangen. Da sah er in einem Feld einen Bauern, der arbeitete. »Wieviel verdienst du wohl an einem Tag?« fragte er ihn. »Königliche Majestät«, antwortete der Bauer, »vier Carlini den Tag.« – »Was machst du denn damit?« fragte der König weiter. Der Bauer sprach: »Den ersten esse ich, den zweiten lege ich auf Zinsen, den dritten gebe ich zurück, und den vierten werfe ich fort.«

Der König ritt seines Weges weiter; nach einiger Zeit aber kam ihm die Antwort des Bauern doch sonderbar vor. Also kehrte er wieder um und fragte ihn: »Sag mir doch, was willst du damit sagen, daß du den ersten Carlino ißt, den zweiten auf Zinsen legst, den dritten zurückgibst und den vierten wegwirfst?« Der Bauer antwortete: »Mit dem ersten Carlino ernähre ich mich selbst; mit dem zweiten ernähre ich meine Kinder, die für mich sorgen müssen, wenn ich einmal alt sein werde; mit dem dritten ernähre ich meinen Vater und gebe ihm damit zurück, was er an mir getan hat, und mit dem vierten ernähre ich meine Frau und werfe

ihn also fort, denn ich habe keinen Vorteil davon.« – »Ja«, sprach der König, »du hast recht. Versprich mir aber, daß du keinem Menschen davon erzählen wirst; nicht eher, als bis du mein Gesicht hundertmal gesehen hast.« Der Bauer versprach es, und der König ritt vergnügt nach Hause.

Als er nun mit seinen Ministern zu Tisch saß, sprach er: »Ich will euch ein Rätsel aufgeben. Ein Bauer verdient vier Carlini den Tag. Den ersten verzehrt er, den zweiten legt er auf Zinsen, den dritten gibt er zurück, und den vierten wirft er fort. Was ist das?« Es konnte aber keiner erraten.

Endlich dachte der eine Minister daran, daß der König den Tag vorher mit dem Bauern gesprochen hatte, und beschloß bei sich, den Bauern aufzusuchen und sich die Lösung sagen zu lassen. Als er nun zum Bauern kam, fragte er ihn nach der Lösung der Rätsels. Der Bauer aber antwortete: »Ich kann sie Euch nicht sagen; denn ich habe dem König versprochen, es niemandem zu erzählen, bevor ich nicht hundertmal sein Gesicht gesehen habe.« – »Oh«, meinte der Minister, »des Königs Gesicht kann ich dir wohl zeigen«, und zog hundert Taler aus seinem Beutel und schenkte sie dem Bauern. Auf jedem einzelnen Taler war des Königs Gesicht zu sehen. Als der Bauer nun jeden Taler einzeln betrachtet hatte, sprach er: »Jetzt habe ich hundertmal des Königs Gesicht gesehen, jetzt kann ich euch die Lösung des Rätsels wohl sagen«, und sagte sie ihm.

Der Minister aber ging vergnügt zum König und sprach: »Königliche Majestät, ich habe die Lösung des Rätsels gefunden, so und so lautet sie.« Da rief der König: »Das kann dir nur der Bauer selbst gesagt haben«, ließ den Bauern rufen und stellte ihn zur Rede: »Hattest du mir nicht versprochen, es nicht zu erzählen, als bis du hundertmal mein Gesicht gesehen hättest?« – »Königliche Majestät«, antwortete der Bauer, »Euer Minister hat mir auch hundertmal Euer Bild gezeigt.« Damit wies er ihm den Sack mit Geld, den ihm der Minister geschenkt hatte. Da freute sich der König über den klugen Bauern und beschenkte ihn reichlich, daß er ein reicher Mann wurde sein Leben lang.

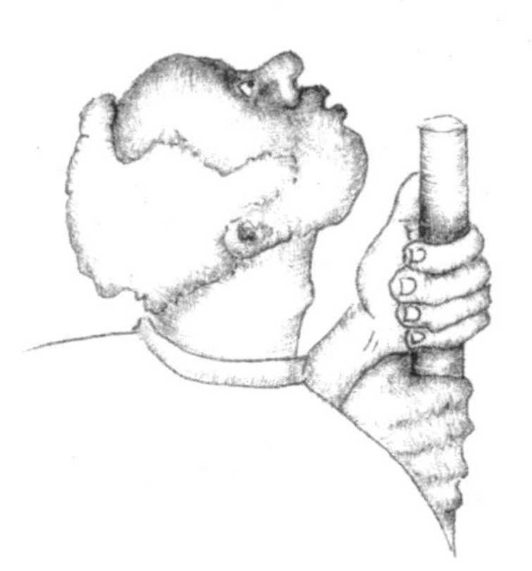

15. Juni – Der einhundertsechsundsechzigste Tag

Petru, der Pächter

Da waren ein Pächter und sein Verwalter, der hatte es durch seine Sparsamkeit zu zwölf Schafen gebracht. Der Verwalter hatte einen Sohn, und der hieß Petru. Eines Tages starb der Vater und hinterließ die zwölf Schafe dem jungen Mann, und er bat seinen Patron, er möchte doch ein besonderes Auge auf den Jungen haben. Dieser Pächter nahm also den Jungen zu der Herde. Der Patron blieb die ganze Zeit auf seinem Hof, und er kannte keine Vergnügungen, er hatte kein anderes Laster als das Schachspiel.
Eines Tages drängte er den jungen Mann, er solle mit ihm spielen, um ein Schaf. Der Junge antwortete ihm: »Meine Schafe sind die Euren, Patron.« – »Nein, wir müssen spielen, weil wir spielen müssen.« Es kam der Abend, er nahm das Schachbrett, und sie fingen an zu spielen, um ein Schaf. Sie spielen, und Petru gewinnt. »Spielen wir um zwei Schafe!« sagt der Patron. Sie spielen, und Petru

gewinnt. »Spielen wir noch einmal – um vier Schafe!« Und Petru gewinnt. »Spielen wir um acht!« Sie spielen um acht, und Petru gewinnt. »Spielen wir um sechzehn!« Und Petru gewinnt. »Spielen wir um zweiunddreißig!« (Als Pächter des Hofes hatte er so viele.) Und Petru gewinnt. Kurz und gut, um die Geschichte weiterzubringen, in einer einzigen Nacht gewann Petru alle Ziegen und alle Schafe. Da sagt der Patron zu ihm: »Morgen, Petru, erntest du die Früchte des Hofes auf eigene Rechnung.« – »Was soll's, Ihr seid der Patron, und ich bin der Knecht.« – »Nein, mein Sohn, die Seele gehört Gott, und die Sachen dem, der sie erworben hat; der Teufel hat mich versucht, und du hast mir alles abgewonnen.«

Tags darauf ruft der Patron den Petru zum Schachspiel. »Du setzt acht Schafe, und ich setze eine Kuh.« Sie spielen, und Petru gewinnt. Sagt er: »Jetzt setzen wir eine Kuh gegen eine Kuh.« Sie spielen, und Petru gewinnt. Da sagt Petru zu dem Patron: »Herr Patron, macht doch die Augen auf, die Sachen, die ich gewonnen habe, sind Eure Sachen.« – »Nein, mein Sohn, du hast mich besiegt,

und die Sachen gehören dir.« Der junge Mann, bedrückt und verzweifelt, sagt: »Dann machen wir es so: Ich setze hundert Schafe, und Ihr setzt zwölf Kühe«, denn er hatte das Gefühl, daß er bei einem so hohen Einsatz verlieren könne. Sie einigen sich und fangen an zu spielen, und Petru gewinnt. Der Patron antwortet ganz verärgert: »Alsdann müssen wir um vierundzwanzig Kühe spielen.« Sie spielen, und Petru gewinnt. »Achtundvierzig gegen achtundvierzig Kühe!« Kurz und gut, an einem Abend gewann Petru alle Kühe, die sein Patron besaß. Dem Patron fraß der Ärger die Augen auf, und er sagte: »Morgen erntest du die Früchte auf eigene Rechnung.« – »Nein, Herr«, sagt der Knecht zu ihm (denn der Junge blieb ihm ergeben). »Ihr seid der Patron, und ich bin der Knecht.« Jetzt besaß der Patron nichts anderes mehr als die Stuten, die Rösser und die Maulesel. Er sagt zu Petru: »Du setzt zehn Kühe, und ich setze zehn Stuten.« So haben sie das Schachspiel wieder geöffnet und zu spielen angefangen. Sie spielen und spielen, und Petru gewann ein Spiel ums andere. »Hast du mich besiegt?« sagt der Patron. »Jetzt setzen wir vierundzwanzig gegen vierundzwanzig und spielen noch einmal.« Sie spielen, und Petru gewann. »Achtundvierzig gegen achtundvierzig!« Kurz und gut, in einer Nacht hat der Petru alle Maulesel, Rösser und Stuten gewonnen. »Jetzt«, sagte der Patron, »bleibt mir zum Spielen nichts anderes als die Pacht für den Gutshof, denn die habe ich bar bezahlt.« Da schaut ihn der Viehjunge an und sagt zu ihm: »Herr Patron, machen wir es so: Wir spielen drei Partien, wer zwei davon gewinnt, bleibt Sieger.« Man öffnet wieder das Schachspiel, und sie spielen weiter. Sie spielen das erste Mal, und Petru gewinnt. Sie spielen das zweite Mal, und Petru gewinnt. Sie spielen das letzte Mal, und Petru gewinnt, und Schluß. Da sagt der Patron zu ihm: »Jetzt, Petru, nimmst du mich als Knecht? Wenn du mich willst, dann bleibe ich, wenn du mich nicht willst, gehe ich fort.« Petrus Antwort: »Herr Patron, Ihr wart Patron und seid jetzt der Verwalter des Hofes, seid Ihr damit zufrieden?« Und so verblieben sie. Der Patron, der sich gut auskannte nach so vielen Jahren auf dem Gutshof, fuhr nach Palermo hinunter und erledigte alle Geschäfte mit den Lebensmittelhändlern und allen anderen.

Eines Tages wurde in Palermo ein Plakat ausgehängt, daß die Tochter des Königs von Spanien heiraten sollte, aber sie wollte nicht eher heiraten, bis sie ein Spieler beim Schach besiegt hätte, und den Sieger wollte sie dann zum Mann nehmen. Als der Verwalter dieses Papier gelesen hatte, ging er ganz freudig auf den Hof und erzählte Petru diese Sache. Petru sagt zu ihm: »Und wer soll mit der da spielen?« – »Geh hin, Petru, du gewinnst bestimmt.« Petru ließ sich überreden und ging nach Palermo als Bauer gekleidet. Er geht sofort zu einem Silberschmied und läßt sich ein Schachspiel anfertigen, ganz aus Silber, das man auf- und zumachen konnte wie ein Buch, und die Schachfiguren waren halb aus Silber und halb aus Gold. Als das fertig war, ließ er sich einen Paß ausstellen und segelte nach Neapel. Als er in Neapel ankam, aß er zuerst, dann machte er sich auf den Weg. Er geht und geht, da überkommt ihn der Schlaf, und er schläft ein. Während Petru schläft, kommen hintereinander drei Feen vorbei. »Oh, was für ein hübscher Junge da schläft!« (Mir scheint, daß ich schon gesagt habe, daß Petru ein hübscher Junge war?) »Es sieht so aus, als schliefe er in einem Federbett.« Eine der Feen sagt: »Jetzt hatten wir unsere Freude an ihm, aber was schenken wir dem Jungen?« Die erste schenkte ihm eine Börse; jedesmal, wenn man die auf- und zumachte, war sie wieder voll Geld. Die andere sagte: »Ich schenke ihm ein Tischtuch; jedesmal, wenn er essen will, gibt es ihm zu essen für so viele Personen, wie er will.« Die dritte schenkte ihm eine Fiedel, »und wer nicht tanzen will, der muß tanzen, und seien es auch die Steine«.

Petru wacht auf. »Was für einen Traum hab ich da geträumt! Drei Frauen – eine gab mir eine Börse, eine ein Tischtuch und eine eine Fiedel.« Er will gerade weitergehen, da findet er die Börse, das Tischtuch und die Fiedel. »Ist das nicht verrückt? Jetzt mache ich die Probe!« Er nimmt das Tischtuch und breitet es aus. »Zu Diensten, zu Diensten!« – »Ich will etwas zu essen!« Und da hättet ihr sehen sollen! Pasta, Fleisch, Rippchen, Würste: Ein Teller ging, der andere kam. Petru ißt und ißt, er schlägt sich den Bauch voll wie einen Dudelsack. »Ah, uns geht's gut!« Er lud sich alle Sachen auf und ging weiter in Richtung Spanien. Unterwegs stieß er auf zwei Straßen, die sich teilten: »Und welche soll ich jetzt nehmen? Wer

weiß, ob ich mich verirre? Jetzt mach ich die Probe mit der Fiedel.« Er sah einen Schweinehirten auf dem Feld: »Gevatter, welcher Weg geht nach Spanien?« – »Da rüber«, sagte der ganz unfreundlich. »Ah, so gehst du mit Ehrenmännern um? Jetzt will ich dir mal zur Messe aufspielen!« Er zieht die Fiedel hervor und beginnt – Schrumm, schrumm. Und da fängt der Hirte an zu tanzen und die Schweine mit ihm, daß sie fast gestorben wären. »Gevatter, Barmherzigkeit! Genug, genug!« Petru steckt die Fiedel weg, und der Schweinehirt zeigt ihm die richtige Straße nach Spanien. Er geht und geht und kommt nach Spanien. Er lief durch die ganze Stadt und suchte das königliche Schloß.
Zwei Körnchen Buchstaben konnte er lesen, und so las er immer wieder das Plakat der Königstochter, die den heiraten wollte, der sie im Schachspiel besiegen würde. Der Petru geht also zum Schloß. Die Wache: »Was willst du?« – »Ich muß zu der Infantin und Schach spielen.« – »Verschwinde, du Mistbauer. Da sind schon die besten Könige und Kaiser gekommen, und jetzt willst du mit der Infantin spielen!« Der Petru fängt an, Krach zu machen, bei diesem Geschrei kommen die Hofleute ans Fenster: »Wer ist da?« – »Ein Bauer«, sagt die Wache, »will hinein.« – »Laßt ihn reinkommen, das ist königlicher Befehl.« So steigt Petru hinauf. Er stellt sich vor, und der König empfängt ihn. Er läßt es der Tochter melden und sagen: »Schau, da ist ein Mistbauer gekommen, der will Schach spielen, schau selbst, wie du damit zu Rande kommst.«
Sie, die junge Königin, hat ihr Schachspiel genommen und ist in das Empfangszimmer hinausgegangen. Wie er die Infantin das Schachspiel aufmachen sieht, sagt Petru: »Und Ihr spielt mit diesem Schachspiel aus Holz, liebe Infantin? Ich würde mich ja schämen ...« Er nimmt das Schachspiel der jungen Königin und schmeißt es durchs Fenster hinunter; er nimmt sein eigenes Schachspiel aus dem Sack und stellt es auf. Die junge Königin war auf der Hut. Sie sagte bei sich: »Du bist sicher kein Bauer, du wirst mir schon noch die Wahrheit sagen.« Sie verteilten die Figuren: Die aus Gold nahm sich die junge Königin, die aus Silber Petru, und sie fangen an zu spielen. Sie spielen und spielen, und Petru war schon fast der große Sieger. Da kniff die junge Königin mit der linken Hand den Petru in die Hinterbacke. Petru dreht sich um; sie vertauscht die letzte Figur, die er noch hat, und Petru verliert. Da sagt sie zu ihm: »Du hast verloren. Majestät, der hat verloren, werft ihn in das Gefängnis.«
Sie brachten ihn in den Kerker hinunter, und Petru findet vierundzwanzig Kronprinzen neben anderen königlichen Fürsten. Als Petru hereinkam, kam Spott und Spaß in die Gesellschaft: Sie ließen ihn immer die falsche Karte ziehen. Petru sagte zu ihnen: »Nun haltet mal inne, meine Herrschaften, sonst lasse ich euch alle tanzen.« Aber das war, wie wenn er es zu niemand gesagt hätte. Sie

spotteten weiter über ihn. Da zieht er sich aus der Mitte des Zimmers in eine Ecke zurück und packt die Fiedel – Schrumm, schrumm, und alle müssen tanzen. »Genug, Petru, genug!« – »Nein, kühlt euch mal erst das Blut ab, dann reden wir drüber.« Und er spielt weiter. Als sie ihm genügend bearbeitet schienen, hörte Petru auf zu spielen, und sie wurden alle Freunde, und sie fingen an, dem Petru, dem Mistbauern, ganz viele Höflichkeiten zu erweisen. Zwei, drei Tage gingen vorbei, da fragte die Infantin: »Was redet man im Kerker?« Antwortet der Kerkermeister: »Majestät, seit dieser Bauer eingezogen ist, gibt es Spaß.« – »Na schön«, sagt die Infantin, »dann kriegen sie nichts mehr zu essen hinuntergebracht.« Jetzt kommen die Prinzen und sagen: »Entweder mit Hilfe von Geld oder mit Beziehungen müssen wir uns etwas zu essen beschaffen. Jetzt ziehen wir das Los, und wen es trifft, der muß Steine in Brot verwandeln, damit wir alle miteinander zu essen kriegen.« Der erste, der ziehen mußte, war Petru, und das Schicksal wollte es, daß das Los auf Petru fiel. Sie sagten zu ihm: »Da kriegen wir ja eine schöne Tafel!« Petru sagt zu ihnen: »Macht euch keine Sorgen, heute kriegt ihr etwas zu essen.« Und er rührte keinen Finger. Sie gingen und gingen herum, aber der Herd war kalt, die Katze hatte sich ins Backrohr gelegt. Als es Zeit zum Essen war, ließ Petru alle sich hinsetzen. »Was wollt ihr essen?« – »Was du willst.« Petru breitet das Zaubertischtuch aus und läßt einen riesigen Weichkäse für vierzig Personen kommen. Denen blieb der Mund offen, und sie schauten ihn mit Riesenaugen an. Nach dem Käse fragt Petru: »Und was wollt ihr jetzt?« – »Was du willst, Petru.« – »Wollt ihr Fleisch?« Da kommt jede Menge Fleisch. »Wein?« Wein aller Sorten und Arten. Die Gerichte gingen und kamen dampfend auf den Tisch, und niemand konnte sich erklären, wie das zuging. Petru tischte sogar Eis und Kaffee auf. Einen Teil vom Essen gab Petru dem Kerkermeister, denn der Petru legte Wert darauf, den König wissen zu lassen, daß sie alle ihren Spaß hatten. Der Kerkermeister (sind alle Spitzel!) ging zum König und gab es brühwarm weiter und erzählte ihm alles Brot Brot und Wein Wein.

Dann kam die junge Königin und sagte: »Holt mir diesen Bauern heraus.« – »Jetzt sag mir, Petru, wie hast du diese große Tafel gehalten?« – »Majestät, Ihr wollt viel wissen. Ich habe ein Tischtuch, und was ich essen will, das gibt es mir.« – »Na schön«, sagt die, »du setzt das Tischtuch und ich meine Person: Spielen wir.« – »Spielen wir!« sagt Petru. Man macht das Schachspiel auf und fängt an zu spielen, und wie sie so spielen, ist der Petru schon fast Sieger. Da verpaßt ihm die junge Königin mit der linken Hand einen Zwick in den Hintern; Petru dreht sich um, die Infantin verschiebt eine Figur, und Petru verliert die Partie. Der Petru stieg wieder ins Gefängnis hinunter. Die Königssöhne: »Du bist schon wieder da, Petru?« – »Schon wieder da.« – »He, was bist du dumm gewesen! Du hast dich

ein zweites Mal reinlegen lassen!« – »Ein Kniff«, sagt er, »hat mich betrogen. Jetzt vergnügen wir uns erst einmal, und dann reden wir weiter.«
Und sie fingen wieder an, sich schöne Tage zu machen, Tanzfeste und Vergnügungen. Sie merkten gar nicht, wie die Zeit verflog. So gehen an die acht Tage vorbei, da fiel es der Infantin wieder in den Sinn: »Kerkermeister, was sagen die Gefangenen?« – »Hab ich's Euch nicht gesagt, Majestät? Sie tollen herum und lachen. Der Bauer hat eine Fiedel und läßt sie alle tanzen.« Die Infantin antwortete: »Na schön.«
Am nächsten Morgen Befehl der Infantin, und sie haben Petru heraufkommen lassen. »Komm mal hierher«, sagt die Infantin, als er bei ihr ist, »du bist der Spaß und das Vergnügen der Gefangenen. Ich weiß, daß du eine Fiedel hast: Also du setzt die Fiedel und ich meine Person: Spielen wir!« – »Jawohl, Majestät.« Sie machten das Schachspiel auf, und das Spiel begann. Die Herrscher hatten zu ihm gesagt: »Petru, paß auf, denn wenn sie dich kneift und du drehst dich um, Hals über Kopf fällst du wieder zu uns runter.«
Also fangen sie an zu spielen, und im Laufe des Spiels bringt Petru sie an einen Punkt, wo es noch um eine Figur auf dem Schachbrett ging. Die Infantin sagt: »Aber der ist wirklich ein großer Spieler!« Und sie macht sich an das Kneifen.
Als Petru den Kniff spürt, packt er ihre Hand und hält seine andere Hand über die Figur. »Jetzt zieht!« – »Laßt meine Hand los!« Da wußte sie nicht mehr, was sie tun sollte; die Infantin mußte ziehen und verlor. Ihre Antwort: »Ich habe zwei von deinen Sachen in der Gewalt: das Tischtuch und das Schachspiel. Du setzt beide Sachen und ich meine Person.« – »Nein«, sagt Petru zu ihr, »ich bin Sieger und habe keine Lust weiterzuspielen.«
Sie melden es dem König; der König sagt: »Recht geschieht ihr, meiner Tochter.« – »Aber«, sagt einer vom Hofe, »Ihr müßt bedenken, Majestät, daß dieser junge Mann kein Bauer sein kann, denn er hat doch Geld; Schach spielen kann er besser als Eure Tochter, also muß doch etwas an ihm sein, beruhigt Euch.«
Als Petru sich frei sieht, schreibt er gleich an seinen Verwalter und sagt: »Ich habe die Infantin schon besiegt beim Schachspiel; deshalb bleibt Ihr alleiniger Patron meiner Güter, denn ich brauche sie nicht mehr.« Sie haben ihm die Bauernkleider ausgezogen, und der König hat ein großes Tanzfest vorbereiten lassen und eine große Tafel für alle die Prinzen und alle die Adligen. Petru verlobt sich mit der Infantin, dann sagt er zu dem König: »Majestät, mir scheint, daß ich jetzt der Gefängnisdirektor bin. Also entlassen wir alle die Söhne der Könige und Kaiser.« – »Richtig«, sagt der König. Petru steigt in das Gefängnis hinunter und läßt alle Prinzen frei, und dann setzt man sich zur Tafel, und am Ende gab's das

Tanzfest, und da tanzten alle die Herrschaften, und niemand hatte es eilig, nach Hause zu gehen. Da sagt Petru: »In welchem Monat wollen sie denn endlich gehen?« Zu seiner Frau sagt er: »Komm da raus und setz dich ganz nahe zu mir.« Er holt die Fiedel heraus und fängt an zu spielen – Schrumm, schrumm! Alle fangen an, einer den andern zu schubsen, stößt hier an und stößt da an, daß die Nasen und die Köpfe Blut regneten. In diesem Teufelsdurcheinander stürzen alle die Treppe hinunter und lassen Petru und die Infantin und den König und die Königin allein, und alle kehrten nach Hause zurück.

Die lebten alle glücklich und zufrieden,
Wir sind mit nichts zurückgeblieben.

16. Juni – Der einhundertsiebenundsechzigste Tag

Sonne, Mond und Talia

Es war einmal ein vornehmer Herr, der bei der Geburt einer Tochter alle Weisen und Wahrsager des Königreiches zusammenkommen ließ, damit sie ihr Lebensgeschick prophezeien sollten. Nach mehrfachen Beratungen nun sagten sie aus, daß ihr durch eine Flachsfaser große Gefahr drohe; weshalb ihr Vater, um jedem Unfall vorzubeugen, ein strenges Gebot erließ, daß weder Flachs noch Hanf noch irgend etwas Ähnliches jemals in seinen Palast gebracht würde. Als jedoch Talia herangewachsen war und eines Tages am Fenster stand, sah sie eine alte Frau vorübergehen, welche spann, und da sie niemals weder Kunkel noch Spindel zu Gesicht bekommen hatte, sie auch an dem Hin- und Herdrehen derselben großes Gefallen fand, wurde sie von so großer Neugier ergriffen, daß sie die Alte heraufkommen ließ und, den Rocken in die Hand nehmend, anfing den Faden zu drehen; unglücklicherweise jedoch stach sie sich dabei eine Hanffaser unter den Nagel eines Fingers, und sogleich fiel sie tot zur Erde. Sobald die Alte dies sah, eilte sie die Treppe hinunter, der arme Vater aber, von dem Unfall unterrichtet, bezahlte erst mit ganzen Fässern Tränen diesen Becher Wermutstrank, ließ dann die tote Tochter in dem Lustschloß, in welchem er sich befand, auf einen Samtsessel unter einem Thronhimmel von Brokat setzen, worauf er alle Türen verschloß und den Ort, welcher die Ursache eines solchen Unglückes gewesen war, verließ, um gänzlich und für immer das Andenken daran aus seinem Gedächtnis zu verbannen.

Es geschah nun aber eines Tages, daß ein König auf die Jagd ging und ein Falke, der ihm von der Faust entschlüpfte, in ein Fenster jenes Schlosses flog, so daß der König, da der Vogel nicht auf die Lockpfeife hörte, an das Tor pochen ließ, weil er glaubte, daß das Gebäude bewohnt sei. Nach langem und vergeblichem Klopfen jedoch hieß der König eine Winzerleiter herbeiholen, um selbst hineinzusteigen und zu sehen, wie es inwendig aussehe, und nachdem er es ganz durchwandert hatte, war er ganz außer sich vor Staunen, keine lebende Seele darin zu finden. Endlich jedoch gelangte er in das Zimmer, in welchem die bezauberte Prinzessin sich befand, und rief sie, weil er glaubte, daß sie schliefe; da sie aber trotz all seines Schreiens und Rüttelns nicht erwachte, er aber von ihrer Schönheit durch und durch erglühte, so trug er sie in seinen Armen auf ein Lager und pflückte dort die Früchte der Liebe. Hierauf ließ er sie auf dem Bett liegen und kehrte in sein Königreich zurück, wo er eine lange Zeit an diesen Vorfall nicht mehr dachte.

Talia aber gebar nach neun Monaten ein Zwillingspaar, einen Knaben und ein Mädchen, die einem zweifachen Juwelenschmuck glichen und von zwei Feen, die in jenem Palast erschienen, an die Brust der Mutter gelegt und sonst auch aufs sorgfältigste gepflegt wurden. Da sie nun einmal wieder saugen wollten und die Brustwarzen nicht fanden, so erfaßten sie einen Finger und saugten daran so lange, bis sie die Faser herauszogen, worauf Talia wie aus einem tiefen Schlaf zu erwachen schien, den kleinen Engeln, welche sie neben sich sah, die Brust darreichte und sie liebgewann wie ihr eigenes Leben, während sie jedoch gar nicht wußte, was mit ihr vorgegangen war, da sie nämlich wahrnahm, daß sie sich mit zwei Säuglingen ganz allein in dem Palast befand und von unsichtbaren Händen Speise und Trank herbeibringen sah. Endlich jedoch geschah es, daß der König, sich

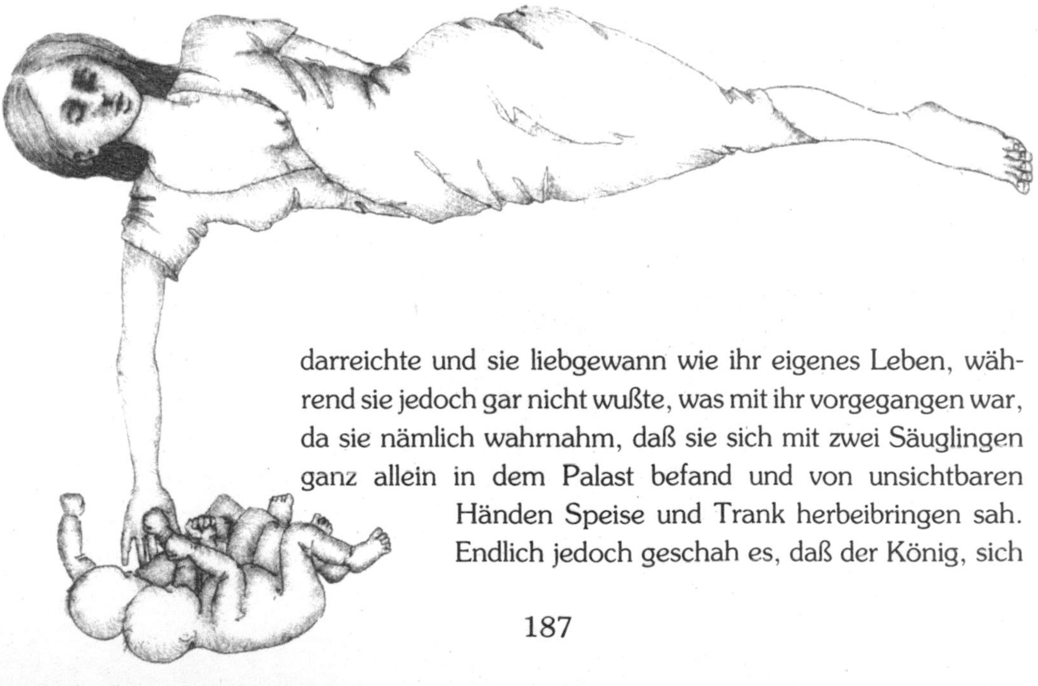

Talias erinnernd, unter dem Vorwand, auf die Jagd zu gehen, zu ihr in den Palast kam, und als er sie erwacht und außerdem zwei Engelchen an Schönheit bei ihr fand, fühlte er darüber die größte Freude. Sobald er nun Talia mitgeteilt hatte, wer er wäre und was sich zwischen ihnen zugetragen, schlossen sie ein sehr enges Freundschaftsbündnis und blieben einige Tage zusammen; worauf der König mit dem Versprechen, zurückzukehren und sie abzuholen, sich von ihr verabschiedete und sich wieder in sein Königreich begab. Dort aber dachte er jederzeit an Talia und seine Kinder, so daß, mochte er nun essen oder trinken, er zugleich auch Talia und Sonne und Mond (so hatte er nämlich seine Kinder genannt) im Munde führte, und wenn er sich zur Ruhe legte, den Namen jener sowohl als dieser ausrief. Der Gemahlin des Königs jedoch, welche durch seine lange Abwesenheit einigen Verdacht gefaßt hatte, wurde bei dem steten Anhören der Namen »Talia, Sonne, Mond« immer brühheiß. Daher nahm sie einmal ihren Geheimschreiber beiseite und sprach zu ihm: »Höre, mein Freund, du befindest dich jetzt zwischen Angel und Tür, zwischen Block und Beil, zwischen Strick und Leiter. Wenn du mir nämlich sagst, wer die Geliebte meines Mannes ist, so mache ich dich zum reichen Mann. Wenn du mir dies aber verheimlichst, so ist es um dich geschehen.« Der Geheimschreiber, einerseits durch die Furcht getrieben, andererseits durch den Eigennutz gezogen, der das Scheuleder auf den Augen der Ehre, die Augenbinde der Gerechtigkeit, der graue Star der Treue ist, schenkte der Königin reinen Wein ein. Diese sandte daher ihn selbst im Namen des Königs zu Talia und ließ ihr sagen, er wolle die Kinder sehen; worauf Talia ihm diese mit großer Freude schickte, jenes Medeaherz jedoch dem Koch befahl, sie zu schlachten und aus ihnen verschiedene Suppen und Ragouts zu machen, die sie dann dem armen König zu essen geben wollte. Der Koch aber, der ein weiches Herz hatte, wurde, sobald er die beiden kleinen Engelchen erblickte, von Mitleid ergriffen, und indem er sie seiner Frau übergab, damit sie sie verstecken sollte, bereitete er statt ihrer zwei Zicklein auf hunderterlei Weise zu und übersandte sie der Königin, welche die Speisen mit großer Freude empfing. Als nun der König kam und mit vielem Wohlbehagen zu essen begann, wobei er ein ums andere Mal sagte: »Das schmeckt ja herrlich, bei meiner Seele! Das schmeckt ja köstlich, so wahr ich lebe!«, entgegnete seine Frau immer: »Iß, denn du ißt von dem Deinen.« Der König ließ dies Gerede zwei- oder dreimal unbeachtet; da er jedoch sah, daß sie gar nicht aufhören wollte, rief er endlich aus: »Ich weiß, daß ich von dem Meinigen esse; denn du hast mir nichts ins Haus gebracht!« Worauf er zornig aufsprang und sich auf ein nicht weit entferntes Landhaus begab, um dort seinen Ärger verfliegen zu lassen.

Inzwischen trug die Königin, deren Wut noch nicht durch das, was sie getan, gesättigt war, dem Geheimschreiber wiederum auf, Talia unter dem Vorwand, daß der König sie erwarte, herbeizuholen. Diese nun kam alsbald, voll Freude und Verlangen, das Licht ihrer Augen wiederzufinden, und nicht ahnend, daß sie statt dessen Feuer erwartete. Als sie daher vor der Königin erschien, sprach diese zu ihr mit einem Nero-Gesicht und giftig wie eine Natter: »Ei, willkommen, willkommen, du kostbares Frauenzimmer! Du also bist die Metze, das Unkraut, das meinen Mann von mir abzieht? Du also bist die infame Hündin, die mir so viele schlaflose Nächte gemacht hat! Laß nur gut sein! Jetzt bist du in das Fegefeuer gekommen, wo du für das büßen sollst, was du mir angetan hast.« Sobald Talia diese Rede vernahm, fing sie an, sich zu entschuldigen, indem sie sagte, daß sie nichts verbrochen und der König, während sie im Schlafe dalag, von ihrem Grund und Boden Besitz genommen habe; jedoch die Königin, welche keine Entschuldigungen hören wollte, ließ im Hof des Palastes selbst ein großes Feuer anzünden und befahl, Talia hineinzuwerfen. Da diese nun sah, wie schlecht es mit ihr stand, so fiel sie vor der Königin auf die Knie und flehte sie an, ihr wenigstens so viel Aufschub zu gestatten, bis sie ihre Kleider abgelegt habe. Die Königin, nicht aus Mitleid mit der Unglücklichen, sondern um sich die mit Gold und Perlen gestickten Gewänder anzueignen, erwiderte: »Nun denn, so zieh dich aus«, worauf Talia sich zu entkleiden anfing und bei jedem Stück, das sie ablegte, ein lautes Geschrei ausstieß. Als sie nun nach Ablegung des Überwurfs, des Kleides und des Mieders eben auch den Unterrock herunterstreifte, wobei sie den letzten Schrei vernehmen ließ und man sie bereits fortschleppte, um aus ihrem Körper Asche für die Lauge zu Charons Hosen zu bereiten, eilte der König herbei und wollte beim Anblick dieses Schauspiels wissen, was vorging; hierauf fragte er auch nach seinen Kindern, und als er vernahm, daß seine Frau, um sich wegen seiner Untreue zu rächen, sie hatte schlachten lassen, rief er aus: »Ich selbst also war der Wolf meiner Schäflein? Weh mir, warum erkannten meine Adern nicht, daß sie die Quelle ihres Blutes waren? O du schändliche Barbarin, was für eine Grausamkeit hast du da begangen? Aber warte nur, es wird dir nicht so hingehen, deine Strafe soll wahrhaftig nicht sehr sanft ausfallen.« So sprechend, befahl er, daß sie in das für Talia angezündete Feuer geworfen würde und zugleich mit ihr auch der Geheimschreiber, welcher der Bube in diesem Unglücksspiel und der Anzettler dieses Gewebes der Bosheit gewesen war. Indem er nun aber mit dem Koch das nämliche tun wollte, weil er glaubte, daß er die Kinder kleingehackt habe, warf dieser sich ihm zu Füßen und rief aus: »Fürwahr, Herr König, es bedürfte gar keiner andern Sinekure für den Dienst, den ich Euch erwiesen, als wenn ich in eine Kalkofenglut geworfen würde, keines andern Kostenersatzes, als wenn man mir einen Pfahl in den Hintern bohrte, keiner andern Belustigung,

als mich im Feuer weich zu kochen und braten zu lassen, keines andern Vorteils, als daß die Asche eines Koches mit der einer Königin vermischt würde; aber dies wäre denn doch keine sonderliche Belohnung dafür, daß ich Euch Eure Kinder trotz jener mitleidlosen Metze, die sie töten wollte, gerettet habe, um Euch einen Teil Eurer selbst wiederzugeben.«
Als der König diese Worte vernahm, blieb er wie versteinert stehen, denn er glaubte zu träumen und konnte nicht glauben, was seine Ohren vernahmen. Endlich jedoch wandte er sich zu dem Koch und sprach: »Wenn du mir wirklich meine Kinder gerettet hast, so sei sicher, daß du nicht weiter Bratspieße drehen, sondern in der Küche meines Herzens meinen Willen drehen sollst, wie du willst, indem ich dich so belohnen werde, daß nichts zu deinem Glück fehlen soll.«
Während der König dies sprach, brachte die Frau des Koches, welche sah, wie nötig dies war, Sonne und Mond vor den König, der sogleich anfing, bald mit seiner Frau, bald mit seinen Kindern Kußmühle zu spielen, den Koch aber reich belohnte und ihn zu seinem Kammerherrn machte. Hierauf heiratete er Talia, welche nun mit ihrem Gemahl und ihren Kindern ein langes und glückliches Leben führte, nachdem sie erkannt hatte:

»Wem der Himmel wohlwill,
Dem gibt er das Glück im Schlaf.«

17. Juni – Der einhundertachtundsechzigste Tag

Verdeprato

Es war einmal eine Mutter mit drei Töchtern, von denen zwei das Unglück so sehr verfolgte, daß ihnen nie etwas gelang, daß alles, was sie sich vornahmen, ihnen mißglückte und alle ihre Hoffnungen ihnen stets zu Wasser wurden; die Jüngste aber, namens Nella, hatte aus dem Mutterleib das Glück mit auf die Welt gebracht, und man konnte glauben, daß bei ihrer Geburt sich alles verband, um ihr das Allerbeste und Auserlesenste zuteil werden zu lassen; denn der Himmel verlieh ihren Augen sein reinstes Licht, Venus begabte sie mit der tadellosesten Schönheit, Amor mit dem höchsten Grade seiner Gewalt, die Natur mit den zierlichsten Sitten; sie verrichtete nie etwas, das ihr nicht nach Wunsch vonstatten gegangen, sie unternahm nichts, das ihr nicht auf das beste gelungen wäre, und sie besuchte nie einen Tanz, den sie nicht mit aller Ehre verlassen hätte,

weswegen sie zwar von den Neidhämmeln von Schwestern gehaßt, aber noch viel mehr von allen andern geliebt und geachtet, und zwar von ihren Schwestern unter die Erde gewünscht, aber noch viel mehr von allen andern auf Händen getragen wurde.
So geschah es nun, daß ein zauberkundiger Prinz, welcher in jenem Lande wohnte und in dem Meer ihrer Schönheit auf den Fang ausging, so lange den Angelhaken der Liebeswerbung nach diesem schönen Goldfischlein auswarf, bis er es endlich an den Kiefern der Zuneigung erfaßte und es in seine Gewalt bekam. Damit sie jedoch ohne Wissen der Mutter, welche ein sehr schlimmer Bissen war, miteinander ihre Liebe genießen könnten, so machte der Prinz einen unterirdischen Gang aus Kristall, welcher, obwohl sie vier Meilen voneinander entfernt waren, dennoch von seinem Palast bis unter das Bett Nellas ging, gab ihr dann ein gewisses Pulver und sprach zu ihr: »Jedesmal, wenn du mich wie einen Sperling mit deiner holdseligen Schönheit ätzen willst, wirf etwas von diesem Pulver ins Feuer, alsdann werde ich so schnell wie zu einem Lockvogel durch den Gang zu dir kommen und auf kristallenem Pfad zu dem Genuß deines silbergleichen Antlitzes eilen.«
Dieser Verabredung gemäß verging keine Nacht, wo der Prinz nicht vermittels jenes Ganges das Raus-und-rein- und Geh-und-komm-Spiel mit Nella gespielt hätte, so daß die Schwestern, welche sie auf das schärfste belauerten und ihre nächtlichen Freuden erspäht hatten, ihr diesen guten Bissen zu rauben beschlossen und, um ihr Liebesgewebe zu zerreißen, den Kristallgang gänzlich zerstörten. Als daher das arme Ding wieder das Pulver ins Feuer warf, um ihrem Geliebten ein Zeichen zu geben, damit er komme, richtete sich dieser, der immer in blinder Hast und ganz nackt herbeizueilen pflegte, an den zerbrochenen Kristallstücken so übel zu, daß es wahres Mitleid erweckte, ihn anzusehen. Indem er nun auf diese Weise nicht weiter vorwärts konnte, kehrte er, zerschlitzt wie die Pumphosen eines Deutschen, nach Hause zurück und ließ, nachdem er sich zu Bett gelegt, alle Doktoren der Stadt herbeirufen; das bezauberte Kristall hatte ihm jedoch so tödliche Wunden beigebracht, daß kein menschliches Mittel Hilfe zu leisten vermochte und der König, durch die verzweifelte Lage seines Sohnes erschreckt, öffentlich bekanntmachen ließ, daß, wer den Prinzen von seinem Übel befreie, wenn es eine Frau wäre, denselben zum Gemahl, wäre es aber ein Mann, die Hälfte seines Reiches erhalten solle.
Sobald Nella, welche sich wegen der Lage des Prinzen in Verzweiflung befand, dies vernahm, färbte sie sich das Gesicht, verkleidete sich und verließ ohne Wissen der Schwestern das Haus, um den Prinzen noch einmal vor seinem Tode zu sehen. Da aber die von dem Sonnengott vergoldete Kugel, mit welcher dieser

auf den Fluren des Himmels zu spielen pflegt, ihren Lauf bereits nach dem Westen zu nahm, so wurde Nella in einem Wald ganz nahe bei dem Haus eines wilden Mannes von der Nacht überfallen, daher sie, um etwaige Gefahren zu vermeiden, auf einen Baum stieg, während eben der wilde Mann mit seiner Frau bei offenen Fenstern zu Tisch war, um so die frische Luft zu genießen. Nachdem sie nun die Krüge geleert und die Lampe ausgelöscht hatten, fingen sie an, von dem und jenem zu reden, so daß Nella, die fast nicht weiter entfernt war, als die Nase vom Mund ist, alles ganz genau hören konnte und unter anderm auch, wie die wilde Frau zu ihrem Mann sagte: »Was gibt es Neues, lieber Zottelbär? Was hört man in der Welt?« Worauf dieser antwortete: »Nicht viel Gutes, liebe Frau, alles geht drüber und drunter und nichts, wie es soll.« – »Nun aber doch«, versetzte die Frau, »sage mir, was man hört.« – »Da wäre wohl viel zu erzählen«, erwiderte der wilde Mann, »von all dem Wirrwarr in der Welt. Denn man vernimmt Dinge, daß man außer sich geraten möchte. Wie Possenreißer herrlich beschenkt, Schelme hoch geehrt, Schurken belohnt, Räuber beschützt und Mörder verteidigt, redliche Männer aber geringgeschätzt oder vielmehr gar nicht geschätzt werden. Da man aber darüber vor Ärger aus der Haut fahren könnte, so will ich nur das erwähnen, was dem Sohn des Königs zugestoßen ist. Dieser nämlich hatte sich einen kristallenen Gang gebaut, auf welchem er sich immer nackt zu einem hübschen jungen Weibsgesicht zu begeben pflegte, um sich mit ihr die Zeit zu vertreiben; dieser Gang aber ist, ich weiß nicht wie, zerbrochen worden, und indem er nun wieder einmal durchgehen wollte, hat er sich dermaßen zerschnitten, daß, ehe er so viele Löcher zumachen kann, die Lebenskraft ihm ganz ausgelaufen sein wird; der König hat freilich durch öffentlichen Ausruf dem, der ihn heilt, große Versprechungen gemacht, doch ist dies alles nur verlorene Mühe und der Sache nicht abzuhelfen; das beste, was er tun könnte, wäre, die Trauerkleider bereitzuhalten und Anstalten zum Begräbnis zu treffen.«

Als Nella die Ursache der Krankheit des Prinzen vernahm, fing sie an, bitterlich zu weinen, und sprach bei sich selbst: ›Was ist das doch für eine verwünschte Seele gewesen, die den Gang, auf welchem mein holdseliger Vogel zu mir kam, zerstört hat, damit auch mir die Gänge meiner Lebensgeister zerstört werden?‹ Sobald aber die wilde Frau wieder zu reden begann, schwieg Nella ganz mäuschenstill, um wieder zu horchen, worauf jene also sprach: »Ist es wirklich möglich, daß der arme Prinz der Welt entrissen werde und für sein Übel kein Mittel zu finden sei? Ei, so mag die ganze Heilkunde sich verstecken, alle Doktoren sollten sich einen Strick um den Hals nehmen und Galen und Mesuë [Autoritäten der Medizin] ihren Schülern das Lehrgeld wiedergeben, da diese nicht einmal imstande sind, dem Prinzen ein Rezept zu verschreiben, das ihn wieder gesund mache.« – »Still doch, Mütterchen«, erwiderte der wilde Mann, »die Doktoren brauchen ja keine Heilmittel zu entdecken, die über die Grenzen der Natur hinausgehen. Das ist da nicht etwa eine Windkolik, die mit einem Ölbad abgemacht ist, nicht etwa eine Blähung, die man durch ein Abführungsmittel von Feigen und Mäusekot vertreiben kann, nicht etwa ein Fieber, das durch etwas Medizin und Diät bald vergeht; auch sind es nicht etwa gewöhnliche Wunden, zu deren Heilung bloß etwas Scharpie und Feldzypressenöl nötig ist, denn der Zauber, welcher dem zerbrochenen Kristall anhing, bringt gerade dieselbe Wirkung hervor wie Zwiebelsaft auf einer Pfeilspitze, durch welchen die Wunde unheilbar wird. Nur ein Mittel könnte ihm das Leben erhalten, aber frage mich nicht weiter danach, denn die Sache ist von Wichtigkeit.« – »Sag mir's nur, alter Großzahn«, versetzte die Frau, »sag mir's nur, wenn ich nicht vor Neugier sterben soll.« – »Nun gut«, antwortete der wilde Mann, »ich will's dir sagen, wenn du mir versprichst, es keinem lebenden Wesen anzuvertrauen, denn es wäre um unser Haus und Leben geschehen.« – »Hab keine Sorge, mein liebes, allerliebstes Männchen«, entgegnete die Frau, »denn eher wird man Schweine mit Hörnern, Affen mit Schwänzen und Maulwürfe mit Augen sehen, als mir ein Wort in betreff dieser Sache über die Lippen kommen.« Nachdem sie nun mit der Hand auf dem Herzen ihrem Manne Verschwiegenheit zugeschworen, sagte er zu ihr: »So wisse denn, daß nichts unter dem Himmel oder auf der Erde den Prinzen von den Häschern des Todes befreien kann, außer Fett von unserm Leib. Denn wenn man ihm damit seine Wunden bestreicht, so würde seine Seele, die schon aus dem Haus seines Leibes Reißaus nehmen will, in ihrem Gefängnis noch ferner bleiben müssen.«

Sobald Nella dies vernahm, wartete sie ruhig ab, bis die beiden aufhörten zu plaudern, worauf sie von dem Baume stieg und, sich ein Herz fassend, an die Tür des wilden Mannes pochte, indem sie dabei ausrief: »Ach, mein liebster Herr, ach, liebste Frau, schenkt doch eine Gabe, ein Almosen, ein Zeichen von Mitleid, ein wenig Barmherzigkeit einer armen Unglücklichen, Elenden, welche vom Schicksal verfolgt, fern von der Heimat, jeder menschlichen Hilfe beraubt, in diesem Walde von der Nacht überfallen worden ist und vor Hunger stirbt«; und dabei pochte sie immer darauf los. Als die wilde Frau sich die Ohren auf diese Weise betäuben hörte, wollte sie ihr ein halbes Brötchen zuwerfen und sie fortschicken; ihr Mann aber, welcher gieriger nach Christenfleisch war als das Eichhörnchen nach Nüssen, der Bär nach dem Honig und die Katze nach Fischen, das Schaf nach Salz und der Esel nach Kleie, sagte zu ihr: »Laß doch das arme Ding hereinkommen; denn wenn sie unter freiem Himmel schläft, könnte sie leicht von Wölfen überfallen werden.« Kurzum, er redete so lange, bis

seine Frau die Tür aufmachte, während er mit seinem hinterlistigen Mitleid sie in drei oder vier Bissen zu verschlingen gesonnen war.
Aber diesmal hatte er sich stark verrechnet; denn da sowohl er wie seine Frau schwer berauscht waren und daher bald einschliefen, so nahm Nella ein Messer aus einem Schrank, schlachtete damit beide ab und begab sich, nachdem sie alles Fett in ein Gefäß getan, an den Hof des Königs, woselbst sie sich diesem vorstellte und sich erbot, den Prinzen zu heilen. Voll der größten Freude ließ der König sie in das Zimmer seines Sohnes treten, und kaum hatte sie diesen mit dem Fett gehörig eingeschmiert, als sich auch unverzüglich, wie wenn sie Wasser ins Feuer gegossen hätte, die Wunden schlossen und der Prinz so gesund wurde wie ein Fisch. Sobald der König dies sah, sagte er zu dem Sohn: »Dieses wackere Frauenzimmer verdiente wohl, daß ihr die öffentlich verheißene Belohnung zuteil würde und du sie zur Frau nähmest.« Bei Anhörung dieser Worte erwiderte jedoch der Prinz alsbald: »Mit Eurem Antrag kommt Ihr jetzt zu spät; denn ich habe nicht etwa eine Vorratskammer von Herzen, daß ich deren so viele weggeben könnte, wie ich will. Das meine ist schon verpfändet und eine andere seine Herrin.«
Als Nella dies vernahm, antwortete sie: »Du solltest sie lieber ganz vergessen, da sie Ursache deines ganzen Übels gewesen ist.« – »Das haben mir vielmehr ihre Schwestern getan«, versetzte der Prinz, »und sie sollen mir schon dafür büßen.« – »Du liebst sie also wirklich?« begann Nella von neuem, worauf der Prinz entgegnete: »Mehr als mein Leben.« – »Nun denn«, rief Nella aus, »wenn dem so ist, so umarme mich, umschlinge mich, denn ich bin das Feuer deines Herzens.« Da jedoch der Prinz sie wegen ihres gefärbten Gesichtes nicht gleich erkannte, antwortete er: »Du bist eher die Kohle als das Feuer. Darum entferne dich, damit du mich nicht schwarz machst.« Nella, welche sah, wie die Sachen standen, ließ sich rasch ein Becken mit frischem Wasser kommen, wusch sich das Gesicht, und indem sie jene Wolke von Ruß verbannte, zeigte sie dem Prinzen die glänzende Sonne, welche von demselben alsbald erkannt wurde, so daß er Nella wie ein Polyp umschlang und sich dann ohne Verzug mit ihr verheiratete; ihre Schwestern aber ließ er in einen feurigen Ofen werfen, damit sie sich wie die Blutegel von dem verdorbenen Blut des Neides in der Asche reinigen und das Sprichwort wahr machen sollten:

»Kein Vergehen ohne Strafe.«

18. Juni – Der einhundertneunundsechzigste Tag

Petrosinella

Es war einmal eine schwangere Frau namens Pascadozia, welche von einem Fenster aus, das in den Garten einer Hexe ging, ein Beet Petersilie erblickte und ein solches Gelüst danach bekam, daß sie darüber fast in Ohnmacht fiel und, um es zu befriedigen, die Zeit abpaßte, wann die Hexe ausging, während welcher sie sich eine Handvoll abpflückte. Als aber die Hexe nach Hause zurückkehrte und sich eine Suppe kochen wollte, so merkte sie, daß jemand bei der Petersilie

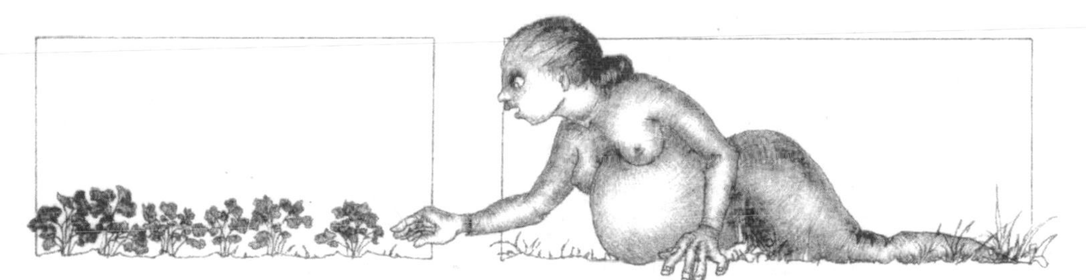

gewesen war, und sprach: »Hol mich der Teufel, wenn ich diesen langfingrigen Schelm nicht kriege und ihn auf seine Kosten lehren will, von seinem Teller zu essen und die Töpfe anderer Leute unangerührt zu lassen.« Als nun die arme Schwangere zu wiederholten Malen in den Garten hinabstieg, wurde sie eines Morgens von der Hexe ertappt, welche voll von Wut und Galle zu ihr sprach: »Hab ich dich endlich erwischt, du Diebin, du Spitzbübin? Was für Pacht bezahlst du mir denn für den Garten, daß du mir so ohne weiteres mein Grünzeug wegstiehlst? Meiner Treu, ich werde dich nicht erst nach Rom schicken, damit du dort Buße tun sollst.« Außer sich vor Schrecken fing Pascadozia an, sich zu entschuldigen, indem sie sagte, daß sie weder aus Naschhaftigkeit noch aus Heißhunger sich vom Bösen habe verleiten lassen, diese Unredlichkeit zu begehen, sondern vielmehr, weil sie schwanger wäre und daß sie fürchte, das Gesicht des Kindes würde ganz mit petersilienähnlichen Malen bedeckt sein, ja sie müsse ihr vielmehr Dank wissen, daß sie ihr nicht eine Augengeschwulst angewünscht habe. »Das ist leeres Gewäsch«, erwiderte die Hexe, »mir mußt du damit nicht kommen. Dein Lebenstermin ist abgelaufen, wenn du mir nicht versprichst, mir das Kind zu geben, mag es nun ein Mägdlein oder ein Knäblein sein.« Um aus der Gefahr, in der sie sich befand, zu entkommen, leistete die arme

Pascadozia mit der Hand auf dem Herzen den geforderten Eid und wurde hierauf von der Hexe freigelassen.
Als aber die Zeit ihrer Entbindung erschien, gebar sie ein so schönes Töchterlein, daß es eine wahre Freude war, und da es auf der Brust ein niedliches Mal hatte, das wie Petersilie aussah, so erhielt es den Namen Petrosinella. Diese wuchs nun alle Tage zusehends heran und wurde, sobald sie das siebente Jahr erreichte, in die Schule geschickt; immer aber, wenn sie auf der Straße der Hexe begegnete, sprach diese zu ihr: »Sag deiner Mutter, daß sie an das Versprechen denken soll.« Und so oft sandte die Hexe Pascadozia diese Hiobsbotschaft, daß die arme Frau voll Verzweiflung sie nicht ferner hören wollte und zu ihrem Töchterchen eines Tages sagte: »Wenn du wieder die alte Frau triffst und sie die Erfüllung des verdammten Versprechens fordert, so antworte ihr: ›Nimm dir, was du haben willst.‹« Als daher Petrosinella, die nichts Böses ahnte, wieder einmal der Hexe begegnete und von ihr dieselbe Rede vernahm, so antwortete sie in der Unschuld ihres Herzens, so wie die Mutter ihr gesagt, worauf die Hexe sie bei den Haaren ergriff und in einen Wald schleppte, welchen die Sonnenrosse niemals betraten, um auf seinen dunklen Weideplätzen nicht zu erkranken. Dort nun wurde Petrosinella von der Hexe in einen von ihr hervorgezauberten Turm gesperrt, der weder Türen noch Treppen und nur ein Fensterchen hatte, durch welches die Hexe vermittels der überaus langen Haare Petrosinellas wie ein Matrose auf den Wanten hinauf- und hinabzusteigen pflegte.
So geschah es nun einmal, daß, als Petrosinella eines Tages während der Abwesenheit der Hexe den Kopf aus jener Öffnung hinaussteckte und ihre Flechten in der Sonne erglänzen ließ, der Sohn eines Prinzen vorüberkam, welcher beim Anblick dieser zwei goldenen Standarten, welche die Herzen zur Anwerbung unter Amors Fahnen herbeiriefen, und des unter den herrlich schimmernden Wellen hervorschauenden Sirenenangesichts sich in so hohe Schönheit auf das sterblichste verliebte. Nachdem er ihr nun eine Bittschrift von

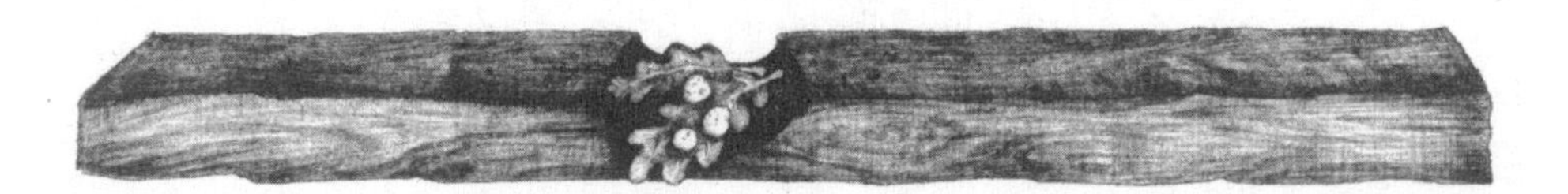

Seufzern zugesandt, wurde von ihr beschlossen, ihn zu Gnaden anzunehmen, und der Handel ging so rasch vonstatten, daß der Prinz freundliches Kopfnicken und Kußhände, verliebte Blicke und Verbeugungen, Danksagungen und Anerbietungen, Hoffnungen und Versprechungen, kosende Worte und Schmeicheleien in großer Menge zugeworfen erhielt. Als sie dies aber so mehrere Tage wiederholt hatten, wurden sie dermaßen miteinander vertraut, daß sie eine nähere Zusammenkunft miteinander verabredeten, und zwar sollte diese des Nachts, wann der Mond mit den Sternen Verstecken spielte, stattfinden, Petrosinella aber der Hexe einen Schlaftrunk eingeben und den Prinzen mit ihren Haaren emporziehen. Sobald dieser Verabredung gemäß die bestimmte Stunde erschienen war und der Prinz sich nach dem Turm begeben hatte, senkten sich auf einen Pfiff von ihm die Flechten herab, welche er rasch mit beiden Händen ergriff und nun rief: »Zieh!« Oben angelangt, kroch er durch das Fensterchen in die Stube, genoß in reichem Maß von jener Petersilienbrühe Amors und stieg, ehe noch der Sonnengott seine Rosse durch den Reifen des Tierkreises springen lehrte, wieder auf der nämlichen Goldleiter hinab, um nach Hause zurückzukehren.

Da er nun oftmals diese Besuche wiederholte, so wurde es endlich eine Gevatterin der Hexe gewahr, welche sich um Dinge, die sie nichts angingen, zu bekümmern und ihre Nase in jeden Quark zu stecken pflegte; sie sagte daher zu der Alten, sie solle auf ihrer Hut sein, denn Petrosinella habe mit einem jungen Burschen einen Liebeshandel; sie vermute, die Sache würde dabei nicht stehenbleiben, sie durchschaue alles und wisse, wie es kommen würde; wenn jene sich also nicht vorsehe, möchte wohl Petrosinella, ehe sie es sich dessen versehe, über alle Berge sein. Die Hexe dankte der Gevatterin vielmal für den wohlgemeinten Rat und fügte hinzu, sie wolle schon dafür sorgen, der Petrosinella den Weg zu verlegen, abgesehen davon, daß es ihr ganz unmöglich sein würde zu entfliehen, weil sie sie dermaßen bezaubert habe, daß, wenn sie nicht die drei Galläpfel, welche sich in dem Loch eines Küchenbalkens befänden, in den Händen hätte, alle Bemühungen, sich aus dem Staube zu machen, verloren wären.

Während aber die beiden alten Hexen sich auf diese Weise besprachen, belauschte Petrosinella, welche stets die Ohren spitzte und gegen die Gevatterin Verdacht hegte, ihre ganze Unterredung. Sie ließ daher, sobald die Nacht ihre schwarzen

Kleider ausschüttelte, um sie vor den Motten zu bewahren, und der Prinz sich wie gewöhnlich eingestellt hatte, ihn auf die Balken in der Küche steigen und die Galläpfel suchen, welche ihr, wie sie wußte, wegen des ihr von der Hexe angehängten Zaubers unerläßlich notwendig waren. Nachdem sie sie gefunden und sich eine Strickleiter gemacht hatten, stiegen sie beide den Turm hinunter und schickten sich an, auf dem Weg, der nach der Stadt führte, zu fliehen. Da sie jedoch hierbei von der Gevatterin gesehen wurden, so fing diese an, dermaßen zu schreien und die Hexe zu rufen, daß jene erwachte, hierauf, sobald sie vernahm, daß Petrosinella entflohen wäre, auf derselben Strickleiter, die noch an das Fensterchen gebunden war, hinunterstieg und anfing, den Liebenden nachzueilen.

Als diese nun die Hexe schneller als ein freigelassenes Roß hinter sich herlaufen sahen, so hielten sie sich anfangs für verloren; endlich jedoch erinnerte sich Petrosinella der Galläpfel und warf rasch einen auf die Erde, so daß plötzlich ein entsetzlicher korsischer Bullenbeißer erschien, der mit weitgeöffnetem Maul und furchtbar bellend der Hexe entgegenrannte, um sie wie einen einzigen Bissen zu verschlingen. Diese aber, welche mehr List und Kniffe im Kopf hatte als der leibhafte Teufel, steckte die Hand in die Tasche und zog daraus ein Brötchen hervor, das sie kaum dem Hund dargereicht hatte, als er den Schwanz sinken und seine ganze Wut fahren ließ, worauf sie von neuem den Fliehenden nachzusetzen begann.

Sobald Petrosinella sie wieder nahe herankommen sah, warf sie den zweiten Gallapfel zur Erde, und plötzlich erschien ein furchtbarer Löwe, welcher mit dem Schweif die Erde peitschte, die Mähne schüttelte und mit ellenweit aufgesperrtem Rachen sich bereit machte, die Hexe zu zermalmen; daher diese sogleich zurückkehrte, einem Esel, der auf einer Wiese weidete, die Haut abzog und, sich diese umhängend, dem Löwen nochmals entgegenging, welcher, in der Meinung, es wäre ein wirkliches Langohr, so große Furcht bekam, daß er sogleich ausriß. Nachdem nun die Hexe solchermaßen diesen zweiten Graben übersprungen hatte, begann sie wiederum die armen Flüchtlinge zu verfolgen, welche an den Fußtritten und der Staubwolke, die sich bis zum Himmel erhob, merkten, daß die Hexe von neuem hinter ihnen her wäre; diese aber hatte aus Furcht, der Löwe könne sie verfolgen, sich die Eselshaut noch nicht abgenommen, so daß, da Petrosinella inzwischen den dritten Gallapfel zur Erde geworfen und auf diese Weise einen Wolf hervorgezaubert hatte, dieser, ohne der Hexe Zeit zu einem neuen Ausweg zu lassen, sie wie einen Esel verschlang.

Hierauf legten die Liebenden, von jeder Gefahr befreit, ganz langsam und gemächlich ihren Weg in das Reich des Prinzen zurück, wo dieser mit Bewilligung seines Vaters Petrosinella heiratete und beide nach so vielen Leidensstürmen empfanden, daß:

»Nur eine Stunde im Port frei von Gefahr,
Läßt bald vergessen manches Sturmesjahr.«

19. Juni – Der einhundertsiebzigste Tag

Der Vertrag

Es war einmal ein Mann, der hatte drei Söhne, aber er war so arm, daß sie nichts zu essen hatten.
Da sagte der Älteste: »Ich will losziehen, um etwas zu verdienen.« Der Vater gab ihm den Segen, und er ging in die Welt hinaus, um sein Leben zu verdienen. Er traf einen Herrn, der fragte ihn, ob er in seinen Dienst treten und sein Knecht sein wolle. Sagte er: »Eben deshalb habe ich meinen Vater verlassen.« Sagte der Padrone: »Ich werde dir hundert Scudi im Monat geben und Essen dazu, aber wir machen den Vertrag so: Wer zuerst diesen Vertrag bereut, der gibt dem anderen das Recht, ihm die Haut abzuziehen.« Sagte er: »Ja.«
Am andern Tag gab ihm der Padrone vier Maultiere, um damit in den Wald zu ziehen und Holz zu schlagen, und zum Frühstück bekam er ein winziges Stückchen Brot. Als er mit dem Brennholz zurückkam, verlangte er zu essen. »Hast du nicht am Morgen schon gegessen?« – »Nein, Herr, ich habe nur ein winziges Stück Brot bekommen.« – »Gut«, sagte der Herr, »hier hast du noch eins«, und er gab ihm eins, das noch viel kleiner war. »Das genügt mir nicht«, sagte er zum Padrone, »davon kann ich nicht leben.« – »Also bereust du unsern Vertrag?« – »Ja, ich bereue ihn.« Da packte er ihn am Hals, zog ihm die Haut ab und warf ihn tot hinter die Tür.
Als der Älteste nicht zurückkam, sagte der zweite, er wolle gehen. Der Vater gab ihm den Segen, und er machte sich auf den Weg und stieß auf den gleichen Padrone und schloß den gleichen Vertrag, und man zog ihm die Haut ab und warf ihn hinter die Tür wie den ersten.
Schließlich machte sich der dritte Bruder auf den Weg und stieß auf den gleichen Herrn und wurde Knecht bei ihm. Er ging mit den Maultieren in den Wald, um Holz zu schlagen, und als er zurückkam, verlangte er zu essen, und der Herr gab ihm ein Stück Brot, so dünn, daß die Sonne hindurchschien. Er wollte sich beschweren, aber als er durch die Tür ging, sah er dahinter die Brüder tot liegen. »Bereust du unsern Vertrag?« fragte der Padrone. »Nein, ich bereue ihn nicht«, sagte der dritte Bruder. Anderntags wurde er wieder nach Holz geschickt. Er zog los, aber anstatt es im Wald zu holen, betrat er den Garten eines Nachbarn, schnitt die Bäume, die Rebstöcke, alles kostbare Dinge, und schleppte sie ins Haus. Kam der Nachbar und schrie: »Seht nur, was Euer Knecht angestellt hat, das werdet Ihr mir bezahlen.« Sagte der Padrone zum Knecht: »Was hast du gemacht?« –

»Das, was du mir aufgetragen hast«, antwortete er. »Bereust du etwa unsern Vertrag?« – »Nein«, sagte der Herr, »ich bereue ihn nicht.« Sagte die Frau des Padrone zu ihrem Mann: »Morgen schicken wir ihn mit der Schweineherde in den Wald, dort ist ein Orco [menschenfressender Waldriese], der wird ihn fressen.« Sagte der Padrone am andern Tag: »Geh mit den Schweinen in den Wald.« Und der dritte Bruder ging mit den Schweinen und kaufte ein Horn und ein Stück Ricotta [Quarkkäse]. Kaum war er in den Wald gelangt, kam auch schon der Orco heran. »Wer bist du, der du hierherkommst?« – »Sieh, wer ich bin!« sagte der dritte Bruder und nahm das Stück Ricotta, legte es auf einen Stein und schlug mit der Faust darauf, daß der Ricotta durch die Luft sauste und überallhin spritzte. Der Orco aber, der glaubte, der Ricotta wäre ein Stück Marmor, bekam Angst, als er diese Kraftprobe sah, und sagte: »Gevatter, willst du nicht in mein Haus kommen? Laß uns Freunde sein.« Sagte er: »Ja«, und sie gingen in das Haus des Orco, wo auch seine Frau war.

In der Nacht, als sie im Bett lagen, hörte der dritte Bruder, wie die Frau zu ihrem Mann sagte: »Er ist nicht so stark, du hast dich hinters Licht führen lassen. Geh morgen mit ihm und stell ihn nochmals auf die Probe.« Anderntags sagte der Orco zum dritten Bruder: »Laß uns das Schleuderspiel spielen.« Er nahm die Holzwinde des Mahlwerks als Schleuder und warf sie weit, sehr weit; dann sagte er zu seinem Kameraden, er solle werfen. Aber der dritte Bruder nahm sein Horn, tut, tut, tut! »Was tut Ihr da, Gevatter?« – »Seht Ihr nicht das Meer dort?« – »Sicher, ich sehe es.« – »Auf der anderen Seite des Meeres sind Leute, und ich warne sie, sie sollen fortgehen, denn ich will zwar die Holzwinde ins Meer schleudern, aber vielleicht fällt sie erst auf der anderen Seite nieder, und da könnte sie ein Unglück anrichten.« – »Aber wenn die Holzwinde ins Meer fällt, kann ich nicht länger Korn mahlen – tut es nicht, ich gebe mich geschlagen.«

In der Nacht sagte die Frau: »Du läßt dich durch bloße Worte besiegen. Man sollte herausfinden, wieviel Kraft wirklich in ihm steckt. Sag ihm, er solle das Holz mit den Händen schneiden, und du wirst sehen.« Aber der dritte Bruder, der nicht schlief, hatte alles mit angehört, und er ging sachte, ganz sachte, nahm einen Bohrer und bohrte in den stärksten der Bäume fünf Löcher. Dann ging er wieder zu Bett. Am anderen Morgen sagte der Orco: »Laß uns Holz fällen.« – »Wie Ihr wollt«, sagte der dritte Bruder, »sieh, so mach ich es.« Und er rannte gegen jenen

Baum an und drang mit den Fingern in die fünf Löcher ein. »Mach es auch so«, sagte er zum Orco. Aber als dieser gegen einen anderen Baum anrannte, brach er sich die Finger.
»O je«, sagte er zu seiner Frau, »sieh, wie ich mir die Finger ruiniert habe. Er aber ist in den Baum eingedrungen und hat fünf große Löcher gemacht – etwa so.« Als er das der Frau erzählte, bekam auch sie es mit der Angst. »Nimm den eisernen Stecken da«, sagte sie, »und versetz ihm diese Nacht einen solchen Schlag, daß er nicht mehr davon aufwacht.« Aber der dritte Bruder, der dies gehört hatte, nahm seine Kleider, stopfte sie mit Stroh aus und legte sie ins Bett, während er selbst darunter kroch. In der Nacht kam der Orco und suchte das Bett im Dunkeln, dann verpaßte er ihm drei wüste Schläge genau in die Mitte, dann legte er sich wieder zu seiner Frau, im Glauben, der andere sei tot. Aber am Morgen, schau her, kommt der Gevatter heraus. »Wie habt Ihr geschlafen?« fragte die Frau des Orco. »Nicht besonders gut«, erwiderte er, »da haben sich drei Flöhe an mich herangemacht und haben mich in die Schulter gepiekt.«
Als der Orco diese Worte vernahm, sagte er zu ihm, er würde ihm soviel Gold geben, wie er wolle, wenn er nur aus dem Wald verschwände. Der Junge sagte ja, nahm das Gold, blies mit seinem Horn die Schweine zusammen und machte sich auf zum Haus des Padrone.
Die Schweine hatten mittlerweile im Wald so viele Eicheln gefressen, daß sie fett, sehr fett geworden waren. Da begegnete er zwei Kaufleuten, die fragten ihn, ob er die Schweine da verkaufen wolle. Er sagte: »Ja, aber ohne die Ohren und die Schwänze.« Sie waren es zufrieden und gaben ihm für die Schweine so viel Gold, daß er es kaum tragen konnte.
Als sie nahe beim Haus des Padrone waren, nahm er die Ohren und Schwänze der Schweine und steckte sie alle, alle in den sandigen Boden. Dann trat er ein. »Wo sind die Schweine?« fragte der Padrone. »Sie sind so fett geworden im Wald, daß sie in den Sand hinabgesunken sind«, sagte der Junge. Da lief der Padrone hin, und als er alle die Ohren und Schwänze sah, ergriff er einen Schwanz und zog an ihm, und da sah er, daß rein gar nichts mehr dran war. »Ah, du Schuft, wo sind die Schweine?« fuhr er ihn an. »Mir scheint, sie haben sich in Staub aufgelöst«, sagte der Knecht. »Du wirst sie mir bezahlen«, schrie der Padrone, »mach, daß du wegkommst, du Miststück!« – »Bereut Ihr unseren Vertrag?« fragte

der Knecht. »Ja«, schrie der Padrone, »weg mit dir!« – »Ah, Ihr bereut!« sagte der Knecht, packte ihn beim Hals und zog ihm die Haut ab, daß er starb. Dann nahm er das ganze Haus in Besitz, begrub die Brüder, ließ den Vater kommen, nahm sich eine Frau und lebte glücklich.

Tozza, tozza,
Eine Henne voll Würmer,
Es lebe die Braut!

20. Juni – Der einhunderteinundsiebzigste Tag

Der Grindkopf

Es waren einmal ein Mann und eine Frau, die waren beide fünf Jahre verheiratet und hatten keine Kinder. Darüber wurde der Mann so traurig, daß er ans Meer ging, um sich zu ertränken. Als er am Ufer stand, kam ein Mann und fragte, was er vorhätte. »Ich bin fünf Jahre verheiratet«, antwortete er, »und habe keine Kinder. Ich will mich ertränken.« – »Warum nicht gar«, sagte jener, »was gibst du mir, wenn du ein Kind bekommst?« – »Was du willst.« – »Gut, ich verlange nichts, als daß du das Kind, wenn es ein Jahr und drei Tage alt ist, hierherbringst.« – »Gut«, sagte der Mann. »So geh nach Haus, deine Frau hat eben ein Kind bekommen.«
Als der Mann nach Hause kam, hörte er schon das Kindergeschrei, und das Kind war eben geboren. Es wuchs aber so rasch, daß es nach einem Jahr schon war, als wäre es fünf Jahre alt. Der Mann aber verpaßte die Zeit, und als er das Kind ans Meer brachte, stand der andere schon da und fragte: »Warum hast du das Kind nicht zur rechten Zeit gebracht? Es sind hundertundvier Tage verstrichen, und am hundertunddritten hättest du es bringen müssen.« Damit nahm er das Kind und verschwand.
Der Mann war ein Zauberer, der in einem großen Wald in einem prachtvollen Palast wohnte. Dort erzog er den Knaben. Eines Tages, als der Junge fünfzehn Jahre zählte, sagte er zu ihm: »Ich gehe auf die Jagd. Hier hast du die Schlüssel zum ganzen Haus. Nur in die drei Stuben darfst du nicht hinein, zu denen diese drei Schlüssel schließen.« Der Junge sah den ganzen Palast an. Endlich aber überwältigte ihn die Neugierde. Er schloß die erste Kammer auf, da fand er einen Springbrunnen mit smaragdgrünem Wasser. Als er dastand und ihn bewunderte,

machte es: »Pst, Pst!« Da sah er eine Marmorstatue, die stand da und sagte: »Wehe dir, wer bist du und warum bist du hier hereingekommen?« Da sagte der Junge: »Mein Vater hat es mir verboten, aber ich konnte nicht widerstehen.« Da sagte der Marmor: »Ich und meine drei Brüder sind hier, uns ist es gegangen wie dir, der Mann ist dein Vater nicht, er hat dich geraubt. Da will ich dir einen Beutel schenken, den verstecke gut. Wenn du hineingreifst, findest du soviel Geld, wie du nur immer willst.«

Da ging der Junge und trat in die zweite Kammer. Da war ein Springbrunnen mit silbernem Wasser, und es stand da die andere Marmorstatue, die schenkte ihm eine Zauberrute; wenn er die anfaßte, würde geschehen, was er wollte. Und in der dritten Kammer fand er einen goldenen Brunnen, und die Marmorstatue schenkte ihm drei kleine Päckchen mit Samenkörnern – die, sagte sie, würden sein Glück machen.

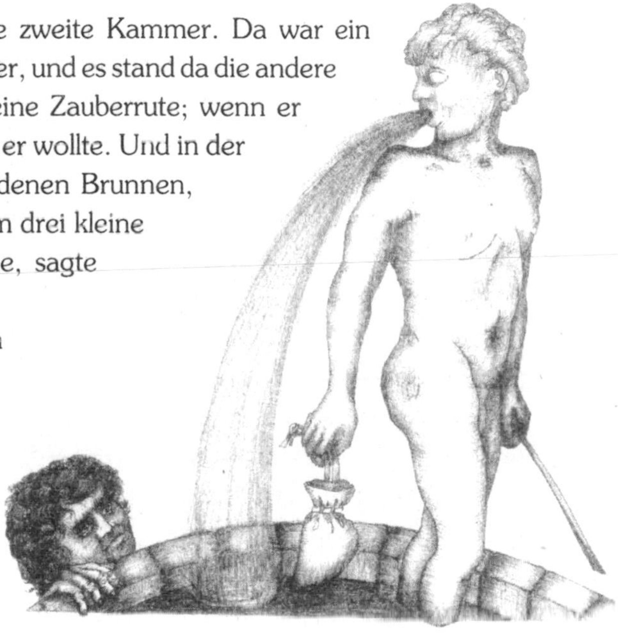

Als er aber da stand, sprang ihm plötzlich ein Tropfen aus dem Brunnen an den kleinen Finger, der wurde ganz golden, und das Gold war nicht wieder wegzubringen. Da wickelte er ein Läppchen um den Finger, und als der Zauberer zurückkam, sagte er, er habe sich in den Finger geschnitten. Der Zauberer aber riß den Lappen herunter und wußte nun alles. »Ich sollte dich töten«, sagte er, »aber ich will mitleidig sein.« Damit nahm er ihn, tauchte ihn mit dem Kopf in den letzten Brunnen, daß sein Haar ganz golden wurde, setzte ihm eine Kappe über und sagte: »So sollst du durch die Welt gehen und als ein armer Grindkopf Almosen sammeln, und wenn du die Kappe jemals abtust, so ist es dein Tod.« Damit stieß er ihn aus dem Palast in die Wildnis.

Der Junge aber faßte an seine Zauberrute. Da sprach eine Stimme: »Was befiehlst du?« – »Schaffe mir einen geraden Weg in die nächste Stadt!« Da sah er plötzlich eine schnurgerade Straße durch den Wald, die ging er entlang und kam in eine Stadt, in der ein König herrschte. Als er vor dem Schloß stand, arbeitete da ein Gärtner im Garten des Königs, der sah ihn stehen und betteln und fragte ihn, warum er nicht arbeite. »Ich bin ein armer Grindkopf«, sagte er, »den niemand will.« Da bot ihm der Gärtner an, bei ihm zu dienen, und er diente ihm umsonst und nur für Wohnung und Essen und Trinken. Wenn er nun im Garten arbeitete, so sang er dazu, und das hörte die Tochter des Königs, die am Fenster stand. Da fragte sie den Gärtner, wer das wäre. »Ach«, sagte er, »ein armer Grindkopf, den ich aus Mitleid angenommen habe.« Da sagte die Königstochter: »Morgen soll er mir die Blumen bringen.«

Als das der Junge hörte, nahm er das erste Päckchen Samen und streute es in einen Topf mit Erde, da wuchsen auf der Stelle Blumen daraus, die waren so schön und dufteten so herrlich, daß der ganze Palast davon erfüllt war, und so mußte er dreimal die Blumen bringen, und jedesmal streute er aus einem andern Päckchen den Samen, und immer kam ein noch schönerer Strauß zum Vorschein. Beim dritten Mal aber sagte die Prinzessin, sie wolle ihn heiraten. Da antwortete er: »Ach, ich bin ein armer Grindkopf, das geht nicht.« Aber er liebte die Prinzessin so sehr, daß er dachte, er wolle lieber sterben als die Kappe länger auf dem Kopf behalten. Da ging er in die Stadt, griff in seinen Beutel und kaufte sich eine Uhr und einen Spiegel und legte sich unter einen Baum im Garten. Nun nahm er die Mütze herunter und sah in den Spiegel und zugleich auf die Uhr, und so zählte er eins, zwei, drei Minuten, und als er im Spiegel sah, daß er nicht blässer wurde und auch sonst nichts vom Sterben spürte, sprang er vergnügt auf und lief zu der Prinzessin, und als der König nun seine langen goldenen Haare sah, gab er seine Einwilligung zur Heirat.

Darüber aber wurden die Königssöhne ringsumher so böse, daß sie von allen Seiten mit Soldaten losrückten, die Stadt zu erobern. Da faßte er an seine Rute und verlangte fünf Millionen Soldaten. Die erschienen plötzlich mit einem Schlag und mit ungeheurem Lärm und schlugen alle Feinde in die Flucht und eroberten ihre Länder. Da nahm der alte König seine Krone ab und setzte sie dem Jüngling auf, und so wurde er nun selbst König und herrschte mit seiner Frau lange Jahre bis an sein Ende.

21. Juni – Der einhundertzweiundsiebzigste Tag

Die drei Soldaten

Es waren einmal drei Soldaten, die waren desertiert von ihrem Regiment und streiften über Land. Einer war ein Römer, einer war ein Florentiner, und der kleinste war ein Neapolitaner. Nachdem sie eine Ebene durchquert hatten, kamen sie in einen großen Wald. Und der Römer, der der älteste von ihnen war, sagte: »Kameraden, wir wollen haltmachen. Es ist aber gut, wenn wir nicht alle drei zur gleichen Zeit schlafen, sondern wenn immer einer wacht. Jede Stunde wollen wir uns ablösen.«

Gesagt, getan. Der Römer zog zuerst auf Wache, während die beiden andern sich niederlegten und sich in ihre Decken wickelten. Es war nahezu eine Stunde vorbei, als aus dem Dickicht des Waldes ein Riese trat. »Was machst du da?« fragte er den Soldaten, der gerade Wache hatte. Und der Römer sagte, ohne überhaupt aufzuschauen: »Das geht dich gar nichts an.« Da wollte ihm der Riese auf den Leib rücken, aber der Soldat war schneller als er, er packte seinen Säbel und schlug dem Riesen den Kopf ab. Dann packte er den Kopf mit der einen Hand, den Leib mit der anderen und warf beides in eine nahe Schlucht. Dann kehrte er zurück, putzte seinen Säbel ab und sprach bei sich: ›Es ist besser, wenn ich meinem Kameraden nichts sage, sonst kriegt der Florentiner am Ende noch Angst!‹ Und er weckte den zweiten Soldaten auf. Als der wach war, fragte er den andern: »Hast du nichts gesehen?« – »Nein, nein, alles ist ruhig«, gab der Römer zur Antwort und legte sich schlafen.

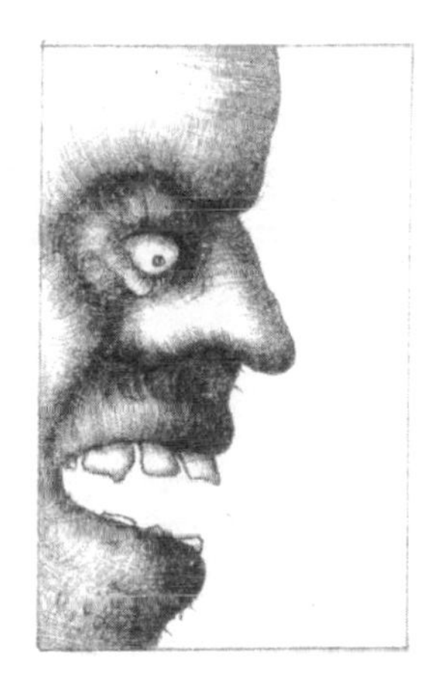

Der Florentiner aber übernahm die Wache, und siehe da, als auch er schon fast eine Stunde hinter sich hatte, da kam ein Riese aus dem Dickicht wie zuvor und fragte: »Was treibst du da?« Und er: »Das geht weder dich noch sonst jemand etwas an!« Da wollte ihn der Riese angreifen, aber der Soldat war flinker und trennte ihm mit einem Säbelhieb den Kopf vom Rumpf. Dann nahm er beides und warf es in die Schlucht. Er kehrte zurück und nahm wieder seinen Platz ein, putzte seinen Säbel blank und sprach bei sich: ›Es ist besser, wenn ich dem Neapolitaner nichts davon sage, sonst fürchtet der sich am Ende!‹ Und so machte

er es dann auch; als er den Neapolitaner weckte und der ihn fragte: »Etwas vorgefallen?«, sagte er: »Sei ruhig, alles in Ordnung«, und legte sich schlafen.
Der Neapolitaner stand fast eine Stunde auf Wache, da hörte er Schritte nahen. Aus dem Gebüsch kam wiederum ein Riese und fragte ihn: »Was machst du da?« – »Das geht dich überhaupt nichts an«, erwiderte der Neapolitaner. Da hob der Riese seine Faust, um dem Soldaten den Kopf zu zerschmettern, aber der war schneller und jagte ihm sein Schwert durch die Kehle.
Dann warf er die Leiche in die Schlucht. Nun wäre es Zeit gewesen, wieder den Römer zu wecken, aber der Neapolitaner dachte: ›Zunächst will ich einmal nachschauen, woher der Riese gekommen ist.‹ Und er schritt wacker ins Dickicht hinein. Da sah er ein Licht durchs Gebüsch schimmern, und als er näher hinging, stand er vor einem Häuschen. Er blickte durch ein Loch ins Innere, und da sah er drei Alte beim Feuer sitzen und sich unterhalten.

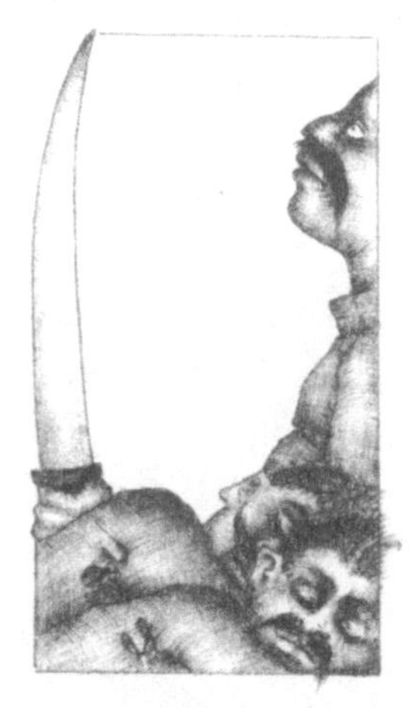

»Es ist schon Mitternacht, und unsere Männer sind noch immer nicht heimgekommen«, sagte die eine. »Ob er wohl Erfolg gehabt hat?« meinte die zweite. Und die dritte sprach: »Vielleicht sollten wir ihnen etwas entgegengehen? Was sagt ihr?« – »Los, gehen wir!« sagte die erste. »Ich nehme die Lampe, mit der man tausend Meilen weit sehen kann.« – »Und ich«, sagte die zweite Alte, »nehme das Schwert, das bei jeder Drehung ein Heer auslöscht.« Und die dritte: »Und ich nehme die Flinte, mit der man die Wölfin des königlichen Palastes töten kann.« – »Also los, gehen wir!« Und sie öffneten die Türe. Hinter dem Pfosten aber lauerte bereits der Neapolitaner auf sie. Da ging die erste heraus, und – peng! – zog ihr der Soldat eine über den Kopf, daß niemand mehr amen zu sagen brauchte. Es kam die zweite, und – peng! – da lag sie schon neben der andern Alten. Da ging die dritte heraus, und – peng! – da hatte auch sie genug. Der Soldat aber hatte jetzt die Lampe, mit der man tausend Meilen weit sieht, das Schwert, das bei jeder Umdrehung ein Heer auslöscht, und die Flinte, welche die Wölfin des königlichen Palastes tötet.
»Probieren wir die Dinge einmal aus!« sagte der Neapolitaner und hob die Lampe. Da sah er tausend Meilen weit weg ein Heer, das mit Lanzen und Schilden ein Schloß verteidigte, und auf dem Balkon des Schlosses war eine Wölfin angekettet, die hatte ganz glühende Augen. »Weiter im Text!« sagte der Soldat und drehte sein Schwert in der Luft um. Dann nahm er wieder seine Lampe und leuchtete hin, und siehe da! Alle Soldaten waren tot zu Boden gesunken. Dann hob er die

Flinte und schoß auf die Wölfin, die sogleich krepierte. »Nun wollen wir doch einmal gehen und uns das Ganze aus der Nähe besehen!« sagte der Soldat. Er ging und ging, und endlich kam er zu jenem Schloß. Er klopfte an, er rief, aber niemand öffnete ihm. Da trat er denn ein und machte eine Runde durch alle Zimmer. Doch er sah keine einzige Seele. Endlich im letzten, schönsten Zimmer fand er in einem Stuhl ein schlafendes Mädchen. Der Soldat näherte sich ihr, aber jene schlief immer noch. Von ihrem Fuß war ein Pantoffel gefallen; den hob der Neapolitaner auf und steckte ihn in seine Tasche. Dann gab er ihr behutsam einen Kuß und schlich sich auf den Zehenspitzen davon. Er war kaum gegangen, da erwachte das Mädchen. Es rief seine Hofdamen, die alle mit ihr im Zimmer geschlafen hatten. Da erwachten auch die Hofdamen und liefen herbei.

»Der Zauber ist gebrochen, der Zauber ist gebrochen!« riefen sie alle. »Die Prinzessin ist erwacht! Wer mag der Ritter sein, der sie geweckt hat?« – »Schnell«, sagte die Prinzessin, »lauft ans Fenster und seht, wer unser Retter ist!« Die Hofdamen liefen ans Fenster, aber sie sahen nur das tote Heer und die tote Wölfin. Da sagte die Prinzessin: »Beeilt euch und lauft zu Seiner Majestät, meinem Vater! Sagt ihm, daß einer gekommen ist und das Heer getötet und die Wölfin erschossen hat, die mich in Gefangenschaft hielt. Sagt ihm, daß der Zauber gebrochen ist.« Da blickte sie auf ihre Füße und sah den nackten Fuß. »Ja und dann: Er hat den Pantoffel von meinem linken Fuß mitgenommen.«

Der König war sehr froh und glücklich, und er erließ einen Aufruf, der im ganzen Land verkündet wurde: »Wer meine Tochter errettet hat, der soll sie zur Frau erhalten, sei der nun ein Prinz oder ein Bettler!«

Indessen war der Neapolitaner zu seinen Kameraden zurückgekehrt, und es war schon Tag geworden. »Warum hast du uns nicht früher geweckt? Wieviel Runden Wache hast du denn geschoben?« fragten sie ihn. Der Neapolitaner wollte nicht die ganze lange Geschichte erzählen und sagte nur: »Ich fand keinen Schlaf, und deshalb bin ich aufgeblieben.«

Es vergingen einige Tage, und im Reich der befreiten Prinzessin hatte sich noch niemand gemeldet, um als Retter den Preis in Empfang zu nehmen und sich mit der Prinzessin zu vermählen. »Was mag das nur sein?« fragte sich der König. Da kam der Prinzessin eine Idee: »Papa, machen wir es doch so: Machen wir eine Wirtschaft auf dem Lande auf, wo es auch Betten zum Schlafen gibt, und schreiben wir an: ›Hier ißt man, trinkt man und schläft man drei Tage umsonst.‹ Auf die Weise wird da viel Volk zusammenkommen, und vielleicht können wir so etwas in Erfahrung bringen.« – »Kein schlechter Gedanke!« sagte der König. »Wir wollen einmal einen Versuch machen.«

Gesagt, getan. Sie machten eine Wirtschaft auf, und die Prinzessin selbst spielte

die Wirtin. Und siehe da, es kamen auch unsere drei Soldaten an, die waren schon hungrig wie Wölfe. Sie kamen und lasen das Schild »Hier ißt man, trinkt man und schläft man drei Tage umsonst«. Da sagte der Neapolitaner: »Kameraden, wir haben längst den Riemen im letzten Loch geschnürt, hier aber ißt man und schläft man umsonst. Gibt's da noch einen Grund, lange zu warten? Hinein!« Und seine Gefährten sagten: »Das ist doch kaum zu glauben! Ob man das am Ende nicht geschrieben hat, um arme Teufel wie unsereins zu verspotten oder zu betrügen?«
Aber da stand die Prinzessin als Wirtin unter der Türe und sagte: »Kommt nur herein! Es ist kein Schwindel dabei, und das Schild hat schon seine Richtigkeit!« So traten sie denn ein, und die Prinzessin servierte ihnen ein Mahl wie für große Herren. Als sie aber genug gegessen und getrunken hatten, setzte sich die Wirtin zu ihnen auf die Bank und sagte: »Was gibt es Neues draußen in der Welt? Wißt ihr nichts? Hier ist es so langweilig, und ich erfahre rein gar nichts von dem, was sich so zuträgt.« – »Was wollt Ihr, daß wir Euch erzählen sollen, Frau Wirtin?« sagte der Römer. »Nun, Soldaten wie ihr kommen doch viel herum.«
Kurz und gut, die Prinzessin brachte den Römer so weit, daß er erzählte, wie er Wache gestanden und wie sich da ein Riese eingestellt habe, dem er den Kopf abschlug. »Das ist ja ausgezeichnet«, rief der Florentiner, »mir ist genau das gleiche passiert!« Und auch er erzählte seine Geschichte, wie er Wache gestanden, einen Riesen gesehen und erschlagen habe.
»Und Ihr«, fragte die Prinzessin den Neapolitaner, »habt Ihr gar nichts erlebt?« Da fingen der Römer und der Florentiner zu lachen an: »Was wollt Ihr denn, daß der schon erlebt haben soll? Unser Freund ist ein Angsthase, der schon vor Schrecken stirbt, wenn sich nachts auch nur ein Blatt im Winde bewegt, und der die Flucht ergreift und für eine Woche verschwunden bleibt!« – »Ach, warum setzt ihr denn dem Armen so zu?« sagte die Prinzessin, und sie stand dem Neapolitaner bei, überredete ihn aber schließlich, daß er auch etwas erzähle. Da sprach denn der Neapolitaner: »Wenn Ihr mir glauben wollt, dann hat sich auch während meiner Wache etwas zugetragen: Es kam ein Riese, und ich habe ihn getötet.« – »Bum!« schrien seine Kameraden unter Lachen. »Wenn du ihn überhaupt gesehen hättest, wärst du schon vor Angst tot umgefallen. Basta! Uns reichen deine Geschichten, wir sind müde und wollen ins Bett!« Und damit ließen sie den Neapolitaner allein bei der Prinzessin zurück.
Der Neapolitaner schwieg verschüchtert, aber die Prinzessin brachte vom besten Wein, und nach und nach taute der Soldat auf und fuhr in seiner Erzählung fort. So erfuhr die Prinzessin langsam die ganze Geschichte: von der wunderbaren Laterne, von dem Zauberschwert und von der Flinte, welche die Wölfin getötet,

von dem schlafenden Mädchen, das der Soldat geküßt hatte, und ganz zum Schluß auch von dem Pantoffel. »Und habt Ihr den Pantoffel noch?« fragte die Prinzessin. »Ei freilich«, sagte der Soldat und zog ihn aus der Tasche, »hier ist er!« Da war die Prinzessin sehr zufrieden, sie gab ihm noch mehr zu trinken, bis er in Schlaf fiel, und dann sagte sie zu ihrem Hausknecht: »Nehmt ihn und tragt ihn in die Kammer, die ich vorbereitet habe. Zieht ihm behutsam seine Kleider aus und legt ihm königliche Gewänder auf seinen Stuhl.«

Am nächsten Morgen wachte der Neapolitaner auf, und wie er sich umschaute, da war er in einer Kammer, in der war alles aus Gold und Brokat. Er rieb sich verwundert die Augen und erhob sich, um seine schäbige Uniform zu suchen. Aber da lagen königliche Gewänder auf dem Stuhl. Da zwickte er sich in den Arm, um sich zu versichern, daß er nicht träume. Dann versuchte er die Hofkleider anzulegen, aber er war es nicht gewohnt und kam damit nicht zurecht. Weil da aber eine Glocke stand, läutete er, und da kamen vier Diener herein, machten eine tiefe Verneigung und sagten: »Haben Hoheit geruht, wohl zu schlafen? Was befehlen Eure Hoheit?« Da glotzte der Neapolitaner sie dumm an und sagte: »Ja seid ihr denn verrückt? Zum Teufel mit eurer Hoheit! Wo ist denn meine Uniform? Gebt mir mein Zeug und macht mit der Komödie ein Ende!« – »Aber wollen Hoheit sich doch beruhigen! Wir werden sogleich den Hofbarbier rufen, damit er Eurer Hoheit den Bart abnehme und das Haar Eurer Hoheit kämme.« – »Wo sind denn meine Kameraden? Wo habt ihr meine Kleider gelassen? – »Gleich, gleich werden sie kommen. Aber Hoheit kann sie doch nicht unbekleidet empfangen. Erlaubt, daß wir Eure Hoheit anziehen.«

Als der Neapolitaner sah, daß da nichts half, ließ er sich seufzend ankleiden, den Bart abnehmen und kämmen, so daß er kaum wiederzuerkennen war. Dann brachte ihm die Dienerschaft die Schokolade und Torte und allerlei Süßigkeiten. Als er mit dem Frühstück fertig war, sagte er: »Kann ich nun endlich meine Kameraden sehen? Ja oder nein?« – »Sofort, Hoheit!«

Man führte den Römer und den Florentiner herein. Als die ihren alten Gefährten in königlicher Kleidung sahen, blieben sie mit offenem Munde stehen. »Aber sag, warum hast du dich maskiert?« wollten sie wissen. »Ja, wißt ihr denn das auch nicht?« entgegnete der Neapolitaner. »Ich selbst habe keine Ahnung und hoffte, alles von euch zu erfahren.« – »Weiß der Teufel, was du im Suff gemacht hast!« sagten seine Kameraden. »Wer weiß, was du der Wirtin gestern für ein Märchen aufgetischt hast!« – »Ich habe gar kein Märchen erzählt!« – »Ja, und wie kommt es dann zu diesem Theater? Machst du nur Flausen, oder willst du uns gar zum Narren halten? Die Geschichte stimmt doch nicht!«

Da war still der König eingetreten. »Ich will euch alles erklären!« Und damit führte

er seine Tochter herein, die hatte nun nicht mehr das Kleid der Wirtin an, sondern sie trug ihren schönsten und kostbarsten Staatsrock. »Meine Tochter war verzaubert, und dieser tapfere Jüngling hat sie von dem bösen Zauber befreit!« – »Hol mich doch dieser und jener!« sagte der Römer. »Das hätte ich ihm nie zugetraut!« Und der König fuhr fort und erzählte die ganze Geschichte. »Und nun«, sagte Seine Majestät zum Schluß, »nun mache ich den tapferen Soldaten zum Gemahl meiner Tochter und zum Erben meiner Krone. Ihr anderen beiden braucht keine Angst zu haben: Ihr wart meinem Schwiegersohn brave Kameraden, und ich ernenne euch zu Herzögen. Hättet ihr nicht die beiden anderen Riesen getötet, dann hätte meine Tochter nicht erlöst werden können.« – »Donnerwetter«, sagten der Römer und der Florentiner, »wenn das unser Regimentskommandeur erlebt hätte!«
Es war nicht schwer, auch für den Römer und den Florentiner eine Braut zu finden, denn einen Herzog nimmt wohl jedes Mädchen gern. Und so ward unter großer Pracht eine dreifache Hochzeit gefeiert.

Sie aßen ein Hühnchen,
Sie essen es noch;
Der Bräutigam, die Braut,
Sie leben hoch!

22. Juni – Der einhundertdreiundsiebzigste Tag

Die falsche Großmutter

Es war einmal eine Frau, die wollte ihr Mehl sieben. Nun hatte sie aber kein Mehlsieb, und deshalb sagte sie zu ihrer kleinen Tochter: »Geh zur Großmutter und leih dir das Mehlsieb!« Das Mädchen nahm das Körbchen mit dem Vesperbrot, Brezeln und Brot mit Öl, und machte sich auf den Weg.
Es ging und ging und kam an den Fluß Jordan. »Fluß Jordan, läßt du mich wohl hindurch?« – »Ja, wenn du mir deine Brezeln gibst!« Der Fluß Jordan war nämlich sehr naschhaft und besonders begierig nach Brezeln, mit denen seine Wellen spielen konnten. Das Mädchen warf nun die Brezeln in den Fluß, und sogleich hielt der seine Wasser an, und das Mädchen konnte trockenen Fußes hinübergehen.
Das Mädchen ging weiter und kam zum Tor Rastrello. Da sagte es: »Tor, läßt du

mich hindurchgehen?« – »Ja, wenn du mir dein Brot mit Öl gibst.« Seine Angeln waren nämlich schon sehr rostig, und mit dem Öl wollte es die schmieren. Das Mädchen gab dem Tor das Brot mit dem Öl, und da tat sich das Tor auf, und das Mädchen konnte hindurchgehen.

So ging es weiter und kam endlich zum Haus der Großmutter, aber die Haustür war zugesperrt. »Großmutter«, rief das Mädchen, »Großmutter, komm und sperr mir auf!« – »Ich liege krank im Bett. Steig durchs Fenster!« – »Da komme ich nicht hinauf.« – »Dann krieche durch das Katzenloch!« – »Das ist zu klein, da komme ich nicht hindurch.« – »Dann warte ein wenig!« Sie nahm ein Seil und warf das zum Fenster hinunter. Das Mädchen kletterte an dem Seil hinauf und gelangte so ins Zimmer der Großmutter. Im Zimmer aber war es ganz dunkel, denn im Zimmer war nicht die Großmutter, sondern eine Menschenfresserin, die hatte die Großmutter verschlungen, nur die Zähne und die Ohren hatte sie übriggelassen, um sie auf dem Feuer zu kochen und zu backen.

Das Mädchen aber sagte: »Großmutter, ich bin gekommen, um das Mehlsieb auszuleihen.« – »Heute ist es schon zu spät. Ich werde es dir morgen geben. Komm zu mir ins Bett!« – »Großmutter, ich habe so Hunger. Ich möchte erst nachtmahlen.« – »Dann geh zum Herd. Dort kochen einige Bohnen, die kannst du essen.«

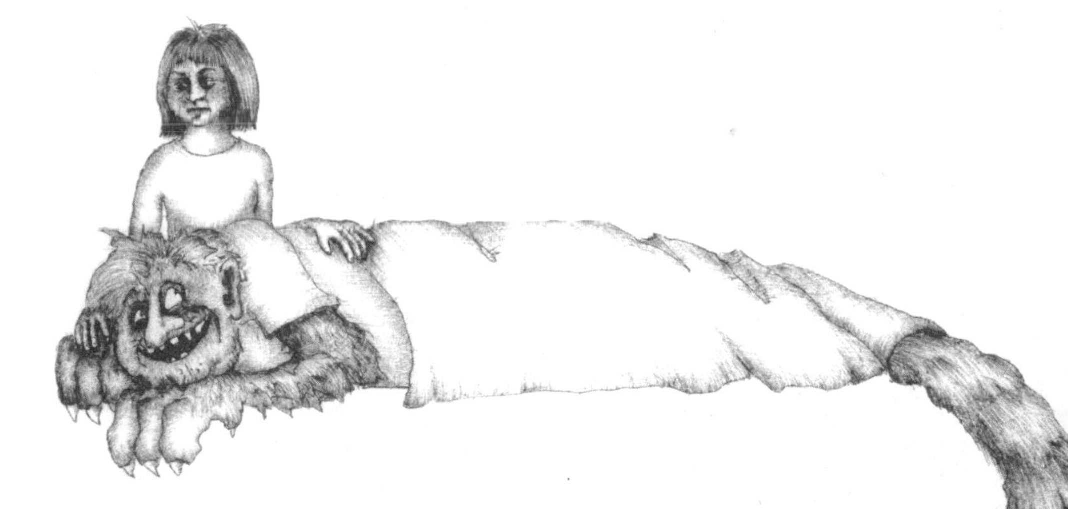

Das Mädchen suchte im Dunkeln und fand auf dem Herd die Zähne der Großmutter. Die hielt sie für die Bohnen. Sie rührte mit einem Löffel darin um und sagte: »Großmutter, die Bohnen sind noch nicht gar.« – »Dann iß das Gebackene, das daneben in der Pfanne steht!« Das Mädchen drehte die Ohren

mit einer Gabel um und sagte: »Großmutter, das Backfleisch ist noch nicht knusperig.« – »Dann komm ins Bett! Du kannst morgen essen.«
Da kam das Mädchen zum Bett und berührte die Hand der Großmutter und sagte: »Großmutter, warum hast du eine so haarige Hand?« – »Das kommt von den vielen Ringen, die ich an den Fingern getragen habe.« Und das Mädchen berührte den Hals. »Großmutter, warum hast du einen so haarigen Hals?« – »Das kommt von den vielen Halsketten, die ich getragen habe.« Da berührte das Mädchen die Seite. »Großmutter, warum hast du eine so haarige Seite?« – »Das kommt von dem engen Korsett, das ich getragen habe.« Da berührte das Mädchen den Schwanz, und haarig oder nicht, einen Schwanz hatte die Großmutter nie im Leben gehabt. Das konnte nicht ihre Großmutter sein! Sicher war es eine Menschenfresserin!
Da sagte das Mädchen: »Großmutter, ich kann noch nicht ins Bett gehen, ich muß erst noch ein Bedürfnis verrichten.« – »Dann geh und mach das im Stall! Ich werde dich am Seil hinunterlassen und dich dann wieder heraufziehen.« Und damit schlang sie dem Mädchen das Seil um die Hüfte. Aber kaum war das Mädchen unten im Stall, band es sich los und wickelte das Seil um eine Ziege. »Bist du noch nicht fertig?« fragte die Großmutter. »Warte noch ein wenig!« entgegnete das Mädchen und öffnete leise die Stalltür. »So, jetzt zieh mich hinauf!« Die Menschenfresserin zog und zog, das Mädchen aber lief davon und schrie: »Haarige Menschenfresserin, haarige Menschenfresserin!«
Die Alte aber zog, bis sie die Ziege in ihren Klauen hatte. Da merkte sie, daß sie angeführt worden war, und sprang mit einem Satz aus dem Bett. ›Ich werde dich schon erwischen!‹ dachte sie bei sich und begann hinter dem Mädchen herzulaufen. Als sie sich dem Tor Rastrello näherten, schrie die Alte schon von weitem: »Tor Rastrello, laß sie nicht hindurch!« Aber das Tor antwortete: »Aber ja! Freilich lasse ich sie durch, denn sie hat mir das Brot mit dem Öl gegeben.«
Und so konnte das Mädchen weiterlaufen, und die Menschenfresserin, der schon die Zunge zum Halse heraushing, rannte weiter hinter ihm her. So näherten sie sich dem Fluß Jordan. »Fluß Jordan«, schrie die Alte, »Fluß Jordan, laß sie nicht hindurch!« Doch der Fluß Jordan antwortete: »Aber ja! Freilich lasse ich sie hindurch, denn sie hat mir ihre Brezeln gegeben.«
Und gleich hielt der Fluß seine Wasser an, und das Mädchen konnte trockenen Fußes hindurchgehen. Als jedoch die Menschenfresserin hinterhersprang, ließ der Fluß Jordan plötzlich ein gewaltiges Hochwasser kommen, das die Alte mitriß. Das Mädchen aber blieb am Ufer zurück und machte ihr eine lange Nase.

23. Juni – Der einhundertvierundsiebzigste Tag

Weiß wie Milch und rot wie Blut

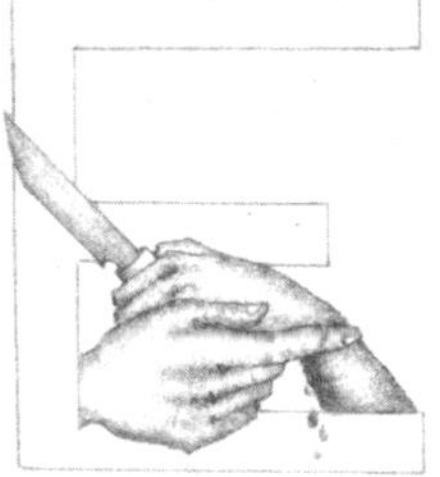

in Königssohn aß eines Tages bei der Tafel. Als er Quark schnitt, verletzte er sich am Finger, und es fiel ein Tropfen Blut auf den Quark. Da sagte er zu seiner Mutter: »Mama, ich will eine Frau haben weiß wie Milch und rot wie Blut!« – »Ach, Sohn«, entgegnete die Mutter, »was weiß ist, ist nicht rot, und was rot ist, ist nicht weiß. Aber geh immer und suche, ob du so etwas findest!«

Da machte sich der Sohn auf den Weg. Er ging und ging, und als er schon lange gewandert war, begegnete er einer Frau, die fragte ihn: »Junger Mann, wo willst du hin?« – »Wohin ich gehe? Weil du eine Frau bist, will ich es dir sagen: Ich suche eine Frau weiß wie Milch und rot wie Blut.« – »Aber, Söhnchen, was weiß ist, ist nicht rot, und was rot ist, ist nicht weiß.«

Da ließ er die Frau stehen und wanderte weiter. Er ging und ging, und da begegnete er einem alten Mann. Der fragte ihn: »Junger Mann, wohin willst du?« – »Wohin ich gehe? Ich werde es dir sagen, weil du vielleicht mehr weißt als ich. Ich suche eine Frau weiß wie Milch und rot wie Blut.« Da antwortete der Alte: »Mein Sohn, was weiß ist, ist nicht rot, und was rot ist, ist nicht weiß. Aber nimm diese drei Früchte hier: die Nuß, die Haselnuß und die Kastanie. Öffne sie, und du wirst sehen, was herauskommt. Aber mach das nur, wenn du in der Nähe einer Quelle bist!«

Da bedankte sich der Königssohn und ging weiter. Er war aber noch nicht weit gekommen, da plagte ihn die Neugier, und er öffnete die Nuß. Da sprang ein Mädchen heraus, das war wunderschön, weiß wie Milch und rot wie Blut, und es rief sogleich:

»Jüngling mit den Lippen so rot,
Gib mir zu trinken, sonst trifft mich der Tod.«

Der Königssohn holte schnell Wasser herbei, aber als er kam, war die Schöne schon gestorben. Da öffnete er die Haselnuß, und heraus sprang ein anderes Mädchen, das war ebenso schön wie das erste, und auch dieses war weiß wie Milch und rot wie Blut, und es rief:

»Jüngling mit den Lippen so rot,
Gib mir zu trinken, sonst trifft mich der Tod.«

Er brachte ihr Wasser, aber sie war schon gestorben. Da ging nun der Königssohn bis zur Quelle, und dort öffnete er die Kastanie. Sogleich sprang ein Mädchen heraus, das war noch schöner als die ersten beiden, und auch dieses Mädchen war weiß wie Milch und rot wie Blut und rief:

»Jüngling mit den Lippen so rot,
Gib mir zu trinken, sonst trifft mich der Tod.«

Da benetzte der Königssohn sogleich ihr Antlitz mit Wasser und ließ sie trinken, und so blieb sie am Leben.
Das Mädchen aber war so nackt, wie es seine Mutter geboren hatte, und so legte ihm der Königssohn seinen Mantel um die Schultern und sagte zu ihm: »Steige auf diesen Baum, während ich heimgehe, um dir Kleider zu holen und mit einem Wagen zurückzukommen. Dann werden wir zum Palast fahren.«
Das Mädchen stieg also auf den Baum, der bei der Quelle stand. Zu dieser Quelle kam aber jeden Morgen eine häßliche Mohrin, um dort Wasser zu holen. Als sie nun wiederkam, um ihr Gefäß mit Wasser zu füllen, sah sie das Spiegelbild des schönen Mädchens auf dem Baum im Wasser, und sie hielt es für ihr eigenes Bild und sagte:

»Muß denn ich, ein Mädchen so schön,
Täglich Wasser holen gehn?«

Und ohne weiter nachzudenken, warf sie das Gefäß so zu Boden, daß es in tausend Scherben zerbrach. Dann kehrte sie zu ihrem Hause zurück, und als ihre Herrin sie ohne Wasser und ohne Krug kommen sah, schrie sie: »Häßliche Mohrin, wie kannst du dir erlauben, ohne Wasser und ohne Krug heimzukommen?«
Da nahm sie einen anderen Krug und kehrte zur Quelle zurück. Im Wasser aber sah sie wiederum das Spiegelbild des schönen Mädchens und sagte: »Ah! Ich bin doch schön!

Muß denn ich, ein Mädchen so schön,
Täglich Wasser holen gehn?«

Und sie warf auch diesen Krug so zu Boden, daß er in Scherben ging. Als sie wieder nach Hause kam, begann ihre Herrin laut zu schreien, und sie mußte mit einem andern Krug neuerdings zur Quelle. Als das Mädchen auf dem Baum das beobachtete, konnte sie sich nicht mehr zurückhalten und begann laut zu lachen. Da erhob die häßliche Mohrin ihre Augen und erblickte das Mädchen auf dem Baum. »Ah, Ihr seid es«, rief sie, »und Ihr habt mich dreimal den Krug zerbrechen lassen. Ihr seid aber auch wahrlich schön. Erlaubt mir, daß ich Euch kämme!«

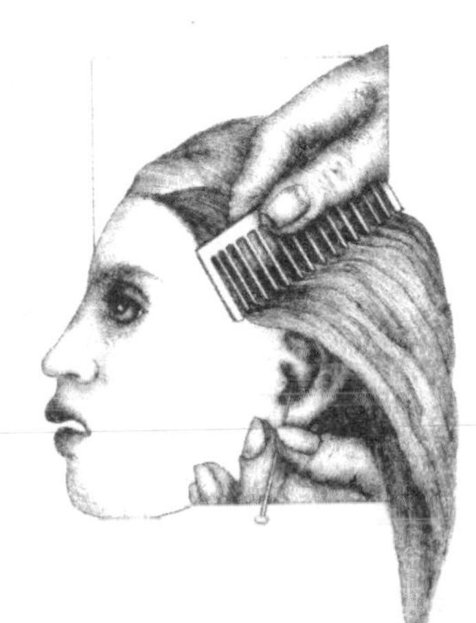

Das schöne Mädchen wollte nicht vom Baum steigen, aber die häßliche Mohrin drängte so lange, bis sie nachgab und herabstieg. Da kämmte die Mohrin das Mädchen und sah, daß dieses eine Haarnadel hatte. Damit stach die Mohrin das Mädchen ins Ohr, und sofort rann ein Blutstropfen heraus. Das Mädchen stürzte zu Boden und starb, der Blutstropfen aber verwandelte sich in ein kleines Täubchen und flog davon.

Die häßliche Mohrin aber stieg auf den Baum. Es dauerte nicht lange, da kehrte der Königssohn mit den Kleidern und der Kutsche zurück. Als er die häßliche Mohrin sah, sagte er: »Warst du nicht weiß wie Milch und rot wie Blut? Und wie bist du jetzt so schwarz geworden?« Da antwortete die häßliche Mohrin:

»Die Sonne ist hervorgekommen,
Hat Weiß und Rot mit sich genommen.«

Drauf der Königssohn: »Aber warum hast du auch die Stimme gewechselt?« Und die Mohrin:

»Ach, meine Stimme sanft und lind
Hat fortgeblasen mir der Wind.«

Und der Königssohn: »Aber du warst doch erst so schön und bist jetzt so häßlich!« Da antwortete die Mohrin:

»Die Schönheit nahm ein Sturm mit sich,
Der eben durch die Bäume strich.«

Genug, dem Königssohn blieb nichts anderes übrig, als die häßliche Mohrin in die Kutsche zu setzen und nach Hause zu führen. So wurde die häßliche Mohrin die Braut des Königssohnes. Das Täubchen aber flog jeden Morgen ans Fenster der Küche und fragte den Koch:

»Koch, ach Koch, sage mir nur:
Was macht der König und die schwarze Figur?«

»Ißt, trinkt und schläft«, antwortete der Koch. Drauf die Taube:

»Süppchen für mich,
Goldene Federn für dich.«

Da gab ihr der Koch einen Teller mit Suppe, und das Täubchen schüttelte sich, und es fielen goldene Federn aus seinem Gefieder. Dann flog das Täubchen fort. Am nächsten Morgen kehrte das Täubchen wieder und sagte:

»Koch, ach Koch, sage mir nur:
Was macht der König und die schwarze Figur?«

»Ißt, trinkt und schläft«, antwortete der Koch. Und das Täubchen fuhr fort:

»Süppchen für mich,
Goldene Federn für dich.«

Und es aß wieder seine Suppe, und der Koch erhielt die goldenen Federn. So ging es während einer ganzen Spanne Zeit. Aber eines Tages besann sich der Koch und erzählte die ganze Geschichte dem Königssohn. Der dachte nach und befahl schließlich: »Morgen, wenn die Taube wieder kommt, fang sie und bring sie mir, denn ich will sie bei mir behalten.«
Die häßliche Mohrin, die im verborgenen alles mit belauscht hatte, dachte, daß jenes Täubchen nichts Gutes bedeuten könne. Und als sich am nächsten Morgen das Täubchen am Fenster der Küche niederließ, war die häßliche Mohrin schneller zur Hand als der Koch, sie fing die Taube und durchbohrte sie mit einem Spieß, so daß sie starb. Aber während das Täubchen starb, fiel ein Blutstropfen zur Erde, und auf der Stelle wuchs dort ein Kastanienbaum. Der Kastanienbaum aber hatte die wunderbare Eigenschaft, daß, wenn von seinen Früchten einer aß, der im Sterben lag, er sogleich geheilt wurde. Und so kamen immer wieder Leute,

welche die häßliche Mohrin um eine Kastanie von jenem Baum baten. Schließlich war am Baum nur noch eine einzige Kastanie, und die häßliche Mohrin sagte: »Diese Kastanie will ich für mich selbst behalten.« Da kam ein altes Mütterchen und bat: »Gebt Ihr mir wohl die Kastanie? Mein Mann liegt im Sterben!« – »Nein, ich habe nur noch eine, und die behalte ich für mich selbst.« Da wollte der Königssohn vermitteln und sagte: »Ach, die Arme, du mußt sie ihr geben, damit ihr Mann nicht stirbt.« Da blieb der Mohrin nichts anderes übrig, und sie gab der Frau die Kastanie mit. Als aber die Alte nach Hause kam, da war es schon zu spät, denn ihr Mann war bereits gestorben.

Sie legte die Kastanie auf das Fensterbrett und kümmerte sich nicht mehr weiter darum. Jeden Morgen aber, wenn die Frau in die Messe ging, stieg ein Mädchen aus der Kastanie heraus, machte Feuer im Herd, reinigte das Haus und kochte das Essen, so daß die Frau, wenn sie heimkam, schon eine gedeckte Tafel fand. Das Mädchen aber schlüpfte immer wieder rechtzeitig in seine Kastanie zurück, und die Frau wunderte sich, wer das Haus besorgte, und verstand nicht, was eigentlich vorging.

Eines Tages aber ging sie zu ihrem Beichtiger und erzählte ihm alles. Und der sagte: »Wißt Ihr, was Ihr machen müßt? Morgen tut Ihr so, als ob Ihr aus dem Hause ginget, aber Ihr versteckt Euch so, daß Ihr alles beobachten könnt. Auf diese Weise werdet Ihr in Erfahrung bringen, wer bei Euch die Küche macht.«

Die Alte tat am nächsten Morgen so, als würde sie das Haus verlassen und abschließen, in Wirklichkeit aber versteckte sie sich hinter der Tür. Das Mädchen aber kam wie gewöhnlich aus der Kastanie heraus und begann, die Küche sauberzumachen. Da kam die Alte aus ihrem Versteck hervor, und das Mädchen konnte sich nicht rechtzeitig in seiner Kastanie verstecken. »Wo kommst du denn her?« fragte die Alte. »Sei gesegnet, Großmütterchen, bitte töte mich nicht! Töte mich nicht!« – »Nein, ich töte dich sicherlich nicht. Ich will nur wissen, wo du herkommst.« – »Ich komme aus der Kastanie«, sagte das Mädchen und erzählte seine ganze Geschichte.

Da kleidete die Alte das Mädchen wie ein Bauernmädchen, so wie sie auch selbst angezogen war, denn das Mädchen war immer noch ganz nackt. Am Sonntag aber nahm die Alte das Mädchen mit in die Messe. Auch der Königssohn war in der Messe, und er sah das Mädchen. »Mein Gott«, rief er, »das scheint mir das Mädchen von der Quelle zu sein!« Und er folgte der Alten auf der Straße. »Sag mir, Mütterchen, woher kommt jenes Mädchen?« fragte er sie. »Töte mich nicht!« heulte die erschrockene Alte. »Nein. Du brauchst keine Angst zu haben, ich will dir nichts zuleide tun, sondern nur wissen, woher jenes Mädchen kommt.« – »Es kommt aus jener Kastanie, die Ihr mir gegeben habt.« – »Auch sie kommt also

aus einer Kastanie!« rief der Königssohn aus. Und er fragte das Mädchen selbst: »Wie kommt Ihr denn in die Kastanie?«
Da erzählte das Mädchen seine ganze Geschichte. Der Königssohn aber kehrte mit dem Mädchen in den Palast zurück, und er ließ sie alles noch einmal vor der häßlichen Mohrin erzählen. »Hast du alles gut gehört?« sagte er zu der häßlichen Mohrin. »Ich will dich nicht verurteilen, sondern du sollst selbst dein Urteil sprechen.« Und als die häßliche Mohrin sah, daß es keinen Ausweg mehr gab, sagte sie: »Laß mir ein Hemd aus Pech machen und mich mitten auf dem Platz verbrennen!«
Gesagt, getan. Die Mohrin wurde verbrannt, der Königssohn aber heiratete das Mädchen Weiß-wie-Milch-und-rot-wie-Blut.

24. Juni – Der einhundertfünfundsiebzigste Tag

Das Mädchen im Apfel

In alten Zeiten lebten einmal ein König und eine Königin, die waren ganz verzweifelt, weil sie keine Kinder hatten. Und die Königin sagte eines Tages: »Warum kann ich denn keine Kinder haben, so wie der Apfelbaum Äpfel trägt?«
Da ereignete es sich, daß die Königin schwanger wurde, und nach ihrer Zeit gebar sie anstelle eines Kindes einen Apfel. Es war ein schönes Äpfelchen, rot und golden, wie man kaum je einen gesehen hatte. Und der König nahm den Apfel und legte ihn auf einen goldenen Teller, den stellte er auf seine Terrasse.
Gegenüber dem königlichen Palast wohnte aber ein anderer König, und jener andere König blickte eines Tages aus dem Fenster und sah, wie auf der Terrasse des Königs ein wunderhübsches kleines Mädchen war, weiß und rot wie ein Äpfelchen; das saß da und wusch und kämmte sich. Der andere König brachte vor Staunen den Mund nicht mehr zu, denn so ein schönes Mädchen hatte er

noch nie gesehen. Aber kaum hatte das Mädchen bemerkt, daß es beobachtet wurde, da lief es zu dem goldenen Teller, schlüpfte in den Apfel und verschwand. Aber so kurz der Augenblick auch gewesen war, er hatte genügt, daß sich jener König sterblich in das Mädchen verliebte.
Er überlegte hin und überlegte her, schließlich klopfte er an die Tür des gegenüberliegenden Palastes, ließ sich zur Königin führen und bat sie: »Majestät, ich möchte Euch um eine Gunst bitten.« – »Gern, Majestät«, antwortete die, »unter Nachbarn muß man sich gefällig zeigen, wenn man kann. Worum handelt es sich?« – »Ich möchte jenen schönen Apfel, den Ihr da auf der Terrasse habt.« – »Aber was sagt Ihr, Majestät? Wißt Ihr denn nicht, daß ich diesen Apfel geboren habe?«
Aber jener König bedrängte sie so lange, daß sie endlich nicht mehr nein sagen konnte, wenn sie nicht die bestehende Freundschaft zerstören wollte. So trug jener König den Apfel mit in seine Gemächer. Er ließ alles herbeibringen, was man zum Waschen und Kämmen braucht, und das schöne Mädchen verließ jeden Morgen den Apfel, wusch sich und kämmte sich, während der König sie beobachtete. Sonst tat das Mädchen gar nichts: sie aß nicht und sie trank nicht, und man hörte sie auch kein einziges Wort sprechen. Sie wusch und kämmte sich nur, und dann kehrte sie regelmäßig in den Apfel zurück.
Jener König lebte mit seiner Stiefmutter zusammen, die nun jeden Morgen bemerkte, daß der König sich in seiner Kammer einsperrte, und sich darüber den Kopf zerbrach. »Ich möchte doch wissen«, sagte sie eines Tages, »warum sich mein Sohn immer verborgen hält!«
Nun kam es dazu, daß ein Krieg ausbrach, und jener König mußte auch in den Krieg ziehen. Ihm brach schier das Herz bei dem Gedanken, daß er seinen Apfel mit dem schönen Mädchen zurücklassen sollte. Er rief seinen treuesten Diener und sagte: »Ich lasse dir hier den Schlüssel zu meiner Kammer. Paß auf, daß ja keiner hineingeht! Richte jeden Morgen das Wasser und den Kamm für das Apfelmädchen her und sieh zu, daß es ihr an nichts fehlt. Denk daran, daß sie mir alles einmal genau erzählen wird!« (Das war zwar gar nicht wahr, denn das Mädchen sprach nie. Er sagte aber so.) »Gib acht, daß ihr auch nicht ein Haar fehlt, denn wenn ihr in meiner Abwesenheit etwas passiert, kostet es dich deinen Kopf.« – »Zweifelt nicht, Majestät, ich werde mein Bestes tun.«
Kaum war der König abgereist, da machte sich die Stiefmutter daran, sich zu jenem Zimmer Eintritt zu verschaffen. Sie ließ dem Diener ein Schlafmittel in den Wein mischen, und als er in tiefen Schlummer gesunken war, stahl sie ihm den Schlüssel. Sie lief schnell zum Zimmer, öffnete die Tür und durchstöberte den ganzen Raum, aber je mehr sie suchte, um so weniger fand sie etwas. Es gab da

nur jenen schönen Apfel auf dem goldenen Teller. »Dann kann nur dieser Apfel die geheimnisvolle Sache sein!«
Man weiß, daß die Königinnen immer im Gürtel ein Stilett tragen. Sie nahm das also und fing an, den Apfel zu durchschneiden. Und mit jedem Schnitt drang eine Welle Blut aus dem Apfel. Da ergriff die Stiefmutter ein großer Schrecken, sie lief auf der Stelle davon und steckte den Schlüssel wieder unbemerkt in die Tasche des Dieners, der immer noch schlief.
Als der Diener endlich erwachte, wußte er nicht, was geschehen war. Er lief in die Kammer des Königs und fand dort alles voll Blut. »Ach, weh mir Armen!« rief er aus. »Was soll ich nun machen?« Und er entfloh eilends.
Er lief und lief, bis er endlich zu seiner Tante kam, die war eine Fee und kannte allerlei Zauberei. Die Tante gab ihm ein Zauberpulver, das für verwunschene Äpfel gut ist, und ein anderes, das für verhexte Mädchen gut ist; und die beiden Pulver mischte sie und gab sie ihrem Neffen.
Der Diener kehrte schnell in den Palast zurück und lief in das Zimmer seines Herrn. Dort angekommen, schüttete er vorsichtig in jeden Schnitt etwas von dem Zauberpulver. Da öffnete sich der Apfel, und das Mädchen kam heraus, das war überall verbunden und verpflastert.
Es verging einige Zeit, endlich kam der König wieder aus dem Krieg zurück. Mit Ungeduld lief er auf sein Zimmer. Da fand er zu seinem Staunen das Mädchen, dessen Wunden in der Zwischenzeit geheilt waren. Noch mehr aber verwunderte er sich, als die Schöne nun zu sprechen begann: »Höre, deine Stiefmutter hat mir eine Reihe Dolchstiche versetzt, und ich hätte verbluten müssen, wenn mich nicht dein Diener gerettet und geheilt hätte. Nun bin ich auch von dem Zauber befreit. Ich bin achtzehn Jahre alt, und wenn du mich willst, werde ich deine Braut sein.« Da rief der König: »Verflixt! Und ob ich will!« Da wurde in den beiden benachbarten Palästen ein großes Fest gefeiert mit viel Jubel und Trubel. Es fehlte nur die Stiefmutter, denn die hatte sich davongemacht, und niemand hat je wieder von ihr gehört.

So konnten sie froh und glücklich leben,
Mir aber haben sie nichts gegeben.
Sie schenkten mir nur ein Pfenniglein,
Das steckte ich in die Tasche ein.

25. Juni – Der einhundertsechsundsiebzigste Tag

Die drei getreuen Jäger

Es begaben sich einmal drei Freunde gemeinsam auf die Jagd, der erste hieß Cecco, der zweite Federico und der dritte Antonio. Sie sprachen zueinander: »Wir wollen unser Heil auf der Jagd versuchen, vielleicht gelingt es uns, einen guten Fang zu tun, und bei der Gelegenheit können wir auch ein wenig nach Fortuna Ausschau halten.«

Nach diesen Worten brachen sie auf. Sie hatten sich bereits ein gutes Stück vom Haus entfernt, als sie sich bei einbrechender Dämmerung an einem Kreuzweg befanden. Da meinte Cecco: »Jeder von uns schlägt eine andere Straße ein, und nach vierundzwanzig Stunden treffen wir uns an dieser Stelle wieder.« Sie gaben einander die Hand, und ein jeder zog seines Weges.

Spät am Abend erblickt Cecco von weitem einen Lichtschein und spricht zu sich selbst: ›Dort vorn muß ein Haus liegen.‹ Er hält darauf zu und klopft an die Tür. Ein hübsches Mädchen schaut zum Fenster heraus und ruft: »Wer ist dort, wer pocht an meine Tür?« Dieses Mädchen war aber eine Fee. Da antwortete er: »Ein armer Jäger bittet um Einlaß.« Sie klingelt nach ihrem Diener und gebietet ihm zu öffnen. Der Diener öffnet ihm die Tür und führt ihn ins Zimmer des Mädchens. Dieses fragt ihn: »Wie seid Ihr in diesen Wald geraten?« Und er erwidert: »Ich bin ein leidenschaftlicher Jäger, aber ich habe kein Glück in der Liebe.« Da meint sie: »Auch ich bin unglücklich, weil ich in diesem Walde lebe und keine Menschenseele zu sehen bekomme.« – »Das heißt also, daß zwei Unglückliche einander gefunden haben«, ist seine Entgegnung. Doch sie unterbricht ihn: »Lassen wir das Unglück, und sprechen wir lieber vom Essen.« – »Richtig«, meint er, »essen wir lieber zu Abend, ich habe mächtigen Hunger.«

Sie schlägt mit der Gerte, und augenblicks steht ein Tisch vor ihnen, der mit den köstlichsten Speisen bedeckt ist. Nun aßen sie in aller Ruhe, und als sie fertig waren, sprach sie: »Ich möchte mich jetzt schlafen legen.« Da entgegnete er: »Ich auch, denn ich bin sehr müde.« – »Aber in meinem Hause steht nur ein einziges Bett«, meinte sie. »Wenn Ihr mit mir kommen wollt?« Erwiderte er: »Den Vorschlag nehme ich mit Freuden an.« – »Gut«, sprach sie, »nur müßt Ihr bei Anbruch des Tages das Bett verlassen und Eurer Wege ziehen.« Und er entgegnete: »Mir genügt es, wenn ich während der Nacht ausruhen kann.«

Also suchten sie gemeinsam des Mädchens Schlafkammer auf. Im Handumdrehen war sie ausgezogen und lag im Bett. »Ach«, wandte sie sich an ihn, »es tut mir leid, daß ich Euch bemühen muß, aber würdet Ihr wohl so freundlich sein und die Tür zum Abtritt nebenan schließen?« Er war schon im Hemd und die Jahreszeit recht kühl, aber er entgegnete artig: »Gern, befehlen Sie nur, was ich tun soll.« – »Wenn Ihr die Tür zum Abtritt versperrt, aus dem ein so übler Gestank dringt, so erweist Ihr mir einen großen Gefallen.« Und er: »Selbstverständlich.« Im Abtritt befand sich ein Fenster, das stand offen und ließ kalte Luft herein. Als er nun die Tür versperren wollte, öffnete sie sich wieder, und das wiederholte sich die ganze Nacht hindurch bis in den hellen Tag hinein. Sprach er: »Da haben Sie mir ja einen schönen Schabernack gespielt! Lassen mich die ganze Nacht unbekleidet und in üblem Gestank den Abtritt versperren!« – »Ihr seid zu nichts nütze, nicht einmal einen Abtritt könnt Ihr verschließen«, gab sie zurück. Und er: »Aber jetzt ist es Tag, ich möchte endlich zu Bett und ein wenig ruhen.« Doch sie: »Ja, es ist Tag, und unser Pakt ist abgelaufen. Ihr könnt nicht länger hier weilen.« Sie erhob sich aus dem Bett, und er mußte sich wohl oder übel anziehen und das Haus verlassen.

Zur bestimmten Stunde fand er sich an der Straßenkreuzung ein, wie er es mit seinen Freunden verabredet hatte. Diese fragten ihn: »Hast du etwas gefangen?« Und er erwiderte: »Wild gerade nicht, aber ich habe ein hübsches Mädchen im Wald angetroffen, das dort zu Hause ist.«

Da sagte der zweite: »Ich möchte auch einmal einen vergnügten Abend verbringen« und machte sich auf den Weg. Als es dunkelte, sah er ebenfalls das Licht und ging ihm nach. Er klopfte. Wieder lehnte das hübsche Mädchen am Fenster und rief: »Wer da?« – »Ein armer Jäger«, antwortete er, »der um Nachtquartier bittet.« Sie gebot dem Diener: »Geschwind, laßt den Armen ein!« Und jener führte ihn in den Saal, wo sich das Mädchen aufhielt. »Wie seid Ihr nur in diesen dichten Wald geraten?« verwunderte es sich. »Weil ich ein armer Jäger bin, dem sowenig Glück in der Jagd wie in der Liebe beschieden ist.« – »Auch ich bin unglücklich«, sprach sie, »weil ich nie einen jungen Mann zu Gesicht bekomme, mit dem ich mich unterhalten kann.« – »Das heißt also, daß wir zusammen glücklich sein sollten.« – »Leider nicht, denn ich stehe unter Aufsicht und darf mich nicht verheiraten. Aber wenn Ihr mit mir zu Abend essen wollt ...« Da erwidert er: »Sehr gern, denn mein Magen meldet sich bereits.«

Sie schlägt ihren Zauberstab, und der Tisch bedeckt sich mit allen erdenklichen guten Gaben. Nach dem Abendessen sagte das Mädchen: »Ich werde mich jetzt schlafen legen, denn ich bin todmüde.« Erwiderte er: »Ich auch; ich wäre Ihnen sehr dankbar, wenn Sie mir einen Platz zum Schlafen anweisen möchten.« Darauf sie: »Von Herzen gern; doch befindet sich in meinem Haus nur ein einziges Bett. Wenn Ihr es mit mir teilen wollt, so sollt Ihr mir willkommen sein.« – »Und wie gern«, war seine Antwort, »ich könnte mir nichts Lieberes wünschen, als mit Ihnen zu Bett zu gehen.« Dachte das Mädchen bei sich: ›Das wollen wir erst einmal abwarten, ob du mit mir zu Bett gehst.‹ Sie erhoben sich also von ihren Sitzen und begaben sich in die Schlafkammer. Im Nu war das Mädchen ausgezogen und lag im Bett. Da rief sie: »Ach, jetzt ist das Fenster dort aufgeblieben, und es dringt soviel Kälte herein, tut mir doch den Gefallen und macht es zu.«

Er eilte sogleich zum Fenster und schloß es – doch ebenso schnell öffnete es sich wieder; er machte es wiederum zu, aber ohne Erfolg, und so die ganze Nacht hindurch. Und da sie mit ihm die gleiche Abrede getroffen hatte wie mit seinem Vorgänger, hatte auch er die ganze Nacht kein Auge zugetan. Da sprach er: »Fräulein, mir scheint, Sie machen sich ein Vergnügen daraus, die Männer zu foppen.« Doch das schöne Mädchen entgegnete: »Wer hat Euch gelehrt, Frauen zu begehren, die Euch nicht gehören?«

Also verließ der Jüngling mißmutig das Haus und begab sich wieder auf den Weg, der zu seinen Freunden führte. Erkundigte sich Antonio: »Hast du dich bei dem Fräulein gut unterhalten?« – »Großartig! Besser, als ich mir vorgestellt hätte.« Untereinander aber meinten Cecco und Federico: »Wir haben unser Teil weg, jetzt soll er dran glauben.«

Antonio machte sich also auf den Weg, der in das dichte Gehölz führte. Als es Abend wurde, erblickte er den Lichtschein, ging ihm nach und erreichte das Haus. Er klopfte an die Tür. Das hübsche Mädchen schaute heraus und fragte: »Wer klopft an meine Tür?« Entgegnete Antonio: »Ein armer Unglücklicher, der tief ins Elend geraten ist.« Sie klingelte nach dem Diener und befahl ihm: »Laßt den armen Menschen unverzüglich herein.« Darauf stieg der Diener die Treppen hinab und geleitete den Jüngling zu dem Mädchen ins Zimmer. Und sie sagte: »Wie habt Ihr Euch in dieses Dickicht verirrt, das noch nie ein Mensch betreten hat?« Erwiderte der Jüngling: »In meinem Elend habe ich mich auf die Suche nach ein wenig Glück begeben.« Fragte das Mädchen: »Wie kommt es, daß Ihr Euch im Elend befindet?« – »Durch Krankheit in meiner Familie habe ich mein ganzes Vermögen verloren.« – »Wart Ihr denn sehr reich?« – »Schwer reich, ich besaß mehr als eine Million.« – »Wenn es Euch so schlecht ergangen ist, wird es wohl das beste sein, wir essen erst einmal zu Abend, damit es Euch wenigstens heute ein wenig gutgeht.« – »Soviel Güte kann ich nicht annehmen, ich bin es schon zufrieden, wenn Sie mich mit Ihrem Diener in die Küche schicken.« – »Nein, nein, kommt nur mit mir, Ihr könnt Euch ja einbilden, Ihr säßet mit dem Diener bei Tisch.« – »Gut, ich füge mich Ihren Wünschen, nur möchte ich auf keinen Fall stören.«

So gingen sie zum Abendessen; sie schlug den Zauberstab, und ein Tischleindeckdich mit den herrlichsten Speisen stand vor ihnen. Sie setzten sich nieder und aßen; nach beendeter Mahlzeit sagte das hübsche Mädchen: »Ich bin müde und werde mich zu Bett begeben, um ein wenig zu ruhen.« Er meinte: »Gehen Sie ruhig, Sie brauchen keine Rücksicht auf mich zu nehmen.« Da sagte sie: »Es bleibt Euch nichts anderes übrig, als sich zu mir ins Bett zu legen, da ich nur ein einziges Bett im ganzen Hause besitze.« Er sprach: »Ich bin zu Ihnen um Obdach gekommen, aber nicht, um mit Ihnen, einem Mädchen, ins Bett zu gehen. Merken Sie sich: Allzu große Nähe macht den Mann zum Dieb. Ich bin schon froh, wenn ich in diesem Stuhl rasten darf.« Antwortete sie: »Macht es Euch im Stuhl ganz nach Eurem Belieben bequem.« Als nun das Mädchen im Bett lag, meinte es bei sich selbst: ›Das ist ein aufrichtiger Mann, keiner wie die andern, die mich täuschen wollten.‹

Am nächsten Morgen begab es sich gleich nach dem Aufstehen zu dem jungen Mann und erkundigte sich: »Habt Ihr gut geschlafen im Stuhl?« – »Ausgezeichnet, und wenn ich jetzt gehe, so gehe ich in dem ruhigen Bewußtsein, daß ich Sie so verlasse, wie ich Sie angetroffen habe.«

Da fragte sie ihn: »Wenn ich Euch noch reicher machte, als Ihr zuvor wart – würdet Ihr mich dann zur Frau haben wollen?« – »Mit Freuden, doch mir scheint, das wäre zuviel des Glückes für mich!« – »O nein«, versetzte sie, »nicht zuviel, denn einen Mann wie Euch wünsche ich mir von ganzer Seele.«

Also heirateten sie. Dann schlug sie ihre Gerte und zauberte eine prächtige Kutsche mit Pferden und livrierten Dienern herbei, in die setzte sich das Brautpaar und fuhr zur Stadt, wo er wohnte. Das Mädchen sprach: »Jetzt bin ich deine Frau und habe keine Geheimnisse mehr vor dir. Wisse, ich bin eine Fee und besitze einen Zauberstab, mit dem ich mir alles verschaffen kann, was mein Herz begehrt.«

Als sie sich der Kreuzung näherten, sahen die beiden Freunde die Kutsche auf sich zukommen und meinten: »Das scheint Antonio zu sein.« Sie hatte ihm aber bereits alles von den beiden erzählt. Und als sich die Freunde verwunderten: »Antonio, wie hast du es nur fertiggebracht, das hübsche Mädchen zu heiraten?«, da entgegnete er: »Liebe Freunde, es tut mir leid, es aussprechen zu müssen, aber ich muß es euch sagen: Merkt euch, wer in der Welt zuviel verlangt, der geht am Ende leer aus.« Da meinten die beiden zueinander: »Das heißt, es war verfehlt, das hübsche Mädchen verführen zu wollen, und er hat es gar nicht erst versucht.«

Das Brautpaar näherte sich nun der Stadt und schickte einen Herold voraus, der ihre Ankunft melden sollte. Alle Verwandten erwarteten Antonio mit seiner Braut. Sie nahmen sie in Empfang, führten sie in den Palast, gaben ein großes Festmahl und lebten fortan zufrieden und glücklich.

26. Juni – Der einhundertsiebenundsiebzigste Tag

Die Prinzessin als Milchmädchen

Es waren einmal ein König und eine Königin, die hatten gar keine Kinder, und sie wünschten sich so sehr welche. Sie ließen alle Ärzte und Weisen des Landes kommen, um sie um Rat zu befragen, aber niemand konnte ihnen helfen. Schließlich aber kam eine Alte, die sagte: »Ich habe schon ein Mittel, um euch zu einem Kind zu verhelfen. Ihr müßt aber wählen zwischen einem Sohn, der bald von daheim wegläuft und nimmer wiederkehrt, und zwischen einer Tochter, die ihr – wenn ihr wohl auf sie achtet – bis zu ihrem achtzehnten Geburtstag behalten könnt.«

Da besannen sich der König und die Königin, und sie entschieden sich für eine Tochter. Die Alte gab der Königin ein Mittel, und in der Tat gebar sie neun Monate später ein Mädchen. Der König ließ einen schönen Palast unter der Erde bauen, da wurde das Mädchen gehalten und erzogen, ohne jemals auszugehen. So wuchs es heran, ohne irgend etwas von der Welt oben zu ahnen. Als es aber achtzehn Jahre alt geworden war, begann es seine Erzieherin zu bestürmen, ihr doch wenigstens einmal die Tür zu öffnen und sie hinaufzulassen. Schließlich gab ihr die Erzieherin nach und wollte sie für einige Minuten in den Garten gehen lassen. Die Prinzessin war ganz verzaubert, als sie in den Garten kam und zum ersten Mal die Sonne und die Blumen sah. Aber da stürzte ein großer Raubvogel wie ein Pfeil vom Himmel, packte das Mädchen mit seinen Krallen und trug es davon.

Der Vogel flog und flog, schließlich ließ er sich auf dem Dach eines Bauernhauses nieder. Da kam ein Bauer mit seinem Sohn herbeigelaufen, und als der Vogel sie kommen sah, ließ er seine Beute im Stich und flog davon, während das Mädchen auf dem Dach sitzen blieb. Der Bauer und sein Sohn sahen auf dem Haus etwas blitzen und funkeln, da holten sie eine Leiter herbei, und sie fanden das Mädchen, das hatte ein Diadem mit lauter Diamanten auf dem Haupt. Sie holten das Mädchen herunter und führten es ins Haus. Nun hatte aber der Bauer außer seinem Sohn noch fünf Töchter, die gingen als Milchmädchen. Und der Bauer nahm die Prinzessin wie eine Tochter auf, und sie blieb zusammen mit den fünf Milchmädchen. Jeden Monat aber brach sie einen Diamanten aus dem Diadem und gab ihn dem Bauern zum Verkaufen, und von dem Geld lebte die ganze Familie lustig und vergnügt.

Als aber die Diamanten aufgebraucht waren, sagte das Mädchen: »Ich will euch nicht unnütz am Halse hängen, Mama« (sie sagte zur Frau des Bauern immer wie die andern Mädchen »Mama«), »geht zur Königin dieses Landes und laßt Euch was zum Sticken geben!« Da ging die Frau denn hin, aber die Königin sagte: »Was soll ich denn jemand geben, dessen Töchter Milchmädchen sind? Es wäre nur schade um jedes Stück Tuch!« Und um die Frau loszuwerden, gab sie ihr einen alten Sack mit. Den brachte die Bauersfrau heim, und die Prinzessin machte sich gleich daran, ihn zu besticken; und es wurde eine hübsche und saubere Arbeit. Die Königin blieb mit offenem Mund sitzen, als sie die Stickerei sah, und sie gab der Bauersfrau zwei Goldmünzen und ein Staubtuch mit, damit ihre Tochter es besticke. Und nach einigen Tagen brachte die Frau das gestickte Staubtuch zurück, das war so schön, daß die Königin es kaum wiedererkannte. Die Königin gab nun der Frau drei Goldmünzen und einen alten Rock mit. Auch an dem zeigte die Prinzessin ihre Kunst, und als ihn die Bauersfrau zur Königin brachte, sah er wie ein Kleid für ein Ballfest aus.

»Aber wo hat denn deine Tochter so schön sticken gelernt?« fragte sie die Königin. »Bei den Nonnen.« – »Ja, aber das sind doch Arbeiten, wie sie nicht aus den Händen einer Bäuerin hervorgehen können. Gut, ich werde dir die ganze Ausstattung an Wäsche für meinen Sohn mitgeben.«

Als der Prinz die schön bestickte Wäsche sah und erfuhr, daß ein Mädchen seine ganze Ausstattung besticken solle, wurde er neugierig und wollte das Mädchen sehen. Und da er ein draufgängerischer Junge war, stellte er ihr nach. Und eines Tages, wie es so geht, umarmte der Prinz das Mädchen wider deren Willen und gab ihr einen Kuß. Da wehrte sich die Prinzessin und stach ihn mit der Sticknadel in die Brust, und unglücklicherweise traf sie ihn ins Herz, und der Prinz verstarb. Alsbald wurde das Milchmädchen festgenommen und vor das Gericht gebracht.

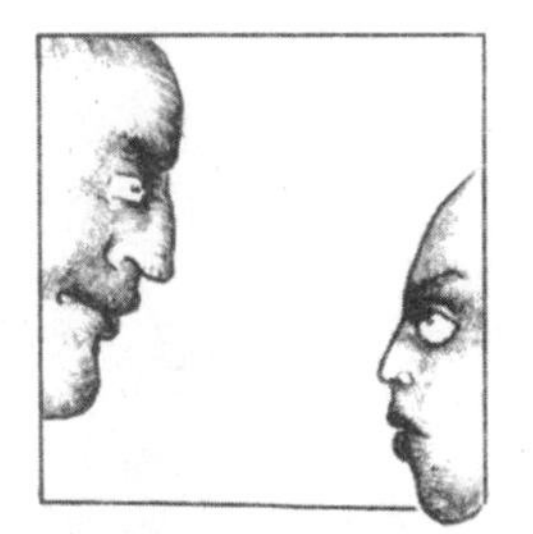

Das Gericht aber bestand aus den vier Töchtern des Königs jenes Landes, den Schwestern des getöteten Prinzen. Und das Gericht trat zusammen, und die älteste Prinzessin sagte: »Ich beantrage, daß das Milchmädchen zum Tode verurteilt wird.« Und die zweite: »Ich beantrage, daß das Milchmädchen zu lebenslänglichem Kerker verurteilt wird.« Und die dritte: »Ich beantrage, daß das Milchmädchen zu zwanzig

Jahren Gefängnis verurteilt wird.« Die Kleinste aber, die sehr gutherzig war und die sich gut vorstellen konnte, daß die Schuld bei ihrem Bruder gelegen hatte, sagte: »Ich beantrage, daß das Milchmädchen acht Jahre in einen Turm eingesperrt wird, aber zusammen mit der Leiche unseres Bruders, damit sie immer vor Augen hat, was sie getan hat, und damit sie Reue empfinde.«

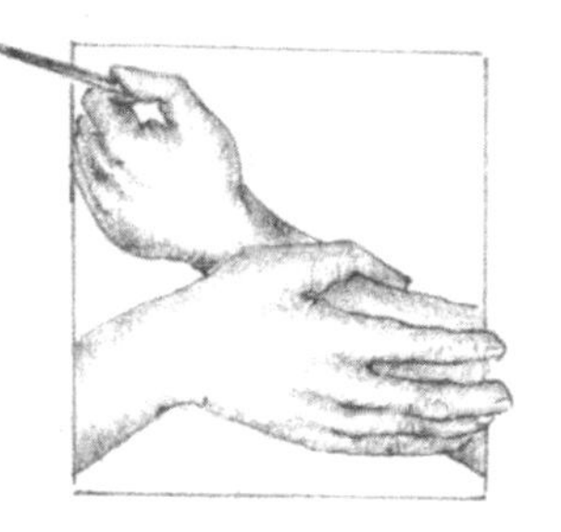

Dem König erschien das Urteil der Jüngsten als das beste, und so wurde die Prinzessin als Milchmädchen zu acht Jahren Gefängnis in einem Turm zusammen mit der Leiche des Prinzen verurteilt. Man führte sie ab, und als sie bei der jüngsten Prinzessin vorüberkam, flüsterte die ihr ins Ohr: »Hab keine Angst! Ich werde dir schon helfen.« Und in der Tat brachte die jüngste Prinzessin täglich der Gefangenen die besten Speisen von der Tafel des Hofes in den Turm.

Drei Jahre weilte die Prinzessin als Milchmädchen schon in dem Turm, da sah sie eines Tages, daß der Vogel, der sie einst daheim im Garten geraubt hatte, sich auf der Spitze des Turmes niederließ und dort ein Nest baute. Es dauerte nicht lange, und er legte zehn Eier, und eines Tages schlüpften aus den Eiern zehn kleine Vögelchen. Die Gefangene aber sagte jeden Tag zu dem Vogel: »Vogel, Vogel, so wie du mich von daheim geraubt hast, so trage mich wieder heim.«

Der Turm stand aber in der Nähe des Palastes des Königs, und eines Tages standen die drei größeren Töchter am Fenster und hörten, wie die Gefangene mit dem Vogel sprach. Da gingen sie hin und erzählten alles dem König. Der aber sagte zu seinen Wachen: »Geht hin zu jenem Turm und verjagt mir den Vogel!« Und die Wachen gingen hin, und mit ihren langen Lanzen warfen sie das Nest herunter, so daß alle zehn Vöglein jämmerlich umkamen.

Am Abend aber sah die Gefangene, wie der große Vogel heimkam, die toten Vöglein mit einem Kraut, das er im Schnabel trug, berührte, und wie diese da wieder lebendig wurden. »Vogel, guter Vogel«, sagte da die Gefangene zu ihm, »bring mir doch etwas von jenem wunderbaren Kraut!« Und der Vogel erhob sich in die Lüfte und kehrte nach einer Weile wieder und hatte ein Büschel von jenem Kraut in seinen Krallen, das brachte er der Gefangenen. Die eilte sofort damit zu der Leiche des Prinzen, und wirklich, nach und nach, erwachte der Prinz wieder zum Leben.

Ich kann gar nicht sagen, wie glücklich die beiden da waren! Sie umarmten sich und küßten sich und wußten vor Freude nicht aus und ein! Sie hielten aber die frohe Nachricht zunächst geheim und erzählten niemand davon außer der jüngsten Schwester des Prinzen. Die war über die Überraschung sehr vergnügt und brachte ihnen jeden Tag alles erdenkliche Gute aus Küche und Kammer des Hofes. Und da sie der Bruder sehr darum bat, brachte sie ihm auch eine Gitarre. So verbrachten die beiden Eingeschlossenen die Tage mit Singen und Gitarrespielen.

Die drei älteren Prinzessinnen aber hörten eines Tages im nahen Palast die Musik und wollten wissen, was es da gäbe. Sie gingen also zum Turm, aber ihr Bruder hörte sie kommen und legte sich schnell in den Sarg, und die Gefangene tat, als wenn nichts gewesen wäre. Verärgert kehrten die drei Prinzessinnen zurück. Am Abend aber hörten sie wieder die Musik aus dem Turm.

Sie beschwerten sich bei ihrem königlichen Vater, und der gab Befehl, daß die Gefangene ihren Kerker wechseln solle. Die Wachen gingen also zum Turm, um die Gefangene zu holen, und als sie das Tor aufsperrten, da ging die Prinzessin als Milchmädchen am Arm des totgeglaubten Prinzen heraus, der war gesund und frisch wie ein Fisch im Wasser. Da blieb die ganze königliche Familie, die am Fenster stand, um die Gefangene zu sehen, mit offenem Munde stehn. »Vater, Mutter, Schwestern«, sagte der Prinz, »hier stelle ich euch meine liebe Braut vor!« Da klatschte die jüngste Prinzessin vor Freude in die Hände, aber die andern waren nicht begeistert, ein Milchmädchen zur Schwägerin zu bekommen, und sie überlegten, wie sie sie demütigen könnten.

»Vor der Hochzeit«, sprach da das vermeintliche Milchmädchen, »muß ich noch heimgehen, um meine Eltern zu begrüßen. Sagt mir nur, was ich euch an Geschenken mitbringen soll!« Da antwortete die älteste Schwägerin: »Oh, bring mir eine Flasche Milch!« Und die zweite Schwägerin sagte: »Mir bring ein Stück Käse!« Und die dritte Schwägerin sagte: »Und mir bring ein Körbchen voll Knoblauch!«

Das Milchmädchen reiste ab, aber sie ging nicht zu ihrem Ziehvater, dem Bauern, sondern sie suchte ihren wirklichen Vater, den König des anderen Landes, auf. Und nach einer Woche kehrte sie in einer prächtigen Kutsche mit vier Schimmeln zu ihrem Bräutigam zurück. »Was? Das Milchmädchen in einer Kutsche!« schrien die drei älteren Prinzessinnen und liefen ans Fenster, um alles zu sehen.

Da kam das Milchmädchen vors Schloß gefahren, stieg aus und brachte den Schwägerinnen die Geschenke: der ältesten brachte sie ein goldenes Fläschchen, das war reich mit Edelsteinen geschmückt, der zweiten gab sie einen Käse auf einem silbernen Teller und in einer goldenen Kassette, der dritten gab sie ein silbernes Körbchen mit Knoblauch, das Körbchen aber war mit Brillanten und Smaragden gespickt. Die Prinzessinnen brachten vor lauter Staunen kein Wort aus dem Munde und sahen ihre Schwägerin nun mit ganz anderen Augen an.

Die Kleinste aber war enttäuscht und sagte zu ihrer Schwägerin seufzend: »Und mir, die dir immer gut war und dir geholfen hat, hast du nichts mitgebracht?«
Da öffnete das Milchmädchen den Wagenschlag, und heraus stieg ein hübscher Jüngling. »Das ist mein Brüderlein«, sagte das vermeintliche Milchmädchen, »der während meiner Abwesenheit von daheim geboren worden ist. Er soll dein Gatte sein, und du wirst die Königin meines Heimatlandes werden.«
Da waren sie glücklich und froh, und es gab eine festliche Doppelhochzeit.

27. Juni – Der einhundertachtundsiebzigste Tag

Der unsichtbare Großvater

Es war einmal eine Frau, die war sehr, sehr arm. Sie hatte drei Töchter. Eines Tages sagte eines von den Mädchen: »Hör: Es ist besser, wenn ich in die Welt gehe, um mein Glück zu versuchen, als euch hier zur Last zu fallen.« Und sie umarmte Mutter und Schwestern und machte sich auf den Weg. Sie ging und ging, bis sie zu einem großen Palast kam. Da sah sie, daß die Tür offen war, und sprach bei sich: ›Ich werde einmal hineingehen und fragen, ob man nicht eine Magd braucht.‹ Gesagt, getan. Sie ging hinein und rief: »He, holla!« Aber niemand antwortete.
Sie ging in die Küche und sah, daß Feuer im Herd war und daß ein Kessel kochte. Sie öffnete den Küchenschrank, und dort fand sie Brot, Reis, Flaschen mit Wein und alles, was man sich denken kann. Da sprach sie: »Hier gibt es alles, und ich habe so sehr Hunger. Ich will mir doch gleich eine gute Suppe machen.«
Kaum, daß sie das gesagt hatte, sah sie zwei Hände erscheinen und den Tisch richten. Die Hände stellten einen Teller mit Reis auf den Tisch, und das Mädchen sprach bei sich: ›Also, essen wir!‹ Und sie setzte sich an die Tafel und ließ es sich schmecken. Nachdem sie den Reis gegessen hatte, brachten die Hände ein gebratenes Huhn, und das Mädchen verzehrte auch dieses. Dann sagte sie: »Ich war wirklich ganz schlapp, aber jetzt fühle ich mich wieder besser.«
Dann machte sie sich daran, den Palast näher zu besehen. Sie ging durch eine Reihe schöner Zimmer, und schließlich kam sie in eine Kammer, da stand ein üppiges Bett mit einem Baldachin. »Schau einmal an, was für ein herrliches Bett!«

sprach das Mädchen. »Da will ich mich doch gleich hineinlegen.« Und sie legte sich zur Ruhe und schlief die ganze Nacht hindurch.
Am nächsten Morgen, kaum daß sie aufgewacht war, erschienen wieder die beiden Hände und brachten ihr eine Tasse Kaffee. Sie trank den Kaffee, und die beiden Hände trugen die Tasse auf einem Tablett wieder ab. Das Mädchen erhob sich und zog sich an, dann ging sie und kam in einen großen Saal, in dem ein großer Kleiderschrank voll der prächtigsten Röcke stand. Das Mädchen legte gleich seine Lumpen ab und kleidete sich üppig wie eine Königin. Wenn sie schon zuerst schön gewesen war, so schien sie nun unsagbar schön.
Dann ging sie weiter und kam in eine Laube, dort setzte sie sich nieder. Gerade in dem Augenblick kam ein König vorbei. Der sah das hübsche Mädchen und fragte sie, wie er sie sprechen könne, denn er empfand sogleich eine große Zuneigung zu ihr. Das Mädchen erklärte, daß sie weder Vater noch Mutter habe und daß sie ihm eine Antwort geben wolle, wenn er ein andermal vorbeikäme. Der König machte ihr viele Verneigungen und fuhr mit seinem Wagen weiter.
Das Mädchen aber ging wieder ins Haus hinein, setzte sich an den Kamin und begann zu sprechen: »Lieber Herr, ich bin in diesen Palast gekommen, ohne eine Seele zu sehen, und jetzt ist ein König vorbeigekommen, der eine Zuneigung zu mir hat. Was soll ich ihm sagen, wenn er wieder kommt und eine Antwort haben will?«
Da hörte sie aus dem Kamin eine Stimme antworten: »Ah, sei gesegnet! Wie schön bist du, und immer schöner wirst du werden. Sage dem König, daß du einen armen, kranken und einsamen Großvater hast, der damit zufrieden ist, daß du dich verheiratest. Er sei zufrieden, wenn er nicht zu lange auf die Hochzeit warten müsse. Jetzt geh, die du schön bist und immer schöner wirst.« Und das Mädchen wurde wirklich immer schöner.
Einige Tage darauf ging sie auf den Balkon, und da kam gerade der König vorbei, und kaum hatte der sie gesehen, da bat er sie um eine Antwort. Da sagte sie zu ihm, daß sie ihn leider nicht ins Haus hereinlassen könne, weil da ihr armer, kranker Großvater sei. Aber der Großvater hätte nichts dagegen, wenn sie sich vermählen wolle, wenn sie das nur bald machen wollten. Und einstweilen könnten sie sich ja so sprechen.
Der König war sehr vergnügt über diesen Bescheid, und er kam jeden Tag eine ganze Woche lang, um sich mit dem Mädchen auf dem Balkon zu unterhalten. Dann ging das Mädchen wieder zum Kamin und sprach: »Großvater, schon seit acht Tagen haben wir uns unsere Liebe erklärt. Was meinst du jetzt?« – »Nimm ihn also zum Gemahl«, erwiderte der Großvater, »und beginne, alle Kleidung aus dem Haus zu tragen. Was ich dir befehle, ist folgendes: Trage alles hinaus und

lasse mir nichts da! Erinnere dich wohl und achte darauf: Du mußt alles forttragen! Und jetzt geh, du bist schön, und immer schöner wirst du werden.«
Und das Mädchen wurde in der Tat immer schöner. Es ging auf den Balkon, und kaum sah es der König, da befahl er, die Hochzeit vorzubereiten. Und in der Zwischenzeit ließ er seine Wagen kommen und Lastpferde, um die Aussteuer des Mädchens abholen zu lassen. Es vergingen acht Tage, und man brachte alle Sachen weg. Und der König sagte zu seinem Vater: »Schau, Papa, was für schöne Dinge doch meine Braut besitzt. Selbst wir, die wir doch Könige sind, besitzen nicht so schöne Sachen. Und du wirst sehen, das Mädchen selbst ist noch viel schöner!«
Die Verlobte hatte indessen den ganzen Palast ausgekehrt und Müll und Kehricht fortgeworfen. So war nun alles leer geworden. Es blieb nur eine goldene Kette, die wollte sie sich im Augenblick des Aus-dem-Hause-Gehens um den Hals hängen, und sie hatte sie deshalb an einen Nagel gehängt. Da sah sie vom Balkon aus den König kommen mit seinem Zwiegespann, da eilte sie schnell zum Kamin und sagte: »Großvater, schau, ich gehe jetzt weg; mein Gemahl ist gekommen, um mich abzuholen. Sei ruhig, denn ich habe alles weggeschafft und den Palast ausgekehrt.« – »Brav«, sagte der Großvater, »ich danke dir sehr: Schön bist du, und immer schöner wirst du werden.«
Das Mädchen wurde wirklich noch schöner, es eilte zum Wagen, stieg auf und umarmte den König. Doch auf halbem Weg griff sie sich an den Hals und rief: »Halt, halt! Ich Arme habe meine goldene Kette vergessen. Schnell, schnell, kehr um und fahre zurück, damit wir sie holen.« Da sagte der König: »Ach, laß sie doch dort! Ich werde dir eine andere, noch schönere kaufen!« Aber das Mädchen wollte davon nichts wissen, und so kehrten sie um und fuhren zu dem Palast zurück. Sie stieg aus dem Wagen und ging in den Palast, während der König draußen wartete.
Das Mädchen lief zum Kamin und sagte: »Großvater?« – »Ja, was gibt's?« – »Kannst du mir verzeihen? Ich habe vergessen, meine goldene Kette mitzunehmen.« Und indem sie das sagte, nahm sie die Kette vom Nagel. »Scher dich weg!« schrie da die Stimme vom Kamin. »Geh weg, häßliche Bärtige! Ich habe dir befohlen, alles wegzutragen und nichts zu vergessen! Geh weg, häßliche Bärtige!«
Und im gleichen Augenblick, da das Mädchen sich die Kette um den Hals hing, spürte sie den Bart unter ihren Fingern. Sie blickte in einen Spiegel: Da hatte sie einen langen Bart, der reichte bis fast auf die Brust.
Als sie so aus dem Haus kam, da griff sich der Bräutigam verzweifelt in die Haare und schrie: »Ich hatte dir gesagt, du sollst nicht zurückkehren! Wie aber soll ich es jetzt machen, wo ich doch meinem Vater erzählt habe, wie schön du seist?

Ich kann dich nicht nach Hause begleiten. Ich bringe dich in den Wald, da besitze ich ein Häuschen, darin kannst du dich verstecken.« So machte er es, und jeden Tag ging er dorthin, um sie zu besuchen, denn er hatte sie immer noch lieb, und er ließ es ihr an nichts fehlen.

Die Sache ging zunächst gut, bis es endlich dem Vater des Königs zu Ohren kam, daß sein Sohn eine Liebschaft mit einer Bärtigen unterhielte. Da ließ der Königvater seinen Sohn rufen und sagte zu ihm: »Was glaubst du denn? Meinst du, ein König kann sich eine Bärtige als Liebste halten? Das geht gegen die Würde der Krone! Entweder verläßt du sie, oder ich werde sie töten lassen.«

Da ging der Jüngling zu seiner Liebsten und sagte: »Hör einmal, ich muß dir etwas sagen. Mein Vater hat erfahren, daß ich eine Bärtige zur Liebsten habe, und er hat mir befohlen, dich zu verlassen, sonst wird er dich töten lassen. Sag mir, wohin wir fliehen sollen!« – »Du mußt mir nur einen Gefallen tun«, sagte das Mädchen, »laß mir einen schwarzen Schleier und ein schwarzes Gewand machen und bring mich in den Palast des Großvaters. Dann wollen wir ihn um Hilfe bitten.«

Der König tat, wie ihn das Mädchen geheißen hatte, brachte ihr den schwarzen Schleier und das schwarze Gewand und brachte sie zum Palast des Großvaters. Das Mädchen ging hinein und begab sich zum Kamin: »Großvater?« – »Wer ist da?« – »Ich bin es, Großvater.« – »Was willst du, häßliche Bärtige?« – »Hör, Großvater, ich bin zum Tode verurteilt durch deine Schuld.« – »Durch meine Schuld? Nein! Ich hatte dir befohlen, alles aus dem Haus zu tragen und nichts, gar nichts, zu vergessen. Wenn du nicht deine goldene Kette vergessen hättest, wäre ich jetzt von meiner Verzauberung erlöst, und so beginnt meine Verwünschung von neuem.« – »Großvater«, sagte das Mädchen, »ich verlange nicht meine Schönheit zurück, die ich in deinem Palast erhalten habe. Ich möchte nur das Gesicht, wie es war, als ich zum ersten Mal gekommen bin. Großvater, kannst du mir aus Gnade und Barmherzigkeit nicht mein altes Antlitz zurückgeben?« – »Gut«, sagte der Großvater, »hast du auch nichts vergessen?« – »Nein, ich habe die goldene Kette in der Hand.« Da sagte der Großvater: »Lege dir die Kette um den Hals: Die du schön warst, wirst noch schöner sein!«

Da legte sich das Mädchen die Kette um den Hals, und der Bart war von einem Augenblick zum andern verschwunden.

»Großvater! Ich danke dir! Lebe wohl!« – »Geh nur«, sagte der Großvater, »die du schön bist und noch schöner werden wirst!« Und das Mädchen wurde so schön, daß es der Sonne glich. Sie eilte schnell die Treppe hinunter und lief zum Wagen ihres Geliebten. Der umarmte sie stürmisch, als er sah, wie schön sie wieder geworden war. Dann sagte er: »Jetzt kann dich mein Vater nicht mehr zum Tode

verurteilen. Und er kann auch nicht sagen, daß eine Heirat mit dir gegen die Würde der Krone ginge.«
Und sie fuhren schnell zur königlichen Residenz. Der Bräutigam führte seine Braut vor den Vater und sagte: »Das ist die häßliche Bärtige, die meine Liebste ist.« – »Ah!« sagte der König. »Sohn, du hast Vernunft! Schöner als diese kann kein Mädchen sein.« Er umarmte sie und gab Befehl, die Hochzeit vorzubereiten. Dann führte er seine künftige Schwiegertochter auf den Balkon, damit alles Volk sie sehen könne. Und sowie das Mädchen auf dem Balkon erschien und alle ihre Schönheit sahen, riefen sie: »Hoch, hoch! Es lebe die neue Königin!«
Nach wenigen Tagen war die Hochzeit der jungen Leute.

28. Juni – Der einhundertneunundsiebzigste Tag

Das Hemd des Zufriedenen

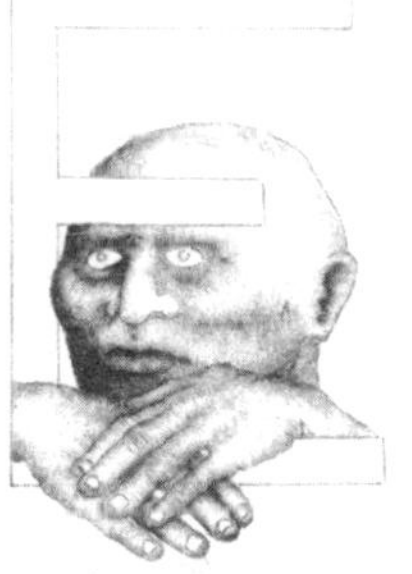

s war einmal ein König, der hatte nur einen einzigen Sohn, den liebte er wie seinen Augapfel. Aber sein Sohn, der Prinz, war immer und ewig unzufrieden. Er verbrachte ganze Tage damit, auf dem Balkon zu sitzen und in die Ferne zu blicken. »Aber was fehlt dir denn?« fragte ihn der König eines Tages. »Was hast du?« – »Ich weiß es nicht, Vater, ich kann es selbst nicht sagen.« – »Bist du vielleicht verliebt? Wenn du irgendein Mädchen möchtest, sag es mir, und ich will gleich die Hochzeit vorbereiten lassen, sei es nun die Tochter des mächtigsten Königs dieser Welt oder sei es eine arme Bäuerin.« – »Nein, Vater, ich bin nicht verliebt.«
Der König versuchte auf alle mögliche Art und Weise, seinen Sohn zu zerstreuen. Theater, Tänze, Musik und alle erdenklichen Unterhaltungen; aber es nutzte gar nichts. Das Antlitz des Prinzen verlor von Tag zu Tag mehr seine heitere Farbe. Da erließ der König einen Aufruf, und aus allen Teilen der Welt kamen Leute herbeigeeilt: Philosophen, Doktoren und Professoren. Ihnen zeigte der König seinen Sohn und bat die Gelehrten um Rat. Da zogen alle sich zurück, um nachzudenken, und dann kamen sie wieder zum König.
»Majestät«, sagten sie, »wir haben nachgedacht, und wir haben auch die Sterne befragt. Paßt auf, was Ihr tun müßt! Sucht einen Menschen, der zufrieden ist, aber auch in allen Dingen wirklich zufrieden, und vertauscht sein Hemd mit dem Hemd Eures Sohnes.«

Da beauftragte der König am nämlichen Tag alle seine Gesandten, in aller Welt nach einem zufriedenen Menschen Ausschau zu halten. Man fand einen Priester. »Bist zu zufrieden?« fragte der König. »Ja, Majestät.« – »Würdest du etwa gern Bischof werden?« – »Sogar sehr gern, Majestät.« – »Dann geh weg! Hinweg mit dir! Ich suche einen Menschen, der zufrieden ist und glücklich in seinem Stand. Einen, der es besser haben will, kann ich nicht brauchen.«

Und der König ließ einen andern kommen. Da war ein anderer König, ein Vetter unseres Königs, der war reich und mächtig, glücklich und zufrieden; er hatte eine schöne Frau, eine Reihe gesunder Kinder, er hatte alle Feinde besiegt und lebte in Frieden mit seinen Nachbarn. Zu dem schickte der König voller Hoffnung seine Gesandten, um ihn um das Hemd bitten zu lassen.

Sein Vetter, der König, empfing die Gesandten huldvoll, hörte sie an und sagte: »Ja, ja, mir fehlt nichts. Aber es ist gar zu schade, daß man sterben muß, wo man doch so viele schöne Dinge hat. Unter diesem Gedanken leide ich so sehr, daß ich keine Nacht ruhig schlafen kann.« Da merkten die Gesandten, daß sie auch von hier erfolglos zurückkehren müßten.

Um sich von seiner Verzweiflung abzulenken, ging unser König auf die Jagd. Er schoß auf einen Hasen und glaubte schon, ihn gut getroffen zu haben; aber der Hase rappelte sich auf und hinkte davon. Da lief der König hinterher, um ihn zu erwischen, und so entfernte er sich von seinem Gefolge. Als er so über die Felder lief, hörte er eine frische Stimme ein Liedchen singen. Der König hielt an und sprach bei sich: ›Wer so hübsch singt, kann nicht anders als zufrieden sein!‹ Und er ging dem Gesang nach und gelangte in einen Weinberg. Da fand er einen fröhlichen jungen Mann.

»Guten Morgen, Jüngling«, sagte der König. »Schönen guten Morgen, Euer Majestät! Schon zu so früher Stunde auf dem Feld?« – »Lieber Jüngling, willst du mit mir in den Palast kommen und mein Freund werden?« – »Schönen Dank, Majestät, für die Gnade, aber ich begehre sie nicht. Ich fühle mich hier so wohl, daß ich nicht einmal mit dem Papst tauschen möchte.« – »Aber du, ein so junger Mensch hat doch immer Wünsche.« – »Aber nein, sage ich Euch! Ich bin glücklich und zufrieden und brauche weiter gar nichts!« – »Endlich ein zufriedener Mensch!« seufzte der König. »Jüngling, willst du mir wohl einen Gefallen tun?« – »Wenn ich kann, von ganzem Herzen gern, Majestät!« entgegnete der Jüngling. »Warte nur einen Augenblick!« sagte der König. Und er wandte sich sehr zufrieden um, sein Gefolge herbeizuholen. Endlich fand er seine Hofgesellschaft und rief ihnen schon von weitem zu: »Kommt, kommt! Mein Sohn ist gerettet! Endlich habe ich einen zufriedenen Menschen gefunden!«

Und er führte sein ganzes Gefolge zu jenem Jüngling im Weinberg. »Gesegneter

Jüngling«, sagte er zu ihm, »ich werde dir alles geben, was du willst, aber gib mir, gib mir ...« – »Was denn, Majestät? – »Mein Sohn ist nahe am Sterben! Nur du kannst ihn retten. Er braucht etwas, was ihm nur ein Mensch geben kann, der wirklich und in allem zufrieden ist.« – »Und was braucht er, Majestät?« – »Das Hemd eines zufriedenen Menschen.« – »Majestät, das kann ich Euch nicht geben.« – »Und warum nicht? Du wirst dafür seines erhalten!« – »Majestät, ich habe kein Hemd.«

29. Juni – Der einhundertachtzigste Tag

Das Land, wo man nie stirbt

Eines Tages sagte ein junger Mann: »Mir gefällt die Geschichte nicht, daß wir alle sterben müssen. Ich will hingehen und das Land suchen, wo man niemals stirbt.« Und er ging hin und verabschiedete sich von Vater und Mutter und von allen Verwandten, und dann machte er sich auf die Wanderschaft. Überall fragte er nach dem Land, wo man niemals stirbt, aber sooft er auch fragen mochte, keiner konnte ihm die richtige Antwort geben. So wanderte er landauf, landab und fand doch keinen, der es wußte. Eines Tages begegnete er einem alten Mann, der hatte einen langen, langen Bart und schob auf einem Schubkarren Steine vor sich her. Er fragte den Alten: »He, könnt Ihr mir nicht den Weg in das Land zeigen, wo man niemals stirbt?« – »Willst du nicht sterben? So komm mit mir! Solange ich nicht jenes Gebirge Stein um Stein abgetragen habe, wirst du nicht sterben.« – »Und wieviel Jahre werdet Ihr brauchen, um das Gebirge abzutragen?« – »Hunderttausend Jahre oder etwas mehr.« – »Und dann muß ich sterben?« – »Natürlich.« – »Nein, dann ist das nicht der richtige Ort für mich, denn ich suche das Land, wo man nie, niemals stirbt.«
Er grüßte den Alten und machte sich wieder auf den Weg. Er wanderte und wanderte, und endlich kam er in einen großen, großen Wald. Der Wald war so groß, daß er niemals ein Ende zu nehmen schien. Da traf er einen alten Mann, der hatte einen noch längeren Bart als jener Alte mit dem Schubkarren. Der Alte aber schnitt mit einem Messerchen Zweige von einem Baum. Der Jüngling fragte ihn: »He, Alterchen, könnt Ihr mir den Weg sagen zu dem Land, wo man niemals stirbt?« – »Bleib bei mir!« sagte der Alte. »Ehe ich nicht mit meinem Messerchen alle Zweige dieses Waldes abgeschnitten habe, wirst du nicht sterben.« – »Und wie lange wirst du dazu brauchen?« – »Mindestens zweihunderttausend Jahre,

vielleicht aber auch mehr.« – »Und dann muß ich sterben?« – »Ja, sicher. Ist es dir denn nicht genug?« – »Nein, wenn das alles ist. Ich suche das Land, wo man niemals stirbt.«
Er grüßte den Alten und wanderte weiter. Nach vielen Monden kam er schließlich ans Ufer eines Meeres. Da traf er einen Alten, der hatte einen langen, langen Bart, der ihm bis zu den Knien reichte. Der Alte aber hütete eine Ente, die auf dem Wasser schwamm. »He, Alterchen«, fragte der Jüngling, »könnt Ihr mir vielleicht den Weg sagen zu dem Land, wo man niemals stirbt?« – »Wenn du Angst vor dem Tod hast, dann bleibe bei mir! Solange diese Ente nicht das Meer ausgetrunken hat, wirst du nicht sterben.« – »Und wieviel Zeit braucht sie dazu?« – »Über den Daumen gepeilt: fünfhunderttausend Jahre.« – »Und dann muß ich sterben?« – »Ja, was willst du machen! Wieviel Jahre willst du dich denn auf dieser Erde herumtreiben?« – »Dann ist auch das nicht der rechte Fleck für mich, denn ich suche das Land, wo man niemals stirbt.«
Und er grüßte den Alten höflich und lenkte seine Schritte weiter. Er ging und ging, und eines Abends kam er zu einem herrlichen Palast. Er klopfte an, da öffnete ihm ein alter Mann, der hatte einen langen, langen Bart, ja der Bart war so lang, daß er ihm bis auf die Fußspitzen herabreichte. Der Alte aber fragte: »Was willst du, Jüngling?« – »Ich suche das Land, wo man niemals stirbt.« – »Bravo! Ich kann dich gut verstehen. Du hast Glück gehabt und den rechten Ort gefunden. Solange du hier bei mir bleibst, wirst du niemals sterben.« – »Endlich! Das war aber ein gutes Stück Weg! Das ist also endlich der Fleck, den ich so lange gesucht habe. Aber Ihr, seid Ihr selbst zufrieden, hierzusein?« – »Aber ja, vor allem dann, wenn du mir Gesellschaft leistest.«
So ließ sich der Jüngling in dem Palast nieder, leistete dem Alten Gesellschaft und führte das Leben eines großen Herrn. Es vergingen die Jahre im Fluge, ohne daß man es merkte. Jahre, Jahre, Jahre ...
Eines Tages sagte der Jüngling zum Alten: »Hier bei Euch lebt es sich wirklich sehr gut, aber ich habe Sehnsucht, einmal zu den Meinen zu gehen und zu schauen, wie es meiner ganzen Verwandtschaft geht.« – »Was für eine Verwandtschaft willst du denn besuchen? Die sind doch alle schon eine ganz schöne Zeit tot!« – »Gut. Dann möchte ich wenigstens meine Heimat sehen. Wer weiß, wem ich begegnen werde. Wenn schon nicht meinen Verwandten, dann deren Söhnen oder Enkeln.« – »Na, wenn du dir den Gedanken in den Kopf gesetzt hast, will ich dich nicht davon abbringen, sondern dir sagen, wie du es machen mußt. Geh in den Stall, nimm meinen Schimmel, der hat die Gabe, so schnell wie der Wind zu laufen. Aber vergiß nicht: Du darfst niemals absteigen! Auf gar keinen Fall! Wenn du den Sattel verläßt, mußt du sofort sterben!« – »Seid nur ruhig! Ich werde

schon nicht absteigen, denn ich habe nicht den geringsten Wunsch nach dem Tod.«

Er ging also in den Stall hinunter, sah dort den Schimmel stehen, den zog er heraus, sattelte ihn und ritt wie der Wind davon. Er durchritt alle Landschaften, die er einst durchwandert hatte. Da kam er zuerst zu dem Ort, wo der Alte die Ente gehütet hatte, die auf dem Meere schwamm. Doch, wo einst ein weites Meer gewesen war, fand er jetzt eine große Ebene. Und am Rande lag ein kleines Häuflein Knochen, die waren das Gerippe jenes Alten. ›Da schau her‹, sprach der Jüngling bei sich, ›ich habe doch gut getan, weitergewandert zu sein. Sonst wäre ich jetzt auch schon längst tot.‹

Er ritt seine Straße fort. Dort, wo einst der große, große Wald gewesen war, erstreckte sich nun eine Wüste, und es war auch nicht ein Baum zu sehen. »Auch bei diesem wäre ich schon ein gutes Stück Zeit tot!« sagte der Jüngling.

Dann ritt er weiter und kam dorthin, wo einst sich das Gebirge erhoben hatte. Das hatte der Alte ganz abgetragen, es war nicht mehr die kleinste Erhebung zu erkennen, der Ort war flach wie ein Tisch. »Auch hier wäre ich schon längst gestorben«, sagte der Jüngling und lenkte sein Pferd weiter.

Er ritt und ritt bis zu seiner Heimat. Aber da hatte sich alles verändert, so daß er nichts mehr erkannte. Er suchte vergeblich sein Elternhaus, er fragte vergeblich nach den Seinen. Niemand mehr kannte auch nur den Namen. Da wurde ihm weh ums Herz. ›Höchste Zeit, daß ich umkehre‹, sprach er bei sich. Er wandte das Pferd und ritt zurück zum Palast des Alten. Aber er war noch nicht weit gekommen, da begegnete er einem Fuhrmann, der hatte seinen Wagen voller alter Schuhe geladen. Der Fuhrmann hielt den Jüngling an und sagte: »Ach Herr, könnt Ihr mir nicht einen Augenblick helfen! Mir ist das Rad aus der Achse gegangen.« – »Tut mir leid«, sagte der Jüngling, »ich habe große Eile und kann nicht absteigen.« – »Ach«, sagte der Fuhrmann, »seid doch so gütig und habt Mitleid mit mir. Ihr seht, daß ich ganz allein bin und daß es schon Abend wird. Wenn Ihr mir nicht helft, komme ich nimmer heim.«

Da erfaßte den Jüngling Mitleid mit dem Fuhrmann, und er schwang sich aus dem Sattel. Aber kaum hatte er mit einem Fuß den Boden berührt, als ihn der Fuhrmann mit einem Arm umschlang und sagte: »Ah, endlich habe ich dich erwischt! Weißt du denn nicht, wer ich bin? Ich bin der Tod! Siehst du diese vielen Schuhe auf dem Karren? Die habe ich alle durchgelaufen, um dich zu fassen. Jetzt bist du mir endlich in die Falle gegangen. – Früher oder später müßt ihr ja alle in meinen Armen enden. Da gibt es keinen Ausweg.«

Und da hatte auch für den armen Jüngling die Todesstunde geschlagen.

30. Juni – Der einhunderteinundachtzigste Tag

Der Stöpselwirt

Er hatte ein schönes Haus und ein schönes Feld, der Stöpselwirt, der da – wir wissen nicht mehr genau, wo – vor Alters lebte und ein Wirtshaus von gutem Ruf sein eigen nannte. Aber der gute Mann hatte ein zu weiches Herz und konnte keinen Armen hungern oder dürsten sehen; lieber gab er den letzten Bissen Brot im Kasten und den letzten Tropfen Wein im Keller her. So kam es denn endlich wirklich so weit, daß er nicht nur kein Brot und keinen Wein für sich selbst mehr hatte, sondern auch so in Schulden stak, daß man ihm sein Haus verkaufen und ihn fortjagen wollte.
Von denen, welchen er Gutes getan, kam keiner, ihm Hilfe oder Trost zu bieten. Dagegen kam ein anderer, den der wackere Wirt in seinen guten Tagen nie hatte leiden mögen, der dachte: ›Jetzt wird der Wirt mich willkommen heißen und mir keinen Trotz mehr bieten, denn er hat genug erfahren.‹ Das war aber der Teufel, der so dachte, und er sagte zum Wirt: »Ich will dir Geld leihen auf sieben Jahre, denn dein Unglück dauert mich, du hast es wahrlich nicht verdient. Aber nach sieben Jahren mußt du es mir zurückzahlen auf Kreuzer und Pfennig. Kannst du es nicht oder fehlt auch nur ein roter Heller daran, so ist mir deine Seele verfallen.« Der Wirt sah zwar, mit wem er zu tun hatte, allein er dachte: ›Die Bedingung ist ganz vernünftig und billig, denn zurückzahlen müßte ich's den Menschen auch, nicht bloß dem Teufel, ich will besser hausen.‹ Er schlug ein, und der Teufel brachte ihm einen großen Sack voll Geld. Damit bezahlte der Wirt seine Gläubiger, lachte sie aus und setzte sein Haus in einen noch besseren Stand als zuvor.
Aber der Wirt hauste darum nicht besser. Wie zuvor unterstützte er jeden Armen und konnte seinem mitleidsvollen Herzen keinen Zwang antun. So kam es, daß es ihm bald wieder recht schlecht erging. Fast waren die sieben Jahre abgelaufen, und traurig saß er einmal vor dem Haus. ›Ist das auch recht‹, sagte er zu sich selbst, ›daß meine Seele dem Schwarzen gehören soll, weil ich zu wohltätig bin?‹ Und so spann er seine trüben Gedanken weiter und weiter und bemerkte anfangs gar nicht, daß drei arm aussehende Wanderer des Weges kamen, bis sie vor ihm standen und ihn um ein Almosen baten. »Gern gäb ich euch Geld und zu essen und zu trinken«, sagte der Wirt, »aber ich hab in meinem Haus keinen roten Heller mehr.« Die drei Wanderer aber waren unser Herrgott, St. Petrus und St. Johannes. Da sagte unser Herrgott: »Du bist ein wackerer Mann, bitte dir drei

Gnaden aus.« Und der Wirt antwortete: »Ich möchte gern drei seltene Stücke haben. Dort steht ein Feigenbaum, da möcht ich, daß der, welcher hinaufsteigt, ohne meinen Willen nicht mehr herabkommt. In meiner Stube steht ein Kanapee, da möcht ich, daß der, welcher sich daraufsetzt, ohne meinen Willen nicht mehr wegkommt. Endlich steht in der Ecke der Stube eine Kiste, da möcht ich, daß der, welcher die Hände hineinsteckt, sie ohne meinen Willen nicht mehr herauszieht.« Da sagte unser Herr: »Wohlan, die drei Stücke sollst du haben. Bleib aber auch gut und mildtätig, und es wird dir gutgehen.«

Als die sieben Jahre um waren, schickte der Teufel seinen ältesten Sohn hinauf, das Geld oder die Seele des Wirtes zu holen. Dieser stand gerade vor der Tür, als der Sohn des Teufels kam und sein Geld verlangte. »Das will ich gleich holen«, sagte der Wirt, »du kannst inzwischen dort auf den Feigenbaum steigen und Feigen essen.« Der Sohn des Teufels stieg auf den Baum und aß Feigen, der Wirt ging hinein, kam bald wieder zurück und rief: »Jetzt komm und nimm dein Geld!« Der Sohn des Teufels wollte herabsteigen, aber er konnte nicht und schrie in einem fort: »Ich kann nicht! Ich kann nicht!« – »Nun, wenn du nicht kannst«, sagte der Wirt, »so geht's mich weiter nichts mehr an, und ich trage mein Geld wieder hinein.« Er trug es hinein und kam mit einem Stock wieder heraus. »Ist das eine Art«, rief er, »auf fremder Leute Bäume zu steigen und dann gar nicht mehr herabkommen zu wollen!« Darauf bläute er den Sohn des Teufels tüchtig durch und ließ ihn laufen.

Als der Teufel gehört hatte, wie es seinem ältesten Sohn ergangen war, schickte er seinen zweiten Sohn hin. Der trat in die Stube, wo der Wirt eben war, und sagte: »Gebt mir mein Geld!« Da sagte der Wirt spöttisch: »Willst du nicht auch Feigen essen gehen?« Der Sohn des Teufels aber schrie voll Zorn: »Meinst du, du könnest mich auch hintergehen wie meinen Bruder? Ich bin pfiffiger und steige dir nicht auf den Feigenbaum. Jetzt aber bring mir mein Geld, oder ich führe deine Seele zur Hölle.« Da sprach der Wirt: »Nun, ich will's holen, wart ein wenig und setz dich inzwischen da auf das Kanapee.« Der Sohn des Teufels setzte sich nieder, der Wirt aber ging in die Kammer, kam mit dem Geld und legte es auf den Tisch. »Da hast du das Geld, jetzt sieh, daß du damit weiterkommst!« Aber der Sohn des Teufels rief kläglich: »Ich kann nicht! Ich kann nicht!« – »Nun, wenn du nicht kannst oder nicht willst, scher ich mich auch nicht darum, ich will mein Geld wieder hintragen, wo ich's hergenommen habe.« Er trug das Geld wieder in die Kammer und ließ den Teufel bis spät in die Nacht sitzen. Dann aber sagte er: »Höre, jetzt ist die Stunde, wo alle Leute heimgehen, geh du auch!« Aber der Sohn des Teufels schrie: »Ich kann nicht! Ich kann nicht!« – »Wenn du nicht kannst oder nicht willst«, sagte der Wirt, »so will ich wohl ein wenig nachhelfen.« Und

er holte wieder den Stock, bläute den Teufel durch, bis er windelweich wurde, und als er glaubte, es sei genug, ließ er ihn laufen.
Als der Teufel davon gehört hatte, kam er selbst in großer Wut zum Wirt und verlangte sein Geld. Der Wirt sagte: »Nun, hab ich's nicht schon Euren beiden Söhnen geben wollen, und sie haben es nicht genommen? Möchtet Ihr nicht auch einige Feigen, sie sind so süß?« Der Teufel aber schrie: »Meinst du, du könntest mich auch hintergehen wie meine zwei Söhne? Ich will keine Feigen, sondern mein Geld.« Da sagte der Wirt: »Nun, dann will ich's Euch wohl aufzählen, setzt Euch doch auf das Kanapee, Ihr seid gewiß müde.« Aber der

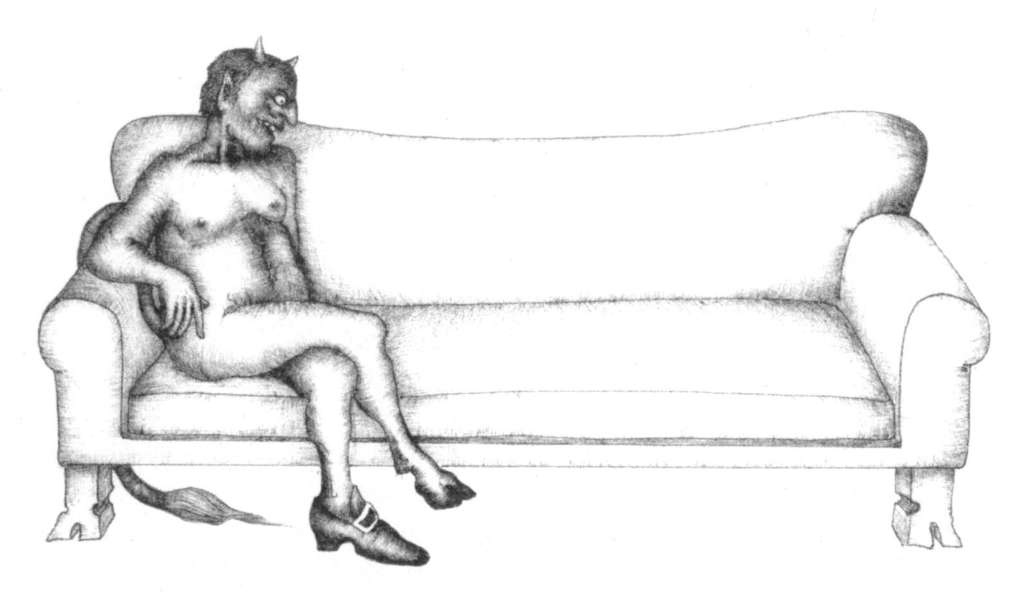

Teufel wurde noch zorniger und schrie: »Setze sich auf dein Kanapee, wer da will, ich will nur mein Geld!« Da versetzte der Wirt: »Nun, wenn Ihr keine Feigen wollt und vom Wege nicht müde seid, so sollt Ihr das Geld haben. Zählt es Euch nur selbst aus jener Kiste heraus, es wird bis auf einige lumpige Kreuzer alles darin sein.«
Da fuhr der Teufel mit großem Ungestüm mit beiden Händen in die Kiste, merkte aber bald, daß er der Betrogene war. »Nehmt Euch das Geld doch heraus!« sagte der Wirt. »Ich kann nicht! Ich kann nicht!« schrie der Teufel und stampfte vor Wut. Der Wirt aber schmunzelte und griff nach dem Stock. Da erschrak der Teufel und verlegte sich aufs Bitten, indem er versprach, auf das Geld verzichten zu wollen, wenn er ihn freilasse. »Wollt Ihr aber auch für immer und ewig auf meine Seele verzichten und mir und den Meinen nicht weiter zusetzen?« fragte der Wirt.

»Das will ich«, versprach der Teufel. Da ließ ihn der Wirt frei, und der Teufel fuhr mit Gestank von dannen zur Hölle.
Der Wirt aber lebte noch lange Jahre als wackerer Mann. Endlich starb er. Er ging zum Himmelstor und verlangte Einlaß, aber St. Petrus erkannte ihn nicht mehr, oder der Wirt hatte doch etwas verschuldet – kurz, St. Petrus wollte ihn nicht einlassen. Nun ging er zur Hölle, aber die Teufel heulten schon, als sie ihn von weitem sahen, und schlugen ihm das Höllentor vor der Nase zu. Da ging er wieder zum Himmelstor und wartete, bis einige fromme Seelen kamen. Als St. Petrus diesen das Tor aufmachte, warf der Wirt seinen Hut hinein und wollte selbst mitgehen, aber St. Petrus hielt ihn zurück. »So laß mich doch meinen Hut holen!« sagte der Wirt, und als St. Petrus dies erlaubte, ging er hinein und stellte sich auf seinen Hut. »Nun steh ich auf meinem Eigen!« rief er, und St. Petrus mußte ihn darauf lassen. Und so sitzt er noch heute darauf, gerade neben dem Schmied von Rumpelbach, und beide sind andächtiglich versunken in den Anblick der himmlischen Freuden und Seligkeiten.

Der Monat Juli,
der die Märchen der Slowenen und Kroaten,
der Serben, der Bosnier und Herzegowiner,
der Mazedonier, der Bulgaren
und die der Albaner
enthält

1. Juli – Der einhundertzweiundachtzigste Tag

Die Prinzessin vom Glasberg

Es war einmal ein Graf, der hatte einen Sohn. Und dieser Graf hatte die allerschönsten und vornehmsten Prinzessinnen aufgemalt in seinem Zimmer. Nun hatte er auch das Bild der Prinzessin vom Glasberg, jedoch in einem anderen Zimmer, weil er fürchtete, sein Sohn könnte sie ihm abspenstig machen; denn der Vater wollte sie für sich selber gewinnen.

Nun ging eines Tages der Graf von zu Hause fort, den Sohn aber ließ er als Hüter zurück und sagte zu ihm: »Bleib du als Hüter zu Hause, aber in jenes Zimmer darfst du nicht gehen.« Jetzt war der Graf nicht zu Hause, da begann der Bursch nachzudenken: ›Der Vater wird doch nichts wissen davon, wenn ich in jenes Zimmer gehe. Ich werde wenigstens in Erfahrung bringen, was drinnen ist, da er mir so streng verboten hat, hineinzugehen.‹ Da kommt der Bursch hinein ins Zimmer und war höchst überrascht, als er die allerschönste Prinzessin erblickte, gemalt auf ein Tafelbild. Da dachte er: ›Die werde ich holen und zur Frau nehmen.‹ Da kam der Graf nach Hause, und der Bursch sagte: »Jetzt werde ich in die Welt hinauswandern.« Der Graf sagte ihm: »Geh nur!« Dieser Bursch hatte auch einen Knecht Johann. Dann nahmen sie jeder ein Roß und machten sich auf den Weg und sagten ihrem Grafen nichts davon, wohin sie gehen wollten. Und dann reisten sie hin zu dem Glasberg.

Und da kamen sie, als die Nacht sie überraschte, zu einem Schloß. Da war drinnen alles bereit, Essen und Trinken, für zwei Personen, und auch für die Pferde war gesorgt. Es war aber nirgends ein Mensch zu sehen. Jetzt, da sie die Pferde versorgt hatten, gingen sie hinein ins Haus und setzten sich gemütlich nieder und aßen und tranken. Dann besprachen sie, wer zur Nachtzeit wachen sollte. Da sagte Johann: »Ich werde wachen bis Mitternacht, du nach Mitternacht.« Dann legten sie sich nieder, und der eine schlief, Johann aber blieb wach.

Da schlug die Uhr elf. Da kam eine Frau herein und ein Mädchen. Da sagte die Mutter zum Mädchen: »Die zwei gehen die Prinzessin vom Glasberg holen. Aber was nützt es ihnen, sie werden sie doch nicht bekommen. Sie wissen ja nicht, wie sie sich richtig zu verhalten haben.« Da sprach das Mädchen: »Oh, sagt es mir doch, Mutter. Von diesen beiden hört uns ja keiner.« Da fing sie an, der Tochter zu erzählen. Sie sagte: »Jetzt werden sie zu einem Birnbaum kommen, dort sind drei goldene Birnen droben.« Dann sagte sie: »Wenn sie diese goldenen

Birnen pflückten und mit sich nähmen und alle drei in je zwei Hälften zerschnitten!« Nun hatte Johann die Worte gehört und verstanden, und jene sprach noch weiter: »Jetzt, wenn sie zu einem großen Wasser kommen werden, müßten sie eine halbe Birne ins Wasser werfen, und es würde eine Straße darüber entstehen. Dann kämen sie zu einem großen Wald und, wenn sie wüßten, daß sie die andere Hälfte der Birne in diesen Wald werfen sollten! Denn drinnen sind allerhand Bestien. Täten sie die andere Hälfte der Birne in den Wald werfen, würden die Bestien sofort ruhig werden – so lange, bis sie hindurch kämen. Und dann kämen sie bis zum Glasberg. Dort würden sie wieder die Hälfte einer Birne darüber hinweg werfen, da kein anderer als nur jener Zauberer, der die Prinzessin hat, hinaufkommen kann. Dann kämen sie auf die andere Seite des Glasberges; dort hat jener Zauberer sein Heim, der die Prinzessin hat. Was aber nutzt es, wenn sie dorthin kommen? Sie werden sie ja nicht bekommen. Jetzt wird sie der Zauberer fragen, wozu sie gekommen seien. Da werden sie sagen, sie seien gekommen, die und die Prinzessin zu sehen, da sie gehört hätten, wie schön sie sei. Und jener Zauberer hat sie in ein Fell gehüllt. Dann wird er sie ihnen zeigen, nur zur Hälfte, und sie ist so schön, ganz mit Diamanten bestickt, ach, nicht zu sagen. Und er wird sagen: ›Gedenkt ihr, sie mir zu stehlen?‹ Und die zwei müßten sagen, daß sie das nicht wollten. Wenn er aber einschliefe, dann würden sie sich ihrer bemächtigen und nach Hause mit ihr!« Jetzt, da Johann alles mit angehört hatte, verschwanden jene zwei und waren fortgegangen.

Nun, am Morgen frühstückten sie und dann gingen sie weiter. Und als sie zu dem Birnbaum kamen, sprang Johann dorthin und pflückte die drei goldenen Birnen. Dann zogen sie weiter, kamen zu dem großen Wasser, und Johann warf die halbe Birne ins Wasser, und sogleich entstand eine Straße darüber, daß sie hinübergelangten. Und als sie hinübergekommen waren, war nirgends eine Straße mehr. Darauf gingen sie weiter, kamen zu einem Wald, wo so viele Bestien drinnen brüllten, daß es nicht zu sagen ist. Und er warf die zweite Hälfte der Birne hinein, und es wurde sofort still. Da gingen sie durch den Wald glücklich weiter. Dann kamen sie zum Glasberg, und wieder konnten sie nicht hinüberkommen, wieder warf er eine Birnenhälfte darüber, und es entstand eine Straße darüber hinweg. Und dann kamen sie hinüber zu dem

Schloß, wo jener Zauberer darin wohnte, der die Prinzessin hatte. Und sie gingen hinein. Er fragte, wozu sie gekommen seien. Und Johann antwortete, sie seien gekommen, die Prinzessin zu sehen, von der sie gehört hätten, wie wunderschön sie sei. Und jetzt sagte er: »Vielleicht wollt ihr sie mir nehmen?« – »O nein, das wohl nicht«, sagte Johann. Dann zeigte er sie ihnen, wie sie ganz in ein Fell eingewickelt war, da sie so fürchterlich schön war, daß es nicht zu sagen ist. Und dann wurde es Nacht, und alle drei gingen schlafen. Und in der Nacht, als jener Zauberer eingeschlafen war, nahmen die beiden die Prinzessin und hoben sie aufs Pferd. Und wie sie zum Glasberg kamen, warf Johann die Hälfte einer Birne über ihn, und es entstand eine Straße darüber, und sie kamen in einem Augenblick hinweg.
Da erwachte der Zauberer und ging schauen, ob die Prinzessin noch da sei, und sie war nicht mehr da. Da ging er wie ein Blitz hinter ihnen her und kam hinauf auf den Gipfel des Glasberges und rief: »Ihr Halunken, die ihr mir die Prinzessin geraubt habt!« Sie vernahmen ihn, und so schnell waren sie durch den Wald, als es nur möglich war, und im Nu waren sie an dem großen Wasser. Und hurtig warf Johann die halbe Birne hinein, und schon war eine Straße darüber. Und kaum waren sie hinüber, da war keine Straße mehr da. Schon war der Zauberer am jenseitigen Ufer, aber weiter konnte er nicht; dort war die Grenzmark, und darüber durfte er nicht, es war ihm verboten. Dort war die Grenze.
Jetzt gingen sie ohne Sorge weiter. Sie gingen weiter und kamen bis zu jenem Schloß und gingen hinein. Und dort fanden sie schon für drei Personen gedeckt mit Speise und Trank. Und jetzt aßen sie ihr Abendmahl und legten sich dann zur Ruhe. Und darauf kamen wieder jenes Mädchen und jene alte Frau herein. Und jetzt sprachen sie wieder miteinander, und die Alte sagte: »Wirklich hat er sie bekommen. Aber was hilft ihm das, da er sie nicht glücklich heimführen wird?« Jetzt sagt sie: »Wenn sie es wüßten, würden sie sie schon heimbringen.«
Jetzt aber fragte jenes Mädchen: »Mutter, was müßten sie tun, um glücklich zu werden?« Die Mutter sprach: »Jetzt wissen sie zu Hause schon, daß sie sie heimführen. Jetzt haben sie, heute schon, eine neue Brücke errichtet, ganz mit Purpur überdeckt, und jenseits der Brücke wird eine Musikkapelle spielen.« Da sagte die Frau zum jungen Mädchen: »Wenn sie nur so viel wüßten, wenn sie zu jener Stelle kommen, daß sie nicht über die neue Brücke gingen, sondern über die alte! Wenn sie über die neue Brücke gingen – die ist so auf Betrug gemacht, daß sie, sobald sie bis zur Mitte kämen, sofort einstürzte. Und deshalb, weil der Alte so neidisch ist, weil sie der Alte selber gern zur Frau genommen hätte. Darum hat ihm der Alte eine solche Brücke errichtet, daß alle drei umkommen sollten. Jetzt aber werden sie über die alte Brücke gehen, jetzt werden sie glücklich über

die Brücke kommen. Sein Vater wird aber so zornig sein, da sie nicht über die neue Brücke gegangen sind. Da wird er zu ihnen heuchlerisch freundlich sein, wenn sie über die alte Brücke gehen werden und nach Hause kommen. Und sie werden ein großes Gastmahl bereiten.« Da sagte aber die Alte: »Wenn von diesen dreien einer die Worte wüßte und sie dann einem anderen sagte, das heißt, einem der drei untereinander oder auch einem anderen, würde er sofort zu Stein werden. – Da werden sie zuerst einen Kaffee hereinbringen, dieser Kaffee wird so vergiftet sein, für alle drei, wenn sie ihn tränken, würden sie alle sofort sterben.« Dann verschwanden jene zwei Frauen.

Dann am Morgen standen die drei auf und wanderten in der Richtung auf das heimatliche Schloß hin. Der Vater hatte wirklich schon die Brücke fertiggestellt und mit Purpur überdeckt, und am anderen Ende musizierten Musikanten. Als sie hin zur Brücke kamen, wollte Johann nicht über die neue Brücke gehen und auch die anderen beiden nicht; sie dachten, Johann wisse schon, warum. Jetzt, da sie über die Brücke gekommen waren, war der Vater so erbost, weil sie nicht über die neue Brücke gegangen waren, daß er mit den Zähnen knirschte; zum Schein aber setzte er ein freundliches Gesicht auf. Da bereiteten sie ein Gastmahl und brachten diesen dreien zuerst Kaffee herein – dieser Kaffee war so vergiftet für alle drei, hätten sie ihn ausgetrunken, wären sie alle drei sofort gestorben.

Nun, sobald der Grafensohn die Schale zum Mund führte, schlug ihm Johann auf den Mund, daß er ihm die Schale aus der Hand schlug. Die anderen sagten: »Wirst du ihn nicht strafen, da er solchen Spott mit dir getrieben hat?« Er aber sagte: »Johann weiß schon, was er tut.« Dann füllten sie ihnen die Gläser mit Wein, der wieder vergiftet war. Wenn sie ihn ausgetrunken hätten, wären sie sogleich gestorben. Jetzt nahm dieser Grafensohn das Weinglas, um vom Wein zu trinken. Johann aber schlug wieder danach und schlug es ihm aus der Hand. Da wurde der Grafensohn zornig und böse, da er glaubte, er habe ihm das Glas zum Spott vom Mund geschlagen, und er sagte, er werde ihn scharf bestrafen. Johann aber sprach: »Ich habe dort folgendes gehört: Sobald ich dies Wort spreche, werde ich sofort in Stein verwandelt.« Und er sprach: »Hätte ich dir jene Schale Kaffee nicht vom Munde geschlagen, so wärst du sofort gestorben, so sehr war er vergiftet.« Dann sagte er: »Wenn wir über die neue Brücke gegangen wären, wären wir schon in jenem Wasser zugrunde gegangen.« Und er sagte: »Da dein Vater dir diese Prinzessin mißgönnt, würde er dich gerne umbringen und sie dann selber zur Frau nehmen.«

Kaum hatte er diese Worte gesprochen, war er schon Stein geworden und stand starr vor ihnen. – Oh, jetzt betrauerten ihn die beiden so sehr, es war ihnen so leid um ihn, daß es nicht zu sagen ist. Und nun trugen sie den steinernen Johann

in die Kirche. Der alte Graf aber wurde hingerichtet, da er dreien das Leben zu nehmen versucht hatte.
Jetzt wurden die beiden, der junge Graf und die Prinzessin, vermählt. Über ein Jahr bekamen sie einen Knaben. Nun hatte der Graf eines Abends einen Traum, er solle dieses sein Söhnlein nehmen, mit ihm in die Kirche gehen und es über dem steinernen Johann schlachten, der dann wieder aufleben werde. Am nächsten Tag stand er auf und sagte das seiner Frau. Seine Frau erschrak und sagte: »Oh, aber wunderschade wird es sein um unser Söhnlein.« Der Graf sprach: »Es ist schon fest bestimmt. Ich werde dieses Traumgebot erfüllen, er hat ja auch mir und dir in Todesgefahr geholfen. Und ich würde unseren über alles lieben Johann gern erlösen. Meinen Sohn werde ich Gott aufopfern, daß er irgendwie helfe.«
Dann trug er ihn in die Kirche und trat vor den steinernen Johann, und dann nahm er seinen Sohn und zerschnitt ihn über seinem Kopf: Als sein Blut über dessen Leib sich ergoß, da wurde er wieder lebend. Oh, war das eine Freude, nicht zu sagen! Und jetzt war Johann lebend, und der Sohn war tot. Und Johann sprach: »Barmherziger Jesus! Schenke diesem Sohn das Leben, da er für mich den Tod erlitten hat!« Und da war der Sohn wieder lebend – und die anderen waren so erfreut, daß es nicht zu sagen ist. Und da richteten sie ein großes Fest, und man trank und aß.
Auch mir haben sie aus einem Getreidesieb zu trinken gegeben und mit der Brotschaufel auf den Hintern, dann aber haben sie mich heimgejagt.

2. Juli – Der einhundertdreiundachtzigste Tag

Der Ritt über den Graben

Es war einmal ein Vater, der hatte drei Söhne. Nun, diese drei Söhne – zwei von ihnen waren recht klug, einer aber war dumm. Nun war jener Graf sehr reich, er hatte viel Geld, er wollte, auch der Dumme wäre klug, aber er war halt dumm. Als da die Frauen kochten, machte er sich an die Asche heran und aß mit den Fingern aus dem Topf, und schlafen tat er auch dort in der Asche. Seine zwei älteren Brüder aber waren Herren, nicht wahr, fein angezogen, der aber nur so. Nun erfuhr man aber, daß da eine Gräfin sei, die hätte eine große Grube machen lassen, und derjenige, der sie zu Pferde überspringen täte, den möchte sie zum Manne nehmen, den möchte sie heiraten. Das wurde in den Zeitungen bekannt-

gemacht. Nun, jene beiden Söhne staffierten sich fein aus, sie wollten auch hinreiten und den Sprung versuchen, daß einer von ihnen die Gräfin bekäme. Aber es machten sich derer mehrere auf den Weg, vielleicht waren es auch hundert oder sogar zweihundert, nicht wahr, daß sie einer bekäme.
Der Dumme aber sagte: »Wohin gehen die beiden?« sagte er; er fragte den Vater: »Vater«, sagte er, »Väterchen«, sagte er, »wohin«, sagte er, »gehen die beiden?« – »Ha«, sagte der, »wozu soll ich es dir sagen? Wozu soll ich es dir sagen?« sagte er. »Ha, sagt's mir nur«, sagte er, »sagt's mir nur!« – »Hja«, sagte der, »dort irgendwo ist ein Graben, so hat es eine Französin [d. h. eine feine Dame] verkündet, und wer den überspringt, den heiratet sie, sie holt ihn in einer goldenen Kutsche ab.« – »Gebt auch mir ein Pferd«, sagte er, »ich geh auch hin.« – »Och, du Hascher«, sagte der Vater, »was kannst denn du, was wirst du dort«, sagte er, »mit dem Pferd« – Pferde hatte er ja drunten im Stall, ihrer fünfzehn –, »geh halt hinunter in den Stall und nimm, welches du willst!«
So nahm er eines, er ging hinunter in den Stall, nahm ein vollkommen lahmes Pferd und setzte sich darauf. So ritt er eine Weile talab, kam ins Unterland, dort war eine Pfütze, drin Frösche, er aber meinte, es wären Feinde, weil er halt dumm war. Es seien Feinde, meinte er, die er alle umbringen müsse, Feinde, die er besiegen wollte.
Die beiden anderen aber waren hingegangen, und keiner konnte den Graben überspringen. Da kam ein Mann herab aus dem Wald, der gab dem ein anderes Pferd und sagte: »Geh«, sagte er, »hier hast dieses Pferd und geh«, sagte er, »dort spring hinüber«, sagte er, »und laß dich nicht einfangen!« Wirklich ließ er jenes Pferd dort, das lahme, und setzte sich aufs andere. Das flog nur so. Dort bis zu jenem Haus sprang es.
Nun aber war jene Französin dort oben, sah zu, wer hinüberspringen werde, ihr Mann zu werden. So jagte jener mit dem Pferd heran – dort standen wohl an die

tausend Pferde, und keiner getraute sich, den Graben zu überspringen. Jener aber flog daher, sprang hinüber!
Hallooo, er ritt davon, immer davon. Und er kehrte zu der Pfütze zurück und gab das Pferd zurück. Seine Brüder aber kamen angeritten mit ihren Pferden, nicht wahr, sie hatten tüchtige Pferde, sie kamen zurückgeritten. Und sie sahen ihn unten, als er die Frösche jagte da unten, als wären sie Feinde.
Sie kamen nun heim, die beiden, der Vater fragte sie: »Habt ihr vielleicht den Armen gesehen, den Dummen, ja?« – »Ha, wo er ist? Unten im Graben erschlägt er Frösche, Frösche im Graben erschlägt er!«
Nun stellten sie die Pferde wieder in den Stall, jener aber führte das lahme Pferd daher, trottete mit ihm herauf nach Hause. Er führte es in den Stall und ging dann wieder, um sich in die Asche zu legen, zu den Köchinnen, die dort kochten. Ach, aber er war nicht dumm, er war recht gescheit, er war klüger als sein Vater und seine beiden Brüder. Doch kehrte er in die Asche zurück, aß dort wieder und lebte so weiter.
Nun aber war jene Französin sehr reich, sie wollte mit goldener Kutsche den Mann abholen, der den Graben übersprungen hatte. »Ich möchte ihn gerne kennen!« sagte sie. Wenn er sie auch nicht möchte, nur melden solle er sich, sie wollte ihm ein großes Gehalt geben, nur melden soll er, wer es ist, möge er sie auch nicht heiraten, sie werde ihn reich belohnen. Sie gab wieder in die Zeitung: »Oben im dritten Stock werde ich stehen, werde es so machen, werde einen Blumenstrauß halten, einen goldenen Ring, drin mein Name, wie ich heiße und alles andere. Derjenige, der mir den Strauß aus der Hand nimmt, wenn er über den Graben springt und mir dabei den Strauß aus der Hand nimmt, der soll mein Mann sein, den werde ich heiraten!«
Nun machten sie sich doch auf den Weg, gingen doch hin, jene zwei, seine Brüder. Sie nahmen jeder ein tüchtiges Pferd, ritten davon, zu sehen, ob sie den Graben überspringen könnten.
Hei, da fragte er doch den Vater und sagte: »Wo sind sie hin?« – »Ja«, sprach er, »wozu soll ich es dir, du Armer, sagen?« sprach er. »Du hast ja damals mit jenem Pferd Frösche totgeschlagen!«– »He, möge ich sie totgeschlagen haben«, sprach er, »ich werde es wieder tun!« sagte er. »Doch – kann sein, bekomme sie doch ich!« – »Ach, geh, geh, du wirst sie bekommen!« sprach der Vater. »Geh hinunter in den Stall und nimm dir, welches Pferd du willst«, sprach er.
Er nahm sich wieder ein lahmes Pferd. Und ging doch. Wieder kam jener grüne Mann herab und gab ihm wieder ein anderes Pferd. Es flog davon, dieses Pferd, noch weiter, als das frühere gesprungen war.
Das Pferd kam dahin, es stand dort, der Graben war ausgegraben. »Springt nur

mit dem Pferd, springt!« Es flog, dieses Pferd, er sprang hinüber und erfaßte den Strauß, nahm den Ring von der rechten Hand jener Gräfin, sie stand im oberen Stock, und er trug beides davon. Kein anderer konnte hinüberspringen!
Aha! Niemand konnte ihn einholen. Da sagte sie, er soll sich nur melden, denn: »Derjenige, der mir den Strauß genommen, ich gebe ihm reiche Belohnung, er bekommt ein großes Gehalt, wird gut belohnt, nur melden soll er sich!«
Eines Tages stand wieder in der Zeitung, er soll sich melden. Lesen konnte er ja. »Vater«, sagte er, »gib auch mir die Zeitung«, sagte er, »ich werde lesen.« – »Ei, du Hascher«, sagte er, »du und lesen!«
Drin stand, er soll sich melden. »Vater, Väterchen«, sprach er, »muß man sich wohl melden?« sprach er. »Vielleicht gewinne ich«, sagte er. »Sie soll nur kommen, da nehme ich sie«, sagte er, »wenn es halt so ist, nicht wahr? Den Graben habe ich ja übersprungen!«
»Jesus, was hast du nur übersprungen mit jenem Pferd?« sagte der. »Schade um jedes Wort«, sagte der, »du hättest den Graben übersprungen! Es hatten ja, es hatten ja die zwei ganz andere Pferde zum Springen, und sie sprangen nicht, und auch du mit jenem lahmen Pferd hast nicht springen können!« – »Doch, doch«, sagte er, »ich bin gesprungen! Soll ich mich melden? Ha«, sagte er, »ich werde mich melden!«
Er gab bekannt: Jene Gräfin soll ihn da und da aufsuchen. »Ich gehe nicht hin zu ihr!«
Eh, sie bekam, sie bekam das Telegramm, nicht wahr, sie solle da und dahin kommen. Der und der habe den Graben übersprungen, er hätte den Blumenstrauß, nicht wahr. Jenen Blumenstrauß aber hatte er, er hatte ihn im Busen.
Haaa, jetzt fuhr sie hinauf, die Kutsche, es waren zwei Paar Pferde angespannt, die Kutsche war schön lackiert, so fuhren sie dort vors Haus. Jener aber war dort in der Asche, er lag dort bei den Köchinnen, lag in der Asche, die zwei anderen aber hatten sich drinnen schön angekleidet und rasiert und zurechtgemacht und so. »Vielleicht nimmt sie einen von uns zweien, nicht wahr! Jenen Narren wird sie wohl nicht nehmen!«
Die Gräfin kommt und fragt: »Wo ist der, der den Graben übersprungen hat und meinen Strauß und meinen Ring besitzt?« Ja, von den beiden hatte das keiner. Da sprach sie: »Wer hat doch die Sachen? Wieso denn, wieso hat man es gemeldet? Das darf man ja nicht, wenn es nicht wahr ist«, sagte sie, »ich kann doch nicht – das werdet ihr – darauf steht Strafe!« sagte sie. »Bin ich denn nur so hergekommen?« – »Ja, der da, der hat geschrieben«, sagte sein Vater, »der hat geschrieben«, sagte er, »er ist ja dumm!«
Da ging sie hinaus zu ihm, er lag dort in der Asche, dort war nämlich das

Herdfeuer und die Glut – bei uns gibt es keine Sparherde, man kocht nur so –, und dort lag er. »Aaah-ha, bist gekommen!« sprach er. »Ei, Herrje«, sagte sie, »hast du den Graben übersprungen?« – »Ja«, sagte er, »schau, hier hab ich den Strauß!« Er gab ihr den Blumenstrauß in die Hände, ebenso den Ring, er war der Richtige.

Da sprang sie auf ihn zu, sie küßte und umarmte ihn, dort, mitten in der Asche. Sie hatte ein Seidenkleid an und war ganz voll Asche!

Und die zwei, die anderen, aber waren schön angezogen, hatten neue Kleider an, waren zurechtgemacht und rasiert. Der Vater wußte nicht, ob er der Dumme sei oder der Sohn! Sie lag dort in der Asche beim Dummen, und der sagte zu ihr: »Jetzt kannst gehen und komm in acht Tagen zurück. In acht Tagen komm wieder« sagte er. »Und diesen Blumenstrauß«, sagte er, »gib mir zurück, wenn du meine Frau werden willst. Sonst«, sagte er, »wenn du ihn behältst, wirst du nicht meine Frau, will ich dich nicht!«

Den Blumenstrauß mußte sie ihm zurückgeben und den Ring auch, und er ging hinauf zum Vater und sagte ihm: »Vater, Väterchen«, sagte er, »führt mich«, sagte er, »zuerst«, sagte er, »nehmt zwei Soldaten, daß sie mich scheren und rasieren« – er war zottig und behaart – »und waschen, nicht wahr, den ganzen Leib. Weiteres«, sagte er, »führt mich zum Schneider, er soll mir ein feines Gewand machen, das passen soll. Und wenn es mir nicht paßt, mag ich es nicht.«

Er machte sich fein zurecht, rasierte und kleidete sich an, daß er gleich zum Angucken war. Er war hundertmal hübscher als jene zwei Brüder.

Sakra, die andere, die Gräfin, kam nun zurück, nicht wahr, und sie dachte bei sich: ›Jetzt komm ich hin und finde wieder jenen Narren dort in der Asche!‹ Sie kam hin, Sakra, da war er aber so sauber, ein so sauberer Bursche, daß man ihn nur angucken möchte. Sowie sie ihn erblickte, faßte sie ihn an, er setzte sich in die Kutsche und sie fuhren dahin, nach Hause. Und er heiratete sie.

Da kam auch ich dazu, als sie Hochzeit hielten. So sehr bat ich, da ich hungrig war, ob man mir was zum Essen gäbe. Sie wollten mir aber nichts geben. Sie sagten: »Geh hinaus in die Küche, da um die Ecke, wo die Köchinnen kochen!« So ging ich hinaus, da kam aber ein böses Weib heraus, und ich sprach: »Gebt mir was zum Essen, bitte!«

Jenes Weib aber schleuderte mir ihren Kochlöffel hierher, in den Hintern – noch jetzt habe ich die Grube da. Ich griff dahin, erschrak, man kennt's noch jetzt. Da lief ich davon.

3. Juli – Der einhundertvierundachtzigste Tag

Die Buße

Das war einmal drinnen in Ribnica geschehen. Dort lebte ein Bauer, der hatte eine große Wirtschaft und war wohlhabend genug. Er hatte aber nur eine einzige Tochter und war selber schon alt. Und da geschah es, daß diese Tochter Bekanntschaft machte mit einem Burschen und mochte ihn lange Zeit gern, und kein Mensch wußte was davon. Und da geschah es, daß das Mädchen in andere Umstände kam. Doch kein Mensch wußte darum.

Und es geschah eines Tages, als der Vater Mäher hatte, daß er seiner Tochter sagte: »Bring den Mähern die Vormittagsjause!« Die Tochter sagte: »Lieber Vater mein, mir ist so übel, daß ich mich nicht getraue zu gehen, bring du sie!« Nun, der Vater nahm das Körbchen mit der Vormittagsjause und brachte es den Mähern.

Zur selben Zeit geschah es, daß die Tochter ein Kind gebar, es nahm und hinaustrug und im Dünger vergrub. Und sie ging zurück und legte sich nieder. Der Vater kam nach Hause und fragte: »Nun, ist dir sehr übel? Soll ich den Doktor holen?« Die Tochter sprach: »Um den Doktor brauchst du nicht zu gehen, ein paar Tage bleibe ich liegen, dann werde ich wieder aufsein.« Warum das? Weil sie fürchtete, der Doktor werde darauf kommen, was ihr fehle; darum weil kein Sterbensmensch wußte, was ihr fehle, nur Gott allein.

Nun später, dann war einer, der kam, um sich zu verehelichen, zu diesem Mädchen und zu diesem Vater. Und dem Vater gefiel er, das Mädchen sagte nicht nein. Und sie brachten alles in Ordnung, ihn als Schwiegersohn aufzunehmen, und machten Hochzeit. Aber den ersten Abend nach der Hochzeit durchweinte das Weib die ganze liebe Nacht. Und der Bräutigam suchte auf alle mögliche Weise zu erfragen, warum sie weinte. Aber keine Antwort war von ihr zu bekommen als nur Weinen. Und am zweiten Abend war es gerade so. Der Mann fragte so und so: warum sie weine. Aber nur weinen tat sie die ganze Nacht. Keinen andern Laut gab sie von sich. Und der Mann ertrug auch das alles geduldig, weil er dachte bei sich selber, sie werde schon vergessen; vielleicht sei ihr der Ehestand nicht lieb. Auch am dritten Abend war es ebenso. Sie durchweinte die ganze Nacht und gab keinen anderen Laut von sich. Und der Mann hörte ihr eine Zeitlang zu, dann aber wurde er doch zornig, da das Weinen kein Ende nehmen wollte.

Und er steht vom Bett auf und geht in die große Stube; nimmt ein Messer und eine Pistole und geht zu seiner Frau und sagt: »Wenn du nicht sagst, warum du weinst – wie du willst: Alles muß einmal ein Ende nehmen und auch diese Sache! Willst du geschlachtet werden oder erschossen?« Und die Frau sprach: »Mein liebster Mann, ich weine nicht, weil ich geheiratet habe, daß es mir nicht recht wäre, sondern ich weine um eine andere Sache. Ich habe ein Kind geboren und es im Dünger vergraben. Und jetzt brennt mir deshalb das Gewissen, daß ich nicht anders kann als weinen.« Der Mann sagte: »Jetzt werde ich dich nicht erschießen, auch nicht schlachten; schlaf nur ein! Es wird schon Gott geben!« Und dann schlief die Frau ruhig ein.

Und am anderen Tag, als sie aufgestanden waren, sagte er zu seiner Frau: »Jetzt werden wir beide auf Wallfahrt gehen nach Rom.« Und sie gingen nach Rom auf Wallfahrt. Und dort ging die Frau zum Papst zur Beichte. Und der Papst sprach sie ihrer Sünden los und legte ihr folgende Buße auf: »Auf dem Rückweg mußt du das erste Tier küssen, dem du begegnen wirst oder das da auf dem Wege liegen wird.«

Als sie vom Papst herauskam zu ihrem Mann, da sagte sie ihm, daß sie der Papst von ihrer Sünde losgesprochen habe, und was ihr zur Buße auferlegt worden sei.

Und da zogen sie weiter. Und plötzlich bemerkten sie eine Schlange, die dort auf dem Weg lag. Sie erschraken vor ihr, so daß sie ganz erzitterten, und doch sprach der Mann: »Du mußt sie küssen, sonst ist dir die Sünde nicht vergeben!« Und die Frau küßte sie. Die Schlange legte ihr ihren Kopf auf die Schulter und ringelte sich um sie bis an die Knie. Und dann gingen sie weiter, kamen in ein nahes großes Dorf. Es war schon Nacht geworden, und sie baten um Herberge vom ersten bis zum letzten Haus, aber niemand wollte sie aufnehmen. Und zuletzt sagte ein Mann: »Dort für sich allein steht noch ein Haus, wo nur ein einziger Mensch drinnen ist; der beherbergt jeden, und ich weiß, er wird auch euch zwei.« Und sie gingen hin. Und sie kamen an. Da hatte dieser Mann schon ein Licht brennen im Haus. Sie klopften gleich ans Tor. Und er kam mit dem Licht, ihnen zu öffnen, und sprach: »Oh, geht nur hinein!« Sie baten um Herberge. »Oh«, sagte er, »warum nicht? Ich fürchte mich nicht davor.« Er gab ihnen ein Abendessen, dann nahm er ein Leintuch und eine Bettdecke, und sie gingen in die Scheune. Und er bereitet schön ein Bett, bedeckt es mit dem Leintuch und sagt zu der Frau: »Legt euch nieder!« Und sie legte sich nieder, und der Mann deckte sie mit der Bettdecke zu. Und zu dem Mann sagte er: »Laßt die Frau hier, sie soll ein wenig schlafen, um auszuruhen. Wir zwei aber wollen in die Stube gehen.« Und sie gingen in die Stube, sprachen über allerhand einige Zeit. Dann sagte der Mann. »Laßt eure Frau dort in der Scheune, sie soll allein sich ausruhen. Ihr werdet euch aber in der Stube bei mir niederlegen.« Der Mann legte sich am Ofen nieder.

Am andern Morgen standen sie auf, und der Mann sagte, als es sieben Uhr geschlagen hatte: »Gehen wir schauen, wie es der Frau im Bett geht!« Sie kamen hin, da war nichts anderes da als lauter weiße Knochen; alles andere war rein weggenagt. Und der Mann sagte zum andern: »Freund, faßt diese zwei Ecken, ich die anderen zwei.« Und sie ergriffen das Leintuch, ein jeder an zwei Ecken, und schütteten die Knochen zusammen. Und dann faltete es dieser Mann zusammen und bewahrte es auf.

Und er sagte zum Ehemann: »Jetzt aber merke gut auf, was ich dir sagen werde. Wenn sieben Jahre vergehen, mußt du eine Hochzeit richten. Ganz so wie damals, als du diese Frau zur Ehe genommen hast, genau am selben Tag, an dem damals die Hochzeit gefeiert worden ist.«

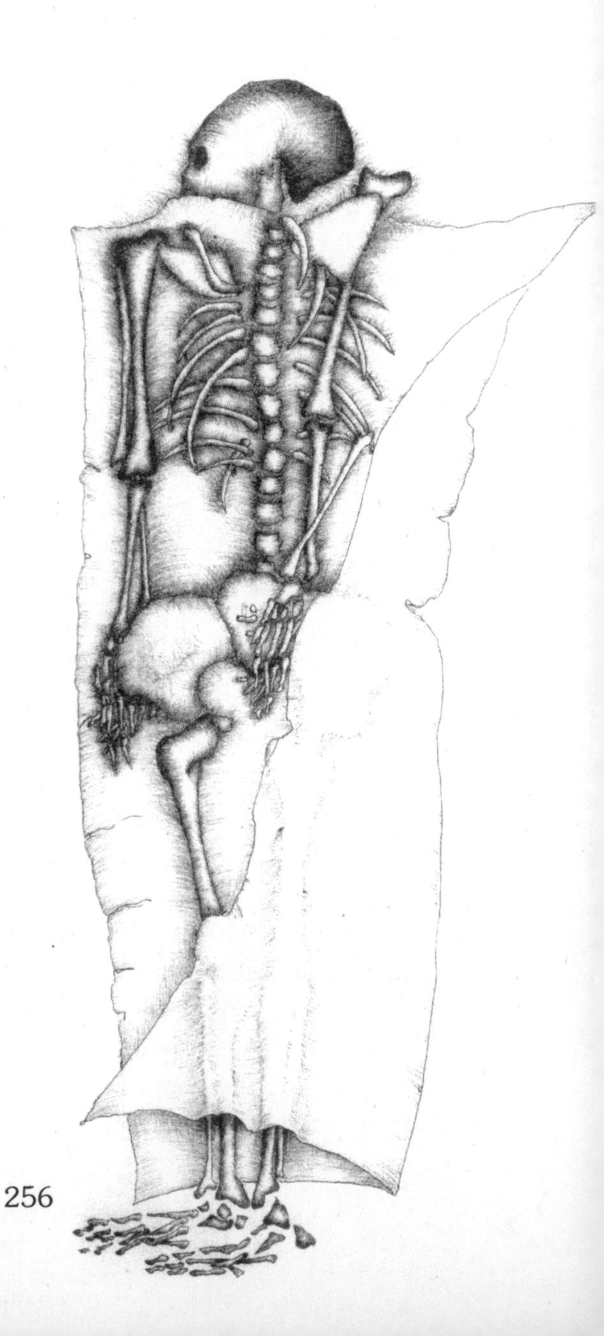

Wie dieser Mann nach Hause kam, fragte ihn jedermann: »Wo hast die Frau, wo hast die Frau?« Zu jedem Menschen sagte er: »Wo Gott es will, dort ist sie halt.« Und es vergingen sieben Jahre. Im letzten Jahr nahte die bestimmte Zeit heran. Und dieser Mann begann, Getreide in die Mühle zu fahren und bestellte eine Köchin, um zu backen wie zur Hochzeit, und sie bereitete allerhand zu. Und er selber begann die Hochzeiter einzuladen, dieselben wie damals, als er seine Frau zur Ehe genommen hatte. Und auch den Kaplan, der damals war, den lud er wieder ein. Und die Leute lachten ihn aus: »Hat er den Verstand verloren? Eine Hochzeit bereitet er vor ohne Aufgebot, ohne Braut.« Er aber schwieg nur und tat das Seine. Da kam jener Tag, und es war alles bereitgestellt. Und die Leute tranken und aßen und waren frohen Mutes, wußten aber nicht warum. Bis in die Nacht hielten sie Hochzeit ohne Musikanten. Als aber die Uhr elf geschlagen hatte, klopfte jemand ans Tor. Der Bräutigam steht vom Tisch auf und öffnet sofort das Tor. Und da wälzt sich eine große Schlange herein und ringelt sich unter dem Tisch zusammen. Alle waren arg erschrocken, daß keiner dem andern Antwort geben konnte. Die Schlange legte den Kopf dem Bräutigam aufs Knie, und er gab ihr zu trinken und zu essen, soviel sie wollte.

Und als sie genug hatte, ringelte sie sich hinaus in die Vorhalle. In der Vorhalle brach ihr die Schlangenhaut am Kopf auf, und heraus kam die Frau, schön, wie die ehemals war. Und man fragte sie: »Wie ist es dir ergangen?« – »Ja, meine lieben Leute«, sagte sie, »ihr wißt nicht, was Martern sind. Auf Straßen bin ich gekrochen, Fuhrmannswagen haben mich überfahren; auf Felsenhängen bin ich gekrochen, und Steinmassen sind auf mich herabgerutscht, daß sie mich ganz zerschunden.«

Und dann bin ich schlafen gegangen. Und das ist ein wirkliches Geschehnis, wie es da beschrieben ist. Das hat der Erzähler aus Tuhinj jedenfalls behauptet.

4. Juli – Der einhundertfünfundachtzigste Tag

Ein Soldat erlöst die Zarin

Es war einmal ein Mädchen, das hatte einen jungen Mann sehr lieb. Er hatte ihr das Wort gegeben, sie zu heiraten und sie niemals zu vergessen. Einmal traf es sich, daß er in die Fremde ziehen mußte. Anfangs schrieb er ihr sehr oft, aber bald blieben seine Briefe aus, und sie grämte sich sehr darüber und weinte.

Eines Abends kam eine alte Frau zu ihr und fragte sie, warum sie immer weine. Der erzählte sie, daß sie einen Liebsten gehabt habe, der sei schon viele Jahre in der Fremde und habe sie ganz vergessen. Da fragte die Alte, ob sie ihn sehen möchte, auch wenn er tot wäre. Das Mädchen sagte ja. Darauf riet ihr die Alte, wie sie den Toten zu sehen kriegen könnte: »Geh morgen auf den Friedhof und grabe drei Totenbeine aus. Wenn du nach Hause kommst, kaufe einen neuen Topf, fülle ihn mit frischem Wasser, und in das Wasser lege die drei Totenbeine, und jeden Abend, wenn du schlafen gehst, stelle dir das alles ans Kopfende. Dann wird er sicher in der Nacht zu dir kommen.«

Sie machte das alles wirklich so. Als sie eingeschlafen war, kam er und rief sie an, sie solle sich umwenden. Sie aber lag fest im Schlaf und konnte sich nicht umdrehen. Darauf sagte er zu ihr: »Schön, wenn du dich nicht umdrehen willst, wird morgen deine Mutter sterben« und ging fort. Am andern Tag starb die Mutter. Den nächsten Abend stellte das Mädchen wieder den Topf mit den Totenbeinen an das Kopfende und schlief ein. Wiederum kam ihr Liebster und rief sie an, sie solle sich umdrehen; sie konnte es wieder nicht, und er sagte wieder: »Schön, wenn du dich nicht umdrehen willst, wird morgen dein Vater sterben.« Am anderen Tag starb der Vater, und so am dritten die Schwester, am vierten der Bruder. Als ihr so alle hingestorben waren, erkannte sie, daß am fünften Tag die Reihe an sie käme. Darum bat sie ihre Nachbarn, sie möchten sie nach ihrem Tode, wenn sie sie begraben wollten, nicht zur Tür hinaustragen, sondern unter der Schwelle ein Loch graben und sie da durchstecken, und sie auch nicht auf dem Friedhof begraben, sondern davor. Die Nachbarn machten es so.

Nach einiger Zeit wuchs aus ihrem Grab eine schöne Rose hervor, wie es eine schönere im ganzen Reich nicht gab. Viele wollten die Rose pflücken, aber keiner konnte es. Eines Tages ritt der junge Zar dort vorbei, erblickte die schöne Rose und befahl seinem Diener, der mit ihm ritt, dahin zu gehen und ihm die Rose zu pflücken, er wollte sie an seinen Hut stecken. Der Diener ging zu der Rose, kam aber bald zurück und sagte dem Zaren: »Erlauchter Zar, ich kann die Rose nicht abreißen.« Darauf erwiderte der Zar: »Wie kann denn das zugehen? Ich werde es selbst versuchen.« Und kaum hatte er die Rose angerührt, als sie ihm in der Hand blieb, und er steckte sie sich an den Hut.

Zu Hause ließ er die Rose an dem Hut und legte den Hut in ein Zimmer, wo allerlei Speisen standen. Am nächsten Tag kam er in das Zimmer und bemerkte, daß von den Speisen viel fehlte. Da ließ er noch mehr Gerichte aller Art dahin bringen, aber während der Nacht aß wieder jemand alles auf. Der Zar fragte, ob einer in dem Zimmer gewesen sei, aber er überzeugte sich, niemand war dort gewesen. Jetzt ließ er sein Mittagessen in das Zimmer bringen, um selbst zu erfahren, was geschehen würde, aß ein wenig davon, legte sich hin, wurde schläfrig und schlief ein. Während er schlief, sprang die Rose von seinem Hut herab, wurde zu einem schönen Mädchen, die setzte sich an den Tisch und aß alles auf, was aufgetragen war. Als der Zar erwachte, war er sehr verwundert, was das sein könnte und wer das Essen verzehrte.

Am anderen Tag ließ er wieder das Mittagessen in dasselbe Zimmer bringen und dachte: ›Heute will ich nicht schlafen, ich muß sehen, wer das Essen nimmt.‹ Er kostete von jedem Gericht ein wenig und legte sich hin, schlief aber nicht ein. Darauf sprang wiederum die Rose von dem Hut herab, wurde ein schönes

Mädchen, die setzte sich an den Tisch und aß sich satt, nahm auch einen Becher, schenkte sich Wein ein und trank. Während sie beim Trinken war, sprang der Zar auf, umfaßte sie und sprach: »Jetzt bist du mein! Jetzt weiß ich, wer mein Mittagessen verzehrt. Du wirst meine Frau werden. Ich träume schon lange von dir und sehe jetzt, daß du die bist, die mir im Traum erscheint.« Sie antwortete ihm: »Ich will gern gleich deine Frau werden, aber unter einer Bedingung, daß du mit keinem Wort jemals die Kirche erwähnst.« Er gab ihr das Wort, daß er das nicht tun werde.

So wurden sie Mann und Frau und lebten sehr glücklich. Sie gebar ihm drei Söhne, jedes Jahr einen. So waren schon sieben Jahre vergangen und die Kinder hübsch herangewachsen. Einmal ging der Zar ganz früh spazieren, und als er zurückkam, sagte er zu seiner Frau: »Ach, liebe Frau, wenn du heute unsere Kinder gesehen hättest, wie sie so hübsch in die Kirche gingen!« Sowie er das Wort ausgesprochen hatte, fiel sie tot zu Boden. Der Zar war außer sich, ließ alle Ärzte rufen und alles anwenden, daß sie wieder zu sich käme, aber alles war vergebens. Da begruben sie sie in der Kirche.

In der Nacht mußten Soldaten bei der Zarin in der Kirche Wache stehen, aber alle Wachen verloren ihr Leben, jeden fand man am Morgen zerrissen. Niemand wußte, wie das zuging. Endlich meldete sich beim Zaren ein alter Veteran, er wolle bei der Zarin Wache halten, und ging in die Kirche. Da erhob sich um Mitternacht die Zarin aus dem Grab und suchte nach dem Soldaten, der aber verbarg sich schnell auf dem Chor, und sie konnte ihn nicht finden. So blieb er die erste und zweite Nacht am Leben.

Am dritten Tag kam eine alte Frau zu dem Soldaten und sagte zu ihm: »Ich sehe, du hast Verstand und Mut, aber das ist nicht genug. Heut nacht paß auf. Wenn sie hinter den Altar geht, leg dich schnell in ihren Sarg. Sie wird dich heraustreiben wollen, du aber geh nicht, ehe der Hahn dreimal gekräht hat. Danach steh aus dem Sarg auf und küsse sie dreimal auf die Stirn. Nur wenn du das tust, kannst du sie erlösen.« Der alte Soldat tat alles wirklich so. Als sie hinter den Altar trat, legte er sich schnell in ihren Sarg. Sie wandte sich um und wollte wieder in den Sarg, aber darin sah sie den Soldaten. Sie bat ihn, er möchte herausgehen, er wollte aber nicht und blieb liegen, bis der Hahn dreimal gekräht hatte. Dann stand er schnell aus dem Sarg auf und küßte sie dreimal auf die Stirn.

Dadurch bekam die Zarin sogleich ein anderes Gesicht und sagte zu dem Soldaten: »Schönen Dank! Du hast mich vom Fluch erlöst. Mich hatte ein junger Mann verflucht, der war gestorben, und ich hatte ihn als Toten zu mir gerufen. Du hast nicht nur mich, sondern auch meine Kinder erlöst.«

Die beiden warteten nun bis Tagesanbruch in der Kirche. Am Morgen öffnete man die Kirchentür, und auch der Zar selbst war gekommen. Als er sie lebendig sah, war er über die Maßen froh, ging in die Kirche, und auch die Kinder der Zarin und das übrige Volk. Der Priester segnete die Zarin, und fortan brauchte sie sich nicht mehr vor dem Wort Kirche zu fürchten. Darauf veranstaltete der Zar ein großes Fest, und dem alten Soldaten gab er viel Geld, so daß er bis an sein Ende gut zu leben hatte.

5. Juli – Der einhundertsechsundachtzigste Tag

Was niemals war noch jemals sein wird

In uralten Zeiten lebte einmal ein Mann, der hatte drei junge Söhne. Seine Frau hatte er indessen schon lange verloren, und so lebte er mit seinen Kindern schlecht und recht. Und sie alle waren guter Dinge. Eines Tages aber erkrankte auch der Vater und starb.

Die Jungen standen plötzlich als Waisen da und waren sehr hilflos in ihrer Jugend und wußten nicht, wovon sie leben sollten. Sie zogen von zu Hause fort, weit, weit fort und waren hungrig und froren. So kamen sie an eine Wegkreuzung, und da sagte der älteste von ihnen: »Ich werde auf einen Baum klettern und schauen, ob ich irgendwo etwas entdecken kann.«

Er kletterte auf einen Baum und erblickte unweit ein Feuer, ein großes Feuer sogar, das lichterloh brannte. Nachdem er vom Baum herabgerutscht war, meinte er zu dem mittleren Bruder, er solle doch mal hinaufsteigen und in der gleichen Richtung Ausschau halten. Sprach's und machte sich auf den Weg und rief noch zurück: »Wenn ich in einer halben Stunde nicht wieder hier bin, dann suche mich rasch.«

Dann eilte er davon in die Richtung, wo er das Feuer gesehen hatte. Als er hinkam, fand er beim Feuer einen Mann, der wie um das Feuer gewunden dalag, etwa wie ein Ring, so daß sich Kopf und Fersen berührten. Der Junge begrüßte ihn: »Gott zum Gruß, Freund!«, und er fügte hinzu: »Freund, wärest du wohl um Gottes Lohn so gut und würdest mir erlauben, mich hier zu wärmen, und könntest du mir auch etwas zu essen geben?«

Der Mann antwortete ihm: »Was immer dein Herz begehrt, werde ich dir geben. Nun erzähle mir, was niemals war noch jemals sein wird.« Da antwortete ihm der Junge, daß er das nicht wisse. Dreimal noch fragte ihn da der andere, und als der Junge dreimal ratlos blickte, schrie er: »Wie, du weißt es nicht?« und sprang auf, stellte sich steil hin wie ein Pflock, ergriff ein trockenes Holz, brach es mit den Händen und Zähnen auseinander und machte daraus einen Kloben und klemmte den Jungen da hinein wie eine Schlange und ließ ihn so neben dem Feuer liegen. Und der arme Junge zischte wie eine giftige Schlange.

Es dauerte keine Viertelstunde, da kam der mittlere Bruder und rief: »Gott zum Gruß, Freund!« und fügte, als er den Bruder da so erbärmlich eingeklemmt sah, hinzu: »Freund, würdest du wohl um Gottes Lohn so gut sein und meinen armen Bruder freilassen und uns etwas zu essen geben und etwas, womit wir uns wärmen?« Darauf antwortete der: »Was immer dein Herz begehrt, Vetter, alles will ich dir geben und alles für dich tun, nur erzähle mir, was niemals war noch jemals sein wird.«

Darauf sagte der Junge, daß er das nicht wisse, und wiederum sprang der, der wie ein Ring dagelegen war, steil auf wie ein Pflock und nahm das gleiche trockene Holz, in das er den Bruder eingeklemmt hatte, von der anderen Seite und klemmte auch diesen Jungen darin ein. Dann ließ er die beiden Brüder neben dem Feuer schmoren.

Und legte sich selbst wieder wie ein Ring um das Feuer. Da kam auch schon der jüngste der Brüder und rief: »Gott zum Gruß, Vetter!« Dieser antwortete ihm: »Gott sei mit dir!« – »Nun, Vetter, sei so gut und laß meine unglücklichen Brüder frei und gib uns etwas zu essen und etwas, womit wir uns wärmen.« Darauf antwortete der: »Was immer dein Herz begehrt, sollst du bekommen, nur erzähle mir, was niemals war noch jemals sein wird.«

Der jüngste Bruder schien darauf gewartet zu haben, denn er sagte gleich: »Das will ich« und begann zu erzählen: »In uralter Zeit, als mein Vater heiratete, mein Vetter, da war ich bei seiner Hochzeit dabei. Ich war zwanzig Jahre alt und sollte bei der Hochzeit von Mutter und Vater Brautführer sein. Es war ganz schön, doch plötzlich ging das Brot aus, und da nahm ich zwölf Brote und mahlte sie zu Weizen. Da ging auch der Wein aus, und ich verwandelte Wasser in Wein – es sollte doch lustig sein bei der Hochzeit! Aber schließlich wurde es mir langweilig, und ich machte mich davon und kam in die Nähe des kaiserlichen Schlosses und fand da ein Bienenhaus, das sieben Meter tief in eine Mauer eingemauert war. Ich saugte durch einen Strohhalm den ganzen Honig aus und zog die Waben wie Wachs heraus und begann eine Leiter zu machen, die sehr groß war, und ich stemmte das eine Ende in die Erde und richtete sie auf und stemmte das andere Ende in den Himmel und kletterte nach oben. Als ich bis zur Hälfte gekommen war, war ich schon fast erfroren und rieb vor Kälte ein Bein an das andere und entzündete so ein Feuer. Da wurde mir warm, und ich schlief ein und fiel die Leiter hinunter und lag plötzlich auf der Erde. Da sah ich dieses: Mein und dein

Vater machten irdene Töpfchen, ich aber begrüßte sie: ›Wie geht es, Meister?‹ Und sie antworteten: ›Sehr gut‹ und setzten ihre Arbeit fort.
Ich sagte: › Lebt wohl, Meister, und laßt euch nur nicht stören‹ und ging weiter. Und so bin ich lange, sehr lange gewandert. Es war wohl ein Sommertag, so um Peter und Paul herum, und es herrschte eine Hitze, daß einem das Gehirn zu kochen hätte anfangen können, und ich war ordentlich durstig, aber nirgends war Wasser zu finden. Da führte mich ein Zufall unter eine Eiche, wo frisches Quellwasser aus dem Boden zu kommen schien. Es war aber nur eine Pfütze, die leider noch gefroren war und auf der eine meterdicke Eiskruste lag. Und es wollte mir nicht gelingen, auch nur ein Tröpfchen zu erhaschen, ich mußte vielmehr meinen Kopf herunternehmen und damit das Eis aufbrechen. Und so konnte ich, durstig wie ich war, endlich nach Herzenslust trinken. Da lief ich dann weiter, aber nicht weit, ich fand nämlich ein Dorf, wo die Leute auf einem Weidenbaum, auf einer Dreschmaschine, auf einem lahmen Gänserich und einer hinkenden Ente droschen. Und ich lachte sie aus wegen ihres seltsamen Gebarens. Aber sie sagten mir: ›Schaut, schaut ihn an, den Narren, er lacht und hat nicht einmal einen Kopf auf den Schultern!‹
Und da tastete ich mit den Händen meine Schultern ab, und wirklich, mein Kopf war weg. Da erinnerte ich mich auch und lief schnellstens zu der Pfütze zurück. Und als ich hinkam, da sah ich dieses: Der Kopf hatte sich aus dem Schilfrohr Arme und Beine gemacht und rutschte auf ihnen auf dem Eis umher!«
In diesem Augenblick sprang der Mann auf und stampfte mit dem Fuß auf die Erde. Da erhob sich eine Stadt an der Stelle, und in dieser Stadt fanden die drei Brüder alles, was immer ihr Herz begehrte, Essen und Waffen und Kleider und Silber und Gold. Der Ringmann aber sagte zu ihnen: »Ich bin dreihundert Jahre alt, ich bin eine Seele vom Jenseits, und bis heute hat mich noch niemand überlistet. Nun herrsche du, da du klüger bist als ich, und ich steige auf den Grund des Ozeans hinab, um vor Kummer zu vergehen.«
Und er erlöste die Brüder aus dem Kloben, und im Handumdrehen verschwand er.

6. Juli – Der einhundertsiebenundachtzigste Tag

Das Mädchen ohne Hände

Es waren einmal ein Mann und eine Frau, die hatten drei Kinder. Es herrschen aber großer Hunger und Teuerung, und bald kommt die Zeit, daß die Kinder vor Hunger weinen, denn der Vater kann ihnen nicht einmal ein Stückchen Brot geben. Da sagt die Frau: »Lieber Mann, nimm unser ältestes Kind und führe es irgendwohin in die Welt, damit es nicht mit uns zusammen Hunger leidet.« Der Mann antwortet: »Aber Frau, Gott kann es doch so fügen, daß wir alle zusammen am Leben bleiben.«

Aber die Not wird noch größer, die Kinder weinen vor Hunger, da sagt die Frau wieder zu dem Mann: »Nimm das Kind und führe es irgendwohin in die Welt, damit es nicht mit uns zusammen Hunger leidet.«

Das älteste Kind aber war ein Mädchen. Und der Mann macht sich auf den Weg und trägt das Kind auf dem Arm. Als er aber müde wird, nimmt er das Kind bei der Hand und führt es mit sich. Als er im Wald an eine Wegkreuzung kommt, begegnet ihm auf einmal der Teufel: »Wohin führst du das Kind?« – »Ich führe es in die Welt, um es jemandem zu geben, bei dem es keinen Hunger leidet.« Der Teufel aber sagt: »Gib es mir.« Und der Mann antwortet: »Mir ist es gleich.«

Als das Kind sich mit der rechten Hand bekreuzigt, sagt der Teufel: »Los, schlag dem Kind die rechte Hand ab, dann will ich dir hundert Dukaten geben.« Der Vater überlegt, was er tun soll, denn mit hundert Dukaten wären sie alle glücklich. Er nimmt ein Messer und schlägt dem Kind die rechte Hand am Handgelenk ab.

Da aber bekreuzigt sich das Kind in seiner Qual mit der linken Hand, und der Teufel sagt: »Komm, schlag dem Kind auch die linke Hand ab, dann will ich dir noch hundert Dukaten geben.« Der Mann überlegt: »Mit zweihundert Dukaten wären wir alle glücklich.«

Und er schlägt dem Kind auch die linke Hand ab. Der Teufel aber fragt: »Nützt dir das Kind jetzt noch etwas?« Der Vater sagt: »Aber nein.« Da sagt der Teufel: »Mir auch nicht!« und verschwindet.

Das Kind aber bleibt ohne Hände bei seinem Vater zurück. Was soll er jetzt machen? Die Dukaten hat er nicht bekommen, und das Kind hat keine Hände mehr; er überlegt, was er machen soll, wer würde das Kind ohne Hände nehmen, und wie soll er es zur Mutter zurückbringen: Gesund hat er es mitgenommen, aber ohne Hände würde er es zurückbringen! Er geht durch den Wald und findet einen hohlen Baum. In diesen hohlen Baum legt er das Kind und läßt es dort zurück.

Dann geht er nach Hause, und als er zu Hause ankommt, fragt die Mutter: »Wo hast du das Kind gelassen, wie mag es ihm wohl gehen? Ob es wohl Hunger leidet?« – »Es wird nicht hungern und wird auch nicht arbeiten müssen.« Und er kümmert sich nicht weiter darum, grad als ob es das Kind nie gegeben hätte.

In jenen Wald aber kam der König mit seinen Jägern und Hunden zur Jagd. Einer von des Königs Hunden findet das Kind im Wald. Von diesem Tag an trug der Hund immer, wenn er zu fressen bekam, das Fleisch und das Brot in den Wald, und nur die Suppe fraß er selbst. Er kommt zu dem Baum, gibt dem Kind das Fleisch und das Brot, leckt ihm die verstümmelten Hände und läuft wieder nach Hause zurück.

So geschah es jeden Tag; als sieben bis acht Tage vergangen waren, wurde der Hund mager und schwach. Da fragt der alte König die Diener: »Wie füttert ihr denn die Hunde?« – »Hoheit, wir geben ihnen ihre Portionen vorschriftsmäßig. Jener Hund aber«, sagten sie, »schlürft ganz schnell seine Suppe, das Brot und Fleisch aber trägt er irgendwohin.«

Der König hat einen einzigen Sohn, und er sagt zu ihm: »Lieber Sohn, du sollst heute nachsehen, wohin der Hund das Brot und das Fleisch trägt.« Da läßt der Königssohn ein Pferd satteln und besteigt es. Dann geben die Diener den Hunden zu fressen, jener Hund aber schlürft ganz schnell die Suppe, nimmt das Brot und das Fleisch ins Maul und läuft geradewegs in den Wald, der Königssohn aber auf seinem Pferd hinter ihm her. Der Hund kommt zu dem Baum, und so auch der Königssohn.

Als der Königssohn das Kind im Baum sieht, nimmt er es in die Arme, trägt es nach Hause und zeigt es seinem Vater: »Hier, lieber Vater, dieses Kind hat unser Hund ernährt.«

Was soll man jetzt mit dem Kind machen? Man gibt es einem Mädchen, das nichts weiter zu tun hatte, als das Kind zu ernähren, sauberzuhalten, zu waschen und zu erziehen. Als die Kleine an den Königshof kam, in eine saubere, ordentliche Umgebung, wo es ihr an nichts mangelt, begann sie sofort sich zu entwickeln und zu wachsen. Als sie achtzehn Jahre alt geworden war, gab es keine Schönere als sie.

Der König aber sagt zu seinem Sohn: »Lieber Sohn, ich bin schon alt und schwach. Such dir ein Mädchen, aus welchem hohen Hause und bei welchem König auch immer, und heirate.« Der Sohn aber antwortet: »Lieber Vater, ich habe schon ein Mädchen für mich gefunden.« – »Und wo ist es, lieber Sohn?« – »Hier ist es«, sagt er, »an unserem Hof.« – »Um Gottes willen, lieber Sohn, willst du als einziger Sohn des Königs etwa dieses arme Mädchen, und noch dazu ohne Hände, nehmen?« – »Lieber Vater, wenn du mir nicht erlaubst, dieses Mädchen zu nehmen, werde ich weggehen, und du wirst mich nie wiedersehen, solange du lebst.«

Ach, der alte König überlegt hin und her, was zu tun sei; erlaubt er dem Sohn zu heiraten, wäre es eine große Schande; aber er will auch nicht, daß der Sohn fortgeht und er ihn nie wiedersieht. So erlaubt er ihm, das Mädchen zu nehmen. Der Prinz heiratet sie, und so lebte er einige Zeit mit ihr zusammen. Dann zog er in den Krieg, in die vorderste Linie. Und wie die Zeit so verging, gebar ihm die Prinzessin zwei Söhne. Der eine hatte goldene Hände und der andere goldenes Haar. Als der alte König seine beiden Enkel sah, wußte er vor Freude nicht, was er tun sollte. Damals gab es noch kein Telefon, keinen Telegrafen oder ähnliche Mittel, und so mußte er seinem Sohn einen Brief schreiben: »Lieber Sohn, ich melde dir eine frohe Botschaft. Zwei Söhne sind dir geboren worden. Der eine hat goldene Hände, der andere goldene Haare.«

Er versiegelt den Brief, übergibt ihn einem Soldaten und befiehlt, diesen Brief niemand anderem auszuhändigen als seinem Sohn. Der Soldat trägt den Brief bei sich, als ihm auf halbem Wege der Teufel begegnet: »Laß mich mal diesen Brief etwas ansehen.« Der Soldat aber sagt: »Ich darf den Brief niemand anderem als dem Königssohn selbst aushändigen.« Aber der Teufel umschmeichelt den Soldaten, und dieser gibt ihm schließlich den Brief. Und der Teufel verändert ihn so: »Lieber Sohn, wie ich es dir gesagt habe, so ist es auch gekommen: Deine Frau hat zwei Hunde geboren.«

Er versiegelt den Brief, so wie er gewesen war, und gibt ihn dem Soldaten zurück. Der Soldat trägt den Brief in die vorderste Linie und übergibt ihn dem Königssohn. Als der Königssohn den Brief bekommt, öffnet er ihn, und als er sieht, was darinsteht, bricht er in Weinen aus: »O weh, hat mich Gott bestraft, weil ich nicht auf Vater und Mutter hören wollte?«

Und er schreibt seinem Vater einen Brief: »Lieber Vater, laß alles so, unternimm nichts, bevor ich nicht nach Hause komme.« Er gibt ihn dem Soldaten, und der Soldat trägt ihn zurück zu seinem Vater. Auf halbem Weg trifft er wieder den Teufel: »Laß mich mal diesen Brief etwas ansehen.« Der Teufel umschmeichelt den Soldaten, und dieser gibt ihm schließlich den Brief. Und der Teufel verändert

ihn so: »Lieber Vater, sobald du diesen Brief bekommst, sollst du auf der Stelle meine Frau und meine Kinder umbringen.«
Als der alte König diesen Brief erhält, wundert es sich sehr: »Ach, wer soll denn solche Kinder umbringen? Solche Kinder gibt es auf der ganzen Welt nicht noch einmal!«
Er überlegt hin und her, was er machen soll. Er konnte nicht gegen den Willen seines Sohnes handeln, damals nicht, als dieser heiratete, und so auch jetzt nicht. So läßt er die Kinder an die Mutter fesseln, das eine an ihre rechte, das andere an ihre linke Seite, und sagt zu ihr: »Geh, meine Liebe, wohin dich deine Augen führen, aber in die Stadt darfst du nie mehr zurückkehren.«
Da geht die Arme fort und kommt in einen tiefen Wald. Weit und breit nichts als Wald; sie selbst ohne Hände, und die Kinder an sie gefesselt. Aber man hatte sie so gefesselt, daß jedes ihre Brust nehmen und daran saugen konnte.
Während sie so durch den Wald geht, begegnen ihr Christus und der heilige Petrus. Christus sagt zu ihr: »Komm, meine Liebe, setz dich ein wenig und laß uns ausruhen.« So sitzen sie mitten im Wald, und Christus bindet die Kinder von ihr los und legt das eine an seine rechte und das andere an seine linke Seite. Dann formt er einen kleinen Becher, bindet ihn an ihren rechten Handstummel und sagt zu ihr: »Geh zu jenem Brunnen, meine Liebe, der gleich hier in der Nähe ist, und schöpfe Wasser, aber so tief du kannst, damit das Wasser um so besser ist.«
Da springt die Frau auf, geht ein paar Schritte, kommt zu dem Brunnen, beugt sich hinab und taucht das Becherchen und den Handstummel so tief sie kann in das Wasser. Als sie das Becherchen wieder heraufzieht, ist ihre rechte Hand so gesund, als wenn sie nie abgefallen wäre. Überglücklich, daß sie ihre rechte Hand wiederhat, bringt sie das Wasser herbei. Sie trinken das Wasser aus, und Christus bindet das Becherchen an ihren linken Handstummel. »Geh, meine Liebe, bring uns Wasser zum Trinken, aber schöpfe ganz tief, so tief du kannst, damit das Wasser um so besser schmeckt.«
Da springt die Frau auf, läuft zum Brunnen, beugt sich hinab und schöpft Wasser, so tief sie nur kann. Als sie das Becherchen wieder heraufzieht, da ist ihre linke Hand so gesund, wie neu geboren, als ob sie nie abgefallen wäre. Sie dankt Gott von ganzem Herzen, daß sie ihre Hände wiederhat, und bringt das Wasser herbei. Da läßt Christus mitten im Wald einen richtigen Palast entstehen und vor dem Palast ein Kreuz. »Meine Liebe«, sagt er, »geht in den Palast. Dort werdet ihr alles haben, wonach euer Herz verlangt. Schließt das Tor und öffnet niemandem. Öffnet nur demjenigen, vor dem das Kreuz sich dreimal verneigt.«
Der Krieg zieht sich lange Zeit hin, und nach acht Jahren kehrt der Königssohn

aus dem Krieg nach Hause zurück. Als er seinen Vater fragt, wie es zu Hause gehe, antwortet er: »Lieber Sohn, der eine hat goldene Hände und der andere goldene Haare!«

Da zeigt der Königssohn den Brief des Vaters, der Vater aber gibt ihm seinen, und der Königssohn bricht in Weinen aus. »Ach, lieber Vater, ich gehe in die Welt, um ihre Gebeine zu suchen und sie zu bestatten.«

Der Prinz macht sich auf den Weg, geht nach rechts, nach links, nach allen Seiten. Auf einmal kommt er in den großen Wald. Da sind gewaltige wilde Tiere, und es war schrecklich, hier durchzugehen. Aber der Prinz geht doch durch den Wald. Schon kommt die Nacht herbei, aber der Wald hat noch kein Ende. Da ist er in großer Gefahr; denn wenn ihn die Nacht im Wald überrascht, werden ihn die wilden Tiere zerreißen. Und er steigt auf einen Berg, um zu sehen, wo der Wald zu Ende ist, oder wo er einen Unterschlupf finden kann, um für diese Nacht in Sicherheit zu sein.

Als er auf den Berg hinaufkommt, sieht er mitten im Wald einen richtigen Palast; und er schlägt diese Richtung ein, um zu dem Palast zu gelangen. Er geht, so schnell er kann. Als er zu dem Kreuz und dem Palast kommt, verneigt sich das Kreuz dreimal vor ihm. Die Frau öffnet das Tor und läßt ihn hinein. Er erkennt die Kinder, er erkennt die Frau, er erkennt sie alle; aber die Frau hatte keine Hände gehabt, jetzt aber hat sie Hände! Die Kinder spielen in ihren Kammern mit goldenen Bällen.

Sie macht ihm ein Bett zurecht und sagt: »Geht schlafen, mein Lieber, Ihr seid müde von der Reise.« – »Ja, meine Liebe, ja, ich bin müde. Aber ich bin schmutzig, ungewaschen, und warum soll ich Euer Bett schmutzig machen!« – »Aber auch an Eurem Hof habt Ihr solche Betten.« Und er denkt: ›Wenn sie es nicht wäre, wie könnte sie wissen, daß ich solche Betten habe!‹

Und er zieht sich aus, legt sich ins Bett und läßt einen Arm aus dem Bett hängen. Sie aber sagt zu einem der beiden Kleinen: »Heb dem Vater den Arm hoch, damit er ihm nicht weh tut.« Der Kleine läuft herbei, faßt den Arm und legt ihn neben dem Vater auf das Bett.

Ein wenig später läßt er ein Bein aus dem Bett hängen. Da sagt die Mama zu dem anderen Kleinen: »Heb dem Vater das Bein hoch, mein Liebling, damit es ihm nicht weh tut.« Der Kleine läuft herbei, faßt das Bein des Vaters und legt es auf das Bett. Da setzt er sich auf und sagt: »Meine Liebe, ich habe euch alle erkannt, aber du hast doch keine Hände gehabt?« Und sie antwortet: »Mein Lieber, Gott hat mir die Hände wiedergegeben.«

Und so verbrachten sie hier die Nacht. Als der Morgen dämmerte, wollte er seine Frau und die Kinder zu Vater und Mutter bringen. Als sie den Palast verlassen

hatten und sich noch einmal nach ihm umdrehten, da war nichts mehr da; der Palast und alles war verschwunden.
Er brachte seine Frau und die Kinder nach Hause zu seinem Vater und seiner Mutter. Dort feierten sie ein großes Fest und lebten von dieser Zeit an herrlich bis zu ihrem Tode.

7. Juli – Der einhundertachtundachtzigste Tag

Das Froschmädchen

Es waren einmal ein Mann und eine Frau, die waren schon ziemlich bejahrt und hatten kein Kind. Sie beteten immer zu Gott, er möge ihnen doch ein Kind geben; zuletzt gingen sie auf eine Wallfahrt und baten wieder Gott, er möge ihnen ein Kind schenken, und wenn es auch ein Frosch wäre.
Sie kehrten dann nach Hause zurück, und wirklich merkte die Frau, daß sie in Hoffnung sei, und gebar nach neun Monaten ein Kind, aber was für eins: einen Frosch! Aber auch damit waren sie zufriedener, als wenn sie nichts gehabt hätten. Der Frosch hielt sich immer im Weinberg auf und kam selten nach Hause; der alte Mann arbeitete immer dort in dem Weinberg, und die Frau brachte ihm jeden Tag das Mittagessen dahin.
Aber da sie schon alt war, fing sie eines Tages an zu klagen, daß sie nicht mehr von der Stelle könne, erst recht nicht dem Mann das Essen bringen könne, ihre Füße wollten nicht mehr. Da kam die Froschtochter von draußen – sie war schon vierzehn Jahre – und sagte: »Mutter, ich sehe, Ihr seid alt und könnt nicht mehr fort, könnt auch dem Vater nicht das Essen bringen, gebt es her, ich geh damit.« – »Meine liebe Froschtochter, wie könntest du mit dem Essen gehen, da du's doch nicht tragen kannst, du hast ja keine Hände, den Topf anzufassen.« – »Ich kann ihn tragen«, antwortete der Frosch, »setzt mir nur den Topf auf den Rücken und bindet ihn mir an den Beinen fest, dann seid unbesorgt.« – »Nun, so versuch's, ob du's kannst.«
Da setzte die Alte dem Frosch den Topf auf den Rücken, band ihn an den Beinen fest und schickte ihn ab. Der Frosch trug seine Last den Weg entlang, aber als er an das Gittertor des Weinbergs kam, wo der Vater war, konnte er es nicht öffnen und auch nicht hinübersteigen. Da rief er seinem Vater zu, der kam, nahm ihm den Topf ab und aß. Darauf sagte ihm der Frosch, er solle ihn auf einen Kirschbaum heben. Der Vater hob ihn hinauf, und der Frosch fing an zu singen;

sang, daß alles widerhallte, und das so schön, daß man hätte sagen mögen, die Vilen [im Südslawischen die Berg- und Waldfeen] singen dort.
Da kam ein Königssohn vorüber, der auf die Jagd gegangen war, und hörte lange auf den Gesang. Und als der Gesang nicht mehr zu hören war, ging er zum Alten und fragte ihn, wer da so schön sänge. Der Alte antwortete, er wisse nicht, habe keinen gesehen noch gehört, nur die Krähen über sich fliegen sehen. »Aber sagt mir doch, wer es ist. Wenn es ein Mann ist, soll es mein Kamerad sein, wenn ein Mädchen, soll es mein Liebchen sein.« Aber der Alte schämte und scheute sich und sagte, er wisse es nicht. Darauf ging der Königssohn nach Hause.
Am anderen Tag brachte wieder der Frosch dem alten Vater das Mittagessen, der setzte ihn wieder auf den Kirschbaum, und er fing wieder an zu singen. Und sieh da! Wieder kam der Königssohn absichtlich dorthin auf die Jagd, nur um wieder den Gesang zu hören und zu sehen, wer es ist. Der Frosch sang auf dem Kirschbaum, daß das ganze Tal widerhallte. Als der Gesang aufgehört hatte, kam wiederum der Königssohn zu dem Alten, er solle ihm sagen, wer da singt. Der Alte antwortete, er wisse es nicht. »Wer hat dir denn das Mittagessen gebracht?« fragte ihn der Königssohn. »Ich bin selbst nach Hause gegangen«, antwortete der Alte, »war aber so müde, daß ich nicht essen mochte, und habe es deswegen selbst mitgebracht.« – »Aber der Gesang ergreift mir das Herz, Ihr wißt sicherlich, Alter, wer da singt, sagt es mir. Wenn es ein Mann ist, soll er mein Kamerad sein, wenn ein Mädchen, soll es mein Liebchen sein.« Da antwortete der Alte: »Ich möchte es Euch wohl sagen, aber ich schäme mich, und es würde Euch auch verdrießen.« – »Habt nur keine Angst, sagt es mir nur.« Darauf erzählte der Alte ihm, daß es ein Frosch sei, der da singe, und daß es seine Tochter sei. »So sagt ihr, daß sie herabkommen soll.«
Da kam der Frosch herab und fing noch einmal an zu singen. Dem Königssohn hüpfte das Herz vor Vergnügen, und er sagte zu ihr: »Sei mein Liebchen! Morgen kommen die Liebchen meiner beiden Brüder, und welche von ihnen die schönste Rose bringt, der hat der König versprochen, ihr und ihrem Verlobten das Königreich zu hinterlassen. Geh du als mein Liebchen dahin und bring eine Rose, wie du sie ausgesucht hast.« Der Frosch antwortete: »Ich werde kommen, wie du wünschst, aber du mußt mir vom Hof einen weißen Hahn schicken, auf dem will ich hinreiten.«
Darauf ging er und schickte ihr vom Haus den weißen Hahn. Sie aber ging zur Sonne und bat um Sonnenkleider. Am nächsten Morgen bestieg der Frosch den Hahn und nahm die Sonnenkleider mit. Als sie in diesem Aufzug an die Stadtwache kam, wollte die sie nicht hereinlassen, aber als sie sagte, sie werde sich bei dem Königssohn beklagen, wenn man sie nicht hereinlasse, ließ man sie

gleich ein. Sowie sie die Stadt betrat, verwandelte sich ihr Hahn gleich in eine weiße Vila [Fee], und aus dem Frosch wurde das schönste Mädchen von der Welt. Sie zog die Sonnenkleider an, statt einer Rose aber trug sie eine Weizenähre und ging so in den Königspalast.

Da kam der König erst zu dem Liebchen des ältesten Sohnes und fragte sie, was für eine Rose sie gebracht habe. Sie zeigte ihm eine wirkliche Rose.

Darauf ging er zu dem Liebchen des zweiten Sohnes und fragte sie, was für eine Rose sie denn gebracht habe. Sie zeigte ihm eine Nelke.

Dann wandte er sich zu dem Liebchen des jüngsten, bemerkte gleich an ihr die Weizenähre und sagte: »Du hast uns die schönste und nützlichste Rose gebracht. Man sieht, du weißt, daß man ohne Weizen nicht leben kann, und daß du zu wirtschaften verstehst. Was sollen uns andre Rosen und solches Gepränge! Werde die Frau meines jüngsten Sohnes, dessen Liebchen du bist, und ich will ihm mein Königreich hinterlassen.« Und so wurde die Froschtochter Königin.

8. Juli – Der einhundertneunundachtzigste Tag

Du lügst

Es war einmal ein König, der hatte eine kluge, aber schelmische Tochter. Als sie in das heiratsfähige Alter gekommen war, sagte sie zu ihrem Vater, dem König: »Ich will keinen andern heiraten als den, zu dem ich sagen muß, wenn er sich mit mir unterhält, daß er lügt. Wer mir so zu erzählen versteht, daß ich ihm sagen muß: du lügst, den will ich nehmen.« Der König, ihr Vater, war seiner Tochter nicht entgegen und ließ in der weiten Welt ausrufen, die Leute möchten zum Versuch mit der Unterhaltung kommen und zusehen, was sie mit der klugen Königstochter machen könnten. Da kamen Kaisersöhne und Königssöhne, Grafen und Barone und unterhielten sich mit ihr, und wenn einer recht tief in der Lüge steckte, so daß man ihm hätte sagen müssen: du lügst, sagte die Königstochter nur zu ihm: »Das ist ja kein Wunder, das kann alles sein«, oder sie sagte: »Das ist gut«, oder: »Das ist schlimm.« Keiner konnte ihr so erzählen, daß sie genötigt war zu sagen: du lügst. So waren einige Jahre vergangen, und viele vornehme Herren hatten sich herzugedrängt und sich mit der Königstochter unterhalten, aber keinem hatte es genützt, obwohl sie auf jede Weise schwindelten und logen, aufschnitten und Flausen machten und sich jegliche Mühe gaben, daß die Königstochter zu einem sagen müsse: du lügst. Aber alles vergeblich; sie unterhielt sich mit jedem, wunderte sich aber über nichts, hörte alle an und nahm es kaltblütig hin.

Einmal verabredeten sich zwei reiche Edelleute, daß auch sie ihr Glück versuchen möchten, ob es nicht einem von ihnen gelänge und er des Königs Schwiegersohn würde. Nahe bei der Hauptstadt des Königreiches war ein See, durch den konnte man bisweilen mit dem Wagen durchfahren, wenn man den Weg gut kannte. Der Weg um den See war weit. Die beiden reichen Edelleute fuhren auf dem herrschaftlichen Wagen mit herrschaftlichen Pferden an den See. Gegenüber gleich am Ufer lag das Königsschloß. »Fahren wir durch«, meinten die Reisenden, »unsre Pferde sind gut, sie werden durchkommen.« Als sie darüber sprachen, sahen sie einen jungen Hirten zu dem See kommen und riefen ihn an: »He, Bursche, kann man mit der Kutsche durch den See kommen?« – »Das kann man, Herr«, antwortete der Hirt, »aber der Weg um den See ist näher.« – »Wieso?« fragten die Reisenden. »Versucht's, dann werdet ihr sehen, daß man beim Herumfahren eher an das Schloß kommt.« – »Ist es denn wirklich wahr«, fragten sie weiter, »was wir über die Königstochter gehört haben, daß sie den jungen Mann heiraten wird, der ihr eine Geschichte so zu erzählen versteht, daß sie zu ihm sagen müßte: du lügst?« – »Das ist wahr, ihr Herren, und das Mädchen ist klug und schön, man findet kaum ihresgleichen.« – »Und du meinst wirklich«, sprachen die Reisenden weiter zu dem Hirten, »daß wir wohl mit unsern guten Pferden den See durchwaten können?« – »Das könnt ihr, aber wenn ihr schneller dahin kommen wollt, nehmt den Weg herum.« Die Reisenden hörten nicht auf den Burschen, sondern schlugen den geraden Weg quer über den See ein. Aber sowie sie die Pferde ins Wasser trieben, versank der Wagen im Schlamm; da hatten sie die Bescherung. Der Bursche kam herbei und half ihnen den Wagen zurückzuziehen, und nun ging's auf den Weg um den See herum.

Im Gespräch mit dem Hirten hatten sie gemerkt, daß er ein kluger, aufgeweckter Bursche war und voll Teufeleien steckte, und einer sagte zum andern: »Höre, Freund, wir wollen den Burschen mitnehmen, er kann uns beistehen bei der Königstochter. Der Bursche steckt voll Witz und Teufelei.« So machten sie es und

fragten den Hirten, ob er wohl Lust hätte, sich in ein Gespräch mit der Königstochter einzulassen, sie würden ihn schön kleiden, herrschaftlich. »Willst du? Wir werden dich gut bezahlen.« – »Ich will schon, aber wenn ich allen früheren Freiern im Lügen über werde, hilft euch das nichts.«
Die Reisenden gingen nun zum Schloß; den Burschen hatten sie herrschaftlich angezogen und schön herausgeputzt. Er war ohnehin ein hübscher Bursche, auch im Bauernkittel, aber jetzt im Dolman [Husarenjacke] sah er aus wie ein Königssohn. So ging's zum Königshof, und er fand den König in Person vor dem Hofe. Der Bursche kannte den Herrn König nicht und bat ihn: »Herr! Ich bin ein fremder Reisender und bin zum Gespräch mit dem Fräulein Königstochter gekommen, wo kann ich sie finden?« Der König antwortete: »Geht an das Gartentor, mein Freund, meine Tochter geht gerade im Garten spazieren. Ihr könnt da gleich mit ihr sprechen.« Der Bursche verneigte sich vor dem König und dankte ihm, dann ging er in den Garten. Dort stand gerade die Königstochter bei den Kohlbeeten mit einem Buch in der Hand. Er verbeugte sich und begrüßte sie, sie grüßte wieder. »Ihr habt da schönen Kohl, Fräulein.« – »Und die Stauden sind heuer groß«, erwiderte sie. »Mein Vater hatte voriges Jahr Kohl, wie ihn noch nie einer gehabt hat; jede Staude so groß, daß zwölf Schmiede ihre Werkstätten darunter aufstellen und schmieden konnten, ohne daß einer den anderen hörte.« – »Das war einmal gut.« – »Oder auch nicht gut, denn als das Kraut zum Wintervorrat zugerichtet und gehobelt werden sollte, konnte mein Vater kein Faß finden, es einzumachen.« – »Das war schlimm.« – »Schlimm gerade nicht. Mein Vater kam auf den Gedanken, was zu tun sei. Er ließ eine Staude zurück, die übrigen verkaufte er. Für das Geld kaufte er einen ganzen Eichwald und nahm tausend Böttcher an, jeden mit drei Gesellen und zwei Lehrlingen. Die hieben den Wald um und machten Faßdauben und stellten ein Faß her, drei Tagereisen im Umfang, eine halbe Tagereise hoch. Darauf boten mein Vater und ich die Nachbarn zu Hilfe auf, wir hobelten das Kraut und füllten das Faß voll.« – »Das war ja sehr gut, da hattet ihr wenigstens Kraut genug.« – »Es war doch nicht recht gut, wir mußten uns quälen, bis wir das Kraut mit Steinen gepreßt hatten. Einen Monat lang fuhren wir Steine auf hundert Wagen, hundert Pferde kamen um, und hundert Leute wurden beim Steinegraben und -fahren lahm oder verletzten sich.« – »Das war ja schlimm.« – »Doch nicht ganz so schlimm. Beim Steinegraben fanden die Leute eine Salzquelle und kamen so zu Salz.« – »Das war ja gut.« – »Das Salz war schon gut, aber schlimm stand es mit dem Faß, das Kraut darin verdarb und faulte.« – »Das war schlimm.« – »Es war nicht einmal schlimm, mein Vater und ich machten uns an das Faß, er an dem einen, ich am andern Ende. Wir wälzten es auf den Acker, schütteten das verfaulte Kraut aus

und düngten ihn so.« – »Das war doch gut.« – »Es war nicht recht gut, denn als wir das verfaulte Kraut auf den Acker schütteten und es sich über den Acker von einem Ende bis zum andern ausbreitete, merkte mein Vater, daß wir uns geirrt und einen fremden Acker gedüngt hatten. Da hoben wir den Acker wie eine Decke hoch, mein Vater an einem, ich am andern Ende, trugen so das verfaulte Kraut von dem fremden Acker auf unsern hinüber und luden es dort ab.« – »Das war ja gut.« – »Doch nicht gerade gut, denn von dem verfaulten Kraut wurde die Luft so verpestet, daß hundert Dörfer auswandern mußten.« – »Das war schlimm.« – »Nicht gerade schlimm, denn das Kraut witterte aus, und das Land war damit so gut gedüngt, daß mein Vater, als er den Acker umgepflügt und mit Weizen besät hatte, so viel Korn baute, daß hunderttausend Leute es nicht bewältigen konnten.« – »Das war aber gut.« – »Doch nicht recht, denn mein Vater wurde so reich, daß er nicht wußte, wohin er mit dem Reichtum sollte, und der Mann ganz närrisch wurde vor Überfluß an Geld und Gut. Ich will Euch nur eins erzählen. Mein Vater suchte in der ganzen weiten Welt nach dem allergrößten Pferd, und endlich fand er eine Stute, die war eine Tagereise lang und hatte eine Blesse einen halben Tag lang.« – »Das war mal gut.« – »Doch nicht so recht gut, denn für eine so große Stute, wie die Bleß meines Vaters, mußte man auch einen großen Wagen haben. Mein Vater mühte und quälte sich, bis er einen Wagner und einen Schmied fand, die ihm einen Lastwagen machten zwei Tagereisen lang und eine breit, aber dabei hatte er sich bis auf den letzten Heller verausgabt.« – »Das war schlimm.« – »Doch nicht so schlimm. Wenigstens quälte sich mein Vater nicht mehr mit dem Reichtum, sondern lebte mehr in Ruhe. Was er auf hundert Wagen und zweihundert Pferden nicht hatte verrichten können, das verrichtete er jetzt mit seiner Stute auf seinem Lastwagen mit der halben Mühe.« – »Das war aber gut.« – »Doch nicht gerade gut, denn mein Vater tat sich viel auf sein Pferd zugute und glaubte schon, es gäbe nichts, was er nicht fahren könnte, und keinen Weg, der ihm zuviel wäre. Mein Vater und ich gingen einmal in den Wald, Holz zu holen. Die Äxte gingen klipp! klapp! Wir fällten zehn Eichen, sägten und spalteten sie und luden sie auf den Wagen. Damit hatten wir kaum den Boden bedeckt. Also wieder daran mit dem Fällen, noch zehn Buchen und noch zehn, man sieht aber kaum, daß Holz auf dem Wagen ist. So fällten wir noch Eschen, Weißbuchen, Ulmen und Zerreichen und hatten den halben Wald geschlagen, bis wir den Wagen voll mit Holz beladen hatten; dann ging es hierher in die Stadt. Wir konnten die ganze Stadt für den Winter mit Holz versehen.« – »Das war ja gut.« – »Doch nicht gerade gut, denn meinem Vater ließ sein Übermut keine Ruhe, er wollte nicht um den See herumfahren, sondern gerade durch und so eher in die Stadt kommen. Als er die Stute in den See trieb, blieb der Wagen im Sumpfboden und im Schlamm stecken, die Stute stand still und konnte nicht weiter. Wir hieben mit unseren Peitschen auf die Stute ein, mein Vater von der einen, ich von der andern Seite. Die Stute zog aus allen Kräften an, und es platzte ihr an meiner Seite die Flanke, und das Eingeweide trat heraus. Es krachte wie ein Donnerschlag. Aus dem Bauch der Stute fiel ein Papier heraus, ich greife schnell danach, öffne es und lese, was darin stand: Euer Vater, Königstochter, der jetzige König, habe bei meinem Vater sieben Jahre als Hirt in Dienst gestanden.« – »Du lügst«, fiel ihm das Mädchen schnell in die Rede, »du lügst, das ist nicht wahr.« – »Nun, wenn es so steht, gebt mir Eure Hand, Ihr seid meine Braut.« Das Mädchen reichte ihm die Hand, und sie gingen zum Vater König. Da gab es Verlobung, Ringwechsel und Festtrunk, dann war die Hochzeit, der Hirt wurde des Königs Schwiegersohn, und als der König gestorben war, wurde er König.

9. Juli – Der einhundertneunzigste Tag

Das Ferkel Bilka

Es waren einmal ein alter Mann und eine alte Frau, die waren ungefähr fünfzig Jahre alt. Eines Tages sagt die Alte zu ihrem Mann: »Was sollen wir beide machen, Alter, wir sind alt geworden. Gebe Gott, daß ich wenigstens ein Ferkel werfe und zur Welt bringe, damit wir eigene Nachkommen haben.«
Eines Tages stand der Alte auf und ging zu der Alten, die in einem anderen Zimmer schlief; da hört er dort ein Ferkel quieken. »Alte, Alte, was ist das da bei dir?« – »O weh, Alter, ich habe ein Ferkel geboren.« Und sie fütterten das Ferkel im Zimmer und hielten es bei sich im Hause. Da sagt die Alte zu dem Alten: »Alter, weißt du, was ich mir gedacht habe? Unser Nachbar, der Bursche Jozo, hütet Schweine. Wie wäre es, wenn wir ihm auch unser Ferkel zum Hüten geben und ihm etwas dafür bezahlen würden?« Der Alte ging zu dem Nachbarn und sagte: »Gelobt sei Jesus Christus, Nachbar, ich bin zu Euch gekommen, um zu fragen, ob Euer Jozo nicht auch unser Ferkel hüten könnte?« – »Nun, wenn er es will, ich verbiete es ihm nicht. Hör mal, Jozo, willst du das Ferkel des Nachbarn hüten?« – »Ja«, sagt er, »aber wird es denn mit unseren Schweinen mitgehen?« Da kommt auch die Alte. »Jozo, mein Söhnchen, ich gebe dir ein Stückchen Brot und komme am ersten Tag mit dir, und du gibst dann dem Ferkel immer ein kleines Stückchen Brot, damit es sich daran gewöhnt, mit dir zu gehen.«

So hütete der Bursche das Ferkel einige Jahre, und es wurde ein großes Schwein. Aber dieses Schwein mischte sich nie unter die anderen Schweine und suhlte sich nie mit ihnen zusammen. Es trank Wasser aus dem Trog und suchte sich dann ein abgesondertes Gebüsch, um dort allein zu schlafen. Der Schweinehirt aber hatte sein Lager zwischen den übrigen Schweinen und diesem; dort ruhte er sich immer über Mittag aus. Das Schwein der Alten hieß Bilka. Gewöhnlich hatte der Schweinehirt, wenn er schlief, sein Gesicht Bilka zugewandt. Eines Tages, als er ausgeschlafen hat, öffnet er die Augen und sieht in dem Gebüsch – ein Mädchen; das hat goldene Haare und kämmt sich mit einem goldenen Kamm. Er hebt die rechte Hand, um sich die Augen zu reiben und zu sehen, ob ihn seine Augen nicht täuschen. Aber kaum bewegte er seine Hand, da verschwindet das Mädchen. Er stürzt zu dem Gebüsch, um zu sehen, ob er geträumt hat oder ob es Wirklichkeit ist, was er gesehen hat. Als er aber zu dem Gebüsch kam, grunzte Bilka ihn an wie eine Sau. Er erzählte niemandem etwas von dem, was er gesehen hatte, denn er wußte nicht, ob er es geträumt oder wirklich gesehen hatte. Am nächsten Tag kommt er wieder mit den Schweinen auf den Weideplatz, geht am Mittag zu seinem Lager und legt sich an derselben Stelle nieder, wo er auch tags zuvor gelegen hat; er wendet sich zu Bilka hin und tut so, als ob er schlafe, und schnarcht etwas – wie diese Alte hier. Durch die Wimpern aber schaute er zu Bilka hinüber und sah, wie sich das Mädchen mit dem goldenen Haar mit einem goldenen Kamm kämmte, wie beim ersten Mal. Aber er wollte niemandem erzählen, was er bei Bilka gesehen hatte.

Eines Tages sagt die Mutter zu ihrem Sohn: »Jozo, mein Söhnchen, ich bin alt und kann nicht mehr arbeiten. Du sollst jetzt heiraten, damit wir Hilfe im Hause haben. Ich habe schon ein Mädchen für dich gefunden.« – »Welches denn, Mama?« – »Die Reiche da«, sagt sie, »Škiljas Tochter Mara.« – »Die will ich nicht, Mama, ich werde schon heiraten, aber wen ich nehme, das werde ich bestimmen. Sonst will ich überhaupt nicht heiraten. Ich will die Bilka der Alten heiraten.« – »Geh, Söhnchen, bist du verrückt geworden, eine Sau zu heiraten?« – »Eine andere aber will ich nicht, Mutter.«

Am nächsten Tag drängt die Mutter ihren Sohn wieder zu heiraten; er aber will keine andere als die Bilka der Alten. Was soll die Mutter da machen? Sie geht zum Pfarrer, um sich bei ihm zu beklagen, daß ihr Sohn keine andere zur Frau nehmen wolle als die Sau Bilka von ihrer Nachbarin, der alten Frau. Als der Pfarrer die Messe beendet hat, kommt er zu ihnen nach Hause und will hören, was er sich da ausgedacht hat. Der Pfarrer fragt: »Wie hast du dir das gedacht, eine Sau zu heiraten. Die ist doch nicht getauft.« Er aber antwortet: »Laß nur, eine andere will ich nicht.« – »Was sollen wir da machen, Alte, wenn es so ist, muß ich es dem Bischof melden, der Bischof dem Erzbischof, der Erzbischof dem Heiligen Stuhl, und wir werden sehen, was man dort entscheidet.«

Als der Pfarrer nach einiger Zeit vom Heiligen Stuhl Bescheid erhielt, ging er in Jozos Haus und sagte zu seinem Vater und zu seiner Mutter: »Wenn er keine andere will, soll er mit der Sau zum Aufgebot kommen.«

Es wurde Sonnabend; da ging Jozo zu der Alten, und er sagte: »Großmutter, ich habe die Sau liebgewonnen und um sie gefreit. Heute gehe ich mit ihr zum Aufgebot.« – »Alles Gute, mein Söhnchen.« Als er am Nachmittag wegen des Aufgebots zum Pfarrer ging, sprach sich das im Dorf herum; die alten Weiber erzählen sich, daß der Pfarrer eine Sau zum Aufgebot eintragen will. Als sie zum Pfarrer kamen, sagten sie: »Gelobt sei Jesus Christus, Hochwürden.« – »In Ewigkeit, Söhnchen Jozo. Du kommst also mit der Sau zu mir zum Aufgebot!« – »Ja, Hochwürden, eine andere will ich nicht heiraten.« Der Pfarrer trug sein Geburtsjahr ein und fragte, wann sie, die Sau, geboren wurde: »Weißt du, Jozo, wann sie geworfen wurde?« – »Ich weiß es, Herr!« Als er das Jahr,

in dem sie geworfen worden war, eingetragen hat, fragt er die Sau: »Bilka, weißt du, daß du in diesem Jahre geworfen worden bist?« Sie aber antwortet ihm: »Hrr, hrr, hrr!« – dreimal.

Und sie gehen vom Pfarrer fort und nach Hause. Nach drei Wochen versammelten sich bei Jozo die Hochzeitsgäste. Das ganze Dorf war zur Hochzeit eingeladen, und auch die Verwandtschaft war gekommen. Die Leute aus dem Dorf aber kamen aus Neugier, um zu sehen, wie man die Sau und Jozo trauen würde.

Es kam der Tag der Trauung, und die Hochzeitsgäste versammelten sich vor dem Frühstück, um den Trauzeugen und den Hochzeitsältesten abzuholen. Die Hochzeitsfrauen stellten das Frühstück auf den Tisch. Nachdem die Hochzeitsgäste gefrühstückt hatten, sagte der Trauzeuge zu dem Brautführer: »Komm, Brautführer, leg das Handtuch um den Hals und laß uns zu der alten Frau in den Schweinestall gehen und die Braut abholen. Und ihr, Musikanten, spielt lustig auf, auch wenn die Braut eine Sau ist!«

Die Hochzeitsgäste kommen zu der Alten, die sich wie eine junge Braut gekleidet hat, und auch der Alte ist festlich angezogen. Fröhlich empfingen die Alte und der Alte ihren Schwiegersohn. Der Trauzeuge sagt zum Alten und zur Alten: »Laßt uns sofort die Braut holen, gleich ist Mittag, sie soll noch vorher getraut werden.«

Da gehen die Hochzeitsgäste alle zum Schweinestall. Bilka hat ihren eigenen Stall und ist so sauber, als hätte sie sich mit Seife gewaschen. Als die Hochzeitsgäste kamen, trat der Brautführer als erster in den Verschlag. »Komm her, junge Braut, hier ist das Tuch.« Er steckt ihr das Tuch in den Mund, und sie packt es mit den Zähnen und geht neben ihm her zur Trauung in die Kirche.

Der Pfarrer trat vor den Altar und empfing die Hochzeitsgäste. Er sagt: »Kniet nieder, Brautleute.« Der Bursche kniet nieder, die Sau aber setzt sich auf den Hintern. Der Pfarrer fragt ihn, ob er die Braut liebe, und erzählt ihm alles, wie es der Hochzeitsbrauch verlangt, und der Bursche antwortet auf alles. Als er die Sau fragte, ob sie den Bräutigam liebe, macht sie: »Hrr, hrr, hrr!«

Und was er auch fragt, auf alles antwortet sie so dreimal. Dann nimmt der Pfarrer die Ringe und steckt ihm den seinen an die rechte Hand; ihr aber kann er den Ring nicht auf die Klaue stecken; da streckt sie die Zunge heraus, und er steckt ihr den Ring auf die Zunge. Als sie getraut waren, gingen sie von der Kirche geradewegs nach Hause. Die Hochzeitsfrauen hatten sie schon erwartet und stellten das Essen auf den Tisch. Da sagt der Trauzeuge: »Brautführer, setz du dich zwei Stühle weiter von mir, zwischen uns aber soll die Braut Bilka sitzen.« Und zu den Hochzeitsgästen sagt er: »Niemand darf sich etwas vom Essen nehmen, bevor ich nicht der jungen Braut etwas gegeben habe.« Er nahm von der ersten Speise und sagt: »Hochzeitsgäste, nehmt nichts, bevor das Essen der Braut nicht abgekühlt ist. Trinkt etwas und singt.« Als sich das Essen der Braut abgekühlt hatte, sagt der Trauzeuge: »Nehmt jetzt auch ihr alle, Hochzeitsgäste, jetzt können auch wir essen.« Und zu der Braut sagt er: »Nun iß, junge Braut.« Da sagt der Hochzeitsälteste: »Trauzeuge, wir alle trinken Schnaps, vielleicht möchte auch die Braut etwas trinken.« Der Trauzeuge nimmt ein Glas und eine Flasche mit Schnaps und füllt das Glas voll. »Braut, mach den Mund auf, dann werde ich dir Schnaps geben.« Die Braut macht den Mund auf, und der Trauzeuge schüttet ein Glas Schnaps in Bilkas Schnauze. »Braut Bilka, möchtest du noch ein Glas Schnaps?«

Sie aber klappert immer nur mit den Zähnen, bewegt die Ohren hin und her und schlägt sie sich vor die Augen zum Zeichen, daß sie keinen Schnaps mehr trinken will. Nachdem man zu Abend gegessen hatte, vergnügten sich die Hochzeitsgäste bis Mitternacht. Da sagt der Trauzeuge zu den Hochzeitsgästen: »Jetzt haben die Brautleute genug Hochzeit gefeiert. Sie müssen schlafen gehen, es ist schon Mitternacht.« Die Hochzeitsgäste begleiten die Brautleute in das Zimmerchen, wo sie schlafen sollen, und gehen dann wieder hinaus und vergnügen sich weiter.

Als es ungefähr vier Uhr morgens geworden war, wurde es sehr kalt. Die Mutter des Bräutigams denkt, daß es den Kindern kalt sei, und geht, den Ofen anzuheizen. Sie tritt in das Zimmer des Bräutigams, um nachzusehen, ob es im Zimmer noch etwas warm sei. Da erblickt sie auf der Bank neben dem Bett eine Schweinehaut. Sie nimmt die Haut, trägt sie hinaus und wirft sie in den Ofen; denn man heizte den Ofen von der Küche aus. Als die Haut anfing zu brennen,

stank das ganze Haus. Die Hochzeitsgäste schreien: »Der Speck brennt, das Fett brennt!«
Da sagt die Mutter des Bräutigams: »Fürchtet euch nicht. Es brennt nichts. Ich habe nur etwas Haut in den Ofen geworfen.« Sie geht zum Ofen, um nachzusehen, ob die Haut verbrannt ist, als sie im Zimmer Geschrei hört. Sie geht hinein. »Was ist, Kinder, was ist?« – »Mutter, du hast mein Kleid verbrannt!« Die Braut hat sich ganz in das Bettuch gewickelt, damit die Mutter sie nicht sehe, denn sie ist völlig nackt, wie eben geboren. Da bringt die Mutter der Braut Kleider.
Als die Braut zu den Hochzeitsgästen ins Zimmer trat, fielen alle auf die Knie und sprachen das Morgengebet, denn sie glaubten, die Muttergottes zu sehen und nicht jene Braut, die die Sau Bilka gewesen war.
Als der Glöckner am Morgen um vier Uhr die Glocke läutete, ging einer von den Hochzeitsgästen nach Hause. »Bist du, Gevatter, einer der Hochzeitsgäste?« fragt ihn der Glöckner. »Ja, Glöckner, ich bin einer von ihnen. Oh, wenn der Pfarrer die Braut sehen würde! So eine gibt es in unserem Königreich nicht noch einmal!«
Als der Pfarrer vom Glöckner hörte, was aus der Braut geworden war, machte er sich schnell fertig und lief zu den Hochzeitsgästen. Als er aber die Braut erblickte, konnte er sich nicht mehr von der Stelle rühren. Es wurde sechs Uhr und Zeit für ihn, die Messe zu lesen, aber er kann sich noch immer nicht von der Stelle rühren, sitzt nur da und schaut auf die Braut. Und alle Hochzeitsgäste, die gehen konnten, gingen weg. Und der Pfarrer gab ihnen später den Segen, und damit ist die Geschichte aus.
Auch ich war auf der Hochzeit dort, habe gegessen und getrunken, und wieder läuft mir jetzt das Wasser im Munde zusammen.

10. Juli – Der einhunderteinundneunzigste Tag

Von dem Mädchen, das schneller ist als das Pferd

Es war einmal ein Mädchen, nicht von Vater und Mutter gezeugt, die Vilen [Feen] hatten es von Schnee gebildet, den sie am Eliastag im hohen Sommer aus grundloser Grube holten. Der Wind belebte es, der Tau säugte es, der Wald tat es mit Blättern an, die Wiese schmückte und putzte es mit ihren Blumen. Es war weißer als der Schnee, rosiger als die Röslein, glänzender als die Sonne, so schön, wie noch nie ein Mädchen zur Welt gekommen ist noch eines auf ihr geboren werden wird.

Diese Jungfrau nun ließ weithin verkünden, daß an dem und dem Tag, an dem und dem Ort ein Wettrennen stattfinden werde, und welcher Jüngling sie zu Pferd im Wettlauf überholen könne, dem wolle sie angehören. Diese Kunde verbreitete sich in wenigen Tagen über die ganze Welt, und Tausende von Freiern versammelten sich alsbald, alle prächtige Pferde reitend, so daß du nicht zu sagen gewußt hättest, welches besser sei als das andere. Selbst des Kaisers Sohn kam auf die Rennbahn.

Die Freier stellten sich nun zu Pferde der Reihe nach nebeneinander auf, die Jungfrau aber nahm ohne Pferde auf ihren eigenen Füßen in der Mitte ihren Platz ein, worauf sie zu ihnen sprach: »Dort am Ziel habe ich einen goldenen Apfel aufgesteckt. Wer von euch zuerst hinkommt und ihn nimmt, dem will ich angehören. Erreiche ich aber vor euch das Ziel und nehme den Apfel, so wisset, daß ihr dann alle tot zur Erde hinsinken werdet. Bedenkt daher wohl, was ihr tut.«

Die Reiter aber waren alle wie verblendet, jeder hoffte bei sich, das Mädchen zu gewinnen, und sie sprachen untereinander: »Wir sind im voraus überzeugt, daß das Mädchen zu Fuß keinem von uns entrinnen kann. Einer aus unserer Mitte, und zwar derjenige, dem Gott und das Glück heute wohlwollen, wird es heimführen.«

Hierauf sprengten sie alle, nachdem das Mädchen in die Hände geklatscht, die Bahn entlang. Als sie den halben Weg zurückgelegt hatten, war ihnen das

Mädchen schon weit vorgeeilt, denn unter seinen Achseln hatte es kleine Flügel entfaltet. Da schalt ein Reiter den andern, und sie spornten und geißelten die Pferde und erreichten das Mädchen. Dies gewahrend, zog es sich schnell ein Haar aus seinem Scheitel und warf es von sich. In dem Augenblick erhob sich ein gewaltiger Wald, daß die Freier nicht wissen konnten, wohin und wo heraus, bis sie hin und her irrend endlich ihr wieder auf der Spur waren. Das Mädchen gewann zwar bald wieder weiten Vorsprung, aber die Reiter spornten und peitschten die Pferde, daß sie es auch dieses Mal einholten. Und wie das Mädchen sich in noch größerer Bedrängnis sah, weinte es eine Träne, die bald zu brausenden Strömen wurde, in denen alle beinahe ertrunken wären; und nur des Kaisers Sohn, mit seinem Pferde schwimmend, setzte dem Mädchen nach. Als er aber sah, daß das Mädchen ihm weit voraus enteilt war, beschwor er es dreimal, im Namen Gottes stillezustehen. Da blieb es an dem Ort, wo es eben war, stehen. Da faßte er es, hob es hinter sich aufs Pferd, schwamm zurück aufs Trockene und kehrte durch ein Gebirge heim. Als er aber dessen höchsten Gipfel erreicht hatte und sich umwandte, war das Mädchen verschwunden.

11. Juli – Der einhundertzweiundneunzigste Tag

Pepeljuga

inst spannen Mädchen, die die Rinder hüteten, und saßen dabei um eine Grube herum. Da kam ein Alter daher, dem der weiße Bart bis zum Gürtel ging, und sprach zu ihnen: »Mädchen, hütet euch vor dieser Grube, denn wenn einer von euch die Spindel hineinfiele, so würde ihre Mutter augenblicklich in eine Kuh verwandelt.«

Nachdem der Alte dies gesagt hatte, entfernte er sich wieder, die Mädchen aber, über seine Worte verwundert, rückten der Grube um so näher und guckten neugierig hinunter. Da geschah es denn, daß plötzlich einem der Mädchen, welches eben das schönste unter ihnen allen war, die Spindel aus der Hand glitt und in die Grube fiel. Und als es am Abend heimkam, da war seine Mutter wirklich in eine Kuh verwandelt, stand vor dem Hause und blökte. Nun pflegte und fütterte das Mädchen die Kuh und trieb sie mit den übrigen Rindern auf die Weide. Einige Zeit darauf nahm der Vater des Mädchens eine Witwe zur zweiten Frau, die ebenfalls eine Tochter hatte und gleich einen Haß auf ihr Stieftöchterlein warf, weil dieses viel schöner war als ihr eigenes Kind. Sie verbot ihr, sich zu waschen und zu kämmen und sich umzukleiden. Immer suchte sie nach einem Grund, wie sie sie auf sonst eine Weise quälen und ihr ein Leid antun könnte. So gab sie ihr einst am frühen Morgen eine ganze Hucke voll Flachsraufen und sprach: »Wenn du dies nicht alles heute fertigspinnst und in schöne Knäuel windest, darfst du mir abends nicht heimkommen, sonst bring ich dich um.«

Das arme Mädchen ging mit seiner Herde hinaus und spann so emsig, wie es nur konnte. Als aber am Mittag die Rinder sich im Schatten lagerten und es sah, daß am Flachs noch gar nicht zu sehen war, was es davon gesponnen hatte, da fing es bitterlich zu weinen an. Wie dies nun die Kuh sah, die einst seine Mutter gewesen, da fing sie auf einmal zu sprechen an und fragte, was ihm fehle, worauf das Mädchen ihr der Reihe nach alles erzählte, wie es sich verhielt. Da tröstete es die Kuh und sprach: »Gräm dich weiter nicht, ich will den Flachs, den du spinnen sollst, ins Maul nehmen und kauen, da wird

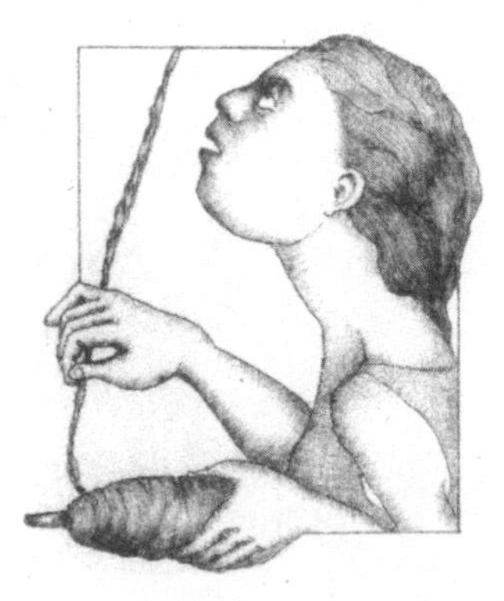

alsbald aus meinem Ohr ein Faden hervordringen, den erfasse und winde ihn in ein Knäuel.« Und so geschah es auch. Die Kuh nahm den Flachs ins Maul und fing zu kauen an, das Mädchen brauchte nur den Faden aus dem Ohr hervorzuziehen und abzuwinden, und es dauerte gar nicht lange, so war sie damit fertig. Als das Mädchen abends der Stiefmutter das große Knäuel gab, war sie im höchsten Maße verwundert und gab ihm am nächsten Morgen noch viel mehr Flachs zu spinnen. Als es aber auch diesen spann und am Abend, in ein großes Knäuel gewunden, heimbrachte, da dachte die Frau, seine Freundinnen müßten ihm geholfen haben, und gab ihm am dritten Morgen noch mehr Flachs als die beiden ersten Male, schickte ihm aber heimlich ihre eigene Tochter nach, damit sie lauschen sollte, wer ihm denn spinnen und aufwinden helfe.

Nachdem sich diese Kundschafterin versteckt und nun alles mit angesehen hatte, wie die Kuh den Flachs ins Maul nahm und kaute und die Hirtin das fertige Gespinst nur aus dem Ohr zu ziehen und aufzuwinden brauchte, da kehrte sie eilends heim und berichtete alles haarklein ihrer Mutter. Kaum hatte sie dies vernommen, schon drang sie in ihren Mann, die Kuh zu schlachten. Erst versuchte der Mann es ihr auszureden, als sie aber auf keinen andern Gedanken mehr zu bringen war, willigte er zuletzt ein und bestimmte einen Tag, an dem er sie schlachten wollte.

Als die arme Hirtin dies erfahren hatte und unaufhörlich weinte, die Kuh aber sie nach dem Grund ihrer Betrübnis fragte, teilte sie ihr alles mit, was zu Hause beschlossen worden war. Da sprach die Kuh zu ihrem Kind: »Beruhige dich und weine nicht. Du sollst nur, wenn sie mich geschlachtet haben, nichts von meinem Fleisch essen, sondern meine Gebeine sammeln und sie hinter dem Haus unter dem und dem Stein in die Erde vergraben, und wenn du in Not und Bedrängnis bist, so komm dorthin auf mein Grab, und du sollst Hilfe finden.«

Nachdem sie die Kuh geschlachtet hatten und deren Fleisch zu verzehren begannen, wollte das Mädchen davon nicht einmal kosten und half sich mit der Ausrede, daß es gar nicht hungrig sei und nichts essen könne. Die Knochen jedoch las es sorgfältig zusammen und begrub sie an dem von der Kuh bezeichneten Ort. Der eigentliche Name dieses Mädchens war Mara; da es aber zu den meisten Arbeiten und Verrichtungen im Hause, so zum Wassertragen und Kochen, zum Abspülen der Kochgeschirre, zum Ausfegen der Zimmer und zu anderen häuslichen Arbeiten angehalten wurde und viel am Feuer und beim Herd zu tun hatte, so nannten die Stiefmutter und deren Tochter es nur Pepeljuga, Aschenzuttel.

Einmal an einem Sonntag nahm die Stiefmutter, ehe sie mit ihrer Tochter zur Kirche ging, eine große Schüssel voll Hirse, streute sie im Hause umher und sprach zur Stieftochter: »Höre, Pepeljuga, wenn du nicht all diese Hirse aufgelesen und das Mittagessen fertiggekocht hast, bis wir aus der Kirche zurückkommen, so bring ich dich um.« Als sie mit ihrer Tochter fortgegangen, brach die arme Stieftochter in Tränen aus und sprach zu sich selber: ›Um das Mittagessen wäre mir nicht bange, aber wer ist imstande, diese Hirse aufzulesen!‹ Da fiel ihr mit einem Mal ein, was die Kuh ihr gesagt hatte: wenn sie ihn Not wäre, sollte sie hinausgehen auf ihr Grab, dort werde sie Hilfe finden – und ungesäumt eilte sie hinaus. Wie sie aber hinkam, was sah sie da? Auf dem Grab stand eine große offene Truhe voll der herrlichsten und allerverschiedensten Gewänder, auf dem Deckel aber saßen zwei weiße Täubchen, die sprachen zu ihr: »Mara, wähle dir aus dieser Truhe ein Kleid, zieh es an und geh damit zur Kirche, wir werden indes die Hirse auflesen und alles übrige besorgen.«

Vergnügt langte Mara nach dem ersten Kleid, das obenauf lag und ganz aus reiner Seide war, zog es an und ging in die Kirche. Dort angekommen, bewunderten alle, Männer wie Frauen, ihre ausnehmende Schönheit, ihre prächtigen Kleider, um so mehr, weil sie allen fremd zwar, und keiner wußte, wer oder woher sie gekommen sei. Aber mehr als allen Anwesenden gefiel sie dem Sohn des Kaisers, der auch anwesend war und ein besonderes Auge auf sie warf.

Als die Messe schon bald zu Ende ging, schlich sich Pepeljuga aus der Kirche und eilte heim. Dort zog sie schnell die schönen Kleider aus, legte sie in den Koffer, der sich sogleich von selbst schloß und verschwand, und wie sie zum Feuer gehen will, da findet sie das Mittagessen gekocht, die Hirse aufgelesen, alle sonstige Arbeit verrichtet. Bald nach ihr kommt auch die Stiefmutter mit ihrer Tochter zurück, und beide wundern sich, die Hirse aufgelesen und alles übrige so in Ordnung zu sehen.

Den Sonntag darauf, als sich die Stiefmutter anschickte, mit ihrer Tochter zur Kirche zu gehen, streute sie beim Weggehen noch mehr Hirse als das erste Mal im Hause umher und sprach zur Stieftochter: »Wenn du diese Hirse nicht vollständig aufgelesen, das Essen fertiggekocht und alle übrige Arbeit verrichtest hast, bis wir von der Kirche zurückkommen, so bring ich dich um.« Kaum aber waren die beiden fort, als die Hirtin auch schon hinauseilte auf ihrer Mutter Grab. Dort fand sie wieder den Koffer offen wie das erste Mal, und auch die zwei weißen Täubchen saßen wieder auf dem Deckel und sprachen zu ihr: »Kleide dich an, Mara, und geh zur Kirche, wir wollen indes die Hirse auflesen und für dich arbeiten.«

Da nahm sie aus dem Koffer ein Kleid, das von hellem Silber strahlte, zog es an und ging fort in die Kirche. Diesmal wurde sie noch mehr angestaunt, und des Kaisers Sohn wandte kein Auge von ihr. Sobald aber die Messe zu Ende ging, wußte sie sich aus der Menge wegzuschleichen und nach Hause zu eilen, wo sie die Kleider schnell im Koffer verbarg und sich ans Feuer stellte. Als nun darauf auch die Stiefmutter mit ihrer Tochter nach Hause kam, da verwunderten sich beide noch mehr als das erste Mal, die Hirse aufgelesen, das Essen fertig und alle sonstige Arbeit getan zu finden, und wußten sich's gar nicht zu erklären.

Den dritten Sonntag aber, als die Stiefmutter sich wieder anschickte, mit ihrer Tochter zur Kirche zu gehen, streute sie beim Fortgehen noch viel mehr Hirse als die beiden andern Male im Hause umher und sprach zur Stieftochter wie früher: »Wenn du nicht, bis wir von der Kirche zurückkommen, diese Hirse ganz aufgelesen, das Essen gekocht und alle übrige Arbeit verrichtet hast, so bring ich dich um.« Doch die Stieftochter wußte schon, wo für sie Hilfe zu finden war, und nachdem die beiden das Haus verlassen hatten, eilte sie hinaus auf der Mutter Grab, wo sie auch wieder die Truhe offen fand und auf deren Deckel die zwei weißen Täubchen, welche sie hießen, geschwind sich anzukleiden und in die Kirche zu gehen; um das, was im Haus geschehen solle, möge sie sich weiter nicht kümmern.

Da nahm sie diesmal aus dem Koffer ein Kleid, das war eitel Gold, zog es an und ging damit in die Kirche. Dort nahm die Verwunderung von allen Seiten kein Ende, der Kaisersohn aber hatte sich vorgenommen, sie heute nicht so entschlüpfen zu lassen wie die andern Male, sondern genau achtzugeben, wo sie hingehe. Als daher die Messe sich ihrem Ende näherte und sie fortgehen wollte, folgte ihr der Prinz auf den Fersen nach, und wie sie so hastig durch die Menge sich drängte, da geschah es, daß ihr der rechte Pantoffel vom Fuß fiel. In der großen Eile aber blieb ihr keine Zeit, ihn aufzunehmen, sie mußte ihn zurücklassen und mit bloßem Fuß den Weg fortsetzen. Zu Hause angekommen, zog sie geschwind wie der Wind die prächtigen Kleider aus und stellte sich ans Feuer, ihren gewöhnlichen Platz.

Dem Prinzen aber war nicht entgangen, was sie verloren, er hatte das Pantöffelchen aufgehoben und zu sich gesteckt und fing nun damit im ganzen Land zu suchen an, indem er allen Mädchen auf die Füße sah, jede das Pantöffelchen probieren ließ, doch nicht einer einzigen wollte es passen. Der einen war es zu lang, der andern zu kurz, dieser zu eng, jener zu weit. Wie er so suchend von Haus zu Haus ging, da kam er zuletzt auch in das Haus des Vaters der Hirtin. Die Stiefmutter aber, als sie sah, daß des Kaisers Sohn das schöne Mädchen zu suchen in ihr Haus kommen werde, steckte eilends Pepeljuga unter einen Trog, und als der Prinz mit dem Pantöffelchen eintrat und fragte, ob sie ein Mädchen im Hause habe, erwiderte sie ihm, ja ein einziges, und führte ihm ihre Tochter vor. Als ihr aber der Prinz das Pantöffelchen anprobieren ließ und das Mädchen

nicht einmal die Zehen hineinzwängen konnte, fragte der Prinz, ob sie denn nicht noch ein Mädchen im Hause habe, worauf sie ihm zur Antwort gab: »Nein.« In dem Augenblick flog aber der Haushahn auf den Trog und rief: »Kikeriki, das Mädchen steckt allhie!« – »Pst«, rief die Stiefmutter, »daß dich der Geier hole!« Der Prinz aber, wie er vernahm, was der Hahn krähte, lief schnell hinzu und hob den Trog auf.
Sieh, da fand er Pepeljuga unter dem Trog, angetan mit denselben Kleidern, welche sie trug, als sie das dritte Mal zur Kirche ging, nur am rechten Fuß fehlte ihm ein Pantöffelchen. Und wie sie der Prinz da in ihrer Schönheit erblickte, wußte er sich in seiner Freude gar nicht zu lassen. Schnell hieß er sie das Pantöffelchen an dem rechten Fuß anziehen, und als er sah, daß es ihr nicht nur saß, sondern auch zu dem am linken Fuß getragenen genau paßte, da führte er sie mit sich auf sein Schloß und machte sie zu seiner Gemahlin.

12. Juli – Der einhundertdreiundneunzigste Tag

Die zwei Pfennige

Es war einmal ein armer Mann, der sich auf alle Weise durchzubringen suchte und zuletzt eines Tages einen Sack voll Moos sammelte, obenauf etwas Wolle legte und ihn zu Markte trug, um den ganzen Inhalt samt dem Sack als Wolle zu verkaufen.
Unterwegs gesellte sich ein Mann zu ihm, der gleichfalls mit einem Sack voll Galläpfel auf den Markt wanderte, um sie als Nüsse, mit denen er den Sack obenauf gefüllt hatte, zu verkaufen.
Auf gegenseitiges Befragen, was jeder in seinem Sack habe, antwortete der eine, daß er Wolle, der andere, daß er Nüsse auf den Markt trage, worauf sie sich beide dahin einigten, ihre Ware gleich hier auf der Straße zu tauschen. Jener, der das Moos hatte, verlangte ein Draufgeld, indem er zu beweisen suchte, daß die Wolle höher im Wert stehe als die Nüsse. Als er aber merkte, daß jener mit den Galläpfeln nichts draufzahlen, sondern nur das eine für das andere tauschen wollte, dachte er bei sich, daß Nüsse immer noch besser seien als Moos, und so kamen sie denn nach langem Handeln letztlich überein, daß der, dem die Galläpfel gehörten, dem andern zwei Pfennige draufzahlen sollte, da dieser sie aber nicht bei sich hatte, so blieb er sie ihm schuldig; zur festeren Bürgschaft jedoch, daß er sie ihm sicher zahlen werde, verbrüderte er sich mit ihm.

Nachdem sie nun die Säcke gewechselt hatten, eilten beide in entgegengesetzter Richtung davon, jeder in dem Wahn, daß er den andern betrogen habe. Als sie aber nach Hause kamen und jeder die Ware aus dem Sack leerte, da erst sahen sie, daß eigentlich keiner von ihnen betrogen sei.
Nach einiger Zeit machte sich der, welcher das Moos gehabt hatte, auf, seinen Bundesbruder zu besuchen, um von ihm die zwei Pfennige zu verlangen, und als er ihn bei dem Pfarrer eines Dorfes in Diensten fand, redete er ihn an: »Bundesbruder, du hast mich betrogen.« Und dieser erwiderte ihm: »Bei Gott, Bruder, und du mich.«
Hierauf forderte jener seine zwei Pfennige, indem er sagte, es gebühre sich das zu zahlen, was ausgemacht und durch ein Freundschaftsbündnis verbürgt worden sei. Der Schuldner erklärte sich zwar zu zahlen schuldig, brachte aber die Ausrede vor, daß er kein Geld habe. »Mein Pfarrer jedoch«, sprach er, »hat hinter seinem Haus eine tiefe Grube, in die er häufig hinabsteigt und in der er ohne Zweifel Geld oder Sachen von großem Wert aufbewahrt hat. Dort wollen wir abends uns hinbegeben, da sollst du mich in die Grube hinunterlassen, und wenn ich sie ausgeplündert habe, dann wollen wir teilen, und ich will dir überdies deine zwei Pfennige bezahlen.«
Dem andern war dies recht. Als es Abend wurde, nahm des Pfarrers Knecht ein Seil und einen Sack, und sobald er mit seinem Bundesbruder bei der Grube ankam, kroch er in den Sack, worauf ihm sein Bundesbruder den Strick um die Mitte festband und ihn in die Grube hinunterließ. Als er unten aus dem Sack herausstieg und umhertappend nichts entdecken konnte als Getreide, dachte er bei sich: ›Wenn ich nun dem Bundesbruder sage, daß es hier nichts gibt, ist er imstande wegzugehen und mich in der Grube zurückzulassen, und was würde morgen der Pfarrer sagen, wenn er mich hier fände?‹
Schnell kroch er abermals in den Sack, band sich mit dem Seil fest und rief hinauf: »Bundesbruder, zieh den Sack hoch, er ist voll der verschiedensten Sachen.« Und während jener den Sack in die Höhe zieht, überlegt auch er seinerseits: ›Warum soll ich dies mit meinem Bundesbruder teilen? Besser ich trage es allein weg, er mag zusehen, wie er aus der Grube herauskommt.‹ Und er lud sich den Sack mit dem Bundesbruder auf die Schulter und eilte damit durch das Dorf, daß ihn laut bellend die Hunde verfolgten.
Als er schon etwas ermüdet war und den Sack tief über die Schulter hinabhängen ließ, da rief der Bundesbruder aus dem Sack: »Bundesbruder, hisse den Sack auf, die Hunde beißen mich!« Wie das der Träger hörte, warf er den Sack zur Erde. Da sprach der aus dem Sack: »Auf diese Weise, mein Bruder, hast du mich betrügen wollen?« Und jener antwortete: »Bei Gott, du hast mich ebenfalls

betrogen.« Und nach langem Zwiegespräch versprach der, welcher dem andern die zwei Pfennige schuldete, sie ihm ganz gewiß zu bezahlen, wenn er ein anderes Mal wiederkäme, worauf sie sich trennten.

Lange Zeit später erwarb sich der von ihnen, der bei dem Pfarrer in Diensten war, einen eigenen Herd und verheiratete sich. Als er eines Tages mit seiner Frau vor der Haustür saß, erblickte er von ferne seinen Bundesbruder, der geradewegs auf sein Haus zuging, da rief er aus: »Frau, da kommt mein Bundesbruder, dem bin ich zwei Pfennige schuldig, und nun weiß ich mir nicht zu helfen, denn ich versprach, sie ihm zu zahlen, wenn er mich wiederfände. Ich will mich daher im Hause drinnen niederlegen, und du sollst mich mit etwas überdecken, dann wie vor Schmerz hinfallen und wehklagen und ihm sagen, daß ich gestorben sei, worauf er gewiß wieder fortgehen wird.« Mit diesen Worten ging er in das Haus, legte sich auf den Rücken, kreuzte die Hände, die Frau bedeckte ihn und fing an zu jammern.

Indes erschien der Bundesbruder vor dem Haus, und ein »Gott helfe euch!« hineinrufend, fragte er, ob dies wohl das Haus des und des Mannes sei, worauf ihm die Frau, sich am Boden windend, antwortete: »Ja! Weh mir Unglücklichen! Hier liegt er im Hause tot.« Da entgegnete der Bundesbruder: »Gott sei seiner Seele gnädig. Er war mein Bundesbruder, wir haben zusammen gearbeitet und gehandelt, und nachdem ich ihn so wiederfinde, ziemt sich's wohl, daß ich warte, ihm das Geleit zum Grabe gebe und eine Hand voll Erde auf seinen Sarg werfe.« Die Frau sagte, daß es ihm viel zu lang dauern würde zu warten, bis er begraben werde; er möge lieber wieder fortgehen. Er jedoch antwortete: »Gott behüte! Wie könnte ich meinen Bundesbruder so verlassen? Ich will warten, und sollten es auch drei Tage sein, bis man ihn begräbt.« Als die Frau dies dem Mann im Hause drinnen leise mitteilte, sagte er ihr, sie möge zum Pfarrer gehen und diesem sagen, daß er gestorben sei, man möge ihn in die Kirche tragen (um die herum der Gottesacker lag), vielleicht werde der Bundesbruder dann weggehen.

Nachdem die Frau hingegangen war und es dem Geistlichen gesagt hatte, kam dieser mit einigen Männern, die den Scheintoten auf eine Bahre legten, ihn in die Kirche trugen und inmitten hinstellten, damit er dort, wie es der Brauch ist, erst die Nacht zubrächte und dann am folgenden Tag eingesegnet und begraben würde. Als der Geistliche sich nun mit den übrigen Leuten anschickte, die Kirche zu verlassen, sagte der Bundesbruder, er könne denjenigen, mit dem er sich verbrüdert, mit dem er soviel gehandelt und Salz und Brot gegessen habe, nicht allein lassen, sondern er wolle die ganze Nacht bei ihm wachen. Und so blieb er denn in der Kirche.

In derselben Nacht zogen dort Räuber vorbei, die irgendwo ein Schloß ausgeplündert und viel Gold, Gewänder und Waffen erbeutet hatten. Als sie vor die Kirche kamen und in ihr ein Licht sahen, sprachen sie untereinander: »Laßt uns in dieser Kirche unsere Beute teilen.« Der Bundesbruder aber, als er gewahrte, daß bewaffnete Männer zur Kirche hereinkamen, verbarg sich schnell in einem Winkel, während die Räuber sich am Boden niederließen und das Gold mit den Helmen zu teilen anfingen, die Waffen und das übrige auch, wie es eben tunlich war. Über alles konnten sie sich einigen und ausgleichen, nur eines Säbels wegen nicht, weil einige unter ihnen glaubten, er sei von besonderem Wert. Da nahm ihn einer in die Hand, sprang auf und sagte: »Wartet, ich will an diesem Toten hier versuchen, ob der Säbel so ist, wie ihr ihn preist, und wenn ich ihm mit einem Hieb den Kopf abschlage, dann ist er tüchtig in der Tat.«

Nachdem er dies gesagt hatte, näherte er sich der Bahre, doch in dem Augenblick richtete sich der Scheintote auf und rief laut: »Tote! Wo seid ihr?« Und sein Bundesbruder im Winkel antwortete: »Wir sind hier, und alle schlagfertig.« Wie das die Räuber hörten, warf der, der den Säbel hielt, ihn schnell von sich, alle übrigen aber ließen, was jeder vor sich aufgehäuft hatte, liegen. Sie sprangen auf und entflohen, ohne sich umzublicken. Erst nachdem sie schon weit entfernt waren, machten sie halt, und der Räuberhauptmann sprach: »O Brüder, um Gottes willen! Über Berg und Tal sind wir gegangen, bei Tag wie bei Nacht, haben uns mit den Leuten geschlagen, haben Türme und Schlösser erstürmt und uns über nichts so erschreckt wie heute über die Toten! Gibt es unter uns nicht einen Helden, der sich getraut umzukehren und nachzusehen, was nun in der Kirche vorgeht?« Da sprach der eine: »Ich will nicht«, ein zweiter sprach: »Ich wag es nicht«, ein dritter: »Ich will es lieber mit zehn Lebendigen aufnehmen als mit einem Toten«, bis sich zuletzt doch einer fand, der es auf sich nahm hinzugehen. Er kehrte also zurück und schlich sich sachte ans Kirchenfenster heran, ob er nicht etwas von dem, was drinnen vorging, vernehmen könnte.

In der Kirche hatten indes die Bundesbrüder alles Gold, alle Waffen und Gewänder der Räuber unter sich geteilt, zum Schluß aber sich wieder über die zwei Pfennige entzweit, daß sie einander beinahe in den Haaren lagen. Der Räuber, der vor dem Fenster stand, konnte nichts anderes vernehmen als den Ausruf: »Wo sind meine zwei Pfennige? Gib mir meine zwei Pfennige!« Mit einem Male sah der, welcher sie dem andern schuldete, den Räuber durchs Fenster spähen, langte blitzschnell mit der Hand zum Fenster hinaus, riß ihm die Mütze vom Kopf und reichte sie seinem Bundesbruder mit den Worten: »Da, nimm das für deine vermaledeiten zwei Pfennige.«

Entsetzt rannte der Räuber davon, und als er halbtot seine Kumpane eingeholt hatte, rief er aus: »Brüder, danken wir Gott, daß wir mit dem Leben davongekommen sind! Wir haben das Gold mit den Helmen verteilt, nun sind aber alle Toten auferstanden, und in so großer Zahl, daß auf einen kaum zwei Pfennige kommen. Einem konnte man die nicht einmal geben, da wurde mir die Mütze vom Kopf gerissen und ihm statt zweier Pfennige ausgehändigt.«

13. Juli – Der einhundertvierundneunzigste Tag

Stojscha und Mladen

Es war einmal ein Zar, der hatte drei Töchter, die hielt er beständig verborgen, so daß sie niemals ins Freie kamen. Erst als sie ins heiratsfähige Alter gekommen waren, ließ der Vater sie zum ersten Mal zum Reigentanz. Aber kaum waren sie zum Tanz angetreten, als sich ein Wirbelwind erhob und alle drei davontrug. Der Zar erschrak sehr über ihr Verschwinden und schickte schnell Diener nach allen Seiten, sie zu suchen. Aber die Diener kamen zurück und meldeten, daß sie sie nirgends hatten finden können. Darüber wurde der Zar krank und starb vor Gram. Seine Witwe, die Zarin, war in Hoffnung, und als die Zeit kam, gebar sie einen Knaben und nannte ihn Stojscha. Als der ein wenig herangewachsen war, wurde er ein starker Held, wie es wenige gibt.
Als er achtzehn Jahre geworden war, fragte er seine Mutter: »Bei Gott, Mutter, wie kommt es, daß du keine andern Kinder hast außer mir?« Da fing sie an zu seufzen und zu weinen, wagte aber nicht, ihm zu sagen, daß sie drei Töchter gehabt hatte, die verschwunden waren. Sie fürchtete, Stojscha könnte sofort in die weite Welt laufen, die Schwestern zu suchen, und sie würde so auch ihn verlieren. Als er nun die Mutter weinen sah, drang er noch mehr in sie und beschwor sie, ihm zu sagen, was ihr fehle. Da erzählte sie ihm alles der Reihe nach, wie sie drei Töchter gehabt habe wie drei Rosen, wie sie verschwunden seien und wie man sie vergeblich nach allen Seiten gesucht habe.
Nachdem Stojscha das von der Mutter gehört hatte, sagte er zu ihr: »Weine nicht, Mutter. Ich will sie suchen gehen.« Da schlug sich die Mutter an die Brust und rief: »Weh mir! So soll ich arme Mutter auch ohne Sohn bleiben!« Dann suchte sie ihn davon abzubringen und bat ihn, nicht zu gehen, stellte ihm auch vor, wie lange es schon her sei, und Gott weiß, ob sie noch am Leben wären. Aber er ließ sich nicht davon abbringen, sondern sagte: »Sag mir, wo sind die Waffen, mit denen sich mein Vater als Zar gürtete, und wo ist das Pferd, das er ritt?« Da nun die Mutter sah, daß Stojscha auf seinem Willen bestand, sagte sie ihm, daß

sein Vater, als er so viel Kummer erlebte, das Pferd in das Gestüt geschickt und die Waffen auf den Hausboden geworfen habe. Stojscha fand auch sogleich die Waffen auf dem Boden, ganz staubig und verrostet, aber er putzte sie schön und richtete sie her, daß sie glänzten wie eben geschmiedet. Dann ging er zu dem Gestüt, fand des Vaters Pferd, brachte es nach Hause in den Stall, fütterte und striegelte es, und nach einem Monat war es munter wie ein Vogel; es war auch ohnehin geflügelt und drachenhaft. Als Stojscha nun fertig war zur Reise, sagte er zu seiner Mutter: »Mutter, hast du nicht von meinen Schwestern irgendein Zeichen, das ich mitnehmen kann, damit sie mir glauben, daß ich ihr Bruder bin, falls Gott sie mich finden läßt.« Die Mutter antwortete ihm mit Tränen: »Es sind drei Tücher da, meine Wonne, die sie eigenhändig gestickt haben.« Und sie brachte sie ihm. Da küßte er der Mutter die Hand, stieg zu Pferd und zog in die Welt, seine Schwestern zu suchen.

Auf seiner langen Wanderung kam er einmal an eine große Stadt, davor war eine Quelle, aus der die ganze Stadt Wasser holte. Dort legte er sich in den Schatten, um etwas auszuruhen, und deckte sich das Gesicht mit einem der drei Tücher zu, damit ihn die Fliegen nicht stächen. Währenddessen kam eine Frau, Wasser zu holen, und bemerkte Stojscha neben der Quelle im Schatten; auch beachtete sie das Tuch und mußte seufzen, und während sie Wasser schöpfte, sah sie immer auf ihn. Auch als sie fertig war, konnte sie sich nicht losreißen, sondern sah immer auf ihn. Stojscha merkte das und fragte sie: »Was hast du, liebe Frau, daß du mich so ansiehst? Hast du lange keinen Mann gesehen, oder glaubst du, irgend etwas wiederzuerkennen?« Sie aber antwortete: »Bruder, ich erkenne an dir das Tuch, das ich mit eigner Hand gestickt habe.« Da stand Stojscha auf und fragte sie, woher sie sei und aus welchem Geschlecht, und sie sagte ihm, sie sei eine Zarentochter aus der und der Stadt, sie seien drei Schwestern gewesen, und ein Wirbelwind habe sie alle drei davongetragen. Als Stojscha das hörte, gab er sich ihr zu erkennen: »Ich bin dein Bruder. Kannst du dich erinnern, daß die Mutter in Hoffnung war, als der Wirbelwind dich entführte?« Sie erinnerte sich sogleich, brach in Tränen aus und fiel ihm um den Hals: »Süßer Bruder, wir sind alle drei in Drachenhänden. Es gibt drei Drachenbrüder, die haben uns entführt und halten uns, jeder eine in seinem Palast, gefangen.«

Darauf nahm sie ihn bei der Hand und führte ihn in den Palast ihres Drachen. Dort bewirtete sie ihn prächtig, aber als es Abend wurde, sagte sie zu ihm: »Bruder, jetzt kommt der grimmige Feuerdrache, es geht immerfort Feuer aus seinem Mund, ich möchte dich davor beschützen, daß es dich nicht verbrennt. Geh und versteck dich.« Aber Stojscha antwortete ihr: »Meine Schwester, zeig mir, was seine Portion ist.« Da führte sie ihn in ein andres Zimmer, da steht ein

gebratener Ochs, Brot, soviel man in einem ganzen Backofen backen kann, und ein Eimer Wein. »Das ist seine Portion«, sagte die Schwester; und Stojscha sah das an, kreuzte die Beine und verputzte alles bis auf den letzten Bissen, dann rief er aus: »Ach Schwester, wenn's doch noch was gäbe!«
Nachdem er so zu Abend gegessen hatte, sagte die Schwester: »Jetzt wird der Drache gleich seine Keule vor das Haus schleudern zum Zeichen, daß er nach Hause kommt.« Kaum hatte sie das gesagt, als die Keule hoch über dem Hause schwirrte, aber Stojscha lief schnell vor das Haus und ließ die Keule nicht bis auf die Erde kommen, sondern fing sie mit den Händen auf und wirbelte sie über den Drachen weg zurück, weit bis zur nächsten Grenze. Als der Drache das sah, wunderte er sich: »Was für eine Kraft fährt da aus meinem Palast heraus?« Darauf ging er zurück, holte die Keule und nahm sie mit sich nach Haus.
Als er vor den Palast kam, trat die Zarentochter heraus und vor ihn hin, er aber fuhr auf sie los: »Wer ist da im Palast?« Sie antwortete: »Mein Bruder.« Der Drache fragte weiter: »Und warum ist er gekommen?« Sie antwortete: »Um mich zu sehen.« Darauf sagte der Drache zornig: »Ach was! Er ist nicht gekommen, dich zu sehen, sondern dich wegzuholen.« Stojscha hatte vom Palast aus das Gespräch gehört und trat ebenfalls vor den Drachen, der aber stürzte sich auf ihn, sobald er ihn sah. Stojscha ließ ihn herankommen, sie packten sich und fingen an zu ringen. Bei einem Griff warf Stojscha den Drachen zu Boden, drückte ihn nieder und sagte zu ihm: »Nun, was willst du jetzt machen?« Der Drache antwortete: »Hätte ich dich unter meinen Knien wie du mich, da wüßte ich schon, was ich täte.« Stojscha aber sagte: »Ich tue dir nichts« und ließ ihn los. Darauf nahm ihn der Drache bei der Hand, führte ihn in den Palast und bereitete ihm ein Fest, eine ganze Woche hindurch.
Als die Woche um war, fragte Stojscha den Drachen nach seinen beiden andern Schwägern, den andern Feuerdrachen, und der Drache zeigte ihm den Weg zu der Stadt, wo der Palast des zweiten Drachen war, dort würde er auch über den dritten hören. Danach rüstete sich Stojscha zur Reise, nahm Abschied von Schwester und Schwager und zog aus zu dem zweiten Drachen.
Auf seiner Wanderung kam er an eine Stadt, vor der traf er auf eine Quelle, aus der die ganze Stadt Wasser holte. Stojscha trank dort, legte sich in den Schatten, um etwas auszuruhen und deckte sich das Gesicht mit einem der drei Tücher zu, daß die Fliegen ihn nicht stächen. Nach kurzer Zeit kam eine Frau, Wasser zu holen; sowie sie Stojscha und das Tuch erblickte, mußte sie seufzen. Während sie nun Wasser schöpfte, sah sie ihn in einem fort an, und als sie fertig war, konnte sie sich nicht losreißen, sondern sah immer auf ihn hin. Das merkte Stojscha und fragte sie: »Was ist dir, liebe Frau, daß du mich so ansiehst? Hast

du lange keinen Mann gesehen, oder meinst du irgend etwas wiederzuerkennen?« Da antwortete sie: »Bruder, ich erkenne mein Tuch an dir, das ich eigenhändig gestickt habe.« Da sprang Stojscha auf, gab sich ihr gleich als ihren Bruder zu erkennen und erzählte ihr, wie er auch bei der andern Schwester gewesen sei. Als sie so ihren Bruder sah, brach sie in Tränen aus und fiel ihm um den Hals. Dann nahm sie ihn bei der Hand, führte ihn in den Palast des Drachen und bewirtete ihn prächtig. Aber als es Abend wurde, sagte sie zu ihm: »Bruder, jetzt wird der grimmige Feuerdrache kommen, aus seinem Mund geht immer Feuer aus, ich möchte dich gern davor beschützen, daß er dich nicht damit verbrennt. Geh und versteck dich.« Aber Stojscha antwortete ihr: »Meine Schwester, zeig du mir, was seine Portion ist.« Sie führte ihn in ein andres Zimmer, und dort fand er zwei gebratene Ochsen, Brot aus zwei vollen Backöfen und zwei Eimer Wein. »Das da ist seine Portion«, sagte die Schwester. Stojscha sah das an, kreuzte die Beine und verputzte alles bis auf den letzten Bissen, sprang dann auf und sagte: »Ach, Schwester, wenn es doch noch was gäbe!«

Als er so zu Abend gegessen hatte, sagte die Schwester: »Jetzt wird die Keule vors Haus fallen, weither von der zweiten Grenze, zum Zeichen, daß der Drache kommt.« Kaum hatte sie das gesagt, als die Keule hoch über dem Hause schwirrte, aber Stojscha lief vors Haus, ließ sie nicht bis auf die Erde kommen, sondern fing sie mit den Händen auf und wirbelte sie zurück, weithin bis zur dritten Grenze. Als der Drache das sah, wunderte er sich: »Was fährt da für eine Kraft aus meinem Palast heraus?« Er kehrte um, holte die Keule und ging mit ihr nach Hause. Als er vors Haus kam, trat die Zarentochter heraus vor ihn, und er fuhr auf sie los: »Wer ist bei dir im Hause?« Sie antwortete: »Mein Bruder.« Der Drache sagte weiter: »Und warum ist er gekommen?« Sie antwortete: »Mich zu sehen.« Darauf sagte er zornig: »Er ist nicht gekommen, dich zu sehen, sondern dich wegzuholen.« Stojscha, der das Gespräch vom Palast aus gehört hatte, trat nun auch vor den Drachen. Der stürzte auf ihn los, sowie er ihn sah. Stojscha ließ ihn herankommen, sie packten sich und fingen an zu ringen. Zuletzt warf Stojscha den Drachen zu Boden, drückte ihn nieder und sagte: »Was willst du jetzt machen?« Der Drache antwortete: »Hätte ich dich unter den Knien wie du mich, wüßte ich schon, was ich täte.« Stojscha aber sagte: »Ich tue dir nichts« und ließ ihn los. Darauf faßte der Drache ihn bei der Hand, nahm

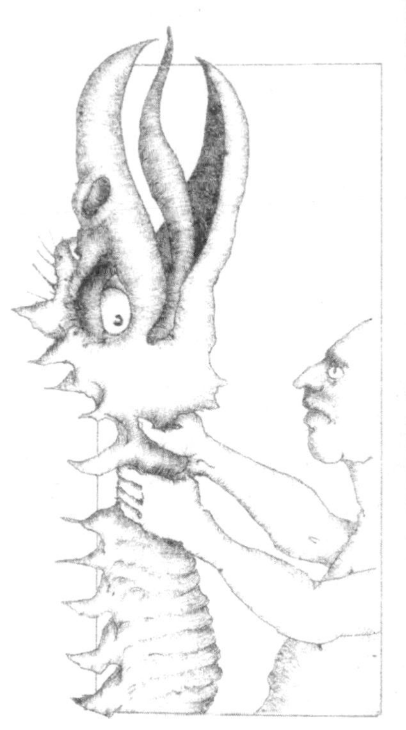

ihn mit sich in den Palast, und nun vergnügten sie sich eine ganze Woche hindurch. Als die Woche um war, fragte Stojscha den Drachen nach seinem dritten Schwager, und der Drache zeigte ihm den Weg nach der Stadt des dritten. Nun rüstete Stojscha sich zur Reise, nahm Abschied von Schwester und Schwager und machte sich auf, den dritten Drachen zu suchen. Auf langer Wanderung kam er wieder an eine Stadt, davor traf er auf eine Quelle, aus der die ganze Stadt Wasser holte; dort trank er, legte sich in den Schatten, um etwas auszuruhen, und deckte sein Gesicht mit einem der Tücher zu, daß ihn die Fliegen nicht stächen. Kurze Zeit verging, da kam eine Frau, Wasser zu holen. Als sie Stojscha und das Tuch bemerkte, mußte sie seufzen, und während sie Wasser schöpfte, sah sie ihn beständig an; auch als sie fertig war, konnte sie sich nicht losreißen, sondern sah immer auf ihn hin. Das merkte Stojscha und fragte sie: »Was hast du, liebe Frau, daß du mich so ansiehst? Hast du lange keinen Mann gesehen, oder meinst du irgend etwas wiederzuerkennen?« Sie antwortete: »Bruder, ich erkenne an dir das Tuch, das ich eigenhändig gestickt habe.« Als Stojscha das hörte, sprang er auf, gab sich ihr gleich als Bruder zu erkennen und erzählte ihr, wie er schon bei den andern Schwestern gewesen sei. Sie aber brach bei seinem Anblick in Tränen aus und fiel ihm um den Hals.

Dann faßten sie sich an der Hand und gingen in den Palast, dort bewirtete sie ihn prächtig, aber als es Abend wurde, sagte sie zu ihm: »Bruder, jetzt wird der grimmige Feuerdrache kommen, beständig kommt Feuer aus seinem Mund, ich möchte dich gern davor bewahren, daß er dich nicht damit verbrennt. Geh und versteck dich.« Stojscha aber antwortete: »Meine Schwester, zeig du mir, was seine Portion ist.« Da brachte sie ihn in ein andres Zimmer, sieh da: drei gebratene Ochsen, Brot aus drei vollen Backöfen und drei Eimer Wein. »Das da ist seine Portion«, sagte die Schwester, Stojscha aber sah das an, kreuzte die Beine, verputzte alles bis auf den letzten Bissen und sagte: »Ach Schwester, wenn es doch noch was gäbe!«

Als er nun so zu Abend gegessen hatte, sagte die Schwester zu ihm: »Jetzt wird er die Keule vors Haus fallen lassen, weither von der dritten Grenze, das ist das Zeichen, daß der Drache kommt.« Kaum hatte sie das gesagt, da schwirrte schon die Keule hoch über dem Hause, aber Stojscha lief schnell vors Haus und ließ sie nicht bis auf die Erde kommen, sondern fing sie in den Händen auf und wirbelte sie zurück, weit bis zur vierten Grenze. Als das der Drache sah, wunderte er sich: »Was fährt da für eine Kraft aus meinem Palast?« Er kehrte um, holte die Keule und ging damit nach Hause. Als er vor den Palast kam, trat die Zarentochter heraus vor ihn hin, und er fuhr auf sie los: »Wer ist bei dir im Palast?« Sie antwortete: »Mein Bruder.« Der Drache fragte weiter: »Und warum ist er gekommen?« Sie antwortete: »Um mich zu sehen.« Darauf sagte der Drache zornig: »Er ist nicht gekommen, dich zu sehen, sondern dich wegzuholen.« Stojscha hörte das Gespräch vom Palast aus und trat auch vor den Drachen. Der stürzte auf ihn los, sowie er ihn bemerkte. Stojscha ließ ihn herankommen, sie packten sich und begannen zu ringen. Bei einem Griff warf Stojscha den Drachen zu Boden, drückte ihn nieder und sagte zu ihm: »Was wirst du jetzt machen?« Der antwortete: »Hätte ich dich unter meinen Knien wie du mich unter deinen, ich wüßte schon, was ich täte.« Darauf sagte Stojscha: »Ich tue dir nichts« und ließ ihn los. Da nahm ihn der Drache bei der Hand und führte ihn in den Palast, und nun vergnügten sie sich eine ganze Woche hindurch.

Einmal machten sie einen Spaziergang, dabei bemerkte Stojscha im Hof ein großes Erdloch wie einen Dachsbau, das unter der Erde fortlief, und sagte: »Was ist denn das, Schwager? Wie kannst du in deinem Hofe ein solches Loch dulden? Warum schüttest du es nicht zu?« Darauf antwortete der Drache: »Ach, Schwager, ich kann dir's fast nicht sagen, so schäme ich mich. Es gibt hier einen Drachenzaren, der führt oft mit uns Krieg, und jetzt kommt bald die Zeit, daß wir uns schlagen müssen. Und jedesmal, wenn wir kämpfen, besiegt er uns alle drei, und nur was in diese Höhle flüchtet, bleibt übrig.« Darauf sagte Stojscha zu ihm: »Komm, Schwager, laß uns auf ihn losschlagen, solange ich hier bin und euch helfen kann, vielleicht können wir ihn so vernichten.« Aber der Drache antwortete: »Das getraue ich mir um keinen Preis vor der Zeit.« Als Stojscha sah, daß sie nicht wagten loszuschlagen, brach er allein auf, um den Drachenzaren zu suchen.

Nach langem Fragen kam er vor dessen Palast und bemerkte oben darauf einen Hasen. Da fragte er die Hofleute, was der Hase da oben auf dem Palast solle. Die antworteten ihm: »Wenn sich einer fände, der den Hasen herabholt, so würde der Hase sich selber schlachten, abhäuten, zerhacken, ansetzen und braten. Aber das zu tun wagt keiner bei der Gefahr für sein Leben.« Als das Stojscha hörte, flog er auf seinem Pferd hinauf und holte den Hasen herunter. Sofort schlachtete sich der Hase selbst, häutete sich ab, zerhackte sich und setzte sich ans Feuer. Darauf ging Stojscha auf den Söller des Drachen und legte sich in den Schatten. Die Hofleute aber, als sie sahen, was er ausgeführt hatte, redeten auf ihn ein: »Flieh, Held, so weit dich die Füße tragen, ehe der Drache kommt, denn es geht dir schlecht, wenn er dich trifft.« Aber Stojscha antwortete ihnen: »Was geht mich euer Drache an, er mag kommen und sich an dem Hasen satt essen.«

Bald darauf ist der Drache da, und gleich bei seiner Ankunft bemerkt er, daß der Hase nicht mehr da ist, und rief die Hofleute: »Wer hat das getan?« Sie sagten ihm: »Es kam ein tapferer Held und holte den Hasen herab, jetzt ist er oben auf

dem Söller.« Da befahl ihnen der Drache: »Geht und sagt ihm, er solle aus dem Palast gehen, denn wenn ich erst zu ihm komme, lasse ich keinen Knochen an ihm ganz.« Die Hofleute gingen auf den Söller zu Stojscha und meldeten ihm, was der Drache befohlen hatte, aber Stojscha fuhr sie an: »Geht und sagt dem Drachen, wenn es ihm um den Hasen leid ist, soll er zum Zweikampf mit mir heraufkommen.« Als sie das dem Drachen gemeldet hatten, zischte er auf, Feuer fuhr ihm aus dem Mund, und er flog auf den Söller. Stojscha aber ließ ihn herankommen, und sie fingen an zu ringen, doch weder ließ sich Stojscha niederwerfen, noch konnte er den Drachen niederwerfen, und endlich sagte Stojscha zu ihm: »Wie heißt du?« Der Drache antwortete: »Ich heiße Mladen [Jungherr].« Darauf erwiderte Stojscha: »Auch ich bin der Jüngste meiner Eltern.« Daraufhin ließen sie sich los, verbrüderten sich und gaben einander das feste Treuegelöbnis, daß sie brüderlich miteinander leben wollten.
Nach einiger Zeit sagte Stojscha zu dem Drachen: »Was wartest du auf die Drachen da, die in ihre Höhle flüchten. Laß uns auf sie losschlagen schon vor der Zeit.« Der Drachenzar willigte ein, und so zogen sie beide aus zum Kampf gegen die Drachen. Als die drei Drachenbrüder hörten, daß Stojscha sich mit dem Drachenzaren befreundet und verbrüdert hatte und jetzt beide gegen sie zogen, erschraken sie, sammelten ein gewaltiges Heer und zogen den beiden entgegen. Die aber griffen das ganze Heer an, schlugen und zerstreuten es ganz und gar, nur die drei Drachen entkamen in die Höhle. Da schleppten die beiden schnell Stroh herbei, stopften es in die Höhle und zündeten es an; so kamen die drei Drachen um.
Danach hieß er die drei Schwestern sich fertigmachen, ließ den ganzen Schatz der drei Drachen fortbringen, und dem Drachenzaren, seinem Wahlbruder, überließ er ihre Paläste und ihr Reich. Dann brach er mit seinen Schwestern auf und zog in sein Reich. Sie kamen glücklich bei der Mutter an. Die übergab dem Sohn die Herrschaft, und er herrschte bis an sein Lebensende.

14. Juli – Der einhundertfünfundneunzigste Tag

Vom Kaiser, der seine eigene Tochter heiraten wollte

Es waren einmal ein Kaiser und eine Kaiserin. Diese Kaiserin hatte auf der Stirne einen Stern und gebar eine Tochter, die trug dasselbe Malzeichen. Als die Tochter das heiratsfähige Alter erreichte, starb die Kaiserin, doch auf dem Sterbebett nahm sie dem Kaiser den Schwur ab, falls er nochmals heiraten sollte, daß er nur eine Frau mit einem Stern auf der Stirne heiraten werde. Nachdem er aber auf seine Anfragen aus allen Weltgegenden einstimmig den Bescheid erhalten, man finde nirgends weder ein Mädchen noch eine Witwe mit dem gewünschten Mal, da geriet er auf den Gedanken, seine eigene Tochter zu heiraten, und berief einen Ministerrat, damit er die Zulässigkeit eines solchen Schrittes erwäge.
Die Minister erklärten in Übereinstimmung, es läge kein Hindernis vor, und so rief er denn seine Tochter zu sich und sagte zu ihr: »Meine liebe Tochter! Es bleibt nichts anderes übrig, als daß du meine Gemahlin wirst. Die Mutter hat mir ja den Schwur abgenommen, daß ich nur eine mit einem Stern auf der Stirne heirate. In der ganzen Welt findet sich keine zweite, bis auf dich.« Das Mädchen brach in Tränen aus, flehte und flüsterte: »O weh mir, Tote! Wie darf ich meinen Vater heiraten!« Da führte sie der Kaiser vor den Ministerrat, und dieser erklärte nochmals, dem Vater stehe es frei, seine Tochter zu ehelichen.
Nun suchte sie eine alte Frau auf und klagte dieser ihr Leid. Da gab ihr die Alte den Rat, sie möge vom Vater ein seidenes Gewand verlangen, das er selbst eigenhändig verfertigt habe, und zwar müsse es so zart sein, daß es in einer Nußschale bequem untergebracht werden könne; erfülle er diese Bedingung, dann wolle sie die Seine werden.
Sie brachte ihren Wunsch dem Vater vor. Was ist aber für einen Kaiser unmöglich? Die gewünschten Kleider wurden fertig. Sie eilte nun wiederum zu der alten Frau: »Was fang ich jetzt an, Alte? Er hat es fertiggebracht!« Da antwortete die Alte: »Jetzt verlang dir ein silbernes Kleid, so fein und zart, daß es in einer Nußschale Platz hat. Das wird er wohl schwerlich zustande bringen.«
Nun ging das Mädchen zu seinem Vater zurück und forderte ein Kleid aus Silber, das man in einer Nußschale unterbringen könne. Auch diesen Wunsch erfüllte ihr der Kaiser. Also suchte sie wiederum die alte Frau auf, und diese riet ihr, sie solle einen Anzug aus lauter Gold verlangen, der in einer Nußschale Platz finde. Als ihr der Vater auch ein solches Gewand verschaffte, kam sie in Tränen zur

Alten: »O weh, Alte! Was fang ich an? Er hat auch ein goldenes Gewand anfertigen lassen.« Die Alte erwiderte: »Jetzt weiß ich dir nichts anderes zu raten, als daß du ein Gewand aus lauter Mäusefellen verlangst. Das wird er doch gewiß nicht herbeischaffen können.«
Sobald die Tochter diesen neuen Wunsch ihrem Vater eröffnet hatte, erließ er einen Befehl, jedermann müsse soundso viel Mäusefelle bringen, und so kam's, daß die Kaisertochter innerhalb weniger Tage ein Gewand aus Mäusefellen erhielt. Ohne Verzug ließ der Kaiser nun Hochzeitsgäste einladen, um am nächsten Tag mit seiner Tochter sich trauen zu lassen. Aber die Tochter war von der Alten schon unterrichtet worden, was sie tun solle, und am Vorabend des Hochzeitstages verlangte sie, daß man ihr ins Zimmer eine Wanne Wasser und zwei weiße Enten stelle – »damit ich«, sagte sie, »ein Bad nehme, wie es sich gehört«. Auf Befehl des Kaisers wurde ihr also in die Stube eine Wanne Wasser gestellt und zwei weiße Enten mit hinein gegeben. Sie aber sperrte die Tür ab, setzte die Enten in die Wanne, zog das Gewand aus Mäusefellen an, steckte die Gewänder aus Seide, Silber und Gold in den Nußschalen in ihren Busen und flüchtete dann durchs Fenster.
Der Kaiser wartete länger und länger auf sie, wurde schließlich ungeduldig und schickte einen Diener, damit er an der Tür horche, ob sie noch immer im Bad sei. Der Diener schlich sich an die Tür, lauschte, und da er die Enten im Wasser herumplätschern hörte, meinte er, es sei die Prinzessin, und meldete daher dem Kaiser, sie bade noch. Als der Morgen anbrach, waren schon alle bereit, um das Paar zur Trauung zu geleiten, doch die Braut zeigte sich noch immer nicht. Da befahl der Kaiser, man solle die Tür einbrechen. Nun merkte er, daß er der Betrogene war, und schickte ihr Leute nach, die sie aufspüren und zurückbringen sollten; indes blieb alles Suchen und Nachforschen vergebens und erfolglos. Die ausgesandten Leute kehrten unverrichteter Dinge nach Haus, und man neigte schließlich zu der Annahme, es müßten sie irgendwo wilde Tiere zerrissen haben. Inzwischen eilte sie unermüdlich vorwärts und ging so lange, bis sie in einem anderen Reich in einen dicken Wald gelangte. Da sie nicht ein und nicht aus wußte, kroch sie in einen hohlen Baum hinein. Zur gleichen Zeit jagte des Kaisers Sohn in diesem Wald, und seine Hunde spürten von ungefähr diesen Baum auf, umzingelten ihn und bellten, so daß die Jäger in der Meinung, dort im Baum irgendein Wild zu finden, herbeigeeilt kamen. Und als sie das Mädchen in Mäusefelle gekleidet vor sich sahen, legten sie an, um sie zu erschießen, doch der Kaisersohn gebot ihnen Einhalt. »Schießt nicht«, sagte er, »laßt sie uns mit an den Hof nehmen und uns eines Wesens so seltener Art erfreuen, wie niemand ein zweites hat.« Nachdem man sie aus dem hohlen Stamm herausgebracht,

fragte man sie: »Wer bist du?« Sie antwortete: »Weiß nicht.« Man fragt sie wiederum: »Bist du ein Tier oder ein menschliches Wesen oder ein Gespenst?« Wiederum entgegnet sie: »Weiß nicht.« – »Ob du's weißt oder nicht weißt«, sprach der Prinz, »ist gleichgültig, du hast mit uns zu gehen.« An den kaiserlichen Hof gebracht, fand sie als Gänsemädchen Verwendung. Von der Dienerschaft wurde sie das Aschenbrödel genannt.

So verstrich einige Zeit, als der kaiserliche Prinz ein großes Fest veranstaltete und viele Herren, Frauen und Mädchen von höchstem Adel aus dem eigenen Reich und aus dem Ausland zu Gast lud. Da streifte die Gänsehirtin in ihrem Stübchen das Gewand aus Mäusefellen ab, kleidete sich in das seidene und ging in die Gesellschaft hinauf. Alle erstaunten über ihre Schönheit, besonders der Stern auf ihrer Stirne erregte allgemeine Aufmerksamkeit. Der Kaisersohn erbat sich einen Tanz, tanzte mit ihr und fragte sie, woher sie sei, und sie sagte: »Aus der Stiefelstadt.«

Bald darauf stahl sie sich fort in ihr Stübchen, zog das seidene Gewand aus und legte das aus Mäusefellen wieder an. Indessen nahmen die Herrschaften wahr, daß sie verschwunden war, und sie fragten einander: »Wo ist denn unsere neue Schönheit hin?« Vor allem der Kaisersohn wollte es wissen. Als die Herrschaften fort waren, schrieb der Prinz in aller Herren Lande und bat um Auskunft, wo die Stiefelstadt gelegen sei, aber von überall antwortete man ihm, eine Stadt dieses Namens gäbe es nicht.

Darauf veranstaltete er ein neues Fest, in der Hoffnung, sie werde wieder erscheinen. Als das Fest seinen Anfang nahm, legte sie das silberne Gewand an und mengte sich unter die Gesellschaft. Kaum trat sie ein, kam ihr alles entgegen. Der Kaisersohn ergriff ihre Hand und bestürmte sie mit Fragen: »Um Gottes willen, wo bleiben Sie? Mich hat fast die Sehnsucht nach Ihnen verzehrt, eine Stiefelstadt aber gibt es nirgends.« – »Mein Herr«, gab sie zur Antwort, »ich muß Ihnen die Wahrheit gestehen, ich bin aus Legengrad.«

Nachdem der kaiserliche Prinz einigemal mit ihr getanzt hatte, stahl sie sich wieder unbemerkt fort, und als sie in ihrem Stübchen angelangt war, vertauschte sie schnell ihr silbernes Gewand mit dem aus Mäusefellen. Der Prinz ließ nach ihrem Verschwinden in der ganzen Welt Erkundigungen einziehen über Legengrad, aber von allen Seiten wurde ihm der Bescheid zuteil, eine Stadt dieses Namens bestünde nicht. Als er nun zum drittenmal ein Fest veranstaltete, erschien sie im goldenen Gewand. Der Prinz war über die Maßen erfreut und drang in sie mit Bitten, sie möge ihm ehrlich und offen gestehen, woher sie sei; »denn Legengrad«, meinte er, »habe ich nicht ausfindig machen können.« – »Nun, jetzt will ich also die Wahrheit sagen«, antwortete sie, »ich bin aus der Schwertstadt.«

Nachdem der Prinz einige Tänze mit ihr getanzt, zog er den Ring vom Finger und reichte ihn ihr. Bald darauf gelang es ihr wieder, sich unbemerkt fortzustehlen.

Jetzt ließ der Prinz in der ganzen Welt nachfragen, wo die Schwertstadt liege, und da er von allen Seiten dieselbe Antwort erhielt, es gäbe keine Stadt dieses Namens, verfiel er vor Herzweh in eine Krankheit. Er litt lange, lange Zeit. Eines Tages gelüstete ihn nach Milch, um Brot darein zu brocken. Sogleich erhielt der Koch den Befehl, Milch abzukochen, und da bat ihn das Mädchen in den Mäusefellen, er möge sie einbrocken lassen. »Geh zum Teufel«, herrschte er sie an, »du willst wohl, daß ein Härchen von dir hineinfällt und ich den Spaß mit meinem Kopfe büße?« – »Nicht doch, lieber Koch«, entgegnete sie, »mir hat heute nacht geträumt, der Prinz werde rasch genesen, wenn er etwas von mir Zubereitetes zu sich nimmt.« Auf diese Worte hin gestattete ihr's der Koch, und während sie in die Milch einbrockte, ließ sie den Ring hineingleiten.

Als man dem Kaisersohn die Milch vorsetzte und er sie mit dem Löffel durchrührte, fand er den Ring und sprang sogleich vom Lager auf mit dem Ausruf: »Der Koch komme augenblicklich her!« Der arme Koch erschrak furchtbar, weil er glaubte, dem Aschenbrödel sei ein Haar in die Suppe gefallen, und so trat er vor Angst und Bängnis mehr tot als lebendig vor den Kaisersohn hin. »Wer hat in diese Milch eingebrockt?« fragte der Prinz voll Erregung. Dem Koch schlotterten die Knie, und mit zitternder Stimme preßte er heraus: »Ich, o Hoheit! ...« – »Das hast du nicht! Gesteh, wer's war, sonst mußt du dein Leben lassen.«

Unter Tränen gestand nun der Koch, wie ihn das Aschenbrödel mit ihrem Traum hinters Licht geführt, als sie sagte, der Prinz werde genesen, falls er etwas zu sich nehme, was sie zubereitet. Kaum hörte der Prinz vom Aschenbrödel, so lief er geschwind zu ihr, riß ihr das Mäusefellgewand vom Leib und zwang sie, das goldene anzuziehen, führte sie sodann vor seinen Vater und seine Mutter und ließ sich mit ihr trauen. Nach der Trauung erzählte sie ihm, wie und warum sie vor ihrem Vater geflohen war.

Als ein Jahr um war, bekam sie Zwillinge, einen Knaben und ein Mädchen. Das Mädchen brachte, so wie die Mutter, einen Stern auf der Stirne als Malzeichen mit auf die Welt.

Als die Kinder ein wenig kräftiger geworden, setzte sie sich mit ihrem Gatten und den Kindern in eine Kutsche und fuhr zu ihrem Vater. Als sie ankam, spendete eben ihr Vater für ihr Seelenheil, und wie er sie nun erblickte – du lieber Gott! Wer schildert seine Herzenslust und die Freude, die er empfand! Was für ein Riesenfest er da veranstalten ließ! Die alte Frau aber, welche die Prinzessin unterwiesen hatte, erhielt von ihr und ihrem Gemahl reiche Geschenke, der Kaiser selbst verdreifachte die Geschenke, die Minister aber, die da sagten, der Vater dürfe seine Tochter ehelichen, ließ er samt und sonders hinrichten.

15. Juli – Der einhundertsechsundneunzigste Tag

Gevatter Fisch

Einem Mann starben die Kinder ab; einige erlebten kaum die Taufe, andere brachten es höchstens auf fünfzehn Tage. In allen Gegenden besuchte er Weissagerinnen und schrieb an alle Weissager, doch es fruchtete nicht im geringsten, bis endlich eine Weissagerin dem Mann einen guten Rat erteilte und ihm ein Amulett gab mit den Worten: »Nimm dieses Amulett und laß es deine Frau am Halse tragen, aber sie darf damit nicht außer Haus gehen. Sie wird in gesegnete Umstände kommen, und wenn der Zeitpunkt der Entbindung da ist, ruf keine andere Hebamme zur Hilfe herbei als nur mich.« Der Mann nahm das Amulett und gab es seiner Frau, indem er ihr die Weisung der Weissagerin mitteilte.

Im selben Jahr wurde die Frau schwanger. Zu ihrem Unglück verließ sie einmal kurz vor der Zeit der Niederkunft das Haus und vergaß, das Amulett vom Halse abzulegen – und es wäre ihr dies auch nicht später eingefallen, wenn sie nicht in den Eingeweiden einen stechenden Schmerz verspürt hätte, so daß sie nach Hause eilen mußte, wo sie gleich bei ihrer Ankunft unter furchtbarer Qual ein totes männliches Kind ablegte. Es fiel der Ärmsten wohl der Grund dafür ein, aber bei allem Elend erzählte sie ihrem Manne nicht, wieso es kam, nur damit kein Lärm geschlagen werde. Als der Mann von dem Unglück hörte, brach er in Klagen aus, als wäre sein ganzes Wohl und Wehe untergraben, und er suchte sogleich wieder die Weissagerin auf. Die durchschaute bei seinem Anblick sogleich, was geschehen war, doch machte sie ihm nicht den geringsten Vorwurf, sondern tadelte seine Frau und schärfte ihm ein, von nun an besser auf der Hut zu sein.

Nach diesem Vorfall verließ die Frau, wenn überhaupt, nur selten das Haus, und tat sie es einmal, so ließ sie das Amulett zu Hause. Bald kam sie wieder in Hoffnung, und als die Zeit der Niederkunft da war, wurde nach der Weissagerin geschickt, damit sie als Hebamme Hilfe leiste. Siehe da, die Frau bringt ein Kind zur Welt, das war in ein blutiges Hemdlein eingewickelt. Die Weissagerin merkte gleich, daß es ein Vjedogonja [Wildjunges] war, und trug, um das Unheil abzuwenden, das Kind auf den Hof hinaus und rief mit voller Stimme: »Höre, Volk und Stamm! Die Wölfin hat ein Junges geworfen, dies werde kund der ganzen Welt, dem Kind aber diene es zur Gesundheit!«

Der Vater war vor Freuden ganz glücklich und machte sich auf den Weg, um das Kind taufen zu lassen, weil er besorgt war, es würde sonst sterben, doch die Weissagerin bestritt dies. »Nein«, sagte sie, »ich weiß schon, was ich tun muß, wenn du wünschst, daß dein Kind gesund bleibt und lange lebt.« Dann nahm sie das Kind her, wickelte es ein und hing ihm um den Hals einen Diamanten und schrieb auf einen Streif Papier: »In Gottes und des heiligen Johannes Namen steh ihm Gevatter und nimm dies Geschenk an!« Hierauf trug sie das Kind hinaus ins Freie, setzte es an einem Kreuzweg in der Nähe eines Flusses aus und kehrte von dort zurück in das Haus jenes Mannes.

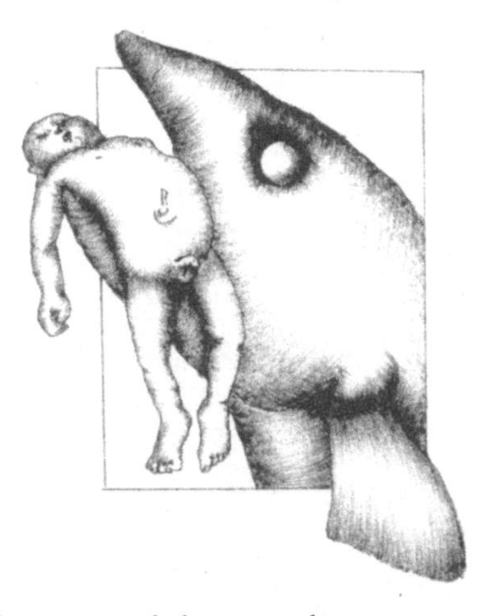

Das Kind war allein, war hungrig und fing an zu weinen, aber es war sehr zeitig in der Früh, wo noch niemand dort vorüberzog. Jedoch ein großer Fisch in jenem Fluß vernahm das Geplärre und ging, der Stimme folgend, aufs Trockene, bis er endlich an das Kind herankam. Schon hatte er den Rachen aufgerissen, um es zu verschlingen, da erglänzte der Diamant, und der Fisch näherte sich neugierig, um den Stein in Augenschein zu nehmen. Da erblickte er zugleich das Amulett an des Kindes Brust. Nun hielt er an sich, packte mit den Kiemen das Kind und schlug die Richtung zum väterlichen Hause ein. Die Leute im Haus erblickten von ferne den Fisch mit dem Kind im Rachen quiekend einherlaufen, das Kind wimmerte und plärrte, und alle stießen ein Wehklagen aus, doch die Weissagerin tröstete und beruhigte sie, es sei kein Grund zur Furcht, weil es nur der Schatten des Kindes sei. Sie lief dem Fisch entgegen und nahm das Kind von ihm in Empfang. Hierauf wurde der Priester gerufen, um die Taufe vorzunehmen, der Fisch aber blieb als Pate.

Nach der Taufe kehrten alle ins Haus zurück, um aufs Wohlsein des Täuflings tüchtig zu trinken, nur der Gevatter Fisch wollte nicht, sondern nahm den Diamant und flog schneller als der schnellste Vogel von da ins Meer zurück und sprach dabei nichts anderes

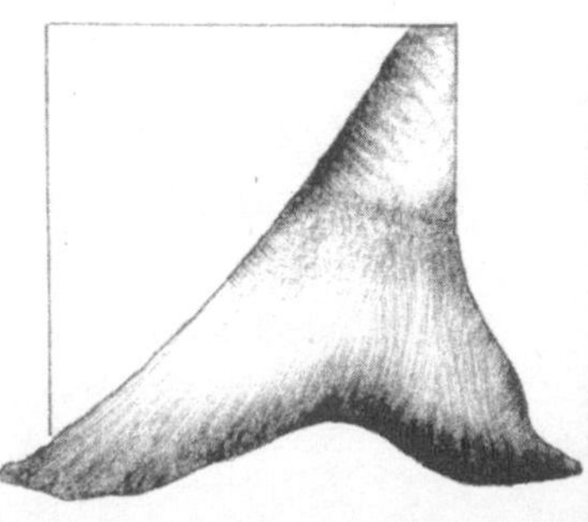

als: »Behüt dich Gott, Gevatter! Wann ich wiederum aus dem Meer aufs Land steige, dann sollst du sterben!«

Dieses Kind lebte Gott weiß wie viele Jahre, und als es schon im hohen Alter nach dem Tod sich sehnte, erschien ihm wiederum derselbe Fisch, und kaum hatte sich der Greis vom Fisch verabschiedet, so verschied er.

Der Fisch aber blieb seit jenem Augenblick spurlos verschwunden, so daß ihn niemand, der dieses Weges kam, je mehr erblickte, noch je einer erfuhr, wohin er gezogen oder was mit ihm geschehen.

16. Juli – Der einhundertsiebenundneunzigste Tag

Wie Dschandschika auszog, um einen Mann zu freien

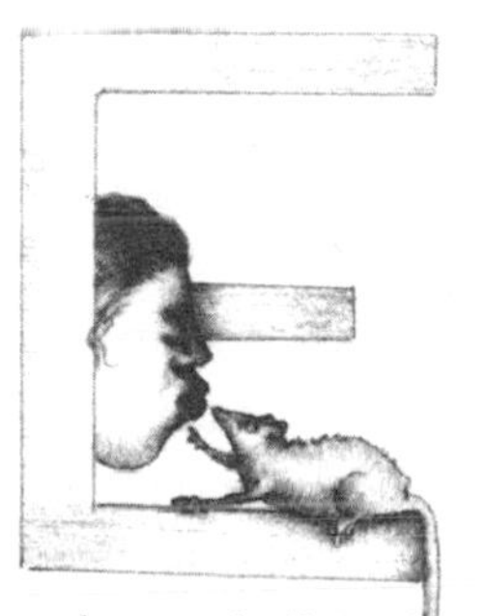

Es war einmal ein Mädchen namens Dschandschika, die hatte nicht das Glück, jung zu heiraten. Einmal warf ihr ein Bursche vor, sie sei eine Sitzengebliebene. Darüber war sie tief betrübt und sprach im stillen zu sich selber: ›Bei Allah! Wenn der, der um mich freit, nicht zu mir ins Haus kommt, so ziehe ich denn in die Welt hinaus, um ihn aufzusuchen.‹ Wie gesagt, so getan. Sie verließ ihr Elternhaus und wanderte in die Welt hinaus. Wie sie so des Weges schritt, begegnete ihr der Wolf und sprach sie an: »Hei, du Springindenwinkel! Du Springerle, Seelerle, hei! Guterle, Borgerle, puuuh!« Antwortete sie ihm: »Ich bin keine solche und stamme auch von solcher Mutter nicht ab. Ich bin eine Bujrudukliban Kaduna und eine Poschumaschljiban Kaduna, und wahrhaftig eine Silberban Kaduna.«

Darauf sagte er zu ihr: »Bist du eine solche und stammst du von einer solchen Mutter ab, bist du gewillt, meine Werbung anzunehmen?« – »Ja schon, doch womit ernährst du mich?« Der Wolf, wie es eben seine Art ist, antwortete ihr: »Mit Fleisch, mit Schaffleisch, mit Lammfleisch, mit Rindfleisch und Roßfleisch.« Befragte sie ihn: »Und womit wirst du mich hauen?« Sagte er: »Kannst auf mein Gebiß vertrauen.« Sprach sie: »Sperr den Rachen auf, will auf dein Gebiß schauen.« Er riß den Rachen auf, und sie rief: »Bei Allah, für mich bist du kein Freierlein, bin doch Dschandschika rein und klein, bin wie ein Strohhalm so fein. Dein Zahn ist allemal so dick wie ein Pfahl, du bissest mich durch mit einem Mal.«

Da setzte der Wolf seinen Weg dorthin und sie ihren dahin weiter fort. Begegnete ihr der Fuchs und befragte sie: »Wohin des Weges, du Springindenwinkel? Bist du's, du Springerle, Seelerle, hei! Guterle, Borgerle, puuuh!« Antwortete sie ihm: »Ich bin keine solche und stamme auch von keiner solchen Mutter ab, vielmehr bin ich eine Bujrudukliban Kaduna und eine Poschumaschljiban Kaduna und eine Silberban Kaduna.« Darauf zu ihr der Fuchs: »Bist du nun eine solche und von solchem Geschlecht, willst du mein Eheweib werden?« Sagte sie: »Ja, warum denn nicht? Und womit ernährst du mich?« Der Fuchs antwortete: »Mit Fleisch, mit Hühnerfleisch, Küchleinfleisch, mit Vögleinfleisch und mit was es dir beliebt.« Antwortete sie: »Und womit haust du mich?« Sprach der Fuchs: »Nun, mit meinem Zagel [Schwanz]!« Sie wies ihn ab – »denn dein Zagel ist wie ein dicker Bakel, ich aber, Dschandschika, bin rein und klein, wie ein Strohhalm so fein, dein Zagel schlüg mir die Rippen ein.«

Also gingen sie auseinander, und jeder zog seines Weges weiter. Begegnete ihr der Mäuserich, und auch er befragte sie wie die beiden früheren Freier. Sie willigte ein: »Bin einverstanden, doch womit wirst du mich ernähren?« Er darauf: »Mit Nüssen, mit Erdknöllchen, mit Weizen, mit Hirse und lauter guten Sächelchen.« Sprach sie zu ihm: »Ich bin Dschandschika, rein und klein, und dein Zagel ist so fein, wir zwei können wohl beisammen sein.« Und sie befragte ihn weiter: »Was für einen Namen hast du denn?« Er antwortete: »Mein Köpfchen heißt Pulibeg, mein Schwänzchen jedoch Sulibeg.«

Angekommen bei Mäuserichs Haus und Hof, fand sie da hundert Körbchen vor und alles im Überfluß. Sie aß drauflos und zehrte bis zur Wintermitte alles ratzeputz auf. Dann sprach sie zum Mäuserich: »Nun sorg dich und müh dich und schaff mir etwas zu knabbern her, sonst sterbe ich Hungers.« Sagte er: »Bei Allah! Ich weiß von einem Väterchen, der hat Nüsse im Vorrat. Den Alten suche ich auf, vielleicht bringe ich welche heim.« So zog er denn los und begann ein Brett zu benagen, um durch das Loch bis zu den Nüssen vorzudringen, doch hörte die Katze das Geräusch, setzte sich auf die Lauer und wartete, bis er das Brett durchgebissen. Kaum hatte er ein Loch durchgenagt und sein Köpfchen hindurchgesteckt, schwupp, schnappte die Katze danach und zog ihm vom Kopf die Haut ab.

Mit abgeschundenem Köpfchen wandte sich Mäuserich zur Flucht und lief heimwärts. Als ihn seine Ehefrau von weitem erblickte, eilte sie ihm entgegen und fing zu singen an: »Dort kommt mein Pulibeg, dort kommt mein Sulibeg!

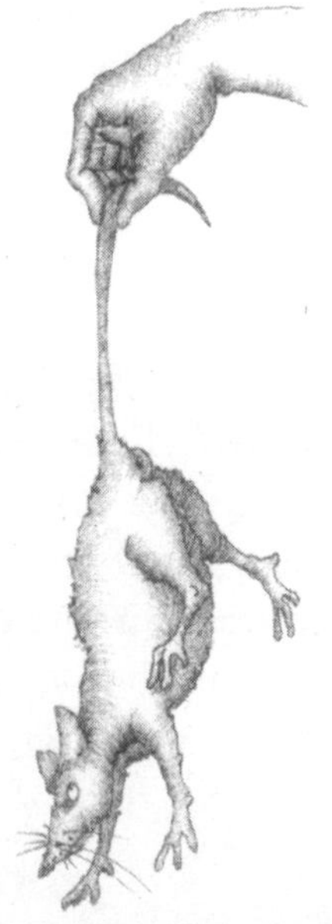

Ich freu mich meines Pulibeg, wie stolz bin ich auf Sulibeg!« Wie sie wahrnahm, daß er nichts heimbrachte außer seinem kahlen Kopf, da fuhr sie ihn an: »Schande über deinen Vater! Ich habe mich gänzlich in dir geirrt.«
Sie ergriff ihn beim Schwänzlein und schmiß ihn in den Graben. Dann zog sie weiter in die Welt hinaus, um einen tüchtigeren Freier zu suchen.
Wer es mir nicht glaubt, soll nur hingehen und sich mit eigenen Augen überzeugen.

17. Juli – Der einhundertachtundneunzigste Tag

Vom Müller, der den Apfel eines Fremden angebissen

Es war einmal ein Müller, der sah eines Tages flußabwärts einen Apfel schwimmen, fing ihn auf, fand ihn schön und biß in ihn hinein. Plötzlich aber hielt er inne, weil es ihm in den Sinn kam, der Apfel sei doch fremdes Eigentum und er habe ihn sich angeeignet, ohne Einwilligung des Besitzers. Er sperrte seine Mühle ab und sagte zu sich: ›Ich will nun den Apfelbaum finden, von dem der Apfel herstammt, und dessen Besitzer um Verzeihung bitten.‹

Und so ging er zwei, drei Tage flußaufwärts, bis er zu einem Garten gelangte, wo er einen mit Früchten überladenen Apfelbaum entdeckte. Er trug lauter Äpfel von der gleichen Art wie der angebissene. Hier ließ er sich unter dem Baum nieder, bis da ein Mann zu ihm hintrat. Den befragte er: »Gehörte dieser angebissene Apfel dir?« – »Ja, freilich«, erwiderte der Angesprochene. Nun erzählte er ihm, wie er den flußabwärts schwimmenden Apfel aufgefangen, ihn angebissen, den ersten Bissen aufgegessen habe, wie er dies bereute und ihn jetzt um Vergebung bäte, weil dies ohne seine, des Eigentümers, Zustimmung geschehen sei. Der andere antwortete, das wolle er ihm nicht verzeihen, denn er habe ihn nicht um Erlaubnis gefragt. Der Müller bat ihn erneut um Nachsicht und Vergebung, und er sei bereit, ihm alles, was er besitze, abzutreten, nur um ihn zu versöhnen. Doch der andere mochte ihm durchaus nicht vergeben, und der Müller sagte zuletzt zu ihm: »Verzeih mir, und ich werde dir mein Leben lang als Sklave dienen!« Aber jener ließ sich nicht erweichen und beharrte bei seiner Weigerung. Da sagte der Müller zum Schluß: »Ich gehe jetzt mit unter dein Dach und werde nicht wanken und nicht weichen, ehe du mir nicht Verzeihung gewährst oder ich sterbe, und bis dahin will ich weder etwas essen noch trinken.«

Und er kauerte sich unter dem Dachvorsprung nieder und übernachtete dort. Als ihn der Hausherr in der Früh dort in sich gekrümmt kauern sah, rief er ihn zu sich und befragte ihn: »Wie lange gedenkst du denn noch hier zu bleiben?« – »Bis mich der Tod erlöst«, antwortete ihm der Müller. Der Hausherr sagte: »Ich habe eine Tochter zu eigen. Sie hat weder Augen noch Hände noch Beine, sie sieht nichts, sie hört nichts. Willst du sie zu deiner Ehefrau machen, gut, so bin ich geneigt, dir zu vergeben.« – »Ja, das will ich«, erwiderte der Müller.

Da führte der Mann den Müller ins Haus, berief gleich von überall Hochzeitsgäste ein, veranstaltete ein Freudenfest und die Hochzeit.

Bei Anbruch der Nacht, als die Zeit zum Brautlager da war, führte man ihn in ein Gemach und verschloß hinter ihm die Tür. Wie er sich umschaut, erblickt er in einem Winkel ein Mädchen, so schön und prangend wie ein goldener Apfel. Ein Augenpaar ist zuwenig, um sich an ihr satt zu schauen! Er fängt nun gegen die Türe loszudreschen an, worauf der Hausherr herbeieilt und ihn durch die Tür befragt: »Was willst du?«, und der Müller erwidert: »Du hast dich arg geirrt und hast mir ein anderes, ein gesundes und schönes Mädchen gegeben. Das ist doch nicht der mir versprochene taubstumme Krüppel ohne Gliedmaßen.« Darauf zu ihm der Hausvorstand: »So wie sie nun einmal beschaffen ist, so ist sie. Was da in der Stube weilt, gehört dir. Mach mit ihr, was du willst!«

Bei Gott, das war dem Müller gar nicht zuwider, und er verbrachte hochvergnügt die Nacht bei seiner wunderholden Braut. Als der Morgen anbrach, da rief der Hausvorstand seinen Schwiegersohn zu sich und sprach zu ihm: »Ich verzieh es dir, daß du meinen Apfel angebissen hast, und gab dir meine Tochter zur Ehefrau, weil ich sah, daß du ein gerechter und frommer Mensch bist. Meine Tochter ist vollkommen gesund und auch schön. Sagte ich dir, sie sei armlos, so meinte ich damit, sie habe niemals etwas Böses getan. Ihre Beinlosigkeit bedeutet, sie sei niemals auf Pfaden des Unheils gewandelt. Blind hieß ich sie, weil sie mit ihren Augen niemals Unrecht mit angesehen, und sprachlos, weil sie ihren Mund niemals zu Klatsch und Tratsch mißbraucht hat. Ich behütete sie von ihrer Geburt an bis zum heutigen Tag und fand nirgendwo einen ihr ebenbürtigen Mann, bis ich dir begegnete. Nun gab ich sie dir in die Ehe zur Frau, und von nun an hast du für sie zu sorgen, doch sollst du als mein Tochtermann in meinem Hause bleiben, denn ich habe sonst keine Kinder mehr als nur euch, und was da mir gehört, gehört vor allem Gott und danach euch zweien. Mögt ihr euch des Besitzes eine Ewigkeit lang in Glück und Frieden mit Gottes Segen erfreuen, Amen!«

18. Juli – Der einhundertneunundneunzigste Tag

Held Hirte und die scheckige Kuh

Es lebte irgendwo in einem Wald einmal ein alter Mann mit seinem Sohn. Sie waren arm und ernährten sich bloß von Brot. Eines Tages ging des Alten Sohn aufs Feld und traf dort Leute an, die taten sich gütlich an einem gebratenen Truthahn. Auch sonst fehlte es ihnen nicht an Fleisch. Sobald er nach Hause kam, erzählte er seinem Vater: »Ich habe Leute angetroffen, die aßen einen Truthahn und anderes Fleisch. Ich will nicht länger bei dir bleiben, wenn du mich nicht so nähren willst, wie sich die Leute auf dem Felde nähren.« Der Vater entgegnete ihm: »Mein Sohn, ich kann dich nicht so nähren, wie sich die Leute auf dem Felde nähren. Denn du siehst es ja selbst, daß ich nichts anderes habe als Brot. Wenn du bei mir weiter bleiben willst, als ein Guter bei einem Guten, gut. Wenn's dir aber nicht behagt, so pack dich gleich in hundert glücklichen Augenblicken von mir fort!«
Das war dem Sohn ganz und gar erwünscht. Er nahm seine paar Kleidungsstücke und ging aufs Feld. Dort kam er zu einem Han [einer Herberge]. Er trat in den Han ein, und der Wirt fragte ihn: »Was suchst du hier?«, und der Jüngling antwortete ihm, er suche eine Arbeit. Darauf fragte wieder der Wirt: »Na, was für einen Jahreslohn möchtest du haben? Du hättest aber nichts anderes zu tun als die Rinder zu hüten.« Darauf meinte der Junge, er wolle sich gerne verdingen, wenn man ihm jeden Tag zwei Oka [$2^1/2$ Kilogramm] Speisen verabreichen wolle, in der Früh eine Oka und abends eine Oka. Der Wirt nahm ihn und vertraute ihm die Rinderherde an.
Gleich am ersten Tag, als er die Rinder auf die Weide getrieben hatte, begannen die übrigen Hirten um die Mittagsstunde zu essen, nur der arme Bursche hatte nichts mit. Drum fing er in seinem Elend an zu jammern. Während er so weinte, kam zu ihm eine scheckige Kuh und fragte ihn: »Warum weinst du?« Der Hirte darauf: »Wie sollt ich denn nicht weinen, da ich nichts zu Mittag habe.« Die scheckige Kuh: »Laß das Weinen! Tritt an mich heran, dreh mir das rechte Horn ab, du findest darin ein Tüchlein, breite es vor dir aus, und das Tüchlein wird voll von allerlei Speisen sein.« Sogleich sprang der Hirte auf die Beine, näherte sich der Kuh, drehte ihr das rechte Horn ab, fand das Tüchlein darin, breitete es vor sich aus, und im selben Augenblick waren die allerverschiedensten Speisen da. Nachdem er sich satt gegessen, sagte zu ihm die scheckige Kuh: »Nimm dieses Tüchlein und gib's wieder ins Horn hinein, wie und wo es auch früher gewesen.«

Nahm der Hirt das Tüchlein, gab es wieder an seinen Ort und drehte das Horn zurecht.

Als der Hirte abends die Rinder heimgetrieben, setzte ihm die Handschinika [Wirtin] eine Okaspeise vor, damit er nachtmahle. Der Hirt machte sich ans Essen, konnte aber nicht alles zwingen; eine halbe Oka blieb übrig. Als dies die Handschinika sah, sagte sie zu ihrem Handschija, der Hirt habe nicht alles aufessen können, was sie ihm vorgesetzt. Darauf der Handschija: »Nun, auch gut. So setz ihm morgen bloß eine halbe Oka vor.« Ehe der Bursche am nächsten Morgen früh die Rinder hinaustrieb, trug die Handschinika bloß eine halbe Oka Speisen zu ihm in den Hof. Das hat nun der Hirte im Nu weggeputzt und ist dann mit den Rindern auf die Weide gezogen. Um Mittag begannen die übrigen Hirten zu mittagmahlen, er aber fing an zu weinen. Während er noch weinte, trat die scheckige Kuh zu ihm und fragte: »Was weinst du?« Da erzählte er ihr von der Abmachung mit dem Handschija und daß er heute früh bloß eine halbe Oka bekommen habe, deswegen müsse er weinen. Da sagte zu ihm die scheckige Kuh: »Komm, dreh mir das Horn so wie gestern ab und iß dich satt.« Er dreht das Horn ab, nimmt das Tüchlein heraus, breitet es vor sich aus und mittagmahlt nach Herzenslust. Dann gab er das Tüchlein wieder ins Horn zurück.

Als er abends heimgekehrt war, brachte ihm die Handschinika sein Nachtmahl, und zwar nicht mehr als eine halbe Oka Speisen. Er setzte sich nieder, aß die Hälfte auf, die andere Hälfte gab er wieder zurück. Die Frau sagte ihrem Mann, der Hirte habe auch heute abend nicht das ganze Nachtmahl gezwungen, sondern nur die Hälfte gegessen, die andere Hälfte aber wieder zurückgegeben. Da sagte der Handschija zu seiner Frau, morgen werde er einen Mann hinausschicken, damit der aufpasse, was denn der Hirte tagsüber esse, daß er abends nicht mehr ordentlich zulangen könne.

Ehe der Hirte in der Früh die Rinder auf die Weide hinaustrieb, gab ihm die Handschinika nur eine Litra [1/4 Oka] zum Frühstück. Der arme Kerl aß alles bis auf den letzten Krümel auf, aß sich aber dabei nicht satt, sondern trieb hungrig die Rinder hinaus. Kaum war er fort, so schickte ihm der Handschija schon einen Aufpasser nach. Um die Mittagsstunde begannen die übrigen Hirten zu essen, nur er allein saß abseits und weinte. Da kam zu ihm die scheckige Kuh und sprach: »Heut kann ich dir leider nicht helfen, denn die Feinde haben eine Spur aufgenommen und einen Mann ausgeschickt, der soll aufpassen, was du essen wirst. Erfährt der Handschija, daß ich dich nähre, läßt er mich augenblicklich schlachten. Ich will dich aber trotzdem mit Essen versorgen, nur mußt du alle Rinder aufstehen machen, damit sie weiden. Ich verstecke mich in ihrer Mitte, du kommst dann zu mir, nimmst mir so flink wie möglich das Horn ab und ziehst

das Tüchlein heraus. Doch breite das Tüchlein bloß nicht auf der Erde aus, sondern steck es hinter den Gürtel, lang bröckchenweise die Speisen aus dem Tüchlein heraus und iß. Dabei mußt du fortwährend umhergehen, sonst merkt es der Aufpasser.«
Der Hirte tat, wie ihm die scheckige Kuh geheißen, und trieb die Rinder auf, damit sie weiden. Die scheckige Kuh mengte sich unter die Rinder, der Hirte eilte zu ihr, nahm ihr, so flink er nur konnte, das Horn herab, zog das Tüchlein heraus und steckte es sich hinter den Gürtel. Er fing an umherzulaufen und aß dabei. Aber gerade als er beim Honigfladen war, da kommt zu ihm ein Mann und fragt ihn: »He, was machst du da?« – »Ach, Bruder, ich mache gar nichts«, gab der Hirte zur Antwort, »ich kaue gerade an einem Stückchen Brot.« Der Mann schwieg, ging heim und erzählte dem Handschija, er habe gesehen, wie die scheckige Kuh dem Hirten ein Mittagessen gegeben habe.
Als sich der Hirte satt gegessen hatte, ging er wieder zur scheckigen Kuh und erzählte ihr, wie ihn ein fremder Mann ausgeforscht und was er ihm geantwortet habe. Darauf sagte sie: »Gib das Tüchlein wieder ins Horn zurück, denn es wird dir noch einmal gute Dienste tun. Wenn du abends die Rinder heimtreibst, bleibe ich hier, denn ich trau mich nicht nach Hause, weil mich der Handschija gerne schlachten möchte. Wenn du heimkommst und der Handschija nach mir fragt, sag ihm, ich sei draußen auf dem Feld geblieben.«
Als der Hirte abends heimkam, fragte ihn der Handschija, wo denn die scheckige Kuh sei, und der Hirte sagte, er habe sie nicht nach Hause treiben können, aber morgen bringe er sie ganz gewiß mit den anderen heim. Sobald er am nächsten Tag die Rinder auf die Weide getrieben, erzählte er der scheckigen Kuh, der Handschija habe sich nach ihrem Verbleib erkundigt. Darauf sagte sie: »Auch heute abend wird er sich nach mir erkundigen, und du gibst ihm wieder zur Antwort, du hättest mich nicht nach Hause treiben können. Er wird dir darauf sagen, daß er morgen, sobald es tagt, Jäger hinausschicken wird, damit sie mich erschießen. Ja, das wird er tun. Du aber raffst, sobald du zurückkehrst, deine Kleider zusammen, kommst gleich zu mir auf die Weide hinaus, und wir machen uns auf und davon.«
Als der Hirte abends die Rinder nach Hause trieb, fragte ihn sogleich der Handschija, wo denn wieder die scheckige Kuh geblieben sei, und er darauf, er hätte sie wieder nicht nach Haus treiben können. Da sagte der Handschija: »Nun gut, mein Junge, aber du sollst wissen, daß ich morgen, sobald es tagt, Jäger hinausschicken werde, damit sie die Kuh mit ihren Gewehren erschießen.« Wie dies der Hirte vernahm, ging er gleich in seine Schlafkammer, raffte seine Kleider zusammen und sputete sich, daß er hinaus zur scheckigen Kuh kam. Als er sie

erreichte, sagte sie zu ihm: »Machen wir uns sogleich reisefertig.« Und er zu ihr: »Ich bin's schon. Ich hab alles mitgebracht, was mir gehört.« Die scheckige Kuh darauf: »Nun, bist du reisefertig, so bin ich es auch.«
Also zogen sie durch den Wald und mieden die Fahrstraße. Es war schon dicke Nacht, als sie sich in der Mitte des Waldes befanden. Da sprach die scheckige Kuh zum Hirten: »Sitz auf, ich werde dich tragen, ich sehe besser als du.« Der Hirte hatte große Scheu, auf ihr zu reiten, denn er hielt sie für seine Mutter. Doch

wieder ermunterte ihn die scheckige Kuh, er solle sich nicht schämen, sondern aufsitzen, er werde so früher ans Ziel kommen. Kaum war er aufgesessen, entfaltete die scheckige Kuh Flügel und erhob sich in die Wolken. Im Nu kamen sie an einen Anger, und auf dem Anger stand ein hohler Baum. Hier hielt die scheckige Kuh an und sprach zum Hirten: »Geh in jene Talwiese und bring soviel Heu mit, wie du nur zusammenraffen kannst. Hier in diesem Baum haust ein Drache, der ist mein ärgster Feind. Wenn wir den nicht töten, sind wir verloren.« Als der Hirte dies vernahm, war er anfangs ganz bestürzt, nahm seine Umhängetücher hervor, ging auf jene Wiese und stopfte die Umhängetücher voll Heu, packte das Bündel mit beiden Händen und trug es zur scheckigen Kuh hin. Wie er dort war, zeigte es sich, daß er auf den Baum nicht hinaufklettern konnte. Da stützte ihn aber die scheckige Kuh und sprach zu ihm: »Sieh, da oben auf der Spitze des Baumes befindet sich eine Öffnung. Da hinein stopfe das ganze Heu. Doch ich bitte dich, nur ja recht sachte, damit der Drache nichts merkt. Denn sonst kommt er bei der unteren Öffnung heraus.« Nachdem er die obere Öffnung verstopft hatte, sprang er vom Baum herab und ging wieder ins Heu, daß er auch die untere Öffnung verstopfe. Als er dies tat, vergaß er in der Eile,

das Heu aus den Umhängetüchern herauszunehmen, und warf die Umhängetücher mit dem Heu in die Öffnung hinein, nahm sein Feuersteinzeug, schlug Feuer an und entzündete das Heu. So wurden sie den Drachen los und ledig.
Nachdem sie alles glücklich zu Ende geführt, sagte die Kuh zum Hirten: »Nun können wir uns überall frei bewegen, denn wir haben meinen größten Feind umgebracht.« Sie zogen wieder weiter ins Hochgebirge und gelangten an einen hohen Berg, den bisher nie ein menschlicher Fuß betreten. Da sagte die scheckige Kuh zum Hirten: »Siehst du diesen Berg, das sind meine Güter, die ich von meiner Mutter ererbt habe. Auf diesen Berg kann kein Mensch hinaufkommen, es sei denn, ich trage ihn hinauf. Hier wollen wir wohnen, solange es dir Vergnügen macht.«
Hier lebten sie nun viele, viele Jahre in Gemeinschaft, so lange, bis der Hirte so stark wurde wie ein Tier. Eines Tages sagte er zur scheckigen Kuh: »Ich kann, bei Gott, nicht länger allein mit dir an diesem Ort leben. Lieber ziehe ich in die Welt und suche solche Helden, wie ich einer bin. Ich kann meiner Kraft nicht länger widerstehen.« – »Nun gut«, sagte die scheckige Kuh, »so zieh denn fort. Doch zeig mir zuerst, ob du jenen Baum dort aus der Erde herausziehen und ihm mit einem Schlag alle seine Äste abschlagen kannst.« Da sprang der Hirte hurtig auf und umfaßte den Baum, doch der rührte sich nicht ein bißchen. Da ließ ihn die scheckige Kuh nicht fort in die Welt, sondern behielt ihn noch sieben Jahre bei sich. Nach Ablauf dieser sieben Jahre sprach sie zu ihm: »Geh und versuch's wieder, ob du den Baum entwurzeln kannst.« Vergebens zerrte er ihn hin und her, entwurzeln konnte er ihn nicht. Also blieb er nochmals sieben Jahre bei der scheckigen Kuh. Als auch diese sieben Jahre verstrichen waren, sprach die scheckige Kuh wieder zum Hirten: »Geh und schau jetzt, ob du den Baum herauskriegst.« Ein Ruck, heraus ist der Baum, ein Schlag, alle Äste sind abgeschlagen. Da sagte die scheckige Kuh: »Nun kannst du dich getrost unter Helden zeigen.«
Bevor er auszog, Helden aufzusuchen, sagte noch die scheckige Kuh zu ihm: »Tritt her zu mir und dreh mir das linke Horn ab. Du wirst darin ein Tüchlein finden, nimm es und zerreiß es in zwei Hälften. Die eine Hälfte behalt für dich, die andere laß mir zurück. Schau täglich dein Stück an, und wenn du das Tüchlein blutig siehst, komm wieder hierher und begrab meinen Leib. Ich werde gleichfalls jeden Tag mein Stück anschauen, und sollte ich es einmal blutig sehen, so suche ich dich auf und begrabe deinen Leib.« So nahmen sie voneinander Abschied.
Als Held Hirte ins Tal hinabgestiegen, traf er einen Mann, der zerrieb Stein an Stein. Den fragte er: »Was treibst du da, Wahlbruder?« Gab der zur Antwort: »Siehst ja, Steine zerreibe ich. So wollt ich auch den Hirten zerreiben, den die

scheckige Kuh nährt. Könnte ich ihn nur irgendwo finden!« Entgegnete ihm Held Hirte: »Ich bin's, den die scheckige Kuh nährt. Komm denn her, wir wollen ringen!« Da sprang der Mann, der die Steine zerrieb, sogleich auf die Beine und stürmte auf Held Hirte zu. Der aber packte ihn mit einer Hand im Nacken, mit der anderen bei den Füßen – so hatte es ihn die scheckige Kuh gelehrt –, preßte ihn an eine Buche und begann ihn zu würgen. Der arme Kerl verlegte sich nun aufs Bitten, er wolle ihm sein Leben lang ein treuer Freund sein, nur solle er ihn jetzt freilassen. Held Hirte ließ ihn los und fragte: »Wie ist dein Name?« Gab der zur Antwort: »Mein Name ist Steinreiber.«

Sie zogen nun weiter, und unterwegs begegneten sie einem Mann, der ging ohne Axt in den Wald. Er packte eine Buche nach der andern, schlug sie zu Boden und spaltete sie auf einen Schlag. Fragten sie ihn: »Was treibst du da, Wahlbruder?« Gab er ihnen zur Antwort: »Ihr seht ja, was ich treibe. Ich messe nur meine Kräfte, denn ich habe gehört, daß Held Hirte, den die scheckige Kuh nährt, sich irgendwo in der Gegend herumtreibt. Wenn ich dem wo begegne, will ich's so mit ihm machen wie mit diesen Bäumen.« Darauf sprach Held Hirte: »Wenn du also willst, komm, wir wollen ringen.« Sie umfaßten sich um die Heldenschultern. Held Hirte überwand den anderen. Er schenkte auch ihm das Leben und nahm ihn als Genossen mit sich. Auch ihn fragte er nach seinem Namen, und er antwortete, er heiße Baumspalter. Wieder zogen sie weiter und unterhielten sich, als sie einem Mann begegneten, der hatte einen Eichenbaum zu einer Brotmulde ausgehöhlt und kochte darin kaltes Eisen weich. Auch mit ihm kämpfte Held Hirte einen Zweikampf, überwand ihn und machte ihn zu seinem Genossen. Als man ihn fragte, wie er heiße, sagte er: »Ich heiße Zerkocher.«

Da ihrer nun so viele waren, berieten sie, wie sie wohl am leichtesten durch Jagd ihren Unterhalt verdienen könnten. Am ersten Tag gingen alle auf die Jagd. Am nächsten Tag ließen sie den Steinreiber zurück, damit er das Mittagmahl bereite. Als die Wahlbrüder fort zum Jagen waren, machte der Steinreiber ein Feuer an, steckte den Braten an den Spieß, legte den Braten ans Feuer und fing den Spieß zu drehen an. Während er so am Feuer saß, kam Spannlang-Männchen-Ellenbart und sagte zu Steinreiber: »Gib mir einen Bissen zu essen.« Darauf Steinreiber: »Ich geb dir gar nichts, solang ich noch meinen kleinen Finger bewegen kann.« Spannlang-Männchen-Ellenbart darauf: »Wirst schon hergeben, ob du willst oder nicht, selbst den letzten Tropfen Suppe, der dir auf den Bauch gespritzt, den schleck ich auch weg.« Gesagt, getan. Im Nu lag Steinreiber überwältigt da. Spannlang-Männchen-Ellenbart aß alles ratzeputz auf und ging wieder fort.

Als die Wahlbrüder von der Jagd zurückkamen, fragten sie Steinreiber, wo denn das Mittagmahl bleibe. Er schwieg und wollte nichts sagen. Am andern Tag blieb der Baumspalter an der Lagerstätte und bereitete das Mittagessen. Ihm erging es geradeso wie dem Steinreiber. Am dritten Tag blieb der Zerkocher zurück und erfuhr das gleiche. Am vierten Tag war die Reihe an Held Hirte, Die anderen zogen auf die Jagd. Als der Braten und die übrigen Speisen schon gar waren, kam Spannlang-Männchen-Ellenbart und wollte sein altes Spiel anfangen. Held Hirte aber, nicht faul, packte das Männchen, schleuderte es auf den Rasen, daß dem Männchen Hören und Sehen verging, spaltete eine kräftige Buche und zwängte des Männchens Bart in den Spalt ein.

Als die Wahlbrüder von der Jagd heimkamen, waren sie nicht wenig darüber verwundert, wie sie das fertige Essen erblickten. Sie fragten Held Hirten: »Hat dich denn nicht so ein Männchen heimgesucht?« Er antwortete: »Hm, ja, heimgesucht. Bin aber kein Weibsstück wie ihr, hab ihm einen Denkzettel mitgegeben, wird es nicht so bald vergessen. Was, ihr glaubt's nicht? Kommt her und schaut!« Er führte sie zu der Buche, in die er des Männchens Bart eingezwackt hatte, doch siehe da! Kein Bart und keine Buche ist mehr da, man sieht nur die Furche, die von der fortgeschleiften Buche herrührt. Da machten sich die Wahlbrüder fertig und verfolgten das Männchen, immer der Spur der Buche nach.

Schließlich gelangten sie an ein großes Loch. Als sie dort standen, sagte Held Hirte zu seinen Gefährten: »Geht und sammelt rings in den Dörfern alle Stricke ein, dann wollen wir uns einer nach dem anderen da hinunterlassen.« Sie brachen sogleich auf, wie ihnen Held Hirte geheißen, gingen in allen Dörfern herum, borgten Stricke aus, und als sie keine weiteren auftreiben konnten, brachten sie ihm alle die Stricke. Sie banden einen Strick an den anderen, bis sie damit zu Ende waren, und ließen sich langsam in die Tiefe hinab.

Unten angekommen, sahen sie, daß es dort unten nicht so hell war wie bei uns oben, alles hing voll dichter Nebelschwaden. Viele Tage lang schweiften sie in der anderen Welt umher, bis sie zuletzt auf eine große Burg stießen. Kaum wurden sie ihrer gewahr, eilten sie zu ihr hin. Als sie gerade in die Burg eintraten, war da ein Mann mit zwei Köpfen. Kaum erblickte sie der Mann, rief er ihnen schon zu: »Wer von euch wagt mit mir einen Ringkampf?«, flog aus der Burg heraus und umfing Held Hirten. Doch der packt ihn mit der einen Hand im Nacken, mit der anderen bei den Füßen und schleudert ihn zu Boden. Der Wurf war so heftig, daß sogleich ein Kopf in Stücke ging, der andere blieb unversehrt. Held Hirte ergriff den Dev [Dämon] von neuem, drückte ihn an die Burg und begann ihn zu würgen. In seiner Not fing der Dev wie ein Stier zu brüllen an und bat den Helden, er solle ihn am Leben lassen, dafür schenke er ihm die Burg und sein Weib. Auf diesen Handel ging Held Hirte gern ein und gab den Dev frei. Kaum war dieser

frei, kam ein geflügeltes Pferd dahergeflogen, der Dev saß auf und erhob sich mit dem Flügelpferd in die Wolken.
Die Wahlbrüder zogen weiter. Sie wanderten und wanderten, bis endlich Steinreiber in weiter Ferne eine Burg erblickte. Er eilte schnell den anderen voraus, denn er wollte beweisen, daß auch er stark sei. Sobald er vor der Burg stand, rief er: »He, wer haust da drinnen? Soll herauskommen zum Kampf!« Noch hatte er diese Worte nicht ausgesprochen, schon flog aus der Burg heraus ein Dev mit drei Köpfen, packte den Steinreiber und schleuderte ihn mit aller Wucht zu Boden. Wie er so hinflog, fing Steinreiber an zu schreien: »Zu Hilfe, zu Hilfe!« Held Hirte und seine Gefährten hörten plötzlich ein Wehgeschrei und Hilferufe. Sagte er: »Na, was soll denn das bedeuten?« Sie schauen sich um, Steinreiber ist nicht da. Nun fiel ihnen ein, daß er vorausgeeilt war, um mit dem Dev einen Kampf auszukämpfen. Sie eilten los, und wie sie hinkamen, erblickten sie den Dev, der den Steinreiber drosselte. Da rief Held Hirte dem Dev zu: »Gib den frei und komm her, ich und du wollen uns mal anfassen. Da wird sich's zeigen, wer von uns der bessere Held ist!« Kaum hörte der Dev diese Worte, ließ er den Steinreiber los und stürzte sich auf Held Hirten. Der faßt ihn mit der einen Hand bei der Schulter, mit der anderen unterhalb der Kniebeuge und, eh du's gedacht, schleudert er ihn mit aller Kraft zu Boden. Hat ihn nicht zu hart geschleudert, bloß ein Kopf ging in Stücke. Dann packte er den Dev wieder, preßte ihn an die Burgmauer und begann ihn zu würgen. Der Dev verlegte sich aufs Bitten: »Laß mich nur am Leben, mag ich bloß noch zwei Köpfe haben. Ich schenk dir die Burg, ich schenk dir auch mein Weib!« Darauf gab er ihn frei. Sobald der Dev frei war, kam sein geflügeltes Pferd hergeflogen, der Dev saß auf und erhob sich mit dem Flügelpferd in die Lüfte.
Die Wahlbrüder wanderten nun weiter. Plötzlich drang ein furchtbares Wehgeschrei an ihr Ohr. Sie schauen sich um, wer ist nirgends zu sehen: der Baumspalter. Augenblicklich fiel ihnen ein, daß er vorausgeeilt war, weil er jemanden finden wollte, um mit dem einen Kampf auszukämpfen. Sie eilten los und langten eben noch zur rechten Zeit an. Sie sahen eine Burg, sahen einen Dev mit vier Köpfen, der drückte gerade den Baumspalter an die Burgmauer und drosselte ihn am Hals. Rief ihm Held Hirte zu: »Du Trottel, laß gleich meinen Wahlbruder aus. Komm her, wir zwei wollen uns mal messen!« Augenblicklich ließ der Dev den Baumspalter los und stürzte sich auf Held Hirten. Der faßte ihn mit der einen Hand bei der Schulter, mit der anderen unterhalb der Kniebeuge, und eh du's gedacht, schleudert er ihn mit aller Kraft zu Boden. Hat ihn nicht zu hart geschleudert, bloß ein Kopf ging in Stücke. Dann packte er den Dev wieder, preßte ihn an die Burgmauer und begann ihn zu würgen. Der Dev verlegte sich

aufs Bitten: »Laß mich nur leben, ich schenk dir die Burg, ich schenk dir auch mein Weib!« Darauf gab ihn Held Hirte frei. Kaum war der Dev frei, kam sein geflügeltes Pferd hergeflogen, der Dev saß auf und erhob sich mit dem Flügelpferd in die Lüfte.
Sie wanderten weiter, doch auf einmal hörten sie Hilferufe. Sie schauten sich um, wer nicht da ist, ist der Zerkocher. Da liefen sie zu seinem Beistand los. Wie sie hinkommen, erblicken sie eine Burg und einen Dev mit fünf Köpfen, der drückte gerade den Zerkocher an die Burgmauer und drosselte ihn am Hals. Rief ihm Held Hirte zu: »Du Trottel, laß gleich meinen Wahlbruder aus. Komm her, wir zwei wollen uns messen!« Augenblicklich ließ der Dev den Zerkocher und stürzte sich auf Held Hirten. Der packte ihn mit der einen Hand bei der Schulter, mit der anderen unterhalb der Kniebeuge, und eh du's gedacht, schleuderte er ihn mit aller Kraft zu Boden. Wie sanft er ihn doch hingelegt hatte: Nur ein Kopf ging in Stücke. Dann packte er den Dev wieder, preßte ihn an die Burgmauer und begann ihn zu würgen. Der Dev verlegte sich aufs Bitten: »O laß mich nur am Leben, ich schenk dir meine Burg, ich schenk dir auch mein Weib!« Darauf ließ ihn Held Hirte aus. Kaum war der Dev frei, kam sein Pferd hergeflogen, er bestieg es und erhob sich mit ihm in die Wolken.
Nun traten die Wahlbrüder in die Burg ein und fragten das Weib des Dev mit den fünf Köpfen, wie sie wohl am leichtesten die vier Burgen mit sich nehmen könnten. Da gab ihnen das Weib ein eisernes Gertlein und sprach zu Held Hirten: »Nimm dieses Gertlein, schlag damit auf jede Burg. Die vier Burgen werden sich in ebenso viele goldene Äpfel verwandeln. Die Äpfel versteck im Busen und nimm sie mit!«
Held Hirte nahm das Gertlein, tat, wie ihm das Weib geheißen, steckte die Äpfel in den Busen und zog mit den Gefährten wieder dorthin, woher sie gekommen. Als sie an jenes Loch gelangten, durch das sie sich hinabgelassen, erblickten sie vor dem Ausgang eine gewaltige Heeresmacht. Die Devs hatten das Heer aufgeboten. Einen anderen Ausweg gab es nicht, also blieb den Wahlbrüdern nichts anderes übrig, sie mußten den Kampf mit dem ganzen Heer aufnehmen. Da fanden sie alle vier ihren Tod, denn Held Hirte hatte vergessen, vor dem Angriff zu sagen: »Steh mir bei, scheckige Kuh!«
Als an jenem Tag, an dem Held Hirte im Kampf gefallen war, die scheckige Kuh ihr Tüchlein anschaute, da war es ganz blutig. Auf der Stelle brach die scheckige Kuh auf und begann nachzuforschen, wo Held Hirte sich befinde. Sie wollte nun seinen Leichnam beerdigen. Als sie auf die Walstatt gelangt war, fand sie bald seinen Leichnam. Da nahm sie ein Kraut und erweckte ihn wieder zum Leben. Sobald Held Hirte wieder aufgelebt, bat er die scheckige Kuh, sie solle ihm auch

seine Wahlbrüder ins Leben zurückrufen. Nachdem sie seine Wahlbrüder wieder lebendig gemacht, sprach sie zu Held Hirte: »Ich kann nicht mehr länger leben, denn deine Wahlbrüder planen gegen dich ein schweres Unrecht. Bin ich tot, besorg mir ein schönes Begräbnis. Ruf von nun an nicht mich zum Beistand, sondern ruf Gott an, denn ich kann dir nimmer Hilfe leisten.« Darauf legte sich die scheckige Kuh auf die Erde nieder und verschied. Held Hirte nahm ihren Leichnam und vergrub ihn in der Erde.

Nachdem die Wahlbrüder so die scheckige Kuh bestattet, traten sie an jenes Loch, und einer nach dem andern kletterte an dem Strick hinauf. Zuletzt blieb nur Held Hirte noch unten. Er traute seinen Wahlbrüdern nicht zu sehr. Er band einen großen Felsblock an den Strick und schüttelte den Strick, damit die oben anziehen sollten. Als sie den Stein bis zur halben Höhe hinaufgezogen, ließen sie plötzlich den Strick fahren, der Stein fiel mit Getöse hinab und zerstob in lauter kleine Stücke nach allen Seiten. Was ließ sich da machen? Held Hirte ging wieder zurück. Er hoffte irgend jemand zu begegnen, der ihm sagen konnte, wie man wieder auf die andere, die obere Welt gelangt.

Nach langem Herumirren kam er zu einem Gehöft. Als er sich schon ganz in dessen Nähe befand, rief er aus: »Heda! Wenn jemand drinnen haust, soll er zu mir heraus zum Heldenzweikampf!« Im Gehöft hausten drei Brüder, keiner getraute sich aber hinauszukommen, denn sie hatten gehört, es wandere ein gewaltiger Held umher. Zuletzt wurde Held Hirte des Wartens überdrüssig, er ging ins Gehöft hinein, fand die drei Brüder in einem Zimmer hocken und machte ihnen allen drei den Garaus. Nachdem er diese Arbeit getan, schritt er von einem Zimmer ins andere und schaute sich das Gehöft an. Wie er nun so zu einer Tür kam und sie öffnete, flog ihm ein nacktes Schwert entgegen. Er erschrickt, fährt zurück und schlägt schnell die Tür zu. Dann machte er wieder die Tür auf, wieder flog ihm das bloße Schwert entgegen. Wieder schlug er rasch die Tür zu. Als er zum dritten Mal die Tür öffnete, flog ihm wieder das Schwert entgegen und sprach zu ihm: »Fürchte dich nicht, denn ich weiß, zwar hast du meinen früheren Herrn getötet, aber in dir hab ich einen besseren Herrn erlangt. Also komm nur herein und häng mich über die Schulter. Du wirst mich nie zu schwingen brauchen. Sobald du jemanden zusammenhauen willst, sag mir bloß: ›Schwert, hau ihn!‹, und ich hau alles zusammen.«

Der Hirt trat also in die Stube ein, hing sich das Schwert um die Schulter, ging dann hinab in die Keller, führte ein Pferd heraus, saß auf das Pferd auf, erhob sich mit ihm in die Lüfte, und im Nu befand er sich schon auf der anderen Welt. Als er auf die andere Welt kam, sah er vier Burgen, die schienen ihm sehr bekannt. Gleich kam er auf den Gedanken, hier müßten seine verräterischen

Wahlbrüder hausen. Er rief sie alle drei zum Kampf heraus, sagte zu seinem Schwert: »Hau zu, Schwert«, und das Schwert hieb ihnen allen drei auf einen Schlag die Köpfe ab.
Nun heiratete Held Hirte die schönste Frau eines der Devs, wurde Kaiser vom ganzen Land und regierte lange, lange Jahre in Glück und Frieden, und wenn er nicht gestorben ist, so regiert er noch heutigen Tags.

19. Juli – Der zweihundertste Tag

Zar und Zarenfloh

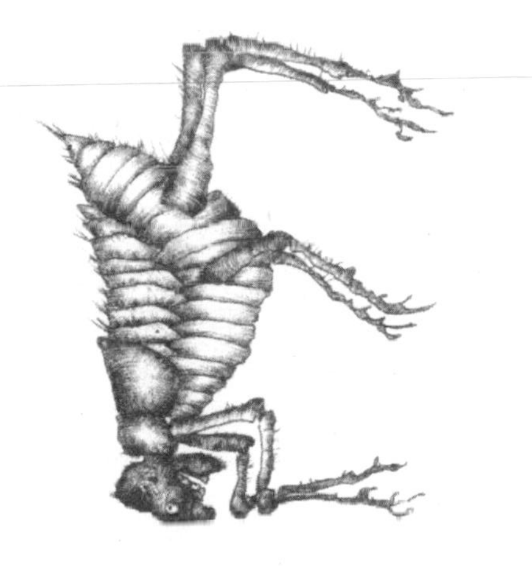

s war einmal ein Zar, der lauste sich eines Tages und fand einen Floh. Der Zar nahm den Floh und fütterte, fütterte und fütterte ihn, und später schlachtete er ihn und zog ihm die Haut ab. Dann befahl der Zar dem Telal [Herold], die Leute von überall her zusammenzurufen, sie sollten ins Zarenschloß kommen und erraten, von wem die Haut sei. Wer das erriete, dem gäbe er seine Tochter zur Frau.
Es kamen die Leute aus dem ganzen Zarenreich, um die Haut anzuschauen. Der eine sagte: »Das ist eine Schweinshaut«, der zweite: »eine Ochsenhaut«, der dritte: »eine Büffelhaut«, der vierte: »eine Schafshaut«, der eine dies, der andere das – niemand konnte es erraten. Schließlich kam auch der Teufel. Er tat so, als wüßte er nicht, was für eine Haut das war, und fing damit an, es sei eine Büffelhaut, sagte dann, es sei eine Ziegenhaut, danach, es sei eine Hasenhaut, und zum Schluß rief er plötzlich aus: »Ah, das ist eine Flohhaut!«
Der Zar gab ihm seine Tochter, aber er wußte nicht, daß es der Teufel war. Es kamen lauter Teufel zur Hochzeit, um die Braut anschließend heimzuführen. Als sie ein Stück Weges hinter sich hatten, sah das Mädchen, daß es bei den Teufeln war. Sie hatte aber zwei Tauben bei sich, und sie schrieb einen Brief und schickte die Tauben, daß sie zu ihrem Vater flögen und ihm sagten, sie habe einen Teufel geheiratet, ihr Vater solle kommen und sie entführen.

Als der Zar erfuhr, daß seine Tochter in Teufelshände gefallen war, befahl er dem Telal, es auszurufen, damit sich Leute fänden, die seine Tochter dem Teufel wieder wegnähmen. Da kamen alle Leute des Reiches von neuem zusammen, aber dem Zaren gefiel keiner so recht, daß er ihn schicke, seine Tochter zu entführen. Zu guter Letzt kamen sechs Brüder. Der Zar fragte sie, was jeder von ihnen könne. Da sagte der erste: »Ich kann einen Wagen machen, der weder im Himmel noch auf der Erde fährt.« Der zweite sagte: »Ich kann sehr weit hören.« Der dritte sagte: »Ich kann von des Hasen Lager die Häschen stehlen, ohne daß er es merkt.« Der vierte sagte: »Ich kann einen Mühlstein so drücken, daß Wasser aus ihm fließt.« Der fünfte sagte: »Ich kann im Nu einen Turm bauen, in dem wir alle uns verstecken können.« Der sechste sagte: »Wenn ich einen Habicht sehe, der ein Rebhuhn mit sich trägt, dann kann ich meine Lanze werfen und das Rebhuhn mit den Händen auffangen, und der Habicht – der steckt auf der Lanze.« Als der Zar solches hörte, sprach er: »Ihr könnt meine Tochter retten! Vorwärts, los!«
Da machten sie sich auf den Weg. Sie gingen und gingen und wurden durstig. Da drückte der, der ihnen zu trinken geben konnte, mit den Händen einen Mühlstein, bis Wasser aus ihm floß, und sie tranken. Dann zogen sie weiter. Sie gingen und gingen, und schließlich sahen sie die Teufel, die sich auf einer Wiese ausruhten. Die Zarentochter aber lauste in ihrem Schoß einen großen Teufel, das war ihr Mann. Da trat der dritte Bruder heran und nahm dem Teufel die Zarentochter weg, ohne daß er es merkte. Der erste Bruder machte den Wagen, der weder im Himmel noch auf der Erde fährt, und sie zogen von dannen. Sie flohen und flohen, und erst viel später merkten die Teufel, daß die Zarentochter nicht mehr da war, und setzten ihnen nach.
Da fragten die Brüder den, der weit hören konnte, ob sie schon nahe seien, aber er antwortete: »Habt keine Angst, sie sind noch sehr weit.« Und sie flohen und flohen weiter, bis schließlich der, der weit hören konnte, rief: »Sie sind da, sie sind sehr nahe, sie holen uns ein!« – »Los, bau den Turm!« sagten alle. Da baute der fünfte Bruder schnell einen festen Turm, und alle versteckten sich darin.
Der Turm hatte bloß ein ganz kleines Loch, so klein, daß einer gerade noch seinen kleinen Finger hindurchstecken konnte. Die Teufel kamen und umringten den Turm von allen Seiten, aber nirgends fanden sie einen Eingang. Da entdeckte der Oberteufel das Löchlein und redete die Brüder an: »Na schön, ihr habt sie uns geraubt, aber laßt mich wenigstens ihren kleinen Finger durch dies Loch da sehen.« Die Brüder sagten zueinander: »Ach was, lassen wir es ihn, was kann uns schon passieren!«
Da steckte die Zarentochter den Finger durch das Loch, und da packte sie der

Teufel an ihrem Finger, daß er sie mit einem Ruck herauszog. Die Brüder kamen sofort aus dem Turm heraus, und als der jüngste Bruder den Teufel mit der Zarentochter wegfliegen sah, warf er seine Lanze, fing die Zarentochter in seinen Armen auf, und den Teufel hatte er auf die Lanze gespießt.

Darauf gingen sie zusammen mit dem Mädchen zum Zaren. Der Zar fragte sie: »Nun, Tochter, wer von denen hat dich dem Teufel geraubt?« Sie antwortete: »Alle haben mich geraubt, Vater, aber wäre der Jüngste nicht gewesen, ich hätte bei den vermaledeiten Teufeln bleiben müssen.«

Da gab der Zar sie dem Jüngsten zur Frau, und sie bereiteten ein Hochzeitsfest, wie man noch nie eins gesehen hat.

20. Juli – Der zweihunderterste Tag

Der Mann, der die Gerechtigkeit liebte

Es war einmal ein gerechter Mann. Als er sah, wie ungerecht die Kadis und die anderen Richter Recht sprachen, wollte er nicht mehr in seiner Stadt bleiben. Er machte sich auf und ging von Stadt zu Stadt, auf der Suche nach gerechten Richtern; wo er sie fände, dort wollte er sich niederlassen. Er ging von einer Stadt zur anderen und suchte überall die Richter auf, aber nirgends hörte er, daß ein Richter gerecht richtete, sondern jeder sprach Recht für Unrecht und Unrecht für Recht. Jetzt begriff er, daß alle Richter nach Bestechung und persönlicher Verbindung und nicht nach dem Recht urteilten. Weil er aber in seinem Zarenreich nirgends einen gerechten Richter finden konnte, beschloß er, in ein anderes zu gehen, ob er nicht dort einen fände.

Er kam also in ein andres Zarenreich, und in der erstbesten Stadt, sie war ziemlich klein, ging er geradewegs zum Kadi, um zu hören und zu sehen, ob er gerecht richte. Es traf sich, daß man eben über zwei Männer wegen eines Schatzes, den sie auf einem Acker gefunden, zu Gericht saß. Der eine hatte dem anderen für eine Summe Geldes einen Acker verkauft. Wie nun der zweite beim Unkrautjäten tiefer hackte, fand er einen Kessel voll Geld. Da bat er den anderen zu sich, um es ihm auszuhändigen: er habe von ihm ja nur den Acker und nicht den Kessel mit dem Geld gekauft. Der erste wiederum lehnte ab: er habe den Acker mit allem Drum und Dran verkauft. Weil sich die beiden nicht einig werden konnten, waren sie zum Kadi gelaufen, damit er entscheide.

Aber auch dem Kadi wollte es nicht recht gelingen, sie zu versöhnen und dahin zu bringen, daß entweder dem einen oder dem anderen der Kessel mit dem Geld gehöre. Da fiel ihm ein, sie zu fragen, ob sie noch Angehörige hätten. Der eine hatte einen Sohn von fünfundzwanzig Jahren, der andre eine Tochter von achtzehn. Der Kadi hörte das mit Freuden und drängte sie, sich zu verschwägern, der Kessel mit dem Geld aber solle dem Brautpaar zufallen. Die Männer gingen gern darauf ein, versöhnten sich und zogen in guter Laune vom Kadi fort. Sie traten den Heimweg an, bereiteten das Hochzeitsfest und gaben dem Brautpaar den Kessel mit dem Geld.

Als der Mann sah, wie gerecht der Kadi Recht gesprochen hatte, staunte er und lobte Gott, daß er die Erde nicht ohne gerechte Richter gelassen. Dann dankte er dem Kadi in bewegten Worten für sein gerechtes Urteil. Der wunderte sich, warum der Mann sich dermaßen für seinen Richterspruch über den Schatz der beiden Männer bei ihm bedankte.

»Wenn ihr bei euch solchen Rechtsstreit hättet, Bruder, Mann«, fragte ihn der Kadi, »wie würde euer Kadi richten?« – »Bei uns – nach einer Oka [gut ein Kilogramm] Schmalz.« – »Wieso bei euch nach einer Oka Schmalz? Das verstehe ich nicht, sagt es mir klarer!« sprach der Kadi.

»Sieh, ehrenwerter Kadi, wie unser Kadi solchen Rechtsstreit schlichten würde«, sagte der Mann. »Ich will dir erzählen, was ich gehört und gesehen habe. Es kamen einmal zwei eines Streites wegen zum Kadi. Der eine brachte ihm als Bestechung eine Axt, weil er ein Schmied war, der andere einen Balg Schmalz, weil er ein Hirte war. Als Recht gesprochen wurde, sagte der Schmied zum Kadi: ›Vorwärts, Kadi, richte gerecht, ich bitte dich, und fälle das Urteil mit der Axt.‹ Er hatte ihm ja die Axt gegeben, damit er zu seinen Gunsten urteile. Allein die Axt war höchstens zehn Groschen wert, das Schmalz aber fünfzig, und so mußte sich die schwerere Seite senken. Der Richter antwortete dem Schmied: ›He, Bruder, Mann, es wäre schon gut, das Urteil mit der Axt zu fällen, aber eine Kuh ist vorbeigegangen und hat den Stiel beschmutzt, jetzt kann ich ihn nicht mehr anfassen.‹ Als der andere das vernahm, begriff er, daß der Hirte die größere Bestechung gegeben hatte und der Kadi auf dessen Seite stand. Und wirklich, so war es, obwohl das Recht auf seiten des Schmiedes gewesen wäre. Von einem andren Streit, der bei uns vor Gericht kam und wie da der Kadi Recht gesprochen, schäme ich mich, dir zu erzählen, ehrenwerter Richter.« – »Sprich nur, sprich, Freund«, sagte der zu ihm. »Genier dich nicht, denn wenn ich von euren Richtern sprechen höre, kann ich etwas dazulernen.«

»Gut, wenn du willst, daß ich es dir erzähle«, sagte der Mann. »Vernehmt also, wie einer unsrer Kadis in einem Prozeß entschieden hat. Ein Vater hatte drei Söhne, und da sie sich überhaupt nicht um ihn kümmerten, wollte er ihnen eins auswischen. Er vergrub einen Topf, der angeblich voller Dukaten war, in Wahrheit aber, du entschuldigst schon, voll Mist, bedeckte ihn mit einer Tierhaut und versiegelte ihn; nach seinem Tod sollten ihn seine Söhne ausgraben und unter sich teilen. Es kam die Sterbestunde des Alten. Sie beerdigten ihn und gruben dann den Topf aus, aber noch ehe sie ihn aufgemacht hatten, stritten sie sich schon um die Verteilung. Sie liefen zum Kadi, damit er das Geld unter sie teile.

Sowie der Kadi des Topfes ansichtig wurde, bekam er große Augen und sann auf eine List, wie er das Geld am besten unter sie verteile, aber so, daß ihm am meisten bliebe. ›Wißt ihr, Freunde‹, sagte er, ›wie das Gericht entschieden hat, die Dukaten aus dem Topf unter euch zu teilen?‹ – ›Wenn wir es wüßten, Kadi‹, sagten die Brüder, ›wären wir nicht zu dir gekommen, damit du teilst.‹ – ›Nun, wenn es so ist, stellt mir den Topf schön auf den Kopf, dann setzt euch um mich herum und schürzt eure Kittel. Mit einem Klopfer werde ich so fest auf den Topf schlagen, daß er bricht und das Geld herausspringt. Wieviel Geld einem jeden nun in den Schoß fällt, soviel ist sein. Und was in meinen Schoß fällt, das nehme ich als Belohnung, daß ich euch Recht gesprochen habe.‹ Die Brüder waren es zufrieden, stellten den Topf dem Kadi auf den Kopf und setzten sich um ihn herum. Jetzt schlug der Kadi mit dem Klopfer so heftig auf den Topf, daß er in dreitausend Stücke sprang. Statt daß ihm aber das meiste Geld zufiel, wie er erwartet hatte, fiel ihm der meiste Mist zu.

Seht Ihr, ehrenwerter und gerechter Richter, so sind unsre Kadis, und nicht nur einer oder zwei, nein, alle bis auf den letzten sind bestechlich und voll Habgier. Und wegen dieser Ungerechtigkeit, die ich bei unsern Richtern fand, bin ich aus unsrem Zarenreich geflohen und in das Eure gekommen, um zu sehen, ob es da einen gerechten Richter gibt. Ich danke Euch, ehrenwerter und gerechter Kadi, daß ich ein gerechtes Urteil sah und nicht weiter durch andre Städte und Reiche gehen muß. Ich habe Euch gefunden, habt Dank dafür.«

Der Richter, als er das hörte, verwunderte sich, daß die andern Richter nicht so Recht sprachen wie hier in diesem Zarenreich, und er sprach: »Wenn ihr solche Richter habt, Bruder, Mann, wärmt euch dann wohl die Sonne noch?« – »Sie wärmt uns, warum auch nicht?« gab der Mann zurück. »Und fällt Regen?« – »Es fällt Regen, wieso auch nicht?« – »Und gedeiht bei euch das Getreide?« – »Es gedeiht, wieso auch nicht?« – »Und habt ihr Vieh: Schafe, Ziegen, Kühe, Pferde, Esel und andres?« – »Das haben wir, wieso auch nicht?« – »Seht, ihretwegen gibt Gott euch Sonne, Regen und Ernte. Denn euch würde er Steine vom Himmel schicken, wegen der Ungerechtigkeit, die in eurem Lande herrscht«, sagte der Kadi zu dem Mann.

Der Mann vernahm's, wunderte sich und glaubte seinen Worten, und vielmals sich bedankend ging er weg und ließ sich in jenem Zarenreich nieder, um dort zu leben.

21. Juli – Der zweihundertzweite Tag

Christus und der Kartenspieler

Als Christus mit den zwölf Aposteln auf Erden wandelte, kam er zu einem Gelsen-Mann [Gelsen, ein Glücksspiel mit Karten] als Gast zum Nachtmahl. Sie aßen und tranken, was ihnen Gott gab und der Hausherr bereitete. Sie übernachteten auch dort und schickten sich am Morgen zum Weitergehen. Da sprach Christus zum Gelsen-Mann: »Verlange etwas, damit ich es dir zum Geschenk gebe für das Nachtmahl.« – »Ich weiß nicht, was ich verlangen soll, Christus«, versetzte der Gelsen-Mann, »segne mir aber mein Handwerk!« – »Was hast du für ein Handwerk?« fragte Christus. – »Weißt du denn nicht, Christus«, meinte der Gelsen-Mann, »was mein Handwerk ist? Das Kartenspielen ist mein Handwerk. Ich spiele immer Gelsen. Wenn du willst, so segne mir die Karten, damit mich niemand im Spiel besiegen kann und ich ein großer Meister des Kartenspiels und dadurch reich werde!« Christus lachte und segnete ihm die Karten und den Gewinst. So manchen Tag verweilte der Gelsen-Mann im Kaffeehaus und spielte Gelsen. Stets gewann er und wurde in kurzer Zeit ein sehr reicher Mann.
Nach einigen Jahren wollte ihm Gott die Seele nehmen und sandte einen Apostel zu ihm. Der Apostel kam zum Gelsen-Mann und sagte, er solle sich zum Sterben vorbereiten, Christus verlange seine Seele. Der Gelsen-Mann bat nun den Apostel inständig, er möge ihn noch einige Jahre am Leben lassen, aber sein Bitten nützte ihm nichts. Endlich sagte er: »Ich bitte dich, Apostel, mir nur noch den letzten Wunsch vor dem Tod zu erfüllen: Setz dich nieder, spielen wir ein wenig Gelsen mit den Karten. Wenn du gewinnst, so nimm du mir die Seele. Wenn aber ich gewinne, so lasse mich wenigstens noch drei Jahre lang am Leben.« Der Apostel spielte, verlor und ging dann ohne des Gelsen-Mannes Seele in den Himmel zu Christus. »Warum befaßt du dich mit solchen Sachen, die nicht zu deinem Handwerk gehören, und vollziehst nicht meinen Auftrag?« sagte da Christus. »Geh du, Apostel Petrus, zum Gelsen-Mann und nimm ihm die Seele. Aber spiele nicht, so wie dein Bruder, Karten!«
Der heilige Petrus ging also zum Gelsen-Mann und sagte ihm, er solle sich zum

Tode vorbereiten. »Bitte, setze dich nieder, heiliger Petrus!« sagte der Gelsen-Mann. »Das Sterben wäre noch das allerwenigste! Komm, spielen wir vorher noch ein Spielchen, und wenn du gewinnst, so nimm mir die Seele. Wenn aber ich gewinne, so lasse mich noch drei Jahre lang am Leben.« – »Leg dich nur nieder und stirb!« meinte der heilige Petrus. »Damit wir auf der anderen Welt Karten spielen können, so nehme ich, wenn du willst, die Karten mit. Nur geh du voraus!« Der Gelsen-Mann sah ein, daß es eben anders nicht geht, steckte die Karten in seine Tasche und schritt vor dem heiligen Petrus einher gen Himmel.
Als sie in die erste Abteilung kamen, wo die Teufel den Menschen die Sünden abnehmen, da fingen sie ihn auch ab, um ihm die Sünden abzunehmen. Bei dieser Gelegenheit machte er den Teufeln den Antrag: sie möchten mit ihm Karten spielen, und wenn sie gewännen, so möchten sie ihn in alle Ewigkeit nehmen; wenn aber er gewönne, so sollten sie ihm erlauben, einen Mann mit sich ins Paradies zu führen. Die Teufel willigten ein und verloren; der alte Teufel schämte sich sehr. Sie spielten noch einmal, und alle Teufel arbeiteten gegen ihn, doch sie verloren abermals.
Dann führte ihn der erste Teufel ins Paradies. Obwohl ihn der heilige Petrus spielen ließ, so dachte er doch bei sich: ›Nun, ich will einmal sehen, was der da mit den gesegneten Karten vollbringen kann.‹ Aus der ersten Abteilung kamen sie in die zweite, dritte, vierte, bis in die elfte hinauf. In jeder Abteilung besiegte er im Kartenspiel die Teufel. Dem heiligen Petrus war es angenehm, daß die Teufel gegen den Gelsen-Mann verloren. Nun kamen sie in die Abteilung der größten Qual, und alle Teufel verbündeten sich, um sich von ihm loszureißen. Ach, was wird es nun da geben! Die Teufel wollten ihn nicht ins Paradies hineinlassen. Aber mit Gewalt ging das nicht, denn sie hatten ja im Spiel verloren. »Was ärgert ihr euch denn, Teufel? Tut es euch um eure Brüder leid?« fragte der Gelsen-Mann. »Gebt mir elf Menschen her und nehmt euch die elf Teufel zurück!« – »Ach, was das anbelangt, so ist das das allerwenigste«, sagten die Teufel. Er ging in die Ewigkeit hinein, nahm sich seiner elf Freunde an und ging dann zu Christus in das Paradies.
»Was ist das für eine Gesellschaft?« sagte Christus. »Ich habe nur dich gerufen und nicht auch andere.« – »Das ist wahr, Christus«, meinte der Gelsen-Mann, »aber als du zu mir kamst, da wart ihr dreizehn an der Zahl, und wir sind nur zwölf, also um einen weniger, damit du dich nicht ärgerst. Sage mir: ›Willkommen!‹, so wie ich dich einst willkommen geheißen habe, und dann sind wir quitt!« Christus lachte und sagte dann: »Wenn's gefällig, so komme denn mit allen elfen herein in das Paradies, dir zuliebe verzeihe ich ihnen.«

22. Juli – Der zweihundertdritte Tag

Der Arzt und sein Lehrling

Es war einmal ein Zar, bei dem war ein Arzt; der konnte viel, war aber sehr neidisch und hielt nicht einmal einen Diener, damit niemand von ihm lernen könnte. Es gab aber einen klugen Burschen, der stellte sich stumm, ging in die Welt, sein Glück zu suchen, und kam auch zu dem Arzt. Als der sah, daß der Bursche stumm war, sagte er zu sich selbst: ›Ah! Das ist ein Diener für mich, und wenn er auch die Kunst lernt, kann er mir doch nicht gleichkommen, da er stumm ist.‹ Und so behielt er ihn bei sich.

Der Bursche blieb sieben Jahre bei ihm, und niemand merkte, daß er sprechen konnte. Der Arzt hatte kein Geheimnis vor ihm, so daß er gelehrt wurde wie der Arzt und fast noch mehr.

Der Zar hatte eine Tochter, die schon eine Zeitlang an Kopfschmerzen litt. Da befahl der Zar dem Arzt, alles Mögliche zu tun, um sie zu heilen. Der Arzt aber sagte dem Zaren: »Erhabener Zar, ihre Krankheit ist sehr schlimm! Es bleibt nur die Hoffnung auf ein Mittel, das man noch versuchen kann, aber das ist schrecklich. Sie kann auch daran sterben. Deswegen gib mir eine Schrift, daß du mir nichts Böses tun wirst, wenn – was Gott verhüte – deine Tochter stirbt. Dann soll es versucht werden.« Der Zar fragte nun seine Tochter, die aber sagte: »Mag ich sterben oder gesund werden, ich kann die Schmerzen nicht länger aushalten.«

Der Zar gab dem Arzt die Erlaubnis. Der schloß sich mit dem Zaren und der Tochter in ein Zimmer ein und nahm alles mit, was er brauchte, aber den Burschen ließ er nicht zusehen, daß der nicht auch das lerne; denn es war eine sehr seltene Krankheit. Der Bursche aber, der das größte Verlangen hatte, auch das zu lernen, konnte nicht davon abgehen zuzusehen. Er stieg ganz leise auf den Boden und machte dort ein Loch in die Decke, gerade so groß, daß er sehen konnte, was der Arzt machen würde. Der legte die Zarentochter auf einen Tisch, band sie ordentlich fest, daß sie sich nicht rühren konnte, betäubte sie dann, spaltete den Kopf mit einem Schnitt und öffnete ihn an der Stirn. Und was sieht er? Einen Käfer, der sich mit den Füßen im Gehirn festgeklammert hatte. Da nahm er die Zange, um ihn wegzureißen, aber sowie er ihn fassen wollte, ließ sich eine Stimme von der Decke hören: »Um Gottes willen, höre! Zieh den Käfer nicht mit der Zange heraus, sonst wird er das Gehirn zerreißen, und das Mädchen wird sterben. Sondern mach eine Nadel heiß und stich den Käfer von hinten mit der Nadel, dann wird er von selbst die Füße loslassen und abfallen, ohne das Gehirn zu verletzen.« Der Arzt sah ein, daß es wirklich so besser sei, und tat, wie ihm die Stimme von der Decke anbefahl. Dann schloß er ganz sanft den Kopfspalt wieder zu und verband den Kopf mit den passenden Mitteln. Das Mädchen erwachte und fühlte, daß ihm besser war als vorher. Als sie nun wieder hübsch gesund war, rief der Zar den Arzt und sagte zu ihm: »Was willst du von mir dafür haben, daß du meine Tochter geheilt hast?« Der Arzt antwortete: »Ich verlange, daß du meinen Lehrling tötest.«

Als der Zar das hörte, wunderte er sich und sagte zu dem Arzt: »Verlange etwas anderes, nur das nicht.« Aber der Arzt blieb dabei. Der Bursche aber sprach zu dem Zaren: »Erhabener Zar, ich sehe, daß du mir nichts Übles antun willst und Mitleid mit mir hast. Aber der Arzt läßt nicht nach, er will, daß ich umkomme. Darum befiehl, daß er selbst mich vergifte, und wenn ich nicht an dem bestimmten Tag sterbe, den er angibt, daß ich dann für ihn ein Gift bereite, und wir sehen, ob er sich davon retten kann wie ich.«

Der Zar willigte ein, einmal, weil er nicht wollte, daß der Bursche umkomme, zum andern, weil er so den Besten von ihnen zum Arzt wählen konnte. Also gab er den Befehl, und am nächsten Tag brachte der Arzt das allerschärfste Gift für den Burschen und gab es ihm vor den Augen des Zaren. Der Bursche aber fragte den Arzt: »Wieviel Stunden werde ich noch leben, nachdem ich das Gift getrunken habe?« Der antwortete: »Sieben Stunden!« Der Bursche aber, der vorher ein Mittel gegen Vergiftung eingenommen hatte, trank das Gift und ging hinaus. Darauf, nach sieben Stunden, trat er wieder vor den Zaren, frisch und gesund, und sprach: »Jetzt ist die Reihe an mir, Gift für meinen Meister zu bereiten, aber ich bitte dich, erhabener Zar, befiehl, daß ein Ausrufer auf dem Markt verkünde, es solle drei Tage und drei Nächte keiner aus dem Hause gehen, solange ich das Gift koche, denn schon von seinem Dampf fallen die Vögel zur Erde.« Damit gingen er und der Arzt hinaus.

Am vierten Tag erschien er wieder vor dem Zaren, nahm vor dessen Augen ein

wenig Wasser, tat es in eine Flasche und versiegelte sie. Dann sagte er zum Zaren, er möge den Arzt rufen lassen. Als der da war, gab er ihm die Flasche zu trinken, und als der Arzt ihn fragte: »Wieviel Stunden werde ich noch leben, wenn ich das ausgetrunken habe?«, antwortete er: »Sowie du die Flasche in die Hand nimmst, wirst du sterben.« Und wirklich, sobald der Arzt sie ergriff, fiel er tot hin.

23. Juli – Der zweihundertvierte Tag

Das Mädchen und der Vampir

Es war einmal eine Frau, die war sehr arm; nicht weit von da gab es einen Vampir. Der zog sich eines Abends in der Dunkelheit schöne Kleider an, nahm die Gestalt eines jungen Burschen an, ging in das Haus der Frau und sagte: »Guten Abend, Mutter, ich komme zu dir als Freier; ich will deine Tochter heiraten, wenn es dir recht ist, sie mir zu geben. Ich weiß, du bist arm, deswegen will ich auch keine Mitgift, ja, ich will dir noch helfen, auch die beiden jüngeren Töchter zu verheiraten.« – »Aber wie sollte es mir nicht recht sein?« antwortete die Frau. »Nimm sie! Ich kann sie wahrhaftig ja nicht einmal satt machen.«
Da nahm der Vampir das Mädchen und ging mir ihr fort. Ihr Weg ging auf den Friedhof. Dort hob der Vampir eine Platte auf; da war ein Gang nach unten. Das Mädchen erschrak und fragte: »Wohin, mein Lieber, geht es da?« – »Da geht es in mein Haus«, antwortete der Vampir. Nachdem sie ein Stück gegangen waren, kamen sie in die Höhle des Vampirs. Dort sah das Mädchen Menschenfleisch an Haken hängen. Da sagte der Vampir: »Du, schneide ein Stück Fleisch ab und setze es zum Kochen an«, und ging fort. Dem Mädchen sträubten sich die Haare, aber was konnte sie machen, wen zu Hilfe rufen? Sie mußte also Fleisch abschneiden und ansetzen.
Am Abend kam der Vampir zurück, und sie setzten sich zum Abendessen. Er verschlang zwei, drei Stücke auf einmal, das arme Mädchen aber nahm nur ein bißchen trocknes Brot und warf das Fleisch unter den Tisch. »Du, warum ißt du kein Fleisch?« fragte er sie. »Ich bin noch nicht gewöhnt, Menschenfleisch zu essen.« Da nahm der Vampir seine Flöte, fing an zu blasen und rief dem Mädchen zu: »Frisches zartes Fleisch an die Haken! Heda! Tanze!« Als sie nicht wollte, zog er sein Messer, schlachtete sie, schnitt sie in Stücke und hängte die Stücke an die Haken.
Am anderen Abend verkleidete sich der Vampir als Kaufmann und ging wieder

zu der Frau: »Mutter! Deine Tochter ist krank geworden und möchte gern ihre Schwester, die nächste, sehen. Deswegen komme ich, ob du sie mir mitgeben willst, denn sonst ist wirklich keiner da, sie zu pflegen.« Die Frau willigte ein. Der Vampir nahm das Mädchen mit, brachte sie auf demselben Weg in sein Haus und verfuhr mit ihr wie mit der Schwester.

Nach wenigen Tagen kam er wieder zu der Frau: »Mutter, das Unglück verfolgt mich. Deine beiden Töchter sind jetzt krank und möchten gern die jüngste sehen. Wenn du Mitleid mit ihnen hast, laß die mit mir gehen.« – »Ach, mein Sohn, wenn es so steht, will ich auch mitgehen und nach ihnen sehen.« – »O nein, Mutter, du bist alt und kannst einen so weiten Weg nicht machen. Ja, wenn es zu reiten ginge, würde ich dich aufsitzen lassen, und du könntest kommen, aber der wüste Weg ist nichts für ein Reittier.« So mußte denn die Frau ihre Jüngste mitgehen lassen, aber unter der Bedingung, daß sie möglichst bald zurückkehre. Der Vampir brachte nun das Mädchen durch den Gang in seine Höhle. Als die Arme drinnen war und sah, daß ihre Schwestern ermordet waren und in Stücken an den Haken hingen, fiel sie in Ohnmacht. Als sie wieder zu sich gekommen war, sagte der Vampir auch zu ihr: »Du, schneide ein Stück Fleisch ab und setze es zum Kochen an«; damit ging er hinaus. Als er fort war, fiel das Mädchen auf die Knie und betete zu Gott, er möge sie aus den Händen des Vampirs befreien. Gott erhörte sie auch wirklich. Als sie aufgestanden war und hierhin und dahin in alle Ecken guckte, bemerkte sie etwas wie einen Schrank, ging darauf zu, öffnete ihn und fand dort einen vollständigen Gang nach unten. (Der Vampir hatte nämlich fünf, sechs solche unterirdische Gänge, und jeder von ihnen kam an einer anderen Stelle heraus.) In den Gang ließ das Mädchen sich hinab und tastete sich in der Dunkelheit weiter. Am Abend, sobald es dunkel geworden war, kam sie heraus, in einen dichten Wald, und irrte umher, da sie nicht wußte, wohin sie sich wenden sollte. Endlich fiel sie wieder auf die Knie und betete zu Gott: »Lieber Gott, gib mir einen Koffer, der sich mit einem Haar öffnen und schließen läßt, sonst mache mich zu einem Stein oder einem Baum, nur daß ich nicht noch einmal in die Hände des Vampirs falle.« Gott hatte Erbarmen mit ihr und erhörte sie; er gab ihr den Koffer. Das Mädchen stieg hinein und verschloß ihn mit einem ihrer Haare. Wenn sie hungrig war, ging sie heraus, pflückte sich Obst, das damals reichlich vorhanden war, da es Sommerzeit war, und schloß dann den Koffer wieder zu. So vergingen zwei und ein halber Monat. Der Vampir aber, als er am Abend nach Hause kam, sie suchte und nicht fand, stieg schnell in einen seiner Gänge und lief ihr eilig nach, traf aber nicht den Gang, den das Mädchen hinausgegangen war. Soviel er auch lief und auf und ab und herumrannte, konnte er sie doch nicht finden und kehrte voll Zorn nach Hause zurück.

Eines Tages war der Sohn des Zaren auf die Jagd gegangen und geriet dabei auch in den Wald, wo das Mädchen war. Sie war gerade auf einen Baum geklettert und pflückte sich Obst. Als sie nun Leute sah, ließ sie sich eilig hinab, stieg in den Koffer und schloß sich ein. Der Prinz hatte sie aber bemerkt und befahl seinen Soldaten, sie zu suchen. Die liefen hierhin und dahin, aber da war nichts. Da dachte der Prinz, es möchte eine Samovila [Waldfee] sein, die ihn verlocken wollte, und befahl seinen Leuten stehenzubleiben. Beim Suchen waren sie aber plötzlich auf den Koffer des Mädchens gestoßen. Der Prinz wunderte sich, wie der Koffer an einen solchen Ort gelangen konnte; es kam ihm aber nicht in den Sinn, daß das Mädchen darin sein könnte, das sie suchten. Er befahl nun gleich, daß sie den Koffer aufmachen sollten – er vermutete nämlich, es sei Geld darin. Die Soldaten strengten sich an, den Deckel aufzuheben, aber soviel sie sich auch bemühten, der Deckel wich nicht um ein Haar. Sogar als sie mit Hebebäumen arbeiteten, half es nichts. Endlich, als der Prinz sah, daß der Koffer nicht zu öffnen war, befahl er, ihn aufzuheben und in sein Schloß zu bringen. Dort ließ er den Koffer in sein Schlafzimmer bringen, wo er zum Schmuck stehen sollte.
Am Abend brachte man dem Prinzen das Abendessen und stellte es in das Zimmer, während er noch draußen war. Als er dann kam und sich zum Essen setzte, bemerkte er, daß von allen Speisen etwas abgegessen war, rief seine Diener und fragte, wer von ihnen die Speisen berührt habe. Die armen Diener schwuren bei Himmel und Erde, daß sie von nichts wüßten und nichts gesehen hätten. Der Prinz wunderte sich, wer sich in seinem Zimmer zu schaffen machen könnte. Sonderbar, am nächsten Morgen war ebenso vom Frühstück weggegessen. Da schalt der Prinz noch mehr; aber einer der Diener, der ihm das Frühstück gebracht hatte, versteckte sich jetzt hinter der Tür und lauerte: Da sieht er den Koffer sich öffnen und ein Mädchen herauskommen, schön wie die Sonne, die Haare ganz goldig; sie trat an den Tisch, nahm ein wenig von jeder Speise und schloß sich wieder in den Koffer ein. Als nun der Prinz zum Essen kam, fand er wieder, daß von den Speisen etwas fehlte, und schalt noch viel mehr. Da trat der Diener, der gelauert hatte, hervor und sagte: »Erhabener Prinz, ich habe gesehen, wer die Speisen anrührt. Aus dem Koffer, den du im Zimmer hast, kommt ein Mädchen heraus, schön wie die Sonne, mit goldenen Haaren. Die kostet ein wenig von allen Speisen und schließt sich dann wieder ein.«
Am Abend stellte sich nun der Prinz selber hin, um aufzupassen und so aus dem Hinterhalt das Mädchen zu überraschen, ehe sie den Koffer erreichen könnte. Wirklich kam das Mädchen wieder heraus, trat an den Tisch und fing an, von den Speisen zu kosten. Der Prinz trat ganz leise hinter sie, und als sie sich umwandte und in den Koffer steigen wollte, schnitt er ihr den Weg ab und umfing

sie. Sie wollte mit Gewalt seinen Händen entschlüpfen, er ließ sie aber nicht los und brachte sie in ein andres Zimmer. Am andern Tage rüstete er zur Hochzeit und vermählte sich mit ihr; damit sie sich aber nicht wieder in dem Koffer verberge, schloß er ihn in einem besonderen Zimmer ein und ließ niemand hinein.

Doch das Schicksal blieb dem armen Mädchen nicht lange günstig. Einer von den Großen des Zaren, der gern seine eigene Tochter mit dem Prinzen verloben wollte, bestach die Dienerinnen, einige Negerinnen, die Prinzessin umzubringen. Eines Morgens, als der Prinz nicht zu Hause war, rissen sie die Prinzessin aus ihrem Schlafzimmer, banden sie und warfen sie weit von der Stadt in die Brennesseln. Zum Glück kam bald darauf eine alte Frau dahin, um sich Nesselgemüse zu sammeln; sie bemerkte das Mädchen, faßte Erbarmen mit ihr und nahm sie mit sich nach Hause. Der Prinz aber suchte überall seine Frau, und als er sie nicht fand, wurde er krank, von Tag zu Tag immer kränker. Um nun wieder Appetit zu bekommen, ließ er durch einen Herold ausrufen, wer etwas besonders Gutes hätte, solle es dem Prinzen als Krankenspeise bringen. Davon hörte auch das Mädchen und sagte zu der Alten: »Komm, Mutter, du mußt dem Prinzen eine Krankenspeise bringen.« – »Ach, Töchterchen, was können wir ihm bringen?« – »Geh nur und suche Gemüsekräuter zusammen, wir wollen sie kochen, und du sollst es hintragen. Wer weiß, vielleicht schmeckt es dem Prinzen.«

Die Alte brachte das Kraut, sie kochten es und legten es auf einen Teller. Das Mädchen aber riß sich heimlich ein Haar aus und tat es in die Speise. Als die Alte damit an das Palasttor kam, wollten die Torwächter sie nicht hineinlassen, der Prinz hatte sie aber vom Fenster aus gesehen und befahl, sie einzulassen. Die Alte ging hinauf und übergab ihm den Teller mit dem Gemüse. Der Prinz stocherte mit der Gabel darin herum und zog das goldene Haar heraus, kostete einige Bissen und sagte: »Ach, Alte, dein Gemüse ist gut. Bring mir noch einmal davon.« Die Alte ging wieder nach Hause und erzählte es dem Mädchen. Die antwortete: »Siehst du, das Gemüse hat ihm geschmeckt. Geh nur wieder und sammle neues, wir bereiten es zu, und du bringst es ihm nochmals.« Alles geschah so, und das Mädchen hatte wieder ein Haar hineingetan. Als der Prinz wieder ein Haar darin fand, sagte er zu der Alten: »Jetzt bin ich wieder gesund, und am Sonntag möchte ich gern zu dir zu Gast kommen.« – »Ach, erhabener Prinz, was ist mein Haus für einen Mann wie dich?« – »Nun, Frau, ich will nicht, daß du dir Kosten machst. Ich setze mich auf eine Binsenmatte und esse Brot und Salz.« Da konnte die Frau nicht anders, als ihm seinen Willen zu tun, und sagte: »Befiehl, mein Sohn. Wenn es dir beliebt, mein Haus steht dir offen.« Sie ging nun nach Hause und sagte zu dem Mädchen: »Was nun, meine Tochter, wo soll ich dich

verbergen? Der Prinz will am Sonntag zu uns zu Gast kommen.« – »Das ist weiter nichts, Mutter, du versteckst mich in den Backtrog, legst eine Decke darauf und sagst ihm, daß du Teig angerührt hast und ihn stehenläßt, daß er aufgeht. Er merkt dann nichts.«
Der Sonntag kam, und der Prinz kam zu der Alten zu Gast, saß eine Zeitlang da und sagte dann: »Was hast du da in dem Backtrog, Alte?« Sie antwortete: »Ich habe Teig angerührt, mein Sohn, und habe ihn hingestellt, daß er aufgeht.« Nach einiger Zeit fragte der Prinz die Alte wieder: »Ist denn dein Teig noch nicht aufgegangen, daß du einen Kuchen backen kannst?« – »Nein, noch nicht, mein Sohn, mein Sauerteig ist nicht sehr gut.« Der Prinz blieb noch etwas sitzen, dann stand er auf und sagte: »Alte, ich will einmal den Backtrog aufdecken und zusehen, was mit deinem Teil ist, daß er so lange braucht, um aufzugehen.« Damit faßte er die Decke am Rand an und wollte sie aufheben. Die Alte rief: »Laß, mein Sohn, tu es nicht.« Er hörte aber nicht darauf und hob die Decke auf; darin lag das Mädchen. Als er sie sah, rief er: »Aha! Da bist du«, faßte sie an der Hand, hob sie auf und umarmte sie; darauf fragte er sie, wie sie denn in das Haus der Alten geraten sei, und sie erzählte ihm von Anfang bis zu Ende, was mit ihr geschehen war. Da nahm der Prinz seine Braut und ging mit ihr und der Alten nach Hause, die Dienerinnen aber ließ er hinrichten.

24. Juli – Der zweihundertfünfte Tag

Das kluge Mädchen wird Zarin

Einmal gab ein Zar den Befehl: Wer den und den Stein schlachtet, daß Blut davon fließt, den will ich zum Ersten meines Reiches machen.
Von allen Seiten kamen tüchtige Burschen herbei, aber keiner konnte den Stein schlachten; sie fanden es nur wunderlich, wie man überhaupt einen Stein schlachten könne. In einem Dorf gab es ein besonders tüchtiges Mädchen, sie hütete die Schafe. Als sie davon hörte, verkleidete sie sich als Mann, ging zum Zaren und sagte zu ihm: »O Zar, ich kann den Stein schlachten.« Überallhin ging das Gerücht, es habe sich ein Mensch gefunden, den Stein zu schlachten, und zahllose Leute sammelten sich, um zu sehen, wie der das machen wird.
Als der Tag kam, an dem das Mädchen den Stein schlachten sollte, zogen der Zar und alle Vornehmen aus der Stadt auf einen freien Platz, und dort vor aller Augen sollte das Mädchen ihn schlachten. Das Mädchen zog das Messer, um den Stein zu schlachten, wandte sich zum Zaren und sagte: »Zar, du willst doch, daß ich den Stein schlachten soll. So gib ihm vorher eine Seele, und wenn ich ihn dann nicht schlachte, nimm meinen Kopf.«
Der Zar wunderte sich über diesen Satz und sagte: »Du bist der Klügste in meinem Reich, und ich will dich zum vornehmsten Mann machen. Wenn du mir aber noch das vollbringst, was ich dir sagen werde, so sollst du mir wie ein Sohn sein.« Das Mädchen sprach: »Sage, Zar, was du sagen willst, und wenn es möglich ist, will ich mich bemühen, es zu vollbringen.« Der Zar sagte ihr: »Von jetzt an in drei Tagen sollst du wieder vom Dorf hierherkommen. Wenn du kommst, sollst du reiten und nicht reiten, sollst mir ein Geschenk bringen und nicht bringen. Alle, groß und klein, wollen wir herauskommen und dich empfangen, und du sollst die Leute dahin bringen, daß sie dich empfangen und nicht empfangen.«
Die Hirtin ging nun in ihr Dorf und gab den Bauern den Auftrag, drei, vier Hasen und zwei Tauben lebendig zu fangen. Die Bauern taten das.
Am dritten Tag, als sie zu dem Zaren gehen sollte, steckte sie die Hasen je einen in einen Sack, gab sie den Bauern zu tragen und sagte: »Wenn ich euch sage, ihr sollt sie loslassen, dann laßt sie los.« Sie selbst nahm die beiden Tauben, setzte sich rittlings auf eine Ziege und machte sich auf zu dem Zaren; einige Leute hatte sie vorausgeschickt, ihm anzuzeigen, daß sie komme.
Als der Zar das hörte, zog er aus der Stadt, sie zu empfangen mit allen Vornehmen und zahllosen Stadtleuten. Als nun das Mädchen nicht mehr weit vom Zar entfernt

war, sah sie die Menge Menschen, die herausgekommen waren, sie zu empfangen, und als sie ihnen nahe kam, befahl sie den Bauern, vor den Augen der Leute die Hasen loszulassen. Sobald die das sahen, rannten sie fort, die Hasen zu fangen.

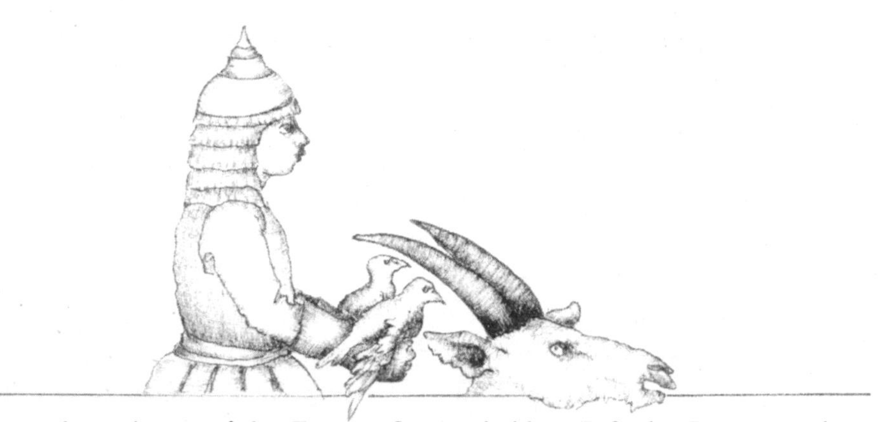

Die Hirtin, die rittlings auf der Ziege saß, ging bald zu Fuß, die Ziege zwischen den Beinen, bald hob sie die Füße auf und ritt auf der Ziege.

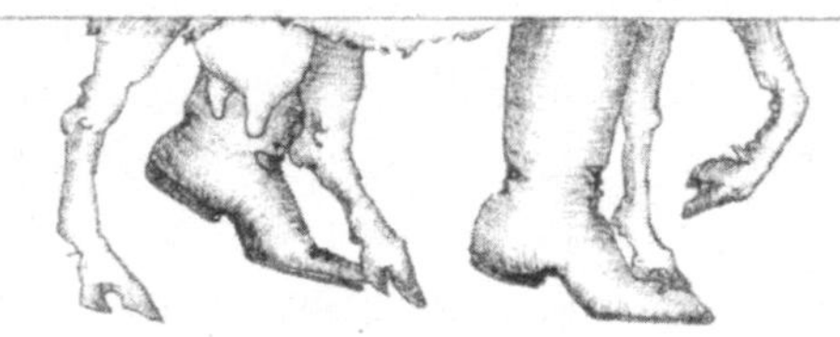

Als sie zu dem Zaren hintrat, zog sie die beiden Tauben aus dem Busen und reichte sie ihm hin. In dem Augenblick, wo er die Hand ausstreckte, die Tauben zu nehmen, ließ sie sie aus der Hand, und die Tauben flogen weg.
Da sagte die Hirtin zu dem Zaren: »Du siehst, Zar, die Leute haben mich empfangen und nicht empfangen. Ich bin geritten und nicht geritten. Ich habe dir ein Geschenk gebracht und nicht gebracht.« Da sagte ihr der Zar: »Von heute an sollst du mir wie ein Sohn sein.« Sie aber flüsterte ihm ins Ohr: »Ich bin kein Bursche, ich bin ein Mädchen.« Der Zar, der nicht verheiratet war, nahm sie zur Frau. Und so wurde die Hirtin durch ihre Klugheit Zarin.

25. Juli – Der zweihundertsechste Tag

Messerprinz

Es waren einmal ein Zar und eine Zarin, die hatten zehn Jahre lang keine Kinder. Die Zarin fing jedesmal an zu weinen, wenn sie Kinder sah.

Einmal begegnete sie einem Mann, der hatte sieben Kinder und ging betteln, um die Kinder zu ernähren. Er kam auch an die Tür der Zarin; die war wieder betrübt, daß sie kein Kind hatte, und gab ihm Geld und Brot. Da ging gerade ein alter Mann mit weißem Bart vorüber und sah, wie die Zarin weinte, als sie die Kinder des Bettlers sah. Der Alte fragte sie: »Warum weinst du?« Sie antwortete ihm: »Dem da, der sie nicht ernähren kann, hat Gott Kinder gegeben, und mir, die sie nähren und kleiden kann, gibt er keine.« Darauf sagte der Alte: »Wenn du mich zum Gevatter nimmst, will ich dir ein Kind geben.« – »Warum nicht? Ich will dich zum Gevatter nehmen.« Der Alte gab ihr darauf einen Apfel und sagte: »Eine Hälfte iß du, und die andere gib dem Zaren.« Die Zarin nahm den Apfel, gab die eine Hälfte dem Zaren, die andere aß sie selbst. Nach neun Monaten bekam sie ein Kind, einen Jungen. Bei seiner Geburt schoß man mit Kanonen.

Bis zum zehnten Jahr hatten sie ihm noch keinen Namen gegeben und schickten ihn ohne Namen in die Schule. Der Junge aber, traf er auf dem Schulweg einen Menschen, schlug er ihn nieder, und die Rinder, die auf die Weide getrieben wurden, packte er am Schwanz und schleuderte sie zur Seite. Da klagten die Hirten beim Zaren: »Willst du uns schützen, oder willst du unser Vieh schlagen lassen?« Als der Junge aus der Schule kam, sagte der Zar zu ihm: »Was schlägst du das Vieh? Die Leute sind hierhergekommen, dich zu verklagen.« Darauf antwortete der Junge: »Ich mag hier nicht bleiben, ich will fort. Wenn's dir recht ist, gib mir ein Pferd und Geld, ich mag nicht hierbleiben, ich will fort und mich mit irgendeinem Ringkämpfer messen.« Der Zar aber sagte: »Sprich nicht davon, daß du fort willst, und schlag kein Vieh mehr tot.« Dann ließ er ihn wieder in die Schule gehen. Die Schulkinder aber riefen ihm nach: »Namenlos, Namenlos«, weil er keinen Namen hatte.

Als der Junge aus der Schule kam, ging er zu seiner Mutter und sagte: »Ich habe keinen Namen. Ich will fort von hier.« Die Mutter antwortete: »Wenn du gerne einen Namen willst, so wollen wir dir einen geben« und sagte zum Zaren: »Das Kind will einen Namen haben. Den Apfel, den du gegessen hast, hat mir ein Alter

gegeben und mir gesagt: ›Wenn du mich zum Gevatter nimmst, schenke ich dir ein Kind.‹« Darauf sagte der Zar: »Mag sein, aber wo sollen wir ihn finden?« – »Er geht jeden Tag an unserm Haus vorbei.« Darauf der Zar: »Halt ihn an, wenn er vorbeikommt.« Am Abend schoß man mit Kanonen, da der Zarensohn einen Namen bekommen sollte, und der Zar hatte Gäste dazu eingeladen. Die Zarin aber hielt den Alten an. Am nächsten Morgen waren alle Zimmer voll Leute, auch der Alte war dort und sagte zum Zaren: »Mach ein Zimmer ganz leer!« Das geschah, der Alte ging in das Zimmer und sagte: »Bringt mir das Kind, wie es die Mutter geboren hat.« Da brachten sie ihm das Kind ganz nackt, er aber kleidete es in goldne Gewänder, stach ihm ein spitzes Messer ins rechte Bein und gab ihm den Namen »Messerprinz«. Als die Leute ihn so in Gold gekleidet sahen, gerieten sie ganz außer sich, und der Alte selbst auch; der aber ging davon.
Der Zar schickte nun seinen Sohn wieder in die Schule; der aber prügelte sich mit den Kindern; sie klagten es dem Zaren, und er verbot es ihm. Aber es war von Gott so in den Jungen gelegt, er konnte es nicht aushalten und sagte zu seinem Vater: »Ich kann hier nicht stillsitzen, gebt mir ein Pferd und einen Quersack voll Geld, ich will fort.« Da gab ihm der Zar, was er wünschte.
Der Junge zog fort und kam an ein Gebirge. Da begegnete ihm einer, der vom Gebirge herabkam und, während er so ging, mit dem Fuß ausholte und die Buchen umstürzte. Messerprinz sagte zu ihm: »Wer bist du?« – »Ich bin ein Mensch, und du?« – »Ich bin auch ein Mensch. Und du, wohin gehst du?« Der antwortete: »Ich gehe zu einem Zarensohn, der Messerprinz heißt, und will mit ihm ringen.« Messerprinz sagte darauf: »Komm, versuch es erst einmal mit mir!« Der andre sagte ja, und sie rangen drei Tage und drei Nächte, aber keiner kam zu Fall. Da sagte der Messerprinz: »Laß uns Brüderschaft machen!« Der andere war einverstanden, und Messerprinz fragte ihn: »Was für eine Heldenkraft hast du?« Der antwortete: »Ich weiß alles, was es auf der Welt gibt. Und was hast du für eine?« – »Ich habe im rechten Bein ein Messer. Wenn mir das ein andrer herauszieht, muß ich sterben: wenn ich es aber selbst herausziehe, sterbe ich nicht. Wenn ich das Messer schleudere, kann mir nichts widerstehen.« Da schlossen die beiden Brüderschaft.
Sie gingen weiter und kamen wieder an einen Berg; da sahen sie einen herabkommen und fragten ihn: »Was bist du?« – »Ich bin ein Mensch«, antwortete der, »und was seid ihr?« – »Wir sind auch Menschen. Und du, wohin gehst du?« Der sagte: »Ich gehe und will mit dem Messerprinz ringen.« – »Komm, versuch es erst einmal mit mir!« Da rangen sie drei Tage und drei Nächte, und keiner kam zu Fall. Darauf sagte Messerprinz zu ihm: »Laß uns drei Brüderschaft schließen!« Der war einverstanden, und Messerprinz fragte ihn: »Was für eine Heldenkraft

hast du?« Er antwortete: »Ich kann mitten durchs Meer einen Weg bahnen. Und was für eine hast du?« – »Ich habe im rechten Bein ein Messer. Zieht mir das ein andrer heraus, so muß ich sterben. Wenn ich es aber selbst herausziehe, sterbe ich nicht, und wenn ich es schleudere, kann nichts mir widerstehen.« Da schlossen die drei Brüderschaft.

Der eine, der alles auf der Welt wußte, sagte zu dem Prinzen: «An dem und dem Ort ist ein Feuer. Darüber versuchen Helden zu springen, aber keiner kommt hinüber. Wer hinüberspringt, der bekommt des Zaren Tochter.« Messerprinz antwortete: »Kommt, laß uns dahin gehen!« Dort fragte er die Springer: »Ist es auch uns erlaubt zu springen?« Sie antworteten: »Jawohl, warum nicht? Wer kann, darf springen.« Da sprang Messerprinz über das Feuer, und sie gaben ihm die Zarentochter. Er aber sagte: »Sie soll mir eine Schwester sein in dieser und in jener Welt. Wenn ihr sie mir für meinen älteren Bruder da geben wollt, will ich sie nehmen; sonst mag sie hierbleiben.« Man gab sie ihm. Messerprinz aber richtete diesem seinem Bruder ein Haus zur Wohnung ein, gab ihm eins von seinen Haaren und sagte: »Wenn Blut aus diesem Haar fließt, wisse, daß ich tot bin.«

Darauf gingen er und der jüngere Bruder weiter und sahen an einer Stelle, wie Leute versuchten, über einen Fluß zu springen. Wer hinüberkäme, der solle die Tochter des Zaren bekommen. Da nahm Messerprinz einen Esel, lud ihn auf die Schulter und sprang über den Fluß. Sie wollten ihm nun die Zarentochter geben; er aber sagte: »Sie soll mir eine Schwester sein in dieser und in jener Welt. Wenn ihr sie mir für meinen Bruder geben wollte, will ich sie nehmen.« Das taten sie; er richtete diesem Bruder ein Wohnhaus ein wie dem anderen, gab ihm auch ein Haar und zog weiter.

An einer Stelle teilte sich der Weg; dort war ein Stein mit einer Inschrift. Messerprinz las sie: »Wer diesen Weg geht, kehrt zurück, wer den da, kehrt nicht zurück.« Da sagte er: «Ah! Daran wird man erkennen, daß ich ein tapfrer Held bin. Ich will den Weg gehen, wo man nicht zurückkommt.« Das tat er, und unterwegs traf er auf drei Lamien [schlangenähnliche Ungeheuer], schleuderte seine Keule und erschlug sie alle drei.

Beim Weitergehen traf er noch weitere sechs; da dachte er: ›Wenn ich mit der Keule werfe, treffe ich sie vielleicht nicht; ich will lieber mit dem Messer werfen.‹ Aber dann meinte er doch: ›Nein, ich will nicht mit dem Messer werfen, sondern lieber mit der Keule.‹ Das tat er und erschlug alle sechs.

Als er weiterging, traf er wieder eine Lamia. Die war so hoch wie drei Minarette zusammen; da sprach er bei sich: ›Werfe ich so, daß ich ihre Füße treffe, so fällt sie auf mich und erschlägt mich.‹

Darum warf er so, daß er sie am Kopf traf. Sie fiel, und er ging hin und machte ihr mit dem Messer den Garaus.
An demselben Ort war ein Palast mit fünfzig Stuben, darin befand sich ein Mädchen. Er stieg zu den Stuben hinauf, fand neunundvierzig offen und eine verschlossen. Er stieß mit dem Fuß an die Tür und öffnete sie; da fand er das Mädchen. Sie war zugedeckt. Er deckte sie auf und sagte: »Steh auf!« Sie aber rief: »Lauf fort, die Lamia wird dich auffressen.« Er erwiderte: »Ich habe die Lamia erschlagen.« – »Nein, wie sollst du die Lamia erschlagen können?« – »Steh auf, dann kannst du's sehen!« Und als sie dorthin gingen, sah sie, daß die Lamia wirklich erschlagen war.
Da kamen drei Schiffe, das Mädchen zu holen. Messerprinz sprach zu dem Mädchen: »Gib acht, ich will machen, daß die Schiffe kentern.« Das Mädchen aber sagte: »Lauf weg! Die Schiffsleute werden dich erschlagen.« Er hörte aber nicht darauf und machte zwei Schiffe kentern; das eine entkam. Da gingen die Schiffsleute zum Zaren und sprachen: »Die Lamien waren nicht mehr dort, aber ein junger Mann ließ uns nicht heran.« Als das ein altes Weib hörte, die da war, sagte sie: »Wenn es sich nur um einen jungen Mann handelt, will ich ihn schon überlisten. Legt mich in eine Kiste und bringt mich zu dem Palast. Wenn ich dort bin und ihn überlistet habe, stecke ich ein Handtuch als Fahne auf. Lauft dann hin.« Das taten sie. Der junge Mann aber und das Mädchen, die gerade am Strande spazierten, erblickten die Kiste, und er sagte: »Gib acht, sieh, wie ich die Kiste da fortschleudere.« Sie antwortete: »Laß sein, tu es nicht. Es sind vielleicht Schüsseln darin, wir wollen uns doch ein Essen herrichten.« Da nahmen sie die Kiste und öffneten sie, und was sahen sie? Darin steckte eine Alte, und das Mädchen meinte: »Wir wollen sie mit nach Hause nehmen, sie soll unsere Dienerin sein.« Er sagte aber: »Nein, ich will sie fortschleudern.« Doch das Mädchen blieb bei ihrer Meinung, der Mann gab ihr nach, und sie nahmen die Alte mit sich.
Da sagte die Alte zu dem Mädchen: »Was für eine Heldenkraft hat dein Mann?« Sie antwortete: »Ich weiß nicht.« Darauf sagte die Alte weiter: »Oh! Wenn du das noch nicht weißt, so liebt dich dein Mann nicht.« Darauf ging das Mädchen und fragte ihn: »Was für eine Heldenkraft hast du?« Er antwortete: »Ich habe ein Messer im rechten Bein stecken. Wenn mir das ein anderer herauszieht, muß ich sterben, aber wenn ich es selbst herausziehe, sterbe ich nicht.« Das erzählte sie der Alten. Eines Abends tat diese so, als schüttle sie das Fieber, und sie klagte es dem Mädchen. Die sagte darauf zu ihrem Mann: »Wir wollen sie doch zu uns in die Stube nehmen, damit sie nicht einsam stirbt.« Er antwortete: »Nein, sie liegt nicht im Sterben, meine Liebe.« Das Mädchen aber blieb dabei: »Wir wollen es

doch tun, es wäre sonst Sünde.« Da nahmen sie die Alte zu sich. Die aber zog dem Mann, als er eingeschlafen war, das Messer aus dem rechten Bein, und er starb. Darauf ging die Alte und steckte ein Tuch als Fahne auf, und die Schiffsleute kamen und nahmen das Mädchen mit. Sie aber bat: »Wartet noch, laßt mich ihn zudecken und die Stube abschließen!« Das erlaubten sie ihr, und dann nahmen sie sie mit.

Nun floß Blut aus den Haaren, die er den beiden Brüdern zurückgelassen hatte, und sie machten sich auf, ihn zu suchen, sahen den Stein und lasen darauf die Inschrift: »Geht einer diesen Weg, kommt er nicht zurück. Geht er den da, kommt er zurück.« Da sagten sie: »Den Weg, wo man nicht zurückkommt, ist er gegangen.« Auf dem weiteren Weg fanden sie erst die drei erschlagenen Lamien, dann die sechs und zuletzt die riesenhafte, und sahen also, daß Messerprinz nicht von ihnen aufgefressen war.

Als sie dann in den Palast kamen, fanden sie neunundvierzig Zimmer offen, eins geschlossen. Das öffneten sie und fanden ihn dort. Da sagte der eine, der alles auf der Welt wußte, zu dem andern, der einen Weg durchs Meer bahnen konnte, er solle das tun; er wußte nämlich, daß die Alte das Messer ins Meer geworfen hatte. Der andre tat das, sie fanden das Messer, kehrten zurück und steckten es Messerprinz wieder ins Bein. Da wachte er auf und sprach: »Ach, was habe ich geschlafen! Aber wo kommt ihr her? Was habt ihr mit dem Mädchen gemacht?« Sie antworteten: »Wir sollen etwas mit dem Mädchen gemacht haben? Wo ist sie?« Der aber, der alles wußte, wußte auch, daß der Zar das Mädchen fortgeholt hatte, und Messerprinz befahl dem andern, einen Weg durchs Meer zu bahnen. Von dem Palast bis zu dem Zaren waren es neun Tagereisen. Sechs Tagereisen hatten sie schon auf dem Meeresweg zurückgelegt, es blieben bis zu dem Zarenschloß noch drei. Das Mädchen hatte aber zu dem Zaren gesagt: »Ich heirate dich nicht, ehe neun Tage um sind. So lange laß mich ihn betrauern.«

Messerprinz fragte nun seinen Genossen: »Wieviel Tagereisen sind es noch bis zu dem Schloß?«, und als er erfuhr, noch drei, sagte er: »Mach schnell!« Das tat der, und sie kamen bis an das Schloß. Da sah Messerprinz das Mädchen am Fenster des Zaren sitzen, sprang ans Land und ging zu dem Fenster. Als die Alte, die am Tisch des Zaren gesessen hatte, ihn sah, fiel sie unter den Tisch, der Zar aber ging gerade im Haus herum. Da ergriff Messerprinz die Alte und hieb sie in Stücke. Dann machte er sich auf, auch den Zaren in Stücke zu hauen; der aber bat ihn: »Ich will dir neun Lasten Geld geben, töte mich nicht.« So geschah es. Messerprinz nahm das Geld und das Mädchen. Drei Lasten gab er dem ältesten Bruder, drei dem jüngern, drei behielt er für sich, und dann ging jeder hin, wo er zu Hause war.

26. Juli – Der zweihundertsiebte Tag

Lengo und Sawe und das Meer

Es war einmal eine Mutter, die hatte einen Sohn. Der Junge hatte keine Lust zu arbeiten, er war zu faul. Die Mutter sagte zu ihm: »Aber, Sohn, wenn du schon nichts anderes arbeitest, geh wenigstens mit dem Esel Holz holen.« Der Junge antwortete: »So hol mir ihn doch, wenn du willst, daß ich nach Holz gehen soll.« Die Mutter holte ihm den Esel und sprach: »Da, ich habe dir den Esel geholt, nun geh also!« – »Setz mich auf den Esel, wenn du willst, daß ich nach Holz gehen soll«, sagte der Junge weiter. Da setzte sie ihn auf den Esel und sagte: »Da, ich habe dich daraufgesetzt, mach nun vorwärts und geh!« Sie legte ihm auch noch das Beil auf den Esel und brachte ihn so mit aller Mühe dahin, daß er ging.

Der Junge zog nun seines Weges, Holz zu holen. Nach einiger Zeit kam er ans Meer, da fiel ihm das Beil herunter. Er war zu faul, abzusteigen und es aufzunehmen, sondern blieb auf dem Esel sitzen und wartete. Da war aber ein Fisch aufs Trockene geraten und konnte nicht wieder ins Wasser kommen. Als der den Jungen sah, bat er ihn: »Du Junge! Trag mich ins Meer, und was du willst, gebe ich dir.« – »Gib mir das Beil da«, antwortete der Junge, »wenn du willst, daß ich dich ins Wasser trage.« Der Fisch bewegte den Schwanz, hob den Stiel des Beils in die Höhe, so konnte der Junge es fassen. Dann sagte er zu dem Fisch: »Was willst du mir nun geben, daß ich dich ins Meer trage?« – »Was ich dir gebe?« antwortete der Fisch. »Ich habe nichts, was ich dir geben kann, nur das kann ich machen: Wenn du sagst: ›Lengo und Sawe und das Meer‹, dann wird dir alles zuteil, was du willst.« Da warf der Junge den Fisch ins Meer, der schwamm gleich fort, und der Junge blieb am Ufer stehen. Nun fing er an nachzudenken, was er machen und was er sich wünschen solle. Zuletzt fiel ihm ein, er wolle sagen, daß ihm ein Tisch mit Essen hingestellt werden soll, und so sagte er: »Lengo und Sawe und das Meer! Es soll ein Tisch mit allerlei Speisen dastehen.« Und sogleich stand der Tisch mit schönen Speisen da. Der Junge aß sich satt und ging dann ins Gebirge nach Holz. Wer sollte ihm nun das Holz sammeln? Er war zu faul dazu. Da sagte er wieder: »Lengo und Sawe und das Meer! Es soll mir Holz aufgelesen und auf den Esel geladen werden!« Sofort war das Holz aufgelesen und dem Esel aufgeladen. Der Junge ging mit dem Holz nach Hause. Unterwegs kam er am Zarenschloß vorbei. Die Zarentochter stand am Fenster, der Bursche sah sie und sagte: »Lengo und Sawe und das Meer! Dies Mädchen soll schwanger werden.« Da wurde sie gleich schwanger ohne Mann. Das Kind

in ihrem Leibe wuchs und wuchs, und sie wunderte sich: »Wie ist denn das gekommen? Und was soll ich meinem Vater sagen, wenn er es merkt?« Die Zarentochter war nämlich sehr schön, und ihr Vater hatte sie im Palast eingeschlossen, daß sie mit keinem Mann verkehre. Endlich merkte der Vater, daß seine Tochter schwanger war, rief sie ganz allein zu sich und sprach: »Aber, Tochter! Was machst du mir da für Scham und Schande? Von wem hast du's? Wohin bist du gegangen, oder wer ist zu dir gekommen?« Das Mädchen war sehr erschrocken und antwortete mit Zittern: »Ich bin nirgends hingegangen, Vater, auch ist keiner zu mir gekommen, ich habe gar keinen Mann gesehen.« Ihr Vater glaubte ihr aber nicht, ließ sie in den Block spannen und ihr die Bastonade [Schläge auf die Fußsohlen] geben, sie aber blieb dabei: »Ich weiß nicht und weiß nicht!« Zuletzt sagte sie ihm: »Ein Bursche mit einer Last Holz kam am Schloß vorüber, sah mich am Fenster und murmelte etwas vor sich hin. Von der Zeit an fühlte ich, daß ich schwanger sei.« – »Wie kann es sein, daß eine vom bloßen Ansehen schwanger wird?« erwiderte der Vater; er wollte ihr das durchaus nicht glauben. Sie aber schwor, schlug sich an die Brust und sagte: »Wenn du willst, Vater, glaube mir. Wenn nicht, nimm mein Leben – wirf mich ins Meer.« Da ließ der Zar den Burschen holen und fragte ihn, ob er das Mädchen zur Frau nehmen wolle. Der sagte ja, und der Zar gab sie ihm, setzte die beiden in ein Schiff, gab seiner Tochter einige Kränze Feigen und ließ das Schiff treiben.
Sie trieben lange auf dem Meer. Dann aber sagte die Zarentochter zu ihrem Mann: »Mann, sag doch, daß wir ans Land kommen.« – »Gib mir eine Feige, wenn du willst, daß ich es sage«, antwortete der. Sie gab ihm einen Kranz Feigen, und er sagte: »Lengo und Sawe und das Meer! Wir wollen an Land.« Und sogleich waren sie an Land. Da sagte die Frau zu ihm: »Sag wieder etwas, daß sich hier ein Schloß aufbaue, in dem wir wohnen und leben können.« Er antwortete wieder: »Gib mir eine Feige, wenn du willst, daß ich es sage.« Sie gab ihm noch einen Kranz Feigen, und er sagte: »Lengo und Sawe und das Meer!« Sogleich stand ein Schloß da, schön, mit allem Nötigen, mit allen möglichen schönen Teppichen und mit allem Hausgerät. Da gingen sie hinein und wohnten dort. Eines Tages gingen die Leute des Zaren auf die Jagd, und als sie auf dem Heimweg waren und das Schloß erblickten, gerieten sie sehr in Erstaunen: Bis gestern war nichts da, wie ist da ein so schönes Schloß entstanden? Sie erzählten dann dem Zaren von dem Schloß am Meeresufer, der wunderte sich auch und sagte gleich, er wolle gehen und es ansehen. Als der Zar zum Schloß kam und es sah, ging er hinein, und die beiden, die da wohnten, seine Tochter und sein Schwiegersohn, empfingen ihn, wie es einem Zaren gebührt. Dann sagte der Schwiegersohn: »Lengo und Sawe und das Meer! Es sollen dem Zaren goldne Tische, goldnes

Geschirr und kaiserliche Gerichte vorgesetzt werden.« Und sogleich erfüllte sich sein Wunsch. Die Zarentochter hatte sich bis dahin ihrem Vater noch nicht zu erkennen gegeben. Sie hatte ihn gleich, als er eintrat, erkannt, er sie aber nicht. Dann gab sie sich ihm kund, und er erkannte und fragte sie, wie sie zu einem solchen Palast gekommen sei und zu so schönen Geräten und zu Speisen und zu solchem Reichtum. Sie erzählte ihm nun alles von Anfang bis zu Ende, was und wie es gewesen war. Da nahm der Zar seinen Schwiegersohn, den ehemaligen Holzsammler, und seine Tochter mit sich und setzte ihn auf den Thron.

27. Juli – Der zweihundertachte Tag

Der zerschnittene Fisch

Es war einmal ein Fischer, der hatte eine Frau. Eines Tages sagte die Frau zu ihm: »Lieber Mann, du verkaufst immerfort Fische, willst du nicht auch einmal einen für uns bringen?« Am andern Tage ging er hin, um für zu Hause etwas zu fangen, und als er sein Netz ins Wasser warf, fing er einen schönen Fisch. Aber dieser Fisch sprach zu dem Fischer: »Störe mich nicht, denn ich bin dein Schicksal, sondern laß mich frei und komm morgen wieder, um einen anderen zu fangen, der für dich sein soll.« Da ließ er den Fisch frei und ging leer nach Hause, wo die Frau bereits eine Bratpfanne aufs Feuer gesetzt hatte und auf den Fisch wartete. Die Frau fragte ihn: »Warum hast du keinen Fisch gebracht, Mann?«, und er sagte ihr: »So und so ist es mir gegangen, Frau.«
Am folgenden Tag ging er wieder hin und fing einen großen

Fisch, welcher zu ihm sprach: »Du hast mich zu deinem Glück gefangen. Schneid mich in acht Stücke, zwei davon stecke bei deiner Tür in die Erde, zwei wirf deiner Stute vor, zwei deiner Hündin, und zwei gib deiner Frau,« Als er nach Hause gekommen war, teilte er den Fisch wirklich so, wie dieser ihn geheißen hatte. Und ohne daß er etwas wußte, sprossen bei der Tür zwei Zypressen hervor, die Stute warf zwei unvergleichlich schöne Zuchthengste, die Hündin zwei wunderbare Löwen, und die Frau gebar zwei starke und sehr schöne Knaben.

In einem Ort dort in der Nähe wohnte die Schöne der Erde. Als der ältere Sohn des Fischers dies erfuhr, verlangte er so sehr nach ihr, daß er das Gelübde tat, hinzugehen und sie zur Frau zu nehmen. Der Vater des Jünglings und die Mutter bemühten sich in jeder Weise, ihn davon abzubringen, sie stellten ihm alles vor, auch die Gefahr für seinen Kopf, den er sicher verlieren würde, wenn er hinginge, aber er ließ sich nicht überreden. Endlich sagte ihnen der Jüngling, wenn seine Zypresse zu verwelken und sich abwärts zu neigen begönne, dann sei er verloren. Und er machte sich auf und zog fort.

Als er in die Stadt der Schönen der Erde gekommen war, ging er mitsamt seinem Löwen grade auf ihr Haus zu. Dort kam ihm eine alte Frau entgegen und fragte ihn: »Was willst du?« Und als er gesagt hatte: »Ich will die Schöne der Erde«, machte ihn die Alte mit ihrem Blick zu Stein. Sofort verwelkte auch seine Zypresse bei seinem Vater und ließ ihre Spitze sinken, und die armen Eltern fingen an zu weinen, denn sie schlossen daraus, daß ihr Sohn verloren sei. Als dies der jüngere Bruder sah, rief er aus: »Ich will selbst hingehen, den Bruder zu retten und die Schöne der Erde zu rauben.« Da begannen Vater und Mutter zu weinen und baten ihn immerzu, er solle sich nicht verleiten lassen hinzugehen, denn es würde ihn das gleiche Schicksal treffen wie seinen Bruder. Aber trotz all

ihrem Klagen wollte er ihren Bitten nicht gehorchen und machte sich auf und zog aus samt seinem Löwen. Dem Löwen befahl er, wenn sie beim Hause der Schönen der Welt angekommen seien und wenn die Alte herauskäme (denn der Jüngling hatte alles erfahren, was die Alte den Jünglingen antat), solle er sie fassen, daß sie nicht Atem schöpfen könne, und sie stark würgen, bis sie entweder den Bruder lebendig machte und ihm die Schöne der Erde gäbe oder getötet würde.

Sie kamen an ihrer Tür an, und als sie den Bruder mitsamt dem Löwen erstarrt und zu Stein geworden sahen, flossen die Tränen stromweise aus ihren Augen. Der Löwe packte, wie ihm befohlen war, die Alte so fest und würgte sie so stark, daß sie sich nicht rühren konnte. Als sie sich nun in Bedrängnis sah, sagte sie dem Jüngling, er solle einen Wandschrank öffnen, der dort in der Nähe stand, und zwei Gläser herausnehmen, von denen das eine eine weiße, das andere eine rote Flüssigkeit enthielte; und sie erklärte ihm, mit der weißen Flüssigkeit mache sie die Männer zu Stein und mit der roten wieder lebendig. Sie gossen sogleich die rote Flüssigkeit auf den Bruder und den Löwen, und sie wurden alsbald lebendig. Der Bruder wischte seine Augen aus und sagte: »Ach, wie lange habe ich geschlafen.« – »Du hast nicht geschlafen, lieber Bruder«, antwortete er, »sondern so und so ...« Gleichzeitig richtete sich auch die Zypresse zu Hause wieder auf, und die Eltern freuten sich, da sie daraus schlossen, daß ihr Sohn wieder lebendig geworden war.

28. Juli – Der zweihundertneunte Tag

Augenhündin

Es war und war nicht. – Es war einmal eine junge Frau, die war an einem fremden Ort verheiratet und fünf Jahre nicht zu ihren Verwandten gekommen.

Als sie eines Tages an der Quelle Wasser schöpfte, seufzte sie nach ihren Verwandten, und als sie so seufzte, kam eine Alte zu ihr – und das war die Augenhündin, welche vier Augen hatte, zwei vorne, zwei hinten, aber die junge Frau erkannte sie nicht, denn die zwei hinteren hatte sie mit dem Kopftuch verbunden – und fragte sie: »Warum klagst du, Töchterchen?« Sie sagte darauf: »Ach, Frau, ich klage, weil es nun fünf Jahre sind, daß ich meinen Vater und meine Mutter nicht gesehen habe. Der Weg ist weit, und ich habe niemand, mit dem ich gehen könnte.« Da sagte die Alte: »Ich führe dich hin, Töchterchen, denn ich habe in der Gegend ein Geschäft. Geh also, schmücke dich, ich warte hier auf dich.« Da ging die junge Frau in ihr Haus, schmückte sich und eilte zu der Alten, die an der Quelle auf sie wartete.

Sie gingen ein oder zwei Stunden Weges und kamen an einen entlegenen Ort, und dort war das Haus der Augenhündin, und ihre Tochter, die Maro hieß, saß darin. Da merkte das Mädchen, daß die Alte die Augenhündin sei, aber sie konnte ihr nicht entwischen.

Als nun die Augenhündin ins Haus trat, befahl sie ihrer Tochter Maro, den Backofen anzuzünden, und sie selbst ging hinaus, um Holz zu sammeln. Als nun die Augenhündin fort war, da fragte das Mädchen die Maro: »Was willst du mit dem Ofen?« Und diese sagte ihr: »Wir wollen dich braten und dann auffressen.« – »Das ist mir ganz recht, daß ihr mich auffreßt, aber gib acht, daß das Feuer nicht ausgeht.« – »Ich will schon blasen, und da brennt es.«

Und wie nun die Maro hinging, um das Feuer anzublasen, da stieß die junge Frau sie mit den beiden Händen von hinten und steckte sie in den Ofen hinein und machte die Ofentür zu.

Bevor aber die Augenhündin zurückkam, floh die junge Frau und kehrte in Eile und großem Schrecken in ihr Dorf zurück und erzählte ihrer Mutter alles, was sie

erlebt hatte. Und jeder, der es hörte, der wunderte sich über den Mut, den sie gezeigt hatte, daß sie die Tochter der Augenhündin in den Ofen stieß.
Dort war ich, fand aber nichts von dem, was ich erzählte.

29. Juli – Der zweihundertzehnte Tag

Silberzahn

Es war einmal ein Fürst, der hatte drei heiratsfähige Töchter, und um diese Zeit entspann sich ein Krieg zwischen seinem König und einem andern. Er hob also ein Heer in seinem Reich aus und schickte auch zum Vater jener Mädchen und ließ ihn zum Krieg aufbieten, und als dieser die Botschaft vernahm, wurde er sehr betrübt, ging in sein Haus und blieb drei Tage in großem Kummer einsam in seinem Zimmer.
Da ging seine älteste Tochter zu ihm und sprach: »Warum bist du so traurig, lieber Vater?« Und er antwortete: »Was soll ich dir sagen, mein Kind! Unser König will seinen Nachbarn mit Krieg überziehen, und er hat mich aufgeboten, mitzugehen.« Da rief das Mädchen: »Ziehe hin und kehre nicht mehr wieder! Ich Ärmste glaubte, du dächtest darüber nach, welchem Mann du mich zur Frau geben solltest.« Und nachdem sie das gesagt hatte, ging sie aus dem Zimmer und ließ ihren Vater allein.
Nach einer Weile kam auch die zweite Tochter zu dem Alten und sprach: »Lieber Vater, was hast du, daß du so traurig bist?« Und der Vater antwortete: »Was fragst du mich? So hat mich auch deine älteste Schwester gefragt, und als ich es ihr sagte, hat sie mich geschmäht, und nun kommst auch du. Laß mich in Frieden, bis mich der Kummer ins Grab legt.« – »Nein, Väterchen, ich will dich gewiß nicht schmähen, sondern mit dir auf Abhilfe sinnen.« – »So sprach auch deine Schwester anfangs, und dann schmähte sie mich.« – »Nein, lieber Vater, ich werde gewiß nicht so lieblos gegen dich sein.« – »Also höre, was mich quält. Unser König hat Krieg und hat mich dazu aufgeboten, und nun weiß ich nicht, wo ich euch während meiner Abwesenheit lassen soll.«
Da rief da Mädchen: »Ziehe hin und kehre nicht wieder. Ich Ärmste dachte, du wärst darüber betrübt, daß du keinen Mann für mich finden könntest.« Darauf stand sie auf und ließ den Vater allein.
Endlich ging auch die Jüngste, welche Theodora hieß, zum Vater und sprach: »Lieber Vater, warum sitzt du so bekümmert da? Willst du mir es nicht sagen?«

– »Geh deiner Wege, ich war dumm genug und sagte es deinen Schwestern, und die schmähten mich dafür.« – »Aber ich werde das gewiß nicht tun, Väterchen.« – »So sprachen auch die andern anfangs, und dann taten sie es doch.« – »Aber wie könnte ich dich denn schmähen? Bist du nicht mein Vater, und ich deine Tochter?« – »Also höre, was mich quält. Unser König hat Krieg mit seinem Nachbarn und hat mich aufgeboten, mitzuziehen, und nun weiß ich nicht, wo ich euch unterdessen lassen soll.« Als die Jüngste das hörte, sprach sie: »Gräm dich nicht, lieber Vater, sondern gib mir deinen Segen und drei Anzüge, und ich ziehe statt deiner in den Krieg.«

Da ließ ihr der Vater drei Mannskleider machen und gab ihr seinen Segen, und dieser Segen verwandelte sich in ein Hündchen und zog mit ihr. Theodora nahm die Kleider und den Segen und zog geradewegs zur Königsstadt. Als sie zum Schloß des Königs ritt, stand eine Alte vor dem Tor und sprach zu dem Königssohn: »Siehst du den jungen Mann, der da kommt und so schön von Angesicht ist? Das ist gar kein Mann, sondern ein Mädchen, und dafür setze ich meinen Kopf zum Pfand.« Als der Königssohn das hörte, staunte er über ihre Schönheit und ging ihr voraus zum König. Als das Mädchen vor diesem erschien, sprach es: »Ich bin ein Kriegsmann und komme aufgrund deines Aufgebots aus jener Gegend und jenem Hause.« Der König sprach: »Sag uns deinen Namen, damit wir ihn auf die Liste setzen.« Und das Mädchen erwiderte: »Ich heiße Theodor.«

Als das Mädchen hinausgegangen war, sagte der Prinz zum König: »Lieber Vater, der heißt nicht Theodor, sondern Theodorula, und sie hat mein Herz entflammt, denn sie ist kein Mann, sondern ein Mädchen.« Der König wollte es anfangs nicht glauben, als aber der Prinz darauf bestand, sprach er: »Ich will dir sagen, wie du es anfangen mußt, um die Wahrheit zu erfahren, und wie es sich sogleich offenbaren wird, wenn es ein Mädchen ist. Geht zusammen in jenen Kaufladen, dort hängen an der einen Wand Schwerter und Pistolen, und an der anderen Ringe, Halsbänder und anderes Geschmeide, und wenn es ein Mädchen ist, so wird es sogleich auf die Seite treten, wo die Ringe hängen, wenn es aber nach der Seite geht, wo die Waffen hängen, so ist es ein Mann.« Das Hündchen war aber im Gemach des Königs geblieben und hatte das Gespräch mit angehört, und nun lief es hin und erzählte alles dem Mädchen.

Am andern Morgen sprach der Prinz zu der Jungfrau: »Höre, Theodor, komm einmal mit in jenen Laden, dort sind Waffen zu verkaufen.« Sie gingen also dorthin, und sowie die Jungfrau eintrat, wandte sie sich sogleich nach der Seite, wo die Waffen waren, betrachtete sie und handelte um sie mit dem Kaufmann. Und als der Prinz sagte: »Wende dich einmal um und sieh dir die schönen Ringe

und Geschmeide an, die dort hängen«, antwortete sie: »Die sind für die Weiber und nicht für uns« und würdigte sie keines Blickes. Sie kauften also zwei silberbeschlagene Pistolen und gingen wieder heim.
Der Prinz ging nun zum König und erzählte ihm, was er gesehen hatte. Da lachte dieser und sprach: »Habe ich dir nicht gesagt, daß das kein Mädchen ist?« Doch der Prinz antwortete: »Das ist ein Mädchen, Vater, die heißt Theodorula und hat mir das Herz entflammt.« Der Vater sprach: »Ich sage dir, das ist ein Mann. Weil du es aber nicht glauben willst, so versuche es noch einmal. Nimm ihn mit dir und führe ihn in jenes Schloß, das eine Treppe von siebenhundert Stufen hat, und steige mit ihm hinauf. Wenn es ein Mädchen ist, so werden ihr dabei drei Blutstropfen entfallen, ist es aber ein Mann, so wird das nicht geschehn.« Auch dieses Gespräch hatte das Hündchen mit angehört und lief nun zu dem Mädchen und erzählte ihm alles.
Am andern Morgen sprach der Prinz zu dem Mädchen: »Höre, Theodor, wir wollen uns einmal jenes Schloß betrachten.« Als sie nun hingingen und zur Treppe kamen, sprach der Prinz zu ihr: »Geh voraus.« Sie aber antwortete: »Du mußt vorausgehn, denn du bist des Königs Sohn.« Da ging der Prinz voraus, und sie ging hinterdrein, und als sie fast oben waren, fielen die drei Blutstropfen auf die Stufen, und das Hündchen leckte sie auf, so daß sie der Prinz nicht entdecken konnte, wie er sich oben umwandte, um nach ihnen zu sehen. Als sie nun wieder herunterstiegen, da fielen abermals drei Tropfen auf die Stufen, und das Hündchen leckte sie wieder auf, so daß sie der Prinz nicht sehen konnte, als er sich nach ihnen umwandte.
Darauf ging der Prinz zum König und sprach: »Ich habe kein Blut gesehn.« Da lachte der König und sagte: »Habe ich dir nicht gesagt, daß es ein Mann ist? Aber du willst nicht hören.« Doch der Prinz erwiderte: »Das ist ein Mädchen, die

Theodorula heißt und mir das Herz verbrannt hat.« – »So versuche es zum drittenmal«, sprach der König, »lade sie morgen zum Baden ein, und da kannst du sehn, ob es ein Mädchen ist oder nicht.« Aber das Hündchen hatte das Gespräch mit angehört und lief nun hin und erzählte es seiner Herrin.
Darauf ging das Mädchen zu einem Schneider und sprach zu ihm: »Mach mir einen Rock mit zweierlei Knöpfen, so daß, wenn ich daran bin, den einen aufzuknüpfen, der andere sich von selbst wieder zuknüpft.«
Am andern Morgen brachte ihr der Schneider den Rock, und sie zog ihn an, und in aller Frühe kam auch der Prinz und sprach: »Höre, Theodor, wollen wir nicht baden gehn?« – »Gut«, erwiderte die Jungfrau, und sie stiegen zu Pferd und ritten ans Meer. Als sie abgestiegen waren, sagte der Prinz zu ihr: »Nun zieh dich aus.« Und sie erwiderte: »Zieh dich nur aus, ich werde gleich fertig sein«, und begann einen Knopf aufzuknüpfen und dann den zweiten, aber während sie das tat, knüpfte sich der erste wieder von selbst zu. Als der Prinz sah, daß sie sich auszuziehen begann, warf er seine Kleider ab und sprang ins Meer. Kaum aber war das geschehen, so schwang sich die Jungfrau aufs Pferd und ritt davon. Da zog der Prinz im Meer seinen Ring vom Finger und warf ihn ihr nach. Er traf das Mädchen an einem ihrer Zähne, brach ihn ab und versilberte zugleich das zurückbleibende Stück ein wenig.
Darauf kehrte der Prinz zu seinem Vater zurück, erzählte ihm alles, was vorgegangen war, und rief: »Ich liebe sie und will sie zur Frau haben.« Da lachte der Vater und sprach: »Was kann ich dir helfen, wenn du sie liebst? Geh hin und suche sie auf und nimm sie zur Frau.«
Der Prinz zögerte nicht lange und brach nach der Stadt auf, in der die Jungfrau wohnte. Unterwegs begegnete er einem Hirten und sprach zu ihm: »Hör mal, Hirte, wenn du mir deine Kleider gibst, so gebe ich dir die meinen.« Der Hirte

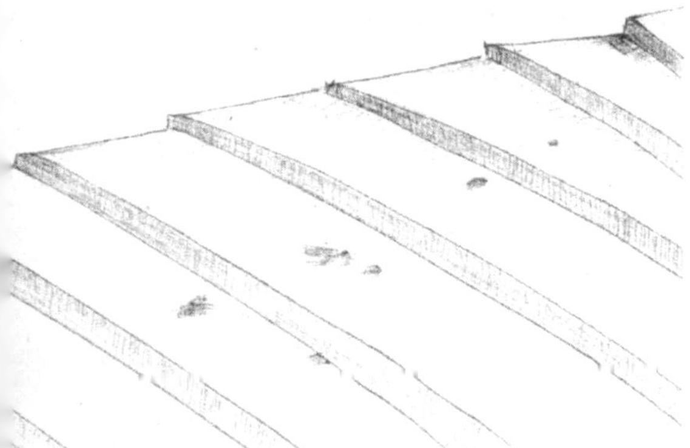

aber erwiderte: »Warum willst du mir deine kostbaren Kleider geben und dafür mein groben nehmen?« Und er sprach: »Was kümmert dich das?« Da besann sich der Hirte nicht lange und zog seine Kleider aus, gab sie dem Prinzen und erhielt dafür die seinigen.

Darauf kaufte der Prinz in einem Ort eine Anzahl Spindeln und Spindelknöpfe und ging damit in die Stadt der Theodorula. Als er in die Nähe des Hauses kam, worin sie wohnte, rief er mit lauter Stimme: »Kauft Spindeln und Spindelknöpfe«, bis die drei Schwestern herauskamen, um welche zu kaufen. Und als er sah, daß der einen ein Stück Zahn fehlte und daß der Rand des übrigen Stückes versilbert war, da erkannte er sie daran. Als ihn nun die Mädchen fragten: »Was kosten deine Spindeln?«, antwortete er: »Ich verlange kein Geld dafür, sondern ein Maß Hirse.« Da füllten sie ein Maß mit Hirse und schütteten es ihm in den Quersack; er aber stellte es so an, daß der Sack zu Boden fiel und alle Hirse herauslief. Da setzte er sich auf den Boden und las Korn für Korn auf und steckte es in seinen Quersack. Das sprachen die Mädchen: »Wir wollen dir die Hirse mit dem Besen zusammenkehren, denn wenn du sie Korn um Korn auflesen willst, wirst du niemals damit fertig werden.« Er aber sagte: »Nein, mein Schicksal hat es einmal so bestimmt, daß ich die Hirse Korn für Korn auflesen muß.«

Da ließen ihn die Mädchen gewähren und gingen in ihre Stuben. Der Prinz aber las so lange an seiner Hirse, bis es Nacht wurde und er bemerkt hatte, an welchem Ort Theodorula schlief, als sich die Mädchen zur Ruhe begaben. In der Nacht schlich er leise an ihr Bett und warf ein Schlafkraut auf sie; dann nahm er sie auf die Schulter und trug sie fort. Als er in die Nähe seines Schlosses kam, da fingen die Hähne zu krähen an, und da sprach die Jungfrau im Schlaf: »Wie schön krähen diese Hähne! Als ob es die des Königs wären.« Der Prinz aber rief: »Die Hähne gehören dem König, und das Schloß gehört dem König, und sein Sohn hat dich geholt.«

Da trug er sie zu seinem Vater, hielt Hochzeit mit ihr und hat sie zur Frau bis heute.

30. Juli – Der zweihundertelfte Tag

Das Mädchen mit der Ziege

Es war, es möge nicht sein. – Es war einmal eine alte Frau, die hatte eine Tochter. Eines Tages, während das Mädchen an der Tür stickte, gingen einige Ziegen vorbei. Da sprach sie zu ihrer Mutter: »Mutter, kauf mir eine Ziege.« Und die Mutter kaufte ihr eine. Diese Ziege nahm das Mädchen und schickte sie in den Weinberg zum Weiden, dieser Weinberg aber gehörte dem König. Als der König sah, daß die Weintrauben beständig abnahmen, rief er den Hüter, der den Weinberg bewachte, und fragte ihn: »Wer ißt meine Weintrauben?« Bei diesen Worten wurde er zornig, jagte den Wächter fort und wachte in Zukunft selbst. Das Mädchen schickte die Ziege abermals in den Weinberg, aber der König, welcher dort versteckt in der Abenddämmerung wachte, ging der Ziege nach, bis sie wieder in ihr Haus eintrat und dessen Tür geschlossen wurde. Hierauf klopfte er an die Tür, bis die Alte herauskam, und sprach zu ihr: »Warum, du Alte, schickst du diese Ziege in meinen Weinberg, daß sie meine Tauben frißt? Wenn du willst, gib mir deine Tochter zur Frau, damit ich sie mitsamt der Ziege zu mir nehme.« – »Gut, mein Sohn«, antwortete die Alte, »ich gebe sie dir von ganzem Herzen.« Also heirateten sie, und das Mädchen nahm die Ziege mit sich.

Eines Tages sprach die Dienerin des Königs zu ihr: »Gehen wir zum Brunnen, um zu sehen, welche von uns schöner ist.« Und es zeigte sich, daß die Gemahlin des Königs schöner war. Da bat die Dienerin die Königin um ihr Kleid, als ob sie dadurch sie ihrer Schönheit berauben wollte; und die Königin gab es ihr. Als aber die Dienerin das Kleid angelegt hatte, faßte sie die Königin und stürzte sie in den Brunnen; und dort wurde sie, bevor sie auf den Boden fiel, von einem großen Fisch ganz verschlungen.

Die arme Ziege, die gesehen hatte, wie man ihre Herrin in den Brunnen stieß, ging suchend immerzu um den Brunnen herum und meckerte immerzu, aber sie kam nicht mehr aus dem Brunnen hervor. Nun fing die Königin an, ihr aus dem Brunnen zuzurufen: »Zicklein, o Zicklein! Ich bin im Bauch des Fisches,

mit dem Spinnrocken am Gürtel, mit dem Sohn, der einen Stern auf der Stirn hat.« Die Ziege antwortete ihr: »Mädchen, o Mädchen! Der Kessel wird gewärmt, die Messer werden geschliffen, sie wollen mich schlachten.« Und so klagten sie sich gegenseitig ihr Leid, ohne aufzuhören. Als der König die Ziege sah, wie sie so Antwort gab, sprach er: »Warum macht sie das?« Dann befahl er das ganze Wasser des Brunnens heraufzuziehen, und dabei zogen sie auch den Fisch mit heraus, und als sie ihn aufschnitten, nahmen sie die Königin lebendig heraus mit ihrem Sohn, der einen Stern auf der Stirn hatte. Darauf ergriffen sie die Dienerin, die die Königin hinabgestoßen hatte, und töteten sie.
Ich habe euch kein Märchen erzählt, sondern ich wollte euch täuschen.

31. Juli – Der zweihundertzwölfte Tag

Die drei Gesellen

Ein Mann hinterließ bei seinem Tode seine Frau in Hoffnung, und nach sechs Monaten gebar sie einen Knaben. Sie zog trotz all ihrer Armut den Knaben auf, bis er fünfzehn Jahre wurde. Als der Junge verständig geworden war, fragte er seine Mutter, ob sie nicht etwas vom Vater hätte. Die Mutter antwortete ihm, der Vater hätte viele Dinge hinterlassen, aber sie hätte alles verkauft, um seine Erziehung bis jetzt zu bestreiten. Aber der Junge lag seiner Mutter immerfort in den Ohren, indem er um irgend etwas vom Vater bat, was es auch sei. Endlich sagte sie zu ihm: »Mir kommt es vor, als ob irgendwo auf dem Boden des Hauses ein Säbel liege«, und der Junge sprach zu ihr: »Heb mich mal auf deine Schulter, damit ich hinaufkomme und ihn herunterwerfen kann.« Der Junge nahm den Säbel, der seit Jahren nicht gereinigt und daher verrostet war, reinigte ihn, daß er wieder glänzte, und hängte ihn sich um den Hals. Dann sprach er zu seiner Mutter: »Mutter, ich will in ein fremdes Land ziehen.« Da begann die Mutter zu weinen und zu klagen, bat ihn, er solle nicht fortgehen, und sagte schließlich zu ihm: »Schlag mir mit dem Säbel deines Vaters erst den Kopf ab und dann zieh fort.« Aber der Junge sprach: »Welcher Sohn hat jemals seiner Mutter den Kopf abgeschlagen? Ich bitte dich, grolle mir nicht, brich mir nicht das Herz, sondern wünsche mir Glück und hab mich lieb, denn mit Gottes Hilfe werde ich bald zurückkehren.« Nach diesen Worten änderte er seinen Namen, indem er den Namen »Säbel« annahm, und nahm den Säbel und schrieb seinen Namen darauf. Endlich legte er die Arme um den Hals seiner Mutter, damit sie sich vor der

Trennung noch recht küssen möchten, und sie konnten lange Zeit nicht aufhören zu weinen. Beim Scheiden küßte der Junge den Säbel, damit er ihm Glück brächte, und als er zum Haus herausging, sprach er zu seiner Mutter: »Bleib gesund und sei mir nicht böse, denn länger als sechs Monate werde ich nicht ausbleiben.«

Als er sich von seinem Dorf fünf oder sechs Stunden entfernt hatte, kam er an einen Berg, ganz einsam; er setzte sich an einem ebenen Platz hin, zog den Säbel heraus, küßte ihn und steckte ihn wieder in den Gürtel. Es verging keine halbe Stunde, da kam ein Jüngling in seinem Alter und sprach zu ihm: »Guten Tag, Freund!« Er antwortete: »Sei willkommen, Bruder!« Der Fremde fragte ihn: »Woher kommst du und wohin gehst du?« Und er sagte: »Ich bin ausgezogen nach meinem Glück.« – »Ich auch«, sprach der andre, »und wenn du willst, wollen wir Brüder werden und zusammen nach unserem Glück ausziehen.« Da schlang der Sohn der Witwe die Hände um seinen Hals, küßte ihn und fragte ihn nach seinem Namen, und er sagte, er hieße »Stern«. Dann sagte er ihm auch den seinigen: »Säbel«.

Nun machten sich die beiden zusammen auf und zogen geradeaus ihres Weges, bis die Nacht hereinbrach. Da machten sie Rast, und nachdem sie ein wenig geplaudert hatten, legten sie sich zum Schlafen nieder, ohne gegessen und getrunken zu haben. Am andern Tag zogen sie wieder geradeaus ihre Straße. Nach etwa einer halben Stunde trafen sie einen Jüngling in ihrem Alter und sprachen zu ihm: »Guten Weg, Dörfler.« Und der antwortete: »Mögt ihr Glück haben, meine Brüder.« Sie sagten: »Woher sind wir deine Brüder?« Und er sprach: »Ihr wart nicht meine Brüder, aber jetzt und in Zukunft sollt ihr es sein.« – »Wenn wir deine Brüder sein sollen«, antworteten sie, »so sollst auch du unser Bruder sein.« Sie fragten ihn nach seinem Namen, und er sagte ihnen, man nenne ihn »Meer«. Sie sagten ihm auch ihre Namen, und dann umarmten und küßten sich die drei wie wirkliche Brüder und verpflichteten sich feierlich, zusammen zu sterben, wenn ihnen etwas zustoßen sollte.

So zogen die drei weiter und kamen in die Nähe einer Stadt. Dort herrschte ein König, der hatte gerade in diesen Tagen einen breiten Graben ziehen und ausrufen lassen: wer über diesen Graben springen könne, solle die Tochter des Königs zur Frau bekommen; wer nicht hinüberkäme, dem solle der Kopf abgeschlagen werden. Viele Leute versuchten den Sprung in der Hoffnung hinüberzukommen, aber sie fielen hinein und wurden zum Scharfrichter geschickt, der allen die Köpfe abschlug. In dieser Zeit kamen auch die drei dahin, und als sie die ganze Menge sahen, sprachen sie: »Laßt uns näher gehen und sehen, was hier vorgeht.«

Als sie näher kamen und sahen, daß es sich um die Aufgabe handle, über den Graben zu springen, überlegten die drei miteinander und sprachen: »Sollen wir uns ein Herz fassen, über den Graben zu springen? Vielleicht kommen wir hinüber. Und wenn wir nicht hinüberkommen, laßt uns sterben.« Meer sagte: »Der Graben ist sehr breit, und wir können nicht hinüberspringen.« Da nahm Säbel einen Stein von der Erde, gab ihn an Meer und sagte ihm, er solle ihn hinüberwerfen; und als der das getan hatte, fragte er ihn: »War der Stein sehr schwer?« Meer sagte: »Er war nicht schwerer als fünf Drachmen.« – »So schwer ist auch unser Springen«, sprach Säbel, und ohne lange zu zögern, stellte er sich zwischen beide, Stern und Meer, umarmte sie erst mit beiden Armen und sprang mit ihnen auf die andre Seite hinüber, ohne irgendwelche Schwierigkeit, so daß die ganze Menge dort, als sie das sah, sich verwunderte. Der König ließ die drei auf einen Wagen setzen, in den Palast bringen und vor sich führen. Dort fragte er sie: »Wer von euch will meine Tochter zur Frau nehmen?« Säbel erwiderte, Stern wolle sie nehmen. Und der König gab Befehl, zur Hochzeit zu rüsten. Dann fragte er auch Säbel und Meer, was sie für eine Stellung wünschten. Säbel sagte, der König möge Meer eine geben, denn er wolle für sich nichts.

Einige Tage nach der Hochzeit nahm Säbel Abschied von Stern und Meer, um sich aufzumachen und weiterzuziehen. Die aber sprachen mit großem Mißmut zu ihm: »So wenig also bedeutet unsere Brüderschaft, daß du das Herz hast, fortzugehen und uns zu verlassen?« Da antwortete Säbel: »Unsere Brüderschaft ist unvergänglich, und darum lasse ich euch jetzt, wo ich fortziehen will, diese Feder zurück. Gebt wohl acht, wenn sie anfängt, Blut zu tropfen, dann macht euch sogleich auf und sucht mich so lange, bis ihr mich findet, denn dann bin ich in Gefahr.« Darauf küßte er sie, machte sich auf und zog fort.

Als er so drei, vier Tage seine Straße gezogen war, kam er an eine Stelle, wo sich sieben Wege teilten. Dort stand ein Turmhaus, in dem eine alte Frau wohnte. Säbel bat die Alte, sie möchte ihm sagen, wohin die Wege führten, und als er es erfahren hatte, schlug er den Weg zu der Schönen der Erde ein. Da sprach die Alte zu ihm: »Mein Sohn, setz nicht deinen Kopf und dein junges Leben umsonst aufs Spiel, denn auf diesem Weg sind Könige mit starken Heeren gezogen und sind nicht dahin gelangt, wohin du ganz allein gehen willst.« Da schrieb er an die Mauer des Turmes und gab der Alten den Auftrag: »Wenn zwei junge Männer nach mir fragen, so zeige ihnen diese Schrift und den Weg, den ich einschlage.« Hierauf schlug er den Weg ein, der er schon betreten hatte, und zog dahin.

Als er ein Stück weitergekommen war, traf er eine Kulschedra [Dämonin] mit sechs Jungen auf dem Wege, die stürzte sich auf ihn, um ihn zu fressen. Er aber zog seinen Säbel und tötete sie samt ihren Jungen. Als er weiterzog, sah er von weitem den Palast der Schönen der Erde, und auf dem Weg dahin fand er eine Quelle, bei der er ein wenig verweilte. Die Schöne der Erde sah ihn und sprach zu der Kulschedra, die bei ihr war: »Es kommt ein junger Held, gekleidet in ein weißes Gewand«, und sie antwortete: »Beobachte aus dem Fenster, wie er Wasser trinken wird, mit der Hand oder auf den Knien.« Der Jüngling ließ sich auf die Knie nieder, legte seinen Kopf an das Becken der Quelle und trank. Da sprach die Kulschedra zu der Schönen der Erde: »Vor diesem Mann habe ich Furcht.« Dort außerhalb des Palastes stand ein Apfelbaum mit Früchten, und als der Jüngling sich näherte, beobachtete ihn die Kulschedra, ob er springen würde, um den größten Apfel zu nehmen. Und der Jüngling sprang und nahm den Apfel mit den Zähnen, nicht mit der Hand. Als sie das sah, rief sie: »Wehe, vor diesem Mann gibt es für mich keine Rettung.«

Der Jüngling kam an die Tür des Palastes, ging geradewegs hinein und sagte zu ihnen: »Guten Tag.« Die Kulschedra sprach zu ihm: »Wie hast du es gewagt, hierherzukommen?«, und er antwortete: »Ebenso, wie du es gewagt hast.« Da entbrannte sie in Zorn und versuchte, sich auf Säbel zu stürzen. Der aber zog sofort seinen Säbel und hieb sie in zwei Stücke. Und so gewann er die Schöne der Erde.

Als einige Wochen vergangen waren, hörten die Könige, daß ein Held die Kulschedra erschlagen und die Schöne der Erde zur Frau genommen hatte. Da machten sie sich eilig auf und gingen zu den sieben Wegen und fragten die Alte: »Was für ein Mann ist hier vorbeigegangen zur Schönen der Erde?« Und sie sagte ihnen: »Ein junger Mann von etwa sechzehn Jahren.« Da beschlossen sie, gegen ihn zu ziehen, und machten sich auf und bekämpften ihn vierundzwanzig Tage, aber mit all ihrer Macht vermochten sie ihm nichts anzuhaben, sondern kehrten unverrichteter Sache wieder um.

Nachdem nun die Könige Säbel nicht hatten besiegen können, kamen sie auf dem Rückweg zu der Alten und trugen ihr auf, sie solle zur Schönen der Erde gehen und sie fragen, mit welcher Heldentat und Kraft der junge Mann sich ihrer bemächtigt hätte. Und die Schöne der Erde antwortete der Alten: »Als er angekommen war, tötete er die Kulschedra mit Leichtigkeit und bemächtigte sich meiner.« Hierauf sagte die Alte, sie solle den Jüngling fragen, worin seine Heldenkraft liege. Und nach einigen Tagen fragte sie Säbel: »Wo hast du alle deine Kraft?« Und der Arme enthüllte aus Liebe zu ihr alles. Er sagte ihr, seine ganze Kraft sei sein Säbel, und wenn ihm den jemand wegnähme, so wäre er verloren. Sie sagte das der Alten wieder, und die fand nach einigen Tagen Gelegenheit, dem Jüngling den Säbel zu stehlen, und warf ihn ins Meer.

Nachdem Säbels Säbel ins Meer geworfen war, verfiel er sogleich in eine

Krankheit und lag auf den Tod. Die Alte kehrte erfreut in ihren Turm zurück und rief den Königen zu, wer die Schöne der Erde ohne Heer und ohne Kampf gewinnen wolle, der möge hingehen, denn der Tag sei gekommen. Als die Könige das hörten, machten sie sich auf, gegen Säbel zu ziehen. Aber Säbels Brüder hatten gesehen, daß seine Feder Blut tropfte, und waren eiligst ausgezogen, ihren Bruder zu suchen. Stern nahm Meer auf die Arme, und sie kamen viel eher an als die Könige und fragten die Schöne der Erde: »Wo hast du unseres Bruders Säbel?« Sie antwortete: »Man hat ihn ihm genommen und ins Meer geworfen.« Da erhob sich Meer sogleich, tauchte ins Meer, fand den Säbel und brachte ihn dem Bruder; der rieb sich sogleich die Augen, erwachte und stand gesund auf, wie sonst. Und während er sich die Augen rieb, sprach er zu ihnen: »Ach, wie lange habe ich geschlafen.« Als er aber seine Brüder bei sich sah, begriff er, daß er in Gefahr gewesen war.

Hierauf kamen auch die Könige, um ihn zu bekämpfen, und fielen tapfer über ihn her, da aber Säbel wieder genesen war, unterlagen sie auch diesmal und mußten besiegt umkehren. Als Säbel auch diese Schlacht gewonnen hatte, nahm er die Schöne der Erde samt allem, was sie hatte, und machte sich auf, um mit seinen Brüdern zu seiner Mutter in seine Heimat zu ziehen. Sie zogen wieder ihre Straße, und als sie zu den sieben Wegen kamen, beschenkte er dort die Alte reichlich, indem er zu ihr sagte: »Das schenke ich dir für das Gute, das du mir getan hast, indem du meinen Säbel ins Meer warfst. Jetzt bitte ich dich, laß die Könige, die kamen und mich bekriegten, die Botschaft wissen, daß ich, der ich die Schöne der Erde gewonnen habe, nun in meine Heimat ziehe. Wenn sie Groll gegen mich hegen, sollen sie kommen, mit mir zu kämpfen, ich will sie dann in tausend Stücke hauen.« Dann sprach er zu der Alten: »Ich grüße dich, bleib gesund«, und sie trennten sich.

Sie zogen weiter und kamen zu dem König, der Sterns Schwiegervater war, denn Stern hatte seine Tochter zur Frau genommen, und baten ihn um Erlaubnis, mit seiner Tochter in ihre Heimat zu ziehen. Aber der König antwortete ihnen: »Ihr zieht, wohin ihr wollt, aber mein Schwiegersohn und meine Tochter bleiben hier.« Da sprach Stern zu ihnen vor den Augen des Königs: »Ich trenne mich um nichts in der Welt, auch nicht um die Tochter des Königs, von euch, meine Brüder.« Der König sprang auf und rief: »Mag er wollen oder nicht, ihr werdet euch trennen.« Säbel erhob sich und sprach zu ihm: »Was soll das heißen: Mag er wollen oder nicht? Stern, unsern Bruder, willst du mit Gewalt zurückhalten? Der Mann, der einen von uns dreien mit Gewalt zurückhielte, ist nicht geboren.« Darauf befahl der König seinem Türhüter: »Nimm diese Männer und wirf sie ins Gefängnis.« Aber Säbel erwiderte dem König: »Laß deiner Tochter sagen, sie solle hierherkommen, damit wir sehen, was sie sagt.« Und der König befahl, man solle seine Tochter zu ihm bringen. Da sprach Säbel zu Stern: »Nimm auf einen Arm deine Frau und auf den anderen Meer und geh fort, indem du dem König Lebewohl sagst.« Der König hörte diese Worte mit Erstaunen; er rief seine Türhüter und befahl ihnen, es sollten an jeder Tür nicht weniger als vier Hüter stehen. Stern aber erhob sich, blieb in der Mitte des Zimmers stehen und sagte zum König: »Ich grüße dich, leb wohl, mein Schwiegervater.« Dann sprang er samt seiner Frau und Meer durchs Fenster hinaus, und die drei entkamen, während Säbel allein zurückblieb. Als der König das sah, eilte er ans Fenster, um zu sehen, ob sie nicht zerschmettert wären, da sie so hoch hinabgesprungen waren, und als er sah, daß ihnen nichts Schlimmes zugestoßen war, wußte er nicht, was er tun sollte. Er befahl darauf, Säbel zu töten. Säbel erwiderte ihm: »Und warum willst du mich töten?« – »Weil du schuld bist, daß mich meine Tochter verlassen hat.« Da erhob sich auch Säbel, nahm die Schöne der Erde, um fortzugehen, und als die Türhüter ihn nicht hinauslassen wollten, zog er seinen Säbel, tötete alle vier und entkam zu seinen Brüdern.

Als der König das mit ansah und wie er ihm auch seine Türhüter erschlug, da ließ er in Eile sein Heer sich versammeln und ihnen nachsetzen, und wenn sie sich nicht lebend fangen ließen, sollten sie sich auf sie stürzen und sie töten. Als die Brüder das Heer sahen, das ihnen nachkam, blieben sie stehen und warteten, bis es sich näherte. Da schickte man aus dem Heer einen Gesandten zu den Brüdern, der ihnen sagte: »Entweder kehrt gutwillig zum König zurück, oder das Heer wird über euch kommen und euch niederhauen.« Die Brüder antworteten: »Tut ihr, wie euer Herr euch befohlen hat, denn wir kehren nicht zurück.« Der Abgesandte kehrte ins Lager zurück und meldete, sie wollten nicht gutwillig umkehren. Da zog ihnen das Heer entgegen, und sie erwarteten es furchtlos. Als sie die ganze Menge sahen, die gegen sie losstürzte, erhob sich Säbel und rief: »Laßt ab vom Kampfe! Was habt ihr im Sinn, und was erwartet ihr? Wollt ihr alle hier niedergestreckt werden oder wieder heimkehren?« Aber obgleich diese Worte wie Bleikugeln auf sie fielen, gehorchten sie doch nicht, sondern versuchten, über die Brüder herzufallen. Da sprach Säbel zu den Brüdern: »Nehmt ihr die Frauen und zieht weiter.« Und er, ganz allein, zog seinen Säbel, stürzte sich auf die Feinde und erschlug siebenhundert von ihnen, darunter ihren Anführer. Als das unglückliche Heer sah, daß auch ihr Anführer gefallen war, da flohen sie in großer Verwirrung, so daß einer den andern nicht sah. Da machte sich auch Säbel auf, zog seines Weges und traf mit seinen Brüdern da zusammen, wo sie auf ihn warteten.

Nun zogen sie alle zusammen ihre Straße, und nach drei Tagen kamen sie bei

Säbels Haus an. Sie begrüßten seine Mutter und sprachen zu ihr: »Wir grüßen dich, liebe Mutter.« Und sie erwiderte höchst erstaunt: »Wer seid ihr, daß ihr mich Mutter nennt?« Sie sprachen: »So hat uns dein Sohn geheißen, der auch in diesen Tagen kommen kann. Wir haben eine Wette mit deinem Sohn gemacht, daß du ihn, wenn er kommt, nicht erkennen wirst.« Und sie sagte: »Meinen Sohn werde ich erkennen, auch wenn er erst in fünfhundert Jahren kommt.« Aber bei diesen Worten ergriff sie die Sehnsucht, und sie weinte. Da sprach Stern zu ihr: »Welcher von uns dreien ist dein Sohn?« Nun fing sie an, sie genauer zu betrachten, und als sie sich gesammelt hatte, verglich sie die Söhne und erkannte den ihrigen; da fiel sie auf die Knie und weinte ohne Aufhören. Dann umarmte sie ihren Sohn und küßte ihn zärtlich. Darauf küßte sie auch die beiden anderen und die beiden Frauen.

Als sie sich nun dort niedergelassen hatten, sprachen sie nach einiger Zeit untereinander: »Sind wir drei Brüder oder zwei?« Stern sagte: »Wir sind drei.« – »Wenn wir drei sind, warum sollen wir nur zwei Frauen haben?« Meer erhob sich und sagte: »Das macht nichts.« Da sprach Säbel: »Wir wollen dich zum König über unser ganzes Land machen.« Und sie machten ihn zum König, und er regierte sein ganzes Leben lang, und solange die drei lebten, blieben sie immer Brüder und hatten sich lieb.

Der Monat August,
der die Märchen der Griechen
–samt Kretern, Rhodiern, Zyprioten–,
die der Stambuler Türken,
der Rumänen, der Roma und Sinti
enthält

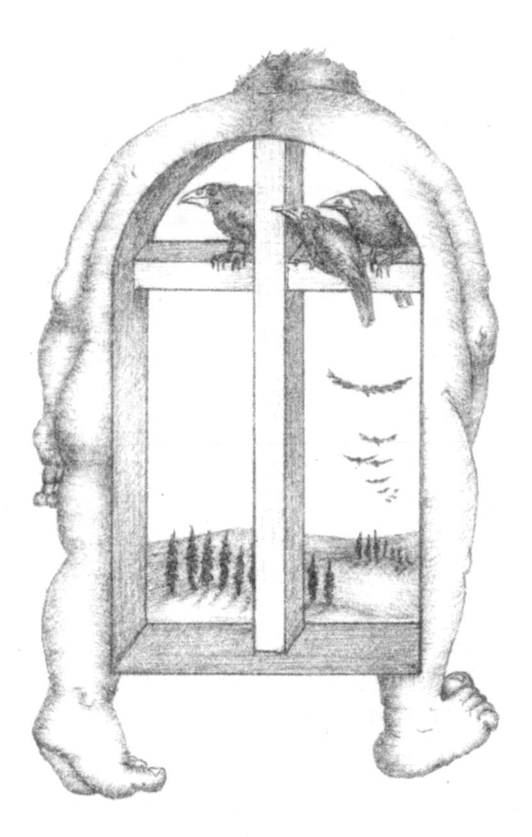

1. August – Der zweihundertdreizehnte Tag

Vom Asterinos und der Pulja

Es war einmal eine Frau, die hatte zwei Kinder, einen Jungen, der hieß Asterinos [Morgenstern], und ein Mädchen, das hieß Pulja. Eines Tages kam ihr Mann von der Jagd zurück und brachte ihr eine Taube, die sie zum Essen kochen sollte. Die Frau nahm die Taube, hängte sie an einen Nagel und ging vor die Türe, um mit den Nachbarinnen zu plaudern; da kommt die Katze, sieht die Taube am Nagel hängen, springt danach, erhascht sie und frißt sie.

Als nun die Essenszeit herankam und die Weiber auseinandergingen, wollte die Frau die Taube holen, und da sie nichts mehr fand, so merkte sie, daß die Katze sie geholt habe, und hatte nun Furcht, daß ihr Mann zanken werde. Die Frau bedachte sich also nicht lange, schnitt sich die eine Brust ab und kochte sie.

Da kam der Mann nach Hause und fragte: »He, Frau! Hast du etwas zu essen gekocht?« – »Ja, ich habe etwas für dich«, antwortete sie, und als sie sich dann zu Tisch setzten, sagte er zu ihr: »Setz dich zu mir«, sie aber erwiderte: »Ich habe schon vor einem Weilchen gegessen, weil du so lange ausgeblieben bist.«

Nachdem der Mann gegessen hatte, sagte er: »Was das für schmackhaftes Fleisch war, so habe ich noch niemals welches gegessen.« Da sagte ihm die Frau: »So und so ist es mir ergangen, ich hatte die Taube an den Nagel gehängt und ging hinaus, um Holz zu holen, und als ich zurückkam, fand ich sie nicht, die Katze hatte sie geholt, da schnitt ich mir die Brust ab und kochte sie, und wenn du es nicht glauben willst, so sieh her«, und dabei zeigte sie ihm die blutende Brust.

Darauf sprach der Mann: »Wie schmackhaft ist doch das Menschenfleisch! Weißt du, was wir tun? Wir wollen unsere Kinder schlachten und sie essen. Wenn wir morgen zur Kirche gehen, so geh du früher nach Hause und dann schlachte und koche die Kinder, und wenn alles fertig ist, so ruf mich.«

Was sie da zusammen sprachen, das hörte aber das Hündchen, und da die Kinder bereits schliefen, so lief es an ihr Bett und bellte ap! ap!
Davon erwachten die Kinder und hörten eine Stimme, die sagte: »Steht auf und flieht, sonst kommt eure Mutter und schlachtet euch.« Doch die Kinder riefen: »Still! Still!« und schliefen wieder ein. Als aber der Hund abermals bellte und die Stimme nochmals sprach, da standen sie auf und zogen sich an.
»Was sollen wir mitnehmen?« fragte der Junge die Pulja. »Was wir mitnehmen sollen? Ich weiß es nicht, Asterinos«, antwortete das Mädchen. »Doch ja! Nimm ein Messer, einen Kamm und eine Handvoll Salz.« Das nahmen sie und auch den Hund, machten sich auf den Weg und liefen ein Stück, und indem sie so liefen, sahen sie von weitem ihre Mutter, die sie verfolgte. Da sagte Asterinos zu seiner Schwester: »Sieh, dort läuft die Mutter uns nach, sie wird uns einholen.« – »Lauf, Herzchen, lauf«, erwiderte das Mädchen, »sie holt uns nicht ein.« – »Jetzt hat sie uns, Liebes.« – »Wirf das Messer hinter dich.« Das tat der Junge, und da entstand eine riesige Ebene zwischen ihnen und der Mutter. Sie aber lief schneller als die Kinder und kam ihnen wieder nahe. »Jetzt packt sie uns«, rief der Junge erneut. »Lauf, Herzchen, lauf, sie holt uns nicht ein.« – »Da ist sie!« – »Wirf den Kamm hinter dich.« Er tat es, und da entstand ein dichter, dichter Wald. Die Mutter arbeitete sich aber durch das Dickicht, und als sie zum dritten Male die Kinder erreichte, warfen sie das Salz hinter sich, und da entstand ein Meer, da konnte die Mutter nicht durch. Die Kinder blieben am Rande stehen und sahen hinüber. Die Mutter rief ihnen zu: »Kommt zurück, liebe Kinder, ich tue euch nichts«, und als sie zögerten, drohte sie ihnen und schlug sich vor Zorn an die Brust. Da erschraken die Kinder, wandten sich um und liefen weiter.
Als sie nun ein gut Stück gelaufen waren, sagte Asterinos: »Pulja, mich dürstet.« – »Geh zu«, erwiderte sie, »da vorne ist die Quelle des Königs, da kannst du trinken.« Sie gingen ein Stück weiter, da rief er wieder: »Mich dürstet, ich verschmachte«, und indem er so klagte, erblickte der Junge eine Wolfsspur, die voll Wasser war, und er sagte: »Davon will ich trinken.« – »Trinke nicht«, rief Pulja, »denn sonst wirst du ein Wolf und wirst mich fressen.« – »So will ich nicht trinken und leide lieber Durst.«
Darauf gingen sie ein gut Stück weiter und fanden eine Schafsspur, die voll Wasser war. Da rief der Junge: »Ich halte es nicht länger aus, davon muß ich trinken.« – »Trinke nicht«, sagte das Mädchen, »sonst wirst du zum Lamm, und sie werden dich schlachten.« – »Ich muß trinken, auch wenn ich geschlachtet werde.« Da trank er und wurde in ein Lamm verwandelt, lief der Schwester nach und blökte: »Bäh Pulja, bäh Pulja.« – »Komm mir nach«, sagte sie und ging noch ein Stück weiter, fand die Quelle des Königs, neben der ein hoher Zypressenbaum

stand, und trank Wasser. Drauf sagte sie zum Schäfchen: »Bleib du hier mit dem Hund, mein Herz«, und während das Lämmchen graste, betete sie zu Gott: »Lieber Gott, kannst du mir nicht Kraft geben, auf die Zypresse zu steigen?« Sowie sie ihr Gebet vollendet hatte, hob sie die Kraft Gottes auf die Zypresse, und es ward dort ein goldener Thron, auf den setzte sich das Mädchen. Das Lamm aber blieb mit dem Hund unter dem Baum und weidete.

Bald darauf kamen des Königs Knechte, um die Pferde zu tränken. Wie aber die Pferde in die Nähe der Zypresse kamen, da zerrissen sie die Halfter und liefen davon, denn sie scheuten vor den Strahlen der Pulja, die wunderschön war. »Komm herunter«, riefen ihr die Knechte zu, »damit die Pferde saufen können, denn sie scheuen vor dir.« – »Ich tu's nicht«, erwiderte sie, »ich hindere euch gewiß nicht, laßt die Pferde saufen, soviel sie wollen.« – »Komm herunter«, riefen diese abermals. Aber sie hörte nicht auf sie und blieb auf dem Baum sitzen.

Da gingen die Knechte zum Sohn des Königs und sagten ihm, daß auf dem Zypressenbaum ein wunderschönes Mädchen sitze, mit ihren Strahlen die Pferde nicht saufen lasse und doch nicht herunterkommen wolle. Als der Prinz das hörte, ging er selbst zur Quelle und befahl dem Mädchen, vom Baum zu steigen, aber sie weigerte sich, und zum zweiten und dritten Mal rief er: »Steig herunter, sonst fällen wir den Baum.« – »Fällt ihn nur, ich komme nicht herunter.« Da holten sie Leute, um den Baum umzuhauen; während diese nun hieben, kam das Lamm herbei und leckte die Zypresse, und davon wurde sie noch zweimal so dick. Sie hieben und hieben und konnten sie nicht umhauen.

Endlich wurde der Prinz ungeduldig, schickte die Leute heim, ging zu einer alten Frau und sagte zu ihr: »Wenn du mir jenes Mädchen von dem Baum herunterbringst, so gebe ich dir so viel Gold, wie in deine Haube geht.« Die Alte versprach es ihm und nahm eine Mulde, ein Sieb und einen Sack Mehl und ging damit unter die Zypresse. Als sie nun vor dem Baum stand, stürzte sie die Mulde verkehrt auf die Erde, nahm das Sieb verkehrt in die Hand und siebte. Da rief das Mädchen vom Baum: »Herum mit der Mulde, herum mit dem Sieb!« Die Alte tat, als hörte sie nicht, und sagte: »Wer bist du, Schätzchen? Ich höre nicht.« – »Herum mit der Mulde, herum mit dem Sieb!« rief das Mädchen zum zweiten und dritten Mal. Darauf sagte die Alte: »Schätzchen, ich höre nicht, wer bist du? Ich sehe dich nicht, komm und zeige mir, wie man sieben muß, und Gottes Segen sei mit dir.« Da kam das Mädchen nach und nach herunter, und während sie zur Alten ging, um ihr's zu zeigen, sprang der Prinz aus seinem Versteck hervor, hob sie auf seine Schulter und trug sie fort in das Königsschloß. Das Lamm und der Hund folgten ihnen, und nach kurzer Zeit vermählte er sich mit ihr.

Der König aber liebte seine Schwiegertochter so sehr, daß die Königin neidisch wurde. Als daher der Prinz eines Tages ausgegangen war und seine Frau im Garten spazierenging, befahl die Königin ihren Dienern, sie sollten ihre Schwiegertochter packen und in einen Brunnen werfen. Die Diener taten, wie ihnen die Königin befohlen hatte, und warfen sie in den Brunnen. Darauf kam der Prinz nach Hause und fragte seine Mutter: »Wo ist meine Frau?« – »Sie ist spazierengegangen«, war die Antwort. Darauf sagte die Königin: »Jetzt, wo sie nicht mehr da ist, wollen wir auch das Lamm schlachten.« – »Das ist recht«, sagten die Diener. Als das Lamm das hörte, lief es zum Brunnen und klagte seiner Schwester: »Pulja, Liebes, sie wollen mich schlachten.« – »Schweig still, mein Herz, sie tun dir nichts.« Das Lamm aber rief wieder: »Pulja, Liebes, sie wollen mich schlachten.« – »Sei ruhig, sie schlachten dich nicht.« – »Sie wetzen die Messer, Pulja! Sie laufen mir nach und wollen mich fangen, Pulja! Sie haben mich gefangen und wollen mich schlachten, Pulja!« Da rief sie aus dem Brunnen: »Was kann ich dir helfen? Du siehst, wo ich bin.«

Die Diener aber brachten das Lamm zum Schlachten, und wie sie ihm das Messer an die Kehle setzten, da betete die Pulja zu Gott und sprach: »Lieber Gott! Sie schlachten meinen Bruder, und ich sitze hier im Brunnen.« Sogleich bekam sie Kraft und sprang aus dem Brunnen, lief herzu und fand das Lamm mit abgeschnittenem Hals.

Da schrie und jammerte sie, sie sollten es loslassen, aber es war zu spät, es war schon geschlachtet. »Mein Lamm«, rief Pulja, »mein Lamm!« und klagte und schluchzte so sehr, daß der König selbst herbeikam. Der sagte zu ihr: »Was willst du? Soll ich dir ein gleiches von Gold machen lassen? Oder wie willst du es sonst haben?« – »Nein, nein«, rief sie, »mein Lamm! Mein Lamm!« – »Sei ruhig, Kind, was geschehen ist, ist geschehen.«

Als die Diener es nun gebraten hatten, da sagten sie zu ihr: »Komm her und setz dich und iß mit.« Die Pulja aber erwiderte: »Ich habe schon gegessen, ich esse jetzt nicht noch einmal.« – »Komm doch, Liebe, komm.« – »Eßt, sage ich euch, ich habe schon gegessen.« Als sie nun vom Tische aufstanden, sammelte Pulja alle Knochen, legte sie in einen Krug und begrub sie in der Mitte des Gartens. Da aber, wo sie begraben waren, wuchs ein ungeheuer großer Apfelbaum und trug einen goldenen Apfel, und viele versuchten, ihn zu brechen, es gelang ihnen aber nicht, denn je näher sie ihm kamen, desto höher stieg der Apfel.

Da sagte die Pulja zum König: »Alle seid ihr hingegangen und habt ihn nicht pflücken können, laß mich doch auch einmal mein Glück versuchen, vielleicht pflücke ich ihn.« – »Das haben nun so viele geschickte Leute versucht und konnten es nicht dahin bringen, und nun willst du es schaffen?« – »Laß mich es doch einmal versuchen, tu mir den Gefallen!« – »Nun, so geh in Gottes Namen«, sagte der

König. Sowie sie zum Baume kam, senkte sich der Apfel mehr und mehr, bis sie ihn erreichen konnte, und als sie ihn gefaßt hatte, sagte er ihr leise: »Ziehe, bis du mich gepflückt hast.« So pflückte sie ihn und steckte ihn in die Tasche und rief: »Lebe wohl, mein süßer Schwiegervater, aber über die Hündin von Schwiegermutter möge alles Unglück kommen!« Drauf ging sie fort und kam nicht wieder.

2. August – Der zweihundertvierzehnte Tag

Schlangenkind

Es war einmal eine Frau, der schenkte Gott keine Kinder, und sie war deswegen so betrübt, daß sie eines Tages ausrief: »Lieber Gott, schenke mir ein Kind, und wenn es auch eine Schlange wäre!« Bald darauf merkte sie, daß sie gesegneten Leibes sei, und als ihre Zeit kam, brachte sie eine Schlange zur Welt. Die Frau hatte nun, was sie wünschte, und pflegte die Schlange wie ihr Kind. Sie legte sie anfangs in eine Mulde, aber bald wurde sie so groß, daß sie keinen Platz darin hatte, und wurde immer größer und größer, so daß sie beinahe das große Gärfaß ausfüllte, in das der Most samt den Trebern [Rückständen] geschüttet wird.
Als die Schlange ausgewachsen war, sagte sie zu ihrer Mutter: »Mutter, ich will eine Frau haben.« Die aber antwortete: »Wer wird eine Schlange heiraten wollen?« Darüber wurde die Schlange zornig und rief: »Wenn du mir keine Frau verschaffst, so fresse ich dich.«

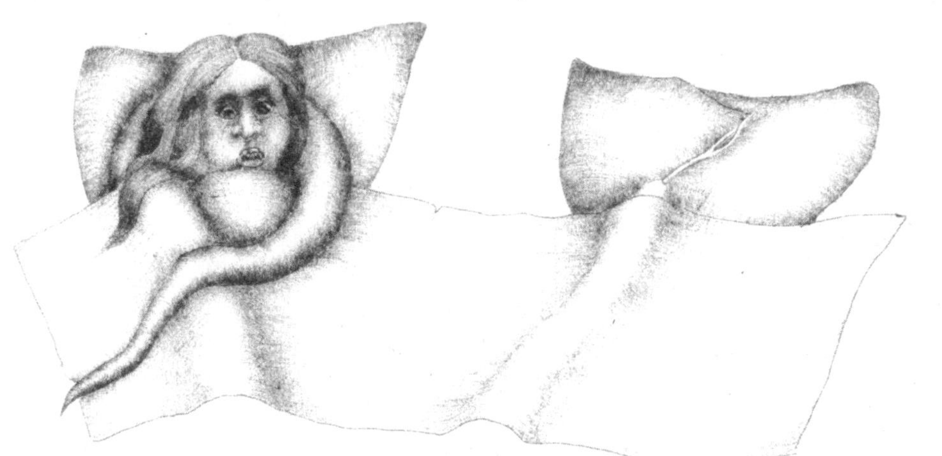

Wohl oder übel ging also die Frau in die Kirche und sagte zu den dort versammelten Frauen: »Ich suche eine Schwiegertochter für meinen Sohn, denn er wünscht, sich zu verheiraten.« Als das die Weiber hörten, lachten sie, aber unter ihnen war auch eine Stiefmutter, und die sagte: »Ich gebe dir meine Stieftochter.« – »Wenn sie aber gefressen wird?« fragte die Schlangenmutter. »So liegt mir auch nichts dran«, sagte die Stiefmutter, und somit machten sie die Sache fest.

Als die Stieftochter hörte, daß sie eine Schlange heiraten sollte, wurde sie sehr traurig, ging weinend zu dem Grab ihrer Mutter und weinte dort so lange, bis sie darüber einschlief. Da sah sie im Traum, daß ihre Mutter aus dem Grab stieg und zu ihr sagte: »Fürchte dich nicht vor der Schlange, denn es ist ein schöner Jüngling, und du mußt nur auf ein Mittel sinnen, seine Schlangenhaut zu verbrennen, wenn er sie ausgezogen hat. So kann er nicht mehr in sie hineinschlüpfen.« Darauf erwachte das Mädchen und ging getröstet heim, und als sie mit der Schlange verheiratet wurde, wunderten sich die Leute, wie ruhig sie sich in ihr Schicksal fügte.

Am Morgen nach der Hochzeit fragte die Schwiegermutter sie, ob die Schlange bei Nacht ebenso wäre wie bei Tage, und sie erwiderte darauf: »Ach nein! Mein Mann ist keine Schlange, sondern ein schöner junger Mann, der nur in einer Schlangenhaut steckt, und wenn er diese auszieht, so strahlt er, als ob er ein Kind der Sonne wäre.« Da sagte die Schwiegermutter: »Heute abend wollen wir den Backofen heizen, und wenn du mit ihm zu Bett gegangen bist und merkst, er ist eingeschlafen, dann will ich dir den Schürhaken in das Gärfaß hinunterreichen, und dann mußt du seine Schlangenhaut daranhängen, und ich werde sie heraufziehen und in den Backofen werfen, damit sie verbrennt.« Der jungen Frau gefiel der Anschlag, und als sie mit ihrem Mann zu Bett gegangen und er eingeschlafen war, da hängte sie seine Schlangenhaut an den Schürhaken, den ihr die Schwiegermutter in das Faß hinabreichte, die zog sie herauf und warf sie in den brennenden Backofen. Während die Haut darin verbrannte, erwachte der junge Mann von dem brenzligen Geruch und sagte zu seiner Frau: »Es riecht, als ob meine Schlangenhaut verbrannt würde.« – »Dummes Zeug«, erwiderte sie, »schweig still und schlafe weiter.«

Als er nun am andern Morgen die Haut nicht mehr fand, um hineinzukriechen, da stieg er aus dem Gärfaß und lebte von da an in seinem Haus wie die anderen Menschen. Bald darauf wurde seine Frau gesegneten Leibes und gebar einen Knaben, er aber wurde um diese Zeit zu einem Feldzug aufgeboten und mußte in den Krieg ziehen.

Die Stiefmutter hatte seit langem schon ihre Stieftochter um ihr Glück beneidet

und sich darüber geärgert, daß sie den schönen Mann nicht ihrer eigenen Tochter gegeben hatte. Als er daher in den Krieg gezogen war, da ging sie eines Nachts heimlich in die Kammer der Kindbetterin, nahm sie aus dem Bett, trug sie in eine Einöde und legte ihre eigene Tochter an ihrer Statt ins Bett. Diese tat so, als ob sie krank wäre und ihr Kind nicht säugen könne. Man suchte also nach einer Amme, um es zu ernähren.
Als die Stieftochter merkte, daß sie in der Einöde war, da fing sie an so sehr zu weinen, daß ihre Tränen in die Erde drangen und einen Menschen benetzten, den man lebendig begraben hatte und der Kyrikos [Herold] hieß. Als den die Tränen berührten, erwachte er davon, stand aus dem Grabe auf und fragte die junge Frau, warum sie weine; sie aber erzählte ihm, wie es ihr ergangen sei. Darauf fragte er sie, ob sie mit ihm in sein Haus kommen wolle. Sie war es zufrieden und stieg mit ihm in seine Grube, und es dauerte nicht lange, so wurde sie abermals schwanger und gebar einen Knaben. Endlich wurde dem Kyrikos in seiner Grube die Zeit lang, und er machte sich mit Weib und Kind auf und kehrte in seine Heimat zurück, wo man ihn zwanzig Jahre als tot betrauert hatte, und seine Mutter und seine Schwester empfingen ihn mit großer Freude.
Als das Schlangenkind aus dem Kriege heimkam, da sah er seine Schwägerin an der Stelle seiner Frau, er fragte seine Mutter: »Wo ist denn deine Schwiegertochter?« Und sie antwortete: »Aber die ist es, mein Sohn«, denn sie glaubte nicht anders, als daß sich ihre Schnur [Schwiegertochter] durch das Kindbett so verändert habe. »Ei was«, rief er, »ich sollte etwa meine Schwägerin nicht kennen? Meine Frau ist wohl gestorben, und ihr wollt es mir nicht sagen?« Da rief seine Schwägerin: »Nein, ich bin es, warum willst du mich nicht wiedererkennen?« Er aber blieb dabei und behandelte sie nicht wie seine Frau.
Ein glücklicher Zufall führte ihn eines Tages in das Dorf des Kyrikos, und dort erblickte er seine Frau und erkannte sie sogleich, und auch sie erkannte ihn wieder. Da umarmten und küßten sie sich, und als er erfuhr, daß sie mit einem anderen Manne verheiratet sei, da verklagte er den Kyrikos vor Gericht und forderte von ihm seine Frau zurück. Der Richter fragte sie: »Welchen von beiden willst du zum Mann?« Und sie antwortete: »Sie sind mir beide gleich lieb, denn sie waren beide gut zu mir.« Darauf entschied der Richter, daß die beiden Männer auf einen Berg steigen, die Frau aber unten bleiben solle, und wenn sie oben angekommen wären, dann sollten sie rufen: »Mich hungert und dürstet«, und die Frau ihnen antworten: »Komm, ich will dir zu essen und trinken geben.« Dann sollten sie um die Wette herunterlaufen, und wer zuerst bei der Frau ankomme, der solle sie behalten. Da machten sie es, wie ihnen der Richter gesagt, und beim Wettlauf überholte das Schlangenkind den Kyrikos und schloß sie in seine Arme.

Als das der Kyrikos sah, sprach er: »Lebe wohl, liebe Frau, denn ich kehre dahin zurück, wo ich früher war«, und damit trennten sie sich.
Das Schlangenkind aber kehrte mit seiner Frau nach Hause zurück, schlug seine Schwägerin tot und lebte von nun an mit seiner Frau glücklich und zufrieden.

3. August – Der zweihundertfünfzehnte Tag

Der Bartlose und der Drakos

Es war einmal ein Bartloser, der hatte eine schwangere Frau. Ihr kam großes Gelüste nach frischem Käse an, und der Bartlose machte sich also auf, um welchen zu finden. Da begegnete er einem Schäfer und fragte ihn: »Hast du frischen Käse?« – »Ach, mein Bartloser, wo soll ich den herbekommen?« sprach jener. »Denn sowie ich meine Schafe gemolken habe und daraus Siebkäse machen will, kommt ein Drakos [Drache in Menschengestalt] und frißt mir die Milch auf.« – »Wenn du die Wahrheit sprichst«, versetzte darauf der Bartlose, »so bin ich derjenige, der dich an dem Drakos rächen kann. Sowie du deine Schafe gemolken hast und daran bist, Siebkäse zu machen, dann rufe mich, und ich will schon machen, daß der Drakos nicht mehr wiederkommt.« – »Ach, wenn du das kannst«, rief der Schäfer, »so will ich dir jede Woche Milch und Käse umsonst bringen und dir für immer dankbar sein.«
Als der Schäfer am andern Tag wieder Käse machen wollte, da rief er den Bartlosen zu sich. Der aber schloß die Tür der Hütte zu, zog eiserne Schuhe mit großen Nägeln an, streute eine Lage glühender Asche auf den Boden und nahm einen frischen Käse in die Hand. Als nun der Drakos kam, um nach seiner Gewohnheit den Käse zu fressen, und aus dem Loch hervorschaute, durch das er in die Küche zu kriechen pflegte, rief ihn der Bartlose an: »He, was bist du für ein Kerl?«, und jener antwortete: »Ich bin der Drakos.« Da lachte der Bartlose und sprach: »Ei was, Drakos, in meinen Augen bist du nur eine Mücke.« Der Drakos kehrte sich nicht an diese Worte, sondern kam etwas weiter hervor und sah sich nach dem frischen Käse um. Da aber rief der Bartlose mit fürchterlicher Stimme: »Höre, Drakos, wenn du nicht machst, daß du fortkommst, werde ich dich fressen, so wahr als aus dem Stein, den ich in meiner Hand zerdrücke, Wasser fließt und ich aus dem Boden, auf dem ich stehe, Feuer stampfe. Denn in meinen Augen bist du nur eine Mücke.« Als nun der Drakos sah, daß der andere den Stein mit den Händen zerdrückte und Wasser daraus floß und daß aus dem Boden, auf den

er stampfte, Feuer kam, da begann er sich zu fürchten und sagte zu dem Bartlosen: »Wir wollen Frieden miteinander halten und Brüderschaft machen.« Der Bartlose sagte: »Meinetwegen, wenn du den Schäfer in Ruhe läßt.« Und als der Drakos das versprochen hatte, machten sie Brüderschaft miteinander und zogen in die Welt.

Als sie an einen Wald kamen, sagte der Drakos: »Wir wollen nun auf die Jagd gehen, nimm du diese Richtung, und ich will jene nehmen. Und dann wollen wir sehen, wer das meiste Wild nach Hause bringt.« Als der Bartlose nicht weit gegangen war, sah er einen Wildeber auf sich anrennen, und um sich vor ihm zu retten, hatte er kaum Zeit, auf den nächsten Baum zu steigen. Da versuchte der Eber, den Baum mit seinen Hauern zu fällen, damit der Mann herabfiele und er ihn fressen könne. Er fuhr aber so gewaltig mit seinem Rüssel gegen den Baum, daß er davon starb und seine Hauer in dem Baum steckenblieben. Da stieg der Bartlose vom Baum und lief zu dem Drakos und rief: »Drakos! Drakos! Nun, wie steht es mit der Jagd?« – »Dumme Frage«, sagte dieser, »wir haben ja kaum angefangen.« – »Nun, so komm her und sieh dir das Ferkel an, das ich gefangen und mit den Hauern in den Baum gesteckt habe, damit es nicht davonläuft. Nimm es und trag es nach Hause und weide es inzwischen aus, bis ich nachkomme.« Er tat dies aber, weil er selbst nicht imstande war, das Schwein zu schleppen. Da nahm es der Drakos auf die Schultern und trug es nach Hause. Unterwegs kamen dem Drakos Zweifel an, ob der Bartlose wirklich so stark sei, wie er sich rühmte. Nachdem er also das Schwein abgesetzt, lief er zurück und forderte ihn auf, mit ihm zu ringen, um zu sehen, wer von ihnen den andern niederzwinge. Der Bartlose gab zur Antwort, daß er zufrieden wäre, daß aber dem Kampf viele Leute zusehen müßten. Sie rangen darauf, aber bei dem ersten Stoß, den der Drakos dem Bartlosen gab, fiel der zu Boden, und jener rief: »Ei, Bartloser, wo ist denn die Stärke, die du von deinem Vater hast?« Der aber sagte: »Ei, Drakos, mach doch kein Geschrei darüber, daß ich ausgeglitten bin.« Doch zum zweiten Male ging es geradeso. Beim dritten Male kniete sich der Drakos auf die Brust des Bartlosen, und von seiner Schwere traten dem die Augen aus den Höhlen. Da rief Drakos: »Ei, Bartloser, wo ist denn die große Stärke, die du von deinem Vater hast? Warum rollst du deine Augen so?« Darauf sagte der Bartlose: »Ich rolle meine Augen, weil ich darüber nachdenke, wohin ich dich nun in die Lüfte werfen soll, nach Sonnenaufgang oder nach Sonnenuntergang, denn in meinen Augen bist du doch nur eine Mücke.« Da erschrak der Drakos, stand auf und erklärte sich für besiegt und bat den Bartlosen nur, daß er ihn nicht in die Lüfte schleudern möge.

Darauf ging der Drakos zu seiner Mutter und sprach: »Mutter, ich bin einem begegnet, der stärker ist als ich, und habe Brüderschaft mit ihm gemacht. So und so ist es mir mit ihm ergangen.« Als er ihr alles erzählt hatte, sagte sie: »Du hast recht, der ist stärker als du, den müssen wir aus dem Wege schaffen, damit uns von ihm nicht Schlimmes widerfährt.«

Des andern Tags kam der Bartlose wieder mit dem Drakos zusammen, und da sagte der zu ihm: »Heute abend mußt du mit mir nach Hause kommen, da soll uns meine Mutter den Eber braten, den du erlegt hast, und wir wollen uns einmal recht gütlich tun.« Der Bartlose ging also am Abend mit dem Drakos nach Hause und aß und trank mit ihm und seiner Mutter. Als man ihm aber im Hause ein Bett machen wollte, sagte er: »Ich kann es drinnen nicht aushalten, denn ich bin gewohnt, im Freien zu schlafen.« Er ging also vor das Haus und legte sich dort nieder. Nach einer Weile stand er heimlich auf und schlich sich an einen andern Platz, der versteckter war; an die Stelle aber, wo er sich früher hingelegt hatte, legte er einen Sack Stroh.

Nach Mitternacht stand der Drakos auf, nahm ein großes Messer, schlich zu dem Sack und bohrte ihn durch und durch. Darauf ging er in das Haus zurück und sagte zu seiner Mutter: »Der wird uns keinen Kummer machen, denn ich habe ihn durch und durch gestochen.«

Am andern Morgen ging der Bartlose in das Haus und fand den Drakos noch schlafend. Da weckte er ihn und rief: »He, Bruder, schläfst du noch um diese Zeit?« Als der Drakos den Bartlosen vor sich stehen sah, wunderte er sich sehr und rief: »Was? Du lebst noch? Habe ich dich denn nicht heute nacht durch und durch gestochen?« Der Bartlose aber lachte und sagte: »Weißt du denn nicht, daß ich unsterblich und unverwundbar bin?« – »Ist das möglich?« fragte der Drakos. »Ja«, sagte der andere, »ich bin gefärbt und bin deswegen stich- und schußfest. Ich habe wirklich heute nacht gespürt, daß mich etwas stach, ich glaubte aber, es wäre ein Floh.« – »Kannst du mich nicht auch färben?« fragte der Drakos. »Ei, warum nicht, aber dazu brauche ich ein Faß, das so groß ist, daß du hineinkriechen kannst, und einen Waschkessel, der ebenso groß ist. Der muß mit Wasser gefüllt und über das Feuer gesetzt werden, und wenn das Wasser siedet, dann werde ich die zur Farbe nötigen Kräuter hineinwerfen und die Farbe kochen.«

Der Drakos besorgte alles, was ihm der Bartlose aufgetragen. Wie nun das Wasser sott, warf der Bartlose einen Arm voll Kräuter hinein, und als die Farbe fertig war, ließ er den Drakos in das Faß steigen, hob mit der Drakäna den Kessel vom Feuer, schüttete das siedende Wasser auf den Drakos und hieß die Mutter das Faß mit einem Tuch zubinden, damit der Dunst nicht herauskönne, und als das geschehen war, machte er sich heimlich aus dem Staub.

Die Drakäna wartete und wartete, daß er wiederkommen und ihren Sohn aus dem Faß herauslassen solle. Am Abend aber verlor sie die Geduld, öffnete das Faß und rief: »Komm heraus!« Aber der Drakos rührte sich nicht. Da nahm die Mutter einen Hakenstock, um ihn damit herauszuziehen, aber sie zog nur einen Arm von ihm heraus, und sie mußte lange fischen, bevor sie alle Glieder ihres Sohnes einzeln aus der Brühe herausgefischt hatte.

Der Bartlose ging nun zu dem Schäfer und erzählte ihm, wie er ihn von dem Drakos erlöst habe, und zum Dank dafür schenkte ihm dieser das schönste Lamm aus seiner Herde.

Als aber der Bartlose das Lamm nach Hause trug, da begegnete ihm eine Füchsin, riß es ihm von den Schultern und schleppte es in ihre Höhle. Weil nun der Bartlose sich scheute, ihr dorthin nachzukriechen, so sagte er: »Warte, Stinkmario! Das will ich dir vergelten.« Er nahm darauf zwei Kürbisflaschen und hängte sie so geschickt an einem Stab vor der Höhle auf, daß der Wind in die Löcher pfiff, und da starker Nordwind war, so brummten die Flaschen in einem fort ui! ui! ui! ui! Die Füchsin glaubte, daß der Bartlose vor der Höhle stehe und vor Zorn über das verlorene Schaf so schnaube, und traute sich drei Tage lang nicht aus ihrer Höhle hervor. Am vierten konnte sie es aber vor Durst nicht mehr aushalten und wagte sich heraus, und als sie die Kürbisflaschen erblickte, fing sie an zu fluchen und band sie an ihren Schweif, um sie in das Meer zu werfen. Als sie sie aber von einem Felsen herunterwerfen wollte, verlor sie das Gleichgewicht, fiel mit den Flaschen ins Meer und ertrank.

4. August – Der zweihundertsechzehnte Tag

Vom Mordmesser, dem Wetzstein der Geduld und der Kerze, die nicht schmilzt

Es war einmal ein reicher Mann, der hatte eine Tochter, die oft am Fenster saß und stickte. Als sie eines Tages wieder am Fenster saß, flog ein Vogel an ihr vorüber und rief: »Was stickst du in Silber und Gold, du wirst ja doch nur einen toten Mann bekommen!« Das verdroß das Mädchen sehr, und sie ging weinend zu ihrem Vater und sagte ihm, was ihr der Vogel zugerufen. Der aber machte kein großes Aufheben davon und sagte: »Es ist eben ein Vogel, laß ihn schwatzen!« Das geschah aber nicht bloß einmal, sondern mehrmals, und sooft der Vogel vorüberflog, rief er ihr dasselbe zu.
Als sich eines Tags das Mädchen mit seinen Gespielinnen im Freien vergnügte, wurde sie vom Regen überfallen. Da lief sie zu einem Haus, das in der Nähe lag, und stellte sich unter das Vordach. Während sie nun so stand und wartete, ging plötzlich die Haustür auf, und das Mädchen trat ins Haus, um sich ein bißchen darin umzusehen. Kaum war sie aber eingetreten, so ging die Tür wieder zu. Das Mädchen ließ sich dadurch nicht irremachen und lief von einem Zimmer zum andern, bis sie in ein Gemach kam, wo ein toter Prinz lag, welcher einen Zettel in der Hand hatte, auf dem geschrieben stand: »Wer hierherkommt und bei mir drei Wochen, drei Tage und drei Stunden, ohne zu schlafen, Wache hält, der darf mich zum Leben erwecken, und wenn es ein Mann ist, so mache ich ihn zu meinem Minister, und wenn es eine Frau ist, so nehme ich sie zum Weib.«
Als das Mädchen diesen Zettel las, gedachte sie der Worte, die der Vogel ihr zugerufen, und beschloß, den Prinzen zu erlösen. Sie wachte auch wirklich drei Wochen und drei Tage bei ihm, ohne zu schlafen, da konnte sie sich aber vor Müdigkeit kaum mehr halten. Sie öffnete also das Fenster, um frische Luft zu schöpfen, und sah eine Zigeunerin darunter stehn; die ließ sie durch das Fenster

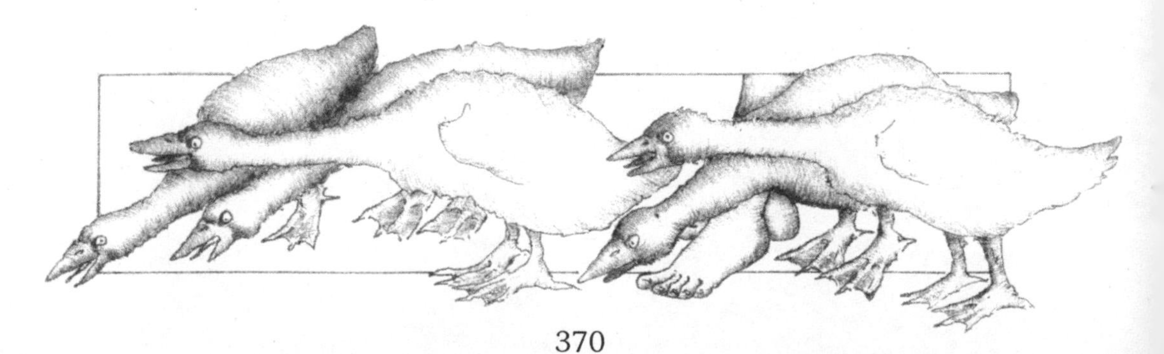

zu sich kommen und sprach: »Wache du zwei Stunden hier, ich muß ein bißchen schlafen, und weck mich nach zwei Stunden.« Diese war es zufrieden, und das Mädchen legte sich schlafen.
Die Zigeunerin weckte sie aber nicht, sondern wachte allein die drei Stunden durch, und als der Prinz aufwachte, sagte er zu ihr: »Du bist meine Frau!« Darauf sprach die Zigeunerin zum Prinzen: »Nimm das Mädchen, welches hier schläft, und laß sie die Gänse hüten«, und der Prinz, um seiner Braut gefällig zu sein, tat das Mädchen zu den Gänsen.
Eines Tages bekam der Prinz Lust, in den Krieg zu ziehen. Er rief also seine Frau und fragte sie, was er ihr mitbringen solle, und sie bestellte sich einen goldenen Anzug. Darauf rief er auch die Gänsehirtin und fragte sie: »Was willst du, daß ich dir mitbringe?« Und diese sagte: »Ich wünsche mir das Mordmesser, den Wetzstein der Geduld und die Kerze, die nicht schmilzt, und wenn du mir das nicht mitbringst, so soll dein Pferd nicht von der Stelle gehn.«
Drauf zog der Prinz in den Krieg und trieb die Feinde zu Paaren, und als er nach Hause wollte, kaufte er für seine Frau einen goldenen Anzug, vergaß aber das, was die Gänsehirtin für sich bestellt hatte. Und als er nun heimreiten wollte, da brachte er sein Pferd nicht von der Stelle. Wie er so drauf saß und nachdachte, was das wohl bedeute, da fiel ihm ein, was er der Gänsehirtin versprochen hatte. Er ging also auf den Markt und fragte nach dem Mordmesser, dem Wetzstein der Geduld und der Kerze, die nicht schmilzt. Nachdem er lange vergeblich herumgegangen, fand er endlich alles in einer kleinen Bude bei einem alten Kaufmann, und der fragte ihn: »Für wen kaufst du diese Sachen?« – »Für meine Magd«, erwiderte der Prinz. »Nun, dann gib acht, was sie damit anfängt, wenn du es ihr gibst!«
Drauf zog der Prinz heim und gab seiner Frau den goldenen Anzug und der Gänsehirtin das Messer, den Wetzstein und die Kerze. Diese trug die Sachen in ihre Hütte und schloß sich ein. Der Prinz aber schlich ihr nach, um zu sehen, was sie damit anfange.
Das Mädchen setzte den Wetzstein der Geduld auf die Erde, legte das Mordmesser

darauf und steckte die Kerze an, die nicht schmilzt, dann fing sie an zu sprechen: »Mordmesser, warum liegst du so ruhig da, warum stehst du nicht auf und schneidest mir den Hals ab?« Da erhob sich das Messer, um ihr den Hals abzuschneiden, aber der Wetzstein der Geduld zog es zurück, und wie sich das Messer erhob, da brannte auch die Kerze, die nicht schmilzt, so düster, als ob sie erlöschen wollte, und das Mädchen fuhr fort: »Ich war ein Fräulein aus gutem Hause, und als ich am Fenster stickte, rief mir ein Vogel zu: ›Warum stickst du in Gold und Silber, du bekommst ja doch nur einen toten Mann.‹ Ich aber glaubte es nicht. Mordmesser, warum liegst du so ruhig da? Warum stehst du nicht auf und schneidest mir den Hals ab?« Da erhob sich das Messer gegen sie, und der Wetzstein zog es zurück.

»Eines Tages vergnügte ich mich mit meinen Gespielinnen im Freien. Da überfiel uns ein Regen, und ich stellte mich unter die Tür dieses Schlosses, um den Regen abzuwarten. Mordmesser, warum liegst du so ruhig da? Warum stehst du nicht auf und schneidest mir den Hals ab?« Da erhob sich das Messer gegen sie, und der Wetzstein zog es zurück.

»Drauf öffnete sich die Tür und zog mich hinein. Ich ging durch viele Zimmer, kam in das Gemach des Prinzen, sah den Zettel, den er in der Hand hielt, und las ihn. Mordmesser, warum liegst du so ruhig da? Warum stehst du nicht auf und schneidest mir den Hals ab?« Da erhob sich das Messer gegen sie, und der Wetzstein zog es zurück.

»Und ich wachte bei ihm drei Wochen und drei Tage. Da ging die Zigeunerin, die er jetzt zur Frau hat, unter dem Fenster vorüber, und ich rief sie herauf und sagte ihr, sie solle zwei Stunden wachen. Sie wachte aber drei Stunden, ohne mich aufzuwecken. Und darum nahm sie der Prinz zur Frau und machte mich zur Gänsehirtin. Mordmesser, wie kannst du es mit ansehen, daß ich drei Wochen gewacht und Gänsehirtin geworden bin, während die Zigeunerin nur drei Stunden wachte und Prinzessin geworden ist? Und du zauderst noch, Mordmesser?«

Da erhob sich das Messer sehr hoch gegen sie, der Wetzstein konnte es nicht mehr zurückhalten, und die Kerze verlosch ganz und gar. Der Prinz aber, der alles gehört hatte, fing an zu schluchzen, stieß die Tür ein und ergriff das Messer, grade wie es auf das Mädchen losstechen wollte, führte die Gänsehirtin in sein Schloß, machte sie zu seiner Frau und ließ die Zigeunerin an ihrer Statt die Gänse hüten.

5. August – Der zweihundertsiebzehnte Tag

Der Nabel der Erde

Es war einmal ein alter König, der hatte drei Söhne und drei Töchter, und als er zum Sterben kam, rief er seine Söhne und Töchter und redete die Söhne an: »Hört, liebe Kinder, was ich euch auftrage: Gebt eure Schwestern dem, der zuerst um sie wirbt. Mag er lahm sein, mag er blind sein, wie immer er sein mag, gebt sie ihm, wenn ihr meinen Segen haben wollt.« – »Ja, Vater«, sagten die Söhne, und der König gab seinen Geist auf.

Als einige Zeit dahingegangen, trat ein Lahmer vor den ältesten Königssohn und hielt um die älteste Schwester an. Als das der Königssohn vernahm, wurde er zornig und sprach: »Du dreister Mensch, der du meine Schwester haben willst, du hinkender Februar, du Krüppelzwerg, wenn du nicht bald verschwindest, werde ich dir noch dein anderes Bein brechen.«

Da machte sich der Lahme tiefbetrübt auf, nahm sein Zeug, ob gewaschen oder ungewaschen, und ging zu dem zweiten Königssohn, da bekam er noch weit Schlimmeres zu hören. Zuletzt ging er in den Palast des jüngsten Königssohnes. Als dieser vernahm, daß der Lahme seine älteste Schwester haben wolle, sprach er: »Nur herein mit dir, denn warum soll ich sie dir nicht geben. Es ist ja der Wille meines Vaters, und ich habe ihn auszuführen.« Also gab er sie ihm, und der Lahme heiratete sie. Dann zog er mit ihr fort.

Es war nicht viel Zeit verstrichen, da trat vor den ältesten Königssohn ein Einäugiger und hielt um die mittlere Schwester an. »Scher dich weg, du Scheelauge, der du des Königs Tochter haben willst«, sprach er zu ihm, »und pack dich auf der Stelle, daß ich dir nicht noch das andere Auge ausschlage, du schlimmes Scheelauge.«

Da ging dieser von dem Ältesten fort und ging zu dem Mittleren, aber der jagte ihn gleichfalls fort. Zuletzt ging er zu dem Jüngsten, und der gab sie ihm.

Nach einiger Zeit trat ein zerlumpter Bettler vor den ältesten Königssohn und warb um die jüngste Schwester. Der Königssohn, kaum hatte er gesehen und gehört, daß der da seine Schwester wolle, schäumte er vor Wut. »Das ist ja noch schöner! Wo sind wir bloß hingeraten! Ein Bettler, ein Tagdieb! Geh mir aus den Augen, du Lumpenkerl, der du des Königs Tochter haben willst!«

Da lief der arme Kerl weg und ging zu dem zweiten, aber auch bei dem fehlte nicht viel, so hätte er ihn verprügelt. Zuletzt ging er zu dem Jüngsten, und der gab sie ihm mit aller Freundlichkeit. Er heiratete sie und zog mit ihr fort.

Als einige Zeit vergangen war, dachte der jüngste Königssohn daran, sich aufzumachen und die Schöne der Welt zur Frau zu nehmen; und er verriegelte seinen Palast, bestieg sein Pferd und zog aus, um sie zu gewinnen. Es wollten aber viele Königssöhne diese Schöne der Welt besitzen und vermochten es nicht. Denn sie schlachtete sie und nahm ihre Köpfe und baute aus ihnen einen Turm. Und sie wollte noch einen Kopf haben, damit der Turm fertig würde. Das konnte wohl der Kopf unseres Königssohnes sein.

Als er nun in jenes Land gekommen war, stellte er sich dem König, ihrem Vater, vor und erklärte ihm, er sei gekommen, um seine Tochter zur Frau zu nehmen. »Gut«, sagte der König, »ich will sie dir geben. Ich werde dich vierzig Tage lang in ein unterirdisches Gemach einschließen, damit du nachdenkst und herausbekommst, welche Zeichen der Nabel der Erde hat. Und nach vierzig Tagen werde ich dich herauslassen, damit du es mir sagst. Und wenn du es nicht herausgefunden hast, wird meine Tochter deinen Kopf nehmen und ihn auf den Turm setzen. Denn sie baut einen Turm aus Menschenköpfen, und sie braucht noch einen, damit der Turm fertig wird, und das ist möglicherweise deiner.« – »Schon möglich«, sagte der Königssohn. Sie warfen ihn nun in ein unterirdisches Gemach und brachten ihm Speise und Trank hinein.
Eines Tages, als er nachsann und sich den Kopf zerbrach, welche Zeichen der Nabel der Erde habe, wurde ihm schwindlig, und er stand auf und ging umher. Wie er so umherging, bemerkte er ein kleines Fenster. Er ging nahe heran, öffnete es und sah eine andere Welt. Er stieg durch das Fensterchen, fand eine Treppe und stieg vierzig Stufen hinunter. Und er fand einen Pfad und begann ihn zu gehen, um sich von seinem Gefängnis zu entfernen.
Als er bis zum Mittag gegangen war, stieß er auf einen Turm, und vor dem Turm neben dem Tor waren eine Quelle und ein Baum. Er trank Wasser aus der Quelle und streckte sich im Schatten des Baumes aus, um sich auszuruhen. Als er so dalag und nachsann, stieg aus dem Turm eine Mohrin herab, um Wasser zu holen, und sie sah den Königssohn und sprach zu ihm: »Guten Tag, junger Held!« – »Zur guten Stunde fand ich dich«, sagte der Königssohn. »Und wie ist es zugegangen, daß du in diese Gegend kamst, wohin nicht einmal ein Vogel fliegt?« fragte die Mohrin. »Nun, mein Schicksal trieb mich, und ich kam.«

Als die Mohrin ihren Krug gefüllt hatte, ging sie zum Turm hinauf und erzählte der Herrin, daß ein schöner Jüngling sich unten an der Quelle ausruhe. »Rasch, sag ihm, daß er heraufkommt«, sagte die Herrin. Da ging die Mohrin und rief den Königssohn in den Turm.

Kaum hatte die Herrin den Königssohn erblickt, als sie auf ihn zustürzte, ihn umarmte und auf beide Wangen küßte; denn sie war seine älteste Schwester. Und der Lahme, der Einäugige und der Bettler, welche die Königssöhne aufgesucht hatten, waren Draken [menschenfressende Riesen] und allesamt Brüder. Und die Schwester fragte den Königssohn, wie es sich zugetragen habe, daß er in jene Welt gekommen sei. Und der Königssohn erzählte ihr, er sei ausgezogen, um die Schöne der Welt zu gewinnen, und daß man ihn in ein unterirdisches Gemach gesperrt habe, damit er herausfinde, welche Zeichen der Nabel der Erde habe, und: »Ich fand ein Fensterchen, durch das kam ich hinaus und hierher.« – »Du hättest dich nicht in diese Gegend verirren dürfen«, sagte die Schwester, »doch dein Schicksal half dir und brachte dich hierher. Es kann sein, daß der Drake oder seine Brüder diese Zeichen kennen.« Danach versteckte sie ihn, damit nicht der Drake, wenn er von draußen käme, wütend würde und ihn auffräße.

Es dauerte ein Weilchen, und der Drake kam. »Riecht der Turm nicht nach Menschen?« fragte er. »Es ist nichts«, sagte die Königstochter, »das scheint dir, weil du von draußen kommst.«

Als sie gegessen hatten und der Drake guter Laune war, sagte die Königstochter zu ihm: »Wenn jetzt einmal zufällig einer von meinen Brüdern käme, was würdest du mit ihm machen?« – »Wenn dein ältester oder dein mittlerer Bruder käme, würde ich ihn kurz und klein hauen.« – »Wenn aber der jüngste käme?«

»Ach, der jüngste, der hat mich für sich eingenommen durch seine Art. Wenn der einmal käme, würde ich von meinem Platz aufstehen, damit er sich setzen kann, und ich würde ihm einen eigenen Turm bauen, damit er dort wohne.« – »Nun, er ist da«, sagte die Königstochter. »Ist er wirklich gekommen?« fragte der Drake. »Und wenn er da ist, warum zeigst du ihn nicht?« – »Ich hatte Angst, du könntest ihm etwas tun.« – »Was sollte ich ihm tun? Los, bring ihn her.«

Da ging die Königstochter und holte ihn. Kaum erblickte ihn der Drake, da erhob er sich, umarmte ihn und küßte ihn auf beide Wangen und ließ ihn auf seinem eigenen Platz sitzen, und dann fragte er ihn, wie er hierhergekommen sei. Und der Königssohn klagte ihm sein Leid. »Nun ist es an dir«, sagte er, »mir zu sagen, ob du weißt, welche Zeichen der Nabel der Erde hat, denn es geht um meinen Kopf.«

Da sagte der Drake zu ihm: »Ich weiß nicht, welche Zeichen der Nabel der Erde hat, aber bleib ein paar Tage hier und dann geh zu meinem Bruder, der deine mittlere Schwester hat. Vielleicht weiß er es.«

Als er nun einige Tage da verbracht hatte, zeigten sie ihm den Weg, und er machte sich auf und ging zu seiner anderen Schwester. Als sie ihn sah, wunderte sie sich, wie er in jene Gegend gekommen sei. Er klagte auch ihr sein Leid, und auch sie versteckte ihn. Und als der Drake kam und aß und sich gütlich tat, kam sie auf ihre Brüder zu sprechen, was er wohl tun würde, wenn einer von ihnen käme. Da sagte auch er, wenn einer von den beiden älteren käme, würde er ihn in Stücke hauen. Wenn aber der jüngste käme, würde er ihm eine Krone aufsetzen.

Nach einigem Hin und Her holte sie ihn hervor, und auch er umarmte ihn und küßte ihn auf beide Wangen und fragte ihn, welche Not ihn an diesen unterweltlichen Ort geführt habe.

Da klagte der Königssohn auch ihm sein Leid. Und er sandte ihn wiederum zu seinem anderen Bruder, der die jüngste Schwester des Königssohnes zur Frau hatte.

Er ging also dorthin – aber wir wollen nicht weitschweifig werden, die Kinder schlafen schon halb, und das Märchen wird lang. Als seine Schwester ihn erblickte, umarmte und küßte sie ihn; und sie versteckte ihn, damit der Drake ihn nicht sähe. Und als der Drake gegessen und vom Knoblauch gute Laune bekommen hatte, machte die Königstochter allerlei Umstände, und schließlich zeigte sie ihn.

Als er ihn sah, sprang er vor Freude auf. Und nachdem er ihn geküßt hatte, führte er ihn zu seinem Platz und ließ ihn sich da hinsetzen. »Sag mir nun, welche Beschwernis dich drückt und warum du in diese Gegend gekommen bist, wohin sich noch nie ein Mensch verirrt hat.«

Als der Königssohn ihm sein Leid geklagt hatte, sprach der Drake zu ihm: »Ich weiß nicht, welche Zeichen der Nabel der Erde trägt. Aber ich will es für dich herausbringen. Folge mir!«

Er folgte ihm, und sie stiegen auf die höchste Stelle des Turmes, und da pfiff der Drake auf einmal so laut, daß die Berge von dem Schall widerhallten; und der Königssohn sah die wilden Tiere aus den Bergen und Büschen hervorschlüpfen und ungeheure Scharen von wilden und zahmen Tieren sich tummeln, und sie riefen: »Was befiehlst du, Herr?« Und der Drake antwortete: »Wer von euch ist schon einmal zum Nabel der Erde gekommen und kann uns sagen, welche Zeichen er trägt?«

Keiner war dahin gekommen, und keiner antwortete. Da schalt der Drake sie und jagte sie fort. Darauf pfiff er in einem anderen Ton, und alle Vögel unter dem Himmel, groß und klein, und auch noch die Fliegen und Mücken versammelten sich, und er fragte auch sie, aber keiner konnte ihm Antwort geben.

Und als sie noch so dastanden und überlegten, sahen sie von weitem einen Adler kommen, dessen Gefieder leuchtete wie die Sonne. Wie er näher kam, sahen sie, daß sein Hals, seine Schwingen, seine Füße und sein Rumpf mit Diamanten, Gold, Silber und Perlen behängt waren, und der Drake sagte zu ihm: »Warum kommst du so spät?« Und der Adler antwortete: »Herr, ich habe die Krätze gehabt. Und von meinem alten Großvater hatte ich gehört, daß, wer die Krätze hat, zum Nabel der Erde gehen muß, wo drei Brunnen fließen. In deren Wasser muß er sich baden, um geheilt zu werden. Und da die Krätze mich sehr plagte, machte ich mich auf und flog hin. Dort sind drei Brunnen, aus dem einen fließt Gold, aus dem anderen Silber und aus dem dritten Diamanten. Und an jedem Brunnen steht ein Baum, darauf wachsen Perlen. Ich ging nun hin und trat unter die Röhre eines jeden Brunnens und wusch mich und wurde von der Krätze geheilt und wurde mit Gold, Silber und Diamanten beladen. Da setzte ich mich unter den Baum und wurde mit Perlen überschüttet. In diesem Augenblick hörte ich das Pfeifen und machte mich auf den Weg, und da ich schwerbeladen und alt bin, kam ich zu spät her, entschuldige mich! Komm jetzt und nimm mir alles ab.«

Als der Drake ihm alles abgeladen hatte, fragte er ihn: »Was gibt es noch am Nabel der Erde?« – »Dort gibt es viele Bäume, an denen allerlei Kleinodien wachsen«, sagte der Adler.

Darauf gab der Drake allen Vögeln die Erlaubnis, wegzufliegen. Die Goldsachen, die er dem Adler abgenommen hatte, band er in ein Tuch, gab sie dem Königssohn und sprach: »Nun hast du mit eigenen Ohren gehört, welche Zeichen der Nabel der Erde hat. Hier, nimm diese Kleinodien und zeige sie dem König als Beweis.«

Und nachdem er noch einige Tage in dem Turm bei seiner Schwester und seinem Schwager zugebracht hatte, verabschiedete er sich von ihnen und ging davon und kam auch noch an den anderen Türmen vorbei und sagte seinen Schwestern und Schwägern dort Lebewohl. Er machte sich auf den Weg, ging und fand das Fensterchen wieder und stieg in sein Gefängnis hinein, und er rief, und sie holten ihn heraus und führten ihn vor den König. Und der König fragte ihn: »Nun, was hast du herausgefunden? Weißt du, welche Zeichen der Nabel der Erde hat?« – »Ich habe es herausbekommen, Herr König. Laß aber auch die Prinzessin kommen, damit sie die Zeichen erfährt.«

Da gab der König Befehl, und die Prinzessin erschien. Als der Königssohn sie sah, verwunderte er sich über ihre Schönheit. Und auch sie fragte ihn: »Hast du herausgefunden, welche Zeichen der Nabel der Erde hat?« – »Ich habe es herausbekommen, Prinzessin«, sagte er. »Aus dem Nabel der Erde strömen drei Quellen, und an jeder Quelle steht ein Baum, an dem Perlen wachsen. Und aus einer Quelle strömt Gold, aus der anderen Silber und aus der dritten Diamanten. Breite deine Schürze aus, und ich gebe dir den Beweis.«

Da breitete die Prinzessin ihre Schürze aus, und der Königssohn legte die Kleinodien hinein, die der Adler gebracht hatte. Als die Prinzessin sie sah, leuchteten ihre Augen, und er sagte zu ihr: »Gold, Silber und Diamanten sind aus den Quellen, und die Perlen sind von den Bäumen.«

Da sagte die Prinzessin zu ihrem Vater: »Lieber Vater, so viele Jahre habe ich ihn gesucht, und er hat mich gesucht, und wir wußten es nicht. Es ist schade, daß so viele Jünglinge ungerecht umgekommen sind. Nun aber will ich ihn zum Manne nehmen.«

Der König willigte ein und bekränzte sie, und sie feierten vierzig Tage fröhliche Hochzeit.

6. August – Der zweihundertachtzehnte Tag

Von einem, der Verstand, aber kein Geld hatte

s war einmal ein Mann, der hatte viel Verstand, machte aber mit Vorsatz den Narren und wiederholte, sooft er konnte: »Ich habe Grütze im Kopf, aber kein Geld im Sack.« Das hörte eines Tages ein Jude und sprach zu ihm: »Weißt du was, ich will dir Geld geben und dein Gesellschafter werden, denn ich möchte sehen, was du mit meinem Geld und deinem Verstand anfängst.« Der Mann war des wohl zufrieden, er kaufte von dem Geld, was ihm der Jude gab, eine große Menge Schilfmatten und suchte nun nach einem Schiff, um sie nach Ägypten zu verschiffen. Als er das gefunden und mit dem Schiffer über die Fracht einig geworden, fragte ihn der: »Aus was besteht deine Ladung?«, und jener antwortete: »Es sind Schilfmatten.« Da fing der Schiffer an zu lachen und sagte: »Höre, Freund, das ist kein gutes Geschäft, denn in Ägypten sind die Matten noch einmal so wohlfeil wie hier.« Der Mann aber antwortete: »Was geht dich das an, wenn du nur deine Fracht erhältst.« Der Schiffer verlud also die Matten und fuhr mit ihm ab, aber wer davon hörte, der lachte und meinte, dem Juden wäre ganz recht geschehen, warum habe er sich mit dem Narren eingelassen. Und auf der ganzen Reise war der Mann die Zielscheibe für die Kaufleute, die auf demselben Schiff nach Ägypten fuhren.

Als sie dort ankamen, ließ der Mann die Matten an den Strand bringen und auf einen großen Haufen zusammenschichten; darauf legte er Feuer an die Matten und verbrannte sie zu Asche. Als es nun Nacht geworden war, kamen die Seepferde aus dem Meer, fraßen von der Asche und spien dafür Edelsteine aus, und am anderen Morgen sammelte der Mann sechshundert Edelsteine von unschätzbarem Wert. Darauf ging er hin und ließ zwölfhundert Lehmsteine machen, und in sechshundert davon steckte er die Edelsteine. Er mietete nun dasselbe Schiff, mit dem er gekommen war, für die Rückreise und ließ die Backsteine mit den Edelsteinen unten hin-, die leeren aber oben darauflegen. Als der Schiffer sah, worin seine Rückfracht bestand, da lachte er und sagte: »Du machst schöne Geschäfte, Matten bringst du nach Ägypten und Lehmsteine führst du von da aus.« Doch der Kaufmann versetzte: »Was kümmert es dich, was du fährst? Wenn du nur deine Fracht erhältst!« Unterwegs aber war er wieder die Zielscheibe der Kaufleute, die mit ihm gekommen waren und auf demselben Schiff zurückfuhren.
Als sie auf halber Strecke waren, entstand ein solcher Sturm, daß das Schiff zu sinken drohte, wenn sie nicht einen Teil der Ladung über Bord würfen. Da sagten die Kaufleute zu dem Mann, daß er seine Backsteine über Bord werfen solle und daß sie ihm dafür geben wollten, was sie wert seien, und als dieser verlangte, daß ihr Wert durch Schiedsrichter bestimmt werden solle, so waren sie des zufrieden. Darauf ließ er die sechshundert oberen Backsteine über Bord werfen, und das Schiff wurde dadurch so erleichtert, daß es den Sturm bestand und sie glücklich nach Hause kamen.
Als sie an Land gestiegen waren, verlangte der Mann, daß ihm die Kaufleute seine Lehmsteine bezahlen sollten. Sie gingen also zu dem Richter, damit er die Lehmsteine abschätzen lasse. Statt der Lehmarbeiter verlangte aber der Mann dazu Juwelenhändler. Da lachte der Richter, der Mann aber schlug einen von den Backsteinen entzwei und zeigte ihm den Edelstein, der darin stak. Als das der Richter sah, berief er Juweliere, ließ die Edelsteine ordnungsmäßig abschätzen und verurteilte jene Kaufleute, ebensoviel zu bezahlen, wie diese wert waren. Da aber ihr Vermögen nicht einmal ein Zehntel dieser Summe ausmachte, mußten sie Sklaven des Mannes werden.
Gleich bei seiner Ankunft und bevor er noch seine Backsteine ausgeladen hatte, war der Jude, sein Gesellschafter, zu ihm gekommen und hatte ihm erklärt, daß er von seinen Handelsunternehmungen nichts wissen wolle und zufrieden wäre, wenn er das Geld wieder erhielte, was er ihm gegeben habe; und jener erwiderte, daß er des zufrieden sei. Als aber der Jude erfuhr, welche Reichtümer sein Gesellschafter erworben habe, da verlangte er freilich seinen Anteil. Doch der

Mann berief sich auf Zeugen, vor denen sie die Abmachung getroffen hatten, gab ihm keinen Heller mehr, als er von ihm erhalten, und behielt alles andere für sich.

7. August – Der zweihundertneunzehnte Tag

Die Träume des Fuchses

Es war einmal ein Papas [Pope]. Nun hatten Füchse sich auf seinen Feldern breitgemacht und hatten ihre Höhlen darin. Sein Diener legte dort die Stricke und Riemen ab, die er anfertigte, aber die Füchse kamen, stahlen sie und nahmen sie in ihre Höhlen. Der Papas hatte nun seinen Kummer, daß die Füchse ihm seine Stricke und Riemen stahlen. Der Papas besaß einen Esel. »Holla«, sagte der, »ich werde sie dir wiederbringen.« – »Aber wie willst du sie wiederbringen?« fragte der Papas. »Wo sie so schlau sind und sich nicht fangen lassen.« – »Sei nur ruhig, Papas«, sagte der Esel, »auch der schlaue Vogel wird am Bein gefangen. Ich habe schon meinen Plan.«

Der Esel macht sich also auf, legt sich außen vor der Fuchshöhle hin und stellt sich tot.

Des Morgens standen die Füchse auf und erzählten ihrer Mutter die Träume, die sie im Schlaf gehabt hatten. Der eine sagte: »Mama, ich sah im Traum, daß wir einen Haufen Birnen hätten.« Der andere sagte: »Mama, mir träumte, daß wir einen Haufen weiße Brote hätten.« Der dritte sagte: »Mama, ich träumte, daß wir eine Schnur Zwiebeln hätten.« Nachdem sie nun ihre Träume erzählt hatten, verließen sie ihre Höhle und sahen draußen den Esel liegen, dem die Zunge aus dem Maul hing. Sie kehrten in ihre Höhle zurück und sagen zu ihrer Mutter: »Ach, Mama, ein Glücksfund, ein Glücksfund! Unsere Träume sind in Erfüllung gegangen.«

Sie schlüpften nun alle aus ihrer Höhle und trachteten, den Esel in ihre Höhle zu

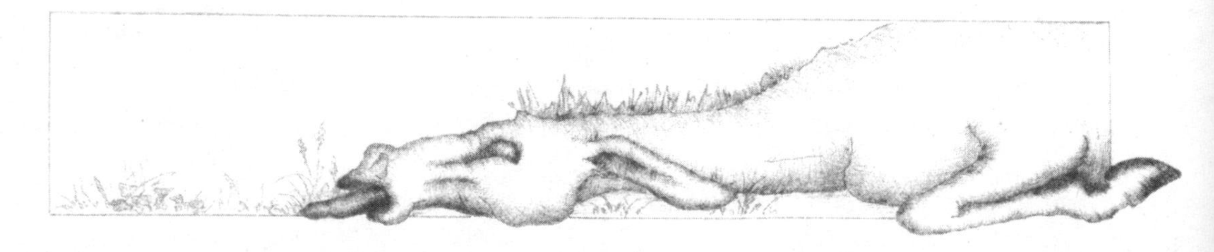

stoßen. Sie setzen alle das Rückgrat an, stoßen und stoßen – vergebens! Rührt sich unser großer Esel auch nur? »Halt«, sagen die Füchse, »wir haben drinnen einen Strick von dem Papas: Laßt uns diesen hier anbinden und mit dem Strick fortziehen!«

Sie holen den Strick und binden ihn unserm wackern Esel um die Taille. Dann band sich der eine an der einen Seite an, der zweite an der andern Seite und die beiden andern in der Mitte und zogen ihn dann allesamt. Sie erreichten, daß sie ihn ein wenig bewegten. »Holla«, sagte der zweite Fuchs, »ich werde den Riemen vom Papas holen und ihm um den Hals binden.« Er geht zur Höhle, holt den Riemen, kommt zurück; auch der wird um den Hals des Esels gebunden, und unter den Rufen: »Eins – zwei, eins – zwei« zogen sie mit allen Kräften den Esel fort.

Die Mutter der Füchse – verstehst du – legte für alle Fälle nicht Hand an, sondern schaute von weitem zu.

Während sie also den Esel fortschleiften und voller Freuden waren, springt der Esel mit einem Mal auf und galoppiert zum Papas. Die Füchse aber zieht er mit sich. Da weinte ihre Mutter von ferne und schlug sich vor Schmerzen und beklagte ihre Kinder, indem sie sang:

»Meine Kinder, ihr kurzkralligen,
Die Birnen waren fauler Zauber,
Die Zwiebeln Schwindel
Und die weißen Brote
Weizensemmeln für den Papas.«

Als der Esel zum Papas kam, band dieser die Füchse los, zog ihnen das Fell ab und verarbeitete sie zu Pelzjacken.

8. August – Der zweihundertzwanzigste Tag

Marula

as Märchen fängt an. Guten Abend, ihr Herrschaften!
Es war einmal eine Frau, die hatte keine Kinder, und sie bat jeden Tag Gott, daß er ihr ein Kind schenken möge. Eines Morgens, als sie am Fenster stand, wandte sie sich der Sonne zu und sagte: »Lieber Sonnenball, lieber Herr Helios, gib mir ein Kind, und wenn es zwölf Jahre alt wird, komm und hol es dir wieder.«
Helios, der Sonnenball, hörte ihre Bitte und schenkte ihr ein Mädchen, das war schön wie der Morgenstern, und sie nannte es Marula und war voll Freude, daß sie ein Kind hatte.
Marula wuchs heran und wurde immer schöner und war schließlich zwölf Jahre alt. Eines Tages, als sie zum Brunnen ging, um Wasser zu holen, sah Helios sie und verwandelte sich in einen Jüngling, trat an sie heran und sagte zu ihr: »Frag deine Mutter, wann sie mir das, was sie mir versprochen hat, geben will.« – »Wer bist du denn?« fragte Marula den Jüngling. Und er antwortete ihr: »Sage deiner Mutter dies, und sie wird schon wissen, wer ich bin.«
»Gut, das will ich tun«, sagte Marula und setzte sich den Krug auf die Schulter und ging nach Hause und sagte zu ihrer Mutter: »Mutter, als ich eben am Brunnen war, sprach ein Jüngling mit mir, aber was für ein Jüngling! Er war so schön, daß er wie die Sonne leuchtete. Was für ein schönes Gesicht! Und er fragte mich, wann du ihm das, was du versprochen hast, geben willst. Ich fragte ihn, wer er sei, und er sagte mir, das würdest du wohl wissen.« Und die Mutter seufzte und sagte: »Mein liebes Kind, ich kenne den Jüngling. Sage ihm nur, wenn du ihn wiedersiehst, daß du vergessen hast, es mir auszurichten.«
Am nächsten Tag geht das Mädchen wieder zum Brunnen, und wieder steigt Helios herab und fragt sie: »Hast du deiner Mutter gesagt, was ich dir aufgetragen habe?« – »Ich habe es vergessen«, sagte sie. Da gibt ihr Helios einen goldenen Apfel und sagt: »Nimm diesen Apfel und steck ihn vorn in dein Kleid, und am Abend, wenn die Mutter dich auszieht und zu Bett bringt, wird der Apfel herausfallen, und du wirst daran denken, es ihr zu sagen.«
Ganz glücklich geht Marula nach Hause und sagt zu ihrer Mutter: »Der Jüngling, der mir aufgetragen hat, dich zu fragen, wann du ihm dein Versprechen erfüllen willst, ist mir wieder begegnet. Er gab mir diesen Apfel und hat mir gesagt, ich

solle ihn in mein Kleid stecken, und am Abend, wenn du mich ausziehst, würde er herausfallen, und ich würde daran denken, es dir zu sagen.« – »Wenn er es findet, mag er es nehmen!« sagte die Mutter und nahm sich vor, das Mädchen nicht wieder zum Brunnen zu schicken.

Eine Zeitlang schickte sie Marula nicht zum Brunnen, aber dann faßte sie wieder Mut und ließ sie gehen. Als aber Helios sie sah, verwandelte er sich wieder in einen Jüngling und stieg herab und fragte Marula, was die Mutter ihr über das Versprechen, das sie ihm gegeben hatte, gesagt habe. »Ach«, antwortete Marula, »sie hat gesagt, wenn du es findest, magst du es nehmen.« Da nahm Helios Marula bei der Hand und brachte sie weit fort in sein Schloß, vor dem ein schöner Garten war.

Den ganzen Tag über war Helios fort und ließ Marula im Garten spielen, und abends kehrte er zurück in sein Schloß. Aber wenn die arme Marula auch alles Gute im Schloß des Helios hatte, so dachte sie doch immer an ihre Mutter und saß den ganzen Tag im Garten, weinte und sagte:

»Wie friert und welkt das Herz der Mutter mein!
So frostig-welk soll des Helios Garten sein.
Brich ab, mein Bäumlein, brich ab!«

Und sie nahm die Hände und zerkratzte sich die Wangen. Und die Kräuter verwelkten, und die Bäume fielen um durch Marulas Klagen. Am Abend kam Helios zurück und sah Marula mit geschwollenen Augen und zerfetzten Wangen. »Wer hat dir das angetan, liebe Marula?« – »Der Hahn der Nachbarin kam und kämpfte mit unserem Hahn, und ich wollte sie trennen, da haben sie mich so zugerichtet.«

Am andern Tag saß Marula wieder im Garten und fing von neuem an, zu klagen und sich die Wangen zu zerfleischen, und sagte:

»Wie friert und welkt das Herz der Mutter mein!
So frostig-welk soll auch des Helios Garten sein.
Brich ab, mein Bäumlein, brich ab!«

Und die Kräuter verwelkten, und die Bäume fielen um. Am Abend kommt Helios und sieht sie wieder mit zerfetzten Wangen. »Wer hat dir das wieder angetan, liebe Marula?« – »Der Kater der Nachbarin kam und stritt mit unserem Kater, und ich wollte sie trennen, da haben sie mich so zugerichtet.«

Am nächsten Morgen geht Marula wieder in den Garten, und sobald sie sich hingesetzt hat, dachte sie an ihre Mutter und machte sich wieder die Wangen ganz blutig und sagte:

»Wie friert und welkt das Herz der Mutter mein!
So frostig-welk soll auch des Helios Garten sein.
Brich ab, mein Bäumlein, brich ab!«

Da welkten alle Kräuter, und alle Bäume fielen um, und im Garten blieben nur Holzstümpfe übrig.
Am Abend kommt Helios, sieht Marula ganz blutig: »Wer hat dir das wieder angetan, liebe Marula?« – »Ich ging an einem Rosenstrauch vorbei, und der hat mich mit seinen Dornen so zerkratzt.«
Aber als Helios am anderen Morgen fortgehen wollte, dachte er bei sich: ›Soll ich nicht lieber gehen und sehen, was Marula im Garten macht?‹ Er kehrt also um, und was sieht er? Marula weint und zerkratzt sich die Wangen. Er tritt zu ihr und sagt zu ihr: »Warum weinst du, liebe Marula? Ängstigst du dich wohl hier drinnen?« – »Nein«, sagt sie, »ich ängstige mich nicht.« – »Warum weinst du dann? Willst du wohl zurück zu deiner Mutter?« – »Ja, ich will zu meiner Mutter«, sagte Marula. »Gut«, sagt Helios, »wenn du zu deiner Mutter willst, so will ich dich zu ihr schicken.«
Da nahm er sie bei der Hand und ging mit ihr an das Ende des Gartens, und dort fing er an zu rufen: »Meine lieben Löwen, meine lieben Löwen!« Da springen die Löwen herbei. »Was willst du, Herr?« sagen sie. »Wollt ihr Marula zu ihrer Mutter bringen?« – »Ja, das wollen wir.« – »Und was wollt ihr auf dem Weg essen, wenn ihr hungrig werdet, und was wollt ihr trinken, wenn ihr Durst bekommt?« – »Wir essen von ihrem Fleisch und trinken von ihrem Blut.« – »Macht, daß ihr fortkommt«, sagte Helios zu ihnen, »ihr seid nicht die rechten.«
Dann ruft er wieder: »Meine lieben Füchse, meine lieben Füchse!« Da kommen die Füchse herbei. »Was willst du, Herr?« sagen sie. »Wollt ihr Marula zu ihrer Mutter bringen?« – »Ja, das wollen wir.« – »Und was wollt ihr auf dem Wege essen, wenn ihr hungrig werdet, und was wollt ihr trinken, wenn ihr Durst bekommt?« – »Wir essen von ihrem Fleisch und trinken von ihrem Blut.«
»Macht, daß ihr fortkommt«, sagte Helios zu ihnen, und dann ruft er wieder: »Meine lieben Hirsche, meine lieben Hirsche!« Da kommen die Hirsche eilends herbei. »Wollt ihr Marula zu ihrer Mutter bringen?« – »Ja, das wollen wir.« – »Und was wollt ihr auf dem Wege essen, wenn ihr hungrig werdet, und was wollt ihr trinken, wenn ihr Durst bekommt?« – »Frische, frische Kräutlein und reines, reines Wässerlein.« – »Ihr sollt meinen Segen haben«, sagte Helios und läßt Marula auf

das Geweih eines Hirsches steigen, rüstet sie mit Golddukaten aus und schickt sie zu ihrer Mutter.
Der Hirsch lief und lief und bekam Hunger. Er fand eine Zypresse und sagte: »Neige dich, Zypresse, daß ich Marula auf deine Zweige setze.« Die Zypresse neigte sich, und er setzte Marula auf ihre Zweige. »Ich will gehen und ein wenig grasen«, sagt der Hirsch, »und danach komme ich zurück und hole dich. Aber rufe mich nur dann, wenn du mich nötig brauchst, damit ich in Ruhe grasen kann.« – »Gut«, sagt Marula, »geh nur.«
Unter der Zypresse war aber ein Brunnen, und dort ganz in der Nähe wohnte eine böse Hexe mit ihren drei Töchtern, und sie schickte ihre eine Tochter, sie sollte ihr Wasser aus dem Brunnen holen. Als die sich aber bückte und den Eimer in den Brunnen hinablassen wollte, erblickte sie Marulas Gesicht, das sich im Wasser spiegelte, und meinte, es wäre ihr eigenes. Da schleudert sie den Eimer von sich und läuft tanzend nach Hause.
»Hast du Wasser gebracht?« fragt die Mutter sie. »Ein so schönes Mädchen wie mich willst du zum Wasserholen schicken?« Die Mutter wundert sich. Sie schickt die zweite Tochter zum Brunnen. Aber auch die meinte, sobald sie Marulas Gesicht im Wasser sah, es wäre ihr eigenes. Auch sie gibt dem Eimer einen Stoß und läuft eilends zu ihrer Mutter. Danach schickt sie ihre dritte Tochter zum Brunnen, aber auch mit der geht es ebenso.
Da macht sich die Mutter auf und geht selbst zum Brunnen. Sie bückt sich, schaut ins Wasser und sieht Marulas Gesicht. Sie schaut nach oben, erblickt das Mädchen selbst, das fast vor Lachen vergeht. »Ha, du«, sagt die Hexe, »du warst es, die meine Töchter im Wasser sahen und die ihnen die Köpfe verdreht hat. Um deinetwillen ist mir der Brotteig verdorben. Steig herab, daß ich dich fresse.« – »Geh erst und knete den Teig«, sagte Marula, »und danach kannst du kommen und mich fressen.«
Die Hexe läuft nach Hause, knetet schnell, schnell den Teig und kommt dann zu Marula gelaufen. »Ich habe den Teig geknetet«, sagte sie, »komm jetzt herunter, daß ich dich fresse.« – »Geh erst und forme deine Brote«, sagt Marula, »und danach komm.« Die andere läuft, formt die Brote und kehrt eilends zurück. »Ich habe sie geformt, komm jetzt herunter, daß ich dich fresse.« – »Geh erst und kehr den Ofen aus, und danach kannst du kommen und mich fressen.« Die Hexe geht, kehrt den Ofen aus und kommt zurück. »Ich habe ihn ausgekehrt, komm herunter, daß ich dich fresse.« – »Backe erst die Brote, daß dir der Backofen nicht kalt wird«, sagt Marula, »und danach kannst du kommen und mich fressen.«
Die Hexe geht fort, um zu backen, und Marula ruft: »Lieber Hirsch, lieber Hirsch!« Der Hirsch hörte sie und kam eilends. »Schnell«, sagte Marula, »die Hexe war

hier und wollte mich fressen.« Und da sagte der Hirsch: »Neige dich, Zypresse, damit ich Marula wieder nehme.« Der Baum neigte sich, und er nahm Marula und begann zu laufen.

Auf seinem Weg begegnet er einem Mäuslein und sagt zu ihm: »Mäuslein, wenn die Hexe dir begegnet und dich fragt, ob du uns gesehen hast, so erzähl ihr Geschichten, um sie aufzuhalten, damit sie uns nicht einholt.« Nach kurzer Zeit, sieh, da kommt schon die Hexe daher und sagt: »He, Mäuslein, hast du vielleicht ein Mädchen auf einem Hirsch gesehen?« Das Mäuslein sagt: »Ich habe hier ein Knäuel Wolle gefunden.« Die Hexe sagt: »Ich rede von einer Sache und du von einer anderen. Hast du vielleicht ein Mädchen auf einem Hirsch gesehen?« – »Bis ich das gekrempelt habe!« sagt das Mäuslein. »Ich rede von einer Sache und du von einer anderen«, sagt die Hexe. »Hast du vielleicht ein Mädchen auf einem Hirsch gesehen?« – »Bis ich das gesponnen habe!« sagt es. »Ich rede von einer Sache und du von einer anderen. Hast du vielleicht ein Mädchen auf einem Hirsch gesehen?« – »Bis ich das gewebt habe!« sagt es. »Ich rede von einer Sache und du von einer anderen. Hast du nicht ein Mädchen auf einem Hirsch gesehen?« – »Ich hab sie gesehen«, sagt das Mäuslein, »lauf, daß du sie einholst.«

Als nun der Hirsch so lief und ganz nah ans Haus ihrer Mutter kam, erkannte der Hund Marula und fing an zu rufen »Wau, Wau! Seht, Marula kommt, seht, Marula kommt«, und ihre Mutter sagte: »Ssst, böser Hund! Willst du, daß ich noch zerbreche vor lauter Kummer?« Dann erkannte der Kater oben auf dem Dach sie und rief: »Miau, miau! Seht, Marula kommt!« Und ihre Mutter sagte: »Pst, böse Katze! Willst du, daß ich noch zerbreche vor lauter Kummer?« Da erkannte der

Hahn sie und rief: »Kikeriki! Kikeriki! Seht, Marula kommt!« Und ihre Mutter sagte: »Schscht, böser Hahn! Willst du, daß ich noch zerbreche vor lauter Kummer?«
Je näher aber der Hirsch dem Hause kam, desto näher kam auch die Hexe. Als der Hirsch durch die Haustür hineinlaufen wollte, holte die Hexe ihn ein und packte ihn am Schwanz. »Oh, mein armer Schwanz, mein armer Schwanz!« rief der Hirsch. Als er ins Haus trat, erhob sich Marulas Mutter und hieß ihn willkommen: »Schönen guten Tag, schönen guten Tag! Weil du mir Marula wiedergebracht hast, binde ich dir deinen armen Schwanz wieder an«, und sie nahm einen Baumwollfaden und band ihm den Schwanz wieder an.
Und seitdem lebte sie gut mit ihrer Tochter und wir noch besser.

9. August – Der zweihunderteinundzwanzigste Tag

Filek Zelebı

Es war einmal eine arme Frau, die hatte drei Töchter und ernährte sie von Kräutern, die sie sammelte. Eines Tages war sie wieder beim Kräutersuchen und fühlte sich so erschöpft, daß sie sich niedersetzte und aus tiefster Brust stöhnte: »Ach!« Im selben Augenblick stand ein Mohr vor ihr und fragte sie: »Was willst du von mir?« – »Ich will gar nichts von dir«, antwortete die Alte, »und ich sagte nichts weiter als: ›Ach!‹, weil ich mich so ermüdet fühlte.« Darauf fragte sie der Mohr: »Hast du Kinder?« – »Ja«, antwortete die Alte, »ich habe drei Mädchen und weiß nicht, wie ich sie ernähren soll.« Da machte der Mohr mit ihr aus, daß sie ihm ihre älteste Tochter bringen solle, er wolle sie zu sich nehmen. Und als die Alte sie ihm brachte, gab er ihr eine Handvoll Goldstücke und nahm das Mädchen mit sich, bis er an eine Felsentür kam; die machte er auf und ließ das Mädchen hineingehen.

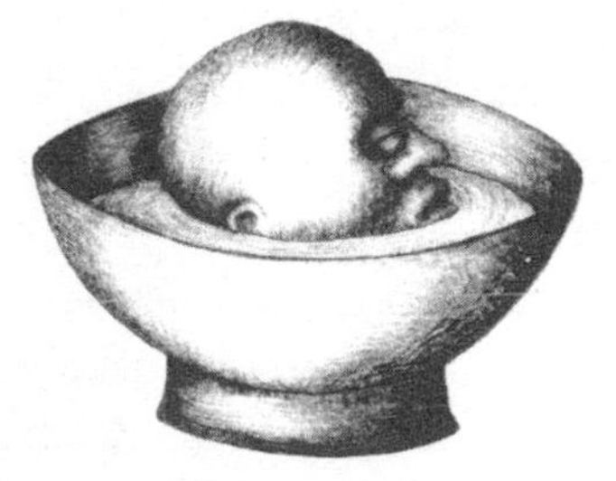

Am Abend gab der Mohr seiner Braut einen Menschenkopf zum Essen und verschwand dann. Das Mädchen aber warf den Kopf unter das Dach und legte sich hungrig schlafen. Am andern Morgen kam

der Mohr wieder und fragte das Mädchen: »Hast du den Kopf gegessen?« Und als das Mädchen dies bejahte, rief er: »He, Kopf! Wo bist du?« Und jener antwortete: »Hier unter dem Dach, Herr.« Da sprach der Mohr zu dem Mädchen: »Geh zu deiner Mutter und sag ihr, sie solle mir ihre zweite Tochter bringen.«
Darauf brachte ihm die Alte ihre zweite Tochter, und ihr gab der Mohr am Abend einen Menschenfuß als Nachtessen und verschwand. Das Mädchen konnte sich jedoch nicht entschließen, davon zu essen. Sie warf den Fuß hinter die Ölkrüge und legte sich hungrig schlafen. Am andern Morgen erschien der Mohr wieder und fragte das Mädchen: »Hast du den Fuß verzehrt?« Und als sie das bejahte, rief er: »He, Fuß! Wo bist du?« Und dieser antwortete: »Hinter den Ölkrügen, Herr.« Da jagte er auch diese fort und ließ sich die jüngste Tochter bringen, und der gab er am Abend eine Menschenhand zum Nachtessen und verschwand. Die Jüngste war aber klüger als ihre Schwestern, denn sie band sich die Hand auf den Bauch und zog ihre Röcke darüber. Als nun der Mohr am andern Morgen wiederkam und rief: »He, Hand! Wo bist du?« da antwortete diese: »Im Bauch der Braut.« Und der Mohr sprach: »Du bist die rechte« und behielt sie bei sich, und sie hatte ein gutes Leben bei ihm. Jeden Abend gab er ihr einen Trank, von dem schlief sie sogleich ein, und dann legte er sich zu ihr. Nach geraumer Zeit machten sich ihre Schwestern auf, um sie zu besuchen, und fragten sie, wie sie mit dem Mohren lebe, und sie antwortete: »Ganz gut, aber jeden Abend gibt er mir einen Trank, von dem ich sogleich einschlafe, und daher weiß ich nicht, was in der Nacht vorgeht und ob er ein Mohr bleibt oder seine Gestalt wechselt.« Da sagten ihr die Schwestern: »Weißt du was? Binde dir einen Schwamm auf die Brust, und statt den Trank zu trinken, laß ihn in den Schwamm laufen.«
Die junge Frau machte es, wie ihr die Schwestern geraten hatten: Sie ließ den Schlaftrunk in den Schwamm laufen und stellte sich, als ob sie schliefe. Und wie sie dann die Augen öffnete, erblickte sie einen schönen Jüngling neben sich, der sie liebkoste. Da wartete sie, bis er eingeschlafen war, und fing dann auch an, ihn zu umarmen und zu liebkosen. Während sie ihn so herzte, bemerkte sie auf seiner Brust ein goldenes Schloß mit einem goldenen Schlüsselchen. Da öffnete sie es mit dem Schlüsselchen und erblickte darin eine schöne Landschaft mit einem Fluß inmitten, an dem die Frauen wuschen; zu denen kam ein Schwein und wollte ein Stück Wäsche rauben, und als sie das sah, rief sie: »He, Frau, das Schwein will dir deine Wäsche rauben.« Von diesem Rufe erwachte ihr Bettgenosse und sprach: »Ach, was hast du angestellt? Wer hat dir dies geraten? Nun wirst du mich verlieren.« Da fing die junge Frau an zu klagen und zu jammern, er aber blieb fest: »Du bist bereits schwanger, und wenn du gewartet hättest, bis du geboren hast, so würdest du mich in meiner wahren Gestalt, als Filek Zelebi,

und nicht mehr als Mohr gesehen haben. Jetzt bleibt dir nur ein Weg, mich wiederzugewinnen. Du mußt dir drei Paar eiserne Schuhe und drei goldene Äpfel machen lassen. Dann mußt du das eine Paar Eisenschuhe anziehen und einen Goldapfel in die Hand nehmen und den und den Berg hinaufsteigen, und wenn du oben bist, so mußt du den Apfel hinwerfen, der wird vor dir herrollen und dir den Weg zu der Tür meiner ältesten Schwester zeigen.« Nachdem er dies gesagt hatte, verschwand er vor ihren Augen.

Die Frau machte es, wie er ihr angegeben hatte, sie ließ sich die eisernen Schuhe und die goldenen Äpfel machen, und als diese fertig waren, zog sie ein Paar davon an und nahm einen Apfel in die Hand und stieg damit auf den Berg. Sie brauchte aber drei volle Monate, bis sie hinaufkam, und als sie oben war, da ließ sie den Apfel vor sich herrollen und kam so bis zur Tür der ältesten Schwester des Filek Zelebi. Da klopfte sie an und blieb die Nacht über dort. Am andern Morgen sah sie, wie sie im Haus goldene Stoffe webten. Da fragte sie die Hausfrau: »Was bedeutet das? Was wollt ihr aus den Stoffen machen?« Und diese antwortete: »Die Frau meines Bruders Filek Zelebi wird nächstens niederkommen, und da brauchen wir Windeln.« Sie aber sagte nichts darauf, sondern zog ihr zweites Paar Eisenschuhe an und stieg drei Monate lang den zweiten Berg hinauf. Als sie oben war, warf sie den zweiten Apfel hin, und der brachte sie zu der Tür ihrer zweiten Schwägerin. Sie klopfte an und bat die Hausfrau, sie über Nacht zu beherbergen, und als diese zu bleiben einlud, sah sie, daß man im ganzen Haus an goldenen Kleidern nähte. Da fragte sie, was das zu bedeuten habe, und die Hausfrau antwortete: »Die Frau des Filek Zelebi, meines Bruders, wird nächstens niederkommen, und dafür brauchen wir die Kleider.« Die Fremde aber sagte nichts darauf, sondern stieg am andern Morgen mit dem dritten Paar Schuhe den Berg hinauf, und als sie nach drei Monaten oben war, ließ sie den dritten Apfel rollen, und der brachte sie zu der Tür ihrer jüngsten Schwägerin. Als sie eintrat, fand sie alles im Hause geschäftig, Decken und Weißzeug zurechtzulegen und einzupacken. Da fragte sie: »Was geht vor?« Und die Hausfrau antwortete ihr: »Die Frau des Filek Zelebi wird noch heute abend niederkommen, und darauf richten wir uns ein.«

Wie das die Fremde hörte, wurde sie von den Wehen ergriffen und sprach: »Wartet ein bißchen, bis ich geboren habe, und geht dann erst zu der andern.« Darauf kam sie mit einem Knaben nieder, der auf der Brust ein goldenes Schloß hatte. Und als das die Hausfrau sah, rief sie: »Das ist der Sohn meines Bruders, und das ist seine Frau!« Und kaum hatte sie das gesagt, so kam auch der Filek Zelebi herzu, und nun stellten sie eine große Hochzeit an und lebten herrlich und in Freuden.

10. August – Der zweihundertzweiundzwanzigste Tag

Wie einmal die Sonne im Westen aufging

Es war einmal, und das in irgendeiner Zeit, ein Hirte, der hatte einen Sohn, der die Arbeit seines Vaters nicht tun mochte ... Es gefiel ihm, Flöten aus Schilfrohr zu schneiden und draußen in der Sonne zu sitzen und auf seiner Flöte zu spielen. Eines Tages saß er vor einem halb niedergerissenen Schloß, und nachdem er seine Flöte hervorgeholt hatte, fing er auf ihr zu spielen an. Als er so auf der Flöte spielte, kam auf einmal aus der Mauer des zerstörten Schlosses ein Schlänglein heraus, das hob den Kopf und begann nach dem Klang der Flöte zu tanzen. Es tanzte ziemlich lange Zeit, und zum Schluß ließ es ein Goldstück da und versteckte sich wieder in der Mauer.

Nachdem der Junge das Goldstück in die Hände bekommen hatte, rannte er nach Hause und gab es seinem Vater. Sie kauften dafür alles mögliche zu essen und auch Kleider. »Gott hat sich unser erbarmt«, sagte der Schafhirt zu seinem Sohn, »und uns dies Schlänglein geschickt. Geh morgen wieder an die gleiche Stelle und spiel auf deiner Flöte.«

Von nun an ging der Junge jeden Tag zu dem zerstörten Schloß, spielte auf seiner Flöte, und das Schlänglein schenkte ihm, nachdem es getanzt hatte, jedesmal ein Goldstück. Von den Goldstücken, die ihnen die Schlange gab, erbauten sie ein schönes Haus, und als es für den jungen Mann Zeit zum Heiraten wurde, vermählten sie ihn mit der schönen Tochter eines der Ersten im Dorf.

Als sie eine Weile miteinander verheiratet waren, nahm der Sohn des Hirten eines Tages seine Frau mit und ging mit ihr zu dem zerstörten Schloß. Er begann auf seiner Flöte zu spielen – doch die Schlange kam nicht aus ihrem Loch. Da nahm er betrübt seine Hacke und fing an, die alte Mauer, aus der das Schlänglein sonst hervorgeschlüpft war, einzureißen. Und als er sie niedergerissen hatte, bekommt er auf ihren Grundmauern einen großen Kessel voller Goldstücke zu sehen. Und darauf lag das Schlänglein und war tot. Er beweinte es, als wäre es sein liebster Freund, nahm es mit und begrub es in dem Garten, der zu seinem Haus gehörte.

Durch die Goldstücke, die er nachts in sein Haus geschleppt hatte, wurde er der reichste Mann im Dorf und lebte zufrieden mit seiner Frau und seinen Eltern. Ein Mensch aber, den Neid auf ihn erfüllte, brachte ihn dazu, Karten zu spielen, und durch das Spiel verlor er all sein Hab und Gut – sogar seine Frau verspielte er, und sie wurde Sklavin.

Da wandte sich der Sohn des Schafhirten verzweifelt dorthin, wohin seine Augen ihn führten ... und als er dann hin und her überlegte und sich an den Kopf schlug, sagte er schließlich zu sich: ›Ich will losgehen, um den Helios [die Sonne, zugleich der alte Sonnengott] zu besuchen. Der wird mir schon helfen und raten, was ich machen soll, um wiederzubekommen, was ich verloren habe. Und um meine Frau aus der Versklavung zu lösen ...‹
Aber wie konnte er wohl den Helios besuchen, da er ja nicht wußte, wo sein Palast war. Tag und Nacht schritt er dahin, und nach langer Zeit gelangte er zu einem Häuschen. Daneben stand ein Backofen, der angezündet war – und ein Mädchen fegte ihn mit seinen Brüsten aus. Ohne sich erst zu besinnen, brach der junge Mann von einem Baum Zweige ab, und nachdem er sie in Wasser getaucht hatte, reinigte er den Backofen damit. »Ich danke dir für das Gute, das du für mich getan hast, du guter Mensch«, sagte da das Mädchen, »setz dich hin, iß ein wenig und ruh dich aus ...« – »Ich kann mich nicht hinsetzen, Mädchen, weil ich einen weiten Weg machen muß.« – »Und wo gehst du hin?« – »Den Helios muß ich suchen gehen und ihm meine Qualen sagen.« – »Der Palast des Helios ist sehr weit von hier«, sagte das Mädchen, »und ich rate dir, laß diese Reise lieber sein, denn du wirst viel auf ihr durchmachen ...« – »Nein, ich muß gehen«, beharrte jener junge Mann. »Da du dabeibleibst hinzugehen, um ihn für dich selber um Rat zu fragen, so frag ihn auch meinetwegen und wegen meiner Schwester – was wir wohl machen sollen, um heiraten zu können.« – »Gut«, sagte der stattliche, starke junge Mann. Und nachdem er ein wenig gegessen hatte, machte er sich auf den Weg.
Wie er so dahinging, war auf einmal ein großer Feigenbaum vor ihm. »Wohin gehst du denn, mein stattlicher, starker junger Mann?« fragte der. »Ich bin unterwegs, um den Helios zu finden. Weißt du, wo sein Palast ist?« – »Ich weiß es«, antwortete der Feigenbaum, »ich will dir den Weg zeigen. Aber ich bitte dich, frag ihn doch, wenn du ihm begegnest, auch meinetwegen – was ich machen muß, damit meine Feigen nicht madig sind.« – »Mit Freuden«, erwiderte der junge Mann und setzte seinen Weg fort, den ihm der Feigenbaum gezeigt hatte.
Er schritt durch die ganze Nacht, und am Morgen gelangte er vor zwei Berge, die sich öffneten und wieder schlossen. »Wohin gehst du hier entlang?« fragten die. »Ich bin unterwegs, um den Helios zu suchen, und ich bitte euch, laßt mich durch.« – »Wir lassen dich durch, wenn du uns dein Wort gibst, daß du ihn auch unseretwegen fragst – was wir machen sollen, damit wir aufhören, uns dauernd zu öffnen und zu schließen ...« – »Ich gebe euch mein Wort«, sagte der junge Mann, und die Berge ließen ihn durch.
Auf einer großen Ebene setzte er seinen Weg fort, und nach nicht langer Zeit

befand er sich dem Palast des Helios gegenüber. »Wie wurdest du denn hierher verschlagen, Kind ... hierher, wohin nicht einmal ein Vogel im Fluge gelangt?« fragte die Mutter des Helios, die eine gute alte Frau war, den stattlichen, starken jungen Mann, als sie ihn erblickt hatte. Da erzählte er seine Leiden und sagte ihr, er wäre gekommen, um sich vom Helios Rat zu holen. »Vergebens hast du einen so langen Weg gemacht, mein Kind«, sprach die gute alte Frau, und sie seufzte, »mein Sohn, der Helios, ist ein Drake. Und sobald er dich zu sehen bekommt, frißt er dich auf ...« – »Dann hilf mir, Mütterlein«, bat der junge Mann, kniete vor ihr hin und küßte ihre Hände. »Ich will machen, was ich kann«, sagte die Alte, und sie verwandelte ihn, indem sie ihn auf die Backe schlug, in einen goldenen Krug. Und den stellte sie auf das Bord.

Dann fing sie an, das Essen ihres Sohnes zu bereiten, und als der Helios dann am Abend kam, rief er aus: »Es riecht nach Menschenfleisch ...!« – »Wie könnte sich ein Mensch hier befinden, mein Kind? Komm her, damit du ißt, denn du bist hungrig, und darum kommt es dir so vor, als röchest du Menschenfleisch.«

Der Helios aß einen Backofen voll Brote und vier Kessel Essen auf, und danach streckte er sich zufrieden aus. Wie er nun ausgestreckt dalag, fragte ihn seine Mutter: »Wenn du jetzt einen Menschen vor dir sähest, mein Sohn, würdest du ihn fressen?« – »Wie könnte ich den fressen, nachdem ich bis zum Hals voll bin?« antwortete der Helios. »Wenn nur ein Mensch kommen würde, damit wir etwas schwatzen könnten, bis mich der Schlaf überkommt ...«

Da holte die Alte den Krug vom Bord, gab ihm einen Schlag mit der Hand, und der junge Mann nahm wieder menschliche Gestalt an, setzte sich neben den Helios und erzählte ihm seine ganze Geschichte.

Dem Helios tat der stattliche, starke Jüngling leid, und er sprach zu ihm: »Geh den schlechten Menschen besuchen und sag zu dem: ›Ich will zwar nicht, daß wir Karten spielen, aber laß uns eine Wette machen ...‹ – ›Was für eine Wette wollen wir machen?‹ wird er dich fragen, und dann sollst du zu ihm sagen: ›Wo geht wohl morgen der Helios auf – im Osten oder im Westen?‹ Und ich will dir zu Gefallen im Westen aufgehn, und du wirst gewinnen und sowohl deinen Wohlstand als auch deine Frau zurückbekommen.« – »Ich danke dir, mein Helios ... und wie ich jetzt hergekommen bin, da bin ich einem Mädchen, einem Feigenbaum und zwei Bergen begegnet, und die haben mich gebeten, auch ihretwegen deinen Rat einzuholen ...« – »Die Berge werden erst stillstehen, wenn sie einen Menschen zerquetscht haben. Der Feigenbaum wird damit aufhören, madige Feigen zu tragen, wenn sich einer findet, der seine Wurzel tief ausgräbt, die alte Erde hinauswirft und neue hineintut. Dem Mädchen sag, es soll sich mit Gewalt einen Vorüberziehenden holen und zum Manne machen.«

Zufrieden ging der stattliche, starke junge Mann vom Helios fort, und als er an den Bergen, an dem Feigenbaum und bei dem Mädchen vorbeikam, sagte er ihnen, welchen Rat der Helios gegeben hatte, und machte sich wieder auf den Weg und zog heim.
Er suchte den schlechten Menschen auf, der ihn ins Unglück gestürzt hatte, und zu dem sagte er: »Ich habe viel Geld von der Reise mitgebracht, und wenn du ein Könner bist, so komm her und hol es dir!« Der schlechte Mensch machte die Karten spielfertig, aber der stattliche junge Mann sagte zu ihm: »Diesmal spielen wir keine Karten – laß uns eine Wette machen!« – »Und um was wollen wir wetten?« fragte neugierig der schlechte Mensch. »Wir wollen wetten, ob der Helios morgen im Osten oder im Westen aufgeht ...« – »Was meinst denn du?« – »Ich sage, der Helios geht morgen im Westen auf. Und was sagst du?« – »Wie kann das möglich sein, daß der Helios je im Westen aufgeht?« – »Ich bleibe dabei und sage: Der Helios geht morgen im Westen auf!« – »Gut, dann wetten wir eben!«
Am nächsten Tage gingen die Leute (die von der Wette der beiden Männer gehört hatten) auf die Dächer hinaus, um es zu verfolgen, und sie sahen – der Helios ging im Westen auf!
Da umarmte und küßte sich alle Welt fröhlich, und der schlechte Mensch, der die Wette verloren hatte, gab die Gelder und Güter wieder her, die er sich auf unehrliche Art verschafft hatte. Der junge Mann erhielt auch seine Frau und lebte glücklich mit ihr ...

Dann kamen Kinder, Kinder in Massen,
Kaum konnte die Nachbarschaft sie fassen.

11. August – Der zweihundertdreiundzwanzigste Tag

Der Dreiäugige

s war einmal ein Holzhauer, der hatte drei Töchter. Er hatte auch drei Esel, und mit denen brachte er Holz zu Markte, und so nährte er sich und die Kinder. Allein, dies reichte nicht aus, und er war sehr betrübt, daß er nie so viel erübrigen konnte, ihnen eine Kleinigkeit mit nach Hause zu bringen. Eines Tages jedoch gelang es ihm, Geld genug für ein Kopftuch zu erübrigen, und die Töchter freuten sich sehr, als sie es sahen, und die Älteste wollte es umbinden. Sie tat dies also und setzte sich an das Zimmerfenster, welches auf die Gasse hinausging. Dort erblickte sie ein vorübergehender Landmann, und sie gefiel ihm sehr. Er erkundigte sich bei den Nachbarinnen, ob sie noch unverheiratet wäre, und als er hörte, daß dem so sei, bat er sie, für ihn um das Mädchen zu werben; und wenn sie auch nichts hätte, er kehre sich nicht daran; er nehme sie, wie sie stehe und gehe. Die Eltern waren natürlich mit diesem Antrag sehr zufrieden und gaben sie ihm.

Als nun das Mädchen in das Haus ihres Mannes kam, wie war da dieser glücklich! Er übergab ihr hundertundeinen Schlüssel und sagte ihr, sie könne hundert Zimmer öffnen, das hundertunderste aber solle sie nicht aufmachen, denn es wäre ganz leer. »Kurzum«, sprach er, »da der Schlüssel dir doch nichts nütze ist, so gib ihn mir lieber zurück«, und sie gab ihn ihm. Die andern Zimmer aber öffnete sie und sah darin große Schätze und erstaunte darüber sehr. Als sie jedoch diese genug angestaunt, so fragte sie sich, warum ihr wohl so gewaltige Reichtümer anvertraut wurden, das eine Zimmer dagegen nicht; sie wollte daher auch in dies hineingehen.

Sie gab deshalb eines Tages acht, wohin ihr Mann den Schlüssel legte, nahm ihn dann fort und öffnete das Zimmer. Sie sah sich darin um und sah nichts als vier leere Wände und einen großen Kasten, überdies aber auch ein Fenster, das auf die Straße ging. »Da seh einer einmal meinen Mann«, sprach sie, »wozu hat er wohl das Fenster da auf die Straße hinaus? Damit ich nicht hinaussehe, hält er das Zimmer verschlossen.« Sie setzte sich also an das Fenster, hatte aber nicht lange gesessen, so sah sie eine Leiche vorüberkommen; dieser folgten jedoch weder weinende Anverwandte noch sonst wer, weshalb die junge Frau selbst zu weinen anfing, bei dem Gedanken, daß es ihr auch so erginge, da ihr Mann niemand von ihrer Familie zu ihr lassen wollte. Als nun die Leiche beerdigt und die Leute fort waren, sah sie, wie ihr Mann auf den Begräbnisplatz kam und dort sein Kopf so groß wurde wie ein Scheffel, und in dem Kopf hatte er drei Augen, seine Hände wurden so lang, daß sie die ganze Welt zu umfassen schienen, mit ellenlangen Nägeln an den Fingern, und dann fing er an, den Leichnam auszugraben und zu verzehren. Bei diesem Anblick tat sie sich Gewalt an, bis sie die volle Gewißheit hatte, daß er ihn wirklich verzehrte; dann aber wurde sie von einem heftigen Fieberschauer ergriffen und mußte sich zu Bett legen.

Nach langer Zeit kehrte der Mann nach Hause, ging seiner Gewohnheit nach in das verschlossene Zimmer, schaute sich um und bemerkte die Spuren von Schritten. »Oho!« rief er aus. »Was ist das? Meine Frau muß wohl hiergewesen sein und wahrgenommen haben, was ich ihr verborgen hielt!« Er legte dann in den Kasten das, was er mitgebracht hatte, die Haut, die Gebeine und die Haare, und sah sich darauf noch genauer um, so daß er auch das offene Fenster erblickte. Er machte es zu und sprach: »Ich will doch einmal sehen, was sie zu mir sagen und ob sie es mir gestehen wird.« Er ging also zu ihr und fand sie mit drei Decken zugedeckt, weil das Fieber sie noch schüttelte, und als sie ihn kommen sah, wurde dies infolge ihrer großen Furcht noch stärker. Da sprach er zu ihr: »Was fehlt dir denn, liebe Frau, bist du krank?« – »Ach«, antwortete sie, »ich werde sterben!« Und indem sie dies sagte und ihn ansah, verkroch sie sich vor lauter Angst unter die Decken. Da sprach er wieder: »Sag mir doch, soll ich vielleicht deine Mutter holen?« – »Ach ja, lieber Mann, wenn du so gut sein willst«, sagte die Frau. Er ging hinaus, verwandelte sich in ihre Mutter und trat in dieser Gestalt wieder zu der Kranken hinein. Als solche sagte er zu ihr: »Was hast du denn, du Ärmste? Dein unbarmherziger, liebloser Mann quält dich wohl den ganzen Tag über? Sprich, Tochter, was hat er dir getan, daß du so krank bist?« – »Er hat mir nichts getan«, antwortete die junge Frau, »ich bin von selbst krank geworden.« – »Liebe Tochter«, fuhr die angebliche Mutter fort, »du hast so viele Reichtümer, gib mir doch auch etwas davon, damit ich und die Meinen ein Auskommen haben.« – »Nein, liebe Mutter, ich kann nicht«, entgegnete die junge Frau, »aber wenn mein Mann kommt, so bitte ihn um etwas, denn ich selbst darf nichts fortgeben.«

Als der Mann nach längerer Zeit sah, daß seine Frau immer das nämliche wiederholte, stand er auf, grüßte und ging fort. Nachdem er indes seine eigentliche Gestalt wieder angenommen hatte, kam er zurück und sprach: »Wie geht es dir, liebe Frau, ist deine Mutter hiergewesen?« – »Weißt du das nicht, lieber Mann?« antwortete sie. »Sie hat ein paar Drachmen von mir verlangt, denn sie ist in großer Not. Da du aber nicht da warst, habe ich ihr nichts gegeben.« – »Warum hast du das getan?« sprach er. »Bist du denn nicht Herrin im Hause?« – »Nein«, antwortete die Frau, »du hättest ihr etwas geben müssen und nicht ich.« Schließlich sprach er zu ihr: »Soll ich dir deine andern Verwandten holen?« – »Ach

ja, lieber Mann«, sprach sie, »tu das.« Auf diese Weise nun ging es mit allen andern Verwandten, bloß die Großmutter war noch übrig; deshalb sagte er: »Willst du auch deine Großmutter?« – »Ach ja«, erwiderte sie, »hole mir doch meine gute Großmutter.« Da ging er hinaus und kam nicht lange darauf als ihre Großmutter mit all ihren Schlauheiten wieder. Sobald nun die junge Frau sie erblickte, rief sie: »Grüß dich Gott, liebe Großmutter, grüß dich Gott! Komm, liebes Großmütterchen, und laß dir meine Leiden erzählen.« – »Sprich, Töchterchen«, antwortete die Alte, »sprich und erzähle mir, was der unbarmherzige Mensch dir antut.«
Da fing denn die junge Frau ihre Geschichte an, was für eine Gestalt sie ihren Mann hatte annehmen und was sie ihn hatte tun sehen. Als sie damit fertig war, stieß der Mann ein lautes Gebrüll aus, und zugleich wurde er wieder der Dreiauge, ganz so wie sie ihn unter den Gräbern gesehen. »O du Bestie«, rief er aus, »ich habe die Gestalt aller deiner Verwandten angenommen, und du hast dich nicht täuschen lassen. Deiner Großmutter allein wolltest du das Geheimnis anvertrauen, daß ich der Dreiauge bin! Hättest du es bewahrt, so hätte ich dich nicht aufgefressen. So aber bist du dran und kommst mir nicht lebendig davon.«
Als sie nun sah, wie die Sache stand und daß sie kein Erbarmen zu erwarten hatte, da verließ sie das Bett und machte sich zur Flucht bereit. Inzwischen ging Dreiauge hin und zündete ein großes Feuer an, dessen Flamme bis zum Himmel emporzüngelte. Dann nahm er einen Bratspieß und machte ihn glühend, ging darauf zu seiner Frau und sprach zu ihr: »Sei so gut und komm, denn der Bratspieß erwartet dich. Was soll ich tun, da ich nun einmal geschworen habe, dich auf diese Weise zu töten und zu verzehren? Sonst hätte ich dich verschlungen.« – »Vergib, Herr«, antwortete sie, »ich gehöre dir ja doch zu jeder Zeit. Darum flehe ich dich an, laß mich noch zwei Stunden am Leben, bis ich gebetet und Buße getan habe, und dann verzehre mich.«
Hierauf ging sie hin, nahm die Schlüssel zu eben dem Zimmer, und nachdem sie es geöffnet, sprang sie durch das Fenster auf die Heerstraße. Dort lief sie immerfort, um jemanden zu finden, der sie rette, und so traf sie einen Kärrner [Fuhrmann], den sie um Gottes und ihrer selbst willen beschwor, sich doch ihrer zu erbarmen und sie aus den Händen eines Dreiäugigen, der sie verfolgen und fressen wolle, zu erretten oder doch wenigstens ihr zu sagen, wie sie sonst Rettung finden könne; übrigens trage sie viel Geld bei sich, und das wolle sie ihm alles geben. »Wohin soll ich dich tun, um dich zu retten, liebes Frauchen?« antwortete der Kärrner. »Der Dreiäugige würde mich und mein Pferd sicherlich auffressen. Aber lauf weiter, so wirst du einen Kameltreiber des Königs treffen: Der kann dich retten.« Da lief sie denn aus Leibeskräften weiter, bis sie den Kameltreiber einholte, welchen sie dann ebenso um Rettung vor dem Dreiäugigen anflehte.

Der erbarmte sich ihrer, nahm einen Ballen Baumwolle von dem Kamel herab und versteckte sie darin.
Inzwischen hatte der Dreiäugige den Bratspieß gehörig glühend gemacht und rief dann: »Heda, wo bist du? Komm her, es ist Zeit!« Da aber die junge Frau nicht kam, so suchte er sie überall, fand sie jedoch nirgends. Endlich sah er das offene Fenster, sprang hinaus, wie er stand und ging, und nachdem er sich rechts und links umgesehen, lief er die Heerstraße entlang. Als er den Kärrner erblickte, rief er ihm zu: »Heda, Kärrner! Warte ein bißchen, ich will dich und dein Pferd auffressen.« Alle, die ihn auf der Landstraße sahen, starben fast vor Schreck oder fielen in Ohnmacht. Der arme Kärrner aber hielt an, als er den Zuruf des Dreiäugigen hörte. Der sagte zu ihm: »Hast du nicht eine junge Frau vorbeilaufen sehen? Sprich!« – »So wahr Gott lebt, ich habe nichts gesehen, Herr«, antwortete er, »aber lauf weiter, dann wirst du einen Kameltreiber antreffen, der hat sie vielleicht gesehen.«

Der Dreiäugige lief weiter und rief den Kameltreiber an, sobald er ihn sah, worauf dieser stehenblieb und der Dreiäugige ihn dann das gleiche fragte. »Ich weiß nichts, ich habe nichts gesehen«, antwortete der Treiber. Da kehrte der Dreiäugige wieder um und sagte: »Ich will doch noch einmal zu Hause ordentlich suchen, vielleicht finde ich sie.« Als er dort angelangt war und sie wieder nicht fand,

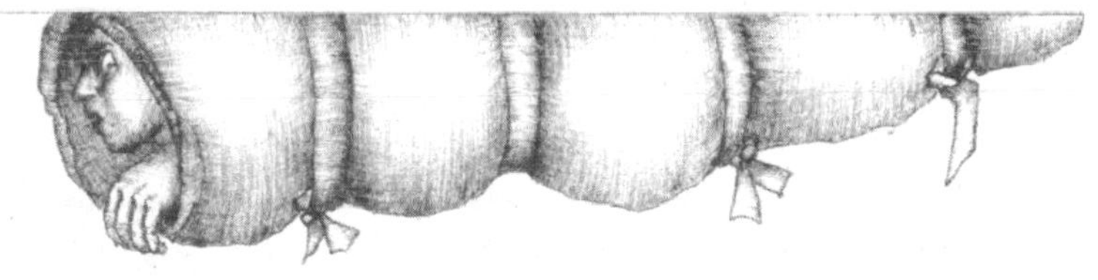

überlegte er bei sich und sprach: »Ich will den glühenden Bratspieß mitnehmen und bei dem Kameltreiber noch einmal gründlich Nachschau halten.« Er nahm daher den Bratspieß auf die Schulter, sprang wieder zum Fenster hinaus und rief dem Kameltreiber zu, nachdem er ihn von neuem einholte: »Heda, Kameltreiber! Warte ein bißchen, ich will noch einmal genauer nachsehen.«
Der Kameltreiber und die junge Frau waren vor Angst dem Tode nahe; auch jeder andere, der den Dreiäugigen mit dem Bratspieß sah, machte vor Furcht die Augen zu. »Rasch«, sagte er zu dem Treiber, »lade sofort alle Ballen von dem Kamel ab«, und der arme Treiber mußte gehorchen, denn konnte er anders? Da

stieß der Dreiäugige den glühenden Bratspieß in einen Ballen nach dem andern, wobei er natürlich auch zu dem kam, in welchem seine Frau versteckt war. »Jetzt ist's gut«, sprach er endlich, als er durch war, »du kannst nun weiterziehen.« Sobald er sich entfernt hatte, fragte der Kameltreiber die junge Frau, wie es ihr ergangen und ob der Dreiäugige sie mit seinem Bratspieß getroffen hätte. »Das schon«, antwortete sie, »er hat mich am Fuß ordentlich getroffen, doch habe ich den Bratspieß rasch mit Baumwolle abgewischt, so daß keine Blutspuren daran sichtbar waren.« – »Laß es gut sein!« sagte der Treiber. »Der König ist ein freundlicher Mann, und wenn ich dich zu ihm bringe, so wird er dich heilen lassen.«

Der Kameltreiber langte in dem königlichen Schloß an und packte seine Ballen im Hof ab, den aber, worin die junge Frau verborgen war, brachte er in die Stube, wo er schlief. Als die Mägde dies sahen, so meinten sie, er wolle ihn stehlen, und setzten den König in Kenntnis. Der ließ den Treiber alsbald vor sich kommen und fragte ihn, warum er jenen Ballen Baumwolle versteckt hätte. »Gott erhalte dich lange Jahre!« antwortete der Treiber. »Ich wollte den Ballen nicht stehlen, sondern die Sache hat ihre eigene Bewandtnis. An dem Tag nämlich, als ich die Baumwolle hierherholte, verfolgte ein Dreiäugiger eine junge Frau, die er auffressen wollte, und aus Mitleid versteckte ich sie in dem Ballen. Es ist der, der sich jetzt in deinem Schlosse befindet.« Und sogleich schaffte er den Ballen heran, trennte ihn auf und ließ die junge Frau hervorkommen. Als diese den König erblickte, verneigte sie sich vor ihm und flehte ihn an, doch nichts darüber verlauten zu lassen, daß sie in seinem Schloß eine Zufluchtsstätte gefunden. »Was fürchtest du, meine Liebe?« sprach der König. »Was kann der Dreiäugige dir in meinem Palast Böses zufügen?«

Hierauf ließ er seinen Arzt holen, der ihr den Fuß verband. Sobald sie wieder hergestellt war, bat sie, man möchte ihr eine Arbeit zuweisen, damit sie nicht müßiggehe, und sagte auf die Frage, was sie verstünde, sie könne sticken. Zugleich verlangte sie nach einem Stück weißen Samt, nach Seide, Perlen und Goldfäden, und begann alsbald, den König auf seinem Thron und mit der Krone auf dem Haupt zu sticken. Als sie mit der Arbeit fertig war und sie dem König überreichte, geriet er außer sich vor Erstaunen und sagte tags darauf zu der Königin: »Eine bessere Schwiegertochter als diese junge Frau können wir gar nicht finden. Was macht es aus, daß sie nicht von königlichem Geblüt ist? Hat sie auch sonst Geschick, so sagt sie mir zu. Was denkst du davon?« – »Tu, wie du willst, Herr«, erwiderte die Königin, »ich bin damit einverstanden.« Alsbald ließen sie die junge Frau holen und sagten ihr, was sie vorhätten. Da fing sie an zu weinen und sprach: »Wie könnt ihr daran denken, dies zu tun? Mein Glück wäre zwar groß, doch wenn der Dreiäugige das hört, dann frißt er mich und euren Sohn dazu. Wollt ihr eure Absicht aber dennoch ausführen, so laßt einen sieben Treppen hohen Oberstock bauen, am Fuße der untersten Treppe eine Grube ausheben und sie mit einer Matte zudecken, auch alle Treppen mit Talg einschmieren. Die Hochzeit müßte auch ganz heimlich des Nachts gehalten werden, daß niemand außerhalb etwas davon vernähme.«

Jedoch es kam anders. Das Gerücht von der Hochzeit verbreitete sich von Mund zu Mund, und auch dem Dreiäugigen kam zu Ohren, daß der Sohn des Königs sich mit seiner Frau verheirate. Sobald er dies hörte, ließ er eine Anzahl Mohren in Säcke kriechen und zog mit ihnen, als Kaufmann verkleidet, zum Schloß des Königs, wo er des Nachts gerade zu der Stunde ankam, als man sich zum Hochzeitsmahl niedersetzte. Als die Braut ihn unter den Tischgästen erblickte, erkannte sie ihn sogleich und gab der Schwiegermutter einen Wink, daß man ihn befragen solle, was für Waren er mitgebracht habe. Er antwortete, er führe Pistazien und Alepponuß, getrocknete Aprikosen und Kastanien. Kaum hörte dies die Braut, so bestand sie darauf, einige von diesen Früchten zu kosten, sie trüge ein unstillbares Verlangen danach. Er jedoch sprach zu den Leuten: »Ich bitte um Nachsicht für jetzt. Habt Geduld bis morgen früh, und dann sehr gerne.« Als der Lustigmacher des Königs, der auch bei Tisch saß, dies hörte, stieg er unverzüglich hinab und wollte einige von diesen Früchten aus den Säcken holen, um die Braut zufriedenzustellen. Als er sich nun dem ersten Sack näherte, sprach der darin verborgene Schwarze: »Ist es Zeit, Herr?« Ebenso ging es bei allen übrigen Säcken, weshalb er schnurstracks in den Hochzeitssaal zurückkehrte und dort berichtete, in allen Säcken wären Menschen verborgen. Kaum hatte die Braut dies vernommen, so befahl sie, daß man den Kaufmann zwingen solle, trotz der Nacht hinunterzugehen und die Säcke zu öffnen. Dieser aber, der sah, daß seine List entdeckt war, machte sich davon und war nirgends mehr zu finden. Man ging also hinunter, und zwar in Begleitung des Henkers, und als man zu dem ersten Sack kam, sagte eine Stimme von innen: »Ist es Zeit?« – »Jawohl!« ward ihm Bescheid, und sobald der Schwarze herauskam, wurde ihm der Kopf abgeschlagen, und ebenso geschah es mit allen übrigen. Hierauf sagte der König zu der Braut: »Hab nun keine Furcht mehr, liebe Schwiegertochter, es ist geschehen, wie du wünschtest, und alle Gefahr ist vorüber.«

Inzwischen war die Schlafenszeit herangekommen, und die Hochzeitsgäste gingen zu Bett wie auch alle anderen Bewohner des königlichen Palastes. Kaum aber war jedermann zur Ruhe, so nahm Dreiauge seine wahre Gestalt an und ging hinauf in das Zimmer der Braut, um sie herabzuholen und zu verzehren, wobei er etwas Erde von einem Grab auf den Bräutigam streute, damit er nicht aufwache. Als die junge Frau ihn an ihrem Bette sah, stieß und kniff sie ihren Lagergenossen, damit er aufwache, aber umsonst. Schließlich packte sie der Dreiäugige und sprach zu ihr: »Nun sei so gut und steh auf, liebe Frau, der Bratspieß erwartet dich. Was soll ich machen, da ich nun einmal geschworen habe, dich gebraten zu verzehren? Sonst würde ich dich hier gleich auf der Stelle verschlingen.« Darauf nahm er sie bei der Hand und begann mit ihr die Treppen hinabzugehen. Als sie die ersten drei hinter sich hatten, sprach sie zu ihm: »Ich bitte dich, geh voran, denn ich habe Furcht.« Damit sie kein Geräusch mache und die anderen nicht aufwecke, gab er ihr nach, sonst hätte er sie gepackt. Als sie sich aber auf der untersten Treppe befanden, hielt sich die junge Frau mit der einen Hand so sehr sie konnte an dem Geländer fest und gab zugleich mit der anderen dem Dreiäugigen einen solchen Stoß, daß er auf dem Talg ausglitt und in die Grube fiel, wo sich ein Löwe und ein Tiger befanden, die ihn zerrissen. Die Frau aber, noch benommen von dem Stoß, sprach zu sich selbst: ›Wenn er nicht in die Grube gefallen ist, so wird er gleich wieder heraufkommen und mich auffressen!‹ Dann fiel sie der Länge nach ohnmächtig auf die Treppe nieder.

Als es nun Tag wurde und der König und die Königin aufgestanden waren, so warteten sie, bis das junge Ehepaar gleichfalls aufstünde, allein dies geschah nicht. Da sprach die Königin: »Ich will doch einmal sehen, was sie machen«, und fand ihren Sohn dem Anschein nach tot, die junge Frau aber ohnmächtig auf der Treppe. Der auf der Stelle herbeigerufene Arzt brachte jedoch beide rasch wieder zur Besinnung, worauf die Königin sie fragte, wie sie denn in einen solchen Zustand geraten wären, und die junge Frau ihr alles berichtete, was sich während der Nacht zugetragen. Alsdann gingen sie zur Grube, um zu sehen, was aus dem Dreiäugigen geworden war, und sie kamen gerade hin, als die wilden Tiere ihn eben ganz aufgefressen hatten.

Nun erst wurde eine fröhliche Hochzeit gehalten, welche unter großem Jubel vierzig Tage und ebenso viele Nächte dauerte und wo wir die Gäste gelassen haben, als wir hierherkamen.

12. August – Der zweihundertvierundzwanzigste Tag

Der Vater und die drei Töchter

Es war einmal ein vornehmer Mann, der hatte drei Töchter, welche heranwuchsen, aber keine Männer finden konnten, so daß er nicht wußte, was er machen solle. Er kam daher auf den Einfall, die Mädchen abmalen zu lassen und ihre Bildnisse vor der Tür seines Hauses aufzustellen, so daß sie jeder Vorübergehende sehen und er sie vielleicht verheiraten könnte. Die Wohnung des Mannes lag aber am Meeresstrand, wo viele Schiffe aus fremden Ländern hinkamen und anlandeten. So geschah es denn eines Tages, daß ein Schiffspatron die Bildnisse erblickte und an dem der jüngsten Schwester großes Gefallen fand. Bei ihrem Vater bewarb er sich um ihre Hand. Der wollte sie ihm anfangs nicht geben, sondern erst die beiden älteren Töchter verheiraten. Auf den Rat seiner Freunde ging er doch schließlich darauf ein, um einmal einen Anfang zu machen, und so wurde denn einige Tage darauf die Hochzeit gefeiert.

Als nun die Neuvermählten allein geblieben waren und der junge Ehemann zu der Braut ins Bett steigen wollte – sie war aber bereits eingeschlafen –, da öffnete sich die Wand, und heraus kam ein Gespenst, welches zu ihm sagte: »Bleib fern von Rosa« – dies war der Name der Braut –, »denn sie wird sich mit ihrem Vater vermählen und einen Knaben mit ihm zeugen, mit dem sie sich dann gleichfalls vermählen wird.« Sobald der Bräutigam diese Worte vernahm, begab er sich, ohne irgend jemand etwas zu sagen, zu seinem Schwiegervater und sagte zu ihm,

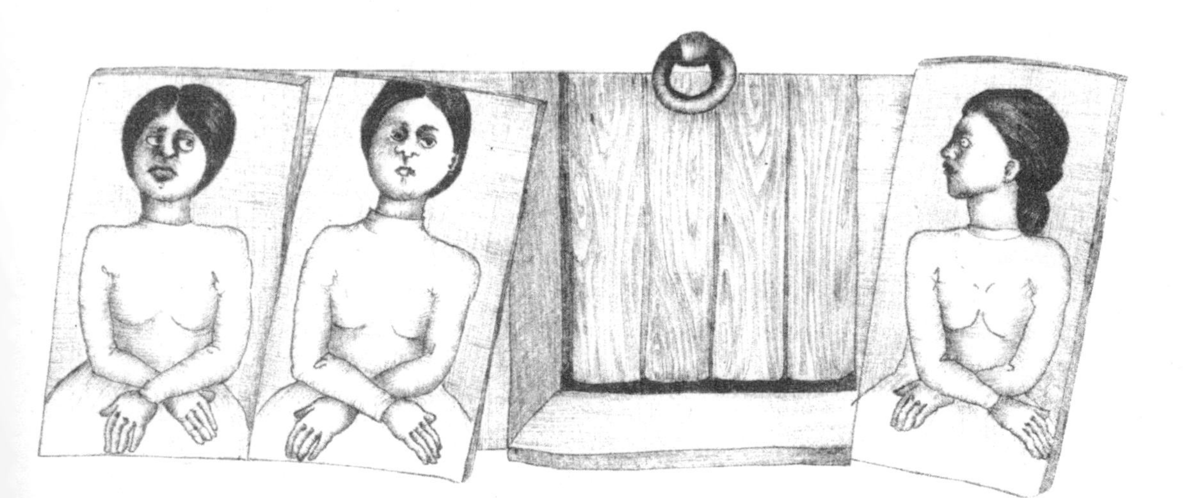

er habe sich geirrt, denn er habe seine älteste Tochter, nicht die jüngste, zur Frau nehmen wollen.
Jener war damit zufrieden, da dies ja ohnehin seinem früheren Wunsche entsprach, und so bekam denn der Schiffspatron die älteste Tochter und kehrte mit ihr in seine Heimat zurück. Kurze Zeit darauf fand sich ein zweiter Freier ein, der gleichfalls die jüngste Tochter haben wollte. Es ging ihm aber ebenso wie seinem Vorgänger, und die arme Rosa blieb ohne Mann, obwohl sie zweimal getraut worden war. Da verfiel sie denn in ein tiefes Nachsinnen, weil sie es sich nicht erklären konnte, warum ihre beiden Bräutigame sie einer nach dem andern nach der Trauung verlassen hatten. Sie beschloß daher nach einiger Zeit, ihren Vater zu bitten, daß er ihr gestatten möge, die Schwestern zu besuchen, da sie sehr danach verlange, sie wiederzusehen. Ihre eigentliche Absicht aber war, zu erfahren, aus welchem Grunde ihre früheren Ehemänner sie hatten sitzenlassen. Und der Vater willigte ein.
Sie machte sich also auf den Weg, und in der Nähe des Wohnortes der ältesten Schwester angelangt, erkannte Rosa deren Magd, die eben mit ihrem Krug nach Wasser ging, und sprach zu ihr: »Nimm diesen Ring und gib ihn deiner Herrin, ich will hier draußen ihre Antwort abwarten.« Es dauerte nicht lange, so kam die Magd zurück mit der Meldung, ihre Gebieterin erwarte sie. Sie begab sich zu ihr, fand sie allein und setzte sich nieder. »Liebe Schwester«, sagte sie zu ihr, »ich hatte großes Verlangen, dich wiederzusehen und dich zugleich um eine Gefälligkeit zu bitten: daß du nämlich heute nacht, ehe du dich zu deinem Mann legst und nachdem du das Licht ausgelöscht, hinausgehst und mich deine Stelle einnehmen läßt.« – »Sehr gern«, antwortete die Schwester, »warum nicht? Was du begehrst, soll geschehen.«
Als es nun Nacht geworden war, tat die Schwester auch wirklich, was sie versprochen hatte, und verließ ihren Mann, während Rosa sich zu ihm legte und bald darauf, als wäre sie seine Frau, zu ihm sagte: »In der ganzen Zeit, wo wir verheiratet sind, habe ich immer vergessen dich zu fragen, aus welchem Grunde du zuerst dich mit meiner jüngeren Schwester verbunden, dann aber sie verlassen hast.« Da erzählte ihr denn der Schwager alles, was sich in jener Nacht zugetragen hatte, worauf sie ihn verließ und ihre Schwester den ihr gebührenden Platz wieder einnahm. Am darauffolgenden Morgen zog Rosa wieder weiter und begab sich zu der anderen Schwester, von deren Mann sie das gleiche erfuhr, so daß sie dann nach Hause zurückkehrte und, als sie allein war, ausrief: »Nein, ich werde mich mit meinem Vater nicht vermählen, wie das Gespenst gesagt hat. Lieber will ich Mörder dingen und ihn umbringen lassen.«
Wirklich führte sie einige Tage darauf ihren Vorsatz aus, und die Mörder begruben

den Getöteten außerhalb der Stadt auf einem Acker, wo aus dem Grab dann ein Apfelbaum hervorwuchs, der sehr schöne Früchte trug. Eines Tages nun sah Rosa einen Mann, der Äpfel feilbot, und kaufte ihm einige ab, von deren Genuß sie jedoch schwanger wurde. Bald darauf fing ihr Leib an, sich zu runden, ohne daß sie den Grund wußte; als sie indes später erfuhr, daß auf dem Grabe ihres Vaters ein Apfelbaum wachse, erinnerte sie sich, daß sie von jenen Äpfeln gegessen hatte. Gleichwohl sprach sie bei sich selbst: ›Trotz alledem soll die Prophezeiung des Gespenstes nicht wahr werden, denn sobald ich entbunden bin, will ich das Kind töten.‹ Gesagt, getan. Sobald das Kind geboren war, gab sie ihm mehrere Messerstiche und legte es dann in ein Kästchen, welches sie fest vernagelt ins Meer warf, wo ein vom Land herblasender Wind es in die hohe See hinaustrieb.

Zur gleichen Zeit fuhr jedoch ein Kauffahrteischiff vorüber, dessen Kapitän das Kästchen bemerkte und seinen Leuten zurief: »Setzt das Boot aus und nehmt das Kästchen da auf. Wenn Sachen von Wert darin sind, so behaltet sie für euch, enthält es aber etwas Lebendiges, so ist es für mich.« Nachdem man nun das Boot ausgesetzt und das Kästchen aufgefischt hatte, fand man darin ein in Blut schwimmendes Büblein, welches der Kapitän für sich behielt und an Kindes Statt annahm. Als er dann nach Jahren starb, erbte der Adoptivsohn sein ganzes Vermögen und setzte, erwachsen geworden, die Geschäfte des Kapitäns fort, wobei er von einem Land ins andere fuhr.

Bei einer seiner vielen Reisen geschah es nun, daß er zum Wohnort seiner Mutter kam, und als er ihr Haus sah, sich erkundigte, was das für Bildnisse wären, die sich über der Tür dort befänden. Da erzählte man ihm die Geschichte der drei Schwestern und fügte hinzu, daß die jüngste noch unverheiratet wäre. »Nun wohl«, sprach er, »so will ich sie heiraten«, und er nahm sie auch wirklich zur Frau.

Nach langen Jahren, als sie schon mehrere Kinder hatten, reichte sie ihm eines Tages ein reines Hemd zum Wechseln und sah die Narben der Dolchstiche, die sie ihm einst gegeben. Alsbald stieg eine böse Ahnung in ihr auf, und sie fragte ihn: »Was sind das für Narben, die du da auf deiner Brust hat?« Da antwortete er ihr, daß er nie Vater und Mutter gekannt, sondern daß der Kapitän eines Handelsschiffes ihn auf dem Meere in einem Kästchen gefunden und an Kindes Statt angenommen habe. »Und nachdem mein Adoptivvater gestorben war«, fuhr er fort, »beerbte ich ihn und führte seine Geschäfte weiter, wobei ich hierhergekommen und dein Mann geworden bin. Dies ist alles, was ich weiß.«

Als dies seine Frau hörte, rief sie aus: »So weit also hat mein unseliges Geschick mich verfolgt! Du bist mein Sohn, und jetzt, wo die Vorhersagung des Gespenstes

eingetroffen ist, lasse ich dich in deinem Kummer und meine Kinder als Waisen zurück und überliefere mich dem Tod, denn dies war mir vom Schicksal bestimmt.«
Darauf ging sie und tötete sich durch einen Sprung vom Dach.

13. August – Der zweihundertfünfundzwanzigste Tag

Die Geschichte von Ali Dschengiz

Die Überlieferer der Geschehnisse und die Erzähler der Geschichten berichten: In alten Zeiten hatte eine Frau einen Sohn, der besaß eine außerordentliche Schönheit und hatte auf der ganzen Welt nicht seinesgleichen. Und er war in allem sehr anstellig. Die Frau nahm nun diesen Jungen und gab ihn in den Palast. Eines Tages langweilte sich der Padischah [Pascha] und sagte zu seinen Leuten: »Kennt einer unter euch das Ali-Dschengiz-Spiel?« Der Junge sagte: »Mein Padischah, wenn Sie erlauben, werde ich es lernen und dann wiederkommen.« Der Padischah gab die Erlaubnis und entsandte den Jüngling.
Als er nun zum Hause des Ali Dschengiz ging, da begegnete ihm unterwegs ein Derwisch. Der sagte: »Mein Sohn, wohin gehst du?« Er antwortete: »Ich gehe, um das Ali-Dschengiz-Spiel zu lernen.« Da sagte der Derwisch: »Komm, mein Sohn, ich will es dich lehren.« Und sie machten sich zusammen auf in die Berge. Nach einiger Zeit kamen sie an eine Höhle und traten ein. Nachdem sie noch eine Minute weitergegangen waren, kamen sie zu dem Zimmer, in dem der Derwisch wohnte, und setzten sich nieder. Nach einiger Zeit wurde es dem Jungen langweilig, und er ging aus dem Zimmer. Während er so herumgeht, kommt er in ein Zimmer ganz in der Nähe und tritt ein. Auf einmal sieht er ein Mädchen, schön wie der Vollmond, mit Augen, die wie Brunnen sind. Sie saß dort und stickte. Der Junge fragte: »Bist du ein Geist oder ein Dschinn [böser Dämon]?« Das Mädchen sagte: »Ich bin weder ein Geist noch ein Dschinn, ich bin ein Mensch so wie du.« – »He, wie bist du denn hierhergekommen?« – »Als ich noch ein Kind war, besuchte ich die Schule. Eines Tages nahm mich dieser Derwisch und brachte mich hierher. Wie sehr er sich auch bemühte, mich lesen zu lehren, so sprach ich doch in keiner Weise nach, was er mir vorsagte. Da hat er mich in dieses Zimmer eingesperrt.«
Dann zeigte sie dem Jungen einen Brunnen, der war bis an den Rand angefüllt mit Menschenleichen. Ihm schwand die Besinnung, er fiel zu Boden. Nach einiger

Zeit kehrte ihm die Besinnung wieder in den Kopf zurück, und das Mädchen sagte zu ihm: »Jüngling, wenn dieser Derwisch dich unterweist, so lies immer das Gegenteil und lies nie richtig!«

Der Junge stand bald wieder auf und ging geradewegs zu dem Ort, wo der Derwisch war. Der sagte: »Komm, mein Sohn, ich will dich unterrichten«, und nahm sich den Jungen vor.

Der setzte sich nun auf beide Knie und begann zu lesen. Wenn der Derwisch a sagte, so sagte der Jüngling d. Wenn er b sagte, sagte er t. Kurz und gut, da er auf diese Art zu lesen bis zum Schluß fortfuhr, verdroß es den Derwisch sehr. Er läßt ihn sich hinlegen und schlägt ihn, soviel es ihm Spaß macht. Dann läßt er ihn das Ali-Dschengiz-Buch lesen, doch auch das liest er verkehrt. Was nun aber dieses Buch betrifft, so erlernt der Junge es vollständig auswendig. Der Derwisch aber sagt sich: ›Er wird es nie lernen‹, verprügelt ihn und jagt ihn auf einen Berg.

Von da geht der Junge geradewegs in das Haus seiner Mutter und sagt ihr: »Mutter, morgen werde ich mich in ein Pferd verwandeln. Nimm mich dann und verkauf mich dem Padischah, aber hüte dich und gib ja mein Zaumzeug nicht mit!« Als es nun Morgen wurde, steht seine Mutter auf und sieht, ihr Sohn ist im Stall tatsächlich ein schönes Pferd geworden. Da faßt sie es am Halfter, führt es zum Padischah und verkauft es für hunderttausend Piaster. Das Zaumzeug aber nimmt sie wieder mit und geht nach Hause.

Als es Nacht wird, kommt ihr Sohn heim und sagt ihr: »Mutter, morgen werde ich zu einem Widder werden. Nimm mich wieder auf die gleiche Art und Weise und verkauf mich dem Padischah!« Am nächsten Morgen ist der Sohn ein Widder geworden, und seine Mutter packt ihn. Während sie ihn zum Padischah führt, merkt es der Derwisch. Er sagt: »Wehe, dieser Schweinejunge hat mir meine Kunst gestohlen!« und gerät in große Wut. Er paßt der Frau den Weg ab und sagt ihr: »Mutter, nimm dies Geld und verkauf mir den Widder!« Als die Frau ihn dem Derwisch geben will, wird der Junge ein Vogel und fliegt davon. Sofort der Derwisch ihm hinterdrein, wird zu einer Taube und verfolgt ihn, um ihn zu fangen. Die arme Frau bleibt allein zurück.

Die beiden aber kommen, immer weiterfliegend, zum Palast des Padischah. Während der Padischah eben im Gartenpavillon sitzt und Ausschau hält, wird der Vogel ein Apfel und fällt dem Padischah in den Schoß. Die Taube wird wieder ein Derwisch, tritt in den Pavillon ein und sagt: »Mein Padischah, dieser Apfel ist mein.« Der Padischah sagt erstaunt: »Nein, er ist meiner.« Als schließlich der Padischah ihm doch den Apfel geben will, wird der Apfel in seiner Hand zur Hirse und fällt zu Boden. Da wird der Derwisch ein Huhn, und während er

anfängt, die Hirse aufzupicken, wird die Hirse augenblicks ein Marder, springt auf das Huhn und erwürgt es.
Hierauf schüttelte sich der Marder und wurde wieder ein Jüngling wie früher. Der Padischah sagte: »Ach, du bist es, mein Sohn!« Da antwortete er: »Ja, mein Padischah. Sieh nur, dies nennt man das Ali-Dschengiz-Spiel. Jener Derwisch war mein Meister. Er legte es darauf an, mich zu töten, aber nun bin ich sein Meister geworden und habe ihn getötet.«
Die Sache gefiel dem Padischah sehr, und er machte ihn mit hunderttausend Piastern sogleich zum Günstling und schenkte ihm auch einen prächtigen Konak [Palast]. Hier ist auch diese Geschichte zu Ende, und damit Schluß!

14. August – Der zweihundertsechsundzwanzigste Tag

Der König im Bade

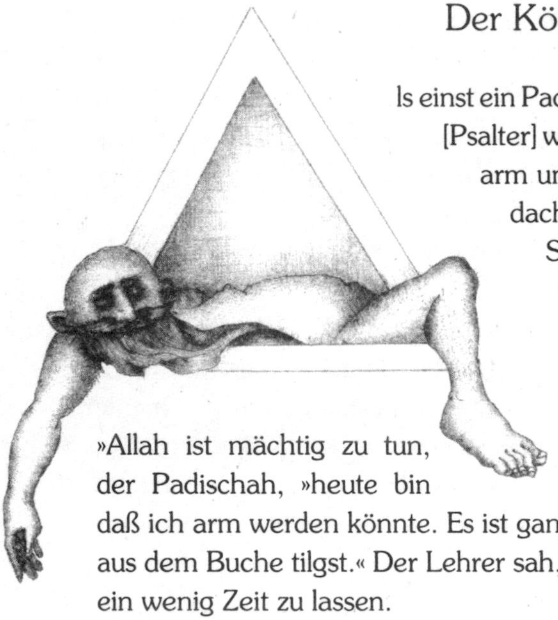

ls einst ein Padischah [Pascha] bei der Lektüre des Zebur [Psalter] war, stieß er auf den Vers: »Der Herr macht arm und der Herr macht reich.« Der Padischah dachte bei sich nach: ›Das ist eine unmögliche Sache!‹ Schon rief er den Lehrer und legte ihm die Frage vor: »Wie ist es denn möglich, daß ein reicher Padischah wie ich arm werden sollte?« – »Mein Herr«, gab sein Lehrer zur Antwort, »Allah ist mächtig zu tun, was immer er will.« – »Lehrer«, sagte der Padischah, »heute bin ich ein Padischah. Es ist unmöglich, daß ich arm werden könnte. Es ist ganz und gar notwendig, daß du diesen Vers aus dem Buche tilgst.« Der Lehrer sah, daß nichts zu machen war, und bat, ihm ein wenig Zeit zu lassen.
Kurze Zeit darauf ordnete der Padischah einen Ausgang in Verkleidung an und nahm sechs, sieben Kammerherren mit sich. Sie kamen an einem Bad vorüber. Der Padischah bekam Lust, hineinzugehen und zu baden, weil das Gebäude von außen sehr hübsch aussah. Als er also eintrat, erteilte der Besitzer des Bades, da er den Padischah erkannt hatte, seinen Dienern Befehl, dieser Person die dem Padischah zukommende Achtung und Aufmerksamkeit zu erweisen. Die Badediener führten den Padischah, ihn zuvorkommend stützend, hinein. Als er

gebadet hatte, kam, von Allah gesandt, ein Engel in Gestalt eines Straßenkehrers, der in alte Kleider gekleidet war und den Kehrichtkorb auf dem Rücken hatte. Er kleidete sich aus, trat ein und ging geradewegs in das Gewölbe, in welchem der Padischah gebadet hatte, und begann nun zu baden.

Nachdem der Engel gebadet hatte, nahm er die Gestalt des Padischah an, und beim Herausgehen stützten ihn die Diener, da sie den Engel für den Padischah hielten, und führten ihn heraus. Der Engel als Padischah befahl dem Gefolge, sich schleunigst zu entfernen, zog selbst die Kleider des Padischah an, ging in den Palast und setzte sich auf den Herrscherthron.

Alsbald kam der arme Padischah, ohne von den Dingen, die geschehen waren, Kunde zu haben, aus seiner Nische heraus und blickte nach allen vier Seiten: Niemand kam. Er klatschte in die Hände und rief, aber niemand war, der Antwort gab. Schließlich kam ein Badediener hinein und sagte: »Was willst du? Was brüllst du?« Der Padischah wurde über die Maßen zornig und sagte: »Bist du ein Mensch, der sich mit mir unterhalten darf? Wo steckt mein Gefolge?« Der Badediener war starr vor Staunen, weil er wegen des Gestaltwechsels diesen nicht als Padischah erkennen konnte.

Da ging dieser bedauernswerte Padischah hinaus und begann zu schreien: »Bin ich nicht der Padischah? Wo steckt mein Gefolge?« Als der Besitzer des Bades und die anderen im Bade diese Rede hörten, verabreichten sie ihm mit den Worten »Du bist verrückt geworden« eine tüchtige Tracht Prügel und hießen ihn mit Gewalt die alten Kleider des Kehrichtmannes anziehen, gaben ihm den Kehrichtkorb auf den Rücken und jagten ihn zur Tür hinaus.

Der arme Padischah war in Verlegenheit, wohin er gehen und was er tun sollte, und wußte auch nicht, was er sagen sollte. Von hier und dort wurde er angerufen: »He, komm, schütte den Kehricht aus!« Er, der in seinem ganzen Leben nicht in der Lage gewesen war, auch nur ein Haar von seinem Platze aufzuheben, nahm vierzig Oka [fast einen Zentner] Kehricht auf seinen Rücken und schüttete ihn aus. Aber wohin er bei Nacht gehen sollte, wußte er nicht und blieb ratlos. Der auf weichen Lagern groß gewordene Padischah schickte sich an, im Aschenraum* bei den Wasserbassins sich niederzulegen und zu erheben. Da ein jeder, zu dem er sagte: »Ich bin der Padischah«, ihn prügeln und mit den Worten »Er ist verrückt« ins Irrenhaus bringen wollte, bekam er Angst und legte sich nieder und stand auf, ohne ein Wort zu sagen.

Als er nach drei Tagen an seinem eigenen Palast vorüberging, gebot der Engel als Padischah, den Kehrichtmann vor sein Angesicht zu führen. Der Kehricht-

* In den warmen Aschenhaufen dieses Raumes (türk. Kulxan) pflegten die Obdachlosen während der kalten Jahreszeit zu nächtigen.

mann ging hinauf und trat vor den Engel. Der Engel schickte sein Gefolge hinaus und fragte, als sie allein waren, den Kehrichtmann: »Was treibst du und wer bist du?« – »Mein Herr«, gab der Kehrichtmann zur Antwort, »ich bin der Padischah, und dieser Thron gehört mir, aber mein Besuch eines Bades hat mich zu einem Kehrichtmann gemacht.« – »Hast du in diesen Tagen«, fragte der Engel, »eine Sünde begangen?« – »Nein, mein Herr«, antwortete er, »ich wüßte nicht, was für eine Sünde ich begangen hätte.«
Als der andere ihm da ins Gedächtnis rief, wie er vor drei Tagen im Zebur gelesen und zu seinem Lehrer gesagt hatte, diese Verse müsse man austilgen, weil sie Unmögliches enthielten, da fiel er dem Padischah zu Füßen und rief: »Ach, ich will nie wieder sündigen!« – »Nun hast du bereut«, sprach der Engel, »sei guten Mutes. Allah macht dich von neuem zum Padischah.«
Damit zog er die königlichen Gewänder aus und legte sie ihm an. Er schlüpfte wieder in die Kleider des Kehrichtmannes, nahm den Kehrichtkorb auf den Rücken und ging hinaus. Als er verschwunden war, setzte sich der Padischah wieder auf seinen Thron.

15. August – Der zweihundertsiebenundzwanzigste Tag

Die Geschichte vom schönen Wasserträger

Die Überlieferer der Geschehnisse und die Erzähler der Geschichten berichten: In alten Zeiten hatten ein Padischah [Pascha] und sein Wesir jeder eine Tochter. Als sie eines Tages zum Fenster hinaus einander betrachteten und sich grüßten, kommt auf der Straße ein schöner Wasserträger vorbei. Die Tochter des Padischah sagt: »Schöner Wasserträger, schöner Wasserträger! Ist die Tochter des Wesirs schöner, oder bin ich es?« Da sagt der schöne Wasserhändler: »Meine Prinzessin, ihr seid beide schön. Aber die Tochter des Wesirs ist noch schöner.« Damit geht er seines Weges.
Jetzt wurde die Tochter des Padischah zur Todfeindin der Tochter des Wesirs. Nach einiger Zeit erkrankte sie und lag zu Bett. Der Padischah ließ Ärzte und Hodschas [Besprecher] rufen, und sie untersuchten das Mädchen. Sie gab einem Arzt eine Handvoll Goldstücke und sagte: »Überbring meinem Vater: Wenn sie nicht das Blut der Tochter des Wesirs trinkt, gibt es keine Rettung für sie.« Der Arzt ging sogleich zum Padischah und sagte: »Mein Padischah, wenn sie nicht das Blut der Tochter des Wesirs trinkt, wird sie nicht gesund.« Der Padischah ließ

dem Wesir die Botschaft zukommen. Der Wesir brachte es nicht über sich, seine Tochter zu töten, und schlachtete darum eine junge Katze und schickte der Prinzessin das Blut. Dann ließ er eine Truhe aus Nußbaum machen, die von innen verschließbar war, und legte seine Tochter hinein. Dann brachte er sie auf den Bitbasar [Trödelmarkt] und ließ sie versteigern.

Als von der andern Seite der schöne Wasserträger vorbeiging, sah er die Truhe und ging zu dem Ausrufer, gab ihm das Geld und kaufte die Truhe. Dann übergab er die Truhe einem Hammal [Lastenträger] und begab sich nach Hause. Er brachte die Truhe in dem Zimmer unter, in dem er selbst schlief, und stellte sie dorthin.

Als es Morgen wurde, ging der schöne Wasserträger fort. Das Mädchen stand aus der Truhe auf, fegte ordentlich das Zimmer, machte das Bett und legte sich dann wieder in die Truhe. Am Abend kommt der schöne Wasserträger und sieht, das Zimmer ist gefegt und das Bett ist gemacht. Er überlegt hin und her: ›Wer ist wohl heute hierhergekommen?‹ Schließlich legt er sich schlafen.

Am Morgen geht er wieder weg. Wie das vorige Mal fegt das Mädchen das Zimmer und macht das Bett. Als es Abend wird, legt sie sich wieder in die Truhe. Dann kommt der schöne Wasserträger und sieht – was soll er denn sonst sehen? –, wieder ist das Bett gemacht. Er dachte eine Zeitlang nach, geht dann zu der Truhe und sagt: »He, du Taugenichts, komm heraus, wer du auch seist!« Es kommt aber kein Ton heraus. Er legt sich nun wieder schlafen. Am Morgen holt er Fleisch vom Schlächter, bringt es in sein Zimmer und legt es hin. Er sagt zu sich: ›So Gott will, werde ich es mir kochen.‹ Dann steht er auf und geht fort. Das Mädchen steigt nun wieder aus der Truhe, fegt das Zimmer, kocht das Fleisch, legt es auf die Kupferplatte und ist eben dabei, die Wäsche zu waschen. Auf einmal kommt der schöne Wasserträger, tritt herein und sieht, daß das Mädchen Wäsche wäscht. Das Mädchen aber ruft, als sie ihn erblickt: »Erbarmen!« und bedeckt ihr Gesicht mit ihrem Rocksaum. Der schöne Wasserträger sagt: »Meine Prinzessin, du bist mein, ich bin dein. Jetzt gibt es kein Fliehen mehr. Du bist mein Kismet [das mir Bestimmte].« Alsbald holte er einige Leute zusammen und vermählte sich mit diesem Mädchen, und sie begannen, einander zu liebkosen.

Eines Tages belud der schöne Wasserträger vierzig Maultiere mit Geld und schickte das Mädchen mit den Tieren zu seiner Mutter. Das Mädchen ging dorthin und wohnte dort.

Eines Tages schreiben die Leute jenes Stadtviertels dem schönen Wasserträger einen Brief, darin steht: »Deine Frau ist eine Hure geworden.« Der schöne Wasserträger nimmt ein großes Messer in die Hand und geht zum Hause seiner

Frau. Als er zur Tür hereinkommt, tritt ihm das Mädchen mit silbernen Leuchtern in beiden Händen entgegen. Und als er sich anschickt, auf das Mädchen loszustechen, wirft sie sich in den Bach, der direkt am Hause war. Der Bach aber führt sie ins Meer.

Dort saßen drei Fischer. Während sie fischten, geht ihnen das Mädchen ins Netz. Die Fischer ziehen den Fang heraus und sehen – ja, was sollen sie sonst sehen? –, in dem Netz ist ein Mädchen. Sie fangen an, sich zu streiten, wer das Mädchen bekommen soll. Da sagte einer von ihnen: »Wir wollen diesen Pfeil abschießen. Wer von uns ihn wiederbringt, dem gehört das Mädchen.« Sie schießen den Pfeil ab und sind alle auf einmal hinter ihm her.

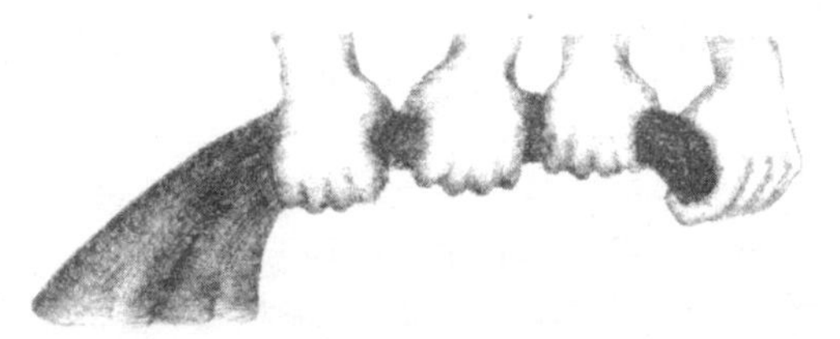

Da entflieht das Mädchen. Sie geht weiter und weiter und traf auf einen Juden. »He, Mädchen«, sagte er, »dich will ich nehmen und nicht fortlassen. He, was sagst du dazu?« Das Mädchen gab dem Juden in jede Hand einen silbernen Leuchter und entfloh. Sie geht immer weiter, kommt an eine Quelle und setzt sich nieder. Da erblickt sie der Sohn des Padischah, nimmt das Mädchen von dort mit sich und vermählt sich mit ihr.

Jetzt sagt das Mädchen: »Prinz, laß diese Quelle einfassen, und derjenige, der daraus trinkt, soll darin mein Bild sehen.« Der Prinz läßt die Quelle, so wie das Mädchen es beschrieben hatte, einfassen. Nach einigen Tagen kommen die drei Fischer, und während sie aus der Quelle Wasser trinken, erblicken sie im Wasser die Schönheit des Mädchens. Sie fallen nieder und werden ohnmächtig. Dann kam dieser Jude. Auch er fiel, während er Wasser trank, nieder und wurde ohnmächtig.

Eines Tages kam der schöne Wasserträger. Während er Wasser trank, fiel auch er zu Boden und wurde ohnmächtig. Das Mädchen beobachtete alles vom Fenster aus. Sie sagte es dem Prinzen. Der ließ die Leute hereinholen und sie alle einsperren.

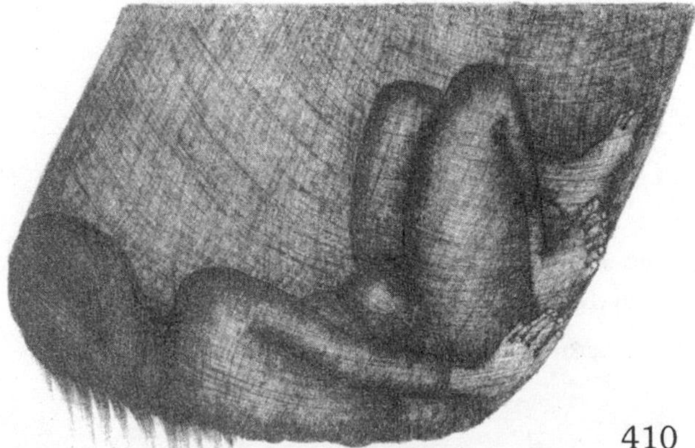

Eines Tages geht das Mädchen mit dem Prinzen zu ihnen und sagt: »Mein Prinz, diese Fischer haben mich aus dem Wasser gezogen, dieser Jude hat mich beleidigt, und dieser schöne Was-

serträger war früher mein Mann.« Da sagte er: »Meine Prinzessin, ist es so?« Darauf ließ er die Fischer frei. Dem Juden schlug man den Kopf ab. Und dann gab der Prinz das Mädchen dem schönen Wasserträger wieder zurück. Er sagte zu ihm: »Geh hin in Frieden und lebe vergnügt.«
Der schöne Wasserträger nahm das Mädchen mit sich und brachte sie in sein Haus. Das Mädchen erzählte ihm alles, was ihr zugestoßen war, eines nach dem anderen. Der schöne Wasserträger heiratete sie von neuem. Vierzig Tage und vierzig Nächte dauerte das Festgelage. In der einundvierzigsten Nacht ging er ins Hochzeitsgemach. Sie erreichten, wonach sie verlangten.
Auch diese Geschichte fand hier ein Ende. Und damit Schluß!

16. August – Der zweihundertachtundzwanzigste Tag

Der Fuchs als Brautwerber

Es war einmal ein Müller, der besaß nichts anderes als seine Mühle. Eines Tages kam ein Fuchs in die Mühle und entbot dem Müller den Selam [Willkommensgruß]. Der Müller sagt: »Auf dir sei der Gruß, Bruder Fuchs!« Der Fuchs sagt: »Wir wollen Brüderschaft schließen.« Der Fuchs und der Müller schließen also Brüderschaft.
Nach ein paar Tagen sagt der Fuchs: »Bruder Müller, ich werde dich verheiraten.« Der Müller sagt: »Bei Allah, Bruder, wie soll ich mich verheiraten? Ich habe doch nichts außer der Mühle.« Der Fuchs sagt: »Wozu hast du etwas nötig? Ich werde dich verheiraten. Ich werde in die Stadt gehen und für dich um die Tochter des Pascha anhalten.«
Der Müller sagt zwar: »Es ist unmöglich!«, doch der Fuchs macht sich auf den Weg und geht in die Stadt. Er kommt an das Tor des Pascha. Es gab da einen goldenen Stuhl. Nach der Sitte jener Zeit setzte sich jeder, der um die Tochter des Pascha freite, eben auf jenen goldenen Stuhl. Der Fuchs ging zur Tür hinein, ging die Treppe hinauf und setzte sich auf den goldenen Stuhl. Die Diener des Pascha kommen heraus und sehen, daß ein Fuchs auf dem goldenen Stuhl sitzt. Sie gehen zur Hanym [Frau des Pascha] und geben ihr davon Nachricht. Die Hanym sagt zu ihren Dienerinnen: »Schlagt rasch auf diesen Fuchs los, damit er wieder hinuntergeht.« Die Sklavinnen nehmen eine jede ein Holzscheit, schlagen damit auf den Fuchs los und jagen ihn zur Tür hinaus.
Etwas später kommt der Pascha. Die Hanym sagt zu ihm: »Pascha Efendi, ein

Fuchs ist gekommen und hat sich auf den goldenen Stuhl gesetzt. Ich habe die Dienerinnen angewiesen, auf ihn loszuschlagen und ihn zur Tür hinauszuwerfen.« Der Pascha darauf: »Warum habt ihr ihn geschlagen? Wer weiß, wer er ist? Wenn er noch einmal kommt, so gebt mir Nachricht.«
Eben zu der Zeit kam der Fuchs in die Mühle. Der Müller sagte: »Bruder Fuchs, was hast du gemacht?« Der Fuchs sagte: »Ich bin da hingegangen und habe um die Tochter des Pascha gefreit. Die Dienerinnen haben mich geschlagen. Ich entfloh und bin wieder hierhergekommen.« Der Müller sagte: »Bei Allah, Bruder Fuchs, habe ich dir nicht gesagt: Geh nicht hin!« Der Fuchs aber sagte, daß er morgen wieder gehen werde.
Als es Morgen wurde, machte sich der Fuchs wieder auf den Weg. Der Müller sagte zwar: »Geh nicht!«, doch der Fuchs hörte nicht darauf. Er ging wieder in die Stadt, trat in den Konak [Palast] des Pascha ein und setzte sich wieder auf den goldenen Stuhl. Wiederum sahen die Dienerinnen, daß der Fuchs auf dem goldenen Stuhl saß. Sie meldeten der Hanym des Pascha, daß der Fuchs gekommen sei. Sie sagte: »Gebt dem Pascha Efendi Nachricht!«
Der Pascha kam. Als er eintrat, stand der Fuchs auf, um den Pascha zu begrüßen. Der Pascha sagte: »Tier, was willst du?« Der Fuchs sagte: »Ich verlange nach Allahs Geheiß deine Tochter für Tozan Bey [den bestaubten Herrn].« Der Pascha sagte: »Ehe ich meinen Schwiegersohn nicht gesehen habe, gebe ich ihm meine Tochter nicht.« Der Fuchs ging fröhlich die Treppe hinunter und kam zur Mühle. Er brachte dem Müller die Freudennachricht: »Bruder, ich habe dich verlobt. Morgen werden wir in den Konak des Pascha gehen.« Der Müller sagte: »Bruder, mit diesem Gewand hier?«
Als nun am folgenden Morgen der Fuchs zusammen mit dem Müller in die Stadt ging, kamen sie an ein Flußufer. Der Fuchs nahm die Wäschestücke des Müllers, machte ein Bündel daraus und warf es ins Wasser. Er unterwies den Tozan Bey und schärfte ihm ein: »Wenn vom Konak des Pascha für dich Kleider kommen, so schau auf den Kragen! Nur wenn ein goldgesticktes Gewand kommt, so schau wieder nach oben!«
Der Fuchs lief von dort in den Konak des Pascha und sagte: »Bei Allah, Pascha Efendi, während dein Herr Schwiegersohn den Fluß überquerte, hat das Wasser seine Kleider mit fortgenommen.« Der Pascha sagte: »Man soll rasch Kleider geben.« Er gab dem Fuchs einen ganzen Anzug. Der Fuchs kam zum Müller, zog ihm die Kleider an und machte den Müller zu einem Efendi.
Der Fuchs lief dann vor ihm her, und so kamen sie in den Konak des Pascha. Mit den Worten »Jetzt kommt der Schwiegersohn des Pascha« stellten sich alle Nachbarn des Pascha ehrfurchtsvoll zur Begrüßung auf.

Nachdem der Kaffee getrunken war, begann der Müller Tozan Bey auf seinen Kragen zu schauen. Der Pascha fragte: »Warum schaut er so auf seinen Kragen?« Der Fuchs sagte: »Pascha Efendi, sein Gewand war mit Gold gestickt. Dieses Gewand gefällt ihm nicht.« Nun hatte der Pascha ein mit Gold gesticktes Gewand. Er sagte: »Bringt schnell dieses Gewand!« Man zog nun dem Tozan Bey das Kleid, nämlich das goldgestickte Gewand, an. Jetzt hob Tozan Bey seinen Kopf wieder. Der Fuchs sagte: »Pascha Efendi, sein verlorengegangenes Gewand glich diesem hier.«

Der Pascha fragte, an welchem Tage Hochzeit zu halten sei. Nachdem dies festgesetzt worden war, kehrten der Müller und der Fuchs wieder zurück in die Mühle. Der Müller wollte fast sterben vor Grübeln und Sorgen. Er sagte zu dem Fuchs: »Was soll ich machen? Du wirst es noch dahin bringen, daß man mir den Kopf abhaut.« Der Fuchs aber sagte: »Bruder, fürchte dich nicht! Ich laß es nicht zu, daß man dir den Kopf abhaut.«

Der Fuchs lud nun die ganze Dorfbevölkerung ein und rief: »Es gibt ein Hochzeitsfest!« Die Leute versammelten sich und stiegen auf das Dach der Mühle. Die Brautführer trafen ein und machten sich auf den Weg. Sie hatten zweiunddreißig Musikanten mit sich. So zogen sie in die Stadt hinein. Der Pascha sah, daß auf dem Lande gar keine Leute mehr geblieben waren, so viele Menschen zogen daher. Der Pascha gab ihnen zu essen und zu trinken. Es wurde Scherbet [süßer Kühltrank] getrunken. Jene Nacht blieben sie dort.

Am Donnerstag ließ man das Mädchen zu Pferde aufsitzen und machte sich auf den Weg. Der Onkel des Mädchens und ihre zwei Brüder sollten mitkommen. Der Fuchs ging voraus. Er ermahnte die Brautführer: »Wenn ihr auf den und den Hügel hinaufzieht, so sollt ihr eine Menge Kanonen- und Flintenschüsse abgeben.«

Auf dem Wege gab es einen reichen Dev [ein Geistwesen]. Der Fuchs geht nun dorthin. Der Dev hatte sehr viele Herden. Der Fuchs sagt zu den Hirten jener Herden: »Die Brautführer kommen. Wenn sie fragen, wem diese Herden gehören, so sagt: Sie gehören dem Tozan Bey.« Der Onkel des Mädchens und ihre Brüder fragen nach den vorüberziehenden Herden, und die Hirten sagen denn auch: »Sie gehören dem Tozan Bey.« Da sagen der Onkel des Mädchens und ihre Brüder: »Wie reich doch der Herr Schwiegersohn ist! Unser Vater hat nicht soviel Vermögen.«

Der Fuchs kommt dann weiter zum Konak des Dev und sagt: »Was machst du jetzt, Bruder Dev?« Der Dev sagt: »Was sollen wir machen? Bruder Fuchs, woher kommst du gerade?« Der Fuchs sagt: »Ich komme eben aus der Stadt.«

Genau in diesem Augenblick steigen die Brautführer den Hügel hinauf, der

gegenüber dem Konak des Dev lag. Dort fangen sie an, mit Kanonen und Flinten zu schießen. Der Dev sagt: »Bei Allah, Bruder Fuchs, was hat das zu bedeuten?« Der Fuchs sagt: »Ich komme soeben aus der Stadt. Es rücken Soldaten gegen dich an. Sie werden dich erschlagen.« Der Dev sagt: »Bei Allah, Bruder Fuchs, was soll ich tun?« Der Fuchs sagt: »Was du tun sollst? Kriech unter den großen Stein dort, damit dich niemand sieht.« Der Dev hebt den Stein auf. Als er den Stein über sich deckt, da bleibt er unter dem Stein liegen und krepiert.
Der Fuchs läuft nun geschwind von dort in die Mühle und sagt zu dem Müller: »Bei Allah, Bruder, ich werde dich in den Konak des Dev bringen.« Der Müller sagte: »Bei Allah, Bruder Fuchs, der Dev wird uns zerstückeln. Wie wollen wir in den Konak des Dev kommen?« Der Fuchs sagt: »Ich habe den Dev zum Krepieren gebracht.« Er nimmt den Müller mit sich. Zusammen gehen sie in den Konak des Dev. Die Speisen des Dev waren eben in der Zubereitung. Der Fuchs gibt die nötigen Anordnungen. Er läuft vor zu den Brautführern. Er geleitet sie in den Konak des Dev, damit sie nicht in die Mühle gehen. Die Brautführer kommen und steigen im Konak des Dev ab. Man ißt die Speisen und trinkt den Kaffee. Unser Fuchs gibt jedem sein Geschenk. Bei dem Dev war sowieso alles reichlich vorhanden.
Als es Abend wird, geht Tozan Bey bei der Tochter des Pascha ein nach Allahs Geheiß, und sie erreichten das Ziel ihrer Wünsche.

17. August – Der zweihundertneunundzwanzigste Tag

Die Puppenfrau

In früheren Zeiten, als man das Stroh noch siebte, lebte ein sehr reicher Mann, dem das Kinderglück nie beschieden war. Er verzehrte sich in Sehnsucht nach einem Kind; daher wollte er sich sogar von seiner Frau scheiden lassen. Nach langem Hin und Her kam er aber doch zu der Überzeugung, daß es nicht richtig sei, seine zehnjährige Ehe zu zerstören. So ging er zu einer Hebamme, um sich Rat zu holen, und versprach ihr viel Geld, wenn sie ihm helfen würde.
Die Hebamme nahm ein Stück Nesseltuch und zeichnete darauf ein Kindergesicht, dem sie noch einen Körper anfügte. In den Körper stopfte sie Baumwolle. Zum Schluß legte sie das Puppenkind, das wirklich lebensecht aussah, noch in Windeln. Die Hebamme ging nun allein zu dem Haus des Mannes. Die Frau und die Hebamme richteten zusammen ein Wochenbett her. Am Abend, kurz bevor

der Mann nach Hause kam, legte sich seine Frau ins Wochenbett. Als der Mann seine Frau im Bett liegen sah, fragte er sehr besorgt, was mit ihr geschehen sei. Die Hebamme sagte: »Du hast ein Kind bekommen, und was bekomme ich für diese gute Nachricht?«

Darüber war der Mann sehr verblüfft, er lief sofort zum Bett und wollte das Kind sehen. Die Hebamme aber griff ein und sagte: »Als dein Kind geboren wurde, kam von Allah ein Ruf. Du wolltest einmal deine Frau verstoßen, weil sie dir keine Kinder gebärt. Als Strafe sollst du dein Puppenmädchen nur bei ihrer Hochzeit für einen Augenblick sehen, dann nämlich, wenn sie in die Hochzeitskutsche steigt.« Der arme reiche Mann erwiderte: »Das macht mir nichts aus. Die Hauptsache ist, ich habe ein Kind, auch wenn ich es nicht sehen kann.«

Das Puppenmädchen füllte man jede Woche mit Baumwolle auf, so daß es größer und größer wurde. Während dieser Zeit aß die Frau nicht ein einziges Mal mit ihrem Mann zusammen an einem Tisch. Sie war der Meinung, das Kind würde weinen und könne sich ja auch nicht wohlfühlen, wenn es allein gelassen werde. So blieb sie immer im Zimmer mit dem Kind.

Eines Tages klopfte es an die Tür. Leute brachten ein großes Paket und eine große Schachtel. Die Frau öffnete sie. In dem Paket und in der Schachtel lagen verschiedene Spielsachen und Süßigkeiten. All dies hatte der Vater des Puppenmädchens geschickt. Der Vater brachte nun jeden Abend schöne Sachen für das Puppenmädchen.

Die Jahre vergingen, und das Puppenmädchen wurde achtzehn Jahre alt. Der Ruf seiner Schönheit verbreitete sich weithin, auch der Sohn von Methi Pascha bekam ihn zu hören. Der junge Prinz sagte zu seiner Mutter: »Unbedingt solltest du dieses Puppenmädchen für mich zur Frau nehmen.«

Die Mutter des Prinzen machte sich daraufhin auf den Weg, um bei dem Puppenmädchen Brautschau zu halten. Dessen Mutter bekam fast einen Herzschlag, als sie davon erfuhr. Aber die andere war ja schließlich die Frau des Sultans, und sie mußte mit dem Besuch einverstanden sein. Sie sagten der Sultansfrau zu, sie würden das Puppenmädchen in einer Woche um Mitternacht in den Palast bringen.

Um in den Palast des Methi Pascha zu gelangen, mußte man aber eine Brücke überqueren, die von Feen bewohnt war. Jede Karawane oder sonst eine Gesellschaft, die nachts diese Brücke zu passieren suchte, mußte eine Person opfern: Es traf sie ein Schlag, und sie wurde besessen. Deshalb wagte niemand, nachts in den Palast zu fahren.

Als es soweit war und der Abend herankam, hatten die Hebamme und die Mutter das Puppenmädchen schön gekleidet und geschminkt. Sie bestiegen eine Kutsche und nahmen das Puppenmädchen in ihre Mitte. Rumpelnd und quietschend machte sich die Kutsche auf den Weg zum Palast. Voller Furcht erwarteten die beiden Frauen, was auf der Brücke geschehen würde. Als sie dorthin gelangten, geschah etwas, was beide Frauen staunen machte. Die Puppe begann nach beiden Seiten zu schauen, und kurz bevor sie die andere Seite der Brücke erreichten, rief eine Stimme: »Puppenfrau, sprich mit jedermann, nur nicht mit dem Prinzen!«

So gelangten sie zum Palast. Eine große Schar von Menschen hieß sie willkommen. Ein jeder eilte herbei, um die Puppenfrau zu sehen. Die Mutter aber trat zufrieden an der Seite ihrer Tochter, der die Bewunderung aller entgegenschlug, in den Palast ein. Man feierte das Ereignis bis zum frühen Morgen, und gegen Morgen zogen sich die Gäste auf ihre Zimmer zurück. Daß die Puppenfrau die ganze Nacht kein einziges Wort mit dem Prinzen gesprochen hatte, führten sie auf ihre Schüchternheit zurück. Daß die Puppenfrau aber auch an den darauffolgenden Tagen nicht mit dem Prinzen sprach, bedrückte diesen sehr. Um seine schöne Gattin dahin zu bringen, mit ihm zu reden, beschloß der Prinz, sich mit einem anderen Mädchen zu verheiraten.

Alles wurde vorbereitet, und schließlich kam der Tag, an dem die neue Braut beim Prinzen einzog. Als sie eines Tages alle bei Tisch saßen, da sagte der Prinz zur Puppenfrau, sie solle einmal Fisch braten. Anderntags setzte sich die Puppenfrau in die Mitte ihres Zimmers und rief: »Kohlenbecken, Feuerzange, Kohle, Öl und Fisch!«

Sofort öffnete sich die Tür, und das Kohlenbecken kam herein ins Zimmer. Nach ihm kamen auch die anderen von der Puppenfrau gewünschten Dinge herein. Nachdem alles Zubehör zur Stelle war, krempelte die Puppenfrau die Ärmel hoch, tauchte ihre fünf Finger in das heiße Öl ein und rief:

»Fünf Fische, fünf Fische,
Kommt alle zu Tische!«

Sie legte dann fünf Fische auf einen Teller. Die Nebenfrau, die alles mit angesehen hatte, wollte es ihr gleichtun und rief ebenfalls nach den Dingen, aber weder Kohlenbecken noch Feuerzange kamen herein. Da sagte sie: »Die Puppenfrau war zu faul, um sich die Sachen selbst zu holen, deshalb hat sie sie zu sich gerufen. Ich aber bin nicht so faul, ich hole sie selber.«
Sie trug das Kohlenbecken und die anderen Sachen ins Zimmer, erhitzte das Öl, und als es kochend war, tauchte sie ihre fünf Finger hinein. Da erfüllte den Raum ein lautes Wehgeschrei. Der Prinz, der erfuhr, was vorgefallen war, kam zu der Überzeugung, daß die Puppenfrau der anderen keine Ruhe lassen würde, und so brachte er die Nebenfrau zu ihrem Vater zurück.
Auf dem Rückweg zum Palast hörte er an einem Brunnen zwei Frauen miteinander streiten, wer als erste den Eimer füllen dürfe. Der Prinz vernahm, wie die eine Frau zur anderen sagte: »Beim Haupte der Brückenfeen, laß mich den Eimer zuerst füllen!«
Wie erstaunt war da der Prinz, als die andere Frau der ersten auf diese Worte hin erlaubte, daß sie zuerst ihren Eimer füllte. Er galoppierte sofort zum Palast, ging zu seiner Frau, die in ihrem Zimmer mit Sticken beschäftigt war, und rief ihr zu: »Puppenfrau! Beim Haupte der Brückenfeen, sprich mit mir!« Da antwortete die Puppenfrau: »Mein Prinz, worüber willst du mit mir sprechen?«
Der Prinz sah mit Freuden, daß seine Frau mit ihm sprach, ließ sofort ein Fest vorbereiten. Sie feierten vierzig Tage und vierzig Nächte lang, und sie erreichten das Ziel ihrer Wünsche.
Wir aber steigen auf die Pritsche.

18. August – Der zweihundertdreißigste Tag

Ehemann Pferd

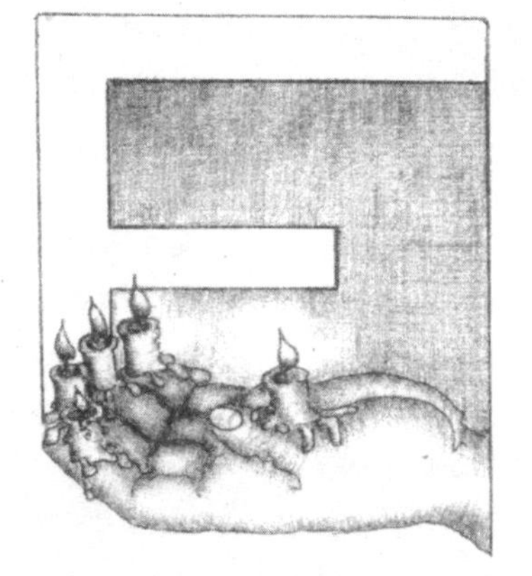

s war einmal der Herrscher eines Landes, der hatte drei Töchter und ein Pferd. Dieses Pferd aß nichts als trockene Rosinen und geröstete Haselnüsse. Aber das Pferd wurde immer dünner. Der Herrscher wunderte sich, wieso das Pferd immer dünner wurde, und fragte jemand nach dem Grund dafür. Der Mann antwortete dem Herrscher: »Das Pferd ist verliebt, deswegen.«
Schließlich beschlossen sie, das Pferd zu verheiraten, und ließen Mädchen an ihm vorübergehen, um zu sehen, welche ihm gefiele. Das Pferd sah keine von ihnen an. Schließlich waren die Töchter des Herrschers an der Reihe. Zuerst ging die älteste Töchter vorbei, dann die mittlere. Als die Jüngste vorbeiging, fing das Pferd an zu wiehern, und der Mann sagte zum Herrscher: »Dies Pferd wird deine jüngste Tochter nehmen.«
Da gaben sie die Jüngste dem Pferd. Die Familie stand bis zum Abend am Fenster, um zu sehen, was das Pferd nun machen würde. Nachdem alle fortgegangen waren, wurde es Abend. Das Pferd schüttelte sich und wurde zu einem schönen Jüngling.
Als es Morgen wurde und das Mädchen sich bereit machte, ins Bad zu gehen, sagte der junge Mann zu dem Mädchen: »Wenn du ins Bad gehst und deine Geschwister und Freunde necken dich, daß du ein Pferd genommen hast, hüte dich, sag nichts, sonst findest du mich nachher nicht mehr hier.« Das Mädchen ging ins Bad. Dort sagten sie allerlei Zeug zu ihm. Das Mädchen ärgerte sich und sagte: »Nun kommt doch, seht's euch an, ob's ein Pferd ist oder ein feiner junger Mann.«
Das Pferd hörte das und floh geradewegs in seine Heimat. Als das Mädchen nach Hause kam und den jungen Mann nicht fand, fing es an zu suchen. Unter dem Herdstein fand sie einen Brief. Sie nahm den Brief, ging zu ihrem Vater und erzählte ihm die Sache. Von ihrem Vater nahm sie ein Panzerkleid und eine Abteilung Soldaten und machte sich auf den Weg. Die Soldaten kehrten irgendwo um. Sie selbst ging immer weiter und kam zu einer Ebene. Dort sah sie ein silbernes und ein goldenes Haus.

Aus dem Silberhaus kam ein Mädchen heraus, ging geradewegs zum Brunnen und schöpfte Wasser mit einem Metallbecher. Als das Mädchen sie sah, rief es: »O Mädchen, das aus einem Silberhaus kommt und einen Silberbecher hält, wo ist Tahir Beys Haus?« Das Mädchen, das aus dem Silberhaus gekommen war, antwortete: »Dort das goldene Haus.«

Das Mädchen ging geradewegs zu dem goldenen Haus. Aus diesem Haus kam genau so ein Mädchen heraus und schöpfte Wasser aus dem Brunnen. Das Mädchen rief auch ihr zu: »O Mädchen, das aus dem goldenen Haus gekommen ist und einen goldenen Becher hält, wo ist Tahir Beys Haus?« Das Mädchen, das aus dem goldenen Haus gekommen war, antwortete: »Tahir Beys Haus ist hier; der Herr hat gegessen, jetzt will er sich die Hände waschen.«

Die Tochter des Herrschers bat um den Becher, um Wasser zu trinken, das andere Mädchen gab ihr den Becher, und während das Mädchen Wasser trank, warf sie den Ring an ihrem Finger in den Becher.

Das andere Mädchen füllte nun den Becher mit Wasser und ging ins Haus. Als sie das Wasser über Tahir Beys Hände goß, fiel der Ring dem Herrn in die Hand. Der Herr fragte, wer draußen sei, und das Mädchen sagte: »Da ist eine Dame.«

Tahir befahl: »Ruft mir die Dame herein!« Das Mädchen ging und rief die Dame. Tahir Bey nahm die Dame in Empfang und begann sich zu unterhalten. Während er sprach, sagte er zu dem Mädchen: »Meine Mutter ist eine Dämonin. Wenn sie dich sieht, frißt sie dich.« So versteckte er das Mädchen im Schrank.

Als Tahirs Mutter kam, sagte sie: »Hier riecht's nach Menschenfleisch.« Doch Tahir sagte: »Nein, Mutter, woher soll hier ein Mensch kommen? Einen Menschen, der kommen würde, frißt entweder du, oder ich fresse ihn ... Deswegen ist hier kein Mensch.« Sie setzten sich hin und begannen sich zu unterhalten. Tahir sagte zu seiner Mutter: »Wenn aus diesem Schrank ein Mädchen hervorkommt, gibst du mir die?«

Seine Mutter schwor: »Ich geb sie dir.« Tahir machte den Schrank auf, und das Mädchen kam heraus ...

Am nächsten Tag gab Tahirs Mutter dem Mädchen ein großes Sieb voll mit Zwiebeln und sagte: »Schäl die oder schäl sie nicht!«

Das Mädchen wußte nicht, was sie machen sollte. Sie fragte Tahir. Tahir sagte: »Tu nichts, ohne mich zu fragen! Schäl jetzt einen Teil der Zwiebeln halb, und einen anderen Teil schälst du nicht.« Das Mädchen tat, was Tahir ihr gesagt hatte. Als die Dämonenmutter nach Hause kam, fragte sie das Mädchen: »Hast du sie geschält?«

Als das Mädchen sagte, sie hätte sie geschält, wurde die Frau wütend: »Ich hätte

sie vielleicht nicht geschält«, brummte sie. Darauf sagte das Mädchen: »Die Hälfte hab ich geschält, die andere Hälfte hab ich nicht geschält.«
Darauf sagte die Dämonenfrau zu sich: ›Mein Sohn hat's gelehrt, das Mädchen hat's getan.‹
Am nächsten Tag gab die Frau dem Mädchen eine Schüssel mit Wäsche: »Du kannst sie waschen oder auch nicht waschen«, sagte sie und ging fort. Das Mädchen fragte wiederum Tahir. Tahir sagte: »Wasch einen Teil, wasch einen Teil nicht, wasch einen Teil nur halb.«
Das Mädchen tat, wie Tahir gesagt hatte. Als die Dämonenmutter nach Hause kam, fragte sie das Mädchen, ob sie die Wäsche gewaschen habe oder nicht. Das Mädchen sagte, sie habe sie gewaschen. Die Frau wurde wieder wütend: »Vielleicht hätte ich sie nicht waschen sollen!« schrie sie. Das Mädchen sagte aus Angst: »Einen Teil hab ich gewaschen, einen Teil hab ich nicht gewaschen, einen Teil hab ich halb gewaschen.« Die Frau sagte wieder zu sich: ›Das hat ihr mein Sohn beigebracht.‹
Am nächsten Tag sagte sie zu dem Mädchen: »Ich will dich jetzt nicht mehr in diesem Hause sehen. Wenn ich dich sehe, freß ich dich ...« Das Mädchen sagte Tahir auch das. Tahir machte eine Schaukel an der Decke fest und setzte das Mädchen hinein. Dann ermahnte er sie: »Wenn meine Mutter kommt, dann schaukele ununterbrochen.«
Die Dämonenmutter kam. Das Mädchen fing an zu schaukeln; die Frau blickte zur Decke und sah das Mädchen.
»Komm runter, ungezogenes Ding«, schrie sie. Tahir holte das Mädchen herunter.
Die Dämonenfrau entschloß sich eines Tages, das Mädchen zu Tahirs Tanten zu schicken. Sie sagte zu dem Mädchen: »Dort gibt's Trommel und Pfeife, geh, hol sie von dort!« Das Mädchen sagte das Tahir ganz genau so. Tahir aber gab dem Mädchen seinen Ring: »Wenn du dorthin gehst«, sagte er, »lassen sie dich herein. Wenn sie nach draußen gehen, läßt du diesen Ring auf dem Tisch liegen. Du nimmst Trommel und Pfeife. Neben der Tür steht eine Kuh. Vor der Kuh liegt ein Knochen, und etwas weiter liegt Gras vor dem Hund. Nimm das Gras und gib es der Kuh und den Knochen dem Hund und renn fort und komm!«
Das Mädchen ging geradewegs los. Es erreichte das Haus. Sie brachten dem Mädchen Essen und gingen, um ihre Zähne zu feilen. Das Mädchen ließ den Ring liegen und nahm Trommel und Pfeife. Sie kam direkt nach Hause. Die Dämonen, die gegangen waren, um ihre Zähne zu feilen, schrieen sie an: »Ißt du?« Der Ring antwortete vom Tisch: »Ich esse!« Die Dämonen kamen mit geschliffenen Zähnen. Aber sie fanden das Mädchen dort nicht. Als Tahirs Mutter kam, fragte

sie, ob das Mädchen Trommel und Pfeife gebracht habe. Das Mädchen sagte, es habe sie gebracht. Die Dämonenmutter war wütend, daß sie es nicht fertiggebracht hatte, das Mädchen auffressen zu lassen.
Eines Tages brachte die Dämonenmutter eine der Cousinen zu Tahir, als sei es das Mädchen. Sie zog Tahirs Geliebte dann hinter die Tür und zündete auf ihren Fingern Kerzen an. Dann sagte sie zu dem Mädchen: »Nimm dich in acht und schrei nicht! Ich bin hinter der Tür, dann fresse ich dich.« Sie ließ das Mädchen dort und ging weg. Tahir und die andere vergnügten sich. Die Kerzen auf den Fingern des Mädchens hinter der Tür waren heruntergebrannt. Die Finger des Mädchens fingen an zu brennen. Die Arme fing an zu jammern: »Ich verbrenne ... und Tahir vergnügt sich ...« Tahir, der das hörte, sah hin und merkte, das Mädchen neben ihm war ja seine Cousine! Er gab ihr einen Tritt und ging und rettete seine Geliebte. Die Kerzen steckte er auf seine Cousine. Mit dem anderen Mädchen lief er davon.
Seine Mutter kam; sie klopfte an, niemand machte auf. Da brach sie die Tür auf und trat ein. Als sie ihre Nichte mit herausquellenden Augen tot sah, wurde sie ganz furchtbar wütend. Sie bestieg ihren Tonkrug und verfolgte Tahir. Tahir sagte zu dem Mädchen: »Sieh dich mal um!« Das Mädchen sah sich um und sah, daß seine Mutter kam. Das sagte sie Tahir. Tahir gab dem Mädchen eine Ohrfeige und verwandelte sie in eine Quelle. Er wurde zum Becher. Seine Mutter kam und trank das Wasser im Becher und kehrte nach Hause um. Das Mädchen im Haus fragte die Frau, was sie gesehen hätte. Die Dämonenmutter sagte: »Ich habe nichts gesehen, nur eine Quelle hab ich gesehen und ein bißchen Wasser getrunken, und bin gekommen.« Das Mädchen aber sagte: »Ach liebe Mutter, diese Quelle war Tahir ...«
Seine Mutter ging nochmals aus. Tahir und das Mädchen setzten ihren Weg fort. Das Mädchen sah sich um. Sie sagte Tahir, daß seine Mutter käme. Tahir gab dem Mädchen noch eine Ohrfeige. Er machte das Mädchen zu einem Feld. Er selbst wurde ein Gärtner und sagte dort, vor sich hin murmelnd: »Säe ich nun Bohnen oder Mais?« Die Mutter rief dem Gärtner zu: »Gärtner, Gärtner, sind hier ein Mädchen und ein Mann vorbeigekommen?« Er, ohne seine Haltung zu ändern, sagte immer weiter vor sich hin: »Soll ich nun Bohnen pflanzen oder Mais?« Die Mutter sagte etliche unfreundliche Worte und ging nach Hause. Sie erzählte dem Mädchen die Sache. Das Mädchen sagte: »Ach, Mutter, dieser Gärtner war Tahir!«
Während Tahir und das Mädchen weiterzogen, blickte sich das Mädchen um. Sie sah, daß die Dämonenmutter kam, und berichtete das Tahir. Tahir gab dem Mädchen wieder eine Ohrfeige. Diesmal verwandelte er sie in eine Braut und

sich in einen Priester. Die Frau hatte es wieder vergessen. Sie rief dem Priester zu: »Herr Priester, ist hier ein Mann mit einem Mädchen vorbeigekommen?« Der Priester antwortete: »Ich bin hier seit fünfzehn Jahren Priester, aber ich habe nichts gesehen.« Seine Mutter kehrte wieder nach Hause zurück. Sie erzählte dem Mädchen, was sie diesmal gesehen hatte. Das Mädchen sagte, daß auch der Priester Tahir gewesen sei.
Tahir und das Mädchen setzten ihren Weg weiter fort. Das Mädchen blickte sich einmal um und sah die Frau. Sie erzählte es Tahir. Tahir machte diesmal das Mädchen zu einem Baum. Er selbst wurde zur Schlange, um den Baum geringelt. Als die Frau kam, warf sie einen Stein auf die Schlange am Baum. »Du bist es, Tahir, du bist's!« Tahir wurde zum Menschen und tötete seine Mutter. Er machte das Mädchen wieder lebendig. Sie setzten ihren Weg fort. Als sie ihrer Heimat näher kamen, schickte das Mädchen seinem Vater Nachricht. Es bat um eine Abteilung Soldaten. Die Soldaten kamen. Zusammen kamen sie in die Stadt. Sie gingen direkt zu ihrem Haus und lebten glücklich bis an ihr Lebensende.

19. August – Der zweihunderteinunddreißigste Tag

König Blitz

Es war einmal und ist nicht mehr ... In den längst vergangenen Tagen, als im Stroh die Siebe lagen, gab es einmal einen König. Dieser König hatte eine Frau und eine Tochter.
Eines Tages erkrankte die Frau des Königs. Sie rief ihren Mann zu sich und sprach zu ihm: »Wenn ich sterben sollte«, so sprach sie, indem sie ihrem Gatten ihren Ring gab, »so heirate die, an deren Finger dieser Ring paßt.« Einige Zeit verging. Die Frau konnte ihrer Krankheit nicht entrinnen; eines Tages starb sie. Der König sprach zu seiner Tochter: »Meine Tochter, nimm diesen Ring da in die Hand. Auf wessen Finger dieser Ring paßt, die werde ich nach gottgesetztem Brauche heiraten.« Das Mädchen nahm den Ring. Es trat aus dem Schloß und zog durch das Land. Es durchzog das ganze Land ... Der Ring paßte keiner an den Finger. Es kam wieder zum Vater und sagte: »Dieser Ring paßt niemand an den Finger.« – »Komm einmal her, meine Tochter!« sprach der Vater, nahm den Ring und steckte ihn dem Mädchen an den Finger, und siehe, er paßte wie angegossen! »Meine Tochter«, sprach er, »ich werde dich nach gottgesetztem Brauche heiraten.« – »Ach, lieber Vater! Wie könnte das sein!« weinte und flehte das

Mädchen. »Deine Mutter hat so verfügt«, erwiderte der König. Was konnte die Tochter anders tun? Sie willigte schließlich ein, aber aus ihren Augen strömten unaufhörlich Tränenbäche ...
Inzwischen begannen die Hochzeitsfeierlichkeiten ... Schließlich kam der Tag. Das Mädchen legte die Brautkleider an. Am Abend, als die Braut in die Brautkammer hineingehen sollte, sagte sie zu ihrem Vater: »Lieber Vater, erlaubt, daß ich hinausgehe.« Sie ging hinaus, vollzog die Reinigungswaschung, verrichtete die Gebetsübung in zwei Folgen und begann dann, zu Gott zu flehen ... Als sie sich umwandte, sah sie mit einem Mal, daß die Wand sich geöffnet hatte. Sie sprang hinab und fand sich in einem großen Garten, so weit das Auge blickte ... Sie lief und lief. Endlich kam sie an das Ufer eines Sees. Auf der anderen Seite stand ein mächtiges Schloß. Sie setzte sich an den Rand des Sees und wartete. Als der Abend kam und es dämmerte, sah sie einundvierzig Tauben herankommen. Sie tauchten im Wasser des Sees unter, und die einundvierzig Tauben tauchten als einundvierzig mondschöne Jungfrauen wieder auf. Sodann erhoben sie sich, um zum Schloß zu gehen. Als sie aber vom See aufbrachen, erblickte eine unter ihnen, die besonders klug war, das Mädchen. »Ach!« rief sie. »Wer ist denn das dort?« Alle kehrten um und kamen zu dem Mädchen. »Was suchst du hier?« fragten sie es. »Nichts«, erwiderte das arme Ding. Sie versetzten dem Mädchen eine gehörige Tracht Prügel und wollten es fortjagen. Da sagte eine unter ihnen: »Lassen wir sie, mag sie bleiben! Sie kann unsere Arbeiten versehen.« Die anderen waren einverstanden. Sie nahmen das Mädchen ins Schloß ... Nun, der Morgen kam und damit die Zeit, wo die Feen fort mußten. Sie gaben dem Mädchen einen Bund Schlüssel und schärften ihr ein: »Mädchen, nimm diese Schlüssel, sperre damit die vierzig Kammern auf und fege sie. Koche unser Essen, mache dies und mache jenes, aber hüte dich, die einundvierzigste Kammer zu betreten!«
Das Mädchen stand auf und tat alle Arbeiten, die ihm die Feen aufgetragen hatten. Als es zur einundvierzigsten Kammer kam, schwankte es: »Soll ich hineingehen oder nicht?« Die Neugierde, was es in jener Kammer wohl gebe, plagte es aber sehr ... Zu guter Letzt konnte es nicht widerstehen und schloß die Tür auf. Was sah es da? Einen Thron! Auf dem Thron saß der Blitzkönig. Als das Mädchen ihn erblickte, wollte es gleich wieder hinaustreten. »Komm, Mädchen, komm!« sprach der Blitzkönig. »Was sollte dir denn von mir zuleide geschehen?« Die Maid ging zu dem König. Der König empfing sie, sie saßen und sprachen miteinander. Der Blitzkönig streichelte die Hände des Mädchens ... Schließlich sagte er: »Auf, Mädchen, es ist Zeit, daß du gehst!«
Das Mädchen verschloß die Türe und ging. Während sie den langen Gang

entlangschritt, bemerkte sie mit einem Mal, daß ihre zehn Finger mit Henna gefärbt waren. Sogleich eilte sie zum Brunnen und wusch sich die Hände, nochmals und nochmals ... Aber das Henna wollte von ihren Händen einfach nicht abgehen. Was sollte sie tun? Vor Angst, daß man es sehen könnte, verband sie sich die Finger mit Lappen.

Es wurde Abend. Die Tauben kamen wieder, tauchten in den See, und die einundvierzig tauchten als einundvierzig Mädchen auf. Sie kamen ins Schloß und fragten das Mädchen: »Nun, Mädchen, was hast du getan?« Darauf zählte es alle Arbeiten auf, die es verrichtet hatte. Aber das kluge Mädchen rief: »Ach! Was ist denn mit deinen Fingern geschehen?« – »Ich habe mich mit dem Messer geschnitten, drum habe ich sie verbunden«, antwortete das Mädchen. Da rief die Kluge: »Messer, Messer, warum hast du das Mädchen in die Finger geschnitten?« Sogleich antwortete die Stimme des Messers: »Hahaha! Ich habe es nicht geschnitten. Es ist zum Blitzkönig gegangen, und der hat es mit Henna gefärbt.« Als sie darauf die Lappen abnahmen, sahen sie, daß die Finger in der Tat mit Henna gefärbt waren. Da verabreichten sie dem Mädchen eine ordentliche Tracht Prügel. »Wenn du noch einmal dorthin gehst, werfen wir dich hinaus!« drohten sie ihm. Das Mädchen aber versprach: »Ich will es gewiß nicht wieder tun.«

Am nächsten Tag wurden die einundvierzig Mädchen wieder einundvierzig Tauben und flogen fort. Das Mädchen schloß die vierzig Kammern auf, eine nach der anderen, und fegte sie. Als sie zur einundvierzigsten kam, zögerte sie wieder: »Soll ich sie aufsperren oder nicht?« Schließlich konnte sie nicht widerstehen, öffnete einen ganz schmalen Spalt und blickte hinein. »Komm, komm, Mädchen«, rief der Blitzkönig, »ich tue dir nichts zuleide.« – »Ich komme nicht«, entgegnete das Mädchen, »gestern hast du mir die Hände mit Henna gefärbt, und sie haben mich geschlagen. Wenn ich noch einmal zu dir komme, werden sie mich fortjagen. Ich komme nicht ...« – »Komm, Mädchen, ich tue dir nichts zuleide!« Kurzum, das Mädchen konnte nicht widerstehen und kam zu dem König. Sie saßen beisammen und unterhielten sich. Diesmal streichelte der König das Mädchen an der Brust und sagte: »Auf, Mädchen, es ist Zeit, daß du gehst.«

Das Mädchen stand auf, verschloß die Türe und ging. Als sie den langen Gang entlangschritt, fiel ihr Blick auf einen großen Spiegel. Da sah sie an ihrem Hals ein funkelndes Halsband leuchten. Sie griff danach, drehte und wendete es, doch es gelang ihr einfach nicht, es abzunehmen. Da band sie sich ein Tuch um den Hals und beschloß, am Abend, wenn man sie danach fragte, zu antworten: Ich habe Halsweh.

Es wurde Abend. Die Vögel kamen. Wieder tauchten sie in den See und verwandelten sich in einundvierzig Mädchen. Sie traten ins Schloß. Die Kluge erblickte das Tuch am Hals des Mädchens und fragte: »Mädchen, was hast du am Hals?« – »Ich habe Halsweh bekommen, darum habe ich mir den Hals verbunden.« Darauf rief das Feenmädchen: »Halsweh, Halsweh! Warum bist du in dem Hals des Mädchens?« Die Stimme des Halswehs antwortete: »Haha! Ich bin nicht in ihrem Hals ... Sie ist in die Kammer des Blitzkönigs gegangen, und der König hat ihr ein Halsband gemacht.« Sie nahmen das Halstuch ab, und siehe da: Wirklich war am Hals des Mädchens ein Halsband, wie die Welt nicht seinesgleichen gesehen hatte! Da versetzten sie dem Mädchen zuerst eine saftige Tracht Prügel. Dann schärften sie ihm ein: »Du wirst jene Kammer nie wieder betreten! Gehst du noch einmal hinein, so behalten wir dich auch nicht eine Minute länger bei uns.«

Am nächsten Morgen verwandelten sich die Feen wieder in Vögel und flogen fort. Diesmal ging das Mädchen geradewegs zu der Kammer des Königs. Sie schloß die Türe auf. Als der König sie sah, rief er wieder: »Komm, Mädchen, komm!« – »So? Nein, ich komme nie mehr«, erwiderte das Mädchen, »du hast meine Hände mit Henna gefärbt, du hast mir an den Hals ein Halsband gemacht, und ich habe deswegen von ihnen soviel Leid erdulden müssen. Diesmal behalten sie mich nicht hier und jagen mich aus dem Schloß.« – »Komm, Mädchen, komm«, rief der König wieder, »ich tue dir nichts zuleide!«

Da konnte sie nicht widerstehen und trat in die Kammer. Sie saßen beisammen und unterhielten sich. Schließlich streichelte der König die Haare des Mädchens und sagte: »Auf, geh nun!«

Das Mädchen ging hinaus. Als es durch den Gang ging und wieder vor jenen Spiegel kam, da sah es auf einmal, daß seinen Kopf rundherum eine Krone bedeckte, die strahlte und funkelte. Es versuchte sie abzunehmen, aber sie ließ sich nicht abnehmen. »O weh«, rief sie, »was tue ich nun? Sie werden das wieder sehen ...« Was blieb ihr übrig? Sie band sich ein großes Kopftuch um den Kopf, damit sie es nicht sehen sollten.

Es wurde Abend. Wieder kamen die Tauben, tauchten in den See und kamen als Mädchen heraus. Sie traten ins Schloß. Da sah die Kluge den gewaltig großen Kopfbund auf dem Kopf des Mädchens. »Mädchen«, fragte sie, »was ist mit deinem Kopf geschehen?« – »Als ich mich kämmte, stach der Kamm mich.« Da rief die Kluge: »Kamm, Kamm!« – »Du wünschest? – »Warum hast du das Mädchen in den Kopf gestochen?« – »Haha! Ich habe es nicht gestochen ... Es ist zum Blitzkönig gegangen, der hat ihm eine Krone aufgesetzt.« Als sie darauf den Kopfbund abnahmen, da erblickten sie wirklich auf dem Kopf des Mädchens rundherum eine Krone, die strahlte und funkelte. Sogleich nahmen sie das

Mädchen in die Mitte und versetzten ihr eine weidliche Tracht Prügel. »Haben wir es dir gesagt ... ?« riefen sie. Kurz, sie prügelten sie fast zu Tode.
Da erschien mit einem Mal eine Wolke, ein Blitzstrahl, ein Sturm, ein Donnerkeil, ein Rauch ... Himmel und Erde gerieten ineinander, unter Staubwolken, Rauch und Nebel kam der Blitzkönig herbei. Er befreite das Mädchen aus den Händen jener einundvierzig Quälerinnen. Das Mädchen blickte um sich und sah, daß es in der Kammer des Blitzkönigs war. »Komm«, sprach er, »meine Königin! Geduldiges Leiden findet seine Belohnung.« Sodann rief er die einundvierzig Mädchen herbei und übergab sie der Königin als ihre Mägde.
Alsbald feierten sie vierzig Tage und vierzig Nächte lang die Trauung und vierzig Tage und vierzig Nächte die Hochzeit. War das eine Hochzeit! Die Welt krachte in ihren Fugen! Ich war auch dort ...

Ihnen ward das Glück zu eigen.
Uns laßt in die Sänfte steigen!

Vom Himmel sind zwanzig Apfelsinen gefallen. Zehn für mich, zehn für den, der das Märchen erzählt hat.

20. August – Der zweihundertzweiunddreißigste Tag

Das goldene Meermädchen

Ein mächtiger Kaiser hatte unter anderen unschätzbaren Gütern in einem seiner Gärten einen Wunderbaum, der alljährlich goldene Äpfel trug. Der Kaiser konnte sich aber nie recht darüber freuen, denn er mochte wachen und Leute dazustellen, wie er wollte: Die Äpfel wurden ihm, sooft sie zu reifen anfingen, gestohlen. Dies verdroß ihn je länger, je mehr; er schickte deshalb eines Tages nach seinen drei Söhnen und sagte zu den beiden älteren: »Rüstet euch zur Reise und laßt euch von meinem Schatzmeister mit Gold und Silber versehen, damit ihr in die Welt auszieht und überall bei Weisen und Gelehrten fragt, wer wohl der Dieb meiner goldenen Äpfel sei. Vielleicht könnt ihr mit euren Leuten sogar des Diebes habhaft werden und ihn mir übergeben!« Die Söhne des Kaisers waren über diesen Auftrag erfreut, denn sie wären schon längst gern in die Welt hinausgezogen. Sie rüsteten sich daher schnell zur Reise, beurlaubten sich bei ihrem Vater und verließen die Stadt.

Hierüber war des Kaisers jüngster Sohn sehr betrübt, denn er wäre gar zu gern auch in die Welt hinausgezogen, aber sein Vater wollte es nicht haben, weil er sich von Jugend auf ziemlich blöde gezeigt hatte und man deshalb in Besorgnis war, es möchte ihm etwas zustoßen. Der Prinz drang aber so lange mit Bitten in seinen Vater, bis er zusagte und ihn ebenfalls mit Silber und Gold ausziehen ließ. Doch gab er ihm die elendeste Mähre, die man in seinen Ställen finden konnte, als Reiseroß, denn nicht mehr hatte der blöde Prinz verlangt. So zog er, nachdem er sich von seinem Vater verabschiedet hatte, unter dem Gespött des Hofes und der ganzen Stadt zum Tore hinaus ins Freie.

Als er bald darauf einen Wald erreichte, durch den ihn sein Weg führte, begegnete ihm ein hungriger Wolf, der vor ihm stehenblieb. Der Prinz fragte ihn, ob er Hunger habe, stieg, als der Wolf dies bejahte, vom Pferd und sagte: »Wenn du hungrig bist, so nimm mein Pferd und friß es!« Der Wolf ließ sich das nicht zweimal sagen, er riß das Pferd nieder und fraß es ganz auf. Als der Prinz sah, wie wohl dem Wolf ward, sprach er wieder zu ihm: »Nun, Freund, hast du mein Pferd gefressen, und mein Weg ist sehr weit, so daß ich zu Fuß nicht fortkommen könnte, wenn ich mich auch noch so sehr abmühte. Es ist also billig, daß du mir als Pferd dienst und mich auf deinen Rücken nimmst.« – »Gut«, sagte der Wolf darauf, ließ den Prinzen aufsitzen und trollte sich in seinem Hundstrab fort. Unterwegs fragte der Wolf seinen Reiter, wohin er denn eigentlich reise, worauf ihm der Prinz die ganze Geschichte mit den gestohlenen Äpfeln in seines Vaters Garten erzählte und ihm auch sagte, wie seine Brüder bereits mit vielen Reisigen ausgezogen seien, um den Dieb zu suchen. Der Wolf, der aber kein wirklicher Wolf, sondern ein mächtiger Zauberer war, gab kund, daß er ihm in dieser Sache leicht Aufschluß geben könnte, und als der Prinz hastig danach fragte, sagte er, der benachbarte Kaiser habe in seinem prachtvollsten Saal in offenem Käfig einen wunderbar schönen und zahmen Vogel, und eben dieser sei der Dieb der goldenen Äpfel. Er sei im Fluge so flink, daß es kaum möglich wäre, ihn bei seinem Diebstahl zu erwischen. Weiter gab der Wolf dem Prinzen den Rat, er solle sich nachts in den Palast dieses Kaisers schleichen und den Käfig samt dem Vogel stehlen. Nur vor einem solle er sich in acht nehmen: daß er nicht, während er mit dem Käfig enteile, an eine Wand streife.

Wie der Wolf geraten hatte, so tat der Prinz in der folgenden Nacht. Als er aber einigen schlafenden Wächtern aus dem Wege treten wollte, streifte er trotz aller Vorsicht mit dem Rücken die Wand, worauf sogleich die Wächter erwachten, ihn ergriffen, prügelten und in Ketten legten. Darauf wurde er vor den Kaiser geführt, der ihn alsbald zum Tode verurteilte und bis zum Tag seiner Hinrichtung in einen finsteren Kerker werfen ließ.

Der Wolf, der vermöge seiner Zauberkunst natürlich augenblicklich wußte, was dem Prinzen zugestoßen war, verwandelte sich schnell in einen großen Herrn, seinen Schwanz aber in ein zahlreiches Gefolge. So fuhr er an den Hof des Kaisers, der den Gast wegen seines feinen, gebildeten Geistes und seiner guten Sitten während der Tafel sehr schätzenlernte. Es wurde von allerhand gesprochen, bis endlich der Fremde den Kaiser fragte, ob er viele Sklaven habe. Der bejahte: »Ja, nur zu viele! Diese Nacht erst ist mir einer gefangen worden, der so keck war, meinen Wundervogel stehlen zu wollen, und da ich ohnedies genug Sklaven zu füttern habe, so will ich diesen Schuft morgen hängen lassen.«
»Na, das muß ein großer Dieb sein«, sprach hierauf der fremde Herr zum Kaiser, »der so unverschämt ist, daß er aus dem kaiserlichen Palaste selbst den Wundervogel zu stehlen unternimmt, der gewiß über alle Maßen gut bewacht ist. Es wäre mir doch lieb, wenn ich diesen tolldreisten Gauner sehen könnte.« – »Nun, warum nicht?« entgegnete der Kaiser und führte seinen Gast selbst in das Gefängnis, wo der arme Prinz, untröstlich über seine schlimme Lage, gefangen saß. Als der Kaiser mit seinem hohen Gast wieder heraustrat, sprach dieser: »Mein hoher Kaiser, wie hab ich mich getäuscht! Ich glaubte, einen rechten Kerl von einem Dieb zu finden, während ich mir keinen elenderen Wicht denken kann, als den Ihr mir da gezeigt habt. Der wäre mir zu schlecht, als daß ich ihn hinrichten ließe. Wenn ich über ihn zu verfügen hätte, er müßte mir irgendein schweres Unternehmen ausführen, bei dem das Leben auf dem Spiele steht. Machte er seine Sache gut, wohl! Ginge er zugrunde, so wäre auch nichts verloren.« – »Euer Rat«, entgegnete der Kaiser, »ist gut, und in der Tat, ich hätte wohl eine solche Aufgabe für ihn. Mein Nachbar, auch ein mächtiger Kaiser, besitzt ein goldenes Pferd, welches er scharf bewachen läßt. Dieses soll er stehlen und mir überbringen.«
Der Gefangene wurde hierauf aus der Haft entlassen und beauftragt, das goldene Pferd zu stehlen, ein Unternehmen, wobei auch freilich wieder das Leben auf dem Spiel stand, so daß der arme Jüngling wenig gewonnen hatte. Indem er seines Weges zog, brach er in bittere Tränen aus, und es reute ihn sehr, daß er Haus und Reich seines Vaters verlassen hatte. Plötzlich aber sah er seinen Freund neben sich stehen, der zu ihm sprach: »Teurer Prinz, warum so niedergeschlagen? Ist der Fang mit dem Vogel nicht gelungen? Laßt Euch das nicht gereuen! Ging's mit dem Vogel nicht, so seid Ihr vorsichtiger geworden, und um so besser wird's mit dem Pferde gehen.« Mit solchen und anderen Worten tröstete der Wolf den Prinzen, sprach ihm Mut zu und unterwies ihn wieder, wie er ja achtgeben solle, daß sowohl das Pferd als auch er die Wand nicht berührten, wenn er's heimlich herausführe, sonst erginge es ihm nicht besser als beim Vogel.
Nach einer ziemlich weiten Reise hatten sie die Grenze des Kaisertums über-

schritten und waren in das Land gekommen, welches der Herr des goldenen Pferdes beherrschte. Eines Abends spät hatten sie die Hauptstadt erreicht, und der Wolf riet, sogleich ans Werk zu gehen, bevor ihr Erscheinen die Aufmerksamkeit der Wächter erregte. Sie schlichen also unverweilt in die kaiserlichen Stallungen, und zwar dahin, wo sie die meisten Wächter bemerkten, denn da vermutete der Wolf das goldene Pferd. Er drückte sich sachte durch eine Tür hinein, indem er den Prinzen warten hieß, kam bald darauf wieder heraus und sagte zu ihm: »Mein Prinz, das Pferd ist über alle Maßen scharf bewacht, doch hab ich die Wächter alle bezaubert, und wenn Ihr dafür sorgt, daß beim Herausführen die Wand weder von Euch noch vom Pferd gestreift wird, so ist keine Gefahr und gewonnen Spiel!« Der Prinz, der sich vorgenommen hatte, recht vorsichtig zu sein, ging darauf mutig ans Werk. Er fand, daß der Wächter, der es hinten beim Schweif halten sollte, im Sattel schlief, und ebenso der, welcher es bei den Zügeln hatte. Der Prinz faßte die Zügel und führte das Pferd bis unter die Tür, aber hier erwehrte es sich einer Stechfliege, die auch bei Nacht keine Ruhe geben, und berührte mit dem Schweif einen der Türpfosten, worauf alle Wächter munter wurden, den Prinzen faßten, mit Peitschen und Gabeln unbarmherzig zurichteten, dann in Ketten legten und ihn des Morgens vor den Kaiser brachten. Dieser machte nicht mehr Umstände mit ihm als der Herr des goldenen Vogels und ließ ihn in ein tiefes Gefängnis sperren, woraus man ihn am anderen Morgen holen wollte, um ihm den Kopf abzuschlagen.
Als der Zauberer Wolf sah, daß auch dieser Versuch mißglückt war, verwandelte er sich wieder in einen großen Herrn mit seinem Gefolge und fuhr in einem noch glänzenderen Zug als das erste Mal an den Hof des Kaisers. Er wurde sehr freundlich aufgenommen, brachte nach Tisch die Rede wieder auf Sklaven und erbat sich im Verlaufe des Gespräches wieder die Erlaubnis, den abscheulichen Dieb sehen zu dürfen. Der Kaiser hatte nichts einzuwenden, und auch im übrigen gelang ihm alles ebenso wie beim Kaiser mit dem goldenen Vogel: Der Gefangene wurde freigegeben, unter der Bedingung, daß er binnen drei Tagen das goldene Meermädchen fange, zu dem bis jetzt kein Sterblicher hatte gelangen können.
Höchst niedergeschlagen über diesen gefahrvollen Auftrag verließ der Prinz den dunklen Kerker, doch stieß er zu seiner großen Beruhigung bald wieder auf den Freund Wolf. Der tat, als ob er von nichts wüßte, und fragte den Prinzen, wie es ihm diesmal ergangen sei, worauf er ihm den ganzen Hergang erzählte und zum Schluß auch die Bedingung, unter der ihn der Kaiser freigelassen hatte. Hierauf offenbarte der Wolf dem Prinzen, daß er ihm nun schon zum zweiten Mal aus dem Kerker geholfen habe, und er solle ihm nur vertrauen und seine Ratschläge genau befolgen, dann werde er gewiß in seinen Unternehmungen glücklich sein.

Damit wandten sie ihre Schritte dem Meere zu, das nicht fern von ihnen sich im hellen Sonnenschein unabsehbar ausbreitete. »Ich werde mich jetzt in einen Kahn verwandeln«, sagte der Wolf, »und meine Eingeweide in die herrlichsten Seidenwaren. Wenn dies geschehen, so setzt Euch, mein lieber Prinz, keck hinein und steuert, meinen Schwanz in der Hand, ins Meer hinaus. Ihr werdet das goldene Meermädchen bald sehen. Laßt Euch aber, so lieb Euch Euer Leben ist, nicht verführen, ihr nachzugehen, wenn sie Euch ruft, sondern sagt im Gegenteil zu ihr: ›Käufer kommen zum Kaufmann, nicht aber der Kaufmann zum Käufer.‹ Dann steuert dem Lande zu, und sie wird Euch folgen, denn sie wird ihre Augen nicht mehr von den herrlichen Waren abwenden können, die Ihr im Kahn habt.«

Der Prinz versprach, dies alles getreulich zu erfüllen, worauf der Wolf sich in einen Kahn verwandelte, in dem statt häßlicher Gedärme herrliche seidene Bänder und Stoffe von den glühendsten Farben lagen. Der erstaunte Prinz setzte sich zu ihnen in den Kahn und steuerte, den Schwanz des Wolfs haltend, keck ins Meer hinaus, dorthin wo die Sonne ihr Gold auf die blauen Wellen streute. Bald sah er das goldene Meermädchen herauftauchen und auf sich zuschwimmen, er sah und hörte, wie sie ihm winkte und rief; er aber entgegnete ihr mit lauter Stimme, wenn sie etwas kaufen wolle, müsse sie zu ihm kommen. Und er drehte sein Wunderfahrzeug um und steuerte wieder dem Land zu.

Das Meermädchen rief ihm unaufhörlich zu, er solle anhalten, er aber kehrte sich nicht daran und fuhr fort, bis er den Sand des Ufers erreicht hatte. Hier legte er an und erwartete das Meermädchen, das ihm nachgeschwommen kam. Hätte er sie früher erblickt, er hätte ihren Winken gewiß nicht widerstanden und wäre ihr selbst in des Meeres Tiefe gefolgt; auf keinen Fall aber hätte er sie so kaltblütig am Meeresufer erwartet, denn sie war so außerordentlich schön, wie Sterbliche gar nicht sein können. Sie hatte den Kahn bald erreicht und sich über Bord geschwungen, um recht nach Herzenslust unter den herrlichen Waren aussuchen zu können. Der Prinz aber sprang auf sie zu, schloß sie heftig in seine Arme und bedeckte ihre Wangen und Lippen mit tausend Küssen, indem er ihr erklärte, daß sie nun sein sei. Zugleich verwandelte sich der Kahn wieder in einen Wolf, worüber das Meermädchen so erschrak, daß sie ängstlich ihre Arme um den Prinzen schloß.

So war das goldene Meermädchen glücklich gefangen, und sie fügte sich auch bald willig in ihr neues Los, da sie sah, daß sie weder den Wolf noch den Prinzen zu fürchten habe. Sie saß auf dem Rücken des Tieres und hinter ihr der Prinz. So kamen sie zu dem Kaiser mit dem goldenen Pferd, der Prinz stieg ab und half auch dem Meermädchen herunter, um sie vor den Kaiser zu geleiten. Vor dem schönen Mädchen wie vor dem mächtigen Wolf, der diesmal seinen Prinzen nicht verließ, machten die Wachen ehrerbietig Platz, und bald standen alle drei vor dem höchst erstaunten Kaiser. Als dieser von dem Prinzen erfuhr, wie er in den Besitz des goldenen Meermädchens gekommen, sah er wohl, daß dem Jüngling eine höhere Macht zur Seite stehe, und nahm den Gedanken an den Besitz des überaus schönen Meermädchens gar nicht mehr auf. Im Gegenteil, er sagte zu dem Prinzen: »Lieber Jüngling, verzeiht mir, daß ich Euch in ein so schmachvolles Gefängnis habe werfen lassen, als Ihr zuerst nehmen wolltet, was nur Euch und keinem anderen gebührte. Nehmt von mir das goldene Pferd als ein Geschenk und als einen Beweis meiner Hochachtung vor Eurer Macht, die wirklich größer ist, als ich begreifen kann: Denn Euch ist es gelungen, dem Meere diese übergroße Schönheit zu entführen, zu der bis jetzt kein Sterblicher hat gelangen können.« Darauf setzte man sich zur Tafel, und hier mußte der Prinz seine wunderbare Geschichte nochmals erzählen, zum Erstaunen aller Anwesenden. Mancher hätte sie wohl nicht geglaubt, wenn nicht der Wolf in Wirklichkeit bei der Tafel gesessen und mit seinen grimmigen Blicken jeden Ungläubigen an die Wahrheit der Sache gemahnt hätte.

Der Prinz, voll Sehnsucht nach seiner Heimat, wünschte nach aufgehobener Tafel seine Reise fortzusetzen und beurlaubte sich daher beim Kaiser, der ihm alsbald das goldene Pferd vorführen ließ. Der Prinz hob sein Meermädchen hinauf, schwang sich hinter sie, und im Flug ging es fort, dem anderen Kaisertum zu, wo der Kaiser vom goldenen Vogel herrschte. Der Wolf war dem Prinzen immer an der Seite, ohne daß er irgendeinen anderen Schritt gegangen wäre als seinen gewöhnlichen Hundstritt. Der Ruf von des Prinzen Abenteuern war ihnen schon vorausgeeilt, und der Kaiser vom goldenen Vogel stand bereits auf dem Altan, um seine mächtigen Gäste zu erwarten. Als sie in den Schloßhof einritten, waren sie höchst erstaunt, daß sie alles so schön geschmückt und zum festlichen Empfang bereit fanden. Als der Prinz und das goldene Mädchen, voran der Wolf, die Treppen im Palast hinaufstiegen, kam ihnen der Kaiser entgegen und führte sie in den Saal. Sogleich erschien ein Diener mit dem goldenen Käfig, worin der goldene Vogel war. Der Kaiser machte damit dem Prinzen ein Geschenk und entschuldigte sich angelegentlich, daß er so hart mit ihm verfahren sei; dies wäre nicht geschehen, wenn er ihn gekannt hätte. Der goldene Vogel gehöre zum goldenen Pferd, und diese beiden wieder nur dorthin, wo eine solche überirdische Schönheit herrsche. Mit diesen Worten verneigte er sich sehr höflich vor dem schönen Meermädchen, reichte ihr die Hand und führte sie zur Tafel, wo eben aufgetragen war. Der Prinz folgte mit seinem Freunde Wolf, der ihn aufforderte, nicht lange zu bleiben, im übrigen sich neben den Prinzen zur Tafel setzte, unbekümmert darum, daß niemand ihn aufgefordert hatte. Natürlich traute sich keiner, dem mächtigen Freunde des Prinzen etwas zu sagen, um so weniger, als sich der Wolf bei Tisch überaus artig benahm.

Nach der Tafel beurlaubten sich der Prinz und sein Meermädchen wieder, bestiegen ihr Goldroß und setzten nun die Reise nach ihrer Heimat fort. Unterwegs sagte der Wolf zum Prinzen: »Teurer Prinz, wie ganz anders nehmt Ihr Euch aus auf diesem Goldroß und im Besitz des goldenen Wundervogels und einer so schönen Jungfrau als damals, wo Ihr auf Eurer Mähre die Stadt Eures Vaters verließet! Mein Weg führt mich jetzt fort von Euch, und ich muß Euch Lebewohl sagen, tue es aber mit Freuden, da ich Euch in den glücklichsten Umständen verlasse!« Der Prinz war über diese Worte traurig und wollte den Wolf nicht fortlassen; der aber blieb auf seinem Sinn und trollte sich rechts ab in ein Dickicht, indem er noch rief: »Wenn Ihr im Unglück seid, mein Prinz, will ich schon Eurer Wohltätigkeit gedenken.« Dies waren des treuen Wolfs letzte Worte, und der Prinz konnte sich über das Scheiden seines Freundes kaum der Tränen enthalten. Als er aber sein geliebtes Meermädchen anschaute, wurde er bald wieder froh und lenkte das Goldroß ruhig weiter durch einen Wald.

Auch an dem Hof seines Vaters waren die wunderbaren Abenteuer des einst so gering geachteten Kaisersohnes schon bekanntgeworden. Seine älteren Brüder, die auf den Dieb der goldenen Äpfel vergeblich Jagd gemacht hatten, waren über das Glück des Jüngsten in großen Zorn geraten und übereingekommen, ihn meuchlerisch umzubringen. Der Wald, durch den der Prinz eben ritt, diente ihnen zum Versteck, und es dauerte nicht lang, so fielen sie über ihn her, erschlugen ihn und nahmen Pferd und Vogel mit sich fort. Das Mädchen aber war nicht von der Stelle zu bewegen, denn seit sie das Meer verlassen hatte, kannte sie nichts Höheres als mit ihrem Prinzen leben oder sterben.

Der Leib des Erschlagenen war bereits verwest, und nur noch das gebleichte Knochengerippe lag neben dem unglücklichen Meermädchen, das nichts tun konnte, als über den Verlust ihres Geliebten salzige Tränen zu weinen, so daß sie schon fast ganz aufgelöst war. Da erschien der alte Freund Wolf und sprach zu ihr: »Mädchen meines Prinzen, getraust du dich, die Gebeine deines Geliebten ganz so zu legen, wie sie im Leben waren?« – »O ja!« rief das Meermädchen, sprang auf und tat es. »Gut«, sprach der Wolf, »jetzt nimm Laubwerk und Blumen und decke sie drauf!« Als dies geschehen, blies der Wolf über das Ganze hin, und vor dem freudetrunkenen Meermädchen lag ihr geliebter Prinz in ruhigem Schlummer. »Nun wecke ihn, wenn du willst«, sprach der Wolf. Da küßte das Meermädchen die Narben auf des Prinzen Stirn, die Male der Wunden, die ihm die meuchlerischen Brüder geschlagen, und er erwachte. Vor übergroßer Freude dachten sie beide lange Zeit nicht an das Pferd und an den Vogel; dem Meermädchen aber kehrte, sowie der Kummer von ihr wich, ihre Schönheit zurück. Nach einiger Zeit mahnte der Wolf, dem der Prinz ebenfalls um den Hals gefallen war, zur Heimreise, und wieder, wie früher, setzte sich der Prinz mit seinem geliebten Meermädchen auf den Rücken des treuen Tiers.

Des Vaters Freude war überaus groß, als er seinen jüngsten Sohn umarmte, an dessen Rückkehr er längst verzweifelt hatte. Auch an dem Wolf und an dem herrlichen goldenen Meermädchen hatte er große Freude, und wiederholt mußte der Prinz erzählen, wie der Wolf ihm zum Besitz der schönen Braut verholfen hatte. Sehr traurig wurde aber der alte Vater, als er hörte, wie schändlich die älteren Brüder ihren jüngeren erschlagen hatten. Er ließ sie sogleich rufen, und als sie kamen, erblaßten sie zu Tode vor ihrem Bruder, den sie längst vermodert glaubten. In ihrer Verwirrung konnten sie auch gar nicht leugnen, als der Vater sie fragte, warum sie so gefrevelt hätten, sondern gestanden sofort, es sei nur um des Wundervogels und des goldenen Pferdes willen geschehen. Da entbrannte der Zorn des Vaters, und er befahl, sie beide aufzuhängen. Bald hernach ließ er das prächtigste Hochzeitsfest begehen, und nun wurden der jüngste Prinz und das Meermädchen Mann und Frau. Nach der Feierlichkeit wünschte der Wolf seinem Prinzen alles Glück und beurlaubte sich, zum Schmerze des Kaisers, des Prinzen und der jungen Kaiserin, um wieder in seine Wälder zu kommen.

21. August – Der zweihundertdreiunddreißigste Tag

Juliana Kosseschana

Ein mächtiger Kaiser, die Geschichte sagt aber nicht, von welchem Reich, hatte drei erwachsene Söhne. Der älteste von ihnen bekam Lust zu heiraten und trat mit dem Gesuch um Erlaubnis dazu vor seinen Vater. »Mein Sohn«, erwiderte dieser, »ziehe vorher aus, in fremde Länder, und reise soviel, wie ich gereist bin, dann kannst du, wenn du zurückkommst, heiraten.« Darauf machte sich der Prinz zum Reisen fertig und zog ein ganzes Jahr in fremden Ländern umher, bis er endlich in eine Stadt kam, wo eine frühere Geliebte seines Vaters wohnte. Von dort kehrte er heim und erzählte seinem Vater, daß er so weit gereist sei wie er, und als ihn dieser fragte, wo dies sei, sagte der Prinz: »In jener Stadt, mein Vater, wo du einst eine Geliebte hattest.« Lachend erwiderte hierauf der Kaiser: »Wenn du, um in jene Stadt zu kommen, ein ganzes Jahr gebraucht hast, so kannst du noch nicht heiraten, denn ich ritt in einem halben Tag dahin. Um acht Uhr abends verließ ich die Stadt, ich unterhielt mich mit meiner Geliebten die halbe Nacht und war doch am Morgen wieder zurück. Du siehst also, daß du mir's noch lange nicht gleich tust.«

Einige Zeit nachher wollte des Kaisers zweiter Sohn heiraten und trat ebenfalls vor seinen Vater, um sich die Erlaubnis dazu auszuwirken, bekam jedoch denselben Bescheid wie sein älterer Bruder. Er ging deshalb auch auf die Reise, nahm aber eine andere Seite, auf der er in ferne Länder zog, bis er endlich auch in jene Stadt kam, wo die frühere Geliebte seines Vaters wohnte. Von dort kehrte er zurück, nachdem er gerade ein Jahr fort gewesen. Als er aber seinem Vater Bericht erstattete, ging es ihm wie seinem Bruder: Der Vater ließ ihn nicht heiraten.

Wieder verging einige Zeit, da trat der Jüngste, mit Namen Petru, vor seinen Vater und bat ihn um Erlaubnis zu heiraten. Da wurde der alte Kaiser wütend. Er zog sein Schwert und hätte ihn sicher getötet, wenn ihm nicht die Kaiserin in den Arm gefallen wäre. »Lassen wir ihn ziehen und ebenfalls in fremde Länder«, sprach sie, »er soll noch weiter reisen, als du gekommen bist.« Der Kaiser steckte sein Schwert ein, überlegte sich's und gab auch seinem jüngsten Sohn die Erlaubnis zum Reisen.

Prinz Petrus erste Sorge war, sich ein gutes Pferd in den kaiserlichen Ställen auszusuchen. Als er deshalb über den Hof ging, sagte ein alter Hund, der dort lag, zu ihm: »Geh wieder zu deinem Vater, Petru, und verlange das Pferd, welches er selbst von seiner Jugend bis in sein Alter geritten hat.« Petru hörte auf die Worte des Hundes, kehrte um und verlangte von seinem Vater zur Reise dieses Pferd. Da lachte der Kaiser und sagte: »Was willst du mit dieser alten Mähre tun, von der im Zweifel kein Bein mehr übrig ist. Sollte es aber noch leben, so geh zum Tschikoschen [Roßhirten] auf die Weide, der wird davon wissen.« Der Prinz wandte sich an den Tschikoschen, der die Pferde des Kaisers auf der Weide hütete, und als er wieder an dem Hund vorüberging, sagte dieser: »Petru, mache hier drei Feuer und setze über jedes Feuer einen Kessel Wein zum Kochen, dann befiehl dem Tschikoschen, daß er alle Pferde hierhertreibe. Unter ihnen wird eines sein, welches kommen wird, um die drei Feuer zu fressen und die drei Kessel Wein auszusaufen, das ist das rechte.«

Der Prinz tat, wie ihm der Hund geraten hatte, aber als der Tschikosch auf seinen Befehl die Pferde gegen die drei Feuer trieb, da scheuten sie alle und flohen auseinander. Petru sagte hierauf zum Tschikoschen: »Unter diesen ist das Pferd nicht, welches ich meine, es muß eines zurückgeblieben sein.« Der Tschikosch erwiderte: »Es ist keines zurück, außer einer alten, elenden Mähre, welche vor Magerkeit in eine Pfütze gefallen und dort liegengeblieben ist, als ich die anderen wegtrieb.« – »Hol dieses!« rief der Prinz dem Tschikoschen zu. »Hol dieses, daß wir's auch mit ihm versuchen.«

Er ging, hob mit vieler Mühe das Tier auf und trieb es her, wo noch die Feuer brannten. Als es diese zu riechen anfing, wurde es lebhafter, fraß die Feuer mitsamt der Glut auf und soff dann der Reihe nach die drei Kessel mit heißem Wein aus, worauf es ganz lebendig und mutig wurde und die Kraft wiederbekam, die es in seiner Jugend gehabt hatte.

Es redete nun auch und sprach zum Prinzen Petru: »Jetzt geh und bring mir die Milch von sieben Zigeunerinnen.« Der Prinz tat dies, und als das Pferd sie gesoffen hatte, mußte es der Prinz zu einem Zigeuner führen, dem er befahl, ihm acht Hufeisen zu machen. »Mit vieren«, sprach das Pferd zum Prinzen, »mußt du mich jetzt beschlagen lassen, und mit vieren, wenn wir zurückkommen.« Nun begehrte der Prinz von seinem Vater, auf den Rat des Pferdes, jenen Zaum, mit dem es von seiner Jugend an geritten worden war, und den ihm auch der Kaiser willig gab.

Nachdem nun der Prinz Petru zum Reisen fertig war, beurlaubte er sich von seinen Eltern und bestieg sein Pferd, welches in solch rasenden Fluchten davonjagte, daß man es nicht sehen konnte. Es hielt nicht eher, als bis es beim gläsernen Berg angelangt war. Da sprach es zu seinem Reiter: »Petru, schau einmal zurück, ob du nicht etwas siehst!« Als der Prinz zurückschaute, sagte er: »Ja, ich sehe eine dunkle Wolke«, worauf ihm das Pferd sagte: »Bis dorthin war dein Vater und nicht weiter. Wir wollen jetzt dorthin gehen, zu der Geliebten deines Vaters. Nimm dich übrigens bei ihr in acht, denn sie ist entschlossen, dich umzubringen. Deshalb gib mich nicht aus deinen Händen, und wenn du das Nachtmahl bei ihr eingenommen hast, so tummle dich und kehre sogleich zu mir zurück, damit ich dich gut vor ihr verstecken kann.«

Prinz Petru merkte sich diese Lehre wohl und ritt vor das Haus der Geliebten seines Vaters. Sie kam mit ihrer schönen Tochter heraus und bewillkommnete ihn aufs freundlichste. Die Tochter verlangte schmeichlerisch, ihm das Pferd abzunehmen, um es herumzuführen, weil es erhitzt sei, aber er ließ es, der Warnungen des Tieres eingedenk, nicht zu, sondern versah diesen Dienst selbst, worauf er zum Abendessen ging. Dort machte er es kurz und begab sich sogleich wieder in den Stall zu seinem Pferd, welches ihn dann in eine Laus verwandelte und ihn so in einen seiner Zähne setzte.

Die Herrin des Hauses suchte nun ihren Gast in der Nacht überall, um ihn zu ermorden, und als sie ihn nicht finden konnte, ging sie eilends zu ihrem Vater, der das benachbarte Königreich beherrschte und überdies ein Wahrsager und Weiser war. Sie wollte ihn fragen, wo sich denn ihr Gast, Prinz Petru der Kaisersohn, befinde. Ihr Vater gab ihr den Bescheid, sie solle schnell umkehren, damit sie ihn noch treffe, als Laus im Zahn seines Pferdes. Sie kehrte so schnell als möglich zurück, kam aber doch zu spät, denn Prinz Petru war mit seinem Pferd schon davongeritten.

Unterwegs sagte das Pferd zu dem Prinzen: »Laß uns auch den Herrn des benachbarten Königreichs besuchen, den königlichen Vater der Geliebten deines Vaters, der zugleich Weiser und Wahrsager ist. Er hat eine sehr schöne Tochter, die du dir zur Geliebten und zur Frau begehren kannst.« Dem Prinzen war der Vorschlag recht, und sie nahmen Richtung jenem Königreiche zu.

Als die Königstochter Juliana Kosseschana den schönen Prinzen Petru sah, fühlte sie sogleich eine mächtige Liebe zu ihm. Der Prinz, der von dem König wohl aufgenommen wurde, verlangte von ihm seine Tochter zur Frau, bekam aber zur Antwort: »Wenn du dich so vor mir verstecken kannst, daß ich dich nicht finde, so magst du sie haben. Wenn dir dies nicht gelingt, so werde ich dir den Kopf abhauen. Schau hinab in den Hof, wo jene zwanzig Pflöcke stehen: Neunzehn sind bereits mit den Köpfen derer geziert, die es nach dem Besitz meiner Tochter gelüstete, und dein Kopf wird wohl der zwanzigste sein.«

Prinz Petru antwortete darauf weiter nichts, sondern ging, um vorher sein Pferd zu befragen, und dieses sagte ihm, er solle sich nicht fürchten, sondern gleich nach dem Abendessen zu ihm in den Stall kommen; dann werde es ihn schon so verstecken, daß der König ihn nicht finden solle. Der Prinz versprach dies und ging zum Abendessen des Königs. Dann blieb er bei der Prinzessin Juliana und unterhielt sich mit ihr die ganze Nacht, ohne mehr an sein Pferd zu denken. Dieses fuhr ihn, als er des Morgens in den Stall trat, sehr zornig an: »Saumseliger, du wirst dem Tode nicht entgehen, wenn du meine Lehren nicht besser befolgst!« Mit diesen Worten versteckte das Pferd seinen Herrn über den Wolken.

Als der alte König einige Zeit danach aufgestanden war, rief er: »Juliana Kosseschana, meine Tochter, bring mir meine Krücken, damit ich meine Augen erhebe, um den Taugenichts von einem Prinzen in seinem Versteck aufzutreiben; denn es verdrießt mich das viele Schreien des leeren Pflocks nach einem Kopf und des Schwertes nach Blut!« Als er das Verlangte hatte, schaute er auf und rief: »Prinz Petru, komm herab aus den Wolken, denn du bist kein Vogel, daß du in der Luft leben solltest!« Da mußte der Prinz herunter, und es wäre unfehlbar um seinen Kopf geschehen gewesen, hätte nicht die Prinzessin für ihn ein Wort eingelegt und den König gebeten, daß er dem Prinzen erlaube, die nächste Nacht bei ihr zuzubringen.

Der arglistige König, der einsah, daß dann der Prinz desto gewisser um seinen Kopf komme, gestand das zu, und wieder verbrachte der leichtsinnige Liebhaber eine Nacht bei der Prinzessin Juliana, ohne an die mahnenden Worte seines getreuen Pferdes zu denken. Als er des Morgens in den Stall kam, schalt es ihn noch stärker als am Tag zuvor und versteckte ihn, nachdem es ihn in einen Fisch verwandelt, tief auf dem Grund des Meeres.

Aber mittels seiner Zauberei fand ihn der König wieder und hätte ihm sogleich den Kopf abgeschlagen, wenn nicht seine Geliebte für ihn gebeten und es durchgesetzt hätte, daß er noch eine Nacht mit ihr zubringen dürfe. Diesmal hielt aber Petru trotz der Bitten der reizenden Königstochter Wort und ging gleich nach dem Abendessen in den Stall zu seinem Pferd, worüber dieses sehr erfreut war. Es sprach zu ihm: »Ich werde dich nun in eine Laus auf des Königs Kopf verwandeln, wo er dich gewiß nicht findet. Der listige Zauberer wird dich aber täuschen wollen und rufen, du sollst hervorkommen, er habe dich entdeckt. Schenk ihm ja keinen Glauben, sondern erst wenn er zum dritten Male ruft und verspricht, er selbst wolle seinen Kopf unter das Schwert legen, du aber mögest mit seiner Tochter Juliana Kosseschana leben, so komm hervor.«

Damit wurde der Prinz als eine Laus auf des Königs Kopf versetzt, so daß der, als er ihn suchte, ihn durchaus nicht finden konnte und endlich rief: »Komm hervor, Prinz Petru, denn mit dir ist's nichts!« Der Prinz aber blieb in den grauen Haaren des Königs und kam nicht hervor. Der böse König rief wiederum, doch der Prinz gab ihm kein Gehör, bis er versprach, daß er selbst seinen Kopf unter das Schwert legen wolle und daß der Prinz mit seiner Tochter Juliana Kossescha-

na leben könne. Da nahm Petru seine wahre Gestalt an, schlug dem Zauberkönig den Kopf ab und steckte ihn auf den leeren zwanzigsten Pflock.
Nun sprach die Prinzessin zu ihrem Geliebten: »Jetzt eile, Petru, und hole deine Eltern, damit wir hier die Hochzeit halten.« Petru schwang sich sofort auf und jagte seiner Heimat zu. Unterwegs sah er eine Krone liegen, worauf die Buchstaben J und K eingegraben waren. Er fragte sein Pferd, ob er sie nehmen solle oder nicht, worauf es antwortete: »Wenn du sie nimmst, wird es dich reuen, und wenn du sie nicht nimmst, wird es dich ebenfalls reuen.« Da überlegte der Prinz bei sich und dachte: ›Lieber nehme ich die Krone, und wenn es mich auch reut, als daß ich sie nicht nehme und es mich doch reuen soll.‹ So hob er die Krone auf.
Die Reisenden waren bereits in der Hauptstadt eines anderen Königs angekommen, da sagte das Pferd zu seinem Herrn: »Jetzt, mein Prinz, bin ich sehr müde und muß einige Zeit ausruhen. Gehe du denn zum König und verdinge dich in einen Dienst, damit du zu leben hast, bis wir unsern Weg fortsetzen können.«
Der Prinz tat es so und ließ sich unter die Dienerschaft des Königs aufnehmen. Nun sah einmal einer seiner Genossen die goldene Krone bei ihm und meldete dies sogleich dem König. Der ließ den neuen Diener rufen und sich die Krone zeigen. Er erkannte die Krone sofort als die der Prinzessin Juliana und fragte den Prinzen, wie er zu diesem Kleinod gekommen sei. Der Prinz erzählte, daß er sie gefunden habe, worauf ihm der König den strengsten Befehl gab, ihm die Prinzessin zur Stelle zu schaffen; wo nicht, so lasse er ihm den Kopf abhauen.
Traurig und an seinem Los verzweifelnd, suchte nun Prinz Petru sein Pferd auf und klagte ihm, in welche große Bedrängnis ihn die zu seinem Unglück gefundene Krone gebracht habe. Das Pferd aber tröstete seinen Herrn und sprach zu ihm: »Fürchte dich keineswegs, denn ich werde dir schon helfen. Setze dich nur geschwind auf, damit wir so schnell als möglich wieder zu der Prinzessin Juliana Kosseschana zurückkommen. Dort paß aber auf, denn sie wird uns mit einer Peitsche empfangen, damit wir sie nicht umrennen. Wenn wir nahe genug bei ihr sind, so reiße sie zu dir herauf, und wir werden sie im schnellsten Fluge wieder hierher zurückbringen.«
Nachdem das Pferd so gesprochen, setzte sich der Prinz auf, und bald hatten sie das Schloß der Prinzessin erreicht, die, als Prinz Petru ankam, eben auf dem Hof stand. Sie schlug mit einer Peitsche nach dessen flüchtigem Pferd, das aber in dem Augenblick stillstand, als es bei der Prinzessin war. Der Prinz ergriff die Prinzessin schnell, setzte sie vor sich hin, und die Reise ging so schnell zurück, wie sie hergegangen. Nachdem der Prinz die Prinzessin dem König übergeben hatte, wollte der sie als seine Braut umarmen. Sie aber stieß ihn zurück und rief:

»Wir werden so lange nicht Mann und Frau sein, als bis wir uns in der Milch von wilden Stuten gebadet haben.«
Die Prinzessin wußte wohl, daß dies etwas Unmögliches sei. Verdrießlich sagte der König: »Wer wird uns denn diese Milch verschaffen?« Da antwortete sie: »Der, welcher mich hierhergebracht hat.« Da ließ der König den Prinzen Petru rufen und befahl ihm, wenn ihm sein Kopf lieb sei, Milch von wilden Stuten herzuschaffen.
In dieser neuen Verlegenheit ging Petru wieder zu seinem Pferd und erzählte ihm voll Niedergeschlagenheit von dem unausführbaren Auftrag, den ihm der König gegeben habe. Da sprach das Pferd wieder: »Fürchte dich nicht, Prinz, die Milch soll bald dasein! Geh nur zum König und bitte, daß er dir Pech, Flachs, drei Büffelhäute und drei Scheffel Hafer geben lasse.« Petru verlangte diese Dinge vom König, der alsbald Befehl erteilte, sie ihm zu geben. Als er damit wieder zu seinem Pferd kam, sagte es: »Mach nun das Pech warm und schmiere mir den Rücken damit, dann leg von dem Flachs darauf und beschmiere auch den mit Pech; darauf leg dann eine Büffelhaut, damit sie drauf hängenbleibt. Auf sie schmiere wieder Pech und so fort, bis du eine Büffelhaut um die andere hinaufgepicht hast. Dann setz dich auf mich, bis zu der Höhle, wo sich die wilden Stuten befinden, dort wirst du dann mehr sehen.« Der Prinz tat, wie das Pferd ihm geheißen, und ritt zu der besagten Höhle. Dort stieg er ab.
Das Pferd fing an zu wiehern, und gleich darauf drängte sich aus der Herde der wilden Stuten ein Hengst, der mit ihm zu kämpfen begann. Er biß und hieb so lange auf des Prinzen Pferd, bis er ihm endlich eine Büffelhaut heruntergezogen hatte; aber auch dieses brachte ihm schlimme Wunden bei, so daß er heftig blutete. Doch nahm sich der wilde Hengst deswegen nicht in acht, vielmehr begann er den Kampf aufs neue, bis er von dem Pferd wieder eine Büffelhaut herunter hatte. Allerdings ging er selbst aus diesem zweiten Kampf noch übler zugerichtet hervor als aus dem ersten. Dessenungeachtet stürzte er sich zum dritten Mal in blinder Wut auf das Pferd und ruhte nicht, bis er ihm mit den Zähnen die letzte Büffelhaut vom Rücken gezogen hatte. Nun wurde dieses erst recht toll und biß und schlug so furchtbar auf den schon müd gewordenen Hengst, daß er halb tot zusammenstürzte. Darauf rief es den Prinzen herbei und sagte zu ihm: »Nun binde diesen Wildfang mir zur Rechten, aber fest, und setz dich auf mich.« Dies tat der Prinz, und das Pferd drängte mit solcher Gewalt vorwärts, daß der Hengst auf und mit fort mußte. Sie eilten weg, dem wilden Hengst aber folgte die ganze Stutenherde. So brachte der Prinz den ganzen wilden Troß mit sich. Damit er aber die Stuten ein wenig hinter sich zurückhalte, streute er ihnen nach und nach auf dem Weg jene drei Scheffel Hafer hin, die er mitgenommen hatte.

Als er nun dem König meldete, daß er die wilden Stuten gebracht habe, so fragte dieser wieder die Prinzessin Juliana, wer sie melken solle, worauf sie erwiderte: »Der, welcher sie hierhergebracht hat.« Sie dachte den Prinzen zu verderben, weil er sie gegen ihren Willen dem König ausgehändigt hatte; daß ihr Geliebter dazu gezwungen worden war, wußte sie nicht.
Der König gab also dem Prinzen Petru den Befehl, die wilden Stuten zu melken. Getrost verfügte sich der Prinz wieder zu seinem Pferd, um guten Rat einzuholen. Es gab ihm aber keine Antwort, sondern blies auf einem Nasenloch, und im Augenblick war der ganze Hof ein Morast, in dem die wilden Stuten bis an den Bauch einsanken.
Alsdann blies er auf dem anderen Nasenloch, da gefror der Morast so fest, daß die Tiere sich nicht von der Stelle rühren konnten. Der Prinz molk nun ruhig die wilden Stuten, bis er genug zu einem Bad hatte. Jetzt blies das Pferd wieder zweimal und ließ so den Morast auftauen und trocknen. Dann gab der Prinz den Hengst frei, der mit seiner Herde, so schnell er konnte, nach der Wüste zurückjagte.
Prinz Petru kochte nun die Milch in einem großen Kessel, und als sie siedend war, meldete er es dem König, der nun der Prinzessin das verlangte Bad anbot. Sie aber sagte: »Nein, zuerst soll der darin baden, der die Milch hergebracht hat«, worauf der König dem Prinzen dies zu tun befahl. Der Prinz klagte seinem Pferd, er werde nun in der siedenden Milch seinen sicheren Tod finden, das Tier aber sagte: »Bitte dir vom König die Gnade aus, daß ich mich neben dich stellen darf, wenn du ins Bad steigst, so wird dir nichts geschehen.« Dies tat der Prinz, erhielt die Erlaubnis, und wie er sich nun ins Bad setzte, blies das Pferd, so daß die Milch augenblicklich kaum noch lau war. Als der Prinz herausgestiegen, hieß die Prinzessin den König in den Kessel steigen; sie sagte, sie wolle zuletzt baden. Der König tat dies, nachdem Prinz Petrus Pferd wieder auf die Milch geblasen hatte, daß sie so heiß war wie zuvor. Der König stellte zwar auch sein Pferd neben sich, wie es Prinz Petru gemacht hatte, aber das half ihm nichts, denn als er ins Bad stieg, verbrannte er sich die Beine so sehr, daß er zusammensank und augenblicklich im Kessel ganz versott.
Nun ging Prinz Petru zu seiner Geliebten, machte ihr Vorwürfe, daß sie ihn so vielen Gefahren ausgesetzt habe, und erzählte ihr, wie es gekommen sei, daß er sie habe dem König aushändigen müssen. Die Prinzessin empfand über ihr Benehmen großen Kummer. Da aber alles so gut abgelaufen war, so umarmten sich die beiden zärtlich und vergaßen gegenseitig alles. Das Volk aber rief den Prinzen Petru als König anstelle des Totgesottenen aus, und so beherrschte das glückliche Paar zwei Königreiche, worüber der alte Kaiser, Petrus Vater, eine

große Freude hatte. Dem treuen Pferd ließ Prinz Petru alle Jahre drei Haufen Feuer und drei Kessel siedenden Weins geben, so daß es bei Kräften blieb, solang es lebte.

22. August – Der zweihundertvierunddreißigste Tag

Die schöne Rora

Es war einmal ein König, der hatte einen schneidigen Sohn, alt genug zum Heiraten. Der König sprach: »Mein lieber Sohn, du sollst gehen und dich verheiraten.« Nun gut. Er stieg auf den Dachboden und suchte die Schriften der Tage und fing an, in diesen zu lesen. Er las und weinte und las und weinte. »Warum weinst du so, mein Sohn?« – »Wie soll ich nicht weinen, Väterchen, es steht hier geschrieben, ich solle mir die schöne Rora*, welche zwölf Feen aus Tau gemacht haben, holen; und ich weiß nicht, wo sie wohnt.« Nun gut. Er rüstete sich für die Reise, die schöne Rora zu suchen. Nur einmal kam ein Engel und sagte: »Auch ich will mit dir gehen, wir wollen Kreuzbrüder sein.« Sie zogen die Säbel heraus und schworen bei Brot und Salz. Dann gingen sie beide zum heiligen Freitag.
»Guten Tag, heiliger Freitag.« – »Ich danke dir, Sohn des Königs, was bringt dich zu mir?« – »Wo wohnt die schöne Rora?« Der heilige Freitag wußte es nicht, schickte ihn aber zum heiligen Samstag, der wohne eine Treppe höher. Sie stiegen hinauf zum heiligen Samstag.
»Guten Morgen, heiliger Samstag.« – »Ich danke, Sohn des Königs, was bringt dich zu mir?« – »Kannst du mir nicht berichten, wo die schöne Rora, welche zwölf Feen aus Tau gemacht haben, wohnt?« – »Geh hinauf zum heiligen Sonntag, der wohnt drei Treppen höher.« Er stieg hinauf zum heiligen Sonntag.
»Guten Morgen, heiliger Sonntag.« – »Ich danke, Sohn des Königs, was bringt dich zu mir?« – »Kannst du mir nicht sagen, wo die schöne Rora, von zwölf Feen aus Tau gemacht, wohnt?«
Der heilige Sonntag gab ihm sein Pferd, auf dem er zur Kirche ritt, und belehrte ihn, er solle nur aufsitzen und reiten, das Pferd kenne den Weg. Zuvor nahm er das Herz der Eiche und berührte den Kopf, damit der Königssohn wie ein alter Mann aussehe, denn die Feen ließen nur Alte hinein. Dort sei immer Tanz, immer Tanz; elf Feen wären wie andere Menschen, die zwölfte habe drei Augen, vor

* Rora, *roaua*, rumänisch »Tau«.

der müsse er sich hüten. Rora liege in einer Lade eingeschlossen. Wenn es zwölf schlage, schlafe auch das dritte Auge, dann solle er die Lade nehmen. Aber öffnen dürfe er sie nicht, solange er noch unterwegs sei; wenn er Rora auf dem Wege sehe, so verliere er sie und bekomme sie nie mehr.

Der Königssohn dankte, setzte sich aufs Pferd, sein Engel stieg hinter ihn, und nun ritten sie, bis sie zu den zwölf Feen kamen. Dann tat er alles, wie ihn der heilige Sonntag gelehrt. Das Pferd lief, so schnell es konnte, nach Hause, damit es da sei, wenn die Glocken zur Kirche läuteten, den Sonntag hinzutragen.

Als der Tanz zu Ende war, sagte die dreiäugige Fee zu den anderen: »Legt euch jetzt schlafen, ich setze mich auf die Lade und hüte die Rora.« Gut. Nur kurze Zeit verging, und alles schlief, nur das Auge im Nacken wachte und wollte sich nicht schließen, bis es zwölf schlug. Nachher schlief auch dieses. Als der Königssohn dies sah, nahm er die Lade mit der Rora und ging und ging, bis er in den Wald kam, dann konnte er sich nicht mehr enthalten, sie zu sehen. Wie sehr ihn auch der Engel und Rora selbst baten, zu warten, bis sie zu Hause wären, so nahm er doch den Säbel und öffnete nur ein wenig. Auf einmal erhellte sich die Welt, als ob die Sonne aufgehe, die Fee öffnete alle drei Augen zugleich, und ihr Pferd wieherte und sprang bis an die Decke. Die Alte fragte das Pferd: »Was denkst du, mein Pferd, werden wir sie noch erreichen?« – »Was ist denn geschehen?« – »Der Königssohn hat uns das Mädchen genommen. Können wir noch einen Ofen voll Brot und einen Ochsen essen und ein Faß Wein trinken?« – »Wir können das alles essen und trinken und sie einholen.«

Sie aßen und tranken und holten sie ein, und als sie sie eingeholt, hieb die Fee dem Königssohn den Kopf ab und nahm sich das Mädchen.

Der Engel ging und hieb sich einen Ast vom roten Hornstrauch ab, nahm von diesem die drei Zweiglein, rieb dem Königssohn damit Kopf und Bauch, und sogleich schlug er die Augen auf und sagte: »Ach, Bruder mein, wie schwer hab ich geschlafen.« – »Schwer wirklich, wenn ich nicht gewesen, wärst du nie mehr erwacht.« – »Was soll ich jetzt machen?« – »Komm, wir gehen wieder zum heiligen Sonntag.« Sie gingen.

»Guten Morgen, heiliger Sonntag.« – »Du sollst leben, Sohn des Königs.« – »Sei so gut und lehr mich, was ich machen soll. Sieh, wie es mir ergangen.« So und so. Er erzählte genau der Wahrheit gemäß, wie es sich zugetragen hatte.

Der heilige Sonntag schüttelte den Kopf und sprach: »Warum gehorchtest du nicht zuerst, jetzt ist es noch schwerer als bisher. Aber paß jetzt gut auf, was ich dir sage: Du sollst zur Mutter des Drachen gehen, welche hinter den schwarzen Bergen wohnt; die schlagen ihre Kuppen in einem fort zusammen und stehen nur fünf Minuten um Mitternacht still. In dieser Zeit sollst du geschwind zwischen ihnen durchgehen. Dann mußt du dich bei der Alten als Knecht verdingen, darfst aber keinen anderen Lohn verlangen als das achtfüßige Füllen, welches die Stute werfen wird, während du sie hütest. Ich will dir wieder mein Pferd geben, auf dem ich zur Kirche reite, nur mußt du dafür sorgen, daß es zurückkommt, bis die Glocken läuten.« Nun gut.

Der Königssohn schwang sich aufs Pferd, der Engel setzte sich hinter ihn. So ritten sie nun und ritten bis nahe an einen Wald; dort trafen sie einen Raben mit einem verletzten Fuß, der Königssohn wollte ihn schießen. »Na, schieß mich nicht, komm lieber und verbinde mich!« Er zog sein Taschentuch aus dem Busen und band ihm den Fuß. Der Rabe dankte, gab ihm eine Feder und sprach: »Ich will dir auch einmal helfen.«

Nun ritten sie weiter und kamen an einen Bach, an dessen Ufer lag ein Fisch auf dem Sand, fast tot, und er rief: »Komm, mein Bursche, und leg mich wieder ins Wasser, sonst sterbe ich hier vor Kälte und Hunger. Nimm dir dafür eine Schuppe von mir, du kannst dich auch einmal auf mich verlassen.« Er nahm den Fisch, warf ihn ins Wasser, die Schuppe aber steckte er in die Tasche.

Als sie eine Strecke weitergeritten, sahen sie einen Fuchs, der saß da und wehklagte über seinen wehen Fuß. Der Königssohn zog wieder sein Tüchlein aus dem Busen und band ihm den Fuß. Der Fuchs dankte und sagte: »Zieh dir ein Haar von mir heraus, ich will dir auch einmal gehorchen.« Er zog ein Haar heraus, legte es in die Tasche und sprach: »Gott helfe dir.«

Dann ritt er weiter, immer weiter bis zu den schwarzen Gebirgen, die die Häupter immer zusammenschlagen. Dort wartete er bis zwölf Uhr, da standen sie still. Gleich beeilte er sich, zwischen ihnen hindurchzukommen, und langte bei der Mutter des Drachen an. Als er in den Hof trat, erschrak er sehr, da er sah, wie alle Köpfe der Knechte, die dort gedient, am Zaun aufgesteckt waren, aber trotz aller Angst trat er in die Stube: »Guten Morgen, Mutter des Drachen!« – »Ich danke, Sohn des Königs, was bringt dich zu mir?« – »Ich bin gekommen, um mich bei dir als Knecht zu verdingen.« – »Nun gut, ich dinge dich, hier hast du keine andere Arbeit als meine Stute zu hüten, aber wisse: Falls du sie verlierst, schlage ich dir den Kopf ab und hänge ihn auch zu den anderen. Nun, was verlangst du als Lohn, Sohn des Königs?« – »Ich verlange nicht viel, nur das Füllen, welches die Stute in diesem Jahr werfen wird.« (Damals hatte aber das Jahr nur drei Tage.)

Nun gut. Er nahm die Stute, trieb sie auf seidenes Gras und hütete sie. Nur einmal übermannte ihn der süße Schlaf, nur ein wenig, und wie er die Augen öffnete, sah er die Stute nirgends. »Was soll ich nun machen? Jetzt haut mir die Alte den Kopf ab.« Wie er so stand und nicht wußte, was er tun sollte, steckte er die Hand in die Tasche, in welcher er die Feder des Raben hatte. Als die Hand die Feder berührte, kamen die Raben aus der ganzen Welt herbeigeflogen und fragten: »Was wünschest du, unser Herr?« – »Nun seht, wie es mir ergangen ist. Ich hütete die Stute, da bezwang mich ein Schlaf, der süße, und wie ich die Augen öffnete, sah ich sie nirgends. Jetzt schlägt mir die Drachenmutter den Kopf ab.« – »Fürchte dich nicht, sie tut dir nichts, bis zwölf Uhr bringen wir dir die Stute. Die Alte hat sie in einen Adler verwandelt, da flog sie in die Wolken und hat dort ein Füllen mit acht Füßen geworfen. Wenn du sie siehst, sollst du ihr im Nu den Zaum über den Kopf werfen, dann wird aus dem Adler gleich wieder die Stute.« Gut.

Sie flogen wie der Wind, und nur ein Husch, so kamen sie zurück mit dem Adler. Der Königssohn warf den Zaum über seinen Kopf, und gleich stand die Stute da mit einem achtfüßigen Füllen. Nun blieb sie ruhig da, er konnte ohne Sorge um sie sein. Als es zwölf schlug, kam die Alte und ärgerte sich sehr, wie sie die Stute im Grase fressen sah und das Füllen mit acht Füßen bei ihr.

Am anderen Tag nahm der Knecht die Stute wieder und trieb sie auf das seidene Gras und hütete sie; da überkam ihn wieder der süße Schlaf, nur ein wenig, doch als er die Augen öffnete, war sie wieder fort, und er konnte sie nirgends finden. Aber jetzt erschrak er nicht so sehr. Er zog die Schuppe heraus, und wie er sie in die Hand nahm, versammelten sich gleich die Fische aus allen Gewässern und fragten: »Was wünschest du, unser Herr?« Er sagte ihnen, wie es ihm ergangen. »Wart nur ein wenig, wir bringen dir die Stute. Die Alte hat sie in einen Fisch verwandelt und zu uns ins Wasser gebracht.« Die Fische zogen zurück und brachten schnell einen großen, großen Fisch; der Knecht warf ihm den Zaum über den Kopf, und gleich stand die Stute im Grase fressend da. Als es zwölf schlug, kam die Alte und ärgerte sich furchtbar, wie sie das Pferd neben dem Knecht im Grase sah, und dachte: ›Warte nur, Königssohn, morgen hau ich dir doch den Kopf ab und steck ihn an einen Stecken wie die andern.‹ Gut.

Am dritten Tage trieb er sie wieder aufs Gras, und wieder betrog ihn der Schlaf,

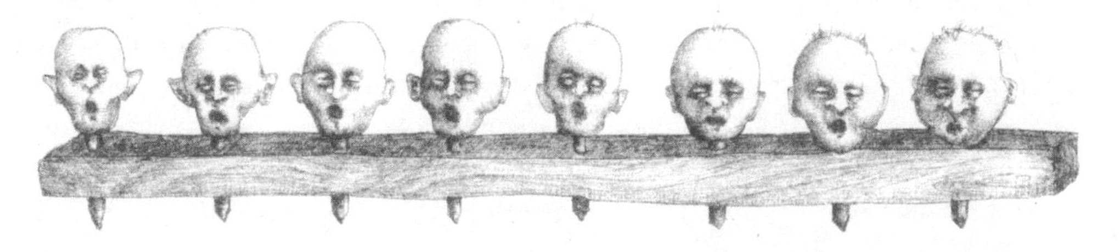

aber nur grade auf einen Augenblick, doch die Stute war fort. Als der Knecht die Augen öffnete, sah er sie nirgends. Nun zog er das Haar des Fuchses heraus. Gleich versammelten sich die Füchse aus der ganzen Welt und fragten: »Was wünschest du, unser Herr?« – »Nun seht, wie es mir ergangen.« – »Wenn es nur das ist, dann helfen wir dir gleich. Die Mutter des Drachen hat die Stute in ein Ei verwandelt und in eine Lade gelegt und sitzt darauf. Komm, wir gehen jetzt in den Hof, wir mengen uns zwischen die Hühner, dann wird die Alte herauskommen, du aber gehst schnell hinein, öffnest die Lade, wirfst den Zaum über das Ei, gleich steht das Pferd da, und du reitest in den Hof.«

So geschah es. Als die Füchse in den Hof drangen, war das ein Lärmen, die Hühner gackerten, die Hähne krähten. Die Alte hörte es und lief hinaus, der Knecht lief hinein, öffnete die Lade, warf den Zaum über das Ei, setzte sich auf die Stute und ritt hinaus zur Alten. Eben schlug es zwölf, und das Jahr war zu Ende. Dann gab ihm die Alte seinen Lohn.

Er setzte sich auf das Füllen und machte sich auf den Weg zur schönen Rora. Er ritt und ritt bis gegen Abend, nur einmal sagte das Füllen: »Lieber Herr, du mußt mir erlauben, umzukehren zu meiner Mutter und noch eine Nacht an ihr zu trinken, damit ich stärker werde.« – »Ich würde dich ja lassen, aber du kommst dann nicht mehr.« – »Oh, ich komme, lieber Herr, ich bin dir zugeteilt und du mir.« Das Füllen lief fort, kam aber am nächsten Morgen mit dem Tag wieder. Nun gingen sie weiter, abends bat das Füllen wieder, er möchte es zu seiner Mutter lassen. Am dritten Abend sagte es: »Nur dreimal, lieber Herr, bis jetzt hast du mich auf dem Rücken getragen, dann werde ich dich tragen, dann sollst du reiten. Fürchte dich nicht!« Gut.

Als das Füllen nach der dritten Nacht von seiner Mutter zurückkehrte, war es kein Füllen mehr. Jetzt war es ein Pferd, größer und feuriger als seine Mutter, auch als sein Bruder, welchen die Fee mit den drei Augen hielt, denn dieser hatte nur sechs Füße. An diesem Tage gelangten sie zur schönen Rora. Die saß am Fenster und säumte mit goldenem Faden. Der Sohn des Königs hob sie durchs Fenster aufs Pferd, und das Pferd rannte fort wie Feuer.

Die Alte mit den drei Augen war ein wenig eingenickt; als sie wieder um sich sah, sah sie sich ohne Rora. Gut. Sie war sehr bestürzt und ging in den Stall zu

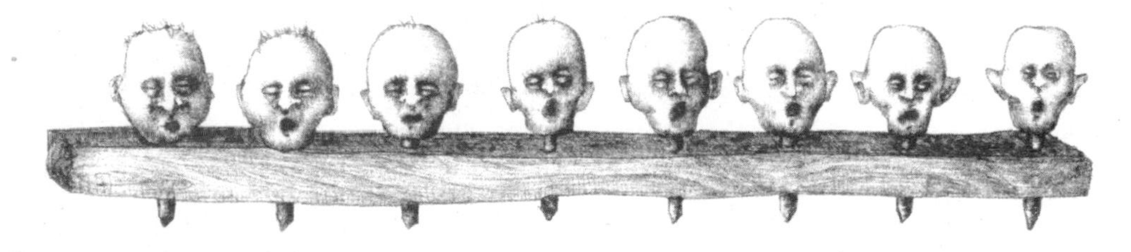

ihrem Pferd, das wieherte und sprang vom Boden bis ans Dach. »Was denkst du, mein Pferd, können wir sie noch einholen?« – »Wir müssen gleich aufbrechen, sonst können wir sie nicht mehr erreichen.« Sie machten sich auf und ritten und ritten schneller als der Gedanke und holten sie ein, aber das Pferd war sehr ermüdet. Als sie nahe an ihnen waren, wandte sich das Pferd mit den acht Füßen um und schlug die Alte zu Boden, der Engel zog das Schwert und hieb ihr den Kopf ab. Das Pferd blieb bei seinem Bruder. Nun wurden beide an einen Wagen gespannt. Der Bräutigam und die Braut saßen vorne nebeneinander, der Engel setzte sich in den Korb. Da hörte er einen Vogel singen: »Deine Mutter erwartet dich mit einem vergifteten Pferd, wenn du dich draufsetzt, wirst du zerspringen. (Es war die Stiefmutter.) Wer dies hört und es sagt, wird eine Steinsäule.« Zum zweiten Male sang der Vogel: »Deine Mutter erwartet dich mit einem Becher voll vergiftetem Wein, wenn du ihn trinkst, wirst du zerspringen. Wer es hört und sagt, der wird eine Steinsäule.« Zum dritten Male sang der Vogel: »Deine Mutter erwartet dich mit einem weißen Hemd voll Gift, wenn du es anziehst, wirst du zerspringen. Wer dies hört und dir es sagt, der wird eine Steinsäule.«

Der Engel hatte alle diese Worte gut verstanden, aber die beiden anderen plauderten und hörten nichts.

Als sie zu Hause ankamen, wurde das Tor geöffnet, und die Königin kam ihnen mit einem Pferd entgegen. Als der Bräutigam sich daraufsetzen wollte, zog der Engel das Schwert und hieb das Pferd in zwei Teile. Alle Leute, welche dies sahen, erschraken und wußten nicht, was dies sein könnte. Als sie in den Hof traten, kam wieder die Mutter mit einem Becher voll Wein zum Gruß. Der Engel stieß ihr den Becher aus der Hand, daß der Wein sich verschüttete. Nun traten sie ins Haus. Die Mutter brachte ein weißes Hemd. Als der Sohn es anziehen wollte, nahm es der Engel und warf es ins Feuer, daß der Ofen zerbarst.

Jetzt wurden aber alle Leute zornig und wollten den Engel hängen, wenn er nicht sage, warum er dies alles getan. Da fing er an zu erzählen, wie er den Vogel hätte singen hören, und als er vom Pferd erzählte, wurde er Stein bis an die Knie, als er zum Becher kam, wurde er Stein bis ans Herz, und als er ans Hemd kam, da war er ein Stein bis über den Kopf. Und wie sie auch klagten, wie sie auch weinten und jammerten, die Rora mit dem Sohn des Königs, sie konnten es nicht ändern.

Als ein Jahr vergangen, bekam das junge Paar einen Knaben, so schön, der wuchs gesund wie ein Fisch. Ein Jahr verging nach dem anderen, bis vier verflossen waren. Da stieg der Sohn des Königs auf den Dachboden und fand wieder die Bücher der Tage und las darin, nur einmal rief er seine Frau herbei und sprach zu ihr: »Sieh nur, was hier geschrieben steht: Wenn wir die Steinsäule mit dem Blut unseres Knaben bestreichen, dann kommt der Engel wieder heraus.« – »He! Wir machen es.« Aber wer sollte den Knaben töten? »Du.« – »Nein, du.« So streitend gingen sie mit dem Kind zur Steinsäule. Nun standen beide und wußten nicht, wie sie an diese Arbeit gehen sollten. Das Kind spielte da herum, nur einmal stieß es seine Hand an den Stein, daß das Blut floß, und legte die blutende Hand auf den Stein, da zersprang er, und der Engel stand zwischen ihnen, gesund und schön, und sagte: »Ach, wie lange ich geschlafen hab.« Nun war große Freude unter ihnen allen. Der Engel lebte mit ihnen in Friede und Gesundheit und geehrt, und wenn er noch ist, so lebt er auch heute.

23. August – Der zweihundertfünfunddreißigste Tag

Der Morgenstern und der Abendstern

Es war einmal, wie's keinmal war, wäre es nicht gewesen, würde es nicht erzählt. Es waren einmal ein Kaiser und eine Kaiserin, die hatten keine Kinder. Darum suchten sie alle Zauberer und Hexen auf, alle alten Weiber und Sterndeuter, aber ihrer aller Kunst wurde zuschanden, denn keiner wußte ihnen zu helfen. Schließlich legten sie sich aufs Fasten, aufs Beten und Almosengeben, bis eines Nachts der Herrgott, der sich ihres Eifers erbarmte, der Kaiserin im Traume erschien und ihr sagte: »Ich habe euer Gebet erhört und will euch ein Kind schenken, wie kein anderes auf der Erde ist. Morgen soll der Kaiser, dein Mann, mit der Angel an den Bach gehen, und den Fisch, den er fängt, bereite du mit eigener Hand zu, und dann eßt ihn.«

Es war noch nicht ordentlich Tag geworden, als die Kaiserin zum Kaiser ging und ihn aufweckte, indem sie sagte: »Kaiser, steh auf, es ist Tag geworden.« – »Aber Frau«, antwortete der Kaiser, »was hast du heute, daß du mich so früh weckst? Haben etwa die Feinde die Grenzen meines Reiches überschritten?« – »Um Gottes Barmherzigkeit willen, von so etwas habe ich nichts gehört, aber horch auf, was ich geträumt habe.« Und sie sagte ihm ihren Traum. Als der Kaiser das hörte, sprang er aus den Betten, zog sich an, nahm die Angel, und es verging nur kurze Zeit, bis er sah, wie sich der Kork der Angelschnur bewegte. Er zog die Angel heraus, und was erblickte er? Einen großen Fisch, der war ganz und gar aus Gold! Es war ein Wunder, daß er vor Freude nicht umfiel. Was sagte aber die Kaiserin, als sie ihn sah? Sie war noch mehr außer sich!

Die Kaiserin bereitete den Fisch selbst, mit eigner Hand, zu, sie aßen ihn, und augenblicklich fühlte sie sich Mutter. Die Dienerin, die den Tisch abdeckte, sah auf dem Teller der Kaiserin eine Fischgräte; da kam es ihr in den Sinn, daran zu saugen, damit sie doch auch wisse, wie Speisen schmecken, die eine Kaiserin bereitet hat. Wie sie an der Gräte saugte, fühlte auch sie sich allsogleich Mutter. Nach neun Monaten gebar die Kaiserin am Tage einen schönen Knaben, schön wie ein Engelchen. In der Nacht gebar die Dienerin einen Knaben, der sah genauso aus wie der Kaiserin Sohn, so daß sie nicht voneinander zu unterscheiden waren. Das Kind der Magd glich ganz und gar dem der Kaiserin! Den Kaisersohn nannte man Busujok, den Sohn der Magd Siminok.*

Sie wuchsen zusammen auf und wurden groß, man gab ihnen Unterricht, und sie lernten in einem Tag, was andere Kinder in einem Jahr lernen. Wenn sie im Garten spielten, schaute ihnen die Kaiserin vom Fenster aus mit Freuden zu. Sie wurden groß und ähnelten sich so, daß man nie wußte, welcher der Kaisersohn und welcher der Sohn der Magd war. Ihre Haltung war stolz, beide hatten Liebreiz, ihre Rede war einschmeichelnd, und beide waren mutig, gar zu mutig! Eines Tages beschlossen sie, auf die Jagd zu gehen. Die Kaiserin aber quälte sich immerfort, woran sie ihren Sohn erkennen könne, denn da die Gesichter sich glichen und auch die Kleidung dieselbe war, konnte sie oft den einen nicht vom andern unterscheiden. Sie gedachte nun, ihrem Sohn irgendein Zeichen zu machen. Darum rief sie ihn, und indem sie so tat, als suche sie was an seinem Kopf, knotete sie ihm zwei Haarsträhnen zusammen, ohne daß er etwas merkte. Darauf gingen sie auf die Jagd.

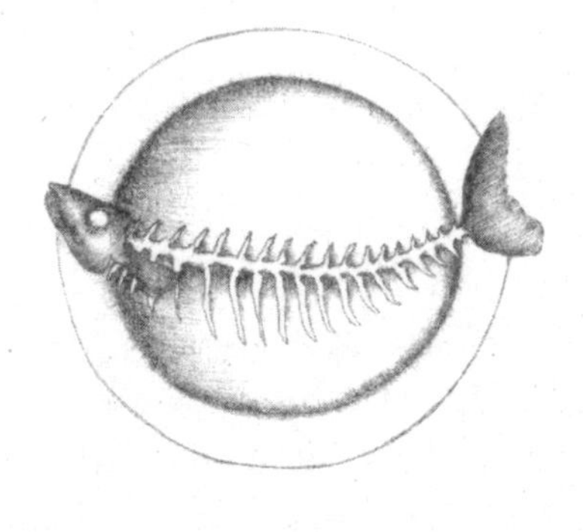

Sie eilten wohlgemut durch die grünen Felder und jagten sich wie die Lämmlein; sie pflückten Blümchen, benetzten sich mit Tau, sahen die Schmetterlinge fliegen und von Blume zu Blume sich wiegen, sahen, wie die Bienen Wachs sammelten und Honig anhäuften, und ergötzten sich über die Maßen daran. Dann gingen sie an den Brunnen, tranken Wasser, um sich zu erquicken, und schauten unersättlich auf den Himmel, der sich in der Ferne zur Erde niederließ. Sie hätten bis ans Ende der Welt gehen mögen, um den Himmel in der Nähe zu betrachten, oder wenigstens so weit, bis sie an die Stelle kämen, wo die Erde ganz schwammig wird, ehe sie aufhört.

* Busujok, rumänisch »Basilikumkraut«; Siminok, *Geaphalium*, »Katzenpfötchen«.

Dann gingen sie in den Wald. Als sie die Schönheiten des Waldes sahen, blieben sie mit offenem Munde stehen. Bedenkt, daß sie von alldem nichts gesehen hatten, seitdem sie auf der Welt waren. Wenn der Wind wehte und die Blätter bewegte, horchten sie auf ihr Gesäusel, und ihnen schien es, als ob die Kaiserin einherginge und ihr Seidenkleid nach sich schleppe.

Dann setzten sie sich auf das weiche Gras in den Schatten eines großen Baumes. Hier begannen sie zu überlegen und sich zu beraten, wie sie die Jagd beginnen sollten. Sie wollten nur wilde Bestien erlegen. Die Vögel, die um sie herumhüpften und sich auf die Zweige des Baumes setzten, beachteten sie gar nicht; es kam ihnen nicht in den Sinn, sich mit ihnen abzugeben, aber ihrem Gezwitscher hörten sie gern zu. Es war, als ob die Vögel etwas davon merkten, denn sie hatten keine Scheu, sondern sangen sogar, als sollte ihnen die Kehle zerspringen; die Nachtigallen flöteten aber nur aus dem Kropf, damit ihr Gesang noch süßer sei.

Und als sie so dastanden und sich beratschlagten, überkam den Kaisersohn solch eine Mattigkeit, daß er nicht aufrecht stehen konnte, und er legte seinen Kopf in Siminoks Schoß und bat ihn, ihm ein wenig den Kopf zu krauen.

Nachdem er ihm gekraut, was zu krauen war, hielt Siminok damit inne und sagte: »Was ist das auf deinem Kopf, Bruder Busujok?« – »Was soll da sein? Weiß ich, wonach du fragst, Bruder Siminok?« – »Schau mal an«, entgegnete Siminok, »zwei Haarsträhnen auf deinem Kopf sind zusammengeknotet.« – »Wie ist das möglich?« sagte Busujok. Dies ärgerte Busujok nun so, daß er beschloß, in die weite Welt zu gehen. »Bruder Siminok«, sagte er, »ich gehe in die weite Welt, weil ich nicht begreifen kann, warum die Mutter mir zwei Haare verknotet hat, als sie mir am Kopf herumsuchte!« – »Hör, Bruder Busujok«, entgegnete ihm Siminok, »nimm Verstand an und tu so etwas nicht. Denn wenn die Kaiserin das Haar geknotet hat, glaub doch nicht, daß es in böser Absicht geschah!« Busujok aber blieb unwandelbar bei seinem Entschluß, und als er Abschied von Siminok nahm, sagte er ihm: »Nimm dies Tuch, Bruder Siminok. Wenn du drei Blutstropfen auf ihm siehst, dann wisse, daß ich tot bin.« – »Möge der Herr dir beistehen, Bruder Busujok, daß es dir wohl ergehe. Ich aber bitte dich noch einmal, bei meiner Liebe, bleib!« – »Unmöglich«, entgegnete Busujok. Dann umarmten sie sich, und Busujok machte sich auf den Weg. Siminok aber blieb und schaute ihm bewegt nach, bis er ihn aus den Augen verlor.

Siminok kehrte nach Hause zurück und erzählte alles, was sich zugetragen. Die Kaiserin war außer sich vor Herzeleid. Sie rang die Hände und weinte, daß Gott sich erbarme! Aber sie wußte nichts zu tun und tröstete sich etwas durch Siminoks Anblick. Nach einiger Zeit holte dieser das Tuch heraus, schaute es an und sah

drei Tropfen Blut darauf. Da sagte er: »Ach, mein Bruder ist gestorben! Ich gehe, um ihn zu suchen.«
Und er nahm sich Reisezehrung mit und machte sich auf, um ihn zu suchen. Er kam durch Städte und Dörfer, durchmaß Felder und Wälder, wanderte und wanderte, bis er an ein kleines Haus kam. Dort begegnete er einer alten Frau, und die fragte er nach seinem Bruder. Die Alte sagte ihm, eben der sei der Schwiegersohn des Kaisers geworden, der in jenen Gegenden herrsche. Als Siminok an den Palast dieses Kaisers gelangte, glaubte dessen Tochter, sowie sie ihn erblickte, daß er ihr Gemahl sei, und lief ihm entgegen. Er sagte: »Ich bin der Bruder deines Gemahls. Ich habe gehört, daß er umgekommen ist, und bin hier, um über seinen Aufenthalt etwas zu erfahren.« – »Das kann ich nicht glauben!« sagte die Kaisertochter. »Du bist mein Gemahl, und ich weiß nicht, warum du dich jetzt verstellst. Ist meine Treue etwa auf eine Probe gestellt, habe ich dich hintergangen?« – »Nichts von alledem. Sondern ich sage dir mit reinem Gewissen, daß ich nicht dein Gemahl bin.« Sie wollte das durchaus nicht glauben. Da sagte er: »Der Herrgott soll die Wahrheit beweisen. Wer von uns beiden im Irrtum ist, den soll das Schwert, das dort am Nagel hängt, einkerben.« Und augenblicklich sprang das Schwert herab und verletzte das Mädchen am Finger. Darauf glaubte sie ihm denn und bewirtete Siminok, wie es ihm gebührte.
Am nächsten Tage erfuhr er, daß Busujok auf die Jagd gegangen und noch nicht heimgekehrt sei. So bestieg auch er ein Pferd, nahm Windhunde und ritt seinem Bruder nach, in die Gegend, in die er gegangen war. Er ritt und ritt und gelangte in einen Wald, wo er der Waldhexe begegnete. Sowie er sie erblickte, er ihr nach! Sie entfloh, er hinter ihr her, bis die Waldhexe einsah, daß sie keinen Ausweg hatte, sich auf einen hohen Baum schwang und so entkam.
Siminok stieg ab, band das Pferd an einen Baum, machte Feuer an, holte sein Essen heraus und begann, am Feuer gelagert, zu essen, wobei er den Windhunden auch immer etwas zuwarf. »O weh, o weh, mir ist so kalt«, sagte die Waldhexe, »mir klappern die Zähne.« – »Steig herab«, entgegnete ihr Siminok, »wärme dich am Feuer.« – »Ich ängstige mich vor den Hunden«, sagte sie. »Fürchte dich nicht, die tun dir nichts.« – »Wenn du mir einen Gefallen tun willst«, sagte sie, »nimm eine Strähne meines Haarzopfs und binde deine Hunde damit fest!« Er steckte die Haarsträhne ins Feuer. »Pfui, wie schlecht riecht die Strähne, die ich dir gegeben und die du ins Feuer gesteckt hast!« – »Mach, daß du von hier fortkommst«, antwortete ihr Siminok, »und schwatze nicht mehr Unsinn. Einer der Windhunde ist mit dem Schwanz ein bißchen ans Feuer gekommen und hat sich angesengt, darum riecht es so schlecht. Wenn du frierst, komm herab und wärme dich, wenn nicht, halt deinen Schnabel und laß mich in Ruh.«

Da glaubte sie ihm, stieg herab, näherte sich dem Feuer und sagte: »Ich habe Hunger!« – »Was soll ich dir zu essen geben? Nimm, was du willst von dem, was ich habe.« – »Ich möchte dich verspeisen«, sagte die Waldhexe, »mach dich bereit!« – »Und ich will dich verzehren«, antwortete Siminok.
Und er hetzte die Hunde auf sie, damit sie sie zerreißen sollten. »Halt«, sagte die Waldhexe, »halt die Hunde zurück, daß sie mich nicht zerreißen. Dann will ich dir deinen Bruder mit Pferd und Hunden und allem wiedergeben.« Siminok rief die Hunde zurück.
Darauf rülpste die Waldhexe dreimal und gab Busujok, das Pferd und die Windhunde aus sich heraus. Siminok aber ließ nun seine Hunde auf sie los, und die zerrissen sie in kleine Stückchen. Als Busujok zu sich kam, wunderte er sich, Siminok da zu sehen, und sagte ihm: »Sei willkommen, wohl und munter, Bruder Siminok, aber ich habe sehr lange geschlafen.« – »Du hättest gut so lange schlafen können wie die Welt und die Erde, wenn ich nicht gekommen wäre«, entgegnete er ihm.
Dann erzählte Siminok ihm alles, was sich zugetragen hatte von ihrer Trennung bis zu dem Augenblick. Busujok aber beargwöhnte ihn. Er meinte, daß Siminok die Liebe seiner Frau gewonnen habe, und wollte ihm nicht glauben, als er ihm die Wahrheit gestand: Solche Gedanken seien ihm nicht einmal durch den Sinn gezogen. Da Busujok einmal begonnen hatte, auf seine Frau eifersüchtig zu sein, wurde er wie toll. Und weil er Siminok böse Gedanken unterlegte, kam er mit ihm überein, daß sie sich und ihren Pferden die Augen zubinden wollten, dann sie besteigen, ihnen freien Lauf lassen und sich von ihnen hinführen lassen sollten, wohin sie wollten. So geschah es. Als Busujok ein Wimmern hörte, hielt er sein Pferd an, band sich das Tuch ab, schaute um sich – Siminok war nirgends! Denkt euch, er war in einen Brunnen gefallen, war ertrunken und kam nie mehr aus ihm heraus!
Busujok kehrte nach Hause zurück und horchte seine Frau aus; sie sagte gerade dasselbe wie Siminok. Darauf, um sich noch mehr von der Wahrheit zu überzeugen, befahl auch er dem Schwert, vom Nagel herabzuspringen und den Schuldigen einzukerben. Das Schwert sprang herab und verletzte ihn am Mittelfinger.
Er härmte sich ab, er klagte, er weinte bitterlich, daß er Siminok verloren, er bereute, sich übereilt zu haben, aber alles war vergebens. Es war nichts mehr zu ändern. Darauf wollte auch er voll Gram und Schmerz nicht mehr ohne seinen Bruder leben, ließ sich wieder die Augen verbinden und seinem Pferd auch, bestieg es und ließ es dem Walde zu eilen, in dem sein Bruder umgekommen war. Das Pferd eilte, was es konnte, und plumps! fiel es in denselben Brunnen, in den Siminok gestürzt war, und dort beendete auch Busujok sein Leben. Am

Himmel aber gingen damals auf der Morgenstern, der Sohn des Kaisers, Busujok, und der Abendstern, der Sohn der Magd, Siminok.

Ich schwang mich in den Sattel dann,
Damit ich's euch erzählen kann.

24. August – Der zweihundertsechsunddreißigste Tag

Der Erbsenkaiser

Es war einmal, wie's keinmal war, wäre es nicht gewesen, würde es nicht erzählt. Es war einmal ein Nichtsnutz, der war so arm und dürftig, daß er nicht einmal soviel zu essen hatte, um Wasser daraus trinken zu können. Nachdem er durch alle Länder gewandert war, kehrte er etwas vernünftiger heim. Er war in der Fremde durch viele Nöte durchgeschlüpft, hatte mit dem Kopf an die obere Türschwelle gestoßen, war durch das grobe und das feine Sieb gesiebt worden. Er hätte jetzt auch gern irgendein Handwerk ergriffen, aber er hatte dazu kein Geld.

Eines Tages fand er drei Erbsenkörner. Nachdem er sie von der Erde aufgehoben hatte, nahm er sie in die flache Hand, schaute sie an, dachte lange nach, dann sagte er lachend: »Wenn ich diese Körner in die Erde stecke, habe ich in einem Jahr hundert. Wenn ich nachher die hundert einpflanze, werde ich tausend haben, stecke ich auch diese tausend in die Erde, gewinne ich wer weiß wie viele. Wenn ich dann in der Weise fortfahre, werde ich schließlich ein reicher Mann. Damit ich aber dem Reichtum nachhelfe, daß er schneller kommt – laß mich nur machen!«

Er ging darum zum Kaiser und bat ihn, im ganzen Reich für ihn Fässer zu bestellen, in die er seine Erbsen tun könnte. Als der Kaiser hörte, daß er so eine Unsumme von Fässern brauchte, glaubte er, der andere ersticke im Geld. Der Kaiser überzeugte sich immer mehr davon, daß er reich sein müsse, als er sich mit ihm in ein Gespräch einließ. Was wahr ist, muß wahr bleiben, er war nicht auf den Mund gefallen. Er schnitt auf und prahlte, daß man glaubte, seinem Munde entfielen eitel Perlen.

Er erzählte dem Kaiser, was er in fremden Ländern gesehen, sagte, wie es da und dort sei, sprach von allem und jedem, daß der Kaiser mit offenem Munde vor ihm stehenblieb. Als er aber sah, daß der Kaiser sich so über seine Aussagen

wunderte, prahlte er immer mehr, sagte, daß er Paläste habe in anderen Ländern, Viehherden und andere Reichtümer.
Der Kaiser glaubte den Erzählungen des Prahlhans; dann sagte er zu ihm: »Ich sehe, daß du gereist bist, viel weißt, schlau und gerieben bist. Wenn du willst, gebe ich dir gern meine Tochter zur Frau.« Der Prahlhans bereute jetzt, dem Kaiser soviel Ungeheuerliches gesagt zu haben, denn nun wußte er nicht, wie er dem Vorschlag des Kaisers entgehen sollte. Nachdem er sich aber etwas besonnen, faßte er sich ein Herz und sagte: »Ich nehme mit Freuden die Schwiegersohnschaft an, die Ihr mir anbietet, erlauchter Kaiser, und ich werde mich bemühen, Euch zu zeigen, daß ich ihrer würdig bin.« Man traf die nötigen Vorbereitungen, und nach einiger Zeit wurde eine kaiserliche Hochzeit im Hof des Palastes gefeiert. Dann blieb unser Mann dort.
Eine Woche verging, zwei, mehrere Wochen vergingen, und keine Ahnung von Erbsen und Reichtum kam zum Vorschein. Schließlich fing der Kaiser an zu bereuen, was er angerichtet hatte, aber es war nichts daran zu ändern. Der Schwiegersohn des Kaisers aber verstand aus dem Betragen, das die Herren und Diener des Hofes gegen ihn annahmen, daß sie ihn geringschätzten. Ihm brannten die Wangen vor Scham. Trotz alledem machte er lauter Pläne, quälte sich herum, wie er aus der Klemme kommen möchte, und konnte nicht einmal nachts schlafen.
Eines Morgens brach er beim Frühgrauen aus dem Palast auf, ohne daß jemand etwas davon wußte. Er ging, bis er auf eine Wiese gelangte, und wanderte so in Gedanken, ohne zu wissen wohin. Plötzlich stand ein rotwangiger Mann vor ihm und fragte ihn: »Wohin gehst du denn, Gevatter, so in Gedanken und traurig, als ob dir alle Schiffe auf dem Meere untergegangen wären?« Er gestand ihm, was es damit auf sich habe, und auch, was er suche. Darauf erwiderte ihm der rote Mann: »Wenn ich dich aus der Klemme, in der du sitzt, befreie, was gibst du mir?« – »Was du von mir verlangst«, entgegnete er. »Wir sind neun Brüder«, erwiderte der rote Mann, »und jeder von uns weiß ein Rätsel. Wenn du sie rätst, soll unser ganzes Vermögen dein sein, wenn aber nicht, soll das erste Kind, das du bekommst, uns gehören.« Der arme Schwiegersohn des Kaisers, ganz zerknirscht vor Scham, ging darauf ein, so schwer es ihn ankam, in der Hoffnung, daß sich jemand finden würde, ehe das Kind zur Welt käme, der ihm sagen könnte, was er tun sollte.
So machten sie sich auf, damit der rote Mann ihm die Viehherden zeige, die er besaß, und seine Paläste, die nicht fern davon lagen. Darauf brachten sie den Kuhhirten, Schweinehirten, Schäfern und Knechten bei, was sie zu sagen hätten, wenn jemand sie frage, wem die Herden gehörten.

Des Kaisers Schwiegersohn kehrte darauf in den Palast zurück und sagte, daß er seine Frau am folgenden Tag in sein Haus führen würde. Unterwegs aber auf dem Felde begegnete er einem alten Mann. Als er sah, wie alt und schwach dieser war, hatte er Mitleid mit ihm und wollte ihm ein Almosen geben. Der Alte nahm nichts an, bat ihn aber, ihn in seinen Dienst treten zu lassen, es würde sein Schaden nicht sein. Er sagte ja. Als der Kaiser hörte, daß sein Schwiegersohn sich in sein eigenes Schloß begeben wollte, gab er vor Freuden den Befehl, alles großartig herzurichten, um ihn mit kaiserlichen Ehren zu begleiten.

Am folgenden Tage war daher der ganze Hof voll Herren, Soldaten und allerhand Gefolge. Alle Reisevorbereitungen hatte der alte Mann getroffen, der in die Dienste des Kaiserschwiegersohnes getreten war; er sagte, er sei der Haushofmeister des Erbsenkaisers, und alle lobten ihn wegen seiner Mannhaftigkeit, seiner Würde und seines Fleißes.
Der Kaiser war guter Dinge und machte sich mit der Kaiserin, dem Erbsenkaiser und dessen Frau nach den Besitzungen seines Schwiegersohnes auf. Der alte Knecht ging voran und brachte alles, was nötig war, in gute Ordnung.
Nur der arme Erbsenkaiser war bleich und mutlos, als hätte ihn jemand mit kochendem Wasser begossen. Er dachte an die Rätsel und wie er sie entziffern könnte.
Sie fuhren und fuhren, bis sie an die Ebene kamen. Hier war eine Wiese gar schön anzusehen, hinter ihr ein Wäldchen wie ein Paradies. Als der Feldwächter ihrer ansichtig wurde, trat er an den Weg mit der Mütze in der Hand. »Wem gehören diese Ländereien, mein Freund?« fragte der Kaiser. »Dem Erbsenkaiser«, antwortete der Wächter. Der Kaiser wurde vor Freude fett, er glaubte nun wirklich, daß sein Schwiegersohn kein Bettler sei. Sie fuhren noch ein Stück, als sie auf eine Unmenge von Herden mit allerhand Vieh stießen; alle Hüter nacheinander fragte er, wem sie gehörten, und alle antworteten: dem Erbsenkaiser.

Als sie aber an die Paläste der neun Drachen kamen, erstaunte der Kaiser. Wie großartig das war und alles an seinem Fleck! Am Tor wurden sie von einer Musikbande empfangen, die so schöne Lieder spielte, wie er sie noch nie gehört. Inwendig war der Palast mit lauter kostbaren Edelsteinen verziert. Eine großartige Tafel wurde für sie in der Eile hergerichtet, und sie tranken auch von dem unsterblichen Wein. Nachdem der Kaiser seinem Sohne alles Glück gewünscht hatte, kehrte er in seine Burg zurück, ganz lüstern nach dem Besitz und den Reichtümern seines Schwiegersohnes. Der Erbsenkaiser aber verging rein vor Angst.

Der Abend kam. Der alte Diener sagte zu seinem Herrn: »Herr, was du bis jetzt, seitdem ich dir diene, von mir hast sehen können, wird dich von meiner Treue überzeugt haben. Jetzt sage ich dir, daß ich dir noch größere Dienste leisten kann.« – »Sprichst du wahr, Alter?« fragte der Erbsenkaiser. »Zweifle nicht daran, keinen Augenblick, Herr! Um eines bitte ich dich noch: Laß mich diese Nacht in irgendeinem Eckchen des Zimmers, in dem du schläfst, zubringen, sei's auch hinter der Tür. Ferner rate ich dir, antworte nicht ein Wörtlein, wer dich auch mit Namen ruft oder wie groß der Lärm auch sei, der gemacht wird.« – »So soll es sein!« sagte der Erbsenkaiser. Und so geschah es auch.

Nachdem sie sich niedergelegt und das Licht gelöscht hatten, hörten sie ein dumpfes Geräusch wie das eines sich nähernden Unwetters. Dann sagte eine heisere, rauhe Stimme: »Erbsenkaiser, Erbsenkaiser!« – »Was wünschst du?« entgegnete der Alte. »Dich rufe ich nicht«, antwortete es, »ich rufe den Erbsenkaiser.« – »Das ist ganz dasselbe«, erwiderte der Alte, »mein Herr schläft, er ist müde.«

Darauf hörte man den Lärm vieler Stimmen, als ob sich jemand zanke. Dann vernahm man wiederum die erste Stimme: »Erbsenkaiser, Erbsenkaiser!« – »Was gibt's?« erwiderte der Alte. »Was ist eins?« – »Der Mond ist eins.« – »Du bist's, Herr?« – »Berste, Teufel!«

Darauf hörte man ein Wehklagen, als ob die ganze Hölle draußen wäre, und eine andere Stimme sagte: »Was ist zwei?« – »Zwei Augen im Kopfe sehen gut.« – »Du bist's, Herr?« – »Berste, Teufel!«

»Was ist drei?« – »Wo drei erwachsene Töchter im Hause sind, sieh dich vor, den Kopf hineinzustecken!« – »Du bist's, Herr?« – »Berste, Teufel!«

»Was ist vier?« – »Der Karren mit vier Rädern geht gut.« – »Du bist's, Herr?« – »Berste, Teufel!«

»Was ist fünf?« – »Fünf Finger an der Hand treffen gut.« – »Du bist's, Herr?« – »Berste, Teufel!«

Darauf hörte man wieder ein Geräusch wie von Donnern und Blitzen, das Haus schwankte, als ob die Erde bebte. Und wiederum ein Geschrei nach dem Erbsenkaiser. Dieser aber wurde immer kleinlauter und holte nicht einmal mehr Atem. Er schwieg rein still. Der Alte antwortete auch diesmal. Darauf fragte eine

andere Stimme: »Was ist sechs?« – »Die Flöte mit sechs Löchern bläst gut.« – »Du bist's, Herr?« – »Berste, Teufel!«
»Was ist sieben?« – »Wo sieben Brüder sind, misch dich nicht in ihre Angelegenheiten!« – »Du bist's, Herr?« – »Berste, Teufel!«
»Was ist acht?« – »Der Pflug mit acht Ochsen davor pflügt das Erdreich gut um!« – »Du bist's, Herr?« – »Berste, Teufel!«
»Was ist neun?« – »Wo neun erwachsene Töchter im Hause sind, bleibt das Haus ungefegt.« – »Du bist's, Herr?« – »Berste, Teufel!«
Der Erbsenkaiser, der dies alles hörte, konnte die ganze Nacht nicht schlafen, selbst als es so still wurde, daß man eine Fliege summen hören konnte. Er wartete auf den Tod wie der Tote auf die Totenspeise.
Am nächsten Morgen, als er aufstand, war der Alte verschwunden. Er trat aus dem Hause, was sah er? Neun geborstene Leichen der roten Männer, die er den Raben zum Fraß gab. Wie er nun Gott dankte, daß er ihn erlöst und aus der Schande befreit habe, hörte er eine süße Stimme sagen: »Das Mitleid, das du mit den Armen gehabt hast, hat dich erlöst. Sei immer barmherzig.«

25. August – Der zweihundertsiebenunddreißigste Tag

Die Alte und der Alte

Es waren einmal ein Alter und eine Alte, die hatten bis in ihr Alter nicht ein einziges Kind gehabt, und das kam ihnen schwer an, weil sie gar keine Hilfe hatten, nicht einmal um das Feuer anzumachen; denn wenn sie vom Felde kamen, mußten sie zuerst damit beginnen, Feuer anzuzünden, und dann das Essen herrichten.
Eines Tages, als sie sich so mühten und miteinander berieten, beschlossen sie, sich nach Kindern umzusehen, was dann auch geschah. Der Alte schlug einen Weg ein, die Alte einen anderen, um irgendwo ein Kind zu finden. Der Alte traf auf seinem Wege einen Hund, die Alte eine Maus. Als sie einander begegneten, fragte die Alte: »Alter, was hast du gefunden?« – »Ein Hündchen. Und du, Alte?« – »Ein Mäuschen.«
Sie kamen jetzt überein, das Mäuschen als Kind anzunehmen und das Hündchen fortzujagen, und so kehrte der Alte mit der Alten und dem Mäuschen vergnügt nach Hause zurück, weil sie nun gefunden, was sie gesucht hatten, nämlich ein Kind.

Zu Hause angelangt, begann die Alte Feuer anzumachen. Dann setzte sie den Topf mit saurer Buttermilch zum Kochen auf und ließ das Mäuschen zurück. Es sollte aufpassen, daß der Topf nicht ins Feuer fiele. Darauf ging sie dem Alten nach zur Feldarbeit. Nachdem sie fortgegangen war, kochte die Suppe und spritzte aus dem Topf heraus. Da fing das Mäuschen, welches auf dem Herd saß, zu sprechen an: »Süppchen, spring nicht auf mich los, sonst spring ich auf dich.« Die Buttermilch aber hörte nicht darauf und spritzte immerfort heraus. Als das Mäuschen das sah, ärgerte es sich und sprang stracks in den Topf.

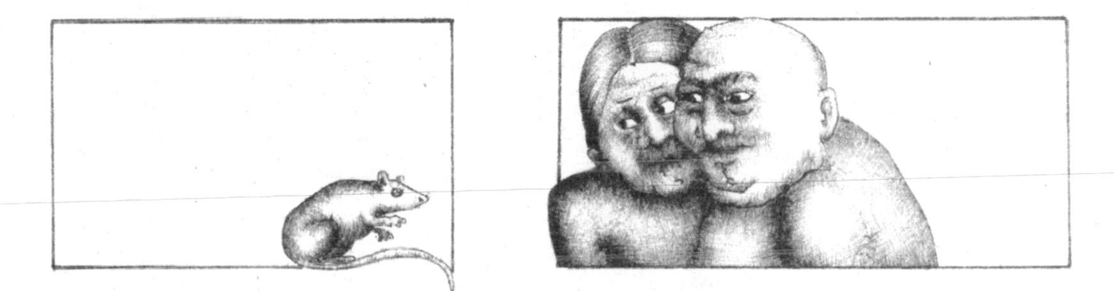

Als die Alten vom Hacken kamen und ins Haus traten, riefen sie ihr Kind, aber nirgends ein Kind! Nachdem sie es längere Zeit gesucht hatten und es nicht fanden, setzten sie sich sehr traurig zu Tisch, um zu essen. Sie aßen jedoch mit großer Lust, bis die Alte, wie sie die Schüssel leerte, auf dem Boden was fand? Das Mäuschen, ihr Kind, tot! Sie begann zu stammeln: »Alter, Alter, hier ist's, unser Kind hat sich in der Buttermilch ertränkt!« – »Aber wie ist das möglich, Alte?« entgegnete der bärtige Alte.

Als sie dieses schreckliche Ereignis sahen, begannen sie bitter weinend es zu beklagen, und der Alte fing an, aus Trauer sich den Bart zu zausen, die Alte aber das Haupthaar.

Der Alte trat mit Tränen in den Augen und zerzaustem Bart aus dem Haus. Auf dem Baum aber vor dem Haus, auf einem Zweig, saß eine Elster, und die fragte ihn, wie sie ihn erblickte: »Warum hast du deinen Bart zerzaust, Alter?« – »Ach, mein Liebling, wie soll ich mir nicht die Haare aus dem Bart reißen, wenn mein Kindchen sich in dem Topf mit Suppe ertränkt hat und tot ist?« Als die Elster dies hörte, riß sie sich auch alle Federn aus und behielt nur den Schwanz.

Die Alte machte sich mit kahlem Kopf zum Brunnen auf, um einen Krug Wasser zu holen, in dem sie ihr verstorbenes Kind baden wollte. An diesem Brunnen stand ein Mädchen mit Krügen, um Wasser zu holen. Als sie die Alte erblickte, fragte sie: »Alterchen, warum hast du dir die Haare vom Kopf gerissen und dich

ganz kahl gezaust?« – »Ach, mein Liebling, wie soll ich mir die Haare nicht zausen und mich kahlköpfig raufen, wenn mir mein Mäuschen gestorben ist?«
Das Mädchen brach vor Trauer seine Krüge entzwei, dann eilte es zur Kaiserin, um es ihr zu sagen. Die stürzte sich, sowie sie es hörte, vom Balkon herab, brach sich einen Fuß und starb. Der Kaiser aber, aus Liebe zur Kaiserin, ging davon und wurde Mönch im Lügenkloster, jenseits der Wahrheiten. Ich aber

Bekanntschaften mit den Großeltern machte,
Denen ich dieses Märchen brachte;
Doch ihnen schien's gering, sie lachten,
Wenn sie nochmals daran dachten.

26. August – Der zweihundertachtunddreißigste Tag

Die Katze

Diese Geschichte trug sich zu, als Himmel und Erde noch vereinigt waren: Die Menschen verschütteten ihr schmutziges Wasser am Himmel; ein Zigeuner konnte eine Mücke mit neunzig Eisen beschlagen; die alten Frauen verwandelten sich in junge Mädchen und die Greise in Jünglinge; Katzen und Hunde lebten in Frieden miteinander.
Es gab da auch einen Zigeuner, der sehr geschickt war und der noch nie in seinem bisherigen Leben geheiratet hatte. Als Handwerker war er vollkommen. Einmal, während er bei der Arbeit war, besuchte ihn eine Katze. Als sie zu miauen begann, da glaubte er, daß sie Hunger habe, und gab ihr ein Stückchen Brot. Aber die Katze wollte nichts annehmen und miaute weiter. Der Zigeuner war fünfzig Jahre alt. Aus Gewohnheit arbeitete er, bis die Nacht herniedersank. Er sah, daß die Katze sich beruhigt hatte, sich aber nicht wohl fühlte. Er spürte Mitleid mit ihr, wie sie dort auf dem Blasebalg in der Schmiede saß. Deshalb nahm er sie und band sie am Amboß fest; denn er dachte, sie würde während seiner Abwesenheit dort bleiben und später, wenn er sie befreit hätte, wieder fortlaufen können.

Als er im Dorf weilte, war er mit seinen Gedanken bei der Katze. Er übergab den Bauern ihre Gegenstände, sammelte in seinem Sack ein oder zwei Stück Brot und kehrte nach Hause zurück. Bei seiner Ankunft suchten seine Augen nach dem Amboß; der Amboß, die Katze und der Bindfaden waren verschwunden. Er machte sich daran, seine Werkzeuge zu ordnen, aber immer blieb die Katze in seinem Herzen. Dann legte er sich hin und sah die Katze im Traum.

Am Morgen, als er aufgestanden war, bat er den Bauer, der im Hause nebenan wohnte, um einen Baumstumpf als Stütze für den Amboß. Der Bauer sagte, er solle lieber einen Baum fällen, einen Teil des Stammes als Unterlage nutzen und mit dem übrigen Holzkohle bereiten, die er für seine Arbeit gebrauchen könne. Diese Ratschläge befolgte der Zigeuner. Dann begann er mit seiner Arbeit. Einige Bauern kamen zu ihm, der eine mit einer Hacke, ein anderer mit einer Schaufel oder mit Äxten. Jede Art von Arbeit verrichtete er und hatte bald den letzten Gegenstand fertiggestellt, einen kleinen Spaten. Der Bauer war kaum damit fortgegangen, da erschien die Katze und fing an zu miauen. Er wollte sie davonjagen, aber die Katze miaute so jämmerlich, daß er dazu nicht fähig war. Er nahm zwei Brotrinden und gab sie ihr. Die Katze beruhigte sich und miaute nicht mehr. Er schnitt die Zähne für einige Sägen. Als er damit fertig war, begann es Tag zu werden. Er nahm eine kleine Kette und hängte sie der Katze um. Dann füllte er seinen Sack mit den Werkzeugen, die er den Bauern bringen mußte, und begab sich ins Dorf. Unterwegs dachte er immer an die Katze und beschaffte auch Nahrung für sie.

Als er nach Hause zurückkehrte, befand sich die Katze am selben Ort in der Schmiede. Die Werkzeuge waren geordnet. Der Zigeuner staunte, als er dies sah, und er ging zum Nachbarn und fragte ihn, ob jemand sein Werkzeug in Ordnung gebracht habe. Der Bauer sagte, daß er nichts darüber wisse und daß er nur die Katze im Hause gesehen habe. Der Zigeuner gab der Katze, was er ihr mitgebracht hatte, und diese verzehrte die Speise. Dann legten sie sich nieder, der Zigeuner auf seine alten Kleider und die Katze auf die Schmiede. Der Zigeuner schlief schnell ein, während die Katze bis Mitternacht wach blieb.

Um Mitternacht verwandelte sich die Katze in eine wunderschöne Zigeunerin, wie es keine zweite auf Erden gab. Vor ihr erschien eine gedeckte Tafel, wie sie sonst nur Könige besitzen. Sie weckte den Zigeuner, um ihn zum Essen einzuladen. Der Zigeuner wollte nicht glauben, daß er wach und alles dies Wirklichkeit sei. Sie reichte ihm Wasser aus einem goldenen Krug, damit er sich waschen könne, umschlang und küßte ihn – er aber wollte immer noch nicht seinen Augen trauen. Um sicher zu sein, daß er nicht träume, bat er sie, ihn in den kleinen Finger zu beißen. Jetzt erst glaubte er, daß er nicht schlafe und auch nicht betrunken sei.

Danach erzählte sie ihm von sich: Sie war die Frau eines Lagerverwalters. Dieser Mann war ein unreiner Geist, er verwandelte sich des Nachts in einen Vampir. Er hatte ihr gesagt, daß er nach Mitternacht niemals zu Hause sein werde. Eine Nacht verging, eine zweite, dann eine dritte, und endlich hatte sie genug und bat ihren Gatten, ihr zu erzählen, wo er die Zeit bis zum Morgen zubringe. Er antwortete nicht sogleich, aber bei ihren Tränen versprach er ihr, es zu sagen, unter der Bedingung, daß sie darüber zu niemandem spreche. Als sie gelobte, nichts zu verraten, da enthüllte er ihr, daß er ein Vampir sei. Wenn sie dies jemals erzählen werde, solle sie sich in eine Katze verwandeln und ihre weibliche Gestalt nur zwischen Mitternacht und Morgen wiedererlangen. Niemand könne sie erlösen als ein kinderloser Zigeuner, der zugleich ein vollkommener Handwerker sei. Dieser müsse einen Baum fällen, um daraus eine Stütze für den Amboß zu machen. Was ihn, den Vampir, betreffe, so werde er drei Nächte in dem Brunnen verbringen, aus dem der Besitzer des Hauses sein Wasser hole.

Als sie aufgehört hatte zu sprechen, begann es Tag zu werden. Sie sagte, daß sie gehen müsse und nicht wieder zurückkehren werde, bis er sie aus ihrem Zustand befreit habe. An diesem Tage konnte der Zigeuner nicht arbeiten. Des Nachts ging er zum Brunnen und versuchte hinunterzusteigen. Aber als er hinabsteigen wollte, stieß ihn eine Wolke zurück nach draußen. Er war betrübt. Gegen Mitternacht kam der Drache heraus und sprach: »Zigeuner, du hast Mitleid mit ihr, und auch ich habe Mitleid mit ihr. Geh, mach dir einen Säbel und laß uns kämpfen.«

Ohne zu zögern, kehrte der Zigeuner in sein Haus zurück und arbeitete bis zum Morgen, um sich einen Säbel zu schmieden, so scharf wie ein Rasiermesser. Um die Festigkeit seines Säbels zu erproben, schlug er mit ihm gegen den Amboß – der Säbel zerbrach. Am nächsten Tage fertigte er einen neuen Säbel aus eisenbedecktem Kupfer. Er schwang dieses gegen den Himmel, und wieder zerbrach der Säbel. Als der Zigeuner das sah, schmiedete er noch einen Säbel, umgab ihn mit Stahl und erprobte ihn erneut. Auch dieser Säbel zerbrach. Nun ließ der Zigeuner sein Werkzeug bei dem Bauern und zog in die Welt hinaus. Unterwegs befragte er jeden Handwerker, ob er nicht zufällig wisse, wie man einen Säbel machen könne, der unzerbrechlich sei. Doch man sagte ihm nur, was er schon wußte. Er setzte die Suche fort, aber er erfuhr nichts, und so kehrte er zu seinen Werkzeugen zurück. Er erzählte dem Bauern von seiner Reise, erzählte, daß er versucht habe, einen Mann zu finden, der ihm verraten könne, wie man einen unzerbrechlichen Säbel herstelle. Der Bauer hatte zugehört und riet ihm, die Alten aufzusuchen. Der Zigeuner erkundigte sich, wer die alten Frauen des Dorfes seien. Der Bauer sagte ihm, daß am Ausgang des Dorfes eine Alte lebe, die die meisten Geheimnisse der Zauberei kenne. Da begab er sich sogleich zu dieser Frau. Als er eintrat, forderte die Alte ihn auf, sich zu setzen. Dann verlangte sie zu wissen, welcher Wunsch ihn so tief bewege, daß er gekommen sei, sie zu sehen. Der Zigeuner erzählte ihr seine ganze Geschichte. Die Alte dachte einen Moment nach, bevor sie sprach: »Siehst du, Zigeuner, wenn du eine Nacht am Grabe meiner Schwester verweilen könntest, bis der Vampir es verläßt, dann wird meine Schwester dir sagen, was zu machen ist.« Der Zigeuner blieb bei der Alten, bis es Nacht geworden war. Dann begab er sich zum Friedhof und wartete dort bis Mitternacht. Und genau um Mitternacht sah er eine Wolke aus dem Grab kommen, die immer größer wurde. So verließ der Vampir das Grab. Näher und näher kommend, wandte sich der Vampir drohend gegen ihn, aber der Zigeuner fürchtete sich nicht.

Als die Tageshelle anbrach, stieg die Schwester der Alten aus ihrem Grab. Sie war ganz schwach. »Du hast gut daran getan, hierherzukommen, mein sehr Lieber, und mich von dem Vampir zu erlösen, denn er saugt an mir die ganze Nacht«, sagte sie. »Nimm sogleich seinen Säbel und rette uns beide, sie und mich!« Der Zigeuner nahm den Säbel und kehrte nach Hause zurück. Er schlief den ganzen Tag. Des Nachts ging er zum Brunnen und blieb dort bis Mitternacht. Um Mitternacht kam der Vampir heraus mit einem Säbel, der dem seinen ähnlich war. Und sie begannen, miteinander zu kämpfen. Der Zigeuner schlug als erster zu, und der Vampir starb. Sogleich erschien die Zigeunerin, die ihre weibliche Gestalt für immer wiedererlangt hatte, und umarmte ihn.

27. August – Der zweihundertneununddreißigste Tag

Die Erschaffung der Geige

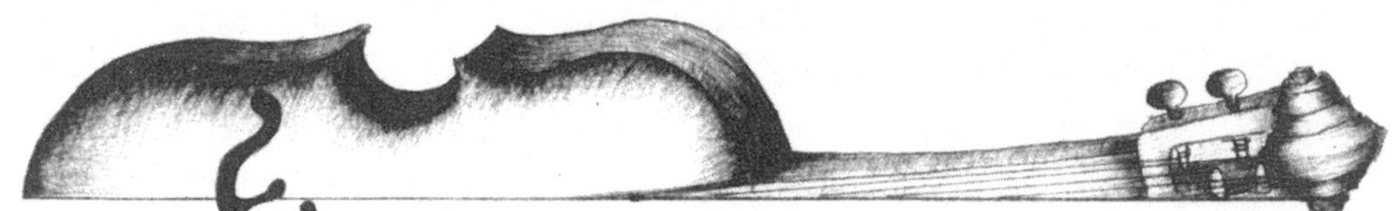

Es waren einmal ein armer Mann und eine arme Frau, die hatten lange Zeit keine Kinder. Da geschah es einmal, daß die Frau in den Wald ging und einem alten Weib begegnete, die zu ihr sprach: »Geh nach Hause und zerschlage einen Kürbis, gieße Milch hinein und dann trinke sie. Du wirst darauf einen Sohn gebären, der glücklich und reich werden wird.« Hierauf verschwand das alte Weib, die Frau aber ging nach Hause und tat wie ihr geheißen.
Nach neun Monaten gebar sie einen schönen Knaben. Doch nicht lange Zeit hindurch sollte die Frau glücklich bleiben; sie wurde bald krank und starb. Ihr Mann starb auch, als der Junge zwanzig Jahre alt wurde. Da dachte sich der Jüngling: ›Was soll ich hier machen? Ich gehe in die Welt und suche mein Glück.‹
Der Jüngling ging also von Dorf zu Dorf, von Stadt zu Stadt, fand aber nirgends sein Glück. Da kam er einmal in eine große Stadt, dort wohnte ein reicher König, der eine wunderschöne Tochter besaß. Ihr Vater wollte sie aber nur dem Mann zur Frau geben, der etwas machen könne, was noch niemand auf der Welt gesehen habe. Viele Männer hatten schon ihr Glück versucht, aber sie wurden alle vom König aufgehängt, denn sie hatten nichts zustande gebracht, was man nicht schon vordem gesehen hatte.
Als der Jüngling dies hörte, ging er zum König und sprach: »Ich will deine Tochter zur Frau haben. Sag, was soll ich da machen?« Der König erzürnte und sprach: »Du fragst, was du machen sollst? Du weißt ja, daß nur der meine Tochter zur Frau erhält, der etwas machen kann, was noch niemand auf der Welt gesehen hat. Weil du so dumm gefragt hast, sollst du im Kerker umkommen.« Hierauf sperrten die Diener des Königs den Jüngling in einen dunklen Kerker.
Kaum, daß sie die Tür zusperrten, da wurde es hell, und Matuya, die Feenkönigin, erschien. Sie sprach zum Jüngling: »Sei nicht traurig, du sollst noch die Königstochter bekommen. Hier hast du eine kleine Kiste und ein Stäbchen. Reiß mir Haare von meinem Kopf und spanne sie über die Kiste und das Stäbchen!« Der Jüngling tat, wie ihm die Matuya geheißen. Als er fertig war, sprach sie: »Streich mit dem Stäbchen über die Haare der Kiste!« Der Jüngling tat es. Hierauf sprach

die Matuya: »Diese Kiste soll eine Geige werden und die Menschen froh oder traurig machen, je nachdem, wie du es willst.« Hierauf nahm sie die Kiste und lachte hinein, dann begann sie zu weinen und ließ ihre Tränen in die Kiste fallen. Sie sprach nun zum Jüngling: »Streich nun über die Haare der Kiste!« Der Jüngling tat es, und da strömten aus der Kiste Lieder, die das Herz bald traurig, bald fröhlich stimmten.
Als die Matuya verschwand, rief der Jüngling die Diener und ließ sich zum König führen. Er sprach zu ihm: »Nun hör und sieh, was ich gemacht habe.« Dann begann er zu spielen, und der König war außer sich vor Freude. Er gab dem Jüngling seine schöne Tochter zur Frau, und nun lebten sie alle in Glück und Freude. So kam die Geige auf die Welt.

28. August – Der zweihundertvierzigste Tag

Tschulano

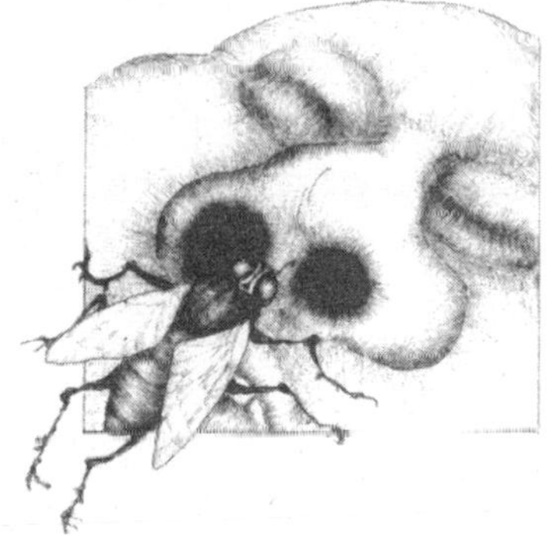

Es war einmal ein armer Zigeuner, der war aber ein so großer Dieb, wie man nur selten einen findet. Einmal ging er zu einem Bauern, der zwei schöne Pferde hatte. Er dachte sich eins und ging genau um Mitternacht die Pferde stehlen.
Unterwegs begegnete ihm der Teufel. (Der war es wirklich, so wahr ich lebe, es war der Vater meiner Mutter.)
»Wohin gehst du, Mann?« fragte ihn der Teufel. »Ich gehe zum Bauern Soundso, seine Pferde stehlen.« – »Und wie stiehlst du die Pferde?« – »Ich springe übern Zaun, seh mich um auf dem Hof. Wenn niemand da ist, geh ich in den Stall, binde die Pferde los, setz mich auf eines und zieh ab mit beiden.«
Jetzt fragte der Zigeuner den Teufel: »Und wohin gehst du?« – »Ich gehe zu demselben Bauern, um seine Leber zu fressen.« – »Und wie frißt du die Leber von Bauersleuten?« – »Ich verwandle mich in eine Fliege, schlüpfe durchs Schlüsselloch und krieche ihnen in die Nase. Sie werden niesen, bis ihnen das ganze Blut wegfließt, dann sterben sie. Aber wenn da ein Mensch wäre, der jedesmal, wenn sie niesen, ›Gesundheit!‹ sagt, könnte ich nichts tun.«
Daraufhin wartete der Zigeuner, bis der Teufel ins Haus hineinging. Drinnen kroch er den Leuten in die Nase. Da aber sprang der arme Zigeuner ans Fenster,

und so oft sie niesten, rief er: »Gesundheit!« So ging das bis zum Morgen, und niemandem geschah ein Leid.
Der Teufel ging fort, und der arme Zigeuner klopfte bei dem Bauern an. »Guten Morgen, Mann!« – »Grüß dich Gott, Mann. Was wünschst du?« – »Mann«, sagte der Zigeuner, »ich möchte dir etwas sagen, wenn du mich anhörst.« – »Ich höre dich an«, so der Bauer. »Also, hör zu, Mann. Ich sag's offen, gestern kam ich um Mitternacht mit der Absicht, deine Pferde zu stehlen.«
Der Bauer wurde zornig. »Hör nur weiter zu. Auf dem Weg traf ich den Teufel. Der Teufel fragt mich, wohin ich gehe. Ich sage ihm, zu dir, deine Pferde stehlen. Dann frage ich ihn, wohin er gehe. Er sagt, er geht auch zu dir, um deine Leber zu fressen und die Leber von deinen Kindern und deiner Frau. Ich frag ihn, wie er das anstellen will. Er sagt, er verwandelt sich in eine Fliege, schlüpft durch das Schlüsselloch und kriecht euch in die Nase. Ihr werdet niesen, bis euch das ganze Blut wegfließt, weil niemand dasein wird, der bei jedem Niesen ›Gesundheit!‹ sagt. So hast du durch mich das Leben behalten, so deine Frau und deine ganze Familie.« – »War das wirklich so, du?« sagte darauf der Bauer. Und der Zigeuner antwortete: »So war es.«
Daraufhin ging der Bauer in den Stall, band die Pferde los, holte auch den Viehpaß und gab ihn dem Zigeuner. »Du hast mir das Leben gerettet, sollst dafür die beiden Pferde haben. Sei glücklich mit ihnen.«
Eine wahre Geschichte.

29. August – Der zweihunderteinundvierzigste Tag

Herr Nichts

Es war, und es war nicht. Wäre es nicht geschehen, so würde man's nicht erzählen.

Es lebte in einem Dorf ein Mann, der sehr arm war und trotzdem nur so viel arbeitete, als er eben mußte, um nicht vor Hunger zu sterben. Er galt unter den Leuten als ein kluger Mann, ja als ein rechter Tausendkünstler, da er beinahe jedes Handwerk verstand. Gestern arbeitete er beim Schmied, heute beim Tischler und morgen beim Schneider, aber überall nur so lange, bis er sich einige Kreuzer verdient hatte, für die er sich dann Speisen kaufte. Waren sie verzehrt, so ging er nach Hause und legte sich nieder. Sein Haus war groß und schön, aber leer, denn er schaffte sich nichts an und lebte von einem Tag zum andern.

Einmal lag er wieder in seiner Hütte und schlummerte. Da trat ein dicker, fetter Mann, der ganz nackt war, in die Stube und sagte: »Du bist mein bester Kamerad! Du hast nichts, ich hab nichts. Du brauchst nichts, ich brauch nichts, und ich heiße noch obendrein Nichts! Bei dir gefällt es mir, und ich werde von nun an bei dir wohnen.« Der Mann betrachtete sich inzwischen den Fremden und sah, daß dieser so durchsichtig war wie eine blanke Fensterscheibe. Er sagte: »Wenn du kein Essen und Trinken brauchst, so kannst du dein Leben lang hier bleiben. Aber für dich will ich Essen und Trinken nicht auch noch besorgen!« Der Fremde erwiderte: »Ich habe dir schon gesagt, daß ich nichts habe und nichts benötige und, wie ich sehe, bei dir auch nichts finde, denn sonst wäre ich auch nicht zu dir gekommen. Ich suche mir nur bei solchen Leuten eine Wohnung, die nichts

haben und nichts brauchen, denn mein Name ist Nichts.« Darauf machte er sich's im leeren Zimmer recht bequem und legte sich nieder.
Der Mann ging nun wie immer zur Arbeit, und sobald er einige Kreuzer verdient hatte, kaufte er sich Eßwaren, verzehrte sie und legte sich dann in seiner Hütte zur Ruhe. So ging dies eine Zeitlang, bis endlich der Mann bemerkte, daß Herr Nichts täglich immer dicker und fetter wurde, so daß er beinahe schon die ganze Stube mit seinem Körper bedeckte und für seinen Wirt kaum einen Winkel frei ließ. Dies ärgerte den Mann, und einmal sagte er zum Nichts: »Hör mal, Kamerad! Du wirst von Tag zu Tag immer dicker, und bald werde ich in meiner eigenen Wohnung keinen Platz mehr finden, wohin ich mich legen kann.« Nichts gähnte und sprach: »Geht mich gar nichts an! Kann nichts dafür!« Bald wuchs Herr Nichts so sehr heran, daß der Mann in seiner Stube kaum mehr stehen, noch weniger sitzen oder liegen konnte.
Da geschah es, daß unser Mann sich in ein schönes Mädchen verliebte und dies zu seiner Frau begehrte. Aber die Eltern des Mädchens sagten: »Wir möchten dir ja gerne unsere Tochter zur Frau geben. Du bist klug und bist ein Tausendkünstler, aber du hast nichts und willst dir auch nichts anschaffen. Dein Zimmer ist leer, dein Stall ist leer, deine Scheune ist leer, dein Keller ist leer, dein Speicher ist leer. Schaff dir zunächst alles Nötige an, dann werden wir dir unsere Tochter schon geben.«
Da begann unser Mann fleißig zu arbeiten. Tag und Nacht sah man ihn bei der Arbeit, und alsbald schaffte er sich ein Hausgerät nach dem andern an, ein Kleidungsstück nach dem andern, ein Vieh nach dem andern, und je mehr er sich anschaffte, desto magerer und kleiner wurde Herr Nichts, so daß er zuletzt in einer Ecke des Herdes Platz für sich fand.
Als nun unser Mann kein Plätzchen mehr fand, weder in der Stube noch im Keller oder Speicher, weder in der Scheune noch im Stall, wohin er noch hätte etwas unterbringen können, ging er zu den Eltern seiner Geliebten und erhielt sie nun zur Frau. Als er nach der Hochzeit mit seinem jungen Weib in das Zimmer trat, war Herr Nichts verschwunden und hatte sich bei einem anderen Mann eingenistet.

30. August – Der zweihundertzweiundvierzigste Tag

Die Geschichte vom Grießbrei

Es war, und es war nicht. Wäre es nicht geschehen, so würde man's nicht erzählen.
Es war einmal ein König, in dessen Garten stand ein Birnbaum, der nur eine einzige Birne trug. Der König hatte eine Tochter, die keinen Mann nehmen wollte. Der Vater riet ihr gut zu, doch endlich einen Mann zu nehmen, der würde dann sein Nachfolger werden, denn er selber sei zu alt zum Regieren.
Da sagte seine Tochter: »Setze in die Zeitungen: Wer die Birne von unserem Baum herabwirft, der soll Thronfolger werden, und ich würde seine Frau.« Der König gab also in den Zeitungen bekannt, daß alle Männer herbeikommen sollten. Da kamen Grafen und Prinzen und viele andere. Sie konnten jedoch die Birne nicht herabwerfen.
In der Nähe wohnte ein Zigeuner mit seiner Frau. Die kochte ihm immer Grießbrei zum Essen. Auch er ging hin und sah, wie die Freier nach der Birne warfen, sie aber nicht herunterholen konnten. Er ging nun wieder nach Hause zu seiner Frau und sagte: »Gib mir doch ein wenig Grießbrei zu essen.« Die Frau aber antwortete: »Es ist nichts mehr da. Die Kinder haben ihn aufgegessen.« Da erklärte er: »Nun verlasse ich dich und nehme mir eine andere Frau.« Und er ergriff den Hammer, eilte weg und warf ihn nach der Birne.
Da fiel die Birne herab. Und sie wuschen ihn, kleideten ihn an, und er war nun Thronfolger. Dann brachte man ihm zu essen und zu trinken.
Er aber schämte sich und aß nicht, sondern er lief am Tag in den Garten und füllte sich die Taschen mit Stachelbeeren. Des Nachts aber, wenn er sich schlafen legte, aß er dann die Stachelbeeren. Seine Frau fragte ihn: »Was ißt du?« – »Ich esse Zucker.« – »Gib mir auch davon.« – »Ich gebe dir nichts.« Das sagte er, weil er sich schämte.
Am anderen Tag ging er auf einer Straße spazieren und traf einen Handwerksburschen. Er sagte zu ihm: »Wir wollen unsere Kleider tauschen.« Der Handwerksbursche erklärte: »Ich kann mit dir nicht tauschen, denn du bist doch der König.« – »Wenn du nicht tauschst, schneide ich dir den Hals ab.«
Da begann der Handwerksbursche seine Kleider auszuziehen, und der Zigeunerkönig nahm seine Kleider, während jener die des Königs anzog. Dann ging der Handwerksbursche in die Stadt und wurde nun König. Der Zigeuner aber ging zu seiner Frau und gab ihr die Hand. Sie sprach zu ihm: »Bist du wiedergekom-

men, Mann?« – »Ich bin gekommen, was soll ich mit der anderen Frau? Bring mir doch, Frau, ein wenig Grießbrei.« Sie gab ihm zu essen.
Als er aber wieder einmal nach Hause kam und zu essen verlangte, erklärte seine Frau: »Ich habe nichts, die Kinder haben alles aufgegessen.« Da sagte er: »Dann gehe ich wieder zu der anderen.«
Also ging er zurück zur Königstochter. Da aber wollte man ihn totschlagen. Darum ging er doch wieder heim. Ob er von seiner Frau dann wieder Grießbrei bekam, wer kann es wissen?
Wenn sie nicht gestorben sind, so leben sie noch heute.

31. August – Der zweihundertdreiundvierzigste Tag

Der Zigeuner in der Hölle

Es war einmal ein armer Zigeuner. Er sprach: »Wenn ich meinen Pelz auf ein Schwert werfe und ihn herunternehmen kann, ohne daß sich das Schwert bewegt, werde ich ein großer Räuber.«
Gesagt, getan. Er warf seinen Schafspelz auf das Schwert und nahm ihn dann herunter. Er machte das so behutsam, daß sich das Schwert kein bißchen bewegte. ›Na‹, dachte er, ›jetzt bin ich schon gewandt genug für einen Räuber. Ich müßte versuchen, zum König zu gehen und ihn zu bestehlen.‹
Der Zigeuner war so arm wie ein streunender Hund, er streunte denn ja auch in der Gegend umher. Na, aber es kam schon die Nacht, in der er stehlen gehen konnte. Aber wie sollte er es machen? Er kaufte einen Liter Schnaps, lud noch eine Menge Hühner auf seinen Karren, die wollte er verkaufen. Er fuhr zum König und bat um Nachtquartier. Das bekam er auch. Der arme Zigeuner fuhr seinen Karren auf den Hof. In der Hand hielt er die Literflasche Schnaps, den wollte er verkaufen. Die Hühner ließ er laufen; dann konnte er sie nicht wieder einfangen. Er rief den Bauern, den Knechten zu: »Seid doch so freundlich, helft mir diese Hühner einzufangen, damit ich sie verkaufen kann, denn davon lebe ich, ich habe viele Kinder.« Na, die Bauern halfen ihm. Die Knechte liefen hin, die Hühner einzufangen. Inzwischen stahl er von der Weide des Königs Lieblingskuh.
Am nächsten Morgen ging er zum König und sagte: »Guten Morgen, großer König!« – »Gott zum Gruß, armer Zigeuner. Was führt dich zu mir?« – »Gnädiger König, heute nacht um zwölf Uhr habe ich deine Lieblingskuh gestohlen.« – »He, warum hast du sie denn gestohlen?« – »Darum, weil ich ein großer Räuber bin.«

– »Wo hast du denn das Räuberhandwerk erlernt?« – »Wo ich das erlernt habe? Die Armut hat es mich gelehrt.« – »Na, macht nichts, der Teufel soll mit deiner Mutter schlafen! Wenn du so ein großer Räuber bist – ich hab da ein Pferd. Wenn du das um zwölf Uhr in der Nacht stehlen kannst, bekommst du eine Rinderherde von mir.« – »In Ordnung, mein gnädiger König.« – »Wenn du das aber nicht fertigbringst – neunundneunzig Köpfe stecken schon auf Pfählen –, deiner wird der hundertste sein.« – »In Ordnung, mein gnädiger König!« – »Lebe wohl, Gott mit dir«; der Zigeuner ging.

Am Abend kam er zum König zurück. Er ging in den Stall, wo die Pferde standen. Dort waren auch die Knechte und die Wächter, die der König aufgestellt hatte, damit sie aufpassen sollten, daß die Pferde nicht gestohlen würden. Na, er ging hinein und sagte: »Guten Abend!« – »Schönen Dank!« sagten die Leute. »Wohin des Wegs?« – »Wenn ihr es mir erlaubt, möchte ich diese Nacht hier schlafen.« – »Hier im Stall kannst du schlafen.«

Na fein, aber er hatte eine große Flasche Schnaps bei sich; und was war darin? Schlafpulver. Er tat so, als wollte er den Schnaps verkaufen. Jedem gab er ein Glas voll. Sie tranken. Sobald sie ausgetrunken hatten, schliefen sie ein. Er allein war wach. Er packte das Lieblingspferd des Königs, saß auf und ritt nach Hause. Früh am Morgen ging er zum König: »Guten Morgen, mein König.« – »Danke – da bist du also, der Teufel soll mit deiner Mutter schlafen! Wenn du schon mein Lieblingspferd gestohlen hast, bekommst du das ganze Gestüt, treib es nach Hause!«

Der arme Zigeuner trieb das Gestüt nach Hause. Dann sagte der König: »Na, du armer Zigeuner, jetzt glaube ich schon, daß du ein großer Räuber bist. Ich sag dir, wo der König der Teufel wohnt. Bei dem ist meine Mutter: Es ist schon hundert Jahre her, daß er sie gestohlen hat. Wenn du mir die zurückbringen kannst, laß ich dir einen Palast auf meinem Hof bauen, der sich auf einem einzigen Hahnenfuß dreht. Ich geb dir alles, was du nur brauchst; geb dir einen Acker, den du pflügen und bebauen kannst; wirst ein reicher Mann.« – »Ich werde es versuchen, mein gnädiger König.«

Der arme Zigeuner machte sich auf den Weg. Er ging zu den Teufeln. Ging also hinein, hinein zu den Teufeln. Und was tat er dort? Er begann eine Kirche zu bauen. Der Teufel kam hin. »Was willst du denn hier, du armer Zigeuner?« – »Was ich will? Ich werde hier eine solche Kirche bauen, daß alle Zigeuner, die es auf der Welt gibt, hierherkommen werden in den Teufelspalast.« Sagt der Teufel zu ihm: »Nein, tu das nicht, denn wenn unser König kommt, schneidet er dir den Hals ab.« – »Aber ich werde sie dennoch hierherbauen! Keinen Schritt weiche ich von hier.«

Und der Zigeuner wich nicht von der Stelle, er begann dort zu graben. Der Teufel ging zu seinem König. »Mein gnädiger König, hier ist ein armer Zigeuner, der bei uns eine Kirche bauen will.« – »Schnell, schnell lauf rasch und sage ihm, daß er das ja nicht versuchen soll, sonst komme ich, und dann ist es aus mit ihm.«
Der Teufel ging und sagte: »Hör zu, du armer Zigeuner, es wird dir schlecht ergehen, wenn du dich nicht davonmachst, denn sogleich wird unser König kommen, und dann ist es aus mit dir.« – »Das macht mir nichts aus! Bin sowieso ein armer Kerl, kümmere mich nicht darum.«
Der Teufel ging zurück zu seinem König und meldete: »Gnädiger König, der will einfach nicht weggehen. Was soll mit ihm geschehen?« – »Na, dann werd ich mal hingehen.« Und der König, der König der Teufel, ging zum Zigeuner. »Was willst du hier, du armer Zigeuner?« – »Ich will hier eine so große Kirche bauen, daß die Zigeuner der ganzen Welt darin Platz haben.« – »Und ich sage dir, hier wirst du nicht bauen. Mach lieber, daß du wegkommst! Marsch, weg mit dir!« Dann aber fügte der König der Teufel hinzu: »Hör zu, du armer Zigeuner, ich sag dir was. Wenn du mir eine so große Laus zeigen kannst, wie ich dir eine zeigen werde, kannst du hier eine Kirche bauen.«

Schön, schön, aber der Zigeuner hatte eine große Krähe unterm Arm mitgebracht. Der König holte eine Laus hervor, die war so groß wie eine Kartoffel; schön groß war die. Als man sie knackte, gab sie einen Laut wie ein Gewehrschuß. Als der Teufel die Laus gezeigt hatte, hatte sie sogar einen Schwanz gehabt, mindestens ein halbes Kilo schwer!
Daraufhin griff der Zigeuner unter das Hemd: »Ha, du König, so sieht deine Laus aus? Und das soll was Besonderes sein! Die könnte ja nicht einmal ein Junges von meiner Laus sein.« Und als er die seine vorzeigte, riß diese den Schnabel auf und krächzte kräftig. Als der König sie sah, fiel er vor Schreck auf den Arsch. »O Dewla, die frißt mich gleich auf! Aber jetzt muß der sie auch töten, was wird sie dann erst für einen Ton von sich geben!« Der arme Zigeuner packte seine Krähe und steckte sie unauffällig wieder unter sein Hemd. Inzwischen hatte er an der Stelle, an der er seine Kirche bauen wollte, zu schmieden begonnen und ein Holzkohlenfeuer angezündet. Dann nahm er ein Stück Glut, ein Stück glühende

Holzkohle, und tat es auf den Amboß. Als er mit dem Hammer draufschlug, sprühten die Funken.
Als der Teufel das sah, rief er: »Ei du mein Dewla, der richtet uns alle zugrunde, denn der hat Läuse, die sogar Funken sprühen, und die Funken sind ganz stark rot.« Da fragte der König der Teufel: »Sag, du armer Zigeuner, was soll ich dir schenken, daß du von hier weggehst und keine Kirche baust? Ich geb dir, was du verlangst.« – »Geld brauch ich nicht, König. Ich bau ein Haus, bau eine Kirche und komme her wohnen.« – »Oh, armer Zigeuner. Nur dieses eine tu nicht, wenn du Gott kennst! Lieber geb ich dir soviel Geld, wie du tragen kannst.« – »Geld brauch ich nicht, großer König. Aber weißt du, was du mir geben kannst?« – »Was?« – »Vor hundert Jahren hast du die Mutter unseres Königs gestohlen.« – »Was willst du mit der anfangen?« – »Was ich will? Darum kümmere du dich nicht! Die will ich haben, und dann geh ich weg von hier und baue weder Haus noch Kirche.« – »Na, daß der Teufel deine Mutter beschlafe ... Komm, ich zeig dir, wo sie ist, und du kannst sie mitnehmen.« Sie gingen herein ins Zimmer. »Na, da ist sie. Nimm sie, sie gehört dir, aber geh, ich will dich nicht mehr wiedersehen.«
Der arme Zigeuner lud sich die Mutter des Königs auf den Rücken und trug sie nach Hause. »Guten Tag, großmächtiger König. Hier ist deine Mutter, ich hab sie heimgebracht.« – »Na, du armer Zigeuner, ich hätte nie geglaubt, daß du so ein großer Räuber bist. Jetzt aber laß ich für dich ein schönes Schloß hier am Hof bauen.«
Und er ließ ein schönes Schloß für ihn bauen, ein wunderschönes, das sich auf einem Hahnenfuß drehte. Es drehte sich immer in die Richtung, wo die Sonne aufging. Darin wohnte der arme Zigeuner ein Jahr lang oder auch zwei. Er pflügte und ackerte, wie es die Bauern tun. (»Ohne Nutzen!« rief einer dazwischen.) Dann aber wurde es ihm zu dumm, daß er sich immerzu bloß abrackern mußte.
Eines Tages sagte er zu seiner Frau: »Ich hab genug davon, mich jeden Tag abzurackern, ich verkauf mein Gut und alles andere auch. Was meinst du, Frau?« Er packte sich, verkaufte das Gut, verkaufte das Schloß und ging mit Frau und Kindern los. Von einem Weg zum anderen. (»Nach Zigeunerart!« rief jemand dazwischen.) Nun, er machte sich auf den Weg, warf sich den Ranzen mit Bohrern um die Schulter, er machte nämlich Bohrer. Aber Geld hatte er keins, er wurde ganz arm. (Zwischenruf: »Wie wir jetzt!«) Stand auf mit nichts und – so legte er sich auch nieder. Und wenn er nicht gestorben ist, lebt er noch heute.

Anhang,

der einen Überblick über

die verschiedenen Märchenregionen

und

den Quellennachweis

enthält

Überblick über die Märchenregionen

Das Zweite Buch enthält vor allem die Märchen der Mittelmeerländer (ausgenommen den Midi und Korsika, die bereits im Ersten Buch dokumentiert sind). Drei Großregionen setzen die Akzente: zunächst die Iberische Halbinsel – romanische Völker und Basken; dann Italien samt den südlichen Mittelmeerinseln; und schließlich die südslawischen Völker (Balkanregion). Sprachlich selbständige Völker schließen sich an: Albaner, Griechen, Türken, Rumänen, Roma und Sinti.
Die einzelnen Märchenregionen, im folgenden alphabetisch aufgeführt, sind zumeist sprachlich definiert – vor allem aber durch eine ausgeprägte Folklore.
Die Stichworte dazu, wie auch die Literaturhinweise, erheben keinen Anspruch auf Vollständigkeit.
Einige wenige Standardwerke und -sammlungen sind durch Kürzel wiedergegeben:

AT Antti Aarne und Stith Thomson, The Types of the Folktale. A Classification and Bibliography. Second Revision (FFC 184). Helsinki 1961.

BP Johannes Bolte und Georg Polívka, Anmerkungen zu den Kinder- und Hausmärchen der Brüder Grimm. Band I–V. Leipzig 1913–1932. (Vor allem der geschichtliche Überblick in Band V »Sammeltätigkeit in Europa«, S. 1 bis 191.)

EM Enzyklopädie des Märchens. Handwörterbuch zur historischen und vergleichenden Erzählforschung. Herausgegeben von Kurt Ranke, ab Band 5 herausgegeben von Rolf Wilhelm Brednich. Berlin u. New York 1977 ff. (bis zum Buchstaben I erschienen).

FFC Folklore Fellows Communications, 1907 von Vertretern der »Finnischen Schule« initiierte folkloristische Reihe. – Bis 1984 lagen 234 Hefte vor.

KLL Kindlers Neues Literatur Lexikon, herausgegeben von Walter Jens. 20 Bände. München 1988–1992. (Die Essays in den Bänden 19 und 20 erfassen 52 lebende europäische Sprachen bzw. Literaturen.)

MdW Märchen der Weltliteratur, 1912 begründet von Friedrich von der Leyen und nach dessen Tod (1966) herausgegeben von Felix Karlinger und Kurt Schier (bis 1980); seit 1989 herausgegeben von Hans-Jörg Uther. – Bisher 136 Bände.

In Klammern gesetzte Ziffern, soweit sie nicht Jahreszahlen sind, beziehen sich auf die Nummer bzw. den »Tag«, der dem betreffenden Märchen in diesem Buch zugeordnet ist.

Albanische Märchen

Albanisch, ein selbständiger Zweig der indoeuropäischen Sprachengruppe, wird von etwa fünf Millionen Menschen gesprochen. Fast die Hälfte von ihnen lebt nicht in der Republik Albanien (dort sind es 2,6 Millionen Skipetaren); allein in Kosovo leben 1,3 Millionen, knapp 500 000 in Nordwest-Mazedonien, rund 200 000 Italoalbaner, die den Arbëreshe-Dialekt sprechen, in Unter- und Mittelitalien, kleinere Gruppen in Griechenland und der Türkei. Im Mutterland überwiegen die Muslims, orthodoxe und katholische Christen sind bei weitem in der Minderheit.
Und so ist es nicht verwunderlich, daß der Märchenheld, »der sein Glück sucht«, eben der ist, der Arbeit und Brot im Ausland findet. Die ersten Märchensammler waren Nicht-Albaner: Johann Georg von Hahn, österreichischer Vizekonsul in Nordgriechenland, von dem eine zweibändige Ausgabe »Griechische und albanische Märchen« stammt (1864, 13 albanische Texte); der italienische Folklorist Giuseppe Pitrè machte sich um die in Sizilien lebenden Albaner verdient, auch dadurch, daß er die gemeinschaftserhaltende Funktion ihrer Märchen beschrieb (»Fiabe popolari siciliane«, 1875); als dritter der französische Sprachenforscher Auguste Dozon (»Manuel de la langue chkipe«, 1878). Der einzige albanische Volkskundler zu jener Zeit war Thimi Mitkos: getragen von der Bewegung »Rilindja« – für nationale Wiedergeburt, für Befreiung von den Türken –, gab er im fernen Alexandria die »Albanikí Mélissa (Bleta Shqipetare)« 1878 heraus.
1922 edierte Maximilian Lambertz eine albanisch-deutsche Textsammlung innerhalb der Wiener »Schriften der Balkankommission«. Er hatte als erster die Gestalten des albanischen Märchens (»Die Volkspoesie der Albaner« 1917) untersucht, allen voran die abstoßende Kulshedra, einen menschenfressenden weiblichen Dämon, der sich in Brunnen, Quellen, Wassermühlen verborgen hält. Lambertz beschrieb die Kulshedra als »Wesen mit langem Schwanz und mit neun Zungen, aus dem Munde Feuer speiend« (212); sie ist auch das »Auge der Hündin« (209). Nur wer als ein Drangue oder Drangoni (Drachentöter) geboren wurde, sei er Mensch oder Tier, kann den Kampf gegen die Kulshedra bestehen. Seine übernatürliche Stärke liegt in den Armen (und Flügeln); wird unbedacht der alltägliche Fluch »Mögen deine Arme verdorren!« gegenüber einem Drangue ausgesprochen, so muß er sterben. Wer aber ein Drangue ist bzw. sein wird, das weiß nur dessen Mutter – und der liebe Gott.
Der weiblichen Kulshedra entspricht der männliche Katallani oder Hajnjeriu, ein einäugiger Menschenfresser. Lugat, die Verschlingerin, ist ein weiblicher Vampir; die Unholdin Lamia – ausgeprägter noch in Bulgarien – nistet im Bauch der Königstochter. Eine ausgesprochene Märchengestalt ist Bukura e dheut, »die Schöne der Erde« (208). Sie findet sich auch in anderen Mittelmeerländern, als »la Bella del mondo« (Italien), »S'Hermosura del mon« (Mallorca), »E Pentamorphé, die Fünfmalschöne« (Griechenland). Frühere Forscher wie v. Hahn sahen sie als »gute, keusche Fee von übermenschlicher Schönheit«, heutige betonen ihren Bezug zu Unterweltsgottheiten,

ihre nicht ungefährliche Dämonie. Gerade für Albanien erweist sich, daß »die Gestalten des Volksglaubens und die des Märchens noch nicht auseinandergetreten sind« (Lutz Röhrich).
Das 1960 gegründete »Instituti i Folklorit« in Tirana befaßt sich mit der systematischen Erfassung älteren und jüngeren Erzählguts. Eine vorzügliche Einführung in das albanische Märchen gibt der Lyriker und Volkskundler Martin Camaj im Nachwort zu seinen »Albanischen Märchen« (MdW 1974) bzw. in der Enzyklopädie des Märchens.

Lit.: Gerhard Grimm, Die albanische Literatur (KLL Bd. 20, 1992); Martin Camaj, Albanien (EM Bd. 1, 1977); ders., Nachwort zu: Albanische Märchen (MdW 1974), S. 243–256; Maximilian Lambertz, Die Mythologie der Albaner, in: Wörterbuch der Mythologie, hrsg. von H. W. Haussig, Bd. II (1973), S. 455–509; ders., Die geflügelte Schwester und die Dunklen der Erde. Albanische Volksmärchen (1952); BP Bd. V (1932), S. 97–99.

Baskische Märchen

Das Baskenland in den Westpyrenäen, beiderseits der Biskaya, besteht zu vier Fünfteln aus spanischem Gebiet (vier Provinzen) und zu einem Fünftel aus französischem Gebiet (drei Provinzen). Es erhielt 1979 ein Autonomiestatut, und Baskisch oder Euskara, wie die 511 000 Basken (Euskaldunak) ihre Sprache nennen, wurde zweite Amtssprache.
Euskara ist vermutlich die älteste Sprache Europas; sie ist nicht indogermanischen Ursprungs.
So besitzen die Basken auch eine eigene Mythologie. Sonne (Ekhi) und Mond (Ilazki) sind als weiblich anzusehen, und Lur, die Erde, gilt als beider Mutter. Unter den zahlreichen weiblichen Gottheiten dominiert Dama de Anboto, auch Mari genannt; ein schwarzer Ziegenbock (Akerbeltz) ist ihr Attribut. Beides, Mythen- und Märchenfigur, ist Basajaun, der Herr des Waldes (Typus Wilder Mann); er ist ein Schutzgeist der Herden, dazu erster Bauer, erster Müller und erster Schmied des Landes. Torto oder Tartaro (136) mit dem einen Auge auf der Stirn gleicht dem antikischen Zyklopen. Herensugue heißt ein teuflischer Dämon in Schlangengestalt. Am häufigsten begegnen wir der Lamiñ oder den Laminak, weiblichen Geistern, die den keltischen Feen ähneln; doch haben die Laminak Hühnerfüße, bringen meistens Glück ins Haus, achten sehr auf Sauberkeit und geben ihre Befehle stets mit Worten von gegenteiliger Bedeutung (139).
In Buchform waren baskische Märchen zunächst nur fremdsprachig zugänglich. So zeichnete Jean-François Cerquand »Légendes et récits populaires du pays basque« auf (4 Bde., 1875-1882), gefolgt von Wentworth Webster mit »Basque Legends«

(1879), Julien Vinson, »Le folklore du pays basque« (1883) und Maraina Monteiro, »Legends and Popular Tales of the Basque People« (1887).
Zweisprachige Ausgaben erschienen erstmals in den zwanziger und dreißiger Jahren: zunächst Jean Barbier, »Légendes Jesus Jauna eta Jon Don Petri« (1921), später R. M. de Azkue mit den repräsentativen »Euskalerriaren Yakintza/Literatura popular del Pais Vasco« (3 Bde., 1935–1947). Die erste deutsche Ausgabe baskischer Märchen gaben Felix Karlinger und Erentrudis Laserer 1980 heraus: insgesamt 62 Texte, davon 27 aus Webster, und 17 bisher ungedruckte aus den Sammlungen Karlinger und Noël.

Lit.: Wilhelm Giese, Die baskische Literatur (KLL Bd. 20, 1992); ders., Basken (EM Bd. 1, 1977); Felix Karlinger, Nachwort zu: Baskische Märchen (MdW 1980), S. 252–254; José Miguel de Barandiarán, Die baskische Mythologie, in: Wörterbuch der Mythologie, hrsg. von H. W. Haussig, Bd. II (1973), S. 511–552; M. Lecuona, Literatura oral vasca (1965); BP Bd. V (1932), S. 88.

Bosnische und herzegowinische Märchen

Im 13. Jh. eroberte das kurzlebige, aber mächtige Königreich Bosnien das serbische Hum, die heutige Südregion Herzegowina. Im Gegensatz zu den anderen südslawischen Völkern traten die Bosnier nach Einverleibung ihres Landes in das Osmanische Reich (1463) in ihrer Mehrzahl zum Islam über. 1624 bestand die Bevölkerung zu zwei Dritteln aus Muslims, und auch derzeit haben die Muslims mit 44 Prozent eine relative Mehrheit; unter Tito wurden sie als »Nationalität« anerkannt.
Bosnien ist ein Vielvölkerstaat in nuce: Serben stellen 31 Prozent, Kroaten 18 Prozent der Bevölkerung. Bis ins 19. Jh. war die Amtssprache Türkisch. Islamische Lebensformen hielten sich lange und prägten auch die mündliche Volksdichtung – in denen der Held meist gegen christliche Räuberbanden und gegen Feudalherren sich zu behaupten hatte.
Als der vorzügliche Kenner Vatroslav Jagi.c die »Bosnischen Volksmärchen« (1905) der einheimischen Literatin Milena Preindlsberger-Mrazovi.c mit einer Vorrede versah, sprach er darin von einem »moslemitischen« Typus, der Bosniens Märchen präge; und er forderte, das bosnisch-muslimische Material tunlichst zu trennen vom serbisch-orthodoxen und kroatisch-katholischen. Das war auch die Erfahrung, die Friedrich Salomo Krauss machte, der in »Sagen und Märchen der Südslaven« (2 Bde., 1883–1884) zahlreiche Proben muslimischer Märchen gab. Als Gewährsleute nannte er vor allem Valtazar Bogisić, dem ein Maurer beim Weißeln der Kirche von Mostar hübsche Märchen erzählt habe; dann den Kaplan Nikola Tordinac, dessen »Hrvatske narodne pjesme i pripoviedke iz Bosne skupio« (1883, [2]1884) er einiges verdanke, vor allem auch viele ungedruckte Texte wie »Held Hirte und die scheckige Kuh« (199),

den Krauss zu seinen wertvollsten Stücken zählt – »wohl von den Hercegovcen am linken Ufer der Neretva«.
Für die zehn Bände »Anthropophyteia« (1904–1913) sammelte Krauss 176 erotisch gepfefferte Belege aus Bosnien und 40 aus der Herzegowina. Eigene Aufzeichnungen enthielten auch seine »Tausend Sagen und Märchen der Südslaven«, von denen jedoch nur Bd. I (1914) mit 140 Texten erschien; allein 60 Texte waren aus Bosnien, sieben aus »Herzogland«. Krauss' Originaltexte haben sich leider nicht erhalten. Dafür sind bosnische Märchen dank der Zeitschrift »Bosanska vila« (1886 ff.) und der Sammlung »Glasnik Zemaljskog muzeja u Sarajevu« (seit 1889) dokumentiert. Das Jahrbuch »Brastwo« druckte in Bd. 12/13 (1908) acht Märchen muslimischer Serben aus Bosnien und Herzegowina ab.

Lit.: Maja Bošković-Stulli, Nachwort zu: Kroatische Volksmärchen (MdW 1975), bes. S. 286; BP Bd. V (1932), S. 110–116 (unter dem Stichwort »Serbokroaten«).

Bulgarische Märchen

Bulgarisch gehört mit Mazedonisch zur östlichen Gruppe der südslawischen Sprachen. Zehn Millionen Menschen sprechen es, knapp neun von ihnen leben in der Republik Bulgarien; Minderheiten finden sich in Nordgriechenland, in Rumänien, in der südlichen Ukraine und im türkischen Ostthrakien – in Bulgarien wiederum leben 900 000 Türken.
Die Befreiung von jahrhundertelanger osmanischer Herrschaft (1878) gab dem Märchensammeln Auftrieb. Schon 1872 hatte Vasilij Čolakov mit »Balgarski naroden sbornik« ein erstes volkskundliches Werk vorgelegt. Die größte Sammlung bulgarischer Märchen, die auch die osmanisch verbliebenen Landesteile Mazedonien und Thrakien einschloß, bot K. A. Šapkarev mit 289 Texten (»Sbornik ot balgarski narodni umotvorenija«, Bd. VIII/IX, 1892). Sie besteht zwar zur Hälfte aus novellistischen Märchen und Anekdoten, doch finden sich darin auch Zaubermärchen wie das vom Messerprinz und seinen Blutsbrüdern (206), das vom genialen Faulpelz (207), das von dem Mädchen, das seine Karriere als Zarin macht – höchstes erstrebenswertes Glück (205) –, und schließlich das vom Gehilfen, der seinem Meister über ist (203).
Das z. T. erstaunlich große Repertoire einzelner Erzähler und damit den Fundus regionaler Sammler bietet die 1889 ins Leben gerufene Reihe »Sbornik za narodni umotvorenija, nauka i knižnina«; sie wurde zunächst vom Ministerium für Bildung, später von der Bulgarischen Akad. d. Wiss. herausgegeben und erscheint bis heute. »Christus und der Kartenspieler« (202), eine sehr realistische Legende, und »Das Mädchen und der Vampir« (204) stammen aus dieser Quelle.
An mythischen Wesen kennt die bulgarische Folklore einmal die Samovila oder Vila,

ein nymphenartiges Wesen mit langen blonden Haaren, bald Waldfee, bald Wasserfräulein. Eindrucksvollste Unholdin ist die hundsköpfige, drachengestaltige Lamia, der albanischen Kulshedra verschwistert: Nach bulgarischem Volksglauben entsteht sie aus einem abgehauenen Schlangenkopf, der sich in ein Ochsen- oder Büffelhorn verkrochen hat; nach 40 Tagen sind Kopf und Horn zusammengewachsen, die Lamia ist geboren.

Für die Märchen bezeichnend sind die Bundes- oder Blutsbrüder, ein durch Riten geheiligter Freundschaftsbund zweier Männer, die sich zu gegenseitigem Beistand in allen Lebenslagen verpflichten (206). Held ist besonders häufig der jüngste von drei Brüdern, vermeintlicher Dümmling oder Grindkopf. Scharfsinn und List stehen hoch im Kurs; so sind viele Geschichten vom Chitar Petar, vom Listigen Peter, im Schwange.

Ins Deutsche gelangten bulgarische Märchen erstmals durch Adolf Strausz, der in seine »Ethnographischen Studien« immer wieder Sbornik-Texte einstreute (»Die Bulgaren«, 1898); dann durch August Leskien, dessen »Balkanmärchen« (MdW 1915) zu einem Drittel aus bulgarischen Texten bestand, d. h. die Nrn. 1–21. Die neuere Ausgabe von Kyrill Haralampieff (MdW 1971) stützt sich weitgehend auf die maßgebliche Märchenedition »Balgarsko narodno tvorčestvo«, Bd. IX (Fabeln, Tiermärchen, Zaubermärchen) und Bd. X (realistische Märchen, Schwänke), Sofia 1963; ihre Einleitungen sind kleine Kompendien der Märchenforschung.

Lit.: Alois Schmaus, Die bulgarische Literatur (KLL Bd. 20, 1992); Petar Dinekov, Bulgarien (EM Bd. 2, 1979); Kyrill Haralampieff, Nachwort zu: Bulgarische Volksmärchen (MdW 1971), S. 262–277; V. Valčev, Balgarskite narodni valšebni prikazki. In: Balgarsko narodno tvorčestvo Bd. IX (1963), S. 5–77; BP Bd. V (1932), S. 119–122.

Galicische Märchen

Das Galicische, das 2,7 Millionen Bewohner der spanischen Provinz Galicien sprechen, wird erst in jüngster Zeit als eigenständige Sprache und Folklore anerkannt. Lange wurde es als portugiesischer Dialekt angesehen, doch der Märchenkomparatist Walter Anderson präzisierte schon 1962: »Das Galicische und das Portugiesische sind zwei Bruderzweige ein und derselben gemeinsamen Sprache.« Die Märchenausgaben des Bonner Romanisten Harri Meier spiegeln die wachsende Bedeutung des Galicischen wider: seine »Spanischen und portugiesischen Märchen« von 1940 enthalten keinen einzigen galicischen Text; in der Neuausgabe 1961 finden sich immerhin drei, und die »Portugiesischen Märchen«, die Meier 1975 zusammen mit Dieter Woll herausgab, enthalten ein eigenes galicisches Kapitel mit 19 Texten.

Der Volkskunde-Kongreß, der 1963 in Lissabon stattfand, brachte den Durchbruch.

Beide Sprachgebiete wurden als je eigene, aber zusammengehörige bekräftigt, eine enge Zusammenarbeit der Linguisten wurde vereinbart. Die erste repräsentative Märchensammlung, Lois Carré Alvarellos' »As lendas tradizonales galegos«, begann 1963 in der Revista de Etnografia (Porto) zu erscheinen, und noch im gleichen Jahr edierte man die von Schulkindern aufgezeichneten »Contos populares da Provincia de Lugo«.
Galicien ist, der Besiedlung und dem Namen nach, keltisch-gallischen Ursprungs. Der Wallfahrtsort Santiago de Compostela, das Ziel aller St.-Jacobs-Pfade, ist europaweit bekannt. Die meisten Märchenmotive haben die Gallegos mit den Portugiesen und Spaniern gemeinsam; eine knappe, pointierte Diktion und viele schwankhafte Elemente sind für sie charakteristisch. Der Dudelsack, der alle zum Tanzen bringt (130), ist ein besonders beliebtes Motiv; im keltischen Irland ist das die Pfeife Moritz Connors', in Wales die Harfe der Feen (86), in Flandern »Jack mit seinem Flötchen« (337).

Lit.: Orlando Grossegesse, Die galicische Literatur (KLL Bd. 20, 1992); Lois Carré Alvarellos, Contos populares da Galizia (1968); Laureano Prieto, Contos vianese (1958 – Viano do Bolo ist ein Distrikt im Nordwesten).

Griechische Märchen

Griechisch, eine selbständige indoeuropäische Sprache, die sich bis ins 8. Jh. v. Chr. zurückverfolgen läßt, wird von 9,5 Millionen Menschen gesprochen – darunter sind fast eine halbe Million Zyprioten (siehe Zypriotische Märchen), Minderheiten in Albanien, Rumänien, Bulgarien, der Türkei. Das Neugriechische besteht aus einer Vielzahl von Dialekten, wie sie auch durch die je besondere Insellage begünstigt wurden. Lesbos, Kreta, Rhodos, die Südlichen Sporaden (Dodekanes) sind eigene Dialektregionen, was auch das Märchenerzählen begünstigt. Hinzu kommt, daß in der Ägäis schon seit Jahrtausenden ein Handels- und Kulturaustausch zwischen Okzident und Orient stattfindet; daß die drei Mittelmeerreligionen (Christentum, Judentum, Islam) in einem fruchtbaren Mit- und Gegeneinander stehen; daß wechselnde Fremdherrschaft, ausgeübt von Türken, Venezianern, Genuesen und Briten, die eigenen Märchen lebendig erhielt.
Griechenland und Kleinasien bilden von alters her einen gemeinsamen Kulturraum: Homers Troja und auch Pergamon (Bergama) liegen im Nahbereich der Insel Lesbos, und Rhodos gegenüber liegt das antike Halikarnassos (heute Bodrum). Zypern war im 13./14. Jh. der Brückenkopf für europäische Kreuzfahrer, zudem wichtigster Stützpunkt des Orienthandels der italienischen Seestädte. Kreta befand sich vier Jahrhunderte in venezianischem Besitz, bevor es 1669 von den Türken erobert wurde; der bedeutendste Märchensammler und -poet des frühen 17. Jh.s, der

Neapolitaner Basile, hat vermutlich einige seiner »Cunti« auf Kreta zu hören bekommen, als er in Diensten Venedigs sich dort auf Außenposten befand.
Seit Homers Zyklopenmärchen, seit den Tierfabeln von Äsop, Babrios und dem sog. Romulus, seit Apuleius' »Amor und Psyche« und seit dem »Meisterdieb« (Geschichten um Krösus) läßt sich von einer griechisch-europäischen Märchentradition sprechen. Die altgriechischen Zeugnisse sind dokumentiert in Hausrath/Marx, »Griechische Märchen, Fabeln, Schwänke und Novellen aus dem klassischen Altertum« (1913).
Neugriechische Märchen in großer Anzahl wurden erstmals gesammelt und übersetzt von Johann Georg von Hahn (»Griechische und albanesische Märchen«, 2 Bde., 1864), mit den Schwerpunktregionen Epirus (Nr. 1–48) und Nord-Euböa (Nr. 51–61), was sich dadurch erklärt, daß v. Hahn lange Zeit als österreichischer Konsul in Jannina (Epirus) wirkte. 30 seiner Originalvorlagen wurden fünfzehn Jahre später durch den Franzosen Jean Pio ediert.
Einen weiteren Meilenstein in der Erforschung lebendiger Erzähltraditionen setzte Paul Kretschmer (»Neugriechische Märchen«, MdW 1917), doch mit anderen Schwerpunkten: ein Drittel Märchen aus Lesbos (Nr. 1–23), davon acht völlig neue, die ihm ein Gewährsmann aus Mytilini aufzeichnete; zwölf Texte aus Kreta, ebenfalls frisch gesammelt und aus der Mundart übertragen; neun Texte aus Karpathos, wiederum dank eines Gewährsmannes, und schließlich acht Texte aus eigener Feldforschung im Peloponnes u. a.
Kretschmers Erfahrung, daß im heutigen Griechenland »der Strom der echten Volksüberlieferung noch besonders reich fließt«, konnte Georgios A. Megas fünfzig Jahre später nicht mehr teilen – obwohl gerade er, der bedeutende Athener Volkskundler, mit Hilfe seiner Studenten 1957–1963 noch viertausend Texte zusammengetragen hatte. Das Märchen, so resümiert er, »lebt besonders in der Welt der einfachen Frauen, bei denen das magische Denken noch nicht erloschen ist« (MdW 1965). Auch späterhin noch sehr ergiebig war dagegen das Sammeln auf Rhodos, Lesbos und dem Dodekanes: die vier Bücher der Feldforscherin Marianne Klaar (innerhalb der Röthschen Reihe »Das Gesicht der Völker« 1963–1987 erschienen) bezeugen dies aufs schönste.
Alle diese Forscher, von Hahn bis Kretschmer, Megas und Klaar, heben übereinstimmend als Besonderheiten dieses Erzählens hervor: zunächst den Drakos als übermenschlichen Gegner des Helden, ein Riese, ein Räuber (mit 39 Brüdern), ein Schatzhorter und Jungfrauenverschlepper, Nachfahr des antiken Zyklopen; dann den dämonischen Mohr (Arápis), ebenfalls ein bösartiger Riese – dem türkischen Märchen entlehnt; drittens den »Bartlosen«, der nur den Griechen eigen ist: mitunter ist er ein listiger Held, meist jedoch der verschlagene Gegenspieler des Helden. Solch einem Dünnbart (spanós) mangelt es an einem wesentlichen männlichen Attribut, und ebenso scheint er auch religiöse Vorschriften zu mißachten. Nach dem Volksglauben soll man vor dem Bartlosen ebenso wie vor dem Rotbart und dem Krüppel auf der Hut sein.
Im griechischen wie auch im albanischen Volksglauben verwurzelt ist die Gestalt der

Mira; die antikische Schicksalsgöttin Moira wird hier, entweder in der Dreizahl oder als einzelne Mira, zur Beschützerin des Helden, die ihn in der Gefahr berät.

Lit.: Ulrich Moenning, Die neugriechische Literatur (KLL Bd. 19, 1992); Michael Meraklis, Griechenland (EM Bd. 6, 1990); Marianne Klaar, Nachwort zu: Die Pantöffelchen der Nereide – Griechische Märchen von der Insel Lesbos (1987), S. 177–190); dies., Einleitung zu: Die Reise im goldenen Schiff – Märchen von ägäischen Inseln (1977), S. 5–20; Felix Karlinger, Nachwort zu: Märchen griechischer Inseln (MdW 1979), S. 269–278; Georgios A. Megas, Nachwort zu: Griechische Volksmärchen (MdW 1965), S. 295–304; BP Bd. V (1932), S. 94–97; Paul Kretschmer, Einleitung zu: Neugriechische Märchen (MdW 1917), S. I–XII.

Italienische Märchen

Italienisch sprechen 53 Millionen Menschen – einschließlich der Bevölkerung des Tessins, ausschließlich der des Friaul und Sardiniens –, das sind annähernd so viele wie die, die Französisch sprechen. Und mit Frankreich teilt sich Italien auch den Ruhm, in Europa die älteste Märchentradition zu besitzen. Es sind vor allem drei Namen, die diesen Ruhm begründen: Giovan Francesco Straparola (ca. 1480–1557) mit dem Erzählzyklus »Le Piacevoli Notti« (Die ergötzlichen Nächte, 2 Bde., 1550–1553), der binnen einer Generation allein in Venedig 32 Auflagen erzielte und dessen Geschichten vom Zauberkater, der später zum Gestiefelten Kater wurde, von König Schwein oder vom tanzenden Wasser, dem singenden Apfel und dem leuchtend grünen Vogel mittlerweile europäisches Gemeingut sind.
Sodann Giambattista Basile (1575–1632), der die 50 Märchen seiner Sammlung im neapolitanischen Dialekt niederschrieb; als »Lo cunto de li cunti« (Das Märchen aller Märchen) kamen sie 1634–1636 postum heraus und sind seit der 4. Auflage 1674 unter dem an Boccaccio erinnernden Titel »Il Pentamerone« bekannt; Dornröschen kennt man von dort, das Mädchen ohne Hände, die sieben Raben, König Drosselbart und andere.
Weniger bekannt, doch ebenfalls stilbildend ist der dritte, Pompeo Sarnelli, ein Mann aus Apulien (1649–1724); sein kleiner Erzählzyklus »Posilecheata« (1684) handelt von fünf verschiedenen Frauen, denen die Umwelt jedesmal übel mitspielt und die sich aus eigenen Kräften und mit übermenschlicher Hilfe durchkämpfen müssen.
Die Hauptwirkungen erzielte Basile, sogar am Hofe des Sonnenkönigs und später dann im deutschen Bürgertum. Aufschlußreich ist die ambivalente Haltung Jacob Grimms, den es Mühe kostet, »in den Sinn dieser fast morgenländisch heißen und sprudelnden Bilder, Gleichnisse, Wortspiele, Kosewörter, Schelten und Flüche einzudringen«, und der dem Übersetzer doch so »geraten hatte, lieber alles Anstößige niederzuhalten« (Vorrede zur Liebrechtschen Ausgabe 1846). In manchem war ihm

der Florentiner Boccaccio lieber, in anderem wiederum der Serbe Karadžić. Zwei der Basile-Märchen waren für Grimm besonders prekär: Dornröschen, das durch den italienischen Prinzen im Schlaf geschwängert wird (167), und Rapunzel, das droben im Turm »in reichem Maß von der Petersilienbrühe Amors genoß« (168) – während die Grimms ihrem Rapunzel in der 2. Auflage 1819 sogar die allzu eng gewordenen Kleider wegstrichen, weil dies das Feingefühl des Publikums womöglich beleidigen und Kinderherzen verderben könnte.

Das Pentamerone ist eine Art verfeinerter Folklore; Volker Klotz bezeichnet es als »die erste europäische Kunstmärchendichtung von Rang«. Zur Aufzeichnung von schlichten Volkserzählungen kam es in Italien erst reichlich zweihundert Jahre später. Den Anfang machte 1863, mit drei Märchen aus Rom, der Sohn Wilhelm Grimms (170, 171). Es folgten die Österreicher Georg Widter und Adolf Wolf mit »Volksmärchen aus Venetien« (21 Texte, 1866) und Christoph Schneller mit »Märchen und Sagen aus Wälschtirol« (1867). Doch betraf dies mehr oder weniger nur Randgebiete. Die zentralen Märchensammlungen brachten Italiener heraus: Domenico Comparetti mit dem Versuch einer gesamtrepräsentativen Sammlung »Noveline popolari italiane«, von der allerdings nur der erste Band erschien (1875), dann im gleichen Jahr Giuseppe Pitrè mit seiner imposanten vierbändigen Ausgabe sizilianischer Märchen (siehe dort) und zehn Jahre später mit dem toskanischen Gegenstück (175, 176, 177).

Die einzelnen Märchenregionen Italiens können im Rahmen unserer Anthologie allerdings nur gestreift werden: zwei signifikante Texte aus den Abruzzen (173, 174), ein weiterer aus Rom (172) und »Der unsichtbare Großvater« (178), den Geist der toten Ahnen heraufbeschwörend, aus Venetien.

1956 hat der Dichter Italo Calvino versucht, auf über tausend Seiten die große repräsentative Sammlung italienischer Märchen zusammenzutragen: von den Alpen über Korsika und Sardinien bis nach Sizilien. Er konnte auf der Sammler- und Forschertätigkeit eines Jahrhunderts aufbauen, was sich bereits im Titel ausdrückt: »Fiabe italiane raccolte dalla tradizione popolare durante gli ultimi cento anni e trascritte in lingua dai vari dialett.«.

Der Erzähler in ihm wollte alle mundartlich bezeugten Märchentypen sowie alle Landschaften Italiens literarisch zur Geltung bringen, das allzu Bäuerlich-Unverständliche in eine literarische Form gießen. So erfand er das Buchmärchen neu – das schon der früheste Märchenmann, Straparola, als ein heikles Geschäft ansah: als »Orfeo della Carta«, als Orpheus vom Papier, gelangt man nur über Buchstaben zu seinem Publikum.

Lit.: August Buck, Die italienische Literatur (KLL Bd. 20, 1992); Rudolf Schenda, Nachwort zu: Märchen aus Sizilien (MdW 1991), S. 300-322; Volker Klotz, Das europäische Kunstmärchen (1985); Felix Karlinger, Nachwort zu: Italienische Volksmärchen (MdW 1973), S. 260-271; ders., Nachwort zu: Das Mädchen im Apfel. Italienische Volksmärchen (dtv 1964), S. 205–215; Horst Rüdiger, Nachwort zu:

(Klassische) Italienische Märchen (MdW 1959), S. 353-377; BP Bd. IV (1930), S. 176–260 (Klassische Sammlungen) u. Bd. V (1932), S. 71–79 (Neuere Sammlungen).

Katalanische Märchen

Etwa 16 Prozent der spanischen Bevölkerung leben in Katalonien, das nur 6 Prozent der Landesfläche einnimmt. Catalun sprechen 7,3 Millionen Menschen, der Hauptteil in den vier Provinzen Zentralkataloniens: Barcelona, Tarragona, Gerona und Lérida. Auch die Bevölkerung der Balearen (Mallorca, Menorca) und die der Pityusen (Ibiza, Formentera) gehören zum Sprachbereich, ferner die sardinische Stadt Alghero und das kleine selbständige Andorra, wo Catalun sogar die Staatssprache ist. Mundartliche Färbungen sind einmal das Balearische (siehe Mallorquinische Märchen), dann das Valenzianische, das man in der spanischen Region Valencia spricht, und schließlich das Rossellonesische, wie es im französischen Roussillon gesprochen wird. Dem Altprovenzalischen, der Sprache der Trobadors, ist das Katalanische durchaus verwandt.

Staatssprache Spaniens ist das Kastilische; immerhin wurde das Katalanische als erste nichtoffizielle Sprache eines EG-Mitgliedstaates zu einer »gebrauchten Sprache« in den Institutionen der Europäischen Gemeinschaft erklärt (1990). Das Verhältnis zwischen Katalonien und der Kapitale Madrid ist traditionell gespannt. Die in den dreißiger Jahren versprochene Autonomie wurde nicht gewährt; Franco stieß hier auf den heftigsten Widerstand, er verbot die Sprache, ließ den Lehrstuhl für katalanische Sprache und Literatur an der Univ. Barcelona 1939 entfernen. Das hatte, wie schon einmal Mitte des 19. Jhs., eine vitale Rückbesinnung auf diese Literatur zur Folge.

Mila y Fontanals, einer der Vorkämpfer für die Wiedergeburt katalanischer Dichtung, brachte 1853 »Cuentos infantiles (rondallas) en Cataluna« heraus – es waren die ersten Märchen von der Iberischen Halbinsel, die Wilhelm Grimm, schon hochbetagt, zu Gesicht bekam und von denen er schrieb: merkwürdig sei vor allem »Die drei Lehren des weisen Salomo«; in ausführlicherem Wortlaut wären sie ihm hoch willkommen (121).

Die heimische Sprache, dem Druck einer wesensfremden Nationalsprache ausgesetzt, artikulierte sich zunehmend in Märchensammlungen: Francesc Mspons i Labrós, »Lo rondallayre. Contos populars catalans« (3 Bde., 1871–1875); Antoni Maria Alcover, »Conterelles« (1885) und die ersten vier Bände »Applech de Rondayes Mallorquines« (1896–1904, später erweitert u. d. Pseud. En Jordi des Recó); dann der romantische Dichter Jacinto Verdaguer mit »Rondalles – Obra pòstuma« (1905). Zum besten Kenner der Volksliteratur wurde Joan Amadés, Mitbegründer des »Archiv für Ethnographie und Folklore der Univ. Barcelona« (1915). Er gliederte das Material

in »Folklore de Catalunya« (3 Bde., 1950–1969) im wesentlichen in drei Kategorien: Rondalles, Tradicions und Llegendas, wobei zu den Rondalles nicht nur Zauber-, Ketten-, Novellenmärchen und Schwänke gehören, sondern auch für uns nahezu unbekannte »Rondalles ortofòniques«, Märchen mit einer Betonung stets wiederkehrender Schallformeln.
Allein 18 Texte mit eingefügten Liedern und dazugehörigen Melodien konnte Amadés aufzeichnen; daß diese Lieder eine spezielle Funktion im Märchen haben, zeigen die liedhaften Erkennungssignale bei »Gevatter Wolf und die Geißlein« (122), zeigen Erkennungsmelodien zweier Liebender; sie können auch, wie im Typus »Singender Knochen«, den Mörder entlarven.

Lit.: Tilbert D. Stegmann, Die katalanische Literatur (KLL Bd. 20, 1992); Felix Karlinger, Nachwort zu: Katalanische Märchen (MdW 1989), S. 250–269; ders., Nachwort zu: Märchen aus Mallorca (MdW 1968), S. 278–293; Harri Meier, Nachwort zu: Spanische Märchen (MdW 1961), S. 305–310; ders., Einleitung in: Spanische und portugiesische Märchen (MdW 1940), S. 5–15; BP Bd. V (1932), S. 84–85.

Kretische Märchen

Als Kreta, die größte griechische Insel, mit dem Vierten Kreuzzug an die Venezianer kam, hieß sie fortan Candia und galt als Eckpfeiler der westlichen Verteidigung gegen die Türken; als die Türken schließlich auch Heraklion erobert hatten (1669), nannte man sie Kirid. 1913 wurde das 16 Jahre zuvor autonom gewordene Kreta mit Griechenland vereinigt.
In »Filek Zelebi« (221), dem einzigen von v. Hahn überlieferten kretischen Märchen, wird ein alter Sonnenmythos lebendig. Herr Helios zeigt sich auch in »Marula« (220), dessen Eingangsformel typisch für diese Gegend ist. Wie hübsch inszeniert solch ein Märchenentree sein kann, zeigt ein Beispiel aus Paul Kretschmers Sammlung, die er von einem Gymnasialprofessor in Rethymnon in kretischer Mundart um 1913 aufzeichnen ließ und dann wortgetreu übersetzte: »Hast du gehört, Großmütterchen? Marie Konstantion heiratet Manuel Atrulidomichális, den tüchtigsten Burschen im Dorf. – Beim Namen Gottes! Und du weißt es sicher? – Gewiß, aus dem Munde ihrer Base, der Pelagia, habe ich es gehört. – Eh, meine Kinder, es war ihr so bestimmt. Was Gott geschrieben hat, können die Menschen nicht auslöschen. Hört zu, ich will euch ein Märchen erzählen, aus welchem ihr die Macht Gottes des Allmächtigen erkennen werdet. Es waren einmal ...«
Kretschmers zwölf kretische Märchen greifen Motive aus »Tausendundeine Nacht« auf, so Abulkassem aus Basra oder Aladdins Wunderlampe, die Gestalten des türkischen Märchens sind ihnen nicht fremd; doch ebenso handeln sie, darin typisch

griechisch, vom listigen Bartlosen oder von der Mira (Moira), welche die Geschicke des Helden lenkt.

Lit.: Felix Karlinger (Hrsg.), Märchen griechischer Inseln (MdW 1979); Paul Kretschmer (Hrsg.), Neugriechische Märchen (MdW 1917 – dort die Nrn. 24–35).

Kroatische Märchen

In der jetzt unabhängigen Republik Kroatien leben 4,7 Millionen Südslawen, zu 77 Prozent Kroaten, zu 12 Prozent Serben. Dem entspricht die Zugehörigkeit zu bestimmten Religionsgemeinschaften: 76 Prozent Katholiken, 11 Prozent Orthodoxe. Amtssprache war bisher das Serbokroatische, ein kompliziertes Dialektsystem. In der jüngsten Verfassung ist die »kroatische Sprache« in lateinischer Schrift – im Unterschied zur serbisch-kyrillischen – zur Staatssprache erhoben.
Wie auch Slowenien gehörte Kroatien über zweihundert Jahre der Donaumonarchie an. Bis zu Beginn des 18. Jh.s. waren die Regionen Lika, Slawonien und ein Teil Dalmatiens unter türkischer Herrschaft; die besonderen Beziehungen Dalmatiens zu Italien spiegeln sich im alten Freistaat Ragusa (dem heutigen Dubrovnik), der einst Venedig den Titel »Königin der Adria« streitig machte.
Die Gesamtregion wurde 1918 dem neuen »Königreich der Serben, Kroaten und Slowenen« zugeschlagen, dem späteren Königreich Jugoslawien, das 1946 die Verfassung einer »Föderativen Volksrepublik Jugoslawien« erhielt. Schon die »Illyrische Bewegung« um 1840 hatte auf ihre Fahnen Emanzipation geschrieben – von Habsburg, von Serbien. Kroatisch wurde als eigene Schriftsprache propagiert, in der sog. Wiener Schriftsprachen-Vereinbarung (1850) kam es dann zwischen Kroaten und Serben zu einem Kompromiß.
Regionale Märchensammlungen sprossen aus dem Boden: Matija Valjavec (Volksmärchen aus Varaždin und Umgebung, 1858), Mijat Stojanović (Volksmärchen aus Slawonien, Sirmien, der Backa und dem Banat, 1867), Fran Mikuličić (Volksmärchen und -lieder aus dem kroatischen Küstenland, 1876); aus 89 Texten eines einzigen Dorfes stellte Rudolf Strohal den ersten Band seiner »Kroatischen Volksmärchen« zusammen (1886). Später nahm das volkskundliche Periodikum »Zbornik za narodni život i obićaje«, 1896 in Zagreb begründet, viele Sammlerstücke auf.
Aus all diesen Sammlungen nahm August Leskien für seine »Balkanmärchen« (MdW 1915) Texte auf: fünf aus Valjavec, vier aus Stojanović, zwei aus Mikuličić, drei aus Strohal.
Die neuere Feldforschung, die Koordinierung kroatischer Sammeltätigkeit obliegt dem Zagreber »Institut für Volkskunst«, das seit 1962 auch ein eigenes Jahrbuch – »Volkskunst«, Narodna umjetnost – herausbringt. Seit den fünfziger Jahren unternahm Maja Bošković-Stulli, die spätere Direktorin des Instituts, vielfache Reisen mit

dem Megaphon. Ihre »Kroatischen Volksmärchen« (MdW 1975) sind zu einem Drittel selbst aufgezeichnet.
Gerade die frisch gesammelten Texte zeigen die Dominanz christlicher Vorstellungen und Rituale, etwa in der aberwitzigen Tierbrautgeschichte von Bilka, dem Ferkel (190); eindringlich auch die kroatische Version vom »Mädchen ohne Hände« (187), das auf einen Tischler in russischer Gefangenschaft zurückgeht. Wehmütig resümiert die bedeutendste Volkskundlerin des Landes: »Das Erzählen traditioneller Märchen stirbt heute aus, und dort, wo noch gehört wird, ist es oft das Verdienst eines begabten Erzählers.«

Lit.: Alois Schmaus u. Klaus Detlev Olof, Die kroatische Literatur (KLL Bd. 20, 1992); Maja Bošković-Stulli, Nachwort zu: Kroatische Volksmärchen (MdW 1975), S. 272–299; BP Bd. V (1932), S. 103–117 (Serbokroaten).

Mallorquinische Märchen

Die Mallorquiner gehören sprachlich und ethnisch den Katalanen an; geographisch zählt Mallorca zu den Balearen, politisch zum Königreich Spanien. Was es mit den Märchen dieser Insel auf sich hat, verdeutlichen zwei Zitate.
»Die Zahl der märchenhaften Erzählungen«, so schreibt 1896 der österreichische Erzherzog Salvator, »ist auf Mallorca eine ungeheure, und ein großes Feld für die Folkloristen steht noch offen, bevor der nivellierende Wind moderner Kultur das alles weggeweht haben wird« (Einleitung zu »Märchen aus Mallorca«).
Felix Karlinger, ebenfalls Herausgeber von »Märchen aus Mallorca« (MdW 1968), resümiert nach 70 Jahren insularer Erzählforschung: »Es bleibt für jeden Kenner der europäischen Volksliteratur ein überraschendes Phänomen, daß auf dieser relativ kleinen Insel vor dem Erlöschen der Erzählpraxis 21 Bände mit Geschichten gesammelt werden konnten. Welche andere Insel, welche andere europäische Landschaft kann mit einer solchen Materialfülle aufwarten?« (Aus dem Nachwort.)
Karlinger beruft sich vor allem auf zwei Sammler: den schon genannten Erzherzog Salvator, der seine auffallend knappen, schnörkellosen »Rondayes« auch im Originaltext herausbrachte (1895), und den Priester-Gelehrten Antoni Maria Alcover, dessen erste Ausgabe »Aplech de Rondayes Mallorquines d'En Jordi des Recó« allein 15 Bände und einen Zeitraum von 40 Jahren umfaßte (1896–1935); die Edició definitiva, nach dem Tode Alcovers von Francesc de B. Moll 1936–1972 besorgt, beläuft sich auf nicht weniger als 24 Bände. Karlinger selbst gelangen in den sechziger Jahren mittels Tonband und motivierter Mitstreiter etliche neue Funde, nun aber nicht mehr auf Mallorca selbst, sondern bei einem hochbetagten mallorquinischen Fischer in Frankreich (5 Nrn.) und bei ausgewanderten Nonnen in einem Kloster des katalanischen Valencia (4 Nrn.).

Eine spezifisch mallorquinische Komponente – die Mandelbäume, den praktisch-nüchternen Sinn selbst in Szenen greller Komik – weist der Schwank vom eingebildeten Toten auf (128), während die Geschichte von den drei scharfsinnigen Brüdern (127) eher arabischen (beduinischen) Einfluß verrät. In der ganzen Méditerranée verbreitet sind die Zaubermärchen von der Schönen der Welt (125, siehe Albanische Märchen) und von den Ratschlägen des Königs Salomo – hier in einer Fassung voller Witz und Verve (121).

Lit.: Tilbert D. Stegmann, Die katalanische Literatur (KLL Bd. 20, 1992); Felix Karlinger, Nachwort zu: Katalanische Märchen (MdW 1989), S. 250–269; ders., Nachwort zu: Märchen aus Mallorca (MdW 1968), S. 278–293; BP Bd. V (1932), S. 84–85.

Maltesische Märchen

Die Republik Malta, erst seit 1961 von Großbritannien unabhängig, besteht aus drei Inseln: Malta, Gozo und dem winzigen Comino. Die Nähe zu Nordafrika und zu Sizilien hat die Sprache der 330 000 Einheimischen geprägt. Sie ist semitischer Herkunft, zählt zu den arabischen Maghreb-Dialekten, doch sind auch viele italienische Vokabeln in den Wortschatz eingegangen.

Phönizier waren die frühesten Inselbewohner, von daher auch der Begriff Malta, phönizisch »Hafen«. Mal Rom zugehörig, mal dem Byzantinischen Reich, dann unter arabischer Herrschaft, bis Friedrich II. die Araber von hier vertrieb, dann lange dem Johanniterorden unterstellt, bevor Napoleon sich der Inseln bemächtigte – eine ethnisch-kulturelle Umschichtung sondergleichen. Sehr früh christianisiert, Teil der ost- wie der weströmischen Kultur, bekannten sich die Malteser doch stets zum lateinischen Christentum.

Die beiden wichtigsten Märchensammlungen entstanden fast zur gleichen Zeit. Hans Stumme, Professor für Semitistik an der Univ. Leipzig, gab 1904 36 Texte heraus, sowohl im Original (u. d. T. »Maltesische Studien«) wie auch in der Übersetzung (»Maltesische Märchen«); im Frühjahr 1903 hatte er sie auf Malta und Gozo aufgezeichnet. Die junge Bertha Ilg veröffentlichte 1906 gleich 139 selbstgesammelte »Maltesische Märchen und Schwänke« in zwei Bänden. Das Frontispiz des ersten Bandes zeigt sie in der Tracht eines maltesischen Dorfmädchens – ein Hauch von »active anthropology«. Später wird Bertha Kössler-Ilg zur Fürsprecherin der Araukaner in Lateinamerika, deren Mythen und Märchen sie seit 1920 sammelte (»Indianermärchen aus den Kordilleren«, MdW 1956). Ihre maltesischen Aufzeichnungen sind leider nicht erhalten.

Von Stumme stammt Dschahan, Maltas Eulenspiegel, mit etlichen wüsten Streichen (152), und auch der in Vorderasien populäre Schwank von Leila und Keila (153). Bertha Ilg verdanken wir das saftig-kulinarische Märchen vom Typ Hänsel und Gretel

(154), hier jedoch allen hexerischen Beiwerks entkleidet; die Geschichte vom König, der sein Wort brach (155), die auch in Abessinien so erzählt wird; und das schöne Rätselmärchen vom Basilikum (156), das mehr auf italienische und spanische Typik verweist.

Lit.: Joseph Aquilina, Die maltesische Literatur (KLL Bd. 20, 1992); Felix Karlinger (Hrsg.), Märchen griechischer Inseln und Märchen aus Malta (MdW 1979); BP Bd. V (1932), S. 82.

Mazedonische Märchen

Die historische Landschaft Mazedonien ist seit den Balkankriegen, genauer seit dem Frieden von Bukarest (1913), zwischen Serbien, Griechenland und Bulgarien aufgeteilt. Dem serbischen Anteil entspricht das Staatsgebiet der jetzt unabhängig gewordenen Republik Mazedonien, deren 2,1 Millionen Einwohner zu zwei Dritteln aus Mazedoniern bestehen, als Südslawen den Bulgaren verwandt. Mazedonisch ist erst seit 1944 Amtssprache. 20 Prozent Albaner und 4,5 Prozent Türken im Land repräsentieren die islamische Minderheit. Mazedonische Sprachinseln gibt es in Süd- und Ostalbanien, in Westbulgarien und Nordgriechenland. In den Augen der Bulgaren sind Mazedonier ethnisch ihnen zugehörig; die Griechen wiederum bestreiten, daß es auf ihrem Territorium eine mazedonische Minderheit gäbe; dies seien slawisierte Griechen.
In Mazedonien wurden, beginnend mit dem serbischen Sprachreformer Vuk Stefanović Karadžić und dem bosnischen Archäologen Verković, zunächst Volkslieder gesammelt.
Die Erforschung der Volksprosa ist vor allem mit zwei Namen verbunden: Kuzman A. Šapkarev aus Ochrid, der lange Zeit Lehrer in Prilep und ein leidenschaftlicher Verfechter der nationalen Wiedergeburt war, und Marko K. Cepenkov, ein Flickschneider in Prilep, dessen Vorbild Šapkarev war; als Sammler Autodidakt, ließ er sich hauptsächlich in der Gegend von Prilep etwa 700 Texte erzählen, die er dann aus dem Gedächtnis aufzeichnete. Šapkarevs umfangreicher »Sbornik ot balgarski narodni umotvorenija, čast vtora« erschien in Bulgariens Hauptstadt Sofija (1892 bis 1894), ebenso die Aufzeichnungen Cepenkovs, die er im volkskundlichen »Sbornik za narodni umotvorenija, nauka i knižina« (1889 ff.) nach und nach veröffentlichte; eine dreibändige mazedonische Ausgabe konnte erst 1958/59 erscheinen.
39 Texte Cepenkovs und 15 Texte Šapkarevs nahm Wolfgang Eschker in seine Ausgabe »Mazedonische Volksmärchen« (MdW 1972) auf, darunter eine Anzahl Schwänke vom Listigen Peter (Itroman Pejo), der selbst seinem Lehrmeister Nasr Edin Hodscha über ist.

Lit.: Alois Schmaus, Die mazedonische Literatur (KLL Bd. 20, 1992); Wolfgang Eschker, Nachwort zu: Mazedonische Volksmärchen (MdW 1972), S. 263–268; George S. Martin, Einleitung in: Mazedonische Märchen und Fabeln (1956); BP Bd. V (1932), S. 117–118.

Portugiesische Märchen

Etwa 9 Millionen Menschen in Portugal, auf Madeira und den Azoren (je 250 000) sprechen Portugiesisch; dazu kommen noch eine Million in Frankreich lebender Portugiesen.
Dem Klang nach unterscheidet sich die Sprache mit ihrer Vielzahl von Nasalen und Diphthongen deutlich vom Spanischen. Eng verwandt mit ihr ist das Galicische. Das brasilianische Portugiesisch dagegen weicht verschiedentlich ab, was die seit 1825 bestehende Unabhängigkeit von der einstigen Kolonialmacht sicherlich fördern half. Coimbra und Lissabon geben den Ton der »lingua geral« an; Mundarten finden sich im Minho, in Tràs-os-Montes, in der Beira und Estremadura, im Alentejo, in der Algarve und auf den Inseln.
Portugiesisch, das war auch für Herder, Goethe und beide Schlegels die Sprache des Luís de Camoes: »Ich besinge die Waffen und die mutvollen Männer, die vom westlichen Strand Lusitaniens über Meere getragen, die kein Bug je durchfurcht ...« Die Erneuerung des alten Heldenepos in den »Lusiaden«, die Polung auf die Entdeckungsfahrten Vasco da Gamas, prägten die Literatur Portugals und ebenso sein Ansehen.
So setzten die ersten Sammler von Volkserzählungen, allesamt gebildete Leute – Francesco Adolfo Coelho (1879), Teófilo Braga (1883), Ataíde Oliveira (1900–1905) –, literarisch relativ hoch an; sie boten ihre Funde in ausgefeilter Form dar. Coelho sah sich noch im Abstand eines halben Jahrhunderts als Nachfahr der Grimms, doch konnten seine »Contos populares portugueses« nie diese Popularität erringen. Braga, von den Azoren stammend, begründete die portugiesische Literaturgeschichtsschreibung und wurde erster Präsident der (zunächst nur provisorischen) Republik. Doch die klassischen Märchensammlungen, zu denen auch Oliveiras Algarve- und Tomás Pires' Évora-Band gehören, verschwanden bald vom Markt, und die Erforschung einheimischer Folklore zog sich in Zeitschriften wie »Revista Lusitana« (1887–1943) zurück.
Die Erzählpraxis selbst blieb in Portugal länger lebendig als im benachbarten Spanien, was wohl auch im länger andauernden Analphabetentum begründet lag. Noch in den fünfziger Jahren fanden sich im abgelegenen Nordosten, in Tràs-os-Montes, Männer und Frauen, die der Ethnographin Klara Rumbucher einiges in den Stenoblock erzählten – vor allem während der langsamen, durch lange Aufenthalte unterbrochenen Bahnfahrten. Anfang der sechziger Jahre ging Thordis von Seuss daran,

systematisch Material zu sammeln. Sie machte ihre Tonbandaufnahmen meist bei Bauern, Hirten, Fischern, auch in Frauenklöstern. Die Grenze zur Legende erwies sich dabei als fließend, zumal der aus Portugal gebürtige heilige Antonius von Padua eine der populärsten Märchengestalten ist (142). Bei einem Bevölkerungsanteil von 95 Prozent Katholiken ist die Ausschmückung der Märchen mit christlichen Bildern verständlich, dazu so manches Schwankmotiv, wie das vom abgewiesenen Klosterbruder, der sich listig seine »Steinsuppe« (148) kocht. Im Süden des Landes, in der Algarve, finden sich noch Erinnerungen an die Zeiten maurischer Herrschaft; Gegenspieler des Helden, wie Magier und Bösewichter, erscheinen gern als Anhänger des Islam. Doch auch hier gilt: Mit einer hochentwickelten Infrastruktur, mit der Herrschaft audiovisueller Medien geht eine andere Kommunikationsform, die des Erzählens, zu Ende.

Lit.: Harri Meier, Die portugiesische Literatur (KLL Bd. 20, 1992); ders., Nachwort zu: Portugiesische Märchen (MdW 1975), S. 233-242; Felix Karlinger, Vorwort zu: Märchen aus Portugal (1976), S. 7–10; BP Bd. V (1932), S. 84 u. 86 f.

Roma- und Sinti-Märchen

»Romani« ist die Sprache der Menschen, die von anderen als Zigeuner oder Gypsies (früher auch: bohémiens) bezeichnet werden. Sie selbst nennen sich »Rom« (Mensch) und unterscheiden zwischen den in Westeuropa lebenden Gruppen (Sinti) und denen im Osten (Roma). Mehr oder weniger seßhaft sind sie vor allem in Ungarn, Rumänien, Polen, der Ostslowakei, Mazedonien, Bulgarien. Die Zahlen schwanken: Sie reichen von 500 000 Romani (Fischers Weltalmanach 1992) bis über 3 Millionen (nach Ermittlungen der Gypsy Lore Society, London, in den siebziger Jahren).
Das Romani gehört ursprünglich zum indischen Sprachstamm, was sich auch anhand der Typik seiner Märchen nachweisen läßt. Diese Sprache jedoch, ohne eigene Schrift, wurde durch jahrhundertelanges Zusammenleben in den jeweiligen »Wirtsländern« verändert und verschliffen, so daß man von mitteleuropäischen Sinti-Dialekten spricht, von Romani-Dialekten ungarischen Einschlags und von walachischen Dialekten. Zu den letzteren gehört das »Kalderaschi« der Kesselflicker in Siebenbürgen, Ungarn und Polen wie auch das »Louwara«; die Loware in Siebenbürgen, Ungarn und Wien gingen vor allem dem Pferdehandel nach.
Nur dort, wo die Roma und Sinti in größeren Gemeinschaften leben und ihre eigene Sprache sprechen – das gilt auch für Gruppen in Wales und Schottland –, sind ihre eigenen Märchen erhalten geblieben. Doch noch ist kein Märchenforscher bekannt, der diesem Volk selbst angehört! Der erste, der Überlieferungen der Roma edierte, Barbu Constantinescu, war ein Bukarester Theologieprofessor (1878). Wenig später entschloß sich der siebenbürgische Gelehrte Heinrich von Wlislocki, mit einer Sippe

der »transsilvanischen Zeltzigeuner« mitzuziehen und nach und nach ihre Geschichten zu sammeln; seine »Märchen und Sagen der transsilvanischen Zigeuner« (1886) und »Volksdichtungen der siebenbürgischen Zigeuner« (1890) zeugen von Anteilnahme und Respekt.
»Über die Mundarten der Zigeuner« schrieb früh der Wiener Slawist Franz von Miklosich (1874), der dabei Märchentexte aus der Bukowina auswerten konnte.
Ebenso wie Wlislocki bekannte sich der englische Lexikograph Francis Hindes Groome zur kulturellen Bedeutung der Rom-Märchen: 1888 war er an der Gründung der Gypsy Lore Society beteiligt, gab deren »Journal« heraus und leitete seine »Gypsy Folk-Tales« (1889) mit einer 75seitigen Geschichte der Roma und ihres Erzählgutes ein.
Auf diesen Vorgängern konnte Walther Aichele aufbauen, als er 1925 den MdW-Band »Zigeunermärchen« herausbrachte, vom Verleger mit einer suggestiven Bauchbinde »Literatur der Heimatlosen!« versehen. Acht (Sinti-)Märchen steuerte ein Pferdehändler aus Wandsbeck bei, die Aichele aufzeichnete und übertrug.
Das umfangreichste Kompendium – »Zigeunermärchen aus aller Welt – Erste bis Vierte Sammlung« – gab Heinz Mode unter Mitarbeit von Milena Hübschmannová in Leipzig 1983–1985 heraus. Dabei ging er charakteristischen Märchenmotiven nach: das Pferd als Tierhelfer, mit zauberisch-magischen Kräften begabt, von prophetischem Wissen; das Wanderermotiv nicht als wohlgemute Aventiure, sondern von äußerem Druck, von Not und plötzlicher Wurzellosigkeit bestimmt – und bei gutem Ausgang der Geschichte winkt nicht ungebundenes Nomadenleben, sondern dörfliche Seßhaftigkeit. Milena Hübschmannová beschrieb, wie ein Rom auch in unseren Tagen noch zum Paramisaris, zum Märchenerzähler, werden kann; auch die gemeinsame Totenwache – in Irland z. B. längst kein Brauch mehr – gibt immer noch Gelegenheit zu erzählen.

Lit.: Martin Block, Die Literatur der Zigeuner (KLL Bd. 20, 1992); Heinz Mode, Vorwort zu: Zigeunermärchen aus aller Welt, Erste Sammlung (1983), S. 7–48; Milena Hübschmannová, Märchenerzählen und Alltagsleben bei den slowakischen Rom: ebda., S. 49–66; Martin Block, Nachwort zu den Märchen der Zigeuner Südosteuropas, in: Neuausgabe Zigeunermärchen (MdW 1962), S. 349–356; BP Bd. V (1932), S. 186–187.

Rumänische Märchen

Das Rumänische gehört zu den zehn häufigsten Sprachen Europas. Es wird von mehr als 22 Millionen Menschen gesprochen, die größtenteils in der Republik Rumänien leben; knapp 3 Millionen bilden die größte Sprachgruppe in der Republik Moldawien, und rumänische Sprachinseln liegen über den ganzen Balkan verstreut. Die Ostromania hat sich von den westromanischen Sprachen isoliert entwickelt; das sog. Dako-Rumänische, wozu das Walachische, das Moldawische gehören, hat Schwesterdialekte im Aromunischen, im Meglenitischen und Istrorumänischen. Die 400 000 Aromunen etwa leben als Minderheiten in Mazedonien, Bulgarien, Nordgriechenland und Albanien; sie haben eine ganz eigene Märchenkultur entwickelt (siehe Gustav Weigand, Die Aromunen, Bd. 2: Volksliteratur – 1894). Das gilt auch für die Ethnie der Siebenbürger Sachsen, von denen noch ca. 47 000 in Rumänien leben: »Deutsche Volksmärchen aus dem Sachsenlande in Siebenbürgen« kamen, gesammelt von Josef Haltrich, bereits 1856 heraus.
Doch am Anfang einer planmäßigen Sammeltätigkeit in Rumänien stehen die beiden Brüder Arthur und Albert Schott, deren »Walachische Märchen, mit einer Einleitung über das Volk der Walachen« (1845) sogar Wilhelm Grimm geschätzt hat – »ihres Gehaltes und der unverfälschten Auffassung wegen«. Unverfälscht im damaligen Sinne hieß in Arthur Schotts Worten, er habe sie ohne eigene Zutaten erzählt, so wie er sie nach mündlicher Erzählung an Ort und Stelle niedergeschrieben habe; »die Schreibart einer schonenden Umarbeitung zu unterwerfen konnte mir keine Bedenken machen, da sich dies, wie das Beispiel der Brüder Grimm bewiesen hat, mit einer sachgetreuen Mitteilung vollkommen verträgt«.
Aufschlußreich ist auch, wie es zu dieser Sammlung kam. Arthur Schott war für sechs Jahre im östlichen Banat als Landwirt beschäftigt und wußte in der Zeit, so sein Bruder Albert, »das tiefgehende Mißtrauen zu besiegen, welches der unterdrückte Stamm der dortigen Walachen gegen die Angehörigen der herrschenden Völker, gegen Slawen, Madjaren (Ungarn) und Deutsche, hegt«. Märchensammeln von oben, von außen: Gerade diesem Impuls verdanken wir so wichtige Sammlungen wie Mite Kremnitz, »Rumänische Märchen« (1882, und Pauline Schullerus, »Rumänische Volksmärchen aus dem mittleren Herbachtale« (1906).
Mit Beginn des 20. Jh.s wurden solche eher populären Sammlungen abgelöst von Ausgaben einheimischer Mundartforscher, so Sim. Fl. Marians »Legendele Maicii Domnului« (1904), Petre Ispirescus »Legende sau Basmele Românilor« (1938). Adolf Schullerus, Pfarrer in Hermannstadt, gab ein Verzeichnis der rumänischen Märchen und Märchenvarianten heraus (1928, FFC 78).
Dies ist allerdings überholt durch das dreibändige Werk von Ovidiu Bîrlea, »Antologie de Proza Populara Epica«, die erste große, kritische Ausgabe von Texten in ihrer originalen Form, entstanden aus 15 Jahren intensiver Feldarbeit nach dem Zweiten Weltkrieg. Hier finden sich hinreißende Geschichten wie die von Dragan Cenușa,

dem Drakentöter, der die verfinsterte Welt wieder hell macht – allerdings 30 Seiten lang; von ähnlichem Umfang ist auch die Geschichte von der schönen Cazarchina, in die der Erzähler Selbsterlebtes einfließen läßt: »Um zwölf Uhr läuteten die Glocken, wie sie auch bei uns läuteten, als die Amerikaner mit den Flugzeugen kamen, unsere Bauern flohen in die Wälder, daß fast der Boden barst ...«

Lit.: Martin Block, Die rumänische Literatur (KLL Bd. 20, 1992); Claus Stephani (Hrsg.), Märchen der Rumäniendeutschen (MdW 1991); Miljan Mojašević, Brüder Schott in der Nachfolge der Brüder Grimm, in: Brüder Grimm Gedenken, Bd. 9 (1990); Felix Karlinger (Hrsg.), Povesta Maicii Domnului (1978, Texte romanischer Volksbücher 4); ders., Rumänische Volksmärchen, hg. zusammen mit Ovidiu Bîrlea (MdW 1969); Alexander Dima, Rumänische Märchen (1944); BP Bd. V (1932), S. 88–93.

Sardische Märchen

Das Sardische ist eine archaische, in ihrem Bestand bedrohte Sprache. Anschaulich beschreibt das Sebastian Münster schon vor mehr als vierhundert Jahren: »Es haben die Sardinier vor Zeiten eine sundere Sprach gehapt, aber nachdem so vil und allerley Völcker darin kommen, nemlich die Latiner, Pisaner, Genueser, Spanier und Afrikaner, ist ir Sprach fast verendert worden, wiewol noch vil Wörter bliben seind von der ersten Sprachen, die man sunst in andern Sprachen nit findt« (aus der Cosmographia, 1549).
Noch sprechen fast eine Million Menschen das Sardische, das sich in zwei Hauptdialekte teilt: Logudorisch und Campidanesisch. Die Insel der Hirten und Bauern, fast so groß wie Sizilien, hat nur ein Viertel von dessen Bevölkerung; beweglichere Berufe wie die der Fischer und Hafenbetreiber werden traditionell von Anderssprachigen ausgeübt, von Katalanen im Nordosten (Aleghro), von Genuesen, Neapolitanern und Korsen in den anderen Küstengebieten.
Erst um 1880 begann im abgekapselten Landesinneren das Märchensammeln. Die zu 80 Prozent männlichen Erzähler wurden, wenn es ums Aufnotieren ihrer Geschichten ging, wegen des grassierenden Banditenwesens meistens mißtrauisch; so konnte nur selten mitstenographiert werden; eine Niederschrift aus dem Gedächtnis war die Regel.
Aus P. E. Guarnerio, »Primo saggio di novelle popolari sarde« (1883) stammt das Märchen vom guten Handel (160), das sich dann in der vorzüglichen, nach Mundarten differenzierenden Heftsammlung »Fiabe di lupi, di fate e di re« (1924) wiederfindet. Das sardische Schneewittchen (158) stammt aus Francesco Mango, »Novelline popolari sarde« (1890).
Mit Mikrophon und Tonbandgerät konnte Felix Karlinger zwischen 1951 und 1955

noch so manches schöne Märchen einfangen: z. B. bei dem Matrosen Marco Sulis das vom blauen Drachen (157) und bei der 80jährigen Pietra Pala das vom Typus Schneeweißchen und Rosenrot (159). Ein durch Karlinger überlieferter Brauch verrät, welche besondere Funktion dem Erzählen früher zukam: Beim Gang übers Gebirge ging man meistens im Gänsemarsch, und der letzte in der Gruppe erzählte Märchen, er »trug« die anderen; öfters löste man sich ab, etwa mit den Worten: »Ich bin nun müde, soll jetzt ein anderer tragen.«

Lit.: Felix Karlinger, Einleitung zu: Das Feigenkörbchen – Volksmärchen aus Sardinien (1973), S. 5–16; ders., Italienische Volksmärchen (MdW 1973 – Nr. 49–56); ders., Inselmärchen des Mittelmeeres (MdW 1960 – Nr. 53–58); BP Bd. V (1932), S. 73 u. 78f.

Serbische Märchen

Das südslawische Serbokroatisch, bisher die lingua franca der Serben, Kroaten, Muslime, Montenegriner, sprechen 17 Millionen Menschen: dazu zählen auch Minderheiten im österreichischen Burgenland, in Rumänien, Ungarn und dem italienischen Molise (Apennin). Mit der politischen Emanzipation Kroatiens vom serbisch dominierten Jugoslawien geht auch eine sprachliche Emanzipation einher; man ist auf den eigenen Wortschatz, vor allem auf die eigene Schreibform bedacht: hie kyrillisch, dort (in Kroatien) lateinisch.
Beiden Völkern gemeinsam ist die lange Zeit der Osmanenherrschaft, die von 1371 bis 1826 dauerte, jedoch nicht die Islamisierung zur Folge hatte wie z. B. in Bosnien und der Herzegowina. Das Königreich Serbien etablierte sich 1882 und wurde nach dem Ersten Weltkrieg erweitert zum »Königreich der Serben, Kroaten und Slowenen« mit deutlich serbischer Dominanz.
Bezeichnenderweise war der Mann, der Anfang des 19. Jh.s die Sprachreform schuf, auch der erste und bedeutendste Volkskundler seines Landes: der Westserbe Vuk Stefanović Karadžić (1787–1864). Erfüllt von der Vision nationaler Wiedergeburt, begann er 1814/15 mit der Sammlung serbischer Volkslieder und schuf 1818 die Serbische Grammatik mit Wörterbuch, die 1824 von Jacob Grimm übersetzt wurde. »Der bewährte Kenner und Sammler hat uns hier einen frisch duftenden Kranz serbischer Märchen gebunden«, schrieb Grimm in der Vorrede zu Vuks »Volksmärchen der Serben«, die ein Jahr nach Ersterscheinen von dessen Tochter Wilhelmine ins Deutsche übersetzt wurden (1854); er verglich Vuks Leistung mit der des Neapolitaners Basile, stellte sie stilistisch noch höher. Grimm hob als serbische Besonderheiten das mannigfache Auftreten der »Vilen« (Berg-, Wald- und Wasserfeen) hervor, oder die Originalität Aschenputtels, dessen Mutter, in eine Kuh verwandelt, dem armen Mädchen den Flachs kaut (190). Für Grimm ist es anderer-

seits evident, »daß die meisten Triebfedern, welche in deutschen Märchen spielen, auch hier erscheinen: die drei Brüder, unter welchen der jüngste der beste und glücklichste ist; die beiden gleichen Brüder, an denen selbst die Ehefrau keinen Unterschied findet …« Er hätte noch das eigentümlich südslawische Band der Blutsbrüderschaft (193, 194, 199, 212) nennen können. Die ungleich dämonischeren Märchen Vuks, wie das vom Wildjungen und seinem Paten (196) oder das vom Aschenbrödel, dem der eigene Vater nachstellt (195), kannte Grimm noch nicht; sie finden sich erst in der erweiterten original-serbischen Ausgabe Wien 1870.
Die so angebahnte serbisch-deutsche Zusammenarbeit wurde eine Gelehrtengeneration später fortgesetzt. Vatroslav Jagić und Reinhold Köhler richteten im Archiv für slavische Philologie eine fortlaufende Rubrik »Aus dem südslavischen Märchenschatz« ein; in Bd. 2 des Archivs stellten sie 20 Märchenregesten nach Vuk St. Karadžić (^{2}1870) zusammen, mit vergleichender Analyse: in Bd. 5 wurde mit 25 Texten nach G. K. Stefanović (1871) ebenso verfahren.
Die dann folgenden deutschsprachigen Ausgaben bezogen sich zumeist auf den gesamten südslawischen Sprachraum. Als erster wäre Friedrich Salomo Krauss zu nennen, mit zwei Bänden »Sagen und Märchen der Südslaven« (1883/84), sodann August Leskien mit den »Balkanmärchen« (MdW 1915). Leskien berücksichtigte weitaus mehr die älteren Sammlungen – allein 10 Nrn. aus Karadžić – als die neueren von Gavrilović (1908) und Ostojić (1911). Sie alle übertraf dann Veselin Cajkanović mit den 212 Nrn. seiner Belgrader Akademie-Ausgabe (1927).
Die Feldforscherin Maja Bošković-Stulli legte 1975 einen eigenen Band kroatischer Volksmärchen vor; 1992 folgt nun das Pendant, die von Wolfgang Eschker edierten »Märchen aus Serbien«.

Lit.: Wolfgang Eschker, Nachwort zu: Serbische Märchen (MdW 1992); Alois Schmaus, Die serbische Literatur (KLL Bd. 20, 1992); BP Bd. V (1932), S. 103–117 (Serbokroaten).

Sizilianische Märchen

Mehr noch als andere Landesteile Italiens ist Sizilien eine Märchenregion eigener Prägung. Dialektfärbung und besonderer Wortschatz machen das nicht weniger deutlich als eine wechselvolle Geschichte; die Geschicke der Insel wurden von Byzantinern, Sarazenen, Normannen, Neapolitanern, Bourbonen bestimmt; im Vorfeld der Reichseinigung 1870 kam es zum Risorgimento, zur Rückbesinnung auf heimische Traditionen und Werte. Aber worin liegt schon das Eigene? Gerade die Nähe zur arabischen Erzählkultur Nordafrikas, die orientalische Anmutung, die es mit den Inseln Malta, Kreta und Zypern teilt, machen das sizilianische Erzählen so reizvoll. »Die meisten erzählen mit unendlicher Lebhaftigkeit, indem sie dabei die ganze

Handlung mitagieren, mit den Händen sehr ausdrucksvolle Gebärden machen«, berichtet die aus Messina gebürtige Laura Gonzenbach von ihrer Sammelarbeit im Frühjahr 1868 an den Hängen des Ätna, in den Dörfern der Westküste, in Catania und Messina. Ihre in zwei Bänden in Leipzig gedruckten 92 sizilianischen Märchen waren die erste »aus dem Volksmund gesammelte« Märchenedition Italiens (1870). Die Einleitung allerdings schrieb ein Mann, und ein anderer fügte vergleichende Anmerkungen hinzu; was ihre meist weiblichen Erzähler angeht – eine von ihnen, Caterina Carto aus San Pietro di Monforte, ist als Frontispiz abgebildet –, so konnte Laura Gonzenbach zumindest Hinweise geben, Details forderte ihr niemand ab. Die eigentlichen Aufzeichnungen haben sich nicht erhalten.
Nicht zu übersehen ist die Duplizität junger, engagierter Sammlerinnen deutschsprachiger Herkunft: hier Fräulein Gonzenbach, Tochter des Schweizer Handels-Konsuls in Messina, dort Fräulein Böhl von Faber (Fernan Caballero), Tochter des deutschen Generalkonsuls in Sevilla; ihnen verdanken wir Pionier-Sammlungen aus der Region, hier Sizilien, dort Spanien. Als Dritte im Bunde sei Berta Ilg genannt (Maltesische Märchen).
1875 erschien dann in Palermo ein mit vier Bänden staunenswert reichhaltiges Kompendium: »Fiabe, novelle e racconti popolari siciliane«, angereichert durch eine Grammatik des Sizilianischen, ein ausführliches Glossar und einen Überblick über italo-albanische Märchen (mitsamt Wortschatz). Verfasser war der aus Palermo stammende Mediziner, Historiker und Philologe Giuseppe Pitrè (1841–1916), nicht nur einer der fähigsten Volkskundler Italiens, sondern auch ein leidenschaftlicher Anwalt Siziliens, der ganz Italien mit dieser Sprache und mündlichen Erzählkultur vertraut machte. Er war kein Mann des Schreibtischs wie Felix Liebrecht, der das vertrackte Neapolitanisch mühevoll erlernte, um Basiles Pentamerone übersetzen zu können. Pitrè war schon mit dreißig ein angesehener Arzt, kam weit herum und verfügte über ein Netz von Korrespondenten, die er zu Aufzeichnungen anhielt; doch die Mehrzahl der Märchen verdanken wir ihm und Agatuzza Messia aus dem Borgo von Palermo, seiner »novellatrice modello« (Muster-Märchenfrau). Über die einzelnen Erzähler und ihr Repertoire informiert, dank Pitrès eigenen reichhaltigen Angaben, Rudolf Schenda im Nachwort zu »Märchen aus Sizilien« (MdW 1991).

Lit.: Rudolf Schenda, Giuseppe Pitrè und seine sizilianischen Märchen, in: Märchen aus Sizilien (MdW 1991), S. 300–322; Felix Karlinger, Nachwort zu: Inselmärchen des Mittelmeeres (MdW 1960), S. 309–316.

Slowenische Märchen

In Slowenien, dem nördlichsten der südslawischen Länder, leben knapp 2 Millionen Menschen; 90 Prozent sind Slowenen, überwiegend katholischen Glaubens. Slowenische Minderheiten finden sich in den nördlich angrenzenden Regionen, dem italienischen Julischen Venetien (90 000), dem ungarischen Balaton-Gebiet (30 000) und in Kärnten (17 000); bis 1918 gehörte Slowenien zur Habsburger Doppelmonarchie. Als bislang jugoslawische Teilrepublik gewann Slowenien 1991 seine Unabhängigkeit.

Slowenisch sprachen durch die Jahrhunderte vor allem die Bauern. Der Bischof von Laibach (Ljubljana) notierte 1631: »Das einfache Volk redet den Krainer Dialekt, die Behörden sprechen Deutsch, die Gebildeten größtenteils Italienisch.« Als Mitte des 19. Jh.s das sprachliche Selbstbewußtsein erwachte, drückte sich das auch in Märchensammlungen aus, so in Bogomil Krek, »Slovenske narodne pravljice in pripovedke« (1886) und vor allem Matija K. Valjavec, »Narodne pripovjesti u Varaždinu i okolici« (^{2}1890). Das bekannteste slowenische Märchen dürfte die von Valjavec 1859 in der Zs. »Glasnik slovenski« publizierte Hirtengeschichte »Pastir« sein, die als Bilderbuch, illustriert von Marlenka Stupica, ein Jahrhundert später auch in Deutschland großen Anklang fand.

Eine neuere Sammlung slowenischer Volksmärchen wurde 1958 ins Deutsche übersetzt: »Wunderbaum und goldener Vogel«, herausgegeben von Else Byhan.

Als zentrale volkskundliche Sammelstelle wurde 1923 das Ethnographische Museum in Ljubljana gegründet, und innerhalb der Slowenischen Akademie der Wissenschaften errichtete man 1951 unter der Leitung Ivan Grafenauers ein Institut für Volkskunde. Die Abteilung für Volksliteratur leitet der wohl beste Kenner slowenischer Märchen, Milko Matičetov.

Lit.: Alois Schmaus u. Klaus Detlev Olof, Die slowenische Literatur (KLL Bd. 20, 1992); Else Byhan, Einleitung zu: Wunderbaum und goldener Vogel. Slowenische Volksmärchen (1958), S. 7–12; BP Bd. V (1932), S. 100–102.

Spaniolische Märchen (Märchen der Sepharden)

Spaniolisch ist die Sprache der Sepharden (so lautet der hebräische Begriff für »Spanier«). Sepharden sind die Abkömmlinge der spanischen Juden, die 1492 aus ihrem Mutterland vertrieben und über die Mittelmeerländer Italien, Mazedonien, Griechenland, Bosnien und Bulgarien, Türkei, ferner bis zur afrikanischen Küste (Marokko, Tunis) verstreut wurden.
Ihre Sprache, heute von nicht mehr als 15 000 Menschen gesprochen, wird auch als Judenspanisch oder Ladino bezeichnet, wobei Ladino eher die Hochsprache der Synagoge und der religiösen Bücher bezeichnet.
Die spaniolischen Sprachinseln finden sich zumeist in Städten, so in Izmir, Istanbul, Saloniki, Skopje, Bukarest, Sarajewo. In Izmir wird die Zs. »El Meseret«, in Istanbul werden »La Voz de Turkiye« und »Shalom« verlegt. Spaniolische Schwänke finden sich in »Lavida de Nasredin Hodža« (1923), und Max Leopold Wagner hat 15 Märchen aus dem alten Konstantinopeler Milieu 1914 zweisprachig veröffentlicht; aus dieser Sammlung stammen die drei hier abgedruckten Texte.
Die weitgehend noch unerschlossenen spaniolischen Märchen verdienen aus mancherlei Gründen Interesse: Sie enthalten Erzählgut aus Spanien, das dort inzwischen aus Märchen und Legende verschwunden ist; sie sind häufig mit jüdischem Brauchtum verbunden bzw. aus alttestamentlichen Apokryphen geschöpft, ihrem Wesen nach jedoch grundverschieden von aramäischen Überlieferungen; sie zeigen Parallelen wie auch Gegensätze zu den jiddischen Märchen der aschkenasischen (Ost-)Juden.
Etwas von der Spiritualität der Sepharden vermittelt ein Märchen aus Marokko, von dem der Feldforscher Felix Karlinger berichtet: Wie neun Brüder, die auf der Suche nach ihrer geraubten einzigen Schwester sind, in einer Kette eng hintereinander eine Spirale bis zu deren Mittelpunkt tanzen und dabei ein Zauberlied singen; so verwandeln sie sich in eine Schar von Vögeln.

Lit.: Otto F. Best, Die spaniolische Literatur (KLL Bd. 19, 1992); Max Grünbaum, Jüdisch-spanische Chrestomathie (1896 – enthält keine Märchen).

Spanische Märchen

Kastilisch (castellano), die Sprache des Kernlandes Kastilien, ist die Volks-, Schrift- und Amtssprache der Spanier: genauer, die Sprache von 30 Millionen Menschen auf dem Festland, den Kanarischen Inseln und einer Minderheit im portugiesischen Miranda.
In der Provinz Galicien jedoch und in den baskischen Landesteilen ist Spanisch nur Zweitsprache, ebenso in Katalonien, in der Provinz Valencia und auf den Balearen.
Mit der Reconquista, der Zurückdämmung arabischer Herrschaft auf der Iberischen Halbinsel, konnte sich das Kastilische von Norden her fächerförmig über die Halbinsel ausbreiten. Das Jahr 1492 markiert ein entscheidendes Datum: Mit dem Einzug des katholischen Königspaars in Granada am 2. Januar waren die Mauren endgültig vertrieben; am 31. März stellte man die ansässigen Juden vor die Wahl, sich entweder taufen zu lassen oder auszuwandern (worauf der Exodus von 150 000 »Sepharden«, den Judenspaniern, erfolgte).
Im selben Jahr erschien die erste Grammatik der kastilischen Sprache, und Christoph Columbus zog westwärts, eingedenk der Worte des Verfassers Antonio de Nebrija: »Wenn Eure Majestät viele Barbarenvölker und Nationen mit fremden Sprachen zu unterjochen gedenkt, werden nach der Unterwerfung diese die Gesetze übernehmen müssen ... und damit unsere Sprache.«
Ist es Zufall, daß in Andalusien, der ehedem am stärksten arabisch-maurisch dominierten Region, auch die ersten Märchensammlungen erschienen? »Über das Dasein der Märchen (in Spanien) kann kein Zweifel sein«, notierte Wilhelm Grimm noch 1856 (in der 2. Aufl. des Märchenkommentarbandes), aber er wußte kein einziges zu nennen. Drei Jahre darauf brachte Fernan Caballero, bürgerlich mit Namen Cecilia Bühl von Faber, in Sevilla ihre »Cuentos y pesias populares andaluces« heraus, und schon drei Jahre später lagen sie auch übersetzt vor.
Mit »Cuentos populares espanoles« begründete Antonio de Machado y Alvarez in Sevilla 1883 seine Bibliothek spanischer Volksüberlieferungen. Hier erschienen bald auch regional repräsentative Sammlungen, so über die Extremadura (129), deren Herausgeber Hernández de Soto die Texttreue wahrte und nicht so »romantisch« vorging wie Fernan Caballero.
Impulse durch die nordamerikanische Hispanistik erhielt die Märchenforschung in den zwanziger Jahren. Aurelio M. Espinosa gab an der kalifornischen Stanford University 1923–1926 »nach ebenso mühevollen wie ertragreichen Aufnahmen in vielen Provinzen Spaniens« (H. Meier) drei Bände mit insgesamt 280 Texten heraus (siehe 130–132); Ralph S. Boggs konnte daraufhin den »Index of Spanish Folktales« (1930, FFC 90) vorläufig abschließen. Doch später gelangen Aurelio M. Espinosa, dem gleichnamigen Sohn, weitere schöne Funde, die er als »Cuentos populares de Castilla« 1946 im fernen Buenos Aires veröffentlichte.
Die deutsche Ausgabe spanischer Märchen, die der Bonner Romanist Harri Meier

1940 (zusammen mit einem portugiesischen Teil) besorgte, blieb in der Neuausgabe 1961 weitgehend unverändert.

Lit.: Manfred Tietz, Die spanische Literatur (KLL Bd. 20, 1992); Harri Meier, Nachwort zu: Spanische Märchen (MdW 1961), S. 305–310; ders., Einleitung in: Spanische und portugiesische Märchen (MdW 1940), S. 5–15; BP Bd. V. (1932), S. 82-86.

Türkische Märchen

Die europäische Türkei umfaßt Ostthrakien mit Edirne (Adrianopel) und gewissermaßen auch den europäischen Teil Istanbuls, des alten Konstantinopel. Auf Ostthrakien entfallen 3 Prozent der Gesamtfläche und, mit 4,3 Millionen, 8 Prozent der Bevölkerung. Zu den europäischen Turkvölkern, die in Rußland beheimatet sind, zählen Tataren (5,4 Mio.), Tschuwachen (1,4 Mio.) und Gagausen (160 000).
Der Ungar Ignácz Kúnos war der erste Sammler türkischer Volksmärchen. Ihm gelang in den achtziger Jahren des 19. Jh.s die Aufzeichnung von 98 Texten aus Rumelien – so die Bezeichnung für den europäischen Teil der Türkei –, aus Istanbul und Anatolien. 1905 gab er auf deutsch »Türkische Volksmärchen aus Stambul« heraus; sie gehen auf einen einzigen Istanbuler Erzähler, Schreiber bei einem ungarischen Advokaten, zurück.
Volkstümlich und sehr beliebt war »Der Kristallpalast« (Billur Köschk), eine Sammlung von 14 Märchen in Stambuler Drucken; schon die Titelgeschichte verwendet und verwebt die Dornröschen- und Schneewittchen-Motivik. 1923 gab Theodor Menzel eine deutsche Ausgabe heraus und ließ ein Jahr später den »Zauberspiegel« folgen, der ebenfalls 14 Märchen enthielt, doch nun aus eigener Sammlung; ein während des Ersten Weltkriegs in Saratow a. d. Wolga internierter Tagelöhner hatte sie ihm in Stambuler Dialekt erzählt. Im europäischen Kontext steht der »Fuchs als Brautwerber« (228), der niemand anders ist als der Gestiefelte Kater. Auch die Geschichte von den drei Pomeranzen wird von Menzels Gewährsmann wie vertraut und doch auch wie neu erzählt: Der Sohn eines Bej wirft seinen Speer so unglücklich, daß er den Krug einer Alten zerbricht. Die flucht ihm: »Du bist noch ein Kind, ich kann dich nicht umbringen. Du wirst jedoch zu den Quellen der drei Pomeranzen hinmüssen ...«
70 schlicht erzählte Märchen, dem Stoff nach verwandt mit dem »Kristallpalast«, veröffentlichte dann Naki Tezel 1938 als »Istanbuler Märchen« (Istanbul Masallari). Dieser Sammlung sind »Ehemann Pferd« (230) und »Die Puppenfrau« (229) entnommen; das erstgenannte Märchen ist auch auf dem Balkan und in Sizilien verbreitet, das zweite auf griechischen Inseln (Dodekanes) und ebenfalls in Sizilien. Die berühmte Geschichte vom »König im Bade« (226) ist hier in ihrer ersten europäischen Fassung wiedergegeben, zu der es eine fast gleichlautende serbische gibt. Dazu hat Hermann

Varnhagen, ganz im Bann der Wanderungstherorie, ein eigenes Buch verfaßt mit dem Titel »Ein indisches Märchen auf seiner Wanderung durch die asiatischen und europäischen Literaturen« (1882).
Orientalisch geprägt sind die Hauptgestalten des türkischen Märchens: der Padischah mit seinen (klugen oder falschen) Wesiren, der Königssohn auf seinen Fahrten und Abenteuern und sein plebejisches Pendant, der Grindkopf (Keloğlan), dann die glückverheißende Prinzessin; der Wasserträger, der Kaffeehausbesitzer oder der Badewärter als Vertreter landeseigentümlicher Berufe; der gewaltsame, bösartige Neger (arab); die bösen und die guten Geistwesen, Devs und Peri (Feen).
Ein Spiel mit Worten sind die »takerleme«, die Eingangs- und Schlußformeln im Märchen; selbst ohne das alliterative Element klingen sie in der Übersetzung reizvoll: »Es war einmal in alter Zeit, als man das Stroh noch siebte, als das Kamel noch Pferdehändler, die Maus Rasierer, der Kuckuck Schneider, der Esel noch Bediensteter und die Schildkröte noch Bäcker war ...«

Lit.: Elisabeth Siedel, Die türkische Literatur (KLL Bd. 20, 1992); Otto Spies, Nachwort zu: Türkische Märchen (MdW 1967), S. 301–308; Pertev Naili Boratov, Nachwort zu: Türkische Volksmärchen (1967), S. 297–324; Wolfram Eberhard und Pertev Naili Boratov, Typen türkischer Volksmärchen (1953 – die Auswertung von ca. 2500 Texten); BP Bd. V. (1932), S. 188–189 (Türken), 189–191 (Turko-tatarische Völker Rußlands).

Zyprische Märchen

Auf der Insel Zypern, dem uralten Bindeglied zwischen den kleinasiatischen und den europäischen Festland-Griechen, Stützpunkt des Orienthandels zwischen den italienischen Seestädten, Libanon und Ägypten, wie auch Kreuzfahrer-Stützpunkt, hält die Erinnerung an griechische Antike und mittelalterliche Herrschaft der Lusignans vor.
Seit 1974 ist Zypern zweigeteilt: Die Griechische Republik Zypern weist 60 Prozent der Fläche, aber mehr als 75 Prozent der Einwohner auf; knapp ein Fünftel der 690 000 Menschen sind türkische Zyprioten; die Zahl der Flüchtlinge aus dem Libanon liegt konstant bei 70 000. Die Türkische Republik Nordzypern dagegen besteht zu 98 Prozent aus türkischen Zyprioten, auf Zypern geborenen wie aus der Zentraltürkei umgesiedelten; die in Nordzypern verschwindend kleine Gruppe griechischer Zyprioten, etwa 750 Menschen, macht deutlich, welch ein – unfreiwilliger – Bevölkerungsaustausch hier 1974 stattgefunden hat. Bei der letzten Umsiedlung, 1923, als viele Griechen von der kleinasiatischen Küste, aus Kappadokien wie auch aus Nord- und Ostthrakien ins Mutterland übersiedelten, bedeutete dies auch einen Zuwachs an Märchenmaterial; heute kann davon kaum die Rede sein.

Die Kenntnis zyprischer Märchen verdanken wir zunächst Felix Liebrecht, der aus dem dritten Band der »Kypriaká« des Athanasios Sakellarios (1868) acht eindringliche Texte übersetzte – die wiederum in J. G. von Hahns »Griechischen und Albanesischen Märchen«, neue Auflage 1918, den Schlußteil bildeten. »Der Dreiäugige«, ein grausiger Unhold vom Typ Barbe-bleue (223), entspricht dem »Deusmi« auf Sardinien und auch sizilianischen Varianten; er markiert die Schwelle zum Orient. In »Der Vater und die drei Töchter« (224) spiegelt sich das antike Ödipusmotiv, das auch im türkischen »König Blitz« (231) wiederkehrt.
Neuere zyprische Sammlungen veröffentlichten Nearchos Klerides (1950) und Kevork K. Keshishian (1959), Georgios A. Megas gab »Anmerkungen zu den Zyprischen Märchen« (Laographia Bd. XX, 1962, S. 409–445).

Lit.: Felix Karlinger (Hrsg.), Märchen griechischer Inseln und Märchen aus Malta (MdW 1979).

Quellennachweis zum Zweiten Buch

Die vorangestellte Ziffer bezieht sich auf den »Tag« des Märchens, wie er aus den Überschriften im Textteil ersichtlich ist. Neben dem deutschen Märchentitel ist, soweit feststellbar, auch der Originaltitel (in Klammern) vermerkt.

121. Die Ratschläge des Königs Salomo (Es conseys del rey Salomó)
Antoni Maria Alcover, Aplech de rondayes Mallorquines. Bd. III. Ciutat de Mallorca 1898. S. 106–116.
Aus dem Katalanischen von Felix Karlinger, aus: Katalanische Märchen, Hrsg. von Felix Karlinger und Johannes Pögl. München 1989. Nr. 53. Mit freundlicher Genehmigung des Eugen Diederichs Verlages, München.

122. Gevatter Wolf und die Geißlein (Compare Llop i les cabretes)
Aufzeichnung 1960 in Barcelona. Sammlung Karlinger. Ediert in Felix Karlinger, Einführung in die romanische Volksliteratur. 1. Teil: Die romanische Volksprosa. München 1969. S. 230–232.
Aus dem Katalanischen von Felix Karlinger, aus: Spanische Märchen. Hrsg. von Harri Meier und Felix Karlinger. Düsseldorf/Köln 1961. Nr. 52. Mit freundlicher Genehmigung des Eugen Diederichs Verlages, München.

123. Die drei Wunderäpfel (Les tres pometes de virtut)
Aufzeichnung 1918. Sammlung Joan Amadés, Barcelona. Ediert und aus dem Katalanischen übersetzt von Walter Anderson in: Jahresgabe 1961 der Gesellschaft zur Pflege des Märchengutes der europäischen Völker. Schloß Bentlage bei Rheine 1961. S. 77–79 (Text), 83–86 (Übersetzung). Mit freundlicher Genehmigung der Europäischen Märchengesellschaft e.V., Rheine.

124. Sieben-Mensch und Sieben-Buckel (Un geperut y un gigant)
Antoni Maria Alcover, Aplech de Rondayes Mallorquines d'en Jordi des Recó. Bd. IV. Tercera edició. Sóller 1932. S. 50–56.
Aus dem Katalanischen von Felix Karlinger, aus: Spanische Märchen. Hrsg. von Harri Meier und Felix Karlinger. Düsseldorf/Köln 1961. Nr. 59. Mit freundlicher Genehmigung des Eugen Diederichs Verlages, München.

125. Die Schönheit der Welt (S' Hermosura del mon)
Antoni Maria Alcover, Aplech de Rondayes Mallorquines d'en Jordi des Recó. Bd. I. Tercera edició. Sóller 1934. S. 23–34 (aufgezeichnet im April 1895).
Aus dem Katalanischen von Ulrike Ehrgott, aus: Märchen aus Mallorca. Hrsg. von Felix Karlinger und Ulrike Ehrgott. Düsseldorf/Köln 1968. Nr. 8. Mit freundlicher Genehmigung des Eugen Diederichs Verlages, München.

126. Das Mausemädchen (La ratolina)
Aufzeichnung 1919. Sammlung Joan Amadés, Barcelona. Ediert und aus dem Katalanischen übersetzt in: Jahresgabe 1958 der Gesellschaft zur Pflege des Märchengutes der europäischen Völker. Schloß Bentlage bei Rheine 1958. S. 60–62 (Text), 73–75 (Übersetzung). Mit freundlicher Genehmigung der Europäischen Märchengesellschaft e. V., Rheine.

127. Die drei Brüder (Es tres Germans)
Rondayes de Mallorca. (Gesammelt von Erzherzog Ludwig Salvator.) Wirzburgo 1895. Übersetzung nach Erzherzog Ludwig Salvator, aus: Märchen aus Mallorca. Gesammelt von Erzherzog Ludwig Salvator. Würzburg und Leipzig 1896. S. 95–102.

128. Der Mann, der Bäume stutzte (S'homo qu' etsecayava)
Rondayes de Mallorca. (Gesammelt von Erzherzog Ludwig Salvator.) Wirzburgo 1895. Übersetzung nach Erzherzog Ludwig Salvator, aus: Märchen aus Mallorca. Gesammelt von Erzherzog Ludwig Salvator. Würzburg und Leipzig 1896. S. 102–105.

129. Der Zauberer Palermo (El mágico Palermo)
S. Hernández de Soto, Cuentos populares de Extremadura (Biblioteca de las Tradiciones populares españolas, Bd. X). Madrid 1886. Nr. III.
Aus dem Spanischen von Harri Meier, aus: Spanische und Portugiesische Märchen. Hrsg. von Harri Meier. Jena 1940. Nr. 11. Mit freundlicher Genehmigung des Eugen Diederichs Verlages, München.

130. Der Dudelsack, der alle zum Tanzen brachte
(La gaita que hacía a todas bailar)
Aurelio M. Espinosa, Cuentos populares españoles, recogidos de la tradicion oral de España. Bd. II. Stanford 1924. Nr. 153.
Aus dem Spanischen von Ulrike Diederichs.

131. Der spanische Prinz (El príncipe Español)
Aurelio M. Espinosa, Cuentos populares españoles, recogidos de la tradicion oral de España. Bd. II. Stanford 1924. Nr. 140.
Aus dem Spanischen von Ulrike Diederichs.

132. Graf Abel und die Prinzessin (El conde Abel y la princesa)
Aurelio M. Espinosa, Cuentos populares españoles, recogidos de la tradicion oral de España. Bd. II. Stanford 1926. Nr. 179.
Aus dem Spanischen von Gisela Strasser.

133. Frau Fortuna und Herr Geld
Fernan Caballero, Cuentos y poesias populares andaluces. Sevilla 1859.
Übersetzung aus dem Spanischen nach Wilhelm Hosäus, aus: Spanische Volkslieder und Volksreime. Spanische Volks- und Kindermärchen. Nach den von Fernan Caballero gesammelten Originalen ins Deutsche übertragen von Wilhelm Hosäus. Paderborn 1862. Nr. 1.

134. Juan Holgado und der Tod (Juan Holgado y muerte)
Fernan Caballero, Juan Holgado, cuento popular andaluz. In: Seminario pintoresco español (Madrid) Jg. 1850, S. 357–359.
Übersetzung aus dem Spanischen nach Ferdinand Wolf, aus: F. Wolf, Beiträge zur spanischen Volkspoesie aus den Werken Fernan Caballeros. In: Sitzungsberichte der Phil.-Hist. Classe der Kaiserl. Akademie der Wissenschaften (Wien). 31. Jg. 1859. Nr. II.

135. Francisquita (Francisquita)
Aurelio de Llano Roza de Ampudia, Cuentos Asturianos (Archivo de tradiciones populares, Bd. I). Madrid 1925. Nr. 58.
Aus dem Spanischen von Gisela Strasser.

136. Tartaro (The Grateful Tartaro and the Heren-Suge)
Wentworth Webster, Basque Legends. London 1879. S. 22–32.
Aus dem Englischen von Ulf Diederichs.

137. Die Tabakiera (Tabakiera, the Snuff-Box)
Wentworth Webster, Basque Legends. London 1879. S. 94–100.
Aus dem Englischen von Ulf Diederichs.

138. Kapitän Mahistruba (Mahistruba, the Master Mariner)
Wentworth Webster, Basque Legends. London 1879. S. 100–106.
Aus dem Englischen von Ulf Diederichs.

139. Die Dienerin der Laminak (The Servant at the Fairy's)
Wentworth Webster, Basque Legends. London 1879. S. 53–55.
Aus dem Englischen von Ulf Diederichs.

140. Das Büßerhemd (The Story of the Hair-Cloth Shirt/La Cilice)
Wentworth Webster, Basque Legends. London 1879. S. 206–209.
Aus dem Englischen von Ulf Diederichs.

141. Der Baum der drei Orangen (A albre das tres torondas)
Aufzeichnung 1946. Sammlung Lois Carré Alvarellos. Ediert und von Walter Anderson aus dem Galicischen übersetzt in: Jahresgabe 1962 der Gesellschaft zur Pflege des Märchengutes der europäischen Völker. Schloß Bentlage bei Rheine 1962. S. 67–72 (Text), 75–81 (Übersetzung). Mit freundlicher Genehmigung der Europäischen Märchengesellschaft e. V., Rheine.

142. Der Schützling des heiligen Antonius
Centro de Estudos Fingoy (Ed.), Contos populares da Provincia de Lugo. 2. edición. Vigo 1972. Nr. 87.
Aus dem Galicischen von Harri Meier und Dieter Woll, aus: Portugiesische Märchen. Hrsg. von Harri Meier und Dieter Woll. Düsseldorf/Köln 1975. Nr. 107.
Mit freundlicher Genehmigung des Eugen Diederichs Verlages, München.

143. Die Geschichte vom Eisernen Stecken
Fernando Resende da Silva Magalhães Lanhas, História do Cajata de Ferro (unveröffentlichte Aufzeichnungen Anfang 20. Jh.).
Aus dem Portugiesischen von Harri Meier und Dieter Woll, aus: Portugiesische Märchen. Hrsg. von Harri Meier und Dieter Woll. Düsseldorf/Köln 1975. Nr. 46. Mit freundlicher Genehmigung des Eugen Diederichs Verlages, München.

144. Ein Märchen von Bruder und Schwester
Aufzeichnung 1962 in Bragança (Tràs-os-Montes). Sammlung Felix Karlinger.
Aus dem Portugiesischen von Felix Karlinger, aus: Felix Karlinger (Hrsg.), Märchen aus Portugal, Frankfurt a. M. 1976. S. 23–31. Mit freundlicher Genehmigung des Herausgebers.

145. Das Zauberpferdchen
Aufzeichnung 1962 in Porto. Sammlung Felix Karlinger.
Aus dem Portugiesischen von Felix Karlinger, aus: Felix Karlinger (Hrsg.), Märchen aus Portugal. Frankfurt a. M. 1976. S. 67–74. Mit freundlicher Genehmigung des Herausgebers.

146. Der Königssohn mit den Eselsohren (Príncipe com orelhas de burro)
Francisco Adolpho Coelho, Contos nacionaes para creancas. Porto 1936. Nr. XIII.
Aus dem Portugiesischen von Ursula Kindel.

147. Das Beilchen (A machadinha)
Francisco Adolpho Coelho, Contos nacionaes para creancas. Porto 1936. Nr. XXIII.
Aus dem Portugiesischen von Ursula Kindel.

148. Die Steinsuppe
Theóphilo Braga, Contos tradicionaes do povo portuguez. Segunda edicao, ampliada. Band I. Lisboa 1914. S. 195–196.
Aus dem Portugiesischen von Felix Karlinger, aus: Felix Karlinger (Hrsg.), Märchen aus Portugal. Frankfurt a. M. 1976, S. 154–155. Mit freundlicher Genehmigung des Herausgebers.

149. Das Drachenmädchen (La draga)
Max Leopold Wagner, Beiträge zur Kenntnis des Judenspanischen von Konstantinopel. (Schriftenreihe der Balkankommission. Linguistische Abteilung, Bd. 11.) Wien 1914. Nr. IV.
Aus dem Spaniolischen von Max Leopold Wagner. Ebda.

150. Die Königin und der Neugeborene (La reina i el nasido)
Max Leopold Wagner, Beiträge zur Kenntnis des Judenspanischen von Konstantinopel. (Schriftenreihe der Balkankommission, Linguistische Abteilung, Bd. 11.) Wien 1914. Nr. X.
Aus dem Spaniolischen von Max Leopold Wagner. Ebda.

151. Das Niesen (El Sarnudo)
Max Leopold Wagner, Beiträge zur Kenntnis des Judenspanischen von Konstantinopel. (Schriftenreihe der Balkankommission, Linguistische Abteilung, Bd. 11.) Wien 1914. Nr. XI.
Aus dem Spaniolischen von Max Leopold Wagner. Ebda.

152. Dschahan (Ǧáḥan)
Hans Stumme, Maltesische Studien. Eine Sammlung prosaischer und poetischer Texte in maltesischer Sprache. (Leipziger semitistische Studien. I. Bd., Heft 4.) Leipzig 1904. Nr. XV. Übersetzung nach Hans Stumme, aus: Maltesische Märchen, Gedichte und Rätsel. (Leipziger semitistische Studien. I. Bd., Heft 5.) Leipzig 1904. Nr. XV.

153. Leila und Keila (Lèila u-kèila)
Hans Stumme, Maltesische Studien. Eine Sammlung prosaischer und poetischer Texte in maltesischer Sprache. (Leipziger semitistische Studien. I. Bd., Heft 4.) Leipzig 1904. Nr. VIII. Übersetzung nach Hans Stumme, aus: Maltesische Märchen, Gedichte und Rätsel. (Leipziger semitistische Studien. I. Bd., Heft 5.) Leipzig 1904. Nr. VIII.

154. Die Menschenfresserin
Sammlung Bertha (Kössler-)Ilg.
Übersetzung nach Bertha Ilg, aus: Maltesische Märchen und Schwänke. Aus dem Volksmunde gesammelt von Bertha Ilg. Erster Teil. Leipzig 1906. Nr. 42.

155. Der König, der sein Wort brach
Sammlung Bertha (Kössler-)Ilg.
Übersetzung nach Bertha Ilg, aus: Maltesische Märchen und Schwänke. Aus dem Volksmunde gesammelt von Bertha Ilg. Erster Teil. Leipzig 1906. Nr. 20.

156. Der Prinz, das Mädchen, das Basilikum und die Sterne
Sammlung Bertha (Kössler-)Ilg.
Übersetzung nach Bertha Ilg, aus: Maltesische Märchen und Schwänke. Aus dem Volksmunde gesammelt von Bertha Ilg. Erster Teil. Leipzig 1906. Nr. 3.

157. Der blaue Drache
Aufzeichnung 1955. Sammlung Felix Karlinger.
Aus dem Sardischen von Felix Karlinger, aus: Das Feigenkörbchen. Volksmärchen aus Sardinien. Hrsg. von Felix Karlinger. Kassel 1973. Nr. 8. Mit freundlicher Genehmigung des Erich Röth Verlages, Regensburg.

158. Granadina (Is tresgi bandius)
Francesco Mango, Novelline popolari sarde. Palermo 1890. Nr. XXVI.
Aus dem Sardischen von Felix Karlinger, aus: Das Feigenkörbchen. Volksmärchen aus Sardinien. Hrsg. von Felix Karlinger. Kassel 1973. Nr. 3 (dort u. d. T. Die dreizehn Räuber). Mit freundlicher Genehmigung des Erich Röth Verlages, Regensburg.

159. Bianca und Orrosa (Bianca e Orrosa)
Aufzeichnung 1953. Sammlung Felix Karlinger.
Aus dem Sardischen von Felix Karlinger, aus: Das Mädchen im Apfel. Italienische Volksmärchen. Hrsg. von Felix Karlinger. München 1964. Nr. 37. Mit freundlicher Genehmigung des Deutschen Taschenbuch Verlages, München.

160. Das Körbchen mit den Feigen (La culbulita di li fichi)
Fiabe di lupi, di fate e di re. Heft 3. Cagliari 1924. S. 11 ff.
Aus dem Sardischen von Felix Karlinger, aus: Das Mädchen im Apfel. Italienische Volksmärchen. Hrsg. von Felix Karlinger. München 1964. Nr. 39. Mit freundlicher Genehmigung des Deutschen Taschenbuch Verlages, München.

161. Von der schönen Cardia
Sammlung Laura Gonzenbach.
Übersetzung nach Laura Gonzenbach, aus: Sicilianische Märchen. Aus dem Volksmunde gesammelt von L. Gonzenbach. Erster Theil. Leipzig 1870. Nr. 29.

162. Die Tochter der Sonne
Sammlung Laura Gonzenbach.
Übersetzung nach Laura Gonzenbach, aus: Sicilianische Märchen. Aus dem Volksmunde gesammelt von L. Gonzenbach. Erster Theil. Leipzig 1870. Nr. 28.

163. Zaubergerte, Goldesel und Knüppelchen, schlagt zu
Sammlung Laura Gonzenbach.
Übersetzung nach Laura Gonzenbach, aus: Sicilianische Märchen. Aus dem Volksmunde gesammelt von L. Gonzenbach. Erster Theil. Leipzig 1870. Nr. 52.

164. Die Geschichte von dem mutigen Mädchen
Sammlung Laura Gonzenbach.
Übersetzung nach Laura Gonzenbach, aus: Sicilianische Märchen. Aus dem Volksmunde gesammelt von L. Gonzenbach. Zweiter Theil. Leipzig 1870. Nr. 78.

165. Der gewitzte Bauer
Sammlung Laura Gonzenbach.
Übersetzung nach Laura Gonzenbach, aus: Sicilianische Märchen. Aus dem Volksmunde gesammelt von L. Gonzenbach. Erster Theil. Leipzig 1870. Nr. 50 (dort u. d. T. Vom klugen Bauer).

166. Petru der Pächter (Petru lu Massariotu)
Giuseppe Pitrè, Fiabe, Novelle e Racconti popolari siciliane. Bd. I. Palermo 1875. Nr. 17.
Aus dem Italienischen von Rudolf Schenda, aus: Märchen aus Sizilien. Gesammelt von Giuseppe Pitrè. Hrsg. von Rudolf Schenda und Doris Senn. München 1991. Nr. 17. Mit freundlicher Genehmigung des Eugen Diederichs Verlages, München.

167. Sonne, Mond und Talia (Sole, Luna e Talia)
Giambattista Basile, Lo Cunto de li Cunti (1634). – Il Pentamerone ossia La fiaba delle fiabe. Ed. Benedetto Croce. Bd. II. Bari 1925. S. 297–303 (Trattenimento quinto).
Übersetzung nach Felix Liebrecht, aus: Der Pentamerone oder Das Märchen aller Märchen von Giambattista Basile. Aus dem Neapolitanischen übertragen von F. Liebrecht. 2. Bd. Breslau 1846. Nr. 45 (Fünfter Tag. Fünftes Märchen).

168. Verdeprato (Il principe Verdeprato)
Giambattista Basile, Lo Cunto de li Cunti (1634). – Il Pentamerone ossia La fiaba delle fiabe. Ed. Benedetto Croce. Bd. I. Bari 1925. S. 189–197 (Trattenimento secondo).
Übersetzung nach Felix Liebrecht, aus: Der Pentamerone oder Das Märchen aller Märchen von Giambattista Basile. Aus dem Neapolitanischen übertragen von F. Liebrecht. 1. Bd. Breslau 1846. Nr. 12 (Zweiter Tag. Zweites Märchen).

169. Petrosinella (Petrosinella)
Giambattista Basile, Lo Cunto de li Cunti (1634). – Il Pentamerone ossia La fiaba delle fiabe. Ed. Benedetto Croce. Bd. I. Bari 1925. S. 182–188 (Trattenimento primo).
Übersetzung nach Felix Liebrecht, aus: Der Pentamerone oder Das Märchen aller Märchen von Giambattista Basile. Aus dem Neapolitanischen übertragen von F. Liebrecht. 1. Bd. Breslau 1846. Nr. 11 (Zweiter Tag. Erstes Märchen).

170. Der Vertrag (Il patto)
Aufzeichnung 1873 in Rom. Sammlung Herman Grimm. Ediert von Reinhold Köhler in: Jahrbuch für romanische und englische Literatur. 8. Bd. Leipzig 1867. S. 246 bis 250 (als Italienische Volksmärchen Nr. 2 u. d. T. Der Vertrag zwischen Herren und Diener wegen der Reue).
Aus dem Italienischen von Gisela Strasser.

171. Der Grindkopf
Aufzeichnung 1863 in Rom. Sammlung Herman Grimm.
Übersetzung aus dem Italienischen nach Herman Grimm, aus: Reinhold Köhler, Italienische Volksmärchen. In: Jahrbuch für romanische und englische Literatur. 8. Bd. Leipzig 1867. S. 253–256 (Nr. 3).

172. Die drei Soldaten (Li tre sordati)
Giggi Zanazzo, Tradizioni popolari romane. Bd. I. Roma 1907. Nr. 2.
Aus dem Italienischen von Felix Karlinger, aus: Das Mädchen im Apfel. Italienische Volksmärchen. München 1964. Nr. 20 (dort u. d. T. Der tapfere Soldat). Mit freundlicher Genehmigung des Deutschen Taschenbuch Verlages, München.

173. Die falsche Großmutter (L'orca)
Antonio De Nino, Usi e costumi abruzzesi. Bd. III: Fiabe. Firenze 1883. Nr. 12.
Aus dem Italienischen von Felix Karlinger, aus: Das Mädchen im Apfel. Italienische Volksmärchen. München 1964. Nr. 22. Mit freundlicher Genehmigung des Deutschen Taschenbuch Verlages, München.

174. Weiß wie Milch und rot wie Blut (Lu cunde de la brutta saracine)
Gennaro Finamore, Tradizioni popolari abruzzesi. Bd. I: Novelle. Lanciano 1882. Nr. 54.
Aus dem Italienischen von Felix Karlinger, aus: Das Mädchen im Apfel. Italienische Volksmärchen. München 1964. Nr. 23. Mit freundlicher Genehmigung des Deutschen Taschenbuch Verlages, München.

175. Das Mädchen im Apfel (La Mela)
Giuseppe Pitrè, Novelle popolari toscane. Firenze 1885. Nr. VI.
Aus dem Italienischen von Felix Karlinger, aus: Das Mädchen im Apfel. Italienische Volksmärchen. München 1964. Nr. 15. Mit freundlicher Genehmigung des Deutschen Taschenbuch Verlages, München.

176. Die drei getreuen Jäger (I tre cacciatori fidi)
Giuseppe Pitrè, Novelle popolari toscane (Pitrè, Opere complete, Band XXX, parte prima e seconda). Roma 1941. 2. Teil. Nr. XXIV.
Aus dem Italienischen von Lisa Rüdiger, aus: Italienische Märchen. Hrsg. von Walter Keller und Lisa Rüdiger. Düsseldorf/Köln 1959. Nr. 32. Mit freundlicher Genehmigung des Eugen Diederichs Verlages, München.

177. Die Prinzessin als Milchmädchen (La Lattaiola)
Giuseppe Pitrè, Novelle popolari toscane (Pitrè, Opere complete, Band XXX, parte prima e seconda). Roma 1941. 2. Teil. Nr. XXV.
Aus dem Italienischen von Felix Karlinger, aus: Das Mädchen im Apfel. Italienische Volksmärchen. München 1964. Nr. 18. Mit freundlicher Genehmigung des Deutschen Taschenbuch Verlages, München.

178. Der unsichtbare Großvater (Testa da beco e recie la lievro)
Domenico Giuseppe Bernoni, Fiabe e novelle popolari veneziane. Venezia 1873. Nr. 14.
Aus dem Italienischen von Felix Karlinger, aus: Das Mädchen im Apfel. Italienische Volksmärchen. München 1964. Nr. 9. Mit freundlicher Genehmigung des Deutschen Taschenbuch Verlages, München.

179. Das Hemd des Zufriedenen (Cui isel contènt in chist mont?)
Dolfo Zorzút, Sot la nape. Bd. II. Udine 1925. S. 47 ff.
Aus dem Italienischen von Felix Karlinger, aus: Das Mädchen im Apfel. Italienische Volksmärchen. München 1964. Nr. 10. Mit freundlicher Genehmigung des Deutschen Taschenbuch Verlages, München.

180. Das Land, wo man nie stirbt (Una leggenda della Morte)
Arrigo Balladoro in: Lares. Bulletino della Società di Etnografia Italiana. 1. Jg. 1912. S. 223 ff. (in Veroneser Dialekt). Italienische Fassung in: Italo Calvino, Fiabe italiane. Torino 1956. Nr. 27.
Aus dem Italienischen von Felix Karlinger, aus: Das Mädchen im Apfel. Italienische Volksmärchen. München 1964. Nr. 6. Mit freundlicher Genehmigung des Deutschen Taschenbuch Verlages, München.

181. Der Stöpselwirt (L'oste dai cuccai)
Sammlung Christian Schneller.
Übersetzung nach Christian Schneller, aus: Märchen und Sagen aus Wälschtirol. Gesammelt von Chr. Schneller. Innsbruck 1867. Nr. 17.

182. Die Prinzessin vom Glasberg (Od glaževnate gore)

Aufzeichnung Gašpar Križnik um 1875. Sammlung Inštitutu za slovensko narodopisie SAZU, Ljubljana. Ediert und aus dem Slowenischen übersetzt in: Jahresgabe 1962 der Gesellschaft zur Pflege des Märchengutes der europäischen Völker. Schloß Bentlage bei Rheine 1962. S. 193–198 (Text), 201–207 (Übersetzung). Mit freundlicher Genehmigung der Europäischen Märchengesellschaft e. V., Rheine.

183. Der Ritt über den Graben (Skok čez jarek)

Aufzeichnung 1956. Sammlung Inštitutu za slovensko narodopisie SAZU, Ljubljana. Ediert von Milko Matičetov, aus dem Slowenischen übersetzt von Niko Kuret und Ivan Grafenauer in: Jahresgabe 1958 der Gesellschaft zur Pflege des Märchengutes der europäischen Völker. Schloß Bentlage bei Rheine 1958. S. 144–149 (Text), 156–161 (Übersetzung). Mit freundlicher Genehmigung der Europäischen Märchengesellschaft e. V., Rheine.

184. Die Buße (Od pokore)

Aufzeichnung Gašpar Križnik 1884. Sammlung Inštitutu za slovensko narodopisie SAZU, Ljubljana. Ediert von Milko Matičetov, aus dem Slowenischen übersetzt von Ivan Grafenauer in: Jahresgabe 1962 der Gesellschaft zur Pflege des Märchengutes der europäischen Völker. Schloß Bentlage bei Rheine 1962. S. 198–201 (Text), 208–212 (Übersetzung). Mit freundlicher Genehmigung der Europäischen Märchengesellschaft e. V., Rheine.

185. Ein Soldat erlöst die Zarin (Kak je jedan soldat oslobodil caricu od prokletstva)

Rudolf Strohal, Hrvatskih narodnih pripoviedaka. Bd. II. Karlovac 1901. S. 90 ff.
Übersetzung aus dem Kroatischen nach August Leskien, aus: Balkanmärchen. Hrsg. von A. Leskien. Jena 1915. Nr. 35 (dort u. d. T. Ein Soldat erlöst die Zarin von einem Fluche).

186. Was niemals war noch jemals sein wird (Što nikad nije bilo niti će biti)

Aufzeichnung Maja Bošković-Stulli 1954. Hs. Nr. 59 Institut za narodnu umjetnost, Zagreb. Ediert von Maja Bošković-Stulli, aus dem Kroatischen übersetzt von Ilka Verona in: Jahresgabe 1956 der Gesellschaft zur Pflege des Märchengutes der europäischen Völker. Schloß Bentlage bei Rheine 1956. S. 122–125 (Text), 131–135 (Übersetzung). Mit freundlicher Genehmigung der Europäischen Märchengesellschaft e. V., Rheine.

187. Das Mädchen ohne Hände (Djevojka bez ruku)

Aufzeichnung Maja Bošković-Stulli 1955. Hs. Nr. 180 Institut za narodnu umjetnost, Zagreb. Aus dem Kroatischen von Wolfgang Eschker und Vladimir Milak, aus: Kroatische Volksmärchen. Hrsg. von Maja Bošković-Stulli. Düsseldorf/Köln 1975. Nr. 26. Mit freundlicher Genehmigung des Eugen Diederichs Verlages, München.

188. Das Froschmädchen

Fran Mikuličć, Narodne pripovietke i pjesme iz Hrvatskoga primorja. Kraljevica (Porto Ré) 1876. S. 14 ff.
Übersetzung aus dem Kroatischen nach August Leskien, aus: Balkanmärchen. Hrsg. von A. Leskien. Jena 1915. Nr. 31.

189. Du lügst (Lažeš)

Mijat Stojanović Pućke pripovietke i pjesme. Zagreb 1867. Nr. LI. S. 217–221.
Übersetzung aus dem Kroatischen nach August Leskien, aus: Balkanmärchen. Hrsg. von A. Leskien. Jena 1915. Nr. 62.

190. Das Ferkel Bilka (Babina Bilka)

Aufzeichnung Maja Bošković-Stulli 1957. – Narodne pripovijetke. Priredila Maja Bošković-Stulli. Zagreb 1963. Nr. 28.
Aus dem Kroatischen von Wolfgang Eschker und Vladimir Milak, aus: Kroatische Volksmärchen. Hrsg. von Maja Bošković-Stulli. Düsseldorf/Köln 1975. Nr. 1. Mit freundlicher Genehmigung des Eugen Diederichs Verlages, München.

191. Von dem Märchen, das schneller ist als das Pferd (Djevojka brža od konja)

Vuk Stefanović Karadžić, Srpske narodne pripovijetke. (Wien 1853.) Beograd 1897. Nr. 24.
Übersetzung aus dem Serbischen nach Wilhelmine Karadžić, aus: Volksmärchen der Serben. Gesammelt und hrsg. von Wuk Stephanowitsch Karadschitsch. Berlin 1854. Nr. 24.

192. Pepeljuga (Pepeljuga)

Vuk Stefanović Karadžić, Srpske narodne pripovijetke. (Wien 1853.) Beograd 1897. Nr. 32.
Übersetzung aus dem Serbischen nach Wilhelmine Karadžić, aus: Volksmärchen der Serben. Gesammelt und hrsg. von Wuk Stephanowitsch Karadschitsch. Berlin 1854. Nr. 32 (dort u. d. T. Aschenzuttel).

193. Die zwei Pfennige (Dwa novca)

Vuk Stefanović Karadžić, Srpske narodne pripovijetke. (Wien 1853.) Beograd 1897. Nr. 47.
Übersetzung aus dem Serbischen nach Wilhelmine Karadžić, aus: Volksmärchen der Serben. Gesammelt und hrsg. von Wuk Stephanowitsch Karadschitsch. Berlin 1854. Nr. 47.

194. Stojscha und Mladen (Stojša i Mladen)

Vuk Stefanović Karadžić, Srpske narodne pripovijetke. 2. vermehrte Auflage. Wien 1870. S. 26 ff.
Übersetzung aus dem Serbischen nach August Leskien, aus: Balkanmärchen. Hrsg. von A. Leskien. Jena 1915. Nr. 24.

195. Vom Kaiser, der seine eigene Tochter heiraten wollte (Car htio kćer da uzme)

Vuk Stefanović Karadžić, Srpske narodne pripovijetke. 2. vermehrte Auflage. Wien 1870. S. 222–226. Übersetzung aus dem Serbischen nach Friedrich Salomo Krauss, aus: Sagen und Märchen der Südslaven. Bd. II. Leipzig 1884. Nr. 138.

196. Gevatter Fisch (Kum riba)

Vuk Stefanović Karadžić, Srpske narodne pripoviejetke. 2. vermehrte Auflage. Wien 1870. S. 212–214. Übersetzung aus dem Serbischen nach Friedrich Salomo Krauss, aus: Sagen und Märchen der Südslaven. Bd. II. Leipzig 1884. Nr. 144.

197. Wie Dschandschika auszog, um einen Mann zu freien (Džančica)
Sammlung Friedrich S. Krauss. Bosnischer Text, keine Quellenangabe.
Übersetzung aus dem Serbischen (Bosnischen) nach Friedrich Salomo Krauss, aus: Tausend Sagen und Märchen der Südslaven. Gesammelt und verdeutscht von Friedrich S. Krauss. Bd. I. Leipzig 1914. Nr. 1.

198. Vom Müller, der den Apfel eines Fremden angebissen
Sammlung Friedrich S. Krauss. Bosnischer Text, keine Quellenangabe.
Übersetzung aus dem Serbischen (Bosnischen) nach Friedrich Salomo Krauss, aus: Tausend Sagen und Märchen der Südslaven. Gesammelt und verdeutscht von Friedrich S. Krauss. Bd I. Leipzig 1914. Nr. 6.

199. Held Hirte und die scheckige Kuh
Hs. Nikola Tordinac. Sammlung Friedrich S. Krauss. Herzegowinischer Text.
Übersetzung aus dem Serbischen (Herzegowinischen) nach Friedrich Salomo Krauss, aus: Tausend Sagen und Märchen der Südslaven. Gesammelt und verdeutscht von Friedrich S. Krauss. Bd I. Leipzig 1914. Nr. 139.

200. Zar und Zarenfloh (Car i carska buva)
K. Tošev, Makedonske narodne pripovijetke. Sarajevo 1954.
Übersetzung aus dem Mazedonischen nach Ruth Hirschmann und Leticija Šuljić, aus: Zar und Zarenfloh. Die schönsten Märchen aus Jugoslawien. Hrsg. von L. Šuljić. Rijeka 1968. Nr. 8.

201. Der Mann, der die Gerechtigkeit liebte (Coeko što miluaše pravinata i otide da bara praveden sudija vo dragu carstvo i go najde)
Marko K. Cepenkov, Makedonski narodni prikazni. Bd. II. Skopje 1959.
Übersetzung aus dem Mazedonischen nach Ruth Hirschmann und Leticija Šuljić, aus: Zar und Zarenfloh. Die schönsten Märchen aus Jugoslawien. Hrsg. von L. Šuljić. Rijeka 1968. Nr. 7

202. Christus und der Kartenspieler (Christos, dvanadesettč apostoli i komardžijata)
Marko K. Cepenkov in: Sbornik za narodni umotvorenija, nauka i knižina. Bd. XI. Sofija 1894. S. 99–100. – Übersetzung aus dem Bulgarischen nach Adolf Strausz, aus: Adolf Strausz, Die Bulgaren. Ethnographische Studien. Leipzig 1898. S. 106–108.

203. Der Arzt und sein Lehrling (Zavist-ta i silata na strachot)
Kuzman A. Šapkarev, Sbornik ot narodni starini. Balgarski narodni prikazki i verovanija. Bd. VIII/IX. Plovdiv 1892. Nr. 145. – Übersetzung aus dem Bulgarischen nach August Leskien, aus: Balkanmärchen. Hrsg. von A. Leskien. Jena 1915. Nr. 3 (dort u. d. T. Der neidische Arzt).

204. Das Mädchen und der Vampir
(Wasinata kérka šo mu utkinala ud vampirut i sa činila carica)
Sbornik za narodni umotvorenija, nauka i knižina. (Hrsg. vom bulgarischen Ministerium für Volksaufklärung.) Bd. IV. Sofija 1891. S. 114–117.
Übersetzung aus dem Bulgarischen nach August Leskien, aus: Balkanmärchen. Hrsg. von A. Leskien. Jena 1915, Nr. 12.

205. Das kluge Mädchen wird Zarin
(Ovćarkata carica ili »Mnozina filosofi pasat goveda«)
Kuzman A. Šapkarev, Sbornik ot narodni starini. Balgarski narodni prikazki i verovanija. Bd. VIII/IX. Plovdiv 1892. Nr. 212. – Übersetzung aus dem Bulgarischen nach August Leskien, aus: Balkanmärchen. Hrsg. von A. Leskien. Jena 1915. Nr. 1.

206. Messerprinz (Junaščinata na carskij-ot sin i na dvojca-ta mu drugari)
Kuzman A. Šapkarev, Sbornik ot narodni starini. Balgarski narodni prikazki i verovanija. Bd. VIII/IX. Plovdiv 1892. Nr. 13.
Übersetzung aus dem Bulgarischen nach August Leskien, aus: Balkanmärchen. Hrsg. von A. Leskien. Jena 1915. Nr. 9 (dort u. d. T. Die Taten des Zarensohnes und seiner beiden Gefährten).

207. Lengo und Sawe und das Meer
(Lengo – Lenivoto dete, ili »Dobroto so dobro se isplaščat«)
Kuzman A. Šapkarev, Sbornik ot narodni starini. Balgarski narodni prikazki i verovanija. Bd. VIII/IX. Plovdiv 1892. Nr. 105.
Übersetzung aus dem Bulgarischen nach August Leskien, aus: Balkanmärchen. Hrsg. von A. Leskien. Jena 1915, Nr. 5 (dort u. d. T. Der Faulpelz oder Gutes wird mit Gutem vergolten).

208. Der zerschnittene Fisch
Thimi Mitkos (Mitkua), Albanikí mélissa (Bleta shqipëtare). Alexandria 1878.
Übersetzung aus dem Albanischen nach Gustav Meyer, aus: Archiv für Litteraturgeschichte. Bd. XIII. Leipzig 1884. S. 105–107 (Albanische Märchen, Nr. 4).

209. Augenhündin (Syqeneza)
Johann Georg von Hahn, Albanesische Studien. Bd. II. Jena 1859. S. 163 ff.
Übersetzung aus dem Albanischen nach J. G. von Hahn, aus: Griechische und Albanesische Märchen. Gesammelt und übersetzt von J. G. von Hahn. Bd. II. Leipzig 1864. Nr. 95.

210. Silberzahn
Johann Georg von Hahn, Albanesische Studien. Bd. II. Jena 1859.
Übersetzung aus dem Albanischen nach J. G. von Hahn, aus: Griechische und Albanesische Märchen. Gesammelt und übersetzt von J. G. von Hahn. Bd. II. Leipzig 1864. Nr. 101.

211. Das Mädchen mit der Ziege (Capja)
Thimi Mitkos (Mitkua), Albanikí Mélissa (Bleta Shqipëtare). Alexandria 1878. Nr. 1. S. 165–166. – Bleta Shqypëtare. Wien 1924. Nr. 1. S. 269–270.
Übersetzung aus dem Albanischen nach Gustav Meyer, aus: Archiv für Litteraturgeschichte. Bd. XII. Leipzig 1884. S. 93–95 (Albanische Märchen, Nr. 1).

212. Die drei Gesellen (Tre vëllezer me të bukurën e dheut)
Thimi Mitkos (Mitkua), Albanikí Mélissa (Bleta Shqipëtare). Alexandria 1878. S. 168 ff. – Bleta Shqypëtare. Wien 1924. Nr. 4. S. 273–282.
Übersetzung aus dem Albanischen nach August Leskien, aus: Balkanmärchen. Hrsg. von A. Leskien. Jena 1915. Nr. 52.

213. Vom Asterinos und der Pulja (Asternòs kaî Púlio)
Sammlung Johann Georg von Hahn. Ediert von Jean Pio in: Neoellenika Paramythia. Contes populaires grecs. Copenhague 1879. Nr. I/1.
Übersetzung aus dem Griechischen nach Johann Georg von Hahn, aus: Griechische und Albanesische Märchen. Gesammelt und übersetzt von J. G. von Hahn. Theil 1. Leipzig 1864. Nr. 1

214. Schlangenkind
Sammlung Johann Georg von Hahn.
Übersetzung aus dem Griechischen nach Johann Georg von Hahn, aus: Griechische und Albanesische Märchen. Gesammelt und übersetzt von J. G. von Hahn. Theil 1. Leipzig 1864. Nr. 31.

215. Der Bartlose und der Drakos (Tò paramýthi tu spanu)
Sammlung Johann Georg von Hahn. Ediert von Jean Pio in: Neoellenika Paramythia. Contes populaires grecs. Copenhague 1879. Nr. III/3.
Übersetzung aus dem Griechischen nach Johann Georg von Hahn, aus: Griechische und Albanesische Märchen. Gesammelt und übersetzt von J. G. von Hahn. Theil 1. Leipzig 1864. Nr. 18.

216. Vom Mordmesser, dem Wetzstein der Geduld und der Kerze, die nicht schmilzt (Tò machaíri tẽs sfagẽs tàkóni t's hypomonẽs kaî tò xerì tàmálachto)
Sammlung Johann Georg von Hahn. Ediert von Jean Pio in: Neoellenika Paramythia. Contes populaires grecs. Copenhague 1879. Nr. I/15.
Übersetzung aus dem Griechischen nach Johann Georg von Hahn, aus: Griechische und Albanesische Märchen. Gesammelt und übersetzt von J. G. von Hahn. Theil 1. Leipzig 1864. Nr. 12.

217. Der Nabel der Erde (Tis gis o aphalos)
Laographisches Archiv der Akademie Athen. Hs. 18619. Aufzeichnung 1883. Ediert von Georgias Megas und aus dem Griechischen übersetzt in: Jahresgabe 1957 der Gesellschaft zur Pflege des Märchengutes der europäischen Völker. Schloß Bentlage bei Rheine 1957. S. 7–14 (Text), 21–29 (Übersetzung). Mit freundlicher Genehmigung der Europäischen Märchengesellschaft e. V., Rheine.

218. Von einem, der Verstand, aber kein Geld hatte
Sammlung Johann Georg von Hahn. –Übersetzung aus dem Griechischen nach Johann Georg von Hahn, aus: Griechische und Albanesische Märchen. Gesammelt und übersetzt von J. G. von Hahn. Theil 1, Leipzig 1864. Nr. 38.

219. Die Träume des Fuchses
Aufzeichnung Spyrios Anagnostu (aus Lesbos). Sammlung Paul Kretschmer.
Aus dem Griechischen von Paul Kretschmer, aus: Neugriechische Märchen. Hrsg. von P. Kretschmer. Jena 1917. Nr. 21. Mit freundlicher Genehmigung des Eugen Diederichs Verlages, München.

220. Marula (Marúla)
I. Sographakis in: Parnassos Bd. VIII (1884). S. 712 f. (aus Kreta).
Aus dem Griechischen von Inez Diller, aus: Griechische Volksmärchen. Hrsg. von Georgios A. Megas. Düsseldorf/Köln 1965. Nr. 17. Mit freundlicher Genehmigung des Eugen Diederichs Verlages, München.

221. Filek Zelebi
Sammlung Johann Georg von Hahn (aus Kreta).
Übersetzung aus dem Griechischen nach Johann Georg von Hahn, aus: Griechische und Albanesische Märchen. Gesammelt und übersetzt von J. G. von Hahn. Theil 2. Leipzig 1864. Nr. 73.

222. Wie einmal die Sonne im Westen aufging
Sammlung Anastássios Vróndis (aus Rhodos).
Aus dem Griechischen von Marianne Klaar, aus: Tochter des Zitronenbaums. Märchen aus Rhodos. Hrsg. von M. Klaar. Kassel 1970. Nr. 11. Mit freundlicher Genehmigung des Erich Röth Verlages, Regensburg.

223. Der Dreiäugige
Athanasios Sakellarios, Tà Kypriaká. Bd. III. Athen 1868. S. 136 ff. (aus Zypern).
Übersetzung aus dem Griechischen nach Felix Liebrecht, aus: Jahrbuch für romanische und englische Literatur. Bd. 11. Leipzig 1870. S. 345–354 (Cyprische Märchen, Nr. I).

224. Der Vater und die drei Töchter
Athanasios Sakellarios, Tà Kypriaká. Bd. III. Athen 1868 (aus Zypern).
Übersetzung nach Felix Liebrecht, aus: Jahrbuch für romanische und englische Literatur. Bd. 11. Leipzig 1870. S. 357–360 (Cyprische Märchen, Nr. III).

225. Die Geschichte von Ali Dschengiz
Billur Köşk (»Der Kristallpalast«).
Übersetzung aus dem Türkischen nach Theodor Menzel, aus: Billur Köschk. Türkische Märchen. Hrsg. von Th. Menzel. Hannover 1924. Nr. 12.

226. Der König im Bade
Xoroz kardasch. Konstantinopel 1886.
Übersetzung aus dem Türkischen nach Georg Jacob, aus: Xoros kardasch (Bruder Hahn). Ein orientalisches Märchen- und Novellenbuch. Hrsg. von G. Jacob. Berlin 1906. S. 104–108.

227. Die Geschichte vom schönen Wasserträger
Billur Köşk (»Der Kristallpalast«).
Übersetzung aus dem Türkischen nach Theodor Menzel, aus: Billur Köschk. Türkische Märchen. Hrsg. von Th. Menzel. Hannover 1924. Nr. 13.

228. Der Fuchs als Brautwerber
Sammlung Hussein Deli Mahmed oglu (Aufzeichnung in Stambuler Dialekt).
Übersetzung aus dem Türkischen nach Theodor Menzel, aus: Billur Köschk. Türkische Märchen. Hrsg. von Th. Menzel. Hannover 1924. Nr. 9.

229. Die Puppenfrau (Pamuk hanim)
Naki Tezel, Istanbul Masallari. Istanbul 1938. S. 99–101.
Aus dem Türkischen von Özgür Savasci.

230. Ehemann Pferd (At koca)
Naki Tezel, Istanbul Masallari. Istanbul 1938. S. 121–125.
Aus dem Türkischen von Annemarie Schimmel.

231. König Blitz (Yildirim Padisah)
Sammlung Pertev Neili Boratov.
Ediert und aus dem Türkischen übersetzt in: Jahresgabe 1958 der Gesellschaft zur Pflege des Märchengutes der europäischen Völker. Schloß Bentlage bei Rheine 1958. S. 137–142 (Text), 148–155 (Übersetzung). Mit freundlicher Genehmigung der Europäischen Märchengesellschaft e.V., Rheine.

232. Das goldene Meermädchen
Sammlung Arthur Schott.
Übersetzung aus dem Rumänischen nach Arthur Schott, aus: Walachische Maehrchen. Hrsg. von Arthur und Albert Schott. Stuttgart und Tübingen 1845. Nr. 26.

233. Juliana Kosseschana (Juliana Koszesana)
Sammlung Arthur Schott.
Übersetzung aus dem Rumänischen nach Arthur Schott, aus: Walachische Maehrchen. Hrsg. von Arthur und Albert Schott. Stuttgart und Tübingen 1845. Nr. 17.

234. Die schöne Rora
Sammlung Pauline Schullerus.
Übersetzung aus dem Rumänischen nach Pauline Schullerus, aus: Rumänische Volksmärchen aus dem mittleren Harbachtal. Hrsg. vom Ausschuß des Vereins für siebenbürgische Landeskunde. Hermannstadt 1907. Nr.1 (dort: Von der schönen Rora).

235. Der Morgenstern und der Abendstern
Sammlung Mite Kremnitz.
Übersetzung aus dem Rumänischen nach Mite Kremnitz, aus: Rumänische Märchen. Leipzig 1882. Nr. XVII.

236. Der Erbsenkaiser
Sammlung Mite Kremnitz.
Übersetzung aus dem Rumänischen nach Mite Kremnitz, aus: Rumänische Märchen. Leipzig 1882. Nr. XVI.

237. Die Alte und der Alte
Sammlung Mite Kremnitz. – Übersetzung aus dem Rumänischen nach Mite Kremnitz, aus: Rumänische Märchen. Leipzig 1882. Nr. XV.

238. Die Katze
L. N. Čerenkov in: Etudes Tsiganes (Paris). 17. Jg. Heft v. 4.12.1971. Roma-Märchen aus Moldawien.
Aus dem Französischen von Heinz Mode, aus: Zigeunermärchen aus aller Welt. Zweite Sammlung. Hrsg. von Heinz Mode. Leipzig 1984. Nr. 95. Mit freundlicher Genehmigung des Insel Verlages, Frankfurt und Leipzig.

239. Die Erschaffung der Geige
Sammlung Heinrich von Wlislocki.
Übersetzung aus dem Roma-Dialekt nach Heinrich von Wlislocki, aus: Volksdichtungen der siebenbürgischen und südungarischen Zigeuner. Gesammelt und aus unedierten Originaltexten übersetzt von H. von Wlislocki. Wien 1890. Nr. 11.

240. Tschulano
Sándor Csenki, A cigány meg a sárkány. Budapest 1974. S. 122–123
(Aufzeichnung 1942).
Aus dem Ungarischen von Henriette Schade-Engl, aus: Ilona Tausendschön. Zigeunermärchen und -schwänke aus Ungarn. Hrsg. von József Vekerdi. Kassel 1980. Nr. 25. Mit freundlicher Genehmigung des Erich Röth Verlages, Regensburg.

241. Herr Nichts
Sammlung Heinrich von Wlislocki.
Übersetzung aus dem Roma-Dialekt nach Heinrich von Wlislocki, aus: Märchen und Sagen der Transsilvanischen Zigeuner. Gesammelt und aus unedierten Originaltexten übersetzt von H. von Wlislocki. Berlin 1886. Nr. 46.

242. Die Geschichte vom Grießbrei
Sammlung Heinrich von Wlislocki.
Übersetzung aus dem Roma-Dialekt nach Heinrich von Wlislocki, aus: Märchen und Sagen der Transsilvanischen Zigeuner. Gesammelt und aus unedierten Originaltexten übersetzt von H. von Wlislocki. Berlin 1886. Nr. 17.

243. Der Zigeuner in der Hölle
Sándor Csenki, A cigány meg a sárkány. Budapest 1974. S. 155–159.
Aus dem Ungarischen von Henriette Schade-Engl, aus: Ilona Tausendschön. Zigeunermärchen und -schwänke aus Ungarn. Hrsg. von József Vekerdi. Kassel 1980. Nr. 12. Mit freundlicher Genehmigung des Erich Röth Verlages, Regensburg.

Verlag und Herausgeber danken den Rechteinhabern für die Genehmigungen zum Abdruck. In den wenigen Fällen, in denen ein Rechtsnachfolger nicht zu ermitteln war, ist der Verlag selbstverständlich bereit, geltend gemachte Ansprüche nach den üblichen Sätzen zu erfüllen.